FRANCOSCOPIE
1995

DU MÊME AUTEUR

LA PISTE FRANÇAISE
FIRST - Documents, 1994.

FRANCOSCOPIE 1993
Larousse, 1992.

EUROSCOPIE
Les Européens, qui sont-ils, comment vivent-ils ? Larousse, 1991.

FRANCOSCOPIE 1991
Larousse, 1990.

LES FRANÇAIS EN QUESTIONS
La Revue des Deux Mondes/RFI, 1989.

MONSIEUR LE FUTUR PRÉSIDENT
Aubier, 1988.

FRANCOSCOPIE 1989
Larousse, 1988.

DÉMOCRATURE
Comment les médias transforment la démocratie. Aubier, 1987.

FRANCOSCOPIE, ÉDITION 1987
Larousse.

LA BATAILLE DES IMAGES
Avec Jean-Marie Cotteret, Larousse, 1986.

VOUS ET LES FRANÇAIS
Avec Bernard Cathelat, Flammarion, 1985.

FRANCOSCOPIE
Larousse, 1985.

MARKETING : LES RÈGLES DU JEU
Clet (France) et Agence d'Arc (Canada), 1982.

Distributeur exclusif au Canada : les Éditions Françaises Inc.

ISBN : 2-03-503094-3

FRANCOSCOPIE
1995

GÉRARD MERMET

QUI SONT LES FRANÇAIS ?

FAITS
ANALYSES
TENDANCES
COMPARAISONS
10 000 CHIFFRES

Dessins de Gilles Rapaport

LAROUSSE

17 Rue du Montparnasse 75298 Paris cedex 06

SOMMAIRE

MICRO-ENTRETIENS

Alexandre ADLER	209	Robert LION	295
Marc BLONDEL	287	Alain MINC	225
Pierre BOURDIEU	312	Edgar MORIN	238
Georges CHARPAK	289	Alain PEYREFITTE	118
Jérôme CLÉMENT	386	Abbé PIERRE	252
André COMTE SPONVILLE	110	Hubert REEVES	256
Gérard DEMUTH	244	Robert ROCHEFORT	349
Luc FERRY	109	Alain SENDERENS	179
Pierre-Gilles de GENNES	107	Hervé SEYRIEX	273
Elisabeth GUIGOU	235	Alain TOURAINE	242
Bernard KOUCHNER	172	Serge TRIGANO	429

Pour toute correspondance avec l'auteur, ainsi que pour retourner le questionnaire placé à la fin de l'ouvrage, vous pouvez écrire à :

Gérard Mermet
FRANCOSCOPIE
175, boulevard Malesherbes
75017 Paris

À Francine,
pour ces vingt et dix ans

FRANCOSCOPIE A 10 ANS

Dès sa première édition, l'ambition déclarée de FRANCOSCOPIE était de « répondre à deux questions essentielles : comment vivent les Français ? Quels sont les grands courants qui annoncent la société de demain ? ». Elle était aussi de « proposer la synthèse de ce qu'il est indispensable, important ou utile de savoir sur les différents aspects de la vie quotidienne de nos contemporains ». Ce travail n'avait jamais été réalisé ; l'accueil réservé à l'ouvrage a montré qu'il était nécessaire.

Dix ans et six éditions après (FRANCOSCOPIE est publié tous les deux ans), cette vocation demeure. D'autant que le changement social s'est accéléré et qu'il est encore plus indispensable, mais aussi plus difficile, d'en identifier les composantes et d'en déduire leurs conséquences sur la vie individuelle et collective.

Jamais sans doute les enjeux politiques, économiques et sociaux n'ont été aussi importants. Le nouveau chef de l'Etat devra en effet assurer la transition entre deux siècles et, fait statistiquement exceptionnel, entre deux millénaires. Il devra mettre en œuvre les réformes susceptibles de venir enfin à bout du chômage et poursuivre la reconstruction sociale du pays. Ce livre est destiné à la fois aux grands acteurs de la vie politique, économique, culturelle, intellectuelle ou scientifique et à l'ensemble des citoyens.

La première partie constitue une synthèse à leur attention. La *Socioscopie* montre que les Français sont prêts à prendre en main leur destinée et même à inventer une nouvelle civilisation ; elle décrit les grandes tendances, les grandes revendications, les grandes tentations et les grands atouts de la société actuelle. La *Sémioscopie*, étude réalisée en collaboration avec la Sofres, montre les diférences d'attitudes et de valeurs selon les groupes sociaux. Une *Régioscopie* fournit les principaux indicateurs de la vie dans les régions (y compris les quatre situées Outre-mer). Une *Rétroscopie* fait apparaître les changements intervenus depuis respectivement dix, vingt et trente ans ; car il faut remonter au milieu des années 60 pour voir s'amorcer le processus de « déconstruction » qui est en train de s'achever aujourd'hui. Enfin, une liste des *records* détenus par la France et les Français illustre les singularités, parfois les "exceptions" nationales.

Les six grandes parties de l'ouvrage présentent comme à l'habitude toutes les données, évolutions et analyses concernant les modes de vie des Français : vie personnelle, familiale, sociale, professionnelle... à travers les attitudes, comportements, mentalités et valeurs. Une large place est faite aux changements intervenus depuis deux ans, notamment en matière de santé, de consommation et d'opinion.

Puisse cette sixième édition de FRANCOSCOPIE contribuer à une meilleure connaissance et à une plus grande compréhension de l'avenir que souhaitent les Français. Et aussi de celui qu'ils sont aujourd'hui en mesure de construire.

Gérard Mermet

MÉTHODOLOGIE ET
MODE D'EMPLOI

La veille sociologique

Les choix et les actes des Français dans leur vie quotidienne ne sont que les conséquences de leurs attitudes, comportements et valeurs. L'observation et la compréhension de cette « alchimie » est l'objet de la *veille sociologique*. Cette méthode permet de mesurer de façon continue le changement social, d'identifier les tendances lourdes et les « signaux » de faible amplitude qui apparaissent dans la société et d'évaluer leurs conséquences. Elle est à la base de l'élaboration de FRANCOSCOPIE.

Structure

Dès la première édition, un grand soin a été apporté à la définition de la structure de l'ouvrage, qui reprend les différents domaines de la vie des Français. Elle ne varie que lorsque la situation sociale l'impose, afin de ne pas dérouter les lecteurs habitués à « naviguer » dans les chapitres (voir sommaire détaillé). L'index placé à la fin permet de trouver rapidement une information particulière.

Enfin, la mise en pages a été conçue pour faciliter la lecture, la rendre attrayante et surtout efficace grâce à un système de titres, intertitres, encadrés et textes « en vrac », placés en bas de colonnes.

Informations

Les informations mentionnées sont les plus récentes disponibles au moment de la rédaction (terminée en août 1994). Elles émanent d'un grand nombre de sources, publiques ou privées, dont les plus importantes sont indiquées en annexe (voir *Remerciements*). En l'absence de chiffres officiels et précis, des estimations « raisonnables » ont été reprises ou élaborées ; elles sont mentionnées comme telles.

Opinions

De nombreux chiffres émanent d'enquêtes et de sondages d'opinion. Ceux qui ont été sélectionnés sont ceux qui présentent les meilleures garanties de représentativité et de fiabilité (méthodologie, échantillon, libellé des questions...). Les enquêtes répétitives (baromètres), qui permettent de mesurer les évolutions dans le temps, ont été privilégiées. Sauf indication contraire, les enquêtes portent sur des échantillons représentatifs de la population âgée de 18 ans et plus.

Illustrations

Plutôt que par des photographies au « premier degré », l'ouvrage est illustré par des photos de campagnes publicitaires. La publicité reflète en effet l'état de la société à un moment donné. Par les produits qu'elle montre, mais aussi par les thèmes et les situations qu'elle choisit, par les mots qu'elle utilise, elle met en évidence les phénomènes de mode aussi bien que les grandes tendances d'évolution décrits dans les différents chapitres.

Les dessins humoristiques placés au début de chaque chapitre et de chaque grande partie complètent cette illustration. Ils sont dus au talent de Gilles Rapaport.

Micro-entretiens

Le livre contient une trentaine de très courts entretiens avec des personnalités (la liste est donnée dans le sommaire), sur des sujets très divers. Il s'agit chaque fois d'une question-réponse reprise de l'émission FRANCOSCOPIE, produite et animée chaque semaine par l'auteur sur Radio France International.

Si vous êtes un lecteur pressé, faites une « lecture en couleur ». Les informations principales ou synthétiques de chaque domaine sont placées dans des intertitres imprimés en rouge.

L'ÉTAT DES FRANÇAIS

SOCIOSCOPIE

LE RENDEZ-VOUS AVEC L'HISTOIRE

Après plusieurs décennies de déconstruction progressive, la société française se trouve à un carrefour de son histoire. Les citoyens sont aujourd'hui prêts à accepter des réformes en profondeur, à mettre en cause les avantages acquis. Le temps du partage est arrivé, qui commence par celui du travail et des revenus. Bien plus qu'une menace, le retournement en cours constitue une formidable opportunité, à condition que les aspirations nouvelles soient prises en compte par les acteurs politiques et économiques par le biais d'un « grand projet » courageux, innovateur et mobilisateur.

LES FONDATIONS RENVERSÉES

Au crépuscule d'un siècle qui n'est comparable à aucun autre, la France est arrivée aussi au terme d'une époque, et même d'une civilisation. De véritables mutations se sont produites au cours des trois ou quatre dernières décennies, qui pèsent sans doute plus que celles de tous les siècles passés. L'affirmation peut paraître excessive ; elle est pourtant vérifiable en matière **technologique** ; l'électronique a bouleversé la capacité humaine de produire, traiter et diffuser cette nouvelle matière première qu'est l'information. Bien que plus difficile à mesurer, l'affirmation est également valable sur le plan **sociologique**. L'évolution de la condition féminine en est une indéniable illustration.

Le système social et les mentalités ont connu aussi, récemment, de véritables bouleversements. Ils ont abouti à ce qui a d'abord semblé être un effondrement des valeurs. Il s'agissait en réalité d'une **inversion** des fondements sur lesquels reposent jusqu'ici la vie collective et individuelle. Cette inversion est apparente lorsqu'on observe ce que sont devenus les principes et les privilèges fonda-

teurs de la société et les éléments d'appartenance individuelle*. Aux **caractéristiques fondatrices de l'identité** se sont ainsi substituées des valeurs opposées :

- L'importance du **lignage** s'est affaiblie avec le développement de la « **famille éclatée** ».
- Le **lieu de naissance** n'est plus un facteur de stabilité, du fait des **déracinements** de plus en plus fréquents, liés aux contraintes professionnelles.
- La **transcendance** a été remplacée par une vision **matérialiste** de la vie et de l'Univers.

Les **principes** fondateurs de la société ont, eux aussi, connu un véritable retournement :

- La **solidarité**, vertu des sociétés traditionnelles, a fait place à l'**individualisme**.
- Le **sens du sacré** a été peu à peu remplacé par le goût du **profane**.
- Le présupposé de **continuité** a été mis à mal par l'apparition et la généralisation des **ruptures**.
- Le principe d'**autorité** sur lequel reposaient les sociétés antérieures a été refoulé par l'idéologie libertaire, avec sa dimension économique, le **libéralisme**.

Enfin, les **privilèges** fondateurs des rapports sociaux ont été balayés par les conceptions de la modernité :

- La notion de **qualité**, liée au statut social de l'individu, a cédé la place au principe d'**égalité**.
- La **séniorité**, qui traduisait le respect pour l'expérience des personnes âgées, s'est transformée en **culte de la jeunesse**.
- Le privilège de **masculinité** tend à se transformer en un éloge de la **féminité** et des valeurs qui lui sont associées.

---

* Ce texte reprend la terminologie utilisée par Jean Poirier dans la remarquable synthèse qu'il a rédigée pour *l'Histoire des mœurs* dont il a dirigé la publication à la Pléiade (*La Machine à civiliser*, tome III, 1991).

• Le privilège d'**ethnicité** tend à laisser place à la pratique croissante du **métissage**.

Ces inversions, sur lesquelles il n'est pas question ici de porter un jugement de valeur, expliquent la difficulté de vivre à une époque où la civilisation vacille sur ses bases et vit ses derniers moments. Elles sont annonciatrices d'une autre **civilisation**, dont on commence à apercevoir aujourd'hui les nouveaux fondements.

LA FIN DU SYSTÈME DÉ

Une analyse des mots entrés dans le dictionnaire au cours des années 80 montre de façon spectaculaire la mise en cause du fonctionnement social, à travers la multiplication de mots commençant par le préfixe « dé » (voir encadré ci-dessous). Cette décennie aura donc été marquée par ce qu'on pourrait appeler le **système Dé**, volonté générale de *dé*faire les idées, les institutions et les structures héritées du passé et inadaptées au présent.

Ce mouvement global de **déconstruction** n'est pas encore achevé. Mais on commence à assister à une *re*composition sociale (explosion de la classe moyenne), familiale (familles mosaïque), professionnelle (nouvelles hiérarchies des métiers), politique (rénovation des partis), idéologique (recherche de nouvelles conceptions). On peut même parier, après une période d'aussi fortes turbulences, sur une véritable *re*naissance.

Le système Dé

Mots entrés dans le Petit Larousse au cours des années 80 :

1981 : déscolariser ; débudgétisation ; désétatiser.
1982 : dépénaliser ; désinformation ; dégraisser.
1983 : débureaucratiser ; déconventionner.
1984 : décompresser ; déprogrammer ; déqualifier ; désépaissir.
1985 : démotiver ; désinflation ; désynchroniser.
1986 : déréglementer ; désendettement ; désyndicalisation.
1987 : déconstruire ; démotivation ; déresponsabiliser ; désindexer.
1988 : décrédibiliser ; dérégulation ; désectorisation.
1989 : décriminaliser ; défiscaliser ; démédicaliser ; désindustrialiser ; désinformer.
1990 : délocalisation ; désincarcérer.

Les Français sont aujourd'hui engagés dans un processus de transformation probablement irréversible. Ils acceptent pour la première fois l'idée d'une remise en cause des acquis, d'une disparition des tabous. La **reconstruction** sociale est en marche. Elle implique la mise en œuvre de réformes courageuses, dont certaines s'apparentent à des révolutions.

LE TEMPS DE LA RÉFORME

Les conséquences prévisibles des déséquilibres sociaux (chômage, retraite, régimes de santé...) sont désormais connues et participent largement à l'inquiétude des Français. La publicité faite à l'accroissement des inégalités (revenus, patrimoines...) a été par ailleurs un révélateur brutal des dysfonctionnements de la société. C'est pourquoi la nécessité de **réformes** en profondeur est aujourd'hui ressentie par la majorité des citoyens.

Ce retournement d'opinion a déjà engendré de nouvelles attitudes et de nouveaux comportements, sensibles notamment en matière d'épargne et de **consommation**. Contrairement à l'impression générale, ceux-ci ne traduisent pas un découragement ou un désarroi, mais au contraire la volonté de vivre de façon moins dépendante, plus harmonieuse. On peut même penser qu'ils représentent une anticipation sur l'avenir ; dans un contexte où le pouvoir d'achat diminuerait au profit du temps libre, une consommation raisonnée et « maligne » permettrait d'obtenir une meilleure qualité de vie.

Le temps n'est donc plus au maintien des acquis sociaux, mais à la recherche de nouvelles solutions propres à préserver l'avenir. Cette prise de conscience permet d'envisager des réformes qui n'avaient pu être conduites jusqu'ici, faute d'un soutien populaire, qu'il s'agisse d'**emploi** (partage des postes et des revenus), d'**éducation** (refonte de l'enseignement supérieur), de **fiscalité** (répartition de l'assiette de l'impôt sur l'ensemble des ménages), de **retraite** (généralisation de la capitalisation), d'**assurance-maladie** (réduction des prestations et augmentation des cotisations), etc.

Il s'agit rien moins que de changer la façon de penser, en intégrant la complexité des phénomènes et leur dimension planétaire. Ceci implique aussi de modifier la façon de compter, en tenant compte des interactions des agents économiques (en particulier les entreprises) sur l'environnement. Ce qui oblige enfin à inventer de nouvelles manières d'agir.

LE TEMPS DU PARTAGE

L'idée du partage, qui faisait depuis quelques années son chemin au sein de la société française, est en train de devenir majoritaire. Elle concerne de nombreux domaines (l'information, la connaissance, l'espace, les idées, les ressources...), mais son champ d'application prioritaire est, bien sûr, l'**emploi**. Chaque Français sait qu'il peut être un jour victime du chômage. Il a compris que le retour de la croissance économique ne sera pas suffisant, d'autant que beaucoup d'entreprises sont encore en situation de sureffectif malgré les compressions de personnel qui ont déjà eu lieu. Il a constaté que les mesures prises jusqu'ici n'ont pas donné de résultats tangibles : réduction de la durée du travail à salaire égal ; diminution des charges sociales des entreprises, etc. Le **partage du travail et des revenus** apparaît donc aujourd'hui comme l'unique solution. Il a déjà commencé dans certaines entreprises qui n'ont pu préserver l'emploi qu'au prix de réductions de salaire acceptées par le personnel.

Ce renversement, apparu dès janvier 1993 dans les enquêtes d'opinion, révèle un formidable cheminement de l'ensemble de la société française. Il n'a pas encore été pris en compte par les acteurs de la vie politique et économique. Il rend pourtant possibles (et même nécessaires) des réformes qui auraient autrefois été suicidaires pour le pouvoir.

Le partage du temps

Depuis le début du siècle, l'espérance de vie moyenne à la naissance s'est allongée de 26 ans. Parallèlement, la durée du travail a diminué de façon spectaculaire ; elle ne représente plus que 7 ans sur une vie moyenne d'homme de 74 ans, contre 21 ans pour le temps libre ! De sorte que les Français passent au cours de leur vie plus de temps devant la télévision qu'au travail ou, pour les jeunes, qu'à l'école.

Au total, un individu ne consacre en moyenne que 14 % du temps éveillé de sa vie au travail. Cette inversion de polarité entre temps contraint et temps libre n'est pas encore prise en compte par la société, qui continue d'être centrée sur le travail.

L'emploi du temps traditionnel de la vie (un temps pour apprendre, un pour travailler, un pour se reposer) ne correspond plus ni aux souhaits des individus ni aux nécessités économiques. Le temps futur devra donc être partagé, tant au plan de la vie personnelle que de la vie collective. Cette révolution du temps est l'un des fondements de la nouvelle civilisation à venir.

UNE OPPORTUNITÉ PLUS QU'UNE MENACE

Au terme d'un processus de maturation d'environ trente ans, les Français sont en train de faire d'autres choix de vie, de modifier leurs priorités (voir *Les dix grandes revendications*). Cette évolution récente, considérable et durable des mentalités représente un formidable espoir. Celui de la création d'une **nouvelle société**, plus harmonieuse pour chacun de ses membres.

La pierre angulaire en est la mise en place, de façon souple et volontaire, du double partage de l'emploi et des revenus. Outre sa capacité à résoudre à moyen terme le problème lancinant (et peut-être unique) du **chômage**, celui-ci présente des avantages déterminants pour l'avenir. Il ouvre la voie à de **nouveaux modes de vie**, dont on ne peut encore imaginer ce qu'ils seront. Il est cependant permis de penser qu'ils auront pour effet d'améliorer la qualité de la vie en donnant à ceux qui seront concernés une disponibilité plus grande et en leur permettant de révéler et d'épanouir des aspects jusqu'ici enfouis de leur personnalité.

L'autre opportunité est celle donnée à la France d'apparaître comme une nation **innovatrice** dans le domaine social, qui est le plus prometteur, car le plus nécessaire à l'aube du prochain millénaire. Forte de sa tradition culturelle, de son ambition humaniste et de son image de pays de l'art de vivre, la France pourrait à nouveau rayonner sur le monde. Elle pourrait même servir d'**exemple** à un moment où les modèles (américain, allemand, japonais, scandinave, italien, brésilien, mexicain...) se sont effondrés.

Une formidable occasion est aussi fournie aux **hommes et aux partis politiques** de regagner la confiance des citoyens. A condition qu'ils fassent preuve des qualités et vertus nécessaires (voir encadré page suivante). A condition aussi qu'ils sachent partager équitablement l'inévitable fardeau de la réforme et éviter le réveil des vieux démons (voir *Les dix grandes tentations*).

La même chance est offerte aux **syndicats**, qui peuvent rattraper une histoire sociale qui, depuis des années, s'est faite sans eux, parfois contre eux.

Les **médias** peuvent enfin retrouver leur crédit récemment perdu en relayant la pression populaire, en montrant que la vitalité et le dynamisme sont beaucoup plus forts qu'on ne le croit et que les énergies individuelles sont prêtes à se mobiliser au service de la collectivité.

Les six vertus politiques

Pour mener à bien les transformations nécessaires au cours des prochaines années, les acteurs politiques devront posséder six qualités essentielles :

• **La compétence**. Il leur faudra connaître et comprendre l'état d'esprit présent des citoyens (voir *Les dix grandes tendances* et *Les dix grandes revendications*).
• **Le courage**. Les grands acteurs de la vie publique devront oser inventer le futur, en sachant que le suicide politique ne consiste plus aujourd'hui à agir et à innover, mais à ne rien faire ou à vouloir gagner du temps.
• **La pédagogie**. Ils devront expliquer inlassablement aux citoyens les enjeux des réformes, tant pour eux-mêmes que pour les générations futures, leurs effets positifs sur la vie quotidienne ainsi que les inévitables mais temporaires sacrifices qu'elles impliquent.
• **La vertu**. Aucune action en profondeur ne pourra être entreprise sans la confiance des citoyens. La classe politique devra donc d'urgence se laver (et non s'amnistier) du soupçon de corruption qui pèse sur son image.
• **La créativité**. Les vieilles idées et les approches traditionnelles ont fait la preuve de leur incapacité à résoudre des problèmes qui se posent dans des termes nouveaux. Le temps est donc venu d'innover. Le partage de l'emploi s'annonce à cet égard comme le plus formidable chantier.
• **Le charisme**. Les Français sont las des discours technocratiques et de la langue de bois. Ils n'accepteront de se mobiliser que s'ils sentent passer un souffle politique nouveau, reposant sur une vision du monde et une volonté d'agir, sans pour autant sombrer dans le populisme. Ce souffle est la condition première de la reconstruction de la France, comme de la poursuite de la construction européenne.

On peut affirmer sans emphase que la France se trouve aujourd'hui à un carrefour de son histoire. La conjonction entre la nécessité de changement et la volonté d'agir des Français est une opportunité rare ; il serait irresponsable de ne pas la saisir. Les conséquences en seraient d'ailleurs redoutables, car les changements risqueraient alors d'être initiés par la base, contre les pouvoirs en place. Dans un climat de mécontentement général qui pourrait conduire à une explosion sociale auprès de laquelle Mai 68 ferait figure d'aimable divertissement.

On sait que la conscience est toujours en retard sur la réalité. Comme l'écrivait Hegel, « l'oiseau de Minerve s'envole au crépuscule. » Mais la prise de conscience des Français est aujourd'hui engagée et la réalité actuelle et potentielle semble plutôt donner raison à Shakespeare : « Il n'est de nuit si noire qui ne présage une aube. »

LES DIX GRANDES TENDANCES[*]

L'analyse « transversale » et synthétique des différents aspects des modes de vie des Français décrits dans ce livre permet de mettre en évidence les grands mouvements de fond qui portent actuellement le changement social : l'égologie ; le divorce avec les institutions ; la société centrifuge ; la démocrature ; le pouvoir de dire non ; l'homo zappens ; la fin de l'excellence ; la montée des valeurs féminines ; la nouvelle alliance ; la fin de la modernité.

1. L'ÉGOLOGIE

Dans un monde dur, dangereux et mobile, on a assisté à la **décomposition du lien social** et au **découplage** entre les citoyens et la collectivité. L'identité individuelle est donc devenue peu à peu la valeur suprême. La transformation des modes de vie à l'intérieur de la famille (on veut être heureux ensemble, mais aussi séparément) ou l'intérêt que les Français portent à leur corps sont quelques-unes des manifestations spectaculaires de ce mouvement. Cette tendance ne saurait pourtant être confondue avec l'individualisme ; c'est pourquoi nous l'avons baptisée « **égologie** ». L'incapacité des institutions à résoudre les grands problèmes de l'époque (voir *Le divorce avec les institutions*) a évidemment favorisé ce mouvement.

De nature philosophique, l'égologie pose en principe que la personne est prépondérante par rapport au groupe, sans pour autant nier l'importance de celui-ci. Elle est un moyen de parvenir à l'**autonomie**, de prendre en charge son propre destin, passant du statut d'assisté à celui de responsable. Elle explique le développement de l'économie domestique (bricolage, travaux divers d'autoproduction, services rendus à soi-même...). Elle est aussi à l'origine d'une volonté de **développement personnel** qui a entraîné un accroissement du niveau de compétence des Français dans de nombreux domaines et une plus grande capacité à « résister » aux multiples sollicitations dont ils sont l'objet.

L'égologie est aujourd'hui la tendance la plus importante, car elle fédère et commande toutes les autres. Elle traduit à la fois la rupture avec le passé et la volonté d'inventer l'avenir. Elle porte en elle les germes d'un nouvel **humanisme**.

2. LE DIVORCE AVEC LES INSTITUTIONS

Les relations des citoyens avec l'**Etat** se sont considérablement dégradées depuis une dizaine d'années. Les trois quarts d'entre eux le considèrent aujourd'hui comme une entité lointaine, contre la moitié en 1970. La multiplication des « affaires » a largement contribué à cette perte de confiance vis-à-vis de la classe politique et des partis, récurrente dans les enquêtes d'opinion. L'accroissement du taux d'abstention aux élections en est un révélateur : 31 % aux législatives de mars 1993, contre 21,5 % en 1986 et 16,7 % en 1978. L'**école** ne jouit pas non plus d'une grande estime ; les deux tiers des parents d'élèves estiment qu'elle porte une part de responsabilité dans le fort taux de chômage des jeunes. Mais c'est la **justice** qui, parmi les institutions de la République, a subi la plus forte désaffection.

L'érosion régulière des pratiques témoigne de la distance prise par les Français à l'égard de l'**Eglise** : 52 % des mariages sont célébrés religieusement, contre 84 % en 1970 ; 12 % seulement des catholiques se disent pratiquants réguliers, contre 24 % en 1974. La religion n'est plus la référence en matière de morale et de comportement individuel ; son refus de la contraception, de l'avortement ou du mariage des prêtres est considéré par la majorité comme un manque d'adaptation à la société moderne et à ses contraintes. Huit Français sur dix considèrent que l'Eglise n'a pas à intervenir ou à imposer des obligations en ce qui concerne la vie du couple ou la sexualité.

Beaucoup de Français estiment que les **syndicats** ont rendu un très mauvais service à la société dès le début de la crise économique. En continuant de revendiquer (et d'obtenir) des accroissements réguliers de pouvoir d'achat, ils ont assumé une lourde responsabilité dans la montée du chômage. Le résultat est que moins d'un actif sur dix est aujourd'hui syndiqué, contre 28 % en 1981. Depuis quelques années, les grands mouvements de revendication ont été le fait de **coordinations** créées

---

[*] Certaines de ces tendances ont été décrites de façon plus détaillée dans *la Piste française* de Gérard Mermet, First-Documents, 1994.

spontanément : infirmières, étudiants, agriculteurs, personnel d'Air France, etc.

Les **médias**, que l'on peut aujourd'hui ranger dans la catégorie des institutions (voir *La démocrature*) sont jugés sévèrement. 68 % des Français estiment qu'ils sont « pris pour des abrutis à la télévision », contre 36 % en 1986. La crédibilité de la télévision, mesurée par le décalage perçu entre la réalité et la façon dont elle est montrée, a chuté de 16 points entre 1989 et 1993, contre 10 points pour la presse et 6 pour la radio.

3. LA SOCIÉTÉ CENTRIFUGE

Les systèmes de protection sociale ont retardé les effets de la crise ; ils ne les ont pas empêchés. C'est pourquoi on a vu se développer une nouvelle forme de pauvreté, conséquence des grandes mutations qui se sont opérées. Aujourd'hui, un travailleur sur cinq n'a pas d'emploi véritable ; un Français sur dix ne dispose pas d'un revenu suffisant pour vivre décemment. L'indemnisation du chômage et la mise en place du RMI n'ont pas fondamentalement transformé cette situation.

La société d'hier était *centripète* : elle s'efforçait d'intégrer la totalité de ses membres. Celle d'aujourd'hui est *centrifuge*. Elle tend à exclure tous ceux qui ne parviennent pas à se maintenir dans le courant, parce qu'ils n'ont pas la santé, la culture ou les relations nécessaires. La société de communication est aussi une société d'**excommunication**.

Les nouvelles classes sociales

L'explosion de la classe moyenne a pour conséquence une recomposition sociale véritable. Elle a provoqué vers le haut un **Protectorat** composé de fonctionnaires, de certaines professions libérales non menacées, d'employés et cadres d'entreprises des secteurs non concurrentiels protégés. Il faut ajouter à ce groupe la plupart des retraités et préretraités, dont la situation financière n'a jamais été aussi favorable, bien qu'une minorité dispose encore de faibles revenus. Au total, 17 à 20 millions de Français qui n'ont pas senti les effets de la crise, mais qui n'ont pas non plus réalisé qu'ils bénéficiaient de certains privilèges. Au-dessus, plane toujours ce qu'il est convenu d'appeler « l'élite » de la nation, *nomenklatura* à la française qui tient les rênes du pouvoir politique, économique, intellectuel, social. A la différence de celle de l'Ancien Régime, cette aristocratie moderne ne se reconnaît plus par la naissance mais par la réussite.

On pourrait la baptiser **Protocratie** (le préfixe grec *proto* signifie premier). Ses membres sont patrons, cadres supérieurs, professions libérales, gros commerçants, mais aussi hommes politiques, responsables d'associations, syndicalistes, experts, journalistes, etc. Sa force principale est de détenir l'information et la connaissance, qui sont les deux matières premières de cette nouvelle ère. Elle constitue donc à ce titre une sorte de **cognitariat**, qui bénéficie de l'avantage insigne de se bonifier avec le temps et l'expérience. Ses heureux élus ne sont donc guère menacés par la crise, qui les rend au contraire indispensables. Ils sont au maximum 3 millions à détenir une parcelle de ce pouvoir nouveau mais essentiel.

La classe moyenne des années 60 et 70 a explosé aussi vers le bas, en créant un groupe de taille croissante aux ressources limitées ou insuffisantes. Celui-ci se divise en deux sous-groupes. Le premier est un **Néo-prolétariat** composé de quelque 10 millions de gens modestes, dont la situation a été rendue précaire par la crise. Alternant des périodes de travail, généralement courtes et mal rémunérées, et des périodes de chômage, ces personnes éprouvent des difficultés à vivre et sont dans l'impossibilité de faire des projets d'avenir.

L'autre catégorie regroupe les « nouveaux pauvres », exclus de la vie professionnelle, culturelle, sociale. Ils forment ce qu'on peut appeler une **Ectocratie** (du préfixe *ecto* signifiant « en dehors »). On pourrait dire aussi, par référence au système de castes en vigueur en Inde, qu'ils sont nos « **intouchables** ». Si les Français évitent souvent de les regarder, c'est bien davantage par impuissance que par mépris. Car beaucoup savent que la spirale de l'exclusion peut entraîner n'importe qui ; les médias ont montré que des cadres, même « supérieurs », pouvaient en quelques mois descendre toutes les marches de la pyramide sociale. Les 6 ou 7 millions d'Ectocrates ont souvent en commun de ne pas disposer de l'éducation suffisante (le capital culturel décrit par Bourdieu) pour s'intégrer dans la vie professionnelle.

Les autres Français, un peu moins de 20 millions, appartiennent à la **Néo-bourgeoisie**. Commerçants, petits patrons, employés ou même ouvriers qualifiés, ainsi que certains représentants des professions libérales en difficulté (médecins, architectes, avocats...), ils ont un pouvoir d'achat acceptable ou confortable, mais restent vulnérables à l'évolution de la conjoncture économique.

4. LA DÉMOCRATURE

Le fonctionnement de tout système est déterminé par la nature des relations qui s'établissent entre ses composants. Ceux qui constituent le système social sont au nombre de trois : Acteurs ; Médias ; Public. Les **Acteurs** sont tous ceux qui exercent une responsabilité directe ou une influence particulière : partis politiques, administrations, syndicats, entreprises, Eglise, personnages publics (artistes, sportifs, scientifiques, etc.). Le **Public** est constitué de tous les individus ressortissant du même système social, ici l'ensemble des personnes habitant le territoire français. Enfin, les **Médias** sont les organes permettant la communication entre les Acteurs et le Public.

Bien que de nombreux types de relations soient possibles entre ces forces en présence, on peut distinguer trois états particuliers du système, selon que ce sont les Acteurs, le Public ou les Médias qui exercent le rôle prépondérant.

Lorsque les Acteurs sont en position de force, on est en présence d'une **dictature**. Les relations s'effectuent alors essentiellement de haut en bas (des Acteurs vers le Public), les Médias se contentant d'être les porte-paroles des Acteurs ; ils sont d'ailleurs en général confondus avec eux.

Lorsque c'est le Public qui joue le rôle central, le régime en vigueur s'apparente à une **démocratie idéale**, dans laquelle le peuple exerce lui-même le pouvoir. Les relations se font alors de bas en haut, les Acteurs n'étant là que pour satisfaire les aspirations du peuple souverain.

Il apparaît que la France est, comme d'autres pays développés, entrée depuis quelques années dans un système du troisième type, où ce sont les **Médias** qui occupent la position dominante. Ils ne se contentent plus en effet de jouer leur rôle d'intermédiaires entre Acteurs et Public. Profitant de leur poids considérable dans la vie collective, ils sont aujourd'hui des acteurs à part entière. Le fonctionnement de la société s'en est trouvé progressivement transformé ; nous avons assisté à la naissance d'un système social inédit, une « néocratie » qui mêle les avantages de la démocratie et les inconvénients de la dictature, et que nous appelons « **démocrature** ». En confondant les rôles, ce système engendre des perversions. L'illustration en a été donnée en Italie, avec la fabrication en quelques mois d'un leader politique grâce à un formidable appareil médiatique entièrement à son service .

Même s'il n'a pas l'ambition déclarée de manipuler l'opinion, ce système présente des risques liés à son pouvoir amplificateur. Sans en être le plus souvent conscients, les médias tendent à participer à la création des événements qu'ils décrivent. L'une des conséquences est qu'ils ne rendent pas vraiment compte de la réalité, d'autant qu'ils la présentent le plus souvent sous son jour négatif, qui est censé être aussi le plus « vendeur ». La preuve de cette influence est donnée, dans les enquêtes d'opinion, par les écarts entre les perceptions individuelles (moi, je vais plutôt bien) et les appréciations portées sur la collectivité (les autres vont mal).

Le système médiatique, qui fonctionne par **contagion**, peut aussi créer sans le vouloir de véritables épidémies. On a pu le constater en matière sociale, avec la montée de la dépression et du masochisme. C'est le cas aussi sur le plan économique ; les tendances nouvelles de consommation se diffusent et prennent de l'importance au fur et à mesure que le public en est informé. Des pans entiers de l'activité nationale peuvent ainsi être sinistrés en quelques mois, comme ce fut le cas pour l'immobilier ou l'automobile.

Si l'utilité des médias n'est plus à démontrer, il est essentiel de s'interroger sur les effets du système qu'ils constituent ensemble. Un système qui se vante à juste titre d'être un contre-pouvoir mais qui n'a pas réussi à engendrer le sien. Sans mettre en cause sa bonne volonté, on peut estimer que ce n'est pas à lui d'instruire son propre procès, comme il a tenté récemment de le faire. Mais le public n'est pas toujours en mesure, faute de pouvoir contrôler objectivement les informations qui lui parviennent, de jouer ce rôle.

5. LE POUVOIR DE DIRE NON

Le doute croissant des Français quant au rôle du progrès technique et de la modernité les a amenés à entrer en **résistance**. Conscients de leur « pouvoir de dire non » aux sollicitations de toute nature qui leur sont faites, ils n'hésitent pas à l'utiliser. On a pu le voir s'exercer dans le domaine politique en mars 1993 ou en mars 1994 lors des manifestations contre le CIP. Leur désapprobation à l'égard des institutions se traduit par la diminution de l'adhésion syndicale ou de la pratique religieuse. C'est ce même pouvoir qui les incite aujourd'hui à refuser le modèle de perfection qui leur est proposé dans leur vie personnelle ou professionnelle (voir *La fin de l'excellence*).

La résistance des Français est particulièrement sensible dans la transformation de leurs comportements de **consommation** depuis 1991. Les valeurs matérielles sont devenues moins prioritaires, les besoins plus intériorisés, les actes d'achat plus rationnels, les acheteurs moins fidèles. Dans toutes les couches de la société, la « néophilie » (attirance pour la nouveauté) est en forte régression ; les « néomaniaques » sont même en voie de disparition. Le **sens** tend à devenir plus important que le signe, l'ostentation est considérée de plus en plus comme une provocation.

On observe que cette tendance protestataire s'accompagne d'un intérêt croissant pour les valeurs généralement associées au **protestantisme**. Après avoir été condamnées au nom de la modernité au cours des « années paillettes », l'austérité, la simplicité, le dépouillement, l'authenticité tendent à devenir aujourd'hui des vertus. Dans le même temps où ils reconnaissent les diverses parties prenantes du système économique, les Français modifient leur conception de l'existence, accordant une moins grande priorité à la consommation et aux satisfactions matérielles.

6. L'HOMO ZAPPENS

La télécommande restera comme l'objet-symbole de cette fin de siècle. Avec le magnétoscope, elle a donné aux téléspectateurs un pouvoir sur les images, contrepoids partiel à celui qu'elles exercent sur eux. Mais le phénomène du *zapping* ne concerne pas que la télévision. Il s'applique aussi, par exemple, à la **consommation** ; les Français sont de plus en plus nombreux à passer d'un produit à un autre, d'un magasin à un autre, d'un comportement d'achat à un autre (cher/bon marché, luxe/bas de gamme, rationnel/irrationnel, boutique spécialisée/hypermarché...). Ils « zappent » dans leurs **loisirs**, modifiant leurs préférences musicales, sportives, médiatiques, faisant preuve selon les cas d'éclectisme, de volonté de changement ou d'instabilité.

Les Français zappent aussi au cours de leur **vie professionnelle**, occupant des emplois successifs au gré des opportunités ou des obligations. Ils zappent dans leur vie affective et sociale, changeant de partenaires, d'époux, d'amis ou de relations en fonction des circonstances, des incompatibilités ou des tentations. Ils zappent dans leurs **choix politiques**, privilégiant successivement certains hommes ou partis. Ils zappent enfin entre des **systèmes de valeurs** concurrents, rendant la société française plus difficile à analyser et à prévoir.

Ces nouveaux comportements s'expliquent d'abord par l'**instabilité** caractéristique d'une époque de mutation. Dans un environnement où domine l'hyperchoix, les sollicitations sont multiples et il n'est guère aisé de leur échapper. Une autre raison est que l'individu se voit aujourd'hui reconnaître le droit d'être **multidimensionnel** ; il cherche donc à identifier puis à satisfaire ses différentes facettes. « Je zappe, donc je suis. »

7. LA FIN DE L'EXCELLENCE

La mode de l'excellence, importée des Etats-Unis au cours des années 80, avait d'abord concerné l'entreprise pour gagner ensuite l'individu. Elle a favorisé une sorte de **dictature douce** des normes sociales. L'homme « excellent » devait en effet cumuler les canons de la perfection et de la réussite : jeunesse, beauté, forme physique, richesse, efficacité, capacité de communication et de séduction, force de conviction, force de caractère, chance... Etre petit, obèse, chauve, fumeur, alcoolique, velléitaire, malade ou malchanceux était devenu un grave handicap social. Avoir un emploi peu valorisant, un salaire modeste, une petite voiture, des enfants en situation scolaire difficile était ressenti comme un échec personnel. La dictature du « **toujours plus** » et du « **toujours mieux** » imposait de réussir à la fois sa vie professionnelle, familiale, amoureuse et sociale.

Ce modèle inatteignable par le commun des mortels a engendré de nombreuses frustrations ; il est à l'origine de la forte augmentation du stress. C'est la raison pour laquelle il commence aujourd'hui à être rejeté. Les Français revendiquent le **droit à l'imperfection**, la possibilité de rechercher le plaisir et de fuir la contrainte. On en trouve l'illustration dans la pratique sportive ; le sport-détente remplace le sport-contrainte et son corollaire, la compétition. En matière alimentaire, l'engouement pour les produits diététiques ou allégés a fait long feu et le « péché de gourmandise » redevient un attribut de la qualité de la vie.

Les attitudes face au travail ont aussi changé ; employés et cadres acceptent moins facilement d'être disponibles et corvéables à merci, d'afficher une humeur égale et d'avoir les réponses à toutes les questions. Il n'est d'ailleurs guère étonnant que le culte de l'excellence, né dans le cadre de l'entreprise, s'éteigne au moment où l'image de celle-ci se dégrade à nouveau.

Les jeunes sont les plus sensibles aux contraintes du « socialement correct » proposé comme modèle au cours des années précédentes. C'est sans doute pourquoi ils attachent parmi les valeurs une importance particulière à la **tolérance**.

8. LA MONTÉE DES VALEURS FÉMININES

Chacun s'accorde à reconnaître que la condition féminine a plus évolué au cours des trente dernières années qu'au cours des siècles précédents, tant sur le plan juridique (les dernières inégalités ont été levées au cours des années récentes) que dans la vie pratique, même si beaucoup reste à faire.

La diffusion des **valeurs féminines** tend à se généraliser. Le sens pratique, la modestie, la sagesse, l'intuition, l'équilibre, le pacifisme, la douceur et le respect de la vie sont des vertus de plus en plus nécessaires. Les femmes, bien sûr, n'en sont pas les dépositaires exclusives, mais il semble qu'on trouve plus fréquemment ces qualités chez elles, dans l'attente de preuves irréfutables apportées par les généticiens ou les psychanalystes.

Les fabricants de biens d'équipement commencent à s'en imprégner. Les voitures vont moins vite et leur forme s'arrondit ; le concept féminin de la monospace (type *Espace* Renault) l'emporte sur celui, typiquement masculin, de la 4 X 4. Les magnétoscopes ou les Caméscopes sont enfin conçus pour être utilisés par tout le monde ; les produits pratiques remplacent les produits « frime ».

La formation des femmes les amènera très probablement à jouer un rôle croissant dans la vie économique ; elles obtiennent de meilleurs résultats que les hommes au baccalauréat (77 % de reçues contre 74 %) et elles sont aujourd'hui plus nombreuses qu'eux à accéder à l'enseignement supérieur.

Cette perspective fait évidemment peser une menace sur des privilèges masculins préservés pendant des siècles au prix de beaucoup de mensonges (les différences physiques, intellectuelles ou psychiques des sexes) et de quelques concessions (le rôle obscur et indirect de la femme dans les chambres à coucher des ménages et les alcôves du pouvoir).

La marche vers l'égalité apparaît même castratrice. Pris entre des habitudes machistes millénaires et l'acceptation récente de leur « part de féminité », les hommes semblent être aujourd'hui à la recherche de leur **identité**. Les psychanalystes et les sexologues reçoivent de plus en plus de patients déprimés, doutant de leur virilité, ne sachant s'ils doivent montrer leurs émotions ou continuer de les cacher, adhérer à une nouvelle répartition des rôles ou la combattre.

Quelles que soient les réticences, l'apport croissant mais encore très insuffisant des femmes à la vie collective ne saurait être considéré autrement que comme un signe de progrès, un atout supplémentaire dans la reconstruction de la France. Un projet de société ne saurait être grand, ni même acceptable, s'il n'invite pas la moitié de ses membres (en réalité 51 %) à y participer.

9. LA NOUVELLE ALLIANCE

Les efforts entrepris très récemment par la société française peuvent être analysés comme une volonté de **réconcilier** des termes jusqu'ici antinomiques. Cette tendance à la « transversalité » est déjà sensible dans de nombreux domaines. Elle consiste à observer autour de soi avec une totale ouverture d'esprit et à emprunter certains comportements, certaines traditions ou innovations.

La tendance au « **métissage** » est une illustration de cette attitude nouvelle. L'art s'inspire d'autres cultures, d'autres pays, d'autres techniques ; à l'image de la musique, la peinture, la sculpture, la littérature, l'architecture ou le cinéma deviennent mondialistes. Qu'on le regrette ou non, la langue française emprunte à l'extérieur de ses frontières des mots nouveaux, qui recouvrent des idées nouvelles. La haute couture fait apparaître de façon spectaculaire la symbiose des cultures, à travers les formes, les couleurs, les matières ou les accessoires.

La **confusion des valeurs** a entraîné une difficulté à séparer le bien et le mal, le vrai et le faux, les coupables et les innocents, la nature et la culture, l'homme et la femme, la gauche et la droite, l'adulte et l'enfant, le travail et le loisir... Les Français cherchent aujourd'hui à opérer une alliance entre les contraires, dans la perspective de provoquer une **synergie** entre eux, afin que le tout soit supérieur à la somme des parties. Il faut noter que cette démarche est très différente de la recherche de compromis qui a prévalu pendant les années 80, et qui interdisait les débats d'idées et les options d'ensemble, au prétexte que tout se vaut et que tout conflit représente une menace pour la cohésion sociale.

Dans une même volonté de réconciliation, l'économie se rapproche de l'écologie, l'art de la technique, l'école de l'entreprise, la science de la nature, la nature de la culture, l'utile de l'agréable, le préventif du curatif, l'esprit du corps. Les matériaux nouveaux répondent à la double contrainte de résistance et de légèreté. En matière vestimentaire, le « chic » n'est plus incompatible avec le *sportswear*, le confort avec la mode. Dans la façon de se nourrir, le cassoulet n'exclut plus le *fast food*. Les mêmes malades n'hésitent pas à recourir simultanément à la médecine occidentale et à la médecine orientale. Les entreprises, de leur côté, s'efforcent de conjuguer flexibilité et fermeté. Suivant l'exemple des Américains, elles adhèrent au double objectif de l'approche globale et de l'action locale.

Cette recherche d'une « **nouvelle alliance** » a évidemment sa traduction religieuse : une volonté d'œcuménisme se fait jour, avec la montée des valeurs protestantes ou l'intérêt pour les religions asiatiques comme le bouddhisme ; l'attrait pour le Nouvel Age est une expression de ce besoin de **syncrétisme**. Enfin, l'égologie décrite plus haut est une tentative globale pour réconcilier l'individu et la collectivité.

10. LA FIN DE LA MODERNITÉ

Les années 60 et 70 avaient été marquées par une course effrénée à la modernité, voire à la post-modernité. Puis les années 80 ont vu se développer la confusion entre modernité et nouveauté, dans une fuite en avant révélatrice d'une angoisse individuelle et collective croissante.

La découverte majeure de cette fin de siècle est sans doute l'**ambivalence** de la modernité, lorsqu'elle est associée au développement technologique. Si la science est a priori porteuse d'un accroissement du confort matériel et des performances humaines, elle est aussi capable, pour la première fois de l'histoire, de détruire l'humanité de façon globale et quasi instantanée.

Dans le même temps, les Français ont le sentiment que l'augmentation de leur niveau de vie s'est accompagnée d'une diminution de la **qualité de leur vie**. L'accroissement du confort matériel peut donc entraîner celui de l'inconfort moral. Une impression paradoxale, qui remet brutalement en cause le postulat sur lequel est fondée toute la civilisation. La disparition des certitudes s'est traduite par une montée concomitante des inquiétudes ; toutes les enquêtes réalisées depuis plus de dix ans témoignent d'une tendance générale à considérer que « c'était mieux avant »... mais que le pire reste à venir.

Les risques liés au développement scientifique et technique ont donc remis en cause la notion de **progrès**. La "modernité" et son corollaire, l'innovation permanente, sont aujourd'hui considérés avec une certaine méfiance. Malgré l'existence de certaines formes de pauvreté, les besoins matériels sont pour la plupart largement satisfaits ; l'immense majorité des Français dispose des moyens suffisants pour se nourrir, s'habiller, se déplacer, se maintenir en bonne santé, se divertir. C'est pourquoi leurs revendications concernent de plus en plus des besoins **immatériels**.

A un moment où les Français doutent de leur avenir, l'instinct de conservation les incite tout naturellement à se tourner vers le passé. Cette volonté de "retour", véritable **régression**, se traduit à la fois par l'intérêt pour l'écologie, le conservatisme dans les mœurs ou en politique, l'attachement aux animaux, le besoin de spiritualité et d'irrationnel, le goût pour l'histoire ou la redécouverte de la culture classique. L'énorme succès des *Visiteurs* (plus de 12 millions de spectateurs en 1993) est significatif de cette nouvelle disposition d'esprit ; débarqués brutalement de leur Moyen Age, les deux héros constatent combien l'euphorie moderniste du XXe siècle est pitoyable.

Une autre conséquence notable est que la société de consommation est en train de changer de forme. Le consommateur n'existe plus ; il n'y a que des individus multidimensionnels, dont les attitudes et les comportements varient selon les circonstances (voir *Le pouvoir de dire non*).

LES DIX GRANDES REVENDICATIONS

On ne peut saisir l'évolution de la société française sans identifier les grands besoins qui sont au centre des préoccupations de ses membreset qui conditionnent largement leurs attitudes et leurs comportements. Leurs besoins primaires et matériels étant pour la plupart largement satisfaits, les Français sont aujourd'hui à la recherche de satisfactions plus élaborées et plus immatérielles : le sens ; la compréhension ; le temps ; l'authenticité ; la morale ; la justice ; l'émotion ; la culture ; la transcendance ; l'harmonie.

1. LE SENS

Beaucoup de Français éprouvent aujourd'hui la désagréable impression que la société moderne n'a pas de **finalité**. L'urbanisation et la tertiarisation ont transformé les rapports avec l'environnement et avec le travail. L'évolution géopolitique récente (chute du mur de Berlin, guerre du Golfe, affrontements ethniques en ex-Yougoslavie) laisse penser que tout est possible à tout moment, que rien n'est prévisible et qu'il n'y a pas de logique apparente dans les mouvements qui agitent le monde.

Lorsque les Français prennent le temps de les examiner avec un peu d'objectivité, certaines actions de la vie moderne leur apparaissent inutiles ou insatisfaisantes. Pourquoi consommer si l'accumulation d'objets n'apporte pas de réelle satisfaction ? Pourquoi travailler lorsqu'on ne voit pas le résultat immédiat de son effort ? Pourquoi élever des enfants s'ils doivent connaître les affres du chômage et de la précarité ? Pourquoi l'intelligence humaine et le progrès engendrent-ils autant de problèmes qu'ils en résolvent ?

Plus que tous les autres, les hommes politiques vont devoir prendre en compte cette demande fondamentale de **sens**, tant dans leurs actes que dans leurs discours. Cette recherche n'est guère compatible avec les idéologies de type matérialiste qui prévalent encore. Elle impose une nouvelle réflexion, un nouveau débat et de nouveaux choix en matière économique ou sociale. Comme à chaque fois que la société doit changer de direction, les intellectuels,

les philosophes auront évidemment un rôle important à jouer. Il faut sans doute y ajouter les religieux.

2. LA COMPRÉHENSION

Le monde n'est plus seulement compliqué ; il est devenu **complexe** et la façon dont il est raconté ne permet pas toujours aux Français d'en saisir l'évolution. Qui sait vraiment pourquoi on se bat dans l'ex-Yougoslavie, si le GATT est un atout pour le commerce mondial ou si l'Union européenne est une chance pour la France ? Malgré leurs efforts, les médias ne parviennent guère à **décrypter** les mouvements de la planète ou de la société. S'ils rendent compte des faits de façon généralement satisfaisante, ils sont souvent moins aptes à faire des analyses, privilégiant l'information qui dérange ou qui introduit une confusion à celle qui confirme ou qui permet de comprendre.

Dans ce contexte d'incertitude et de rupture avec le passé, la **pédagogie** devient donc une qualité nécessaire. Elle implique à la fois la compétence, l'honnêteté et l'humilité, une nouvelle façon de concevoir, de penser et de raconter. Des vertus souvent difficiles à réunir dans un univers de concurrence entre les individus et les organisations. Elles donnent l'avantage aux **généralistes** sur les experts, car la vision transversale s'avère plus efficace que le regard en profondeur.

3. LE TEMPS

Les Français ont pendant longtemps préféré l'**argent** au temps. Il faut dire que le temps leur était donné par surcroît, comme résultante de la diminution de la durée du travail et de l'allongement de l'espérance de vie. Mais le paradoxe est que plus il dispose de temps, plus l'homme « moderne » a le sentiment d'en manquer. Il tend donc aujourd'hui à s'intéresser davantage au **temps** qu'à l'argent, d'autant qu'il est conscient des limites de la corrélation entre qualité de vie et pouvoir d'achat (voir *La fin de la modernité*).

De la même façon, le temps devient plus important que l'**espace**, qui a été gommé par les développements de l'électronique ; l'accès au « temps réel » réalise le vieux rêve de l'ubiquité. Le corollaire de cette prime au temps est l'émergence d'un certain besoin de **lenteur**. A force de s'essouffler en jouant les hommes pressés, de plus en plus de Français considèrent qu'il vaut mieux prendre le temps de vivre que vivre intensément.

4. L'AUTHENTICITÉ

L'accumulation de demi-vérités ou de mensonges sur la réalité des problèmes, économiques notamment, a fini par lasser les Français. Ils attendent désormais qu'on leur dise la **vérité**, sans l'enjoliver. Eux-mêmes cherchent moins à composer un personnage qu'à être « vrais ». La « frime » laisse la place à des préoccupations plus nobles, plus authentiques. Cette tendance est sensible en matière de loisirs (où la culture joue un rôle croissant), d'alimentation (où les produits naturels sont préférés à ceux qui subissent des ajouts ou des retraits), d'habillement (où les artifices ne sont plus à la mode), d'équipement ou de décoration du foyer (où il ne s'agit plus de renvoyer une image valorisante de soi mais de refléter l'identité réelle des occupants). Le besoin de pureté engendre une idéologie de la **légèreté**, de la transparence (au propre et au figuré) et du dépouillement, qui trouve son aboutissement dans la **suppression** (les produits « **sans** » plomb, sans colorants, sans additifs...).

5. LA MORALE

Au cours des vingt dernières années, la France s'est comme « **dévalorisée** ». Elle a cru pouvoir remplacer ses valeurs traditionnelles par d'autres, plus « modernes », mais n'y est pas parvenue. Elle a alors tenté de vivre dans un système sans valeurs, espérant qu'il serait porteur de plus de liberté individuelle, de moins de contraintes morales.

C'était évidemment un leurre, que beaucoup de Français reconnaissent aujourd'hui. Ils constatent avec regret la régression ou la disparition de certaines valeurs comme la politesse, l'honnêteté, la justice, le respect du bien commun, l'esprit de famille, le sens du devoir ou l'égalité. Ils revendiquent avec force la **réconciliation** de l'argent et de la morale, la réactivation de solidarités oubliées.

Longtemps bannis du vocabulaire de la modernité, des mots comme **morale** ou **vertu** trouvent aujourd'hui un écho de plus en plus large. Les médias et les intellectuels recommencent à les employer sans craindre de passer pour conservateur, réactionnaire ou « ringard ».

6. LA JUSTICE

Les Français trouvent la justice lente, compliquée, chère et surtout... injuste. Certains événements, tels que l'amnistie des hommes politiques impliqués dans des affaires liées au financement des partis ou la grogne des magistrats dénonçant les pressions exercées sur eux par le pouvoir n'ont pu que les renforcer dans le sentiment d'une justice à **plusieurs vitesses** ou l'impression de laxisme. L'abolition de la peine de mort, votée en 1982, avait été mal acceptée par une majorité de Français, qui y ont vu une mesure préjudiciable à la sécurité. La majorité des citoyens restent d'ailleurs favorables à son rétablissement.

Ce besoin de justice s'exprime de façon particulière comme conséquence de la montée implacable et insupportable du **chômage**. La faillite des autres tentatives pour le juguler a rendu l'idée d'un partage des emplois et des revenus acceptable et même nécessaire (voir *Le temps du partage*). C'est sur ce terrain du droit des hommes (et des femmes) au travail que va se jouer la crédibilité de tous les acteurs sociaux.

7. L'ÉMOTION

Dans une société de plus en plus virtuelle et glacée, centrée sur l'efficacité individuelle et le simulacre, beaucoup de Français se sentent frustrés d'émotions. Ils cherchent donc dans leur vie courante ou dans leurs loisirs des occasions de vibrer. Ils s'efforcent aussi de laisser parler leur cœur autant que leur tête. On observe que les hommes revendiquent depuis peu leur droit aux larmes ; ils hésitent beaucoup moins à avouer qu'il leur arrive de pleurer devant un film ou une scène émouvante.

A la télévision, l'émotion coule à flots dans les émissions de variétés, dans les *reality shows*, dans les journaux d'informations ou les *téléthon*s. Beaucoup de jeunes recherchent aussi les émotions fortes pour échapper aux angoisses du quotidien. La **drogue** ou la **délinquance** sont quelques-unes des moyens qu'ils utilisent. L'**aventure** est une autre voie d'accès, à l'occasion des vacances, même si elle fait la part belle à la sécurité et au confort. Enfin, l'engouement pour l'**irrationnel** est une autre façon de retrouver des émotions, de nature spirituelle par exemple, qui paraissent interdites par la raison.

8. LA CULTURE

L'accroissement de la fréquentation des musées et des grandes expositions, la passion qui anime régulièrement les débats organisés autour de la définition de la culture montrent combien celle-ci reste importante pour les Français, même parmi ceux que l'on imagine peu concernés. On ne considère bien souvent que sa dimension **élitiste** (les grands textes classiques, les grands opéras ou ballets, etc.), oubliant que la culture représente l'ensemble des références qui fondent les attitudes et les comportements des individus dans une société.

Les difficultés d'*Euro Disney*, tant lors de son implantation que dans sa fréquentation par les Français, sont significatives de l'attachement à la culture nationale et à sa préservation. Le débat sur le GATT et l'insistance de la France à demander l'exception ou l'exemption des biens culturels des termes de l'accord en est une autre illustration. Le renouveau et la démocratisation de la culture témoignent enfin de la volonté de ressentir des émotions (voir ci-dessus).

Si les Français restent très demandeurs de connaissance et s'ils redécouvrent notamment la nécessité de la « **culture générale** », c'est qu'ils sentent confusément qu'elle est une clé pour comprendre le présent et inventer l'avenir. C'est peut-être en préférant la culture à la science, la politique à l'économie que l'on pourra sortir « par le haut » de la crise actuelle. Là réside l'un des atouts principaux de la France.

9. LA TRANSCENDANCE

Les explications rationnelles du monde ne sont pas satisfaisantes ; elles posent autant de questions qu'elles apportent de réponses et elles varient largement dans le temps. On ne peut d'ailleurs s'empêcher de remarquer l'apparente corrélation, ou en tout cas la concomitance, entre la disparition de la transcendance et la crise morale qui a frappé les sociétés occidentales. Ce lien tend à prouver que l'absence de **sacré** entraîne une perte d'identité. Le « faux sacré », inventé par la société moderne et médiatique, ne suffit pas. C'est pourquoi, dans une société qui se dit laïque, le besoin de transcendance reste intact. Le recours à l'irrationnel (voyance, spiritisme, astrologie, numérologie...) traduit la recherche d'une communion avec l'au-delà ou avec le cosmos. Ce besoin de transcendance est susceptible d'aider les Français à poursuivre la prise de conscience globale qu'ils ont entamée. Celle-ci devrait les inciter à remettre en cause des conceptions **matérialistes** qu'ils commencent à trouver moins satisfaisantes et qui font peser des menaces sur la survie de la planète.

10. L'HARMONIE

A travers la recherche spirituelle et la quête du sens, c'est au fond un énorme besoin d'harmonie qui se manifeste. Harmonie vis-à-vis de la **nature** avec l'écologie, du **cosmos** par l'intermédiaire de la religion ou des formes multiples de l'irrationalité. Harmonie dans les **rapports familiaux**, qui se font et se défont dans ce but. Harmonie aussi vis-à-vis de **soi-même**. Pour y répondre, de nombreuses méthodes de développement personnel ou de psychothérapie se sont développées depuis quelques années, dans le foisonnement sympathique ou inquiétant, authentique ou mercantile du Nouvel Age. L'invention de Gaïa par les écologistes peut être vu comme une tentative de sacralisation de la Terre et, plus largement, d'harmonie avec l'Univers.

Les nouvelles voies proposées s'écartent de la psychanalyse freudienne traditionnelle. Elles considèrent que le langage du corps est aussi important que la parole et travaillent sur la respiration, les muscles, les nerfs et tous les organes. Une fois éliminées les techniques dangereuses ou inefficaces, certaines permettront peut-être de progresser dans la compréhension des comportements et dans la recherche d'une plus grande **sérénité**.

LES DIX GRANDES TENTATIONS

En même temps que de nouvelles idées se font jour dans la société et que de nouveaux besoins apparaissent, exprimant les directions de recherche de l'avenir, des freins au changement demeurent. Ils pourraient, s'ils gagnaient une proportion importante de la population, empêcher la reconstruction en cours de la France. Les tentations principales sont le protectionnisme, la simplification, la vie virtuelle, la nostalgie, la corruption, l'irrationalité, l'intolérance, la dérision, le révisionnisme et le masochisme.

1. LE PROTECTIONNISME

Les Français ont le sentiment d'être confrontés à des **risques personnels** multiples : chômage ; maladies ; pollution ; vieillissement ; délinquance ; accidents, etc. Ils cherchent à s'en protéger par tous les moyens, investissant dans des produits et services de sécurité (alarmes, blindages, assurances, mutuelles, soins préventifs...) et des appareils de « **distanciation** » comme le téléphone, la télévision, le Minitel ou l'ordinateur, qui leur permettent d'être reliés au monde de façon immatérielle et de vivre dans une bulle stérile.

A côté de ces risques individuels existent des risques **collectifs :** les Etats-Unis font peser une menace sur la culture ; l'Asie sur l'économie ; l'Europe de l'Est et le Moyen-Orient sur la paix ; l'Afrique et ses émigrés sur l'identité du pays d'accueil ; l'Union européenne sur la souveraineté nationale ; le tiers-monde en général sur la démographie et l'environnement.

La tentation est forte de répondre à ces menaces par le **protectionnisme**. En politique, cette thèse était jusqu'ici essentiellement défendue par le Front national et le Parti communiste. Elle a été reprise avec succès lors de l'élection européenne de juin 1994 par des hommes de droite comme Philippe de Villiers ou des chefs d'entreprise comme Jimmy Goldsmith (les deux hommes s'étant retrouvés sur la même liste pour l'occasion). Le mythe du « **splendide isolement** » revient périodiquement

dans un pays qui rêve d'être une île, à condition qu'elle soit placée au centre du monde.

2. LA SIMPLIFICATION

La litanie des risques et des menaces a abouti, au fil des années, à une **dépression collective**. Les Français accordent donc un intérêt croissant à tout ce qui semble en mesure de réduire leur anxiété. C'est le cas au sens propre des anxiolytiques et autres **médicaments psychotropes**, dont ils détiennent sans doute le record mondial de consommation. C'est le cas aussi des **sectes**, qui promettent le bonheur à tous ceux qui leur confient leur vie et leurs biens. L'accueil fait au **Nouvel Age**, tentative de réconciliation entre énergie et matière, Orient et Occident et promesse d'harmonie avec le cosmos, s'inscrit dans ce mouvement.

Les hommes politiques dits **populistes** ont compris ce besoin de simplification dans un monde complexe. A l'image de son modèle italien, Bernard Tapie n'a pas hésité à proclamer illégal le chômage des jeunes, comme demain sans doute la misère dans les banlieues ou l'injustice. Avant lui, Jean-Marie Le Pen avait promis la suppression des impôts. Les **intégrismes** et les **corporatismes** fonctionnent tous sur le même souci de rendre les choses compliquées faussement simples. Si la **démagogie** n'est pas neuve, elle s'alimente aujourd'hui de la difficulté de saisir le sens de l'Histoire et le mouvement du monde.

3. LA VIE VIRTUELLE

Avec les développements vertigineux de l'électronique, le monde s'est **dématérialisé**. La médiatisation croissante des produits, entreprises, institutions, idées et personnages publics fait que **l'image** tient souvent lieu de réalité.

L'argent est ainsi passé de l'état solide (les « espèces sonnantes et trébuchantes »), puis liquide (l'argent qui « coule entre les doigts ») à celui de gaz (inodore, incolore, mais non sans saveur). La « **réalité virtuelle** » est en marche, à travers les écrans des téléviseurs, ordinateurs, et autres « produits de distanciation » (voir *Protectionnisme*) qui peuplent les foyers-bulles. Les *reality shows* ne sont en fait que des mises en scène d'une réalité bien lointaine, reconstituée, simulée et jouée par des acteurs.

Le mythe du « **voyage** » se développe ; on y accède non seulement par les transports mais aussi par la drogue, les médias ou le jeu. Les loisirs qui progressent le plus (audiovisuel, jeux vidéo, parcs de loisirs, clubs de vacances...) cherchent d'ailleurs moins à simuler la réalité qu'à la **transcender**.

A défaut d'être à l'aise dans la "vraie" vie, beaucoup de Français préfèrent la rêver. Ils vivent leurs passions **par procuration**, confortablement installés devant leur écran de télévision.

4. LA NOSTALGIE

Le succès des livres d'histoire montre l'intérêt que les Français portent à leur passé, porteur de repères identitaires. Le goût de la **commémoration** s'est généralisé. Il répond au louable souci de réfléchir sur le présent à la lumière du passé. En 1993, le millénaire des Capétiens avait été ainsi l'occasion d'un débat sur la mort de Louis XVI et sur le royalisme.

Cette obsession de la commémoration et de la mémoire a connu deux points d'orgue, avec le bicentenaire de la révolution en 1989 et le cinquantième anniversaire du débarquement en 1994. Elle représente un moyen de retrouver l'identité perdue, en même temps qu'une **nostalgie** malsaine révélatrice de l'incapacité à se projeter en avant. Certes, l'accélération du changement et les ruptures qu'il provoque rendent l'analyse du présent difficile. Mais la convocation de l'histoire ne doit pas se transformer en un culte du passé (et des discours du type « c'était mieux avant ») qui pourrait aboutir à un rejet de tout ce qui est contemporain.

Cette attitude constitue un double danger de **régression**. Au sens économique et moral d'abord. Au sens psychanalytique ensuite, avec la volonté de retour à des situations très anciennes, voire aux origines de l'Humanité. Ce dernier phénomène est particulièrement sensible dans les rapports que les Français entretiennent avec leurs animaux familiers. Tout se passe comme si l'homme, qui se sent aujourd'hui coupable de détruire la nature, tentait de se racheter en traitant les animaux comme des semblables.

5. LA CORRUPTION

Dans une société où la réussite individuelle est difficile à obtenir et plus encore à maintenir, les principes moraux s'effacent devant la nécessité de se développer ou tout simplement de survivre. En économie, la place prépondérante accordée au **marché** rend difficile l'application de principes moraux très stricts. Les règles sont peu nombreuses et diffèrent selon les acteurs, de sorte que tous les coups sont finalement permis. Même si les discours éthiques des entreprises se multiplient, la difficulté de faire face à la concurrence mondiale implique souvent des **accommodements avec la morale**.

Dans l'univers politique, le **réalisme** et la raison d'Etat justifient toutes les pratiques. Ils expliquent les réactions différenciées des nations à l'égard de l'Irak ou de la Yougoslavie, les écarts entre les discours pacifiques et les actes guerriers. Dans un tel contexte, les valeurs morales ne vont pas de soi. Pour les chefs d'entreprise ou les hommes politiques, la **probité** est une vertu difficile, compte tenu des pratiques des autres.

Bien que moins directement concernés, les simples citoyens sont de plus en plus sensibles à cette atmosphère de corruption. Ils finissent par se convaincre qu'il n'y a pas de raison de ne pas profiter des « occasions » lorsqu'elles se présentent. C'est ainsi que la « débrouille » a été érigée en système de survie, que la « magouille » s'est installée dans les affaires, que la « triche » s'est développée à l'école, que la fraude s'est étendue chez les contribuables, que l'« arnaque » a gagné un certain nombre de professions.

Avec la « démoralisation » de la société, c'est le problème de la dignité individuelle, et pour tout dire de l'**honneur**, qui est posé.

6. L'IRRATIONNALITÉ

L'incapacité des experts à expliquer un monde devenu trop complexe a entraîné la frustration des Français. Face aux questions sans réponses, ceux-ci éprouvent une méfiance croissante à l'égard de la **raison**. Ils tentent donc de puiser « ailleurs » des éléments d'information et de réflexion. Certains consultent des **voyants** (leur nombre est estimé à 50 000, soit deux fois plus que celui des prêtres). D'autres s'intéressent à d'autres démarches, en rupture avec la rationalité occidentale. C'est ainsi que l'on recourt à l'**acupuncture** à côté ou parfois à la place de la médecine traditionnelle, que les explications du monde proposées par certains gourous rencontrent un écho chez de nombreux jeunes. Les entreprises font, elles aussi, de plus en plus appel à des méthodes irrationnelles. Elles recrutent en recourant à l'**astrologie**, à la **numérologie**, voire au **spiritisme**.

La crise économique mais aussi la proximité de l'an 2000 ne sont sans doute pas étrangères à cette attitude. Le scientisme cède peu à peu la place au scepticisme et au **mysticisme**. Les savants s'interrogent sur les conséquences de leur pouvoir et sur les limites de leurs connaissances ; certains n'hésitent pas à chercher dans des voies non scientifiques un renouvellement de leur inspiration.

L'une des conséquences de ce goût pour l'irrationnel est la création d'une sorte de **mythologie** moderne. Des rumeurs et des légendes se développent dans la vie sociale, économique, politique. Elles alimentent les peurs contemporaines en même temps qu'elles cherchent à les exorciser. Les angoisses à l'égard de la science et de la technologie s'expriment par des histoires qui en dénoncent les dangers : les écrans d'ordinateur seraient responsables de problèmes de vue ou d'avortements chez les femmes ; les poêles au Téflon, les lampes halogènes, les montres à quartz ou les téléphones sans fils seraient à l'origine de cancers ; l'utilisation des jeux vidéo par les jeunes entraînerait des épilepsies ; des implants mammaires exploseraient lors des vols en avion...

Si la raison ne suffit pas à résoudre les problèmes du monde, la **déraison**, et son corollaire, l'irrationnalité, ne sauraient être plus efficaces.

7. L'INTOLÉRANCE

Les Français sont devenus de plus en plus méfiants. La **science** les inquiète par ses applications potentielles. La présence des **étrangers** leur fait craindre pour leur identité, leur emploi et leur sécurité. Les **hommes politiques** les agacent par leur immobilisme et leur discours figé et les **institutions** leur paraissent de moins en moins dignes de confiance. Ils regardent aussi avec suspicion les **produits**, les **marques** et les **publicités** qui s'efforcent de les séduire. Ils constatent avec angoisse l'accroissement du nombre des **personnes âgées**. Ils considèrent avec peu d'aménité les **fumeurs**, les **homosexuels**, les **sidéens** ou les **SDF**. Ils portent sur les **médias** des jugements de plus en plus sévères.

Cette montée de la **méfiance** prend parfois la forme de l'**intolérance**. La volonté de préserver la quiétude et le confort individuels peut entraîner une certaine fermeture aux autres, considérés comme des menaces potentielles. La **xénophobie** et le **racisme** peuvent y trouver un terrain favorable, ainsi que la **résistance au changement**, qui débouche sur le corporatisme.

8. LA DÉRISION

Le **rire** est un antidote à l'angoisse ; il n'est donc pas étonnant qu'il tienne une place croissante à une époque où l'inquiétude est présente partout. « Rien n'est plus drôle que le malheur des autres » écrivait Beckett. Le rire est aussi une façon de montrer les faiblesses de la société sans faire la morale, en laissant à chacun le soin de décider ce qu'il pense. Il joue un rôle différent et complémentaire de celui des médias, des observateurs ou des experts qui expriment tous un point de vue sur ce qu'ils voient.

Mais le rire contemporain est fait surtout de **dérision**. Il se distingue de l'humour traditionnel par le fait qu'il est complètement **immergé** dans le monde actuel. Il en montre les tares et les dérives, prenant le risque de tomber dans les mêmes excès. Dans la lignée de Coluche, les « nouveaux comiques » (Patrick Timsitt, les Nuls, les Inconnus, Jean-Marie Bigard, Karl Zéro, Jean-Yves Lafesse...) repoussent sans cesse les limites du respect ou du bon goût, considérant qu'on peut tout dire et rire de tout. A la télévision, l'**impertinence** des Dechavanne, de Caunes, Durand ou Ardisson a pris la relève de la gentillesse affichée des Drucker, Foucault et autres Sabatier. On retrouve ce goût de la dérision dans d'autres domaines comme la décoration ou l'architecture ; l'art contemporain est aussi une façon de se moquer du présent.

Cette tentation de la dérision est liée à l'idée que la société elle-même est dérisoire. Elle traduit aussi le désir de ne rien prendre au sérieux, surtout pas les personnes publics, jugés responsables des maux actuels. Elle constitue un exercice de **défoulement démocratique**, un exutoire aux frustrations. Elle s'apparente aussi au lynchage symbolique de **boucs-émissaires**. On a d'ailleurs accusé les émissions humoristiques les plus féroces de la télévision (les *Guignols* de Canal Plus ou le *Bébête Show* de TF1) de porter une responsabilité dans le suicide de Pierre Bérégovoy. Ce jugement sans doute excessif est de toute façon invérifiable.

La ligne séparant le droit à la dérision et le devoir de respect est certes difficile à tracer, mais elle est probablement nécessaire.

9. LE RÉVISIONNISME

L'incapacité des idées et des hommes à résoudre les problèmes du moment explique la tendance actuelle à les remettre en cause. Appliqué d'abord au domaine **politique**, à propos des partis communistes soupçonnés de s'engager dans des révisions doctrinales, puis aux « intellectuels » proches de l'extrême droite qui nient l'holocauste perpétré contre les Juifs, le **révisionnisme** concerne aujourd'hui bien d'autres domaines : histoire ; idéologies ; théories économiques ; techniques de gestion des entreprises...

Ces révisions peuvent être salutaires lorsqu'elles permettent, par exemple, de lever le tabou sur la collaboration ou le silence sur le massacre d'Algériens à Paris lors de la guerre d'indépendance. Elles sont utiles lorsqu'elles aboutissent à la prise en compte des impératifs sociaux dans l'économie de marché ou la mise en œuvre de meilleurs rapports humains dans les entreprises.

Elles sont en revanche suspectes lorsqu'elles assimilent, par exemple, l'écologie au pétainisme ou lorsqu'elles jettent le doute sur la personne ou l'œuvre de personnages célèbres par des pseudo-révélations ou des hypothèses sans réel fondement. C'est ainsi que Jean Moulin, héros de la Résistance, a pu être accusé d'avoir été un agent de renseignements soviétique (la même accusation a été portée à l'encontre de l'acteur Michel Simon); Pasteur aurait injecté à de jeunes garçons des vaccins antirabiques expérimentaux avant même de les avoir testés sur des animaux, etc.

Dans tous les domaines, la recherche permet sans doute de progresser dans l'approche de la réalité et de la vérité. Mais le débat entre les spécialistes est faussé par la volonté de certains d'entre eux de se construire à bon compte une notoriété personnelle. Une tentation favorisée par le jeu médiatique qui privilégie le changement et les « **révélations** » à la stabilité et la continuité et qui adore tordre le cou à des « idées reçues » en donnant la parole à ceux qui semblent disposer d'éléments pour le faire.

Ces révisions ont souvent pour conséquence de remplacer les certitudes par l'**inquiétude** et l'inconfort. Elles constituent aussi un **alibi** pour ne rien changer à ses habitudes, au prétexte que la vérité d'un jour peut-être l'erreur du lendemain, comme on le vérifie fréquemment en matière de nutrition. Elles renforcent donc paradoxalement des tendances existantes au conservatisme.

10. LE MASOCHISME

Depuis quelques années, la France souffre d'hypocondrie. A l'image de l'Argan de Molière, elle est la **malade imaginaire** de l'Europe. Cette complaisance nationale à souligner les endroits où l'on a mal, à choisir systématiquement la moitié vide de la bouteille plutôt que la pleine est une donnée récente de la mentalité collective. On sait le Français râleur et critique à l'égard de ses semblables. Son individualisme naturel le pousse depuis toujours à ne voir que les faiblesses ou les tares de l'Etat et des institutions. Mais cette attitude s'apparentait jusqu'ici à un jeu ; s'ils critiquaient les partis politiques, les syndicats ou l'armée, les citoyens n'en étaient pas moins convaincus de leur utilité et, dans de nombreux cas, fiers de leur efficacité.

Certes, il existe des causes objectives à cette mise en cause ; elles coïncident avec la **déconstruction** en marche depuis une bonne vingtaine d'années. Mais les Français l'ont vécue comme une apocalypse, l'agonie d'une mort annoncée, alors qu'elle était porteuse d'un avenir meilleur. Il faut dire que, bercés par le souvenir des gloires passées, beaucoup avaient pendant un temps surestimé l'importance de leur pays dans le concert planétaire. Il leur a fallu aussi plus de temps que les autres (précisément dix ans, entre 1973 et 1983) pour accepter l'idée d'une **crise** multiple et internationale.

A force de remplacer l'arrogance, maintes fois dénoncée à l'étranger par l'autoflagellation, ils ont toutefois fini par faire un **complexe d'infériorité** et par juger de façon beaucoup trop pessimiste la situation de leur pays et sa place dans le monde. On ne compte plus les sondages qui montrent que la France est devenue pour ses habitants une puissance moyenne, voire insignifiante. On ne compte plus les essais qui, depuis celui d'Alain Peyrefitte, décrivent par le menu les différentes manifestations du « mal français ».

Les médias nationaux ont trouvé dans ce masochisme une source d'inspiration inépuisable. Les observateurs étrangers s'en étonnent ; ils en veulent parfois à la France de ne pas savoir profiter de sa chance et d'offrir au monde une image d'enfant gâté. A l'extérieur de l'Hexagone, l'**art de vivre** des Français est en effet unanimement reconnu, souvent envié. Mais ceux-ci n'en sont guère conscients et préfèrent s'adonner aux troubles délices de la sinistrose. La comparaison avec la situation d'autres pays devrait pourtant les inciter à plus d'optimisme.

LES DIX GRANDS ATOUTS

Par rapport aux autres pays développés, aux prises avec des difficultés comparables, la France dispose de qualités spécifiques qui peuvent l'aider à jouer un rôle particulier : la richesse économique ; la culture ; la sensibilité à l'injustice ; la tradition humaniste ; l'universalisme ; le poids de l'Etat ; la créativité ; la formation ; l'unité nationale ; l'art de vivre. Les « exceptions françaises » n'ont pas disparu ; elles sont d'autant plus utiles aujourd'hui qu'elles sont en mesure de répondre aux grands défis du moment. Le monde pourrait être tenté de s'en inspirer, à condition que la France parvienne à rétablir la cohérence entre ce qu'elle est et l'image qu'elle a d'elle-même.

1. LA RICHESSE ÉCONOMIQUE

Il faut rappeler que la France est le quatrième pays le plus riche du monde, en terme de PIB. Elle est aussi le quatrième exportateur mondial, le second en matière de services. On prend davantage conscience de cette situation lorsqu'on sait que l'Hexagone n'abrite que 1 % de la population mondiale. La comparaison avec les autres pays, même développés, est encore insuffisante. Elle permet de relativiser les difficultés actuelles de la France.

2. LA CULTURE

Un passé riche et parfois glorieux a laissé en France des traces indélébiles, que l'on retrouve dans les monuments et les musées, mais aussi dans les écoles et dans les esprits. La France est, par exemple, l'un des rares pays ayant réussi à préserver la production cinématographique ou musicale nationale de la suprématie anglo-saxonne. Cette présence du passé constitue un atout important à un moment où la culture générale apparaît aux Français comme la voie royale pour comprendre le présent et inventer le futur.

3. LA SENSIBILITÉ À L'INJUSTICE

Tardivement convertis à l'économie de marché, les Français ne sont pas très à l'aise avec le libéralisme, dont ils savent qu'il engendre l'inégalité et l'injustice. Deux siècles après la Révolution, ils sont encore prêts à se mobiliser contre ces fléaux. Ils sont donc bien placés pour proposer une autre voie entre libéralisme et socialisme, efficacité et justice, individu et collectivité.

4. LA TRADITION HUMANISTE

Depuis deux siècles, l'image de la France est associée au texte fondateur des Droits de l'homme et du citoyen. Trois Français incarnent aujourd'hui la volonté de changer le destin de l'Humanité, de casser la logique infernale de l'injustice et du malheur : l'abbé Pierre représente l'humanisme religieux, concrétisé par le succès des compagnons d'Emmaüs ; Bernard Kouchner est, avec Médecins sans frontières, le fondateur des *french doctors* et le champion de l'idée du droit d'ingérence humanitaire ; le commandant Cousteau est le porte-drapeau de l'humanisme écologique, soucieux de l'avenir des générations futures.

5. L'UNIVERSALISME

La France a toujours été, selon le mot de Giraudoux, « l'embêteuse du monde ». Aujourd'hui encore, elle joue un rôle sur le plan international, même si ce rôle ne fait pas toujours l'unanimité. Elle a gardé, malgré la décolonisation, des relations privilégiées avec certaines régions du monde. De nombreux pays d'Europe, d'Afrique ou d'Asie attendent qu'elle prenne position sur le plan politique, diplomatique et qu'elle intervienne sur le plan humanitaire, culturel, parfois militaire.

6. LE POIDS DE L'ÉTAT

L'Etat français est à la fois protecteur, moteur et dinosaure. Son centralisme est à l'origine de lourdeurs parfois insupportables, mais il est en même temps capable d'initier les grands projets qui seront nécessaires pour transformer le pays au cours des prochaines années. Bien que décriées dans leur fonctionnement, les institutions restent garantes d'un certain ordre social et servent d'amortisseurs aux mouvements cahotiques de l'économie. Elles permettent en particulier de tendre des filets de protection autour de ceux qui sont les plus vulnérables. S'il était de bon ton de se dire Girondin au cours des années fastes, il est peut-être temps de redevenir Jacobin.

7. LA CRÉATIVITÉ

Ce n'est pas par hasard que la France a participé largement à la création et au développement des grandes inventions : cinéma ; photographie, aviation ; automobile ; train, etc. Sa créativité est aujourd'hui reconnue en matière de mode, de logiciels, de recherche médicale ou de publicité. Son goût de la singularité, qui la pousse souvent à ne pas faire comme les autres, est un facteur favorable à l'innovation.

8. LA FORMATION

Bien qu'elle soit à l'intérieur l'objet de nombreuses critiques, l'école de la République jouit à l'extérieur d'un prestige intact. En particulier, l'accent mis sur la culture générale est considéré partout comme un atout d'importance croissante à un moment où la spécialisation a montré ses limites et ses dangers.

9. L'UNITÉ NATIONALE

A la différence de nombreux autres pays, la France n'est pas déchirée entre des antagonismes internes. Si elles revendiquent leur identité, les régions dans leur immense majorité se sentent partie prenante de la nation. Grâce à une législation qui repose sur le droit du sol, l'intégration des étrangers s'est faite de façon plutôt plus harmonieuse qu'ailleurs. Enfin, la France est moins exposée aux vagues d'immigration et aux risques stratégiques en provenance de l'Est, du fait de la présence du « bouclier » allemand.

10. L'ART DE VIVRE

De tous les attributs de l'image de la France à l'extérieur, celui-ci est le plus largement reconnu. Parmi tous les pays du monde, la France serait le premier choisi par les Européens s'ils devaient habiter ailleurs. Quel plus bel hommage pourrait lui être rendu ? Il serait temps que les Français prennent conscience de l'attraction exercée par leur pays et de la chance insigne qu'ils ont d'y vivre.

SÉMIOSCOPIE

Une enquête exclusive Francoscopie/Sofres

On peut identifier les différences de mentalités et de valeurs entre les Français en analysant leurs réactions à des mots judicieusement sélectionnés. Il est ainsi possible de mettre en évidence les écarts entre les hommes et les femmes, les jeunes et les personnes âgées, les mariés et les célibataires, les ouvriers et les cadres supérieurs, etc. L'étude conduite avec Eric Stemmelen* de la Sofres apporte quelques révélations.

LA SÉMIOMÉTRIE

Les mots ne signifient pas uniquement les choses ou les concepts.

Ils renvoient aussi à des valeurs et à des affects, à travers l'expérience vécue par chacun. A la simple évocation d'un mot, on peut éprouver des sentiments agréables ou désagréables. Cette charge affective varie selon les mentalités, les jugements et les expériences de chaque individu ; elle dépend de ses propres « valeurs ». Ainsi, ceux qui apprécient les mots *poésie, fleur* ou *tendresse* partagent une vision harmonieuse du monde, alors que ceux qui préfèrent *armure, fusil* et *muraille* valorisent le conflit.

La **sémiométrie** a pour vocation d'aller au-delà du sens premier des mots. Son objectif est de mesurer les relations qui existent entre eux et de proposer une structure globale qui montre comment ils se regroupent.

* L'auteur tient à remercier Eric Stemmelen, directeur du département Sémiométrie de la Sofres, grâce à qui des traitements particuliers ont pu être réalisés sur la banque de données.

Méthodologie

L'étude réalisée a porté sur 14 638 personnes formant un échantillon représentatif de la population française de 15 ans et plus, interrogées en 1992 au moyen d'un questionnaire auto-administré. Chaque personne devait noter chacun des 210 mots proposés sur une échelle de 6 modalités allant de « très agréable » à « très désagréable », selon la sensation qu'il lui inspirait. Le traitement informatique réalisé permet de faire apparaître les mots les plus discriminants en fonction des différentes catégories sociales, identifiées par les indicateurs socio-démographiques suivants :
- Sexe (comparaison hommes/femmes) ;
- Age (comparaison 15-24 ans et plus de 60 ans) ;
- Statut matrimonial (comparaison mariés/célibataires, hors concubins et divorcés) ;
- Présence d'enfants au foyer ou non (parmi les personnes âgées de 20 à 45 ans hébergeant des enfants de moins de 15 ans) ;
- Lieu d'habitation (comparaison Paris/province) ;
- Profession (comparaison des ouvriers et des cadres supérieurs et professions libérales) ;
- Instruction (comparaison des personnes ayant un diplôme inférieur au baccalauréat ou supérieur au baccalauréat).

N.B. Le traitement mathématique (analyse en composantes principales) des réponses permet d'obtenir une carte qui est une représentation simplifiée de **l'espace des valeurs** des Français. Cette carte a été présentée et analysée dans la précédente édition de FRANCOSCOPIE (p. 35).

La sémiométrie consiste d'abord à recueillir la charge affective, positive ou négative, suscitée par un mot.

L'étude conduite ici a pour point de départ un ensemble de 210 mots-concepts fondamentaux qui permettent de cerner les préférences, les goûts et les valeurs des Français (voir encadré ci-dessus). Il a été constitué après plusieurs années de recherche, par une série d'enrichissements, puis d'opérations de réduction.

Les mots retenus sont à la fois *représentatifs* de la grande diversité des sens que l'homme peut percevoir, *sensibles* (assez fortement connotés pour ne pas provoquer l'indifférence), *non consensuels* (à l'inverse de mots tels que santé, bonheur, barbarie, souffrance) et *sémantiquement stables* (peu soumis aux effets de mode).

Notons que l'on retrouve par le seul calcul statistique des voisinages logiques qui ne font que valider la méthode : *mariage* et *famille*, *patrie* et *discipline*, *inconnu* et *sauvage*, etc. Mais on met aussi en évidence des rapprochements moins attendus : *minceur* et *amitié*, *loi* et *industrie*, *ironie* et *orage*, etc.

Les mots les plus appréciés des Français indiquent un besoin d'harmonie.

On n'est pas surpris de constater que le mot *paix* est le mieux noté des 210 mots proposés, alors que son contraire, *guerre*, arrive en dernière position. Les premiers mots du classement montrent aussi la volonté des Français de vivre en paix avec eux-mêmes, en privilégiant l'*amitié*, la *fidélité*, la *famille*, en faisant *confiance* et en se montrant *honnête*. La *tendresse*, le *rire*, la *gaité*, la *douceur*

Le palmarès des mots

Liste des 15 mots les plus appréciés et des 15 mots les moins appréciés (avec leur classement et les notes moyennes de chacun, de 1 à 7) :

Les plus appréciés		Les moins appréciés	
1 - Paix	6,72	210 - Guerre	1,30
2 - Tendresse	6,65	209 - Trahir	1,42
3 - Amitié	6,62	208 - Angoisse	1,57
4 - Rire	6,59	207 - Mort	1,79
5 - Gaité	6,54	206 - Désordre	2,23
6 - Fidélité	6,51	205 - Rompre	2,32
7 - Famille	6,51	204 - Fusil	2,37
8 - Guérir	6,51	203 - Danger	2,40
9 - Confiance	6,48	202 - Vide	2,45
10 - Douceur	6,44	201 - Vieillir	2,51
11 - Honnête	6,43	200 - Chasse	2,61
12 - Caresse	6,43	199 - Punir	2,64
13 - Fleur	6,39	198 - Attaquer	2,69
14 - Naissance	6,38	197 - Faute	2,73
15 - Maison	6,38	196 - Doute	2,79

Les autres mots

Classement par ordre décroissant d'intérêt (du 16e au 195e mot) :

16 - Cadeau	76 - Bleu	136 - Humble
17 - Campagne	77 - Robuste	137 - Cérémonie
18 - Courage	78 - Inventeur	138 - Recueillement
19 - Humour	79 - Poésie	139 - Immense
20 - Confort	80 - Charitable	140 - Noble
21 - Musique	81 - Pardon	141 - Fermeté
22 - Politesse	82 - Raison	142 - Discipline
23 - Maternel	83 - Précieux	143 - Commerce
24 - Enfance	84 - Réfléchir	144 - Elite
25 - Respect	85 - Créateur	145 - Changement
26 - Dynamique	86 - Puissance	146 - Loi
27 - Arbre	87 - Acheter	147 - Escalader
28 - Récompense	88 - Travail	148 - Prêtre
29 - Revers	89 - Nager	149 - Infini
30 - Eau	90 - Hériter	150 - Nudité
31 - Mariage	91 - Volontaire	151 - Industrie
32 - Féminin	92 - Justice	152 - Aventurier
33 - Désir	93 - Voluptueux	153 - Rouge
34 - Attachemennt	94 - Maîtriser	154 - Commander
35 - Pureté	95 - Ile	155 - Défi
36 - Efficace	96 - Modestie	156 - Absolu
37 - Protéger	97 - Jeu	157 - Vitesse
38 - Elégance	98 - Ambition	158 - Matériel
39 - Parfum	99 - Minceur	159 - Mystère
40 - Intime	100 - Théâtre	160 - Magie
41 - Victoire	101 - Eternel	161 - Bohème
42 - Livre	102 - Fleuve	162 - Différent
43 - Honneur	103 - Certitude	163 - Règle
44 - Argent	104 - Vert	164 - Question
45 - Séduire	105 - Ecrire	165 - Légèreté
46 - Ensemble	106 - Produire	166 - Etranger
47 - Construire	107 - Audace	167 - Obéir
48 - Nid	108 - Ecole	168 - Acharnement
49 - Adorer	109 - Peau	169 - Interroger
50 - Science	110 - Viril	170 - Souverain
51 - Précision	111 - Bâtisseur	171 - Inconnu
52 - Richesse	112 - Sommet	172 - Sauvage
53 - Admirer	113 - Concret	173 - Ruse
54 - Or	114 - Tradition	174 - Feu
55 - Soigner	115 - Patrie	175 - Métallique
56 - Animal	116 - Economiser	176 - Nœud
57 - Souplesse	117 - Héros	177 - Soldat
58 - Art	118 - Mode	178 - Frontière
59 - Perfection	119 - Original	179 - Sacrifice
60 - Sensuel	120 - Gloire	180 - Immobile
61 - Gratuit	121 - Conquérir	181 - Rigide
62 - Moelleux	122 - Utilitaire	182 - Détachement
63 - Logique	123 - Charnel	183 - Désert
64 - Océan	124 - Sacré	184 - Masque
65 - Propriété	125 - Ame	185 - Noir
66 - Sublime	126 - Dieu	186 - Orage
67 - Montagne	127 - Foi	187 - Ironie
68 - Raffiné	128 - Modération	188 - Armure
69 - Bijou	129 - Morale	189 - Révolte
70 - Féconder	130 - Lune	190 - Muraille
71 - Consoler	131 - Prudence	191 - Méfiance
72 - Astucieux	132 - Secret	192 - Critiquer
73 - Patience	133 - Effort	193 - Cri
74 - Enseigner	134 - Evasion	194 - Labyrinthe
75 - Chercheur	135 - Emotion	195 - Interdire

sont pour eux les ingrédients principaux du bonheur, traduit par des mots comme *caresse, fleur, naissance* ou *maison*.

A l'inverse, les mots les moins appréciés traduisent la crainte de tout ce qui peut nuire à l'harmonie : la *guerre* (et son symbole, le *fusil*), la trahison *(trahir)*, l'*angoisse*, la *mort* (ou le simple fait de *vieillir*), le *désordre*, la rupture *(rompre)*. Le *danger*, le *vide* et le *doute* apparaissent aussi comme des sensations très désagréables dont les Français s'accommodent mal.

LES MOTS ET LES GROUPES SOCIAUX

Les hommes et les femmes se différencient surtout par leurs perceptions des mots à connotation agressive.

La liste des mots les plus « discriminants » entre les hommes et les femmes est très révélatrice des différences de valeurs entre les sexes. Même s'ils ne leur accordent pas des notes élevées dans l'absolu, les hommes ont tendance à mieux noter que les femmes des mots chargés d'agressivité *(fusil, attaquer, chasse)* ou liés à la notion de risque : *vitesse, danger, armure, labyrinthe, muraille.* Ils sont aussi moins éloignés de mots à image négative comme *angoisse* ou *vide*. Ils sont plus attirés par la *ruse* et par la dureté des éléments d'aspect *rigide* ou *métallique*.

Discrimination et statistique

Les mots les plus discriminants entre deux groupes sociaux comparés l'un à l'autre sont définis par des critères statistiques assez complexes. On peut dire pour simplifier qu'il s'agit des mots les plus **surcotés** ou **sous-cotés** par un groupe par rapport à l'autre et dont l'écart est le plus **significatif sur le plan statistique** (c'est-à-dire qu'il a le moins de chances d'être dû au hasard).
Attention : la liste des mots les plus discriminants entre deux groupes ne doit pas être confondue avec un classement qui indiquerait l'intérêt « absolu » de ces mots pour l'un ou l'autre de ces groupes. C'est pour éviter cette tentation que les notes attribuées aux mots par le groupe ont été indiquées entre parenthèses (de 1 à 7) ; on s'aperçoit ainsi que la force de discrimination d'un mot n'a rien à voir avec l'estime dont il bénéficie de la part du groupe concerné.

De leur côté, les femmes surcotent par rapport aux hommes des mots généralement associés à la féminité comme *bijou, maternel, mode, minceur, fleur, parfum, cadeau, nid*. Les différences entre les sexes sont moins attendues lorsqu'il s'agit de notions liées à la littérature : les femmes sont plus attirées que les hommes par *livre, poésie, théâtre, écrire*. Enfin, le mot *moelleux* s'oppose au mot *rigide* surcoté par les hommes.

Les hommes et les femmes

Classement des 15 mots les plus discriminants entre les sexes (et notes moyennes, de 1 à 7) :

Hommes		Femmes	
1 - Fusil	2,93	1 - Bijou	5,94
2 - Nudité	4,98	2 - Maternel	6,41
3 - Angoisse	1,83	3 - Mode	5,43
4 - Vide	2,79	4 - Minceur	5,78
5 - Attaquer	3,03	5 - Livre	6,08
6 - Métallique	3,94	6 - Fleur	6,55
7 - Chasse	3,01	7 - Poésie	5,75
8 - Vitesse	4,77	8 - Théâtre	5,49
9 - Danger	2,74	9 - Parfum	6,06
10 - Armure	3,43	10 - Cérémonie	5,10
11 - Rigide	3,71	11 - Cadeau	6,46
12 - Labyrinthe	3,13	12 - Moelleux	5,86
13 - Ruse	4,06	13 - Elégance	6,06
14 - Muraille	3,21	14 - Ecrire	5,45
15 - Orage	3,60	15 - Nid	5,93

© Francoscopie/Sofres

Les 15-24 ans sont plus attirés par le risque et la débrouillardise, les plus de 60 ans par la morale.

L'étude permet de mettre en évidence une fois de plus que l'âge est aujourd'hui le critère de différenciation le plus fort entre les individus. Plus que le sexe, le niveau d'instruction ou tout autre critère, il conditionne souvent les attitudes et les valeurs.

On constate ainsi que la *ruse* est presque considérée par les jeunes comme une vertu (avec une note moyenne de 5,1 sur 7) alors que les plus de 60 ans ne lui accordent que 3,0. Les mots induisant des notions de risque et des sensations sont aussi surcotés par les jeunes : *aventurier, vitesse, danger, émotion, désordre, rêver, séduire.* Ils expriment une certaine volonté de se démarquer du système social, de ses contraintes et de ses dysfonctionnements, à travers des mots comme *magie, île, secret, original*.

Il est au contraire très apparent que les plus âgés privilégient des valeurs traditionnelles : *morale*, *école* (et *enseigner*), *travail*, *patrie*. L'importance qu'ils attachent au travail est renforcée par les mots *industrie*, *bâtisseur* et *construire*. La religion est présente avec *charitable* et *prêtre*. Les mots *guérir* et *robuste* sont évidemment des préoccupations liées à leur âge.

La ruse contre la morale, tel semble être le conflit de génération, mais aussi de valeurs, entre les enfants d'aujourd'hui et leurs grands-parents.

Les jeunes et les seniors

Classement des 15 mots les plus discriminants entre les 15-24 ans et les plus de 60 ans (et notes moyennes) :

15 - 24 ans		Plus de 60 ans	
1 - Ruse	5,06	1 - Morale	5,70
2 - Aventurier	5,50	2 - Ecole	5,66
3 - Légèreté	5,20	3 - Industrie	4,99
4 - Vitesse	5,62	4 - Fermeté	5,35
5 - Danger	3,37	5 - Charitable	5,96
6 - Emotion	5,69	6 - Travail	5,85
7 - Désordre	2,96	7 - Enseigner	5,78
8 - Sauvage	4,76	8 - Patrie	5,80
9 - Rêver	6,51	9 - Bâtisseur	5,46
10 - Magie	5,03	10 - Construire	5,88
11 - Ile	5,95	11 - Livre	6,04
12 - Secret	5,71	12 - Théâtre	5,62
13 - Noir	4,05	13 - Guérir	6,62
14 - Séduire	6,15	14 - Prêtre	5,06
15 - Original	5,54	15 - Robuste	5,80

© Francoscopie/Sofres

Les différences entre les célibataires et les personnes mariées rappellent celles existant entre les âges.

Les célibataires sont en forte proportion des jeunes de 15-24 ans. C'est pourquoi les classements des mots les plus discriminants de ces deux groupes sont proches, mettant en avant les notions de *ruse*, de *danger*, d'*émotion*. Mais le *vide* est également présent, peut-être à cause d'une vie sentimentale et familiale moins remplie que celle des personnes mariées.

Le classement correspondant à ces dernières est, lui aussi, assez proche de celui des plus de 60 ans avec des mots relevant des valeurs traditionnelles : *morale*, *école*, *famille*, *travail*... Mais il comprend aussi des mots directement ou indirectement conno-

tés à leur statut matrimonial : *mariage*, *maison*, *maternel*, *construire*, *propriété*. Il s'y ajoute deux qualités peut-être plus nécessaires à ceux qui ont fondé une famille : la *discipline* et la *fermeté*.

Les célibataires et les mariés

Classement des 15 mots les plus discriminants entre les célibataires (hors concubins et divorcés) et les personnes mariées (et notes moyennes) :

Mariés		Célibataires	
1 - Morale	5,25	1 - Aventurier	5,22
2 - Ecole	5,37	2 - Ruse	4,51
3 - Famille	6,60	3 - Vitesse	5,10
4 - Mariage	6,14	4 - Désordre	2,73
5 - Maison	6,48	5 - Danger	2,99
6 - Maternel	6,24	6 - Légèreté	4,81
7 - Fermeté	4,93	7 - Emotion	5,51
8 - Bâtisseur	5,28	8 - Noir	3,85
9 - Industrie	4,69	9 - Original	5,45
10 - Charitable	5,64	10 - Mystère	4,83
11 - Enseigner	5,66	11 - Rêver	6,34
12 - Construire	5,87	12 - Orage	3,85
13 - Discipline	4,89	13 - Sauvage	4,40
14 - Travail	5,55	14 - Vide	2,91
15 - Propriété	5,77	15 - Lune	5,34

© Francoscopie/Sofres

Ceux qui ont des enfants au foyer ont plus le sens de la responsabilité et de la sécurité.

La vie des personnes (celles qui ont été prises en compte dans l'étude sont âgées de 20 à 45 ans) ayant chez elles au moins un enfant (lui-même âgé de moins de 15 ans) semble presque totalement conditionnée par leur statut de parent. Ces personnes surcotent en effet très nettement des mots comme *naissance*, *famille*, *maternel*, *école*, *maison*, *mariage*, *féconder*, *enfance*, *enseigner*, *nid*. On voit aussi ressortir leur rôle d'éducateur avec les mots *obéir*, *morale*, *discipline* et *règle*.

Ceux qui n'ont pas d'enfant au foyer n'ont pas les mêmes contraintes et peuvent donc vivre selon des principes très différents. A la sécurité et à la responsabilité caractéristiques de ceux qui ont charge d'âmes, ils préfèrent le risque (*vitesse*, *mystère*, *désordre*, *danger*, *changement*, *aventurier*, *inconnu*, *feu*). Ils avouent aussi un penchant pour les espaces peu civilisés ou policés : *désert*, *noir*, *animal*, *sauvage*, *immense*. Ils recherchent enfin une certaine marginalité, une rupture par rapport à la vie de famille traditionnelle. Mais on constate qu'ils ne privilégient pas des mots indiquant un bénéfice particulier ou une forme de jouissance liés à leur plus grande disponibilité.

marquée par la mo... valeurs morales *(honne...* constante de ce qui est *utile)*, le respect des ... et la recherche

---

Ceux qui ont charge de famille et les autres

Classement des 15 mots les plus discriminants entre les personnes de 20 à 45 ans ayant des enfants au foyer (moins de 15 ans) et celles qui n'en ont pas :

Pas d'enfant		Présence d'enfants	
1 - Vitesse	4,89	1 - Naissance	6,61
2 - Mystère	4,80	2 - Famille	6,55
3 - Désert	3,78	3 - Maternel	6,27
4 - Noir	3,74	4 - Ecole	5,20
5 - Animal	5,86	5 - Maison	6,44
6 - Désordre	2,59	6 - Mariage	6,02
7 - Original	5,47	7 - Féconder	5,89
8 - Sauvage	4,48	8 - Enfance	6,27
9 - Danger	2,81	9 - Enseigner	5,62
10 - Changement	4,96	10 - Obéir	4,11
11 - Aventurier	5,28	11 - Morale	4,74
12 - Orage	3,83	12 - Discipline	4,60
13 - Inconnu	4,09	13 - Nid	5,79
14 - Feu	4,16	14 - Propriété	5,64
15 - Immense	5,07	15 - Règle	4,16

© Francoscopie/Sofres

Les Parisiens et les provinciau...

Classement des 15 mots les plus discriminants entre les habitants de Paris et ceux de province :

Paris		Province	
1 - Critiquer	3,42	1 - Famille	6,54
2 - Révolte	3,62	2 - Mariage	6,02
3 - Original	5,36	3 - Campagne	6,34
4 - Ironie	3,62	4 - Soldat	3,66
5 - Théâtre	5,52	5 - Fidélité	6,54
6 - Orage	3,66	6 - Cérémonie	4,91
7 - Art	5,88	7 - Naissance	6,40
8 - Différent	4,49	8 - Humble	4,98
9 - Feu	4,04	9 - Maternel	6,19
10 - Voluptueux	5,58	10 - Obéir	4,21
11 - Emotion	5,22	11 - Honneur	5,85
12 - Légèreté	4,46	12 - Maison	6,42
13 - Livre	5,98	13 - Honnête	6,46
14 - Absolu	4,60	14 - Hériter	5,46
15 - Désordre	2,40	15 - Utilitaire	5,12

© Francoscopie/Sofres

Les Parisiens cherchent beaucoup plus que les provinciaux à se distinguer, voire à se marginaliser.

Les Parisiens surcotent des mots porteurs de forte distinction individuelle comme *original* ou *différent*. La recherche des sensations joue pour eux un rôle beaucoup plus important que pour les provinciaux : *voluptueux, émotion, absolu.* Elle peut être satisfaite par différents moyens *(critiquer, révolte, ironie, désordre)* mais aussi par la vie culturelle et intellectuelle *(art, théâtre, livre).*
· Les provinciaux semblent dans leur grande majorité peu concernés par cette volonté de se différencier. Ils cherchent au contraire à se conformer à un modèle beaucoup plus traditionnel, dont les différents attributs sont presque classés selon l'ordre chronologique des événements de la vie : *famille, mariage, fidélité, cérémonie, naissance, maternel, maison, hériter.* Loin de vouloir se marginaliser, ils attachent une importance particulière à l'intégration sociale : *obéir* (et *soldat).* Leur vie est

Les cadres supérieurs apparaissent comme une classe « révolutionnaire », à l'inverse des ouvriers.

Les différences de valeurs entre les deux groupes extrêmes de la hiérarchie professionnelle sont très marquées. Les cadres supérieurs et membres des professions libérales se rapprochent un peu des Parisiens dans leur souci de ne pas vraiment appartenir au système social. On peut le voir à travers leur attrait pour des mots forts comme *critiquer, feu, révolte, ironie, orage, différent, étranger* ou *noble.* Pour eux aussi, la vie culturelle et intellectuelle est un moyen d'échapper à une réalité qu'ils rejettent ou qu'ils trouvent trop banale : *art, écrire, théâtre.* D'où leur attirance pour l'*absolu* et le *désert.*

Les ouvriers n'ont pas ces préoccupations, qui sont peut-être le luxe des nantis. Si l'*argent* et le *matériel* (ainsi que la *puissance,* voire l'*or)* sont pour eux plus importants, c'est sans doute parce qu'ils en sont moins pourvus, d'où la nécessité d'*économiser* et de rechercher ce qui peut être *gratuit* (le mot *commerce* traduit la plus grande impor-

...érieurs et les ouvriers

Les c...s mots les plus discriminants entre
Classeme...érieurs/professions libérales et les
les cadre...notes moyennes) :
ouvrie...

Ouvriers		Cadres supérieurs	
1 - Rigide	3,92	1 - Critiquer	3,52
2 - Argent	6,04	2 - Livre	6,06
3 - Politesse	6,27	3 - Feu	4,56
4 - Puissance	5,58	4 - Révolte	3,93
5 - Naissance	6,59	5 - Ironie	3,88
6 - Adorer	5,98	6 - Orage	4,09
7 - Honneur	5,95	7 - Art	5,89
8 - Matériel	4,69	8 - Ecrire	5,39
9 - Economiser	5,28	9 - Voluptueux	5,81
10 - Ambition	5,63	10 - Théâtre	5,32
11 - Commerce	4,93	11 - Absolu	4,85
12 - Mariage	6,11	12 - Différent	4,67
13 - Gratuit	5,92	13 - Etranger	4,45
14 - Or	5,92	14 - Désert	4,04
15 - Méfiance	3,41	15 - Noble	4,91

© Francoscopie/Sofres

tance attachée aux valeurs matérielles). C'est le cas des valeurs morales comme la *politesse* ou l'*honneur*. Si l'*ambition* n'est pas absente de leur vie (elle passe sans doute d'abord par le *mariage* et la *naissance*), elle va de pair avec la *méfiance* à l'égard d'un système dont ils se sentent sans doute les parents pauvres.

L'élévation du niveau d'instruction conduit non seulement à l'intérêt pour l'activité intellectuelle, mais à l'esprit critique.

On n'est guère surpris que les listes des mots les plus discriminants entre les Français qui n'ont pas le baccalauréat et ceux dont le niveau est supérieur soient proches de celles des ouvriers et des cadres supérieurs-professions libérales ; on retrouve 7 mots communs sur 15 dans les listes des ouvriers et des moins diplômés, 10 sur 15 dans celles des cadres supérieurs et des plus diplômés.

Il est cependant intéressant de constater que les moins diplômés se différencient des ouvriers par un intérêt plus grand à l'égard de la notion de *patrie* (avec *soldat, gloire, obéir*). De même, les plus diplômés n'ont pas seulement comme les cadres supérieurs un attachement culturel, mais aussi intellectuel et artistique, avec *réfléchir* et *écrire*. La présence de *audace, mystère* et *sauvage* confirme avec d'autres mots la tendance déjà évoquée des personnes les plus éduquées à ne pas se satisfaire du système en place et des explications proposées.

RÉGIOSCOPIE

La vie dans les régions

GUYANE GUADELOUPE

MARTINIQUE REUNION

NORD-PAS-DE-CALAIS

PICARDIE

HAUTE-NORMANDIE

BASSE-NORMANDIE CHAMPAGNE-ARDENNE

LORRAINE

ILE-DE-FRANCE

BRETAGNE ALSACE

CENTRE

PAYS DE LA LOIRE BOURGOGNE

FRANCHE-COMTE

POITOU-CHARENTES AUVERGNE

LIMOUSIN

RHONE-ALPES

AQUITAINE

MIDI-PYRENEES PROVENCE-ALPES-COTE D'AZUR

LANGUEDOC-ROUSSILLON

CORSE

POPULATION

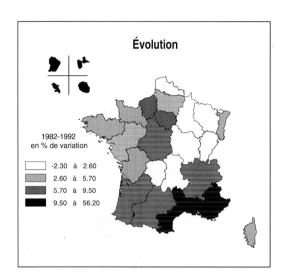

Évolution

1982-1992
en % de variation

- -2.30 à 2.60
- 2.60 à 5.70
- 5.70 à 9.50
- 9.50 à 56.20

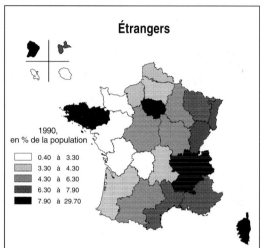

Étrangers

1990,
en % de la population

- 0.40 à 3.30
- 3.30 à 4.30
- 4.30 à 6.30
- 6.30 à 7.90
- 7.90 à 29.70

	Population (1962, milliers)	Population (1982, milliers)	Population (1992, milliers)	Part de la population totale (1992, %)	Personnes nées dans la région (%)	Proportion étrangers (1975, %)	Proportion étrangers (1990, %)
Alsace	1 318	1 566	1 640	2,8	75,9	7,0	7,8
Aquitaine	2 312	2 656	2 825	4,8	67,8	4,5	4,1
Auvergne	1 273	1 332	1 318	2,2	72,5	4,8	4,0
Bourgogne	1 439	1 596	1 613	2,7	66,6	5,7	5,1
Bretagne	2 396	2 707	2 816	4,8	82,4	0,6	0,9
Centre	1 858	2 264	2 397	4,1	62,9	4,5	5,0
Champagne-Ardenne	1 205	1 345	1 348	2,3	73,5	5,3	4,8
Corse	180	240	251	0,4	62,0	*13,3*	9,9
Franche-Comté	928	1 084	1 104	1,9	74,3	7,0	6,3
Ile-de-France	*8 470*	*10 073*	*10 822*	*18,4*	54,1	11,7	12,9
Languedoc-Roussillon	1 554	1 926	2 161	3,7	56,2	8,0	6,3
Limousin	733	737	720	1,2	70,5	2,6	2,9
Lorraine	2 194	2 319	2 298	3,9	77,9	8,2	6,6
Midi-Pyrénées	2 061	2 325	2 458	4,2	66,5	5,5	4,3
Nord-Pas-de-Calais	3 660	3 932	3 974	6,8	87,4	5,2	4,2
Basse-Normandie	1 208	1 350	1 399	2,4	77,2	1,3	1,6
Haute-Normandie	1 397	1 655	1 751	3,0	74,0	2,8	3,3
Pays de la Loire	2 462	2 930	3 093	5,3	78,4	1,1	1,4
Picardie	1 481	1 740	1 834	3,1	67,4	4,4	4,2
Poitou-Charentes	1 450	1 568	1 609	2,7	73,2	1,5	1,6
Provence-Alpes-Côte d'Azur	2 818	3 965	4 344	7,4	*51,8*	8,5	7,0
Rhône-Alpes	4 018	5 015	5 442	9,3	69,4	9,3	7,9
METROPOLE	**46 425**	**54 334**	**57 218**	97,5	67,7	6,8	6,3
Guadeloupe	283	328	386*	0,7	83,1	6,8	6,5
Guyane	*33*	*73*	*114**	*0,2*	50,5	10,4	*29,7*
Martinique	292	328	359*	0,6	89,3	0,6	0,9
Réunion	349	515	597*	1,0	*90,4*	*0,5*	*0,4*

INSEE

* 1990.   Les chiffres maxi et mini pour chaque indicateur sont imprimés en italiques gras.

AGES

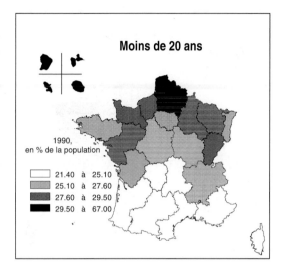

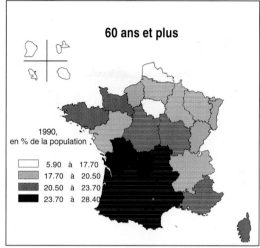

	Moins de 10 ans (1990, %)	Moins de 20 ans (1990, %)	60 ans et plus (1990, %)	75 ans et plus (1990, %)	Taux de mortalité (1991, ‰)	Espérance de vie hommes (1990, ans)	Espérance de vie femmes (1990, ans)
Alsace	12,6	26,4	17,7	6,1	8,9	71,6	79,7
Aquitaine	10,7	24,0	23,7	8,8	10,4	73,4	81,1
Auvergne	10,5	24,1	23,7	8,7	11,3	72,0	80,9
Bourgogne	11,6	25,7	23,1	8,7	10,8	72,5	81,0
Bretagne	12,0	26,7	21,9	7,5	10,2	71,1	80,4
Centre	12,1	26,3	21,8	8,3	9,7	73,4	81,3
Champagne-Ardenne	13,0	28,1	19,0	6,8	9,3	71,7	80,2
Corse	11,0	23,3	23,5	8,1	11,0	72,2	80,5
Franche-Comté	12,8	27,8	19,3	6,8	8,7	72,9	80,7
Ile-de-France	12,8	26,1	15,8	5,7	7,3	73,2	80,9
Languedoc-Roussillon	11,0	23,9	24,6	8,9	10,6	73,5	81,0
Limousin	*9,2*	*21,4*	*28,4*	*11,3*	13,0	73,2	81,2
Lorraine	13,0	27,6	18,5	6,1	8,9	71,7	79,9
Midi-Pyrénées	10,3	23,1	24,2	9,2	10,2	*74,5*	81,5
Nord-Pas-de-Calais	14,5	30,7	17,5	5,7	9,3	69,7	78,8
Basse-Normandie	12,8	28,0	20,5	6,9	9,3	72,2	80,8
Haute-Normandie	13,9	29,0	17,8	6,1	8,5	71,5	80,4
Pays de la Loire	12,8	28,7	19,9	7,1	8,6	73,0	81,4
Picardie	13,8	29,5	17,7	6,0	9,1	71,1	79,6
Poitou-Charentes	11,1	25,1	24,1	9,1	10,3	74,0	*81,7*
Provence-Alpes-Côte d'Azur	11,4	24,1	23,2	8,4	10,1	73,0	81,0
Rhône-Alpes	12,7	27,1	18,6	6,6	8,3	73,4	81,4
MÉTROPOLE	**12,4**	**26,5**	**20,0**	**7,1**	**9,2**	**72,6**	**80,8**
Guadeloupe	16,3	35,9	11,7	3,4	9,9*	72,0	79,0
Guyane	*23,3*	42,6	*5,9*	*1,5*	*17,5**	69,0	*76,0*
Martinique	15,3	33,0	14,0	4,3	*7,1**	72,0	79,0
Réunion	19,4	*67,0*	8,6	2,1	6,8*	*67,0*	77,0

* 1990.

INSTRUCTION

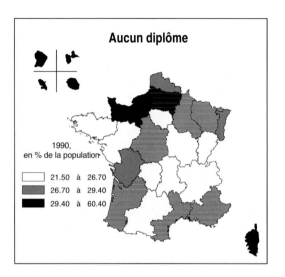

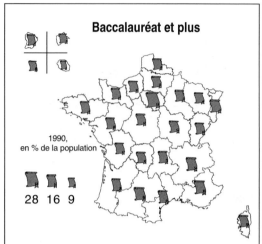

	Aucun diplôme	CEP ou BEPC	CAP	BEP	BAC	BAC + 2	Au-delà	Poursui-vant des études
Alsace	26,9	18,4	*20,5*	4,6	9,4	5,2	4,5	10,5
Aquitaine	27,0	25,0	14,1	5,2	9,2	4,8	4,1	10,7
Auvergne	24,7	29,4	13,2	5,3	8,7	4,4	3,4	10,9
Bourgogne	26,6	27,4	15,1	4,6	8,2	4,2	3,3	10,6
Bretagne	23,2	27,8	13,2	*6,0*	9,0	4,5	3,5	12,7
Centre	26,7	27,2	15,4	4,7	8,1	4,1	3,4	10,4
Champagne-Ardenne	27,1	27,6	14,7	4,6	7,8	4,0	2,8	11,5
Corse	38,1	25,2	7,4	4,3	10,0	3,8	2,8	*8,4*
Franche-Comté	24,8	27,4	15,1	4,9	8,4	4,2	3,1	11,9
Ile-de-France	*21,5*	22,8	11,5	4,5	*11,4*	*6,9*	*9,5*	11,9
Languedoc-Roussillon	28,6	26,3	10,9	4,8	9,7	4,8	4,4	10,6
Limousin	25,8	*30,9*	12,9	4,9	8,4	3,9	3,2	10,0
Lorraine	28,9	22,9	16,9	4,6	7,7	4,0	3,1	11,9
Midi-Pyrénées	26,5	25,6	12,0	5,3	9,8	5,2	4,5	11,2
Nord-Pas-de-Calais	28,2	25,9	13,0	4,9	7,5	4,0	3,0	13,4
Basse-Normandie	30,2	25,4	14,1	4,5	7,5	4,0	3,0	11,3
Haute-Normandie	29,7	23,9	15,5	4,6	7,7	3,9	3,4	11,4
Pays de la Loire	25,9	25,4	15,5	5,5	8,2	4,0	3,2	12,3
Picardie	29,4	26,1	13,4	4,7	7,8	4,1	3,0	11,5
Poitou-Charentes	29,0	26,3	14,5	4,7	8,3	3,7	3,1	10,5
Provence-Alpes-Côte d'Azur	27,1	25,3	11,8	4,7	10,7	5,3	5,1	10,1
Rhône-Alpes	23,3	24,9	14,2	5,1	9,8	5,7	5,0	11,9
METROPOLE	**25,8**	**25,1**	**13,6**	**4,9**	**9,3**	**5,0**	**4,9**	**11,5**
Guadeloupe	51,1	11,8	7,2	4,2	5,6	2,7	2,4	14,9
Guyane	49,6	10,2	9,9	4,8	6,9	3,9	3,1	11,7
Martinique	46,8	14,7	8,0	4,2	6,3	3,2	2,7	14,2
Réunion	*60,4*	*7,9*	*6,3*	*2,5*	*4,5*	*2,3*	*2,2*	*13,9*

Personnes âgées de 15 ans ou plus (1990, en %).

INSEE

FAMILLE

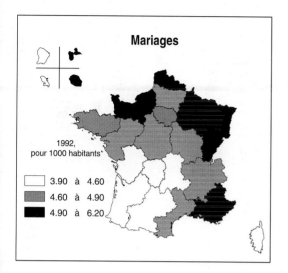

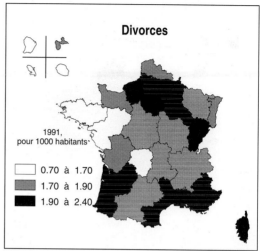

	Hommes 1990 (%)			Femmes 1990 (%)			Taux mariage /1 000 hab. 1992	Taux divorce /1 000 hab. 1991
	Céliba-taires	Mariés	Veufs, divorcés	Céliba-taires	Mariées	Veuves, divorcées		
Alsace	35,0	58,9	6,1	27,5	54,4	18,1	5,3	1,8
Aquitaine	34,9	57,9	7,2	27,0	52,7	20,3	4,5	2,0
Auvergne	35,8	57,2	7,1	26,6	53,0	20,5	4,2	1,7
Bourgogne	34,3	58,6	7,1	25,7	54,4	19,9	4,8	1,8
Bretagne	36,6	57,8	5,7	27,6	53,1	19,3	4,6	1,3
Centre	34,0	59,1	6,9	26,2	55,4	18,4	4,6	1,7
Champagne-Ardenne	35,6	57,5	6,8	27,3	54,1	18,6	4,9	2,0
Corse	34,9	58,2	6,9	27,3	52,4	20,3	4,3	2,1
Franche-Comté	36,0	57,4	6,6	27,7	54,5	17,8	4,9	1,9
Ile-de-France	38,4	55,0	6,6	33,4	48,7	17,9	4,7	2,3
Languedoc-Roussillon	33,3	59,1	7,6	26,2	53,6	20,2	4,6	1,9
Limousin	33,9	58,7	7,3	*23,9*	53,7	*22,4*	4,1	1,6
Lorraine	35,0	58,9	6,1	26,8	54,9	18,3	5,0	1,7
Midi-Pyrénées	36,0	57,0	7,1	27,7	52,9	19,4	4,4	1,7
Nord-Pas-de-Calais	34,1	59,3	6,6	26,8	54,1	19,1	5,2	1,8
Basse-Normandie	35,8	57,9	6,3	28,0	53,5	18,6	5,0	1,7
Haute-Normandie	34,8	58,6	6,6	27,7	54,2	18,1	4,9	1,9
Pays de la Loire	34,6	59,7	5,7	27,9	55,3	16,8	4,7	1,5
Picardie	35,0	58,2	6,8	27,1	55,1	17,8	4,7	1,9
Poitou-Charentes	32,9	*59,9*	7,2	25,0	*56,0*	19,0	4,5	1,8
Provence-Alpes-Côte d'Azur	*32,5*	59,4	*8,0*	25,9	52,5	21,6	4,9	*2,4*
Rhône-Alpes	36,0	57,6	6,4	29,0	53,2	17,8	4,7	1,8
METROPOLE	**35,4**	**57,8**	**6,7**	**28,3**	**52,9**	**18,9**	**4,7**	**1,9**
Guadeloupe	58,5	36,9	4,6	54,3	34,6	11,1	5,2*	1,8**
Guyane	*70,6*	*26,5*	*2,9*	*67,1*	*26,9*	*6,0*	*3,9**	*0,7***
Martinique	59,1	35,8	5,1	56,0	32,7	11,3	4,3*	1,2**
Réunion	50,9	44,9	4,2	45,1	43,1	11,8	*6,2**	1,4**

Les chiffres correspondent à la population des 15 ans et plus.
* 1990
** 1989

INSEE

FAMILLE

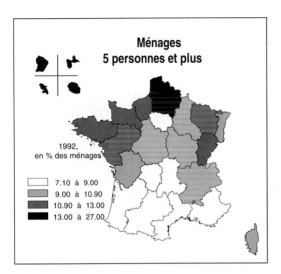

Ménages
5 personnes et plus

1992,
en % des ménages

▢	7.10 à 9.00
▨	9.00 à 10.90
▦	10.90 à 13.00
■	13.00 à 27.00

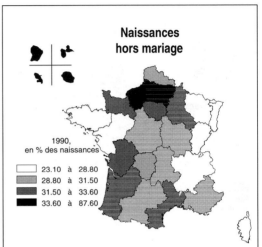

Naissances
hors mariage

1990,
en % des naissances

▢	23.10 à 28.80
▨	28.80 à 31.50
▦	31.50 à 33.60
■	33.60 à 87.60

	Nombre de ménages (1990, (milliers)	Ménages d'une personne (1990, %)	Ménages de 5 personnes et + (1990, %)	Familles monoparentales (1990, milliers)	Naissances /1 000 hab. (1992)	Naissances hors mariage (1990, %)
Alsace	601	25,1	10,4	41	13,9	*23,1*
Aquitaine	1 078	26,2	8,8	81	10,8	32,6
Auvergne	514	28,5	8,4	35	10,1	29,4
Bourgogne	624	27,1	9,0	42	11,2	30,1
Bretagne	1 059	27,9	10,9	73	11,8	26,6
Centre	904	25,9	9,2	58	11,9	31,4
Champagne-Ardenne	508	26,1	10,7	36	12,9	33,1
Corse	93	24,5	9,3	9	11,3	25,7
Franche-Comté	406	25,4	11,1	30	12,8	28,5
Ile-de-France	*4 233*	*31,8*	8,6	*342*	15,3	31,5
Languedoc-Roussillon	825	26,2	8,0	65	11,6	32,6
Limousin	287	27,9	*7,1*	18	*9,0*	30,1
Lorraine	836	24,3	11,4	64	12,7	27,0
Midi-Pyrénées	939	26,3	8,6	71	10,9	31,2
Nord-Pas-de-Calais	1 383	23,3	14,9	121	14,3	28,8
Basse-Normandie	520	25,8	11,2	36	12,6	33,4
Haute-Normandie	636	23,9	11,1	45	13,9	34,5
Pays de la Loire	1 120	25,1	12,0	69	12,5	26,9
Picardie	641	21,7	13,0	48	13,8	33,6
Poitou-Charentes	608	24,1	9,0	38	10,5	32,6
Provence-Alpes-Côte d'Azur	1 693	28,3	7,7	143	12,4	31,4
Rhône-Alpes	2 011	27,0	10,1	147	13,4	26,5
METROPOLE	**21 521**	**27,1**	**9,4**	**1 610**	**12,9**	**30,1**
Guadeloupe	113	19,8	25,7	30	19,4*	61,3
Guyane	*33*	21,9	25,2	*7*	*30,8**	*87,6*
Martinique	109	21,4	23,9	31	17,8*	66,2
Réunion	158	*13,0*	*27,0*	34	23,2*	52,7

* 1990.

LOGEMENT - ÉQUIPEMENT

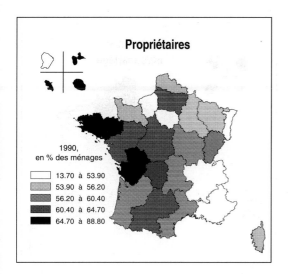

Propriétaires

1990,
en % des ménages

	13.70 à 53.90
	53.90 à 56.20
	56.20 à 60.40
	60.40 à 64.70
	64.70 à 88.80

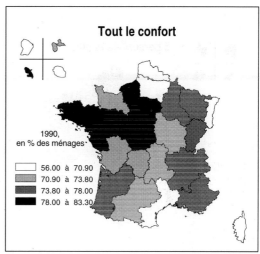

Tout le confort

1990,
en % des ménages

	56.00 à 70.90
	70.90 à 73.80
	73.80 à 78.00
	78.00 à 83.30

	Maison indivi-duelle (1990, %)	Propriétaires (%)		Tout le confort (%)		Taux d'équipement 1991 (%)		
		1982	1990	1982	1990	Voiture	Lave-vaisselle	TV couleur
Alsace	47,0	49,5	53,0	57,8	69,5	79,4	29,8	87,7
Aquitaine	66,9	55,0	58,8	58,8	73,9	81,8	*39,4*	90,7
Auvergne	60,4	56,0	59,6	58,9	70,9	78,1	24,3	85,5
Bourgogne	61,8	54,7	58,9	60,6	72,6	79,2	29,3	87,2
Bretagne	68,4	63,7	65,2	67,1	80,2	78,9	26,1	85,4
Centre	67,8	57,0	60,4	67,4	79,5	83,4	33,1	90,2
Champagne-Ardenne	60,3	50,5	54,1	63,3	74,8	75,2	28,3	90,1
Corse	46,1	52,9	53,9	*40,2*	*56,0*	-	-	-
Franche-Comté	54,8	52,4	56,2	62,8	74,8	80,2	33,7	88,0
Ile-de-France	*26,6*	38,8	42,9	*71,9*	*83,3*	70,3	31,2	88,7
Languedoc-Roussillon	60,6	55,1	58,2	51,7	67,8	78,2	35,6	88,1
Limousin	63,7	57,9	61,0	59,3	71,8	72,2	24,3	86,4
Lorraine	56,9	49,7	54,7	60,8	73,8	73,7	27,9	88,4
Midi-Pyrénées	61,5	59,0	60,9	60,1	73,6	80,5	34,3	87,9
Nord-Pas-de-Calais	74,6	50,9	55,4	46,9	62,4	71,7	20,7	*93,2*
Basse-Normandie	65,3	50,9	54,7	58,9	72,7	73,9	29,0	83,1
Haute-Normandie	59,6	48,8	53,0	66,4	78,0	79,8	34,6	90,6
Pays de la Loire	68,9	60,2	62,3	68,0	81,9	82,5	37,7	91,9
Picardie	72,3	57,0	61,4	56,9	69,7	77,9	31,6	92,8
Poitou-Charentes	77,0	61,8	64,7	56,4	71,5	*84,7*	34,7	88,1
Provence-Alpes-Côte d'Azur	38,0	46,0	51,0	61,0	74,4	77,1	37,0	90,5
Rhône-Alpes	42,4	48,9	52,8	63,5	76,4	79,2	32,0	88,4
MÉTROPOLE	**53,1**	**50,6**	**54,4**	**62,6**	**75,6**	**76,8**	**31,5**	**89,1**
Guadeloupe	86,1	*64,7*	70,4	52,4	71,5	49,1	16,3*	79,1**
Guyane	25,0	*34,9*	*13,7*	60,3	60,6	*45,4*	32,0*	*66,3**
Martinique	83,5	61,8	64,9	62,4	79,4	52,8	*13,9*	81,6**
Réunion	*85,2*	55,2	*88,8*	52,0	67,7	50,6	17,1*	84,5**

Tout le confort signifie avec W-C intérieurs, baignoire ou douche, chauffage central.
* 1987
** Télévision (noir ou couleur).

INSEE

CATÉGORIES SOCIALES

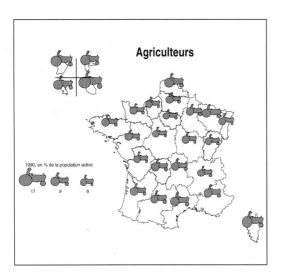

Agriculteurs

1990, en % de la population active

17   9   6

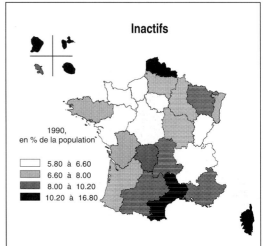

Inactifs

1990,
en % de la population*

	5.80 à 6.60
	6.60 à 8.00
	8.00 à 10.20
	10.20 à 16.80

	Agricul-teurs exploitants	Artisans, commer., chefs d'entrep.	Cadres sup., profes. libérales	Profes. intermé-diaires	Employés	Ouvriers	Retraités	Inactifs
Alsace	1,2	**4,2**	9,4	14,0	9,5	27,6	26,9	7,2
Aquitaine	3,8	6,6	7,4	12,0	9,9	19,7	32,8	7,8
Auvergne	4,6	6,4	5,9	11,0	9,1	21,6	33,4	8,0
Bourgogne	3,7	5,8	5,9	11,4	8,8	23,6	33,9	6,8
Bretagne	4,9	5,8	6,7	11,8	9,3	20,3	33,4	7,8
Centre	3,2	5,5	7,2	12,1	9,1	24,9	33,2	**5,8**
Champagne-Ardenne	4,1	4,7	5,9	12,1	9,1	27,3	29,4	7,5
Corse	2,9	8,5	5,2	8,7	13,5	17,8	29,2	14,2
Franche-Comté	2,9	5,2	6,3	13,0	8,3	27,9	30,0	6,5
Ile-de-France	**0,2**	5,4	**17,8**	**16,4**	13,8	18,1	22,4	**5,8**
Languedoc-Roussillon	3,1	7,0	7,1	11,2	10,5	**17,7**	33,2	10,2
Limousin	5,4	6,0	5,8	10,6	**7,9**	18,9	**37,2**	8,1
Lorraine	1,6	4,3	6,7	12,8	9,4	25,5	29,8	10,0
Midi-Pyrénées	4,6	6,5	8,0	12,1	9,9	18,3	31,8	8,8
Nord-Pas-de-Calais	1,5	4,3	6,7	12,1	9,4	27,0	28,4	10,7
Basse-Normandie	5,1	6,0	5,5	12,1	9,1	24,4	31,7	6,1
Haute-Normandie	1,9	5,1	7,3	13,4	8,9	29,1	28,1	6,2
Pays de la Loire	4,8	5,7	6,8	12,0	8,8	24,5	31,0	6,4
Picardie	2,6	5,1	7,5	12,7	8,9	28,7	27,9	6,6
Poitou-Charentes	**5,5**	6,4	5,9	10,5	8,8	21,9	33,8	7,0
Provence-Alpes-Côte d'Azur	1,3	7,0	8,3	12,6	12,3	17,8	31,6	9,1
Rhône-Alpes	1,9	7,0	9,6	14,5	9,4	23,0	28,2	6,4
METROPOLE	**2,5**	**5,8**	**9,4**	**13,2**	**10,4**	**22,0**	**29,2**	**7,5**
Guadeloupe	3,9	**10,3**	**5,0**	8,5	**18,6**	22,4	20,7	10,7
Guyane	5,0	7,5	6,7	12,0	16,5	29,3	**9,4**	13,5
Martinique	2,2	7,8	5,8	9,7	18,4	22,2	23,8	10,1
Réunion	4,2	5,4	**5,0**	**8,4**	15,2	**30,3**	14,7	**16,8**

Ménages, suivant la catégorie socio-professionnelle de la personne de référence (1990, en %).

TRAVAIL - REVENU

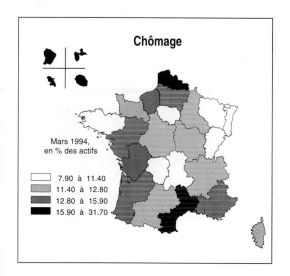

Chômage

Mars 1994,
en % des actifs

☐	7.90 à 11.40
▤	11.40 à 12.80
▨	12.80 à 15.90
■	15.90 à 31.70

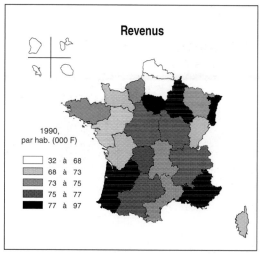

Revenus

1990,
par hab. (000 F)

☐	32 à 68
▤	68 à 73
▨	73 à 75
▨	75 à 77
■	77 à 97

	Taux d'activité (25-49 ans, 1993, %)	Taux de chômage (mars 1994, %)	Salaire moyen net annuel (1991, 000 F)	Revenu disponible brut par habitant (1982, 000 F)	Revenu disponible brut par habitant (1990, 000 F)	Ménages bénéfic. du RMI /1 000 (fin 1991)	Impôt sur revenu par foyer fiscal imposé (1991, 000 F)	Dépenses consom. /ménage (1989, 000 F)
Alsace	86,8	*7,9*	104	51	80	*14*	16	164
Aquitaine	85,8	13,0	101	46	77	23	17	136
Auvergne	87,4	11,1	95	45	73	21	15	128
Bourgogne	86,5	12,0	96	47	75	15	16	135
Bretagne	87,8	11,2	96	45	73	16	15	137
Centre	89,4	11,6	101	47	76	16	17	146
Champagne-Ardenne	84,2	12,6	98	50	79	23	19	144
Corse	-	11,7	*90*	42	68	38	17	150
Franche-Comté	86,1	9,9	96	43	70	18	*14*	148
Ile-de-France	88,5	10,9	*139*	*61*	*97*	18	*28*	*193*
Languedoc-Roussillon	83,6	16,1	98	45	73	40	17	131
Limousin	*90,1*	10,0	93	45	75	19	15	137
Lorraine	83,3	11,1	99	46	73	23	15	145
Midi-Pyrénées	87,7	11,4	100	44	75	22	17	139
Nord-Pas-de-Calais	80,8	15,9	99	43	67	38	16	137
Basse-Normandie	89,4	11,5	94	43	71	21	16	134
Haute-Normandie	85,7	14,0	105	45	74	29	16	138
Pays de la Loire	89,4	12,8	98	45	70	18	15	156
Picardie	86,8	13,2	103	43	67	25	18	156
Poitou-Charentes	87,4	13,0	96	44	71	24	17	124
Provence-Alpes-Côte d'Azur	81,5	15,2	108	47	77	29	20	146
Rhône-Alpes	87,3	11,8	108	47	75	15	18	165
METROPOLE	**86,4**	**12,2**	**110**	**49**	**78**	**22**	**20**	**154**
Guadeloupe	83,4	26,1*	-	22	*32***	206	17	*113*
Guyane	80,2	24,1*	-	*21*	35**	126	17	116
Martinique	84,0	25,0*	-	25	41**	167	16	139
Réunion	73,3	31,7*	-	23	35**	*307*	20	132

* mars 1993.   ** 1988.

INSEE

LOISIRS

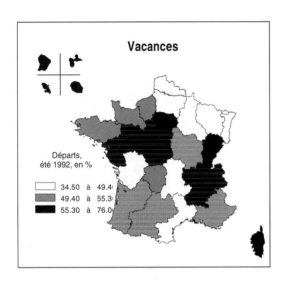

Vacances

Départs,
été 1992, en %

- 34.50 à 49.4
- 49.40 à 55.3
- 55.30 à 76.0

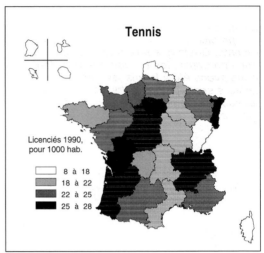

Tennis

Licenciés 1990,
pour 1000 hab.

- 8 à 18
- 18 à 22
- 22 à 25
- 25 à 28

	Départ en vacances d'été (1992, %)	Départ en vacances d'hiver (1991/92, %)	Cinéma (entrées /hab.,1993)	Chasse (permis /1 000 hab., 1990)	Pêche (permis /1 000 hab., 1990)	Football (licenciés /1 000 hab., 1990)	Tennis (licenciés /1 000 hab., 1990)
Alsace	47,7	25,0	2,0	6	34	34	25
Aquitaine	51,2	24,0	2,0	68	43	31	25
Auvergne	40,2	25,8	1,6	44	66	44	20
Bourgogne	49,4	25,8	1,7	37	73	31	19
Bretagne	50,8	26,6	2,0	26	24	48	20
Centre	56,5	27,4	1,5	55	51	35	25
Champagne-Ardenne	46,3	22,6	1,6	35	53	34	18
Corse	-	-	*1,3*	*74*	24	31	17
Franche-Comté	57,1	25,3	1,8	30	58	36	17
Ile-de-France	*76,0*	*44,4*	*4,1*	7	*8*	*15*	26
Languedoc-Roussillon	45,7	23,7	2,0	45	36	29	21
Limousin	51,6	18,4	1,6	56	*76*	41	19
Lorraine	*34,5*	19,5	1,7	13	36	34	24
Midi-Pyrénées	49,8	28,5	2,1	50	61	37	22
Nord-Pas-de-Calais	47,5	*14,8*	1,5	19	22	28	16
Basse-Normandie	50,0	25,3	1,8	44	31	35	23
Haute-Normandie	49,4	23,0	1,6	26	15	30	24
Pays de la Loire	55,9	34,9	1,8	32	43	*51*	24
Picardie	48,2	20,8	1,4	38	39	35	22
Poitou-Charentes	43,7	20,9	1,6	61	56	46	25
Provence-Alpes-Côte d'Azur	51,0	30,2	2,5	27	16	22	24
Rhône-Alpes	62,1	28,0	2,5	24	33	30	*28*
METROPOLE	**55,3**	**28,9**	**2,3**	**29**	**33**	**31**	**23**
Guadeloupe	-	-	-	4	-	22	10
Guyane	-	-	-	5	-	22	11
Martinique	-	-	-	1	-	24	*8*
Réunion	-	-	-	ε	-	27	10

RÉTROSCOPIE

La situation des Français ne peut s'apprécier qu'à la lumière de son évolution récente. Quels que soient les indicateurs que l'on utilise, les transformations dont nous avons été à la fois les témoins et les acteurs sont spectaculaires. On les trouvera ici successivement résumées sur dix ans, vingt ans et trente ans.

DIX ANS APRÈS (1983-1993)

Lorsqu'on feuillette la première édition de FRANCOSCOPIE, il est étonnant, amusant, en tout cas intéressant de mesurer les changements qui se sont produits dans certains domaines, alors la stabilité prévaut dans d'autres. Des exemples de toute nature sont présentés ci-après en reprenant la structure de l'ouvrage en six grands chapitres, inchangée depuis la première édition.

N.B. Les informations indiquées en premier correspondent à l'année 1983 (ou, exceptionnellement, à l'année la plus proche disponible). Les informations qui les suivent, en rouge, correspondent à l'année 1993 (ou à l'année la plus proche).

INDIVIDU

- 54,3 millions d'habitants en métropole. 57,7 millions

- 19,6 millions de ménages. 22 millions

- 3,6 millions d'étrangers, soit 6,8 % de la population. 48,5 % d'Européens, 43,5 % d'Africains, 8 % d'Asiatiques. 3,6 millions (1990), soit 6,2 % de la population. 41,3 % d'Européens, 46,8 % d'Africains, 11,9 % d'Asiatiques

- 40 millions de brosses à dents achetées dans l'année. 100 millions

- 70,6 ans d'espérance de vie à la naissance pour les hommes, 78,8 ans pour les femmes. 73,3 ans et 81,5 ans

- Dépenses de santé : 6 000 F par personne. 11 000 F

- 201 000 décès par maladies cardio-vasculaires, 133 000 par des cancers. 2 278 morts de la grippe. 170 000, 143 000, 565

- 4 000 personnes atteintes de maladies professionnelles. Moins de 4 000

- 23 615 interpellations pour usage de drogues. 66 775

- 12 000 suicides. 11 500

- Quelques mots parmi ceux qui font leur entrée dans le dictionnaire (*Petit Larousse*) : aérobic, écolo, look, recentrage, sida, superforme, vidéoclub... Air Bag, biodiversité, intracommunautaire, mal-vivre, oligothérapie, prime time, S.D.F., télémarketing, top-model...

- Quelques expressions : avoir les boules, film catastrophe, chasseur de têtes, être en rouge... Console de jeux, harcèlement sexuel, corridor humanitaire, purification ethnique, ressources humaines...

- Quelques personnages : Steven Spielberg, Astérix, Tintin, les Rolling Stones, Tino Rossi... Edouard Balladur, Georges Charpak, Bill Clinton, Maastricht, René Monory, Salman Rushdie...

- Durée moyenne de scolarisation : 16,7 ans. 18,3 ans

- 52 % des hommes et 60 % des femmes n'ont au maximum que le certificat d'études. 36 %

- 250 000 jeunes obtiennent le baccalauréat. 460 000

FAMILLE

- 63 % des Français estiment que « la famille est le seul endroit où on se sente bien ». 70 %

- 300 000 mariages sont célébrés, soit 11,4 pour 1 000 habitants. 254 000, soit 4,4 pour 1 000 habitants

- 99 000 divorces. 104 000

- 749 000 naissances. 712 000

- 13 % d'enfants illégitimes. 33 %

- Consommation de vin : 83 litres par personne. 65 litres

- 10 millions de personnes âgées de 60 ans et plus. 11,5 millions

- 371 000 logements commencés. 319 000

- 48 % des ménages habitent une maison individuelle. 53 %

- 51 % des ménages sont propriétaires de leur logement. 54 %

- 75 % des ménages ont le téléphone. 94 %

- 33 % ont un congélateur indépendant. 43 %

- 21 % ont un lave-vaisselle. 33 %

- 91 % ont un téléviseur. 98 %

- 73 % des ménages ont une voiture et 19 % en ont au moins deux. 78 % et 27 %

- 3,8 % ont un magnétoscope. 57 %

- Les modèles Diesel représentent 6,4 % du parc. 21 %

SOCIÉTÉ

- 32 % des Français de 18 ans et plus font partie d'une association. 46 %

- 3 563 000 délits. 3 865 000

- 48 % des Français sont favorables au rétablissement de la peine de mort. 61 %

- La fraude fiscale est estimée à 50 milliards de francs. 150 milliards

- 54 % des Français estiment que leur pays a bénéficié de son appartenance à la CEE. 40 %

- 66 % de baptisés (au cours de leur première année). 61 %

- 61 % de mariages religieux. 51 %

TRAVAIL

- 23,7 millions d'actifs, soit 43,1 % de la population totale. 25 millions, soit 43 %

- 17,8 % des femmes travaillent à temps partiel (1979). 26 %

- 2,1 millions de chômeurs, soit 8,9 % de la population active. 3,3 millions, soit 12,5 %

- 30 % d'ouvriers, 21 % d'employés, 8 % d'agriculteurs. 27 %, 26 %, 5 %

- 1,3 million de journées de travail perdues à la suite de conflits. 500 000

ARGENT

- Le salaire annuel moyen net (secteur privé) est de 77 530 F. 121 000 F

- L'écart hommes-femmes est de 25 %. 23 %

- Le rapport entre les salaires des cadres et ceux des ouvriers est de 3,3. 2,8

- 57 % des Français estiment qu'il faut égaliser les revenus. 69 %

- 62 % se disent obligés de s'imposer des restrictions sur certains postes de leur budget. 69 %

- Les Français ont joué 42 milliards de francs au PMU, Loto et Loterie nationale. 70 milliards

- Le SMIC se monte à 3776 F. 5 900 F

- Les prélèvements obligatoires représentent 44,1 % du PIB. 44,0 %

Répartition du budget des ménages :

- Alimentation 20,9 %. 18,6 %

- Habillement 6,6 %. 6,0 %

- Logement 16,3 %. 21,1 %

- Equipement du logement 9,6 %. 7,5 %

- Santé 8,0 %. 10,3 %

- Transports 12,6 %. 15,9 %

- Loisirs, culture 7,8 %. 7,5 %

- Autres 11,4 %. 13,0 %

- Taux d'épargne brut des ménages : 14,9 %. 14,2 %

- Croissance de la Bourse : 56 %. 25 %

- 5 milliardaires en francs. 40

- 40 % des Français pensent que leurs conditions de vie vont se détériorer au cours des cinq prochaines années, 24 % qu'elles vont s'améliorer, 28 % qu'elles vont rester stables. 38 %, 26 %, 32 %

LOISIRS

- 50,5 % des Français estiment que « on est pris pour des abrutis à la télévision ». 66 %

- 60 % ont la télévision couleur. 93 %

- Les Français regardent la télévision en moyenne 2 h 45 mn par jour (15 ans et plus). 3 h 7 mn

- Trois chaînes sont disponibles : TF1, A2, FR3. 5 chaînes (TF1, France 2, France 3, M6, Arte) plus Canal Plus, les chaînes câblées et la réception par satellite

- Antenne 2 a une audience de 60,5 %, TF1 53,1 %, FR3 29,1 %. TF1 39,8 %, France 2 et France 3 40,7 %.

- 8 % des ménages ont un magnétoscope. 60 %

- 300 000 foyers sont équipés d'un ordinateur. 3,5 millions

- 65 % des foyers sont équipés d'un poste de radio recevant la FM. 89 %

- RTL représente 22,8 % de l'audience cumulée, Europe 1 17,2 %, France Inter 15,2 %, RMC 7,2 %. 14,8 %, 8,1 %, 9,6 %, 3,3 % (décembre 1993)

- 24,3 % des Français sont partis en vacances d'hiver 82-83, pour une durée de 14,4 jours, dont 9,2 % aux sports d'hiver (durée 9,4 jours). 28 % (13,9 jours), 8,3 % (8,6 jours)

- 55,2 % des Français sont partis en vacances d'été, pour une durée moyenne de 24,7 jours. 56,7 %, 21,9 jours

- 14,3 % des séjours d'été se sont déroulés à l'étranger. 16,9 %

- 35,7 % ont été hébergés par des parents ou amis, 22 % ont campé ou utilisé une caravane, 17 % ont pris une location, 14 % sont allés dans leur résidence secondaire, 5 % à l'hôtel. 40,0 %, 16,5 %, 17,6 %, 9,9 %, 7,7 %

VINGT ANS APRÈS
(1973-1993)

Les optimistes imaginent volontiers que tous les indicateurs évoluent favorablement dans le temps. Les pessimistes sont au contraire persuadés que « c'était mieux hier ». La réalité des vingt dernières années, telle qu'on peut l'appréhender par les indicateurs les plus variés, montre en tout cas que les modes de vie sont différents de ce qu'ils étaient. A chacun de décider si les accroissements ou les baisses constatés peuvent être considérés comme des progrès ou des régressions.

N.B. Les informations indiquées en premier correspondent à l'année 1973 (ou, exceptionnellement, à l'année la plus proche disponible). Les informations qui les suivent, en rouge, correspondent à l'année 1993 (ou à l'année la plus proche).

POPULATION

- Métropole : 52,3 millions d'habitants. 57,7 millions

- Nombre de ménages : 17,6 millions. 22 millions

- Fécondité : 2,3 enfants par femme. 1,8 enfant

- Divorces : 39 000. 106 000

- Espérance de vie hommes : 68,7 ans. 73,3 ans

- Espérance de vie femmes : 75,9 ans. 81,5 ans

- Décès dus à l'alcool : 22 000. 15 000

PRIX

Les prix sont indiqués en francs courants, avec entre parenthèses pour 1973 le prix en francs de 1993 (un franc de 1973 vaut 4,10 F actuels).

- Une baguette de pain : 0,70 F (2,9 F). 3,70 F

- Un carnet de métro parisien : 8 F (32,8 F). 39 F

- Un litre de lait : 1,20 F (4,9 F). 5,60 F

- Une carte postale : 0,50 F (4,1 F). 2 F

- Un timbre poste : 0,50 F (4,1 F). 2,80 F

- Une coupe de cheveux homme : 5 F (20,5 F). 70 F

- Un paquet de Gauloises : 1,70 F (7,0 F). 7,50 F

- Un mètre cube d'eau potable : 0,88 F (3,6 F). 9 F

- Consultation médecin généraliste : 22 F (90,2 F). 100 F

- Renault 4 L : 7 800 F (32 00 F). 55 000 F

- Litre de super : 1,20 F (4,9 F). 5,60F

- Fauteuil d'orchestre à l'Opéra de Paris : 37 F (152 F). 300 F

- Billet d'entrée au Parc des Princes : 12 F (49 F). 80 F

- Place de cinéma : 7 F (29 F). 40 F

- Mètre carré moyen d'habitation à Paris : 3 760 F (15 400 F). 23 150 F

- Page de publicité en noir et blanc dans *Paris Match* : 18 500 F (76 000 F). 130 000 F

- Spot de publicité télévisée (30 secondes) : 75 000 F (308 000 F). 300 000 F

- Quotidien *Libération* : 0,80 F (3,3 F). 6 F

REVENUS

- Salaire mensuel moyen : 1 850 F. 9 850 F

- SMIC mensuel : 901 F. 5 890 F

- Croissance du pouvoir d'achat : 4,4 %. 2,2 %

- Impôts sur le revenu : 6,1 % du budget des ménages. 9,0 %

- Salaire mensuel moyen d'un joueur de football (première division) : 18 000 F. 100 000 F

- Cachet de Jean-Paul Belmondo pour un film : 2 millions de francs. 10 millions de francs

LOGEMENT-ÉQUIPEMENT

- Logement sans confort : 46 %. 8 %

- Nombre de chiens : 7,6 millions. 10,6 millions

- Ménages équipés d'un lave-linge : 15 %. 94 %

- Ménages équipés d'une chaîne hifi : 8 %. 62 %

- Automobiles en circulation : 14 millions. 24 millions

- Morts sur les routes : 15 469. 9 083

TRAVAIL

- Population active : 22,3 millions. 24,8 millions

- Proportion d'agriculteurs : 9,5 %. 5,5 %

- Chômeurs : 500 000 (2,4 %). 3,3 millions (12,5 %)

- Coût de l'indemnisation du chômage : 39 milliards de F. 238

- Emplois à temps partiel : 788 000. 2 280 000

- Boulangeries artisanales : 55 000. 35 000

- Tabacs : 49 600. 43 000

- Médecins : 66 000. 168 000

- Hypermarchés : 245. 976

LOISIRS-CULTURE

- Titres de livres publiés : 23 013. 40 916

- Albums de BD publiés : 380. 914

- Lecteurs de quotidiens : 55 %. 40 %

- Visiteurs des musées nationaux : 749 000. 1 880 000

- Spectateurs de cinéma : 174 millions. 133 millions

- Taux de départ en vacances d'hiver : 15,7 %. 28,0 %

- Nombre de licenciés de tennis : 236 000. 1 320 000

- Nombre de parcours de golf : 115. 483

- Nombre de théâtres en province : 25. 366

- Temps passé devant la télévision (par jour) : 2 h 42 mn. 3 h 7 mn

DIVERS

- Lignes de téléphone : 5 millions. 30 millions

- Voyageurs SNCF : 620 millions. 831 millions.

- Passagers Air Inter : 3,8 millions. 16,1 millions

- Places de stationnement payant dans Paris : 5 925. 53 800

- Autoroutes : 2 040 km. 7 109 km

- Condamnations en cour d'assises : 1 800. 2 735

- Condamnations en correctionnelle : 405 000. 472 000

- Incarcérations : 31 500 (dont 855 femmes). 50 342 (dont 2 080 femmes)

- Morts par overdose : 13. 450

Vingt ans d'innovations

1973. Fin de la construction du périphérique parisien. Apparition en France de la couette. Carte Visa.

1974. Mise en service de l'aéroport Charles-de-Gaulle à Roissy. Autorisation de l'IVG. Majorité à 18 ans. Divorce par consentement mutuel.

1975. Rasoir jetable Bic. Carte Orange. Couches-culottes.

1976. Premier vol commercial de Concorde. Itinéraires Bis de Bison Futé. Premier tirage du Loto. Heure d'été. Création du RPR. Césars du cinéma.

1977. Apparition du code-barres (généralisé en 1982). Mise au point de la liposuccion pour effacer la cellulite. Création du Parti Républicain.

1978. Création de l'UDF. Vol du premier prototype du Mirage 2000.

1979. Premier lancement d'Ariane. Premier McDonald's à Paris. Rubik's Cube. Walkman de Sony. Aérobic.

1980. Minitel.

1981. Inauguration du TGV Paris-Lyon. Lancement de la télévision par câble. Abolition de la peine de mort.

1982. Remboursement de l'échographie. L'homosexualité n'est plus un délit. L'IVG remboursée par la Sécurité sociale. Semaine de 39 heures. 5ᵉ semaine de congés payés.

1983. Généralisation des carrefours circulaires. Installation des premiers Publiphones. Premier « reality show » à la télévision (psy-show). Sortie des premières 205 Peugeot. Premiers Caméscopes. Tortues Ninja.

1984. Fondation du parti écologiste des Verts. Montres Swatch. Trivial Pursuit.

1985. Invention de la carte à puces (Roland Moreno). Loto sportif. Lancement des Restos du cœur par Coluche. Apparition du four à micro-ondes. Premier supermarché à domicile par Minitel.

1986. Décision de la construction du tunnel sous la Manche. Naissance de La Cinq.

1987. Tapis vert. Téléachat.

1988. Instauration du RMI. Commercialisation de la pilule RU 486.

1989. Remboursement de l'IVG. Lambada.

1990. Création de Génération Ecologie. Création d'un Ministère de la Ville. Pin's.

1991. Suppression de la première classe du métro.

1992. Commercialisation du timbre anti-tabac. Loi anti-tabac. Mode *grunge*.

1993. Lancement du Bi-bop, téléphone portable.

1994. Chaîne du savoir.

Album *Libération*, sources diverses

LES BONNES ET LES MAUVAISES ANNÉES

Comme pour les vins, il y a dans l'histoire de la société française des bons et des mauvais crus. Mais les millésimes des vins sont mieux connus, car mieux répertoriés, que ceux de la France. Il est cependant possible de classer les trente dernières années à partir de la façon dont elles ont été perçues et vécues par les Français. Et aboutir, comme on le fait pour les vins, à une « carte des millésimes » qui indique les bonnes et les mauvaises années.

LES FRANÇAIS JUGENT LES ANNÉES

Il est toujours difficile de se souvenir avec précision des années passées. L'actualité prend le pas sur l'histoire et l'expérience individuelle se confond rarement avec celle de la collectivité. Les souvenirs de chacun sont en outre faussés par le fait que certaines années sont associées à des événements heureux (rencontre, mariage, naissance, promotion, voyage...) ou malheureux (décès d'un proche, maladie, séparation, perte d'un emploi...).

Il faut, pour comparer les millésimes sociaux, disposer d'indicateurs d'opinion présentant, outre une grande fiabilité, l'avantage de la continuité sur une période suffisamment longue. Les seules informations disponibles dans ce domaine émanent des enquêtes *conjoncture* de l'INSEE. L'institut national a interrogé de manière répétitive les ménages français sur leurs opinions concernant l'année en cours ou l'année écoulée depuis 1964. Parmi les questions posées, nous avons sélectionné celles correspondant à un jugement global sur chaque année :

I. Le niveau de vie des Français

– « *Depuis un an, le niveau de vie des Français...* » :
- *s'est amélioré* (1)
- *est resté stationnaire* (2)
- *dégradé* (3)

Nous avons ajouté la même question concernant le niveau d'optimisme des Français pour l'année en cours ou à venir :

– « *D'ici un an, le niveau de vie des Français va...* » :
- *s'améliorer* (1)
- *rester stationnaire* (2)
- *se dégrader* (3)

Ces jugements sont complétés par ceux portant sur la situation financière (voir page suivante).

Méthodologie

Les réponses aux enquêtes ont été synthétisées pour obtenir un seul chiffre par indicateur et par année.
En ce qui concerne le jugement sur le niveau de vie des Français depuis un an, nous avons retenu comme indicateur l'enquête effectuée par l'INSEE en *janvier de l'année suivante* (trois enquêtes sont effectuées chaque année), sauf pour 1994 où nous avons utilisé les chiffres de mai 1994, date de la dernière enquête disponible au moment du calcul.
Pour l'évolution du niveau de vie prévue par les Français d'ici un an, nous avons au contraire utilisé les enquêtes de *janvier de l'année en cours*.
Pour les questions concernant la situation financière personnelle (« six derniers mois » et « mois à venir »), nous avons utilisé les chiffres de l'enquête la plus proche du milieu de l'année considérée : *juin* jusqu'en 1972 ; *mai* à partir de 1973.
Les réponses à chacune des quatre questions ont été réduites pour chaque année à un seul indicateur synthétique. Celui-ci a été obtenu en soustrayant les réponses favorables (ou optimistes) des réponses défavorables (ou pessimistes). Ainsi, on a soustrait les réponses marquées (1) dans l'intitulé des questions à celles marquées (3).
Pour chacun des quatre indicateurs de base annuels, une note de 0 à 5 a été attribuée en divisant l'écart maximal entre les opinions sur l'ensemble des années en six intervalles égaux. On a ensuite additionné pour chaque année les notes obtenues. Celles-ci varient de 0 (1984) à 19 (1973). Le classement des années a été établi sur la base suivante :

De 16 à 19 : très bonne année
De 12 à 15 : bonne année
De 8 à 11 : année moyenne
De 4 à 7 : mauvaise année
De 0 à 3 : très mauvaise année

On obtient ainsi un indicateur synthétique repris dans le tableau ci-contre.

LES GRANDS CRUS... ET LES AUTRES

Carte des millésimes basée sur les indicateurs d'opinion :

Note/20	Année	Classement
16	1964	☺☺
14	1965	☺
17	1966	☺☺
13	1967	☺
12	1968	☺
14	1969	☺
16	1970	☺☺
16	1971	☺☺
17	1972	☺☺
19	1973	☺☺
8	1974	☹
11	1975	☹
14	1976	☺
12	1977	☺
14	1978	☺
9	1979	☹
4	1980	☹
7	1981	☹
10	1982	☹
2	1983	☹☹
0	1984	☹☹
2	1985	☹☹
7	1986	☹
5	1987	☹
9	1988	☹
9	1989	☹
10	1990	☹
5	1991	☹
7	1992	☹
4	1993	☹
4	1994	☹

II. La situation financière personnelle

– « *Depuis six mois, votre situation financière...* » :
- *s'est améliorée* (1)
- *est restée stationnaire* (2)
- *est devenue moins bonne (ou plus mauvaise)* (3)

Nous avons ajouté aussi la question concernant l'optimisme à court terme :

– « *Croyez-vous que, dans les mois qui viennent, votre situation financière va...* » ?
- *s'améliorer* (1)
- *rester ce qu'elle est* (2)
- *devenir moins bonne (ou plus mauvaise)* (3)

Ces jugements sont évidemment liés à l'évolution de l'environnement économique (donc matériel) de la vie des Français. Mais on sait qu'il existe une étroite corrélation entre l'évolution des conditions de vie matérielles et le sentiment de satisfaction individuel ; cette corrélation peut d'ailleurs être vérifiée par de nombreuses enquêtes. On peut donc considérer que les réponses à ces questions constituent un jugement suffisamment fiable de chaque « millésime ».

Les indicateurs de niveau de vie sont pratiquement toujours négatifs depuis trente ans...

Le mode de calcul expliqué ci-dessus fait que les indicateurs sont positifs lorsque le nombre de personnes ayant le sentiment que le niveau de vie des Français ou leur situation financière personnelle s'améliore (ou va s'améliorer) est plus élevé que le nombre de personnes pensant qu'il se détériore (ou va se détériorer) ; ils sont au contraire négatifs lorsque les impressions défavorables (ou pessimistes) l'emportent. Ce fut le cas pratiquement tous les ans entre 1964 et 1994 pour le niveau de vie (passé et à venir) et la situation financière passée, à l'exception de quelques rares années (au maximum quatre pour le niveau de vie à venir).

On peut en déduire que les Français sont très mal informés de l'évolution du niveau de vie de leurs concitoyens, puisque le pouvoir d'achat moyen des revenus n'a pratiquement pas cessé de croître pendant cette période (voir tableau des indicateurs économiques).

On observe aussi que, pendant les années de crise (par exemple 1974, année du premier choc pétrolier, ou 1991, année de la guerre du Golfe), l'écart entre la perception de la situation personnelle et celle de l'ensemble des Français s'accroît.

... sauf en ce qui concerne l'évolution de la situation financière personnelle.

Les Français sont un peu moins pessimistes lorsqu'il s'agit de l'évolution récente de leur situation financière personnelle ; bien que presque toujours négatifs, les chiffres sont moins élevés en valeur absolue que pour les indicateurs de niveau de vie de l'ensemble des Français. On vérifie donc ici un phénomène que l'on trouve dans toutes les enquêtes : la situation personnelle est toujours jugée plus favorablement que la situation collective. Cet écart est sans doute en partie lié à la vision de la France et du monde que diffusent les médias ; les mauvaises nouvelles y sont plus nombreuses que les bonnes, car plus spectaculaires.

On constate enfin que les Français ont été beaucoup plus optimistes depuis trente ans en ce qui concerne l'évolution de leur situation financière personnelle. L'indicateur correspondant a été en effet constamment positif de 1964 à 1979, puis de 1986 à 1994.

La période 1964-1978 a été beaucoup plus favorable que la période 1979-1994.

La *Carte des millésimes* montre que la période 1964-1978 fut globalement bonne, avec seulement deux années jugées moyennes en 1974 et 1975. La période 1979-1994 fut nettement moins favorable, avec 10 années jugées mauvaises ou très mauvaises, 5 années moyennes et aucune bonne ou très bonne année.

Depuis trente ans, les Français ont vécu 6 très bonnes années (1964, 1966, 1970, 1971, 1972, 1973) et 3 très mauvaises (1983, 1984, 1985).

La compréhension de ces indicateurs d'opinion est facilitée par le rappel des données économiques de base de chaque année (voir tableau page suivante) : taux d'inflation ; taux de chômage ; taux de croissance annuel du PIB (en volume) ; taux d'accroissement annuel du revenu disponible brut (par ménage, en francs constants).

Enfin, si l'on veut mieux comprendre la signification de ces jugements portés chaque année par les Français, il est nécessaire de se replacer dans le contexte social, économique, politique, au plan national et international. C'est pourquoi un rappel des principaux événements est donné à la fin du chapitre (voir Chronoscopie p 57).

La meilleure année a été 1973.
La moins bonne a été 1984.

1973 faisait suite à trois très bonnes années. Bien que très favorable sur le plan économique, elle fut marquée par des mouvements sociaux (Lip, le Larzac) et se termina par la guerre du Kippour, puis par le premier choc pétrolier qui annonçait la fin d'une période faste sur le plan national et international.

1984 est située entre deux très mauvaises années. Elle fut marquée par une faible progression du pouvoir d'achat, mais aussi par un recul de l'inflation. Ce fut l'année de la grande manifestation en faveur de l'école privée, de la montée du Front national et de la crise européenne. Il fallut attendre 1988 pour retrouver une année moyenne. Les deux dernières années (1993 et 1994) ont été jugées défavorablement).

Le classement des années selon leur note globale est présenté dans le tableau ci-après.

LE PALMARÈS DES ANNÉES

Classement des années en fonction des indicateurs d'opinion :

Note globale	Années
19/20	1973
17	1966 - 1972
16	1964 - 1970 - 1971
14	1965 - 1969 - 1976 - 1978
13	1967
12	1968 - 1977
11	1975
10	1982 - 1990
9	1979 - 1988 - 1989
8	1974
7	1981 - 1986 - 1992
5	1987 - 1991
4	1980 - 1993 - 1994
2	1983 - 1985
0	1984

TRENTE ANS D'ÉCONOMIE

Evolution des indicateurs économiques de base (en %) :

	Inflation	Chômage	Croissance PIB	Croissance pouvoir d'achat
1964	3,4	1,5	6,5	4,1
1965	2,5	1,7	4,8	2,9
1966	2,7	1,9	5,2	3,4
1967	2,6	2,7	4,7	4,6
1968	4,6	2,8	4,3	2,1
1969	6,5	2,4	7,0	3,1
1970	5,3	2,9	5,4	5,5
1971	5,5	3,1	4,8	5,0
1972	6,2	3,1	4,4	4,1
1973	7,2	3,0	5,4	4,4
1974	13,8	3,8	3,1	3,2
1975	11,8	4,8	- 0,3	2,3
1976	9,7	4,9	4,2	1,5
1977	9,3	5,2	3,2	0,3
1978	9,1	5,9	3,4	3,6
1979	10,8	6,4	3,2	0,0
1980	13,5	7,0	1,6	- 1,6
1981	13,4	8,3	1,2	2,4
1982	11,8	8,5	2,5	- 0,3
1983	9,6	9,3	0,7	- 1,3
1984	7,4	10,6	1,3	- 1,9
1985	5,8	10,6	1,9	0,3
1986	2,7	10,9	2,5	2,7
1987	3,1	10,6	2,3	0,2
1988	2,7	10,4	4,5	3,4
1989	3,6	9,2	4,3	0,3
1990	3,4	8,9	2,5	2,9
1991	3,1	9,3	0,8	1,4
1992	1,9	10,1	1,2	1,0
1993	2,1	11,1	- 1,0	0,6
1994	1,9	12,4	1,1	1,0

INSEE, prévisions OCDE pour 1994

LE PALMARÈS SOCIO-ÉCONOMIQUE

Note globale Opinion	Classement Opinion	Année	Classement Economie	Note globale Economie
16/20	☺☺	1964	☺☺	19/20
14	☺	1965	☺☺	17
17	☺☺	1966	☺☺	18
13	☺	1967	☺☺	19
12	☺	1968	☺☺	16
14	☺	1969	☺☺	17
16	☺☺	1970	☺☺	18
16	☺☺	1971	☺☺	18
17	☺☺	1972	☺☺	16
19	☺☺	1973	☺☺	17
8	😐	1974	😐	11
11	😐	1975	😐	8
14	☺	1976	😐	11
12	☺	1977	😐	9
14	☺	1978	☺	12
9	😐	1979	😐	8
4	☹	1980	☹	5
7	☹	1981	☹	6
10	😐	1982	☹	6
2	☹☹	1983	☹	4
0	☹☹	1984	☹	5
2	☹☹	1985	😐	8
7	☹	1986	😐	10
5	☹	1987	😐	9
9	😐	1988	☺	14
9	😐	1989	😐	11
10	😐	1990	😐	11
5	☹	1991	😐	9
7	☹	1992	😐	9
4	☹	1993	☹	7
4	☹	1994	😐	8

☺☺ Très bonne année (16 à 20) ☺ Bonne année (12 à 15) 😐 Année moyenne (8 à 11)
☹ Mauvaise année (4 à 7) ☹☹ Très mauvaise année (0 à 3)

CHRONOSCOPIE

Rappel des principaux événements nationaux et internationaux entre 1964 et 1994 :

ANNÉE	FRANCE	MONDE
1964	Création des 21 Régions de programmes. Vote du statut de l'ORTF. Scission de la CFTC et création de la CFDT. Tabarly gagne la Transat en solitaire.	Création de l'OLP. Remplacement de Khrouchtchev par Brejnev. Election de Johnson aux Etats-Unis. Jeux Olympiques de Tokyo.
1965	Politique de la « chaise vide » à Bruxelles pour la politique agricole. Accord France-Algérie sur les hydrocarbures. De Gaulle réélu président de la République. 9 300 décès dus à la grippe. Service militaire à 16 mois.	Début de la Guerre du Viêt Nam avec les Etats-Unis. Fin du concile Vatican II. Un cosmonaute soviétique dans l'espace (URSS).
1966	La France quitte le commandement allié de l'OTAN. Inauguration de l'usine marémotrice de la Rance. Création de l'Institut national de la consommation. Création des IUT.	Indira Gandhi Premier ministre en Inde. Luna IX, satellite soviétique, se pose sur la Lune. Début de la Révolution culturelle en Chine. Accord des Six sur l'Europe agricole commune.
1967	Liberté des changes, des mouvements de capitaux et de l'or. Scolarité obligatoire à 16 ans. Lancement du *Redoutable,* premier sous-marin nucléaire. Création de l'ANPE. Loi Neuwirth sur la contraception. Création des BEP (brevets d'études professionnelles). Lancement de la Carte bleue. Exposition Toutankhamon.	Guerre des Six-Jours au Moyen-Orient entre Israël, l'Egypte et la Syrie. Putsch des colonels à Athènes. Che Guevara assassiné (Bolivie). 1re greffe cardiaque.
1968	J. O. d'hiver à Grenoble. Flambée de l'or. Mouvements étudiants et ouvriers de mai (10 millions de grévistes). Signature des accords de Grenelle entre syndicats, patronat et gouvernement. La France dépasse 50 millions d'habitants. Mesures de défense du franc et rétablissement du contrôle des changes. Explosion de la première bombe H française. Loi Edgar Faure sur l'enseignement.	Abandon de la couverture or du dollar. Début du « printemps de Prague ». Assassinat de Martin Luther King. Union douanière européenne. Election de Nixon aux Etats-Unis. Lancement d'Apollo VIII. J.O. de Mexico.
1969	4e semaine de congés payés. Ouverture du marché de Rungis. Référendum sur la régionalisation et départ du général de Gaulle. Pompidou élu président. Dévaluation du franc (12,5 %). Instauration du SMIC en remplacement du SMIG. Première ligne de RER à Paris. Epidémie de grippe : 15 000 morts. Création des plans d'épargne-logement.	Golda Meïr Premier ministre d'Israël. Neil Armstrong marche sur la Lune (Apollo XI). Coup d'Etat de Kadhafi en Libye. Willy Brandt chancelier de RFA. Salvador Allende président du Chili.
1970	Lancement de la fusée Diamant B à partir de la Guyane française. Inauguration des derniers tronçons d'autoroute Marseille-Lille. Service militaire ramené à 12 mois.	Echec du plan Rogers pour un plan de paix au Proche-Orient. Guerre civile entre Palestiniens et Jordaniens. Sadate succède à Nasser en Egypte.
1971	Nationalisation des intérêts pétroliers français en Algérie. Premier vol commercial de Concorde.	Premier microprocesseur (E-U). Signature de l'accord sur le transit entre Berlin-Est et la RFA (Etats-Unis, URSS, Grande-Bretagne, France). Chine populaire admise à l'ONU et expulsion de Taïwan. Dévaluation du dollar.

1972	Nouveau statut de l'ORTF. Plan social (minimum vieillesse, prestations familiales, retraites). 18 630 tués sur la route (record). Création des CPPN (classes préprofessionnelles de niveau) et des CPA (classes préparatoires à l'apprentissage). Affichage des prix obligatoire. Mise en place du SME (serpent monétaire européen).	Accords SALT 1 entre Etats-Unis et URSS. Grève mondiale des pilotes de ligne. Début du scandale du Watergate. J.O. de Sapporo. Assassinats palestiniens aux J.O. de Munich. Découverte de pétrole en mer du Nord. Nixon réélu président des Etats-Unis.
1973	Manifestations contre l'extension du camp militaire du Larzac. Usines Lip occupées.	Entrée du Danemark, de la Grande-Bretagne et de l'Irlande dans la CEE. Serpent monétaire européen. Flottement généralisé des monnaies. Fin de la guerre du Viêt Nam (traité de Paris). Coup d'Etat militaire au Chili. Début de la guerre du Kippour (israélo-arabe). Grève des mineurs en Grande-Bretagne. Début du premier choc pétrolier. Survol de Jupiter par Pioneer X.
1974	Le franc quitte le serpent monétaire. Mort de Pompidou. Giscard d'Estaing élu président. Majorité civile à 18 ans. Eclatement de l'ORTF. Accords sur l'indemnisation du chômage économique. Arrêt provisoire de l'immigration. Décision de mise en chantier de 14 centrales nucléaires. Mise en service de l'aéroport de Roissy.	Israël retire ses troupes d'une partie des territoires occupés. Coup d'Etat au Portugal (« révolution des œillets »). Démission du chancelier Brandt (RFA). Démission de Nixon (Etats-Unis) à la suite du Watergate. Première livraison d'Airbus par le consortium européen. La Turquie envahit Chypre.
1975	Loi Veil sur l'avortement. Loi sur l'autorisation préalable de licenciement. Grève aux usines Renault. Lancement d'Ariane. Divorce par consentement mutuel autorisé. Plan de relance économique. Plus d'un million de chômeurs.	Prise de pouvoir des Khmers rouges au Cambodge. Début des affrontements au Liban. Saigon occupée par les troupes du Viêt Nam du Nord. Réouverture du canal de Suez. Juan Carlos succède à Franco et devient roi d'Espagne.
1976	Loi sur la taxation des plus-values. Impôt sécheresse au profit des agriculteurs. Plan Barre contre l'inflation. Le franc sort du serpent monétaire. Création du Loto.	Réforme du Fonds monétaire international. Catastrophe de Seveso (Italie). Mort de Mao-Zedong. Carter président des Etats-Unis.
1977	Ouverture du centre Beaubourg. Plan acier pour moderniser la sidérurgie. Accord sur la préretraite à 60 ans. Premier Pacte pour l'emploi des jeunes.	Gouvernement Begin en Israël. Mesures protectionnistes de la CECA en faveur de la sidérurgie. J.O. à Innsbruck et Montréal. Régionalisation de la Belgique. Visite de Sadate en Israël.
1978	Naufrage de l'*Amoco Cadiz*. Gouvernement Barre. Libération des prix. Loi informatique et libertés.	Naufrage de l'*Amoco-Cadiz* et marée noire en Bretagne. Les Israéliens occupent le Sud-Liban. Boeing 707 coréen attaqué par un Mig soviétique. Assassinat d'Aldo Moro (Italie). Coupe du monde de football (Argentine). 1er bébé éprouvette (Grande-Bretagne). Sommet de Camp David (Begin, Carter, Sadate). Suicide collectif au Guyana. Le dollar à moins de 4 francs.
1979	1er rallye Paris-Dakar. Guerre civile au Tchad, intervention française à Kolwezi. Elections européennes (Simone Veil élue présidente du Parlement). Vente du paquebot *France* (devenu *Norway*). Bokassa refoulé de France. Mort mystérieuse de Robert Boulin.	Le Chah quitte l'Iran, Khomeiny à Téhéran. Guerre Chine-Viêt Nam. Paix entre Israël et l'Egypte. Alerte nucléaire à Three Miles Island (E.U.). Amin Dada en fuite en Libye. Margaret Thatcher Premier ministre (R.U.). L'URSS envahit l'Afghanistan. 2e choc pétrolier ; doublement du prix du pétrole (OPEP).

1980	Affrontements en Corse. Nouvelle marée noire en Bretagne. Marguerite Yourcenar à l'Académie. Mort de Sartre. Disparition d'Alain Colas. Attentat rue Copernic (Paris). Boycottage de la viande de veau.	J.O. de Lake Placid (E-U). Intervention américaine manquée en Iran. Boycott des J.O. de Moscou. Mort du Chah d'Iran. Attentat de Bologne (Italie). Grève des chantiers de Gdansk (Pologne) et fondation de Solidarité. Guerre Iran-Irak. Reagan président des Etats-Unis.
1981	*Dallas* à la télévision. Coluche candidat aux présidentielles. Mitterrand élu président. Chute de la Bourse. Des communistes au gouvernement. Lois sociales, IGF. La peine de mort abolie. Inauguration du TGV. Cap des 2 millions de chômeurs franchi. Plan de redressement de la Sécurité sociale.	La Grèce dans la CEE. Libération des otages américains de Téhéran. Jaruzelski à la tête de la Pologne. Attentat contre Reagan. Premier vol de la navette Columbia. Attentat contre Jean-Paul II. Sadate assassiné (Egypte).
1982	Réduction du temps de travail et 5e semaine de congés payés. Création de la Haute Autorité de l'audiovisuel. Loi sur les nationalisations. Lois Quillot et Auroux. Attentats rue Marbeuf et rue des Rosiers (Paris). Sommet de Versailles. Autorisation des radios libres. Plan de relance avorté.	Guerre des Malouines (G-B-Argentine). Sinaï restitué à l'Egypte. Attentat contre Jean-Paul II. Israël envahit le Sud-Liban. Coupe du monde de football (Italie). Mort de Grace de Monaco. Massacre de Palestiniens à Sabra et Chatila. Helmut Kohl chancelier (RFA). Victoire socialiste en Espagne. Crise de la dette mexicaine. Mort de Brejnev, remplacé par Andropov (URSS).
1983	Dévaluation du franc et plan de rigueur (Delors). Klaus Barbie emprisonné à Lyon. 41 fûts de dioxine retrouvés dans l'Aisne. Noah gagne Roland-Garros. *Dynasty* contre *Dallas*. Mort de Raymond Aron. Retraite à 60 ans à taux plein. Affaire des « avions renifleurs ». Hausse de 55 % à la Bourse.	Baisse du pétrole décidée par l'OPEP. 63 morts à l'ambassade américaine de Beyrouth. Aquino assassiné à Manille. Boeing 747 coréen abattu par un Mig. Débarquement américain à la Grenade.
1984	Loi sur la formation continue. Tension au Pays basque. Manifestation pour défendre l'école libre. Réorganisation des études supérieures. Succès de Le Pen aux européennes (11 %). La France championne d'Europe de football. Fabius Premier ministre. Fignon gagne le Tour. Succès commercial d'Airbus. Abouchar prisonnier en Afghanistan. Début de l'affaire Villemin. Création de Canal Plus. Incidents en Nouvelle-Calédonie.	Mort d'Andropov, remplacé par Tchernenko (URSS). Echec du sommet de la CEE. J.O. de Sarajevo et Los Angeles. Indira Gandhi assassinée (Inde). Attentat contre Margaret Thatcher (R-U). Grève des mineurs britanniques. Reagan réélu (E-U). Pollution chimique à Bhopal (Inde).
1985	Découverte du virus du sida. Etat d'urgence en Nouvelle-Calédonie. Attentat chez Marks et Spencer (Paris). Affaire Greenpeace. Attribution de la 5e chaîne. Ouverture des *Restos du cœur*. Généralisation des cartes à mémoire dans les Publiphones.	Le dollar à 10,6 F. Gorbatchev élu Secrétaire général du PC (URSS). Tragédie du stade du Heysel (Belgique). Israël se retire du Liban. Concert pour l'Ethiopie (R-U). Tremblement de terre à Mexico. Eruption volcanique en Colombie.
1986	Mort de Sabine et Balavoine au Paris-Dakar. Accord pour le tunnel sous la Manche. Contre-choc pétrolier. Raid aérien au Tchad. Une équipe d'Antenne 2 enlevée à Beyrouth. Cohabitation politique. Dévaluation (3 %). Mort de Coluche. Premières privatisations. Attentats terroristes à Paris. Manifestation des étudiants contre le projet de loi Devaquet.	Entrée de l'Espagne et du Portugal dans la CEE. Ratification de l'Acte unique européen par les Douze. Explosion de la navette Challenger. Catastrophe nucléaire de Tchernobyl. Pollution du Rhin en Suisse.

1987	Nouvelles privatisations. TF1 attribuée à Bouygues. Interdiction de *Droit de réponse.* La Bretagne ravagée par la tempête. Procès Barbie. Loi Séguin sur le statut social de la mère de famille.	Réajustement monétaire (CEE). Tuerie au pèlerinage de La Mecque. Traité pour la construction du tunnel sous la Manche. Crise boursière. Les *Iris* de Van Gogh vendus 325 millions de francs (New York). Accord de désarmement Etats-Unis/URSS.
1988	Livraison du premier Airbus A320. Retour des otages du Liban. Mitterrand réélu président. Rocard Premier ministre. Création des TUC et des SIVP. Pluies diluviennes sur Nîmes. Grève des infirmières. Lancement du satellite TDF1. Loi sur la création du RMI.	Chute des cours du pétrole. J.O. de Calgary (Canada). Cessez-le feu Iran-Irak. Pluies torrentielles au Bangladesh. J.O. de Séoul. Emeutes en Algérie. Proclamation d'un Etat palestinien. Tremblement de terre en Arménie. Attentat contre le Boeing 747 de la Pan Am (Ecosse). Bush président des Etats-Unis.
1989	Affaires de « délits d'initiés ». Bicentenaire de la Révolution. Débat sur le foulard islamique à l'école.	Condamnation à mort de l'écrivain Salman Rushdie. L'Armée rouge quitte l'Afghanistan. Catastrophe écologique en Alaska. Répression des étudiants à Pékin. Affaire du carmel d'Auschwitz. Chute du mur de Berlin. Mort de Ceaucescu (Roumanie). Havel président de la Tchécoslovaquie.
1990	Explosion d'Ariane en vol. Profanation du cimetière de Carpentras. Manifestations des lycéens. Incidents dans les banlieues. Débat sur le « peuple corse ».	Mandela libéré (Afrique du Sud). Coupe du monde de football en Italie. Invasion du Koweït par l'Irak. Envoi des troupes alliées en Arabie. Réunification de l'Allemagne. Major succède à Thatcher (Royaume-Uni).
1991	Mort de Gainsbourg et de Montand. Scandale des transfusions sanguines. Edith Cresson Premier ministre. D'Aboville traverse le Pacifique à la rame. Victoire en coupe Davis.	Guerre contre l'Irak. Révolte dans les républiques Baltes. Choléra au Pérou. Guerre civile en Yougoslavie. Montée du FIS en Algérie. Abolition de l'apartheid (Afrique du Sud). Conférence de paix sur le Proche-Orient. Coup d'Etat avorté en URSS. Sommet européen de Maastricht.
1992	Jeux Olympiques d'hiver d'Albertville. Elections régionales et cantonales. Bérégovoy Premier ministre. Ouverture d'Euro Disney. Procès de la transfusion sanguine. Manifestations paysannes. Instauration du permis à points et manifestations des routiers. Référendum sur la ratification du traité de Maastricht.	Non danois à Maastricht. Blocus décidé par l'ONU en Yougoslavie. Changement de gouvernement en Israël. Assassinat de Boudiaf (Algérie). J.O. de Barcelone, Exposition universelle de Séville. Election de Bill Clinton à la Maison-Blanche.
1993	Elections législatives. Edouard Balladur Premier ministre. Suicide de Pierre Bérégovoy. Nationalisations. Affaire OM-Valenciennes. Inauguration de l'aile Richelieu du Louvre. Réforme de la retraite.	Mise en place du Marché unique européen. Scission de la Tchécoslovaquie en deux républiques. La CEE devient Union européenne. Signature de l'accord de paix israélo-palestinien. Coup d'Etat manqué en Russie. Accord sur le GATT. Assassinats de Français en Algérie.
1994	Manifestations contre le CIP. Elections européennes. Intervention au Rwanda. Lois sur l'aménagement du territoire, sur la famille.	Silvio Berlusconi Premier ministre de l'Italie. Premières élections multiraciales en Afrique du Sud. Admission de la Suède, de la Norvège, de la Finlande et de l'Autriche dans l'Union européenne. Coupe du monde de football.

LA FRANCE DES RECORDS

Il existe une symbolique des records. Car chacun d'eux est en général la conséquence d'une tradition et d'un savoir-faire dans un domaine où une longue expérience a été accumulée. Les records détenus par la France et les Français sont donc révélateurs des spécificités, des singularités, parfois des exceptions nationales.

Les chiffres indiqués sont les derniers disponibles permettant une comparaison internationale. Dans certains cas, en l'absence de statistiques mondiales fiables et comparables, il s'agit d'estimations difficiles à comparer.

E indique qu'il s'agit d'un record d'Europe (Union européenne à douze)
M indique qu'il s'agit d'un record du monde.

DÉMOGRAPHIE

E La plus longue espérance de vie des femmes à la naissance : 81,5 ans.

E La plus forte surmortalité masculine (écart d'espérance de vie à la naissance entre les hommes et les femmes) : 8,2 ans.

M La personne vivante la plus âgée : Jeanne Calment, née le 21 janvier 1875, qui a fêté ses 119 ans en 1994.

E Le plus faible taux de nuptialité : 4,4 mariages pour 1 000 habitants.

E Les mariages les plus tardifs : 26,3 ans pour les femmes, 28,3 ans pour les hommes.

CONSOMMATION

E Le plus grand nombre d'achats de chaussures : 5,6 paires par personne et par an.

M Le plus grand nombre d'achats de pantoufles : une paire par personne et par an.

E La plus forte consommation d'alcool : 13 litres d'équivalent d'alcool pur par personne et par an.

E La plus forte consommation de vin : 67 litres par personne et par an.

E La plus forte consommation de viande : 111 kg par personne et par an (y compris les abats, poids en carcasse).

E La plus forte consommation de beurre : 8,8 kg par personne et par an.

E La plus forte consommation d'œufs : 14,9 kg par habitant et par an (en coquilles).

E La plus grande part des hypermarchés dans le chiffre d'affaires de la distribution alimentaire : 46 %.

SANTÉ

E Le taux de décès par maladies cardiovasculaires le moins élevé : 29 pour 100 000 habitants.

E La part des dépenses de santé dans le PIB la plus forte : 9,1 %.

E Le plus grand nombre de psychiatres : 10 609 en 1993, contre 2 660 en 1980, soit 18,5 pour 100 000 habitants.

M La plus forte mortalité masculine par cancer : 3,1 décès pour 1 000 hommes.

M La plus forte consommation de médicaments : 40 par habitant et par an.

E La plus forte consommation de médicaments psychotropes : 7 % d'utilisateurs réguliers, 32 % d'occasionnels. 27 millions de prescriptions pour des tranquillisants en 1993, 16 millions pour les somnifères et les calmants, 14 millions pour les antidépresseurs et 5 millions pour les neuroleptiques.

E Le taux de sida le plus élevé : 60 cas pour 100 000 habitants en cumul à fin décembre 1993.

E La plus forte proportion d'accidents domestiques : un pour 10 habitants par an (25 000 morts et plus de 2 millions de blessés).

LOGEMENT-ÉQUIPEMENT

M La plus forte proportion de ménages propriétaires d'une résidence secondaire : 12 %.

E La plus forte proportion de voitures Diesel : 40 % des achats de voitures neuves en 1993.

E Le plus fort taux de possession d'animaux familiers : 58 % des foyers.

SOCIÉTÉ

E Le plus grand nombre de réfugiés politiques : 190 000.

E La plus forte minorité juive : 600 000.

E Le taux d'impôts directs le plus faible : 5 % du PIB.

E La part de l'énergie nucléaire la plus grande : 76 %. Deuxième au monde derrière la Lituanie (80 %).

E Le nombre de jours de classe le plus faible : 158 dans le secondaire.

LOISIRS-CULTURE

M Le plus grand nombre de prix Nobel de littérature : 12.

E La fréquentation du cinéma la plus élevée : 2,3 séances par personne et par an.

E Le plus grand nombre de salles de cinéma : 4 397.

M La salle de cinéma la plus fréquentée : La Géode (plus de 1 million de spectateurs par an).

E Le plus grand nombre de films long métrage produits : 101 en 1993.

E Le plus grand nombre de casinos : 138.

M Les plus grands voiliers du monde : Club Med 1 et Club Med 2 (187 m de long, 5 mâts de 50 m de haut).

M Le plus grand nombre de chansons composées : 2 000, par Pierre Delanoë.

TERRITOIRE

M La première destination touristique : 60 millions de visiteurs en 1993.

E La plus grande superficie : 549 000 km^2.

E Le plus haut sommet : mont Blanc, 4 807 m (si l'on considère que l'Elbrouz, mont du Caucase de 5 642 m, se situe en Asie).

E La plus grande surface forestière : 14,7 millions d'hectares (27 % du territoire).

E Le plus grand nombre de communes : 37 000, soit plus que l'ensemble des onze autres pays de l'UE.

M Le plus grand nombre d'organisations non gouvernementales : 657 secrétariats (contre 508 au Royaume-Uni, 350 aux Etats-Unis, 216 en Allemagne).

E Le plus long réseau routier : 808 098 km.

E Le plus long réseau ferroviaire : 34 260 km exploités.

E Le plus long réseau navigable : 8 500 km utilisés.

M Paris, première ville de congrès : plus de 1 100 par an, dont 400 internationaux.

M Paris, première capitale en termes de qualité de vie (étude Healey and Baker, 1991).

AUTRES

M Retour sur investissement des actions le plus élevé sur les dix dernières années (1984-1993) : 20 % en moyenne annuelle (dollars constants).

E Premier pays investisseur à l'étranger : 126 milliards de francs par an en moyenne entre 1989 et 1991, mais 65 en 1993. Deuxième investisseur dans le monde derrière les Etats-Unis.

M Record de vitesse en train : 515 km/h (TGV).

M La première traversée de l'Atlantique à la rame (1980), puis du Pacifique (1991) : Gérard d'Aboville.

M Le plus long temps sans respirer sous l'eau : 6 mn 40 s (Michel Bader).

M Le plus grand nombre de spectateurs : le Tour de France (10 millions en 3 semaines).

M Le plus grand nombre de victoires en Formule 1 : Alain Prost (44 Grands Prix sur 12 saisons entre 1980 et 1991).

M Le kilomètre lancé à moto : 259 km/h (Coluche, 1985).

M Le parfum le plus cher : Joy de Patou (plus de 5 000 F pour 30 ml).

M Le premier tour du monde en courant : Djamel Balhi (du 27 mai 1987 au 16 février 1989).

Quand astronomique rime avec gastronomique

La France peut aussi s'enorgueillir de records plus anecdotiques, liés à sa tradition gastronomique :

- Nombre de fromages : plus de 400 appellations.
- La cave de restaurant la plus riche : celle de *la Tour d'Argent* compte 350 000 bouteilles.
- La plus grosse andouillette produite : 49 m, 50 kg.
- La plus grosse bûche de Noël produite : 2 877 m, 1,4 t.
- La plus grosse asperge récoltée : 1,22 m de long.
- Le plus grand haricot récolté : 87 cm de long.
- Le plus long jet de noyau d'abricot : 15,5 m.
- Le plus long jet de grain de raisin : 4,25 m.

Livre des Records

INDIVIDU

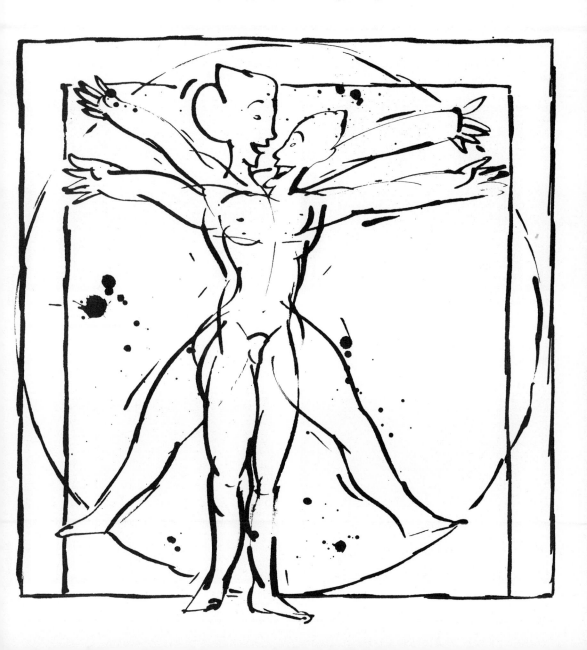

LE BAROMÈTRE DE L'INDIVIDU

Chacune des six grandes parties du livre est introduite par un baromètre qui indique l'évolution de l'opinion publique en ce qui concerne les principaux thèmes abordés.

Les pourcentages indiqués correspondent aux réponses favorables aux affirmations proposées (population âgée de 18 ans et plus). Les enquêtes n'ont parfois pas été effectuées certaines années.

« La famille est le seul endroit où l'on se sente bien et détendu » (en %) :

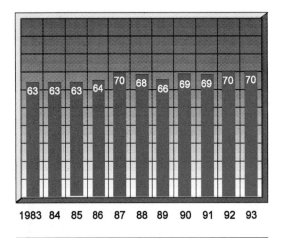

« Etes-vous inquiet de l'éventualité d'une maladie grave ? » (en %) :

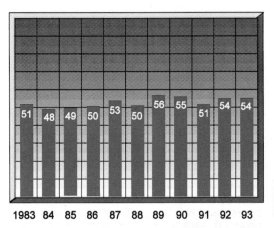

« Etes-vous inquiet de l'éventualité d'une guerre ? » (en %) :

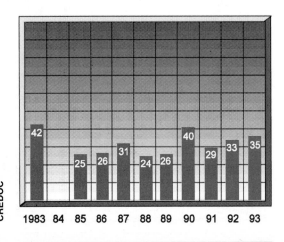

« Dieu existe » (en %) :

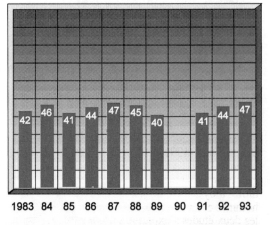

L'APPARENCE PHYSIQUE

CORPS

1,72 m et 75 kg en moyenne pour les hommes, 1,60 m et 60 kg pour les femmes ◆ Les jeunes générations continuent de grandir ◆ La hiérarchie de la toise reproduit celle de la société ◆ Plus on est âgé, plus on est petit et lourd ◆ Forte progression du niveau d'hygiène ◆ Les hommes de plus en plus concernés par les produits de beauté ◆ Souci de la forme et de l'apparence

TAILLE ET POIDS

Les hommes mesurent en moyenne 1,72 m, les femmes 1,60 m.

Les chiffres présentés ci-après sont issus de l'étude réalisée par Renault en 1981-1982, qui reste la seule véritablement représentative de la population française de 18 ans et plus.

Le Laboratoire d'anthropologie appliquée fournit dans sa banque de données Ergodata des données plus récentes (1991), mais qui concernent une population de 20 à 40 ans composée d'appelés du contingent et de personnels militaires. Elles indiquent une taille moyenne plus élevée : 1,75 m pour les hommes et 1,62 m pour les femmes. Cet écart entre les deux études s'explique surtout par la différence

d'âge entre les deux populations, les jeunes étant plus grands que leurs aînés.

Une autre étude effectuée par l'INSEE en 1980 donnait des résultats proches : 1,71 m pour les hommes et 1,60 m pour les femmes. Mais il s'agissait d'une étude déclarative et non d'une mesure, de sorte que les écarts étaient moins marqués, les plus petits ayant tendance à se grandir, les très grands à indiquer une taille inférieure.

Plus on est jeune, plus on est grand

Taille moyenne par sexe en fonction de l'âge (en cm) :

173,4 173,0 172,0 169,8 168,8 172,0
162,0 161,0 160,0 157,8 156,3 160,0

18-24 ans 25-34 35-44 45-54 55 et + Moyenne

Renault, 1982

La taille des métiers

Taille moyenne par sexe en fonction de la catégorie socioprofessionnelle (en cm) :

	Hommes	Femmes
● Cadres supérieurs, professions libérales	176,4	162,7
● Cadres moyens, techniciens	173,2	160,7
● Employés, commerçants	172,6	160,4
● Inactifs	170,9	161,0
● Ouvriers	170,8	159,1
● Agriculteurs	167,5	157,4

Renault, 1982

Grandeurs nationales

Les comparaisons internationales sont difficiles à établir, car les études portent rarement sur des échantillons représentatifs de l'ensemble de la population et utilisent parfois des méthodes déclaratives. La taille des Français apparaît cependant comparable, à âge égal, à celle des :
- Allemands : 1,73 m pour les hommes ; 1,62 pour les femmes entre 25 et 40 ans, 1975
- Italiens : 1,72 m et 1,60 m entre 19 et 65 ans, 1980.
- Belges : 1,76 m et 1,64 m entre 18 et 20 ans, 1980.
Elle est inférieure à celle des :
- Américains : 1,75 m et 1,62 m entre 18 et 74 ans, 1974.
- Britanniques : 1,74 m et 1,62 m entre 17 et 64 ans, 1980. Elle est supérieure à celle des :
- Espagnols : 1,67 m et 1,57 m entre 20 et 60 ans, 1975.
- Japonais : 1,67 m et 1,53 m entre 30 et 39 ans, 1981.

En un siècle, les hommes ont grandi de 7 cm, les femmes de 5 cm.

On estime que la taille moyenne au début du siècle était de 1,65 m pour les hommes et 1,55 m pour les femmes. Vers 1840, les conscrits mesuraient en moyenne 1,62 m. Leur taille était de 1,65 m en 1900, 1,68 m en 1940, 1,72 m en 1970. Ils mesurent 1,75 m aujourd'hui (jeunes militaires des trois armées). Ce phénomène de grandissement n'est pas propre à la France. On constate une forte augmentation de la taille dans tous les pays qui sont passés d'une civilisation rurale agricole à une civilisation urbaine et industrialisée.

Les conditions de développement des enfants sont aujourd'hui plus favorables (meilleure hygiène, meilleure alimentation) et permettent aux facteurs génétiques d'influer normalement sur leur croissance. C'est pourquoi les plus petits sont de moins en moins nombreux. A l'inverse, et pour des raisons semblables, les gens anormalement grands sont plus rares.

Un cadre supérieur mesure en moyenne 7 cm de plus qu'un agriculteur, 5 cm de plus qu'un ouvrier. Les grands sont plus nombreux dans le Nord, les petits dans l'Ouest.

La hiérarchie de la toise reproduit celle des catégories sociales. Chez les appelés du contingent, un étudiant mesure 4 cm de plus qu'un jeune agriculteur. Les différences de taille entre les catégories socioprofessionnelles sont cependant moins marquées parmi les femmes que chez les hommes.

Les différences régionales sont moins fortes que celles qui existent entre les professions. Elles ne sont d'ailleurs pas significatives pour les femmes. Les écarts plus importants constatés chez les hommes s'expliquent en partie par la structure de la pyramide des âges dans les diverses régions : on est plus jeune, donc plus grand, dans le Nord, région principalement urbaine, que dans l'Ouest, région essentiellement rurale.

La taille des régions

Taille moyenne par sexe en fonction de la région (en cm) :

	Hommes	Femmes
• Nord	174,1	161,2
• Est	173,1	161,2
• Ile-de-France	172,7	160,5
• Centre-Est	171,8	161,3
• Bassin parisien	171,4	160,6
• Méditerranée	171,3	160,6
• Etranger et DOM-TOM	171,1	159,4
• Sud-Ouest	170,5	160,0
• Ouest	169,6	160,0

Les mensurations des Françaises

Le tour de poitrine moyen des femmes est de 97 cm. Il est inférieur à 86 cm pour 27 % d'entre elles (21 % dans l'Est, 33 % dans l'Ouest) et dépasse 100 cm pour 14 % (21 % dans le Nord et 11 % dans le Centre-Est). Le tour de bassin moyen est de 92 cm. Il est inférieur à 91 cm pour 27 % des femmes (31 % dans le Centre-Est et 22 % dans l'Est) et dépasse 106 cm pour 17 % (23 % dans le Nord, 14 % en région parisienne).

Les hommes pèsent en moyenne 75 kg, les femmes 60 kg.

L'enquête (déclarative) effectuée par l'INSEE en 1980 donnait le même poids que celle de Renault pour les femmes (59,6 kg) mais un poids inférieur pour les hommes : 72,1 kg. C'est le cas aussi de celle réalisée en 1991 par le Laboratoire d'anthropologie appliquée : 68,8 kg pour les hommes et 58,4 kg pour les femmes. Comme pour la taille, ces écarts s'expliquent par la nature des enquêtes et les caractéristiques des personnes interrogées.

Les comparaisons internationales se heurtent aussi à des problèmes d'échantillons et de dates d'enquête ; il faudrait en outre, pour les analyser, prendre en compte les écarts de taille existant entre les pays.

Poids moyens obtenus dans quelques pays :
• Italie : 65 kg pour les hommes et 56 kg pour les femmes (19 à 65 ans, 1980).
• Japon : 59 kg et 50 kg (30-39 ans, 1981).
• Etats-Unis : 77 kg et 62 kg (18-74 ans, 1974).
• Royaume-Uni : 74 kg et 62 kg (17-64 ans, 1980).
• Suède : 68 kg et 62 kg (25-49 ans, 1969).

Le poids des ans

Poids moyen par sexe en fonction de l'âge (en kg) :

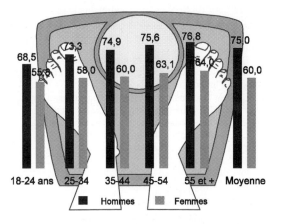

En 30 ans, les hommes ont grossi de 3 kg, tandis que les femmes perdaient 600 g.

L'hérédité joue sans doute un rôle important dans la morphologie et se trouve à l'origine de certaines obésités. Mais les modes de vie individuels (alimentation, exercice, soins, etc.) et les canons de la beauté qui prévalent à un moment donné exercent aussi une très forte influence. C'est peut-être ce qui explique que les Françaises ont à la fois grandi et minci au cours des vingt dernières années, tandis que les hommes grandissaient et grossissaient.

La forme sans les formes

L'indice de masse corporelle (IMC) permet d'apprécier le poids en fonction de la taille. Il est obtenu en divisant le poids par le carré de la taille. Le chiffre « normal » doit être compris entre 19 et 23. La maigreur commence au-dessous de 17, la minceur entre 17 et 19, le « surpoids modéré » entre 23 et 26 et l'obésité au-delà de 26. Pour l'INSERM, l'obésité intervient lorsque le surplus pondéral atteint 30 % par rapport à une valeur idéale de l'IMC de 29,4 pour les hommes et de 27,4 pour les femmes. Elle concernerait 6,7 % des Français, dont 8,9 % de femmes et 4,5 % d'hommes.

Le retour de la maigritude ?

Après avoir largement célébré les formes pulpeuses des Claudia Schiffer et autres Cindy Crawford, les médias semblent s'intéresser à des formes plus anorexiques, comme celles du mannequin britannique Kate Moss (1,70 m, 44 kg), qui rappellent celles de Twiggy dans les années 60. Ce « retour de balance » est à rapprocher de l'intérêt récent pour les « années Pompidou ». On peut y voir aussi une tendance à l'androgynie dans une société où les différences entre les sexes s'estompent (mais où les valeurs féminines émergent).
Enfin, à une époque où les biens matériels sont moins prioritaires et où l'ostentation cède la place à l'authenticité, la maigreur peut apparaître comme une forme de dépouillement salutaire. Mais cette tendance semble contredite depuis 1991 par la baisse d'intérêt à l'égard des produits allégés.

Le poids moyen augmente avec l'âge.

A l'inverse de la taille, qui tend à diminuer à cause de l'effet des générations et du tassement qui accompagne le vieillissement, le poids moyen des hommes et des femmes augmente avec l'âge.

Entre 20 et 50 ans, la prise de poids représente environ 5 kg pour les hommes et 7,5 kg pour les femmes. Les statistiques montrent aussi que plus on est âgé, plus on est petit. C'est ce qui explique que les risques d'obésité (rapport poids/taille non conforme aux normes en vigueur) augmentent avec l'âge.

Les hommes cadres supérieurs pèsent
4 kg de plus que les agriculteurs,
les femmes 1 kg de moins.

Chez les hommes, les agriculteurs et ceux qui exercent des professions indépendantes pèsent davantage en moyenne que les salariés, à taille et âge égaux. La hiérarchie est différente chez les femmes ; les femmes cadres supérieurs ou membres des professions libérales sont les moins lourdes (en même temps que les plus grandes). On peut imaginer que celles qui cherchent à obtenir des postes élevés dans la hiérarchie professionnelle veillent plus que les autres à leur ligne. Les femmes cadres moyens ou techniciennes sont, semble-t-il, moins concernées, puisqu'elles pèsent en moyenne près de 6 kg de plus, avec une taille inférieure.

Le poids des professions

En kg :	Hommes	Femmes
• Cadres supérieurs, professions libérales	75,8	57,6
• Cadres moyens, techniciens	75,2	63,2
• Employés, commerçants	74,8	58,5
• Inactifs	73,5	60,4
• Ouvriers	73,3	60,0
• Agriculteurs	71,9	58,8

Renault, 1982

➤ 18 % des Français suivent leur poids en permanence. 15 % suivent un régime régulièrement ou au moins de temps en temps. Ce sont en particulier des femmes, habitant la région parisienne ou le Sud-Est.

Le poids des régions

En kg :	Hommes	Femmes
• Nord	76,5	61,5
• Est	76,1	58,2
• Ile-de-France	75,5	61,0
• Centre-Est	74,0	60,7
• Bassin parisien	73,8	59,6
• Méditerranée	73,4	59,8
• Etranger et DOM-TOM	73,0	58,6
• Sud-Ouest	71,8	58,1
• Ouest	71,7	58,1

Renault, 1982

Morphologies régionales

La morphologie des Français varie selon les régions, bien que les mélanges de plus en plus fréquents entre les origines tendent à estomper les caractères spécifiques :
• Les gens du Nord ont en général une taille haute, des cheveux et des yeux clairs, le crâne de type méso-brachycéphale (largeur presque égale à la hauteur).
• Dans l'Est, la taille et la forme du crâne sont semblables à celles du Nord, mais les cheveux et les yeux sont foncés.
• Dans le Sud, les personnes sont plus petites, les cheveux et les yeux sont foncés, le crâne est de type brachycéphale (largeur et hauteur très voisines).
• Les Bretons sont aussi de petite taille et de type brachycéphale, leurs cheveux sont plus ou moins clairs, leurs yeux clairs.
• Les Basques ont une taille haute, des cheveux très foncés, des yeux clairs et un crâne de type brachycéphale.
• Les personnes originaires de la bande pyrénéo-méditerranéenne ont une taille moyenne, des cheveux et des yeux très foncés, un crâne de type méso-dolichocéphale (plutôt étroit et allongé).

Quid

HYGIÈNE ET BEAUTÉ

Le niveau général d'hygiène
a largement progressé.

L'hygiène est la face cachée de la beauté. C'est peut-être pourquoi elle n'a pas toujours occupé une place essentielle dans les préoccupations des Français. Mais leur attitude a changé sous l'effet des pressions sociales, des nouveaux produits mis sur le marché et des modèles diffusés par les médias et la publicité. La redécouverte du corps, idée forte des années 80, s'est logiquement accompagnée d'une préoccupation croissante pour l'hygiène. Elle a cessé d'être une obligation morale pour devenir une nécessité sociale et un plaisir individuel.

Après une année 1992 en repli de 0,2 % en volume, la consommation de produits d'hygiène-beauté a fortement progressé en 1993 : + 7,9 % en volume et + 6,9 % en valeur. Au total, les achats ont représenté environ 30 milliards de francs, deux fois plus en francs constants qu'il y a 15 ans.

Les Français utilisent en moyenne 700 g de savon par personne et par an.

Ce chiffre, inférieur à celui d'autres pays comparables (1 300 g au Royaume-Uni, 1 000 g en Allemagne, 800 g en Italie) ne tient pas compte de la consommation des produits récents tels que les gels de douche, les bains moussants ou les savons liquides, qui s'est beaucoup accrue au cours des dernières années.

Surtout, il faut lui ajouter la consommation de savon de ménage (dit « savon de Marseille »), que les Français utilisent souvent pour leur toilette. Ce dernier représente ainsi près de 600 g par personne et par an, dix fois plus qu'en Grande-Bretagne ou en Allemagne (mais deux fois moins qu'en Italie et sept fois moins qu'au Portugal). Au total, la consommation nationale de savon se situe donc dans la moyenne européenne.

Hygiène, culture et géographie

La carte de l'hygiène sépare traditionnellement le Nord et le Sud, le bassin méditerranéen et les pays d'influence anglo-germanique. On retrouve ces différences en France, où les habitants des régions proches de la Belgique, du Luxembourg, de l'Allemagne ou de la Suisse continuent de consommer plus de savon et de dentifrice que ceux des régions proches de l'Italie ou de l'Espagne.

Si le niveau global d'hygiène d'un pays augmente avec son développement économique, il reste néanmoins influencé par les caractéristiques culturelles nationales et régionales. A niveau de vie égal, les habitudes et les pressions sociales peuvent faire préférer l'achat d'une chaîne hi-fi à celui d'une baignoire. Mais les écarts tendent à s'estomper, du fait des brassages de population, de la multiplication des produits d'hygiène et de la communication qui accompagne leur diffusion.

Les produits d'hygiène se sont banalisés.

Les logements sont de mieux en mieux équipés sur le plan sanitaire. La quasi-totalité des ménages (98 %) dispose aujourd'hui d'une baignoire ou d'une douche ; ils n'étaient que 28 % en 1960. Le développement des achats de bains moussants a été spectaculaire : environ 250 g par personne et par an. Les gels douche, apparus en 1985, ont aussi connu une forte croissance : 130 g par personne et par an. Les Français se lavent aussi les cheveux plus souvent : environ 2 fois par semaine en moyenne, contre 1,2 fois en 1974.

Le volume d'achats de déodorants a plus que doublé en dix ans. Cette évolution est due pour une part à l'existence de lignes de produits spécialement destinées aux hommes. Elle devrait se poursuivre, puisque un peu plus de la moitié des foyers en achète, contre les trois quarts en Grande-Bretagne et les deux tiers en RFA.

L'hygiène des dents s'est largement améliorée.

La consommation de dentifrice s'est beaucoup accrue au cours des dernières années : 3 tubes par an et par personne, contre un seul en 1966. Mais les pays d'Europe du Nord en consomment 6, les Britanniques 5, les Allemands 4,5.

Si 34 % des Français déclarent changer de brosse à dents tous les trois mois (soit quatre achats par an), la moyenne réelle est inférieure : un peu plus de 2 par personne et par an (3,5 au Japon, 2,5 en Suède ou en Suisse).

On observe en tout cas une régression du nombre des caries chez les enfants. En 1993, les enfants de 12 ans avaient en moyenne 2,1 dents atteintes, contre 4,2 en 1987.

Les dents de la France

75 % des Français déclarent se brosser les dents au moins deux fois par jour (6 % disent se les laver moins d'une fois par jour, 2 % jamais). Ce chiffre est probablement très surestimé, car il conduirait à une consommation de dentifrice environ trois fois plus élevée que celle constatée.

Près d'un Français sur trois déclare aussi se rendre chez le dentiste au moins deux fois par an, alors qu'une étude de la CNAM montre que moins d'une personne sur trois consulte effectivement chaque année. Les arracheurs de dents sont sans doute moins menteurs que leurs clients...

Les achats de produits de beauté représentent 500 F par personne et par an, contre 72 F en 1970.

Après une année 1992 négative, ce sont les achats de produits capillaires qui ont le plus augmenté en 1993 : 2,6 % en volume, devant les produits de soins (2,1 %), les produits de maquillage (1,5 %) et les produits contenant de l'alcool (0,5 %). Les Français restent les plus gros utilisateurs de cosmétiques en Europe, devant les Allemands et les Italiens, mais loin derrière les Japonais.

Les achats de parfums connaissent un certain tassement depuis le début de la décennie, après une croissance forte et régulière. Il y a quarante ans, une femme sur dix se parfumait ; on en compte aujourd'hui sept sur dix. Le parfum tend d'ailleurs à devenir un produit de mode ; les femmes en changent beaucoup plus fréquemment.

Les produits de soins amincissants appliqués localement ont connu une forte baisse (- 21 % en volume en 1992), au contraire des produits à ingérer. On observe que les acheteurs de produits amincissants (laits, savons, gels, crèmes, gélules, exfoliants...) sont surtout des personnes minces.

Les attitudes à l'égard de la beauté ont changé.

En utilisant des produits de beauté, les femmes de toutes les catégories sociales obéissent à une double motivation : être plus belles et rester jeunes plus longtemps. Mais cet engouement pour la beauté s'accompagne d'une diminution du temps passé dans la salle de bains : 61 minutes par jour en 1985 contre 81 en 1975 (64 minutes contre 75 pour les hommes).

Parmi les tendances récentes figure le « nouveau naturel », alliance subtile entre les préoccupations écologiques et les possibilités nouvelles de la technologie. On observe par exemple une croissance des produits préparateurs de bronzage avant exposition, apparus en 1986. Mais les achats ont chuté de près de 10 % en volume au cours de l'été 1993, peu ensoleillé et caractérisé par des vacances plus courtes.

Les femmes sont de plus en plus attentives au prix des produits et font davantage confiance aux grandes surfaces.

Comme dans les autres domaines de consommation, on observe une diminution de l'influence des marques et de la publicité. Les femmes achètent plus volontiers les soins « basiques » et « traitants » du visage dans les pharmacies, les démaquillants et les nettoyants dans les grandes surfaces et dans une moindre mesure les parfumeries et les grands magasins. En 1993, les hypermarchés ont représenté 38 % des achats en volume de produits d'hygiène-beauté, les supermarchés 30 %.

La technicité croissante des produits explique le poids des pharmacies dans les achats (5 % en volume, mais 11 % en valeur). Le reste se répartit entre la vente sélective (magasins spécialisés, 5 % du volume, 19 % en valeur) et la vente directe (11 % et 13 %).

Les hommes utilisent de plus en plus les produits de beauté.

Le grand mouvement de reconquête du corps n'a pas seulement touché les femmes. L'égalité des sexes se fait ici dans un sens inhabituel puisque ce sont les hommes qui prennent modèle sur leurs homologues du « beau sexe ». Leurs tentatives s'étaient d'abord limitées à ce qui ne risquait pas, à leurs yeux, de diminuer leur virilité : crème pour les mains, eau de toilette, pommade pour les lèvres...

Ils s'intéressent aujourd'hui à d'autres types de produits. Un sur quatre utilise régulièrement des produits de soins (souvent ceux de sa compagne) ; plus d'un sur trois a déjà utilisé une crème pour le visage. On constate cependant que ce sont encore les femmes qui, dans 60 % des cas, achètent les produits de beauté pour les hommes.

L'égalité des sexes devant la beauté

*La forme physique est considérée
comme l'un des ingrédients de la beauté.*

Les produits de beauté permettent d'agir en surface, en embellissant le corps ou en rendant moins apparents les effets de son vieillissement. Mais les Français se tournent aussi vers des moyens d'agir en profondeur. Non contents de cacher leurs petits défauts physiques, ils cherchent à les faire disparaître, à remodeler leur corps selon leurs désirs. Après des siècles d'oubli, le précepte de l'esprit sain dans un corps sain fait un retour remarqué. Etre bien dans son corps, c'est être mieux dans sa tête. Mais il s'agit moins aujourd'hui d'offrir aux autres une image séduisante et idéalisée que de se donner à soi-même une image à la fois authentique et satisfaisante.

On constate que ce sont les personnes qui en ont a priori le moins besoin qui font de l'exercice, pratiquent des régimes et consomment le plus de produits de maquillage et de beauté.

*Le souci de la forme et de l'apparence
revêt de multiples aspects.*

Il est à l'origine de l'accroissement considérable des dépenses consacrées à la santé et aux soins de beauté et même du recours de plus en plus fréquent à la chirurgie esthétique. Il s'est traduit dans les logements par l'intérêt porté à la salle de bains. La pratique sportive s'est également développée : 65 % des Français pratiquent (au moins occasionnellement) la randonnée, 42 % le vélo, 37 % la natation, 28 % la gymnastique (7 % des ménages disposent même d'un coin spécialement aménagé), 27 % le jogging.

Le tourisme de santé et de remise en forme est en pleine croissance : 650 000 personnes ont effectué en 1993 un séjour dans l'une des 104 stations thermales françaises. Malgré des variations annuelles assez fortes, leur nombre est en augmentation régulière depuis une trentaine d'années (265 000 en 1958). Mais il reste encore très inférieur aux chiffres atteints en Allemagne (8 millions de curistes) ou en Italie (2,2 millions). Pourtant, la Sécurité sociale rembourse 80 % des cures, contre 20 % en Allemagne. Environ 200 000 personnes ont fréquenté en 1993 un centre de thalassothérapie, soit deux fois plus qu'il y a dix ans.

➤ 65 % des femmes utilisent un démaquillant/nettoyant tous les jours, 34 % des produits de soins « traitants », 13 % un produit de soin pour le corps (lait hydratant...).

APPARENCE

Budget habillement en baisse continue : 10 000 F par ménage, 3 800 F par personne ◆ **Fortes disparités sociales** ◆ **Moindre influence de la mode** ◆ **Part croissante des vêtements de loisirs** ◆ **Record d'Europe d'achat de pantoufles** ◆ **Retour aux modèles traditionnels de chaussures** ◆ **Coiffeur : 7,5 fois par an** ◆ **Importance des accessoires : 26 millions de porteurs de lunettes** ◆ **Les gestes, révélateurs individuels et collectifs**

HABILLEMENT

La part des dépenses d'habillement dans le budget des ménages continue de diminuer :
• *12 % en 1870 ;*
• *9,6 % en 1970 ;*
• *6 % en 1993.*

Le phénomène est particulièrement net depuis le début de la crise économique. Il concerne aussi bien les achats de vêtements que le recours aux services d'entretien et de nettoyage ou la confection à domicile. Il s'est encore amplifié au cours des dernières années, avec les changements intervenus dans les comportements de consommation.

Toutes les catégories sociales sont concernées par la baisse, mais les dépenses sont très inégales. On observe une évolution semblable dans les autres pays développés, mais la part des dépenses d'habillement reste plus élevée dans la plupart des pays de l'Union européenne.

La part des dépenses d'habillement diminue avec l'âge, surtout au-delà de 65 ans. Elle est plus élevée dans les grandes villes que dans les zones rurales. Ce sont les célibataires de moins de 35 ans qui dépensent le plus.

Le vêtement n'est plus à la mode

Evolution de la part des dépenses d'habillement dans la consommation totale des ménages (en %) :

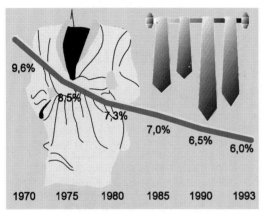

9,6%
8,5%
7,3%
7,0%
6,5%
6,0%

1970   1975   1980   1985   1990   1993

La dépense moyenne annuelle est de 10 000 F par ménage, soit 3 800 F par personne.

Ce budget comprend les articles d'habillement (vêtements, chaussures), de mercerie (tissus, laine), les accessoires (sauf maroquinerie), les dépenses d'entretien (nettoyage, blanchisserie, réparation) ainsi que les cadeaux aux personnes extérieures au foyer.

Les femmes dépensent 30 % de plus que les hommes (l'écart atteint 50 % après 65 ans), les filles 30 % de plus que les garçons. C'est le contraire qui se produisait au début des années 50 : les hommes dépensaient 30 % de plus que les femmes pour s'habiller ; les dépenses concernant les filles étaient nettement inférieures à celles faites pour les garçons.

Durant la période de forte expansion économique, entre 1953 et 1972, les dépenses vestimentaires des femmes ont progressé nettement plus vite que la moyenne. Celles des enfants ont triplé pendant que celles des adultes doublaient. Les dépenses des filles ont augmenté davantage que celles des garçons. Aujourd'hui, la garde-robe féminine comprend deux fois plus de vêtements que celle des hommes.

Priorité prix

Les Français sont de plus en plus attentifs au prix des vêtements. C'est pourquoi ils sont de moins en moins fidèles aux marques ou aux lieux d'achat. Ils cherchent les « bonnes affaires » en privilégiant les périodes de soldes. Ils découvrent les circuits courts de distribution et les rayons vêtements des hypermarchés.

On a vu apparaître en 1993 le « tourisme commercial », avec la création à Troyes de centres commerciaux comme Marques Avenue, qui proposent des vêtements de marque à des prix fabricants et drainent une clientèle parfois très éloignée qui n'hésite pas à prendre le train pour aller y faire ses achats ; 750 000 visiteurs étrangers au département y sont venus en 1993.

Ces modifications de comportements expliquent que, si les sommes dépensées diminuent, les quantités achetées sont souvent en hausse.

Un ménage cadre dépense près de trois fois plus qu'un ménage ouvrier.
Les écarts ont doublé en trente ans.

Malgré la baisse relative des prix, les costumes et les pantalons de ville constituent des postes de dépenses beaucoup plus élevés chez les cadres que dans les milieux populaires. Un tiers des hommes achète les trois quarts des vêtements de dessus masculins (pantalons, vestes, costumes, chemises, pulls, imperméables, manteaux). De même, 30 % des femmes achètent 70 % des vêtements de dessus féminins. Ce sont les catégories les plus modestes qui réduisent le plus la part de leurs revenus consacrée à ce type de dépenses. Le rattrapage des catégories aisées par les plus modestes est lent ; il l'est davantage chez les femmes que chez les hommes.

➤ Les femmes achètent 47 % de leurs vêtements dans des magasins indépendants, 22 % dans des magasins appartenant à des chaînes spécialisées, 12 % en VPC, 6 % dans les grands magasins, 6 % sur les marchés, 4 % dans les hypermarchés.

*Le vêtement est de moins en moins
un « signe extérieur de richesse »
ou un moyen de « frimer ».*

L'importance du « look », typique des années 80, est en régression, de même que la sophistication. On observe aujourd'hui des comportements nouveaux, qui tentent de concilier l'individualisme et le conformisme. L'élégance ne doit pas être ostentatoire, la personnalisation ne doit pas être artificielle. Les « vêtements kleenex », que l'on jetait lorsque apparaissait une nouvelle mode, tendent aujourd'hui à être remplacés par des « valeurs sûres ». Confort, discrétion, simplicité et naturel sont des revendications croissantes.

Les Français cherchent plus à s'insérer dans leur milieu social ou professionnel qu'à se faire plaisir ou à jouer avec leur apparence. Les hommes mélangent plus facilement les genres (une veste habillée avec un jean, un parka sur un costume) et privilégient les vêtements et accessoires qui permettent de changer d'apparence à moindre coût (cravates...). Les femmes se sentent moins tenues de suivre la mode ; elles achètent des vêtements qui se renouvellent moins souvent, aussi bien pour le travail que pour les sorties ou le sport.

L'évolution constatée depuis une dizaine d'années en matière d'habillement permet d'identifier deux tendances de fond : baisse des achats de vêtements de dessus ; hausse des achats de vêtements de sport et de tenues décontractées.

*Le sur-mesure tend à disparaître.
La confection domestique diminue.
Les dépenses d'entretien augmentent.*

Le sur-mesure ne représente plus qu'un pour mille des dépenses d'habillement contre 10 % en 1953. Les femmes, qui ont le plus souvent une activité professionnelle, disposent de moins de temps pour fabriquer elles-mêmes leurs vêtements ou ceux de leurs enfants. Seuls 5 % des vêtements sont confectionnés à la maison ; les deux tiers sont des tricots (pull-overs, vestes, chaussettes, layette). Leur part dans les dépenses d'habillement est passée de 10 % en 1953 à 3 % aujourd'hui. Dans le même temps, les dépenses de services extérieurs de réparation et nettoyage sont passées de 1 % à 10 %.

➤ Les personnes corpulentes dépensent moins que la moyenne pour leurs vêtements.
➤ 18 % des ménages déclarent confectionner des vêtements. 32 % tricotent ou crochètent.

Les modèles ne font pas la mode

CLM/BBDO

La mode miroir

Malgré ses difficultés économiques récentes, la haute couture continue de tendre un miroir dans lequel on peut reconnaître plusieurs tendances contemporaines. Ainsi, les collections de ces dernières années ont mis en évidence le goût pour l'érotisme, le spectacle, le mélange des genres et la déstructuration. Mais c'est l'exotisme qui constitue sans doute le mot-clé, reconnaissable aussi bien dans le choix des formes que dans celui des couleurs ou des matériaux.
Les emprunts aux autres cultures sont en effet de plus en plus apparents, une impression renforcée par le recours à des mannequins de nationalités différentes (souvent métisses ou noires).
La mode est donc de moins en moins révélatrice de spécificités nationales. Comme la communication, dont il est un vecteur particulier, le vêtement s'inscrit dans le « village global » dont nous sommes les habitants.

*En 1993, les femmes ont dépensé en
moyenne 2 900 F pour leur habillement.*

Des écarts importants existent entre les dépenses des femmes actives et celles des femmes au foyer : 3 500 F par an environ contre 2 400 F. Les vêtements de dessus (manteau, imperméable, tailleur, veste, pantalon, robe et jupe) représentent la moitié de la dépense totale annuelle, les sous-vêtements 10 %, les chemises et pull-overs 20 %, les chaussures 16 %.

Les femmes renouvellent en moyenne les achats de manteaux, cabans, imperméables tous les 4 ans et 9 mois, ceux de vestes et blazers tous les 3 ans et 7 mois, les maillots de bain tous les 3 ans et 2 mois, les tailleurs et ensembles tous les 2 ans et 5 mois, les robes tous les 14 mois, les pantalons et jeans tous les 12 mois, les jupes tous les 10 mois, les chemisiers et corsages tous les 7 mois.

Palmarès 1993 (femmes)

Achats en forte hausse (en nombre de pièces) :
- Pantalons : + 24 % ;
- Anoraks, parkas, blousons : + 10,5 % ;
- Vestes et blazers : + 8,7 % ;
- Tailleurs et ensembles : + 6,4 % ;
- Jeans : + 5,4 % ;
- Chemisiers : + 5,1 %.

Les jupes et robes ont connu une stagnation, tandis que les imperméables, maillots de bain, shorts-bermudas et articles de cuir étaient en baisse assez sensible. Sur une période de dix ans, on observe une diminution de moitié de la part des robes, au profit des jupes et des tailleurs, une forte baisse de celle des manteaux et imperméables et une hausse des sous-vêtements et bonneterie.

Les chaînes spécialisées et la vente par correspondance prennent une place croissante dans les achats féminins, respectivement 22 % et 12 %, au détriment des magasins indépendants et des grands magasins. Celle des hypermarchés augmente, tout en restant faible : 4 % des achats.

Les femmes recherchent à la fois le confort et la féminité.

La mode féminine est caractérisée par une tendance au « sexy confortable ». Les femmes veulent être moulées dans leurs vêtements, mais sans être serrées. C'est ce qui explique l'engouement pour les articles contenant de l'élasthanne, dont les achats ont fortement augmenté depuis 1992, alors que le textile dans son ensemble stagnait. Les achats de collants mousse unis, qui représentent encore la moitié du marché, ont baissé de 9 % en 1993 alors que ceux de collants avec élasthanne augmentaient de 15 %. Les vêtements contenant du Lycra représentent déjà un chiffre d'affaires de 11 milliards de francs, dont 40 % pour la lingerie féminine.

Enfin, bien qu'on annonce depuis plusieurs années le retour du bikini, maillot deux pièces, les maillots une pièce représentent 85 % des achats, contre 43 % en 1985.

Les achats de lingerie féminine sont en légère progression.

Les femmes achètent en moyenne 4 slips ou culottes par femme et par an (contre 7 en Grande-Bretagne) et deux soutiens-gorge. Les sous-vêtements « coquins », qui avaient connu une certaine croissance au cours des années passées, constituent aujourd'hui un complément le plus souvent marginal. On constate ainsi un attrait pour des produits confortables, en même temps que pour les culottes de maintien, qui aident à cacher les rondeurs. En ce qui concerne les collants, on note un accroissement de la part du Lycra dans les achats (18 % en 1991), ainsi qu'un intérêt pour la maille et les coloris chauds.

Les hommes ont dépensé 1 960 F pour leurs vêtements en 1993.

Sur cette somme, 950 F étaient consacrés au prêt-à-porter, 750 F aux petites pièces de dessus (chemises, pulls...) et 200 F aux vêtements de dessous. Au cours des dix dernières années, ce sont les achats de petits vêtements de dessus qui ont le plus augmenté (6 % par an), devant le prêt-à-porter (3 %) et les vêtements de dessous (2 %).

37 % des achats sont effectués dans des magasins indépendants (contre 44 % en 1985), 21 % dans des chaînes spécialisées (contre 13 %). A l'inverse, la part des grands magasins et des marchés diminue, tandis que la VPC se maintient, mais à un niveau inférieur à celui des achats féminins.

Palmarès 1993 (hommes)

Achats en forte hausse (en nombre de pièces) :
- Coupe-vent : + 49 %
- Anoraks et parkas : + 46 %
- Caleçons courts : + 44 %
- Robes de chambre : + 40 %
- Vestes et blazers : + 25 %
- Pantalons de ski : + 20 %
- Pull-overs : + 14 %

Achats en forte baisse :
- Jeans velours : - 39 %
- Imperméables : - 32 %
- Caleçons longs : - 31 %
- Pantalons loisirs Denim : -23 %
- Costumes : - 23 %
- Gilets et cardigans : - 16 %
- Maillots et gilets de corps : - 16 %

*Les achats de vêtements de loisirs
sont ceux qui ont le plus augmenté
depuis une dizaine d'années.*

La frontière entre tenue de ville et tenue de loisirs s'est peu à peu estompée et le *sportswear* a perdu son caractère de mode pour devenir une garde-robe de base. Les pantalons de toile, survêtements et trainings, tee-shirts, sweat-shirts, shorts, bermudas et polos ont connu une forte croissance. On recherche aujourd'hui des vêtements décontractés mais chics : blousons et parkas B.C.-B.G. ; chemises pouvant être portées avec une cravate ; pantalons à la fois chauds et élégants.

Les achats de jeans en velours ont diminué, ainsi que les manteaux, vêtements de travail (de plus en plus remplacés par des jeans), costumes et pantalons de ville.

Après avoir nettement régressé jusqu'en 1990, le pull-over fait un retour remarqué depuis 1991. Les achats de produits en maille se développent, au détriment des chemises. Les achats de tee-shirts de dessus ont dépassé depuis 1992 ceux des polos, alors que les tee-shirts de dessous connaissaient un déclin notable. Dans un contexte de crise économique mais aussi de plus grande sensibilité à la mode, les hommes préfèrent coordonner des petites pièces qu'investir dans des vêtements coûteux.

Slip ou caleçon ?

Entre 1981 et 1987, les achats de caleçons (courts) avaient été multipliés par dix. On a assisté ensuite à une stabilisation jusqu'en 1992. En 1993, les achats de caleçons courts ont à nouveau progressé de façon spectaculaire (+ 44 % en volume), alors que ceux de slips diminuaient de 8 %. La quantité de slips achetés est dix fois supérieure à celle des caleçons ; elle représente en valeur plus de 40 % du budget consacré aux vêtements de dessous. Les amateurs de caleçons sont surtout les jeunes de 18 à 24 ans, mais on trouve des adeptes chez les plus de 50 ans.
Les hommes achètent chaque année environ 90 millions de slips et caleçons, soit un peu moins de 4 par personne ; un chiffre équivalent à celui mesuré en Grande-Bretagne, mais inférieur à celui de l'Allemagne (6) et surtout des Etats-Unis (12). Il faut noter que ce sont les femmes qui, à plus de 70 %, sont prescriptrices des achats de sous-vêtements masculins.

➤ Entre 10 et 16 ans, les filles ont en moyenne 28 articles de plus que les garçons du même âge, 44 de plus entre 17 et 24 ans.

*Les jeunes sont un peu moins sensibles
aux marques-fétiches et recherchent
des compléments moins coûteux.*

L'importance de la mode se manifeste dès l'école primaire chez l'enfant et prend une importance considérable à l'entrée au collège. Tout ce qui peut permettre une identification à travers le vêtement ou l'accessoire est recherché : inscriptions, formes, matériaux et surtout marques. C'est en s'appuyant sur cette tendance que *Creeks, Compagnie de Californie, Naf-Naf, Chevignon, Perfecto, Liberto, Burlington, Reebok* ou *Hervé Chapelier* ont bâti leur fortune. Mais le poids des grandes marques tend à diminuer chez les jeunes comme chez les adultes. On observe une tendance à mélanger les vêtements de marque coûteux avec d'autres bon marché achetés éventuellement en grande surface.

En dix ans, la composition de la garde-robe des enfants (3 à 14 ans) a changé. Leurs tenues sont plus décontractées ; la part des vêtements de dessous (chemises, pulls, sous-vêtements) est passée de 28 % à 37 %, au détriment de celle des vêtements de dessus (41 % à 29 %).

Après quelques années de mode unisexe, la différenciation entre les filles et les garçons tend à s'accroître. Chez les filles, la robe a perdu du terrain au profit de la jupe. Enfin, la part des vêtements et chaussures de sport est passée de 13 % à 22 %.

CHAUSSURES, COIFFURE, ACCESSOIRES

*Les Français sont les plus gros acheteurs
de chaussures d'Europe :
5,6 paires par personne en 1993.*

Chaque Français a acheté en moyenne environ 2 paires de chaussures de ville, une paire de chaussures de sport, une paire de pantoufles et 2 paires d'autres chaussures (bottes en caoutchouc, sandales, espadrilles...) pour un montant de 800 F. Cette somme représente 20 % des dépenses d'habillement, une proportion qui varie peu en fonction du niveau de revenu des ménages ou de la région d'habitation.

Comme dans de nombreux domaines de la consommation, les achats ont augmenté en volume (+ 2,5 % par rapport à 1992) mais diminué en valeur (- 1,5 %). Cet écart est dû à un glissement vers le bas dans chaque gamme de prix et au succès d'articles peu chers (souvent importés) comme les chaussures de toile en été et les charentaises en hiver.

Un tiers des achats sont effectués dans des magasins de détail indépendants, 30 % dans des chaînes (*André*, *Eram*...) ou des magasins installés dans les périphéries des villes (*Halle aux chaussures*...) contre 22 % il y a dix ans, 15 % dans des hypermarchés ou supermarchés (en stagnation, malgré l'accroissement du nombre de points de vente), 4 % sur catalogue, le reste dans les grands magasins, marchés, etc.

316 millions de paires ont été achetées en 1993, contre 235 millions en 1975, mais 320 en 1991. 227 millions étaient de fabrication étrangère ; la moitié provenaient de pays extérieurs à l'Union européenne (Chine, Corée du Sud, Taïwan...), un tiers d'Italie.

Les champions de la pantoufle

Les Français achètent chaque année un peu plus d'une paire de pantoufles en moyenne, soit trois fois plus que les Allemands, quatre fois plus que les Danois, sept fois plus que les Italiens, cent fois plus que les Portugais !
Le mauvais temps est un facteur favorable, surtout pour ceux qui habitent dans des maisons et disposent de jardins. Mais il ne saurait expliquer le record national. La « charentaise », née au XVIIᵉ siècle sous Colbert à La Rochefoucauld, reste le symbole d'une nation frileuse, avide de confort et très attachée à son logement. La pantoufle est au pied ce que le foyer est à la vie des Français : un cocon.

Le retour aux modèles traditionnels se confirme.

Les chaussures de toile de fantaisie se vendent bien. A la ville, les femmes reviennent à la chaussure à talon, tandis que les hommes abandonnent les chaussures « bateau » des années 1985-86 pour investir dans le « classique chic » illustré par les modèles britanniques. L'influence des modes lancées par les fabricants se fait surtout sentir chez les jeunes et les adolescents.

Les achats de chaussures de sport sont fortement influencés par la mode du basket américain.

Après la mode du jogging dans les années 70, celle de l'aérobic dans les années 80, c'est le basket américain qui connaît un engouement spectaculaire

en France, et avec lui celui des chaussures « à ressorts » (avec coussin d'air) qui font rêver tous les adolescents ; les exploits de Michael Jordan et de Magic Johnson au début des années 90 avaient entraîné l'achat de 57 millions de paires en 1991, soit 10 millions de plus qu'en 1986. La moitié sont achetées pour des enfants de 5 à 14 ans.

On a observé cependant en 1993 un tassement des achats de chaussures de sport. Pour la première fois, les grandes marques ont été concernées. L'attention accordée au prix par les parents n'est sans doute pas étrangère à ce retournement.

Les Français vont chez le coiffeur en moyenne 7,5 fois par an. 10 % n'y vont jamais.

3 % s'y rendent au moins une fois par semaine (surtout des femmes), 20 % une fois par quinzaine, 57 % une fois par mois, 18 % une fois par trimestre, 2 % moins souvent. Ce rythme a diminué lentement mais régulièrement au cours des dix dernières années, du fait surtout d'augmentations de prix supérieures à l'inflation. Le budget coiffure représente 0,6 % des dépenses totales des ménages.

Aujourd'hui, un certain classicisme domine, surtout chez les adultes. Les jeunes sont, comme pour l'habillement, plus sensibles aux modes, qui sont d'autant plus suivies qu'elles sont associées à des styles de vie ou d'apparence, c'est-à-dire en fait à l'appartenance à des groupes.

4 femmes sur 10 gardent leur coiffure naturelle. 17 % la font onduler, 32 % boucler. 36 % se font faire des permanentes, mais leur nombre est en forte diminution depuis quelques années.

---

9 millions de crânes dégarnis

19 % des Français déclarent perdre leurs cheveux. C'est le cas de 28 % des hommes à partir de 35 ans et de 60 % des plus de 50 ans. On estime à 9 millions le nombre de Français ayant une calvitie. 33 % la considèrent comme un handicap dans les relations avec l'entourage, 16 % dans la vie professionnelle, 10 % dans la vie sentimentale.

➤ Les entreprises françaises ont fabriqué 52 millions de paires de charentaises en 1993.
➤ On compte en France 51 000 salons de coiffure (un pour 1 100 habitants), dont 56 % destinés aux femmes, 22 % aux hommes, 22 % mixtes.
➤ On compte en France 9 900 salons d'esthétique et instituts de beauté.

FNICF

Les accessoires vestimentaires jouent un rôle important.

Leur fonction est à la fois psychologique et économique. Ils permettent de modifier à peu de frais l'apparence d'un vêtement et de lui donner une touche plus personnelle. Les femmes utilisent des écharpes, ceintures, sacs, bijoux. Certains hommes choisissent de porter une boucle d'oreille ou un nœud papillon. Même la chaussette, longtemps austère et neutre, ne se cache plus.

Après avoir été longtemps délaissé, le chapeau revient à la mode depuis le début des années 90. Plus de 3 millions ont été achetés en 1993. Le chapeau-cloche des années 20 a de nombreux adeptes. Les bérets et casquettes, qui permettent de « changer de tête » à faible coût, sont aussi de plus en plus recherchés, parfois par des hommes.

Les diamants sont éternels

Les Français achètent chaque année pour un peu plus de 200 000 carats de diamants. 27 % des bijoux correspondants sont offerts à l'occasion d'un anniversaire, 20 % à Noël, 9 % pour des fiançailles, 7 % pour un anniversaire de mariage, 5 % pour la naissance d'un enfant, 2 % pour un mariage, 8 % en d'autres occasions, 22 % sans occasion spéciale.

La montre est devenue un accessoire de mode.

3 % seulement des Français déclarent ne pas avoir de montre. Mais 35 % en ont deux, 32 % en ont au moins trois (37 % des femmes, 27 % des hommes) ; la proportion atteint 41 % dans la région parisienne, contre seulement 26 % dans les villes de 2 000 à 100 000 habitants.

Les styles de montres préférés sont : la montre bijou (31 %), digitale (affichage par chiffres, 29 %), fantaisie (27 %), de marque (22 %), de sport (22 %), de caractère (21 %), de grand-père (12 %), griffée (5 %), ordinateur (5 %).

15 % des femmes et 10 % des hommes oublient parfois de mettre leur montre. 68 % l'enlèvent pour dormir (77 % des cadres supérieurs, 62 % des ouvriers), 4 % ne l'enlèvent jamais. 36 % l'enlèvent pour faire l'amour (51 % des 18-34 ans). 19 % l'enlèvent pour le week-end (24 % des ouvriers).

➤ 5 % des femmes portent des lentilles, 2 % des hommes.

Du pin's au piercing

Le pin's est vraiment apparu en France en 1988 lors de l'Open de tennis de Bercy. 200 millions de pin's étaient achetés en 1991, soit 4 par habitant. Cet engouement témoignait de la volonté de réconcilier la mode, phénomène de masse, avec la volonté d'expression individuelle. En même temps qu'il donne à celui qui le porte son brevet de modernité, le pin's lui permet d'affirmer sa personnalité, à travers une cause, une marque ou un événement dont il se fait le support. Le pin's, aujourd'hui, n'est plus à la mode. Mais les épingles n'ont pas disparu. On les retrouve avec le « piercing », qui consiste à enfoncer des épingles à nourrice ou des anneaux dans le nez, les oreilles, la langue, le nombril ou même les seins. Une autre façon d'affirmer sa personnalité dans le cadre d'une mode néo-punk-sado-maso-destroy qui succède au grunge et associe des vêtements des années 70 (pantalons écossais, rangers...) aux bracelets cloutés, crânes rasés, tenues en latex ou vinyle.

26 millions de Français portent des lunettes.

46 % des Français ont besoin de lunettes (43 % des hommes et 49 % des femmes) et 3 % portent des lentilles. Leur nombre tend à s'accroître, du fait du vieillissement de la population et d'une plus grande attention portée aux problèmes de vision, en particulier en ce qui concerne les enfants. 66 % utilisent régulièrement leurs lunettes, 34 % occasionnellement ; 33 % pour voir de près, 22 % pour voir de loin, 47 % pour les deux raisons.

Chaque année, les Français achètent environ 7 millions de montures optiques (pour verres correcteurs) auxquelles il faut ajouter les lunettes de soleil et celles destinées à modifier l'apparence plutôt qu'à améliorer la vue (une motivation que l'on trouve surtout chez des jeunes et des cadres).

La France au fond des yeux

55 % des Français ont les yeux foncés (le plus souvent marron), 31 % les ont bleus ou verts, 14 % gris. Les couleurs sont inégalement réparties selon les régions. C'est dans le Nord-Est que les yeux bleus sont les plus fréquents (41 %, foncés 46 % ; gris 13 %), devant la région parisienne (34 %, foncés 57 %, gris 9 %). C'est dans le Sud-Ouest qu'ils sont le moins répandus : 23 %, foncés 63 %, gris 14 %. Les yeux gris se rencontrent surtout dans le Nord-Ouest (20 %, 51 % foncés, 29 % bleus). Dans le Sud-Est, les yeux foncés sont les plus fréquents : 64 %, bleus 25 %, gris 11 %.

Quid

GESTES

Les gestes sont un moyen d'expression particulièrement révélateur.

L'apparence d'un individu ne se limite pas à son allure physique, à ses vêtements ou à sa coiffure. Ses gestes sont un témoignage important de sa personnalité, de sa culture. Ils sont aussi fortement liés à son appartenance nationale.

Si l'on connaît la façon de manger ou de s'habiller des Français, on connaît moins leur façon de bouger. Parmi les rares études sur le sujet, celle du sociologue américain Laurence Wylie révèle des particularités intéressantes du comportement gestuel national.

La tension musculaire est permanente.

Lorsqu'on examine au ralenti les films des mouvements usuels, ce qui frappe d'abord, c'est le degré de tension musculaire. Pratiqué dès le plus jeune âge, le contrôle des muscles de tout le corps explique la rigidité du torse, la poitrine bombée, les épaules hautes et carrées des Français. Des épaules d'ailleurs particulièrement expressives : ramenées vers l'avant, accompagnées d'un soupir ou d'une moue, elles disent tour à tour le doute, le regret ou l'impuissance.

Le corps participe à l'expression orale.

Lorsqu'ils sont debout, les Français ne font pas basculer le bassin comme le font par exemple les Américains. Leurs pieds sont distants d'environ douze centimètres, l'un posé en avant de l'autre. Cela permet un balancement d'avant en arrière, contrastant avec le mouvement latéral des Américains.

Mais c'est la mobilité du poignet et du coude qui est la plus étonnante pour l'observateur. Les mouvements gracieux et compliqués de la main participent à la conversation, complétant efficacement ce qui est exprimé par les mots. C'est peut-être pour cette raison que les Français ne mettent pas souvent les mains dans leurs poches, préférant garder une certaine liberté de mouvement en mettant (quelquefois) les poings sur les hanches ou, plus souvent, en croisant les bras.

Assis, ils aiment croiser les jambes, tout en les gardant parallèles, contrairement aux Américains qui préfèrent poser un pied sur le genou opposé (ce

Les gestes parlent

Alternative

qui serait considéré comme impoli en France). Ils gardent parfois les bras croisés, ou bien utilisent une main pour caresser la bouche, les cheveux, ou soutenir le menton. Pas de pieds posés sur une table ou une chaise, pas de mains sur la tête comme on le voit couramment outre-Atlantique, dans la plupart des classes sociales.

Les gauchers ne sont plus contrariés

Les enfants qui écrivent de la main gauche sont aujourd'hui considérés comme des gens « normaux » que l'on ne doit pas contraindre à utiliser leur main droite. C'est ce qui explique que leur proportion augmente régulièrement : 2 % au début du siècle ; 13 % aujourd'hui parmi les 18-30 ans (6 % seulement chez les plus de 60 ans).
Les études ont montré que les gauchers ont un avantage dans les sports d'adresse et de vitesse : leur proportion parmi les champions de tennis, d'escrime ou de football est très supérieure à ce qu'elle est dans l'ensemble de la population. L'une des explications proposées est que l'analyse d'une situation et la commande de l'action correspondante sont effectuées chez eux par le même hémisphère du cerveau (droit), sans avoir à transiter par l'autre hémisphère.

La démarche générale est guidée par la tête.

On peut distinguer un Américain d'un Français de loin. Le premier a tendance à balancer les épaules et le bassin, et à faire des moulinets avec les bras. Le second s'efforce d'occuper un espace plus restreint :

pas de balancement sur le côté ; la jambe est projetée très loin en avant et tend le genou. Le pied retombe sur le talon, le torse demeure rigide et ce sont les avant-bras et la tête qui amorcent le mouvement.

Bien sûr, les gestes varient selon les individus et les catégories sociales auxquelles ils appartiennent. Les gens « bien élevés » font plutôt moins de gestes que les autres, les hommes moins que les femmes. Le langage des mains, que les Français imaginent propre aux Italiens, est l'une des composantes du patrimoine national ; de la main tendue pour dire bonjour aux pouce et index frottés l'un contre l'autre pour exprimer l'idée d'argent, en passant par l'index accusateur... Le dictionnaire des gestes, qui reste à créer, constituerait un complément utile à celui des mots. Il aurait en plus l'avantage d'être drôle.

Les gestes qui trahissent

Selon les analystes de la communication, 30 % seulement des messages oraux passent par les mots et l'intonation. Les gestes en disent souvent plus long que les paroles et présentent la particularité d'être le plus souvent inconscients. Les recruteurs y sont donc de plus en plus attentifs.
Certains gestes sont d'un décodage immédiat ; la tête entre les mains signifie par exemple la concentration ou le désespoir. Les autres doivent être interprétés en fonction du contexte. Les personnes qui croisent systématiquement les jambes (parfois les pieds, au niveau des chevilles) ou qui ont une poignée de main molle manquent souvent d'assurance. Les bras croisés indiquent généralement une position de fermeture. La main devant la bouche peut être un signe de perplexité, d'inquiétude ou de concentration.
Mais les gestes sont en partie culturels et régionaux. Le croisement de jambes à la française n'implique pas toujours une attitude de réserve. On « bouge » davantage dans le Sud du pays que dans le Nord sans que cela traduise une agitation particulière.
Les spécialistes distinguent les gestes idéographes, qui illustrent une idée (le doute, l'agacement...) et les gestes kinétographes, qui soulignent une action (entrer, sortir, monter...). Ces derniers impliquent une certaine maîtrise de l'espace et sont plus fréquemment utilisés par les personnes faisant preuve d'autorité, tandis que les premiers sont plutôt le fait d'intellectuels.

➤ 11 % des Françaises mesurent moins de 1,54 m ; 11 % plus de 1,69 m.
➤ 66 % des Français s'estiment tout à fait ou plutôt « en forme ». Les trois recettes qui leur paraissent le plus efficaces sont : une alimentation équilibrée (59 %) ; ne pas fumer (43 %) ; s'entendre avec son conjoint (43 %).
➤ 71 % des Français déclarent souffrir occasionnellement des dents, 10 % seulement souvent.
➤ 91 % des Français ont déjà subi des traitements de caries dentaires, 85 % une extraction, 69 % un détartrage, 53 % la pose d'une couronne.
➤ Plus d'une femme sur quatre achète au moins un produit solaire en été, pour un budget d'au moins 90 francs. 22 % achètent des produits auto-bronzants au cours de l'année.
➤ Au premier rang de la beauté féminine selon les Français, on trouve (sur une liste proposée) Catherine Deneuve, devant Claudia Schiffer, Sophie Marceau, Cindy Crawford, Estelle Hallyday, Kim Basinger, Isabelle Adjani, Ornella Muti, Anne Sinclair, Carole Bouquet, Julia Roberts, Marie-José Perec, Lady Diana, Vanessa Paradis et Madonna.
➤ Au palmarès des plus grands séducteurs du siècle, les anciens et les modernes se mêlent : Jean Gabin arrive en tête devant Patrick Bruel, Alain Delon, Gérard Philipe, James Dean, John Kennedy, Yves Montand, Clark Gable, Jean-Paul Belmondo et Maurice Chevalier. La beauté pure n'est apparemment pas le critère principal du choix des Français. Le charisme, la virilité et la personnalité sont des atouts essentiels pour séduire les dames ou même les jeunes filles.
➤ Parmi les utilisatrices régulières de soins du visage, 76 % les achètent par goût personnel, 24 % suivent les recommandations ou prescriptions d'un médecin.
➤ 45 % des femmes jugent équivalent le rapport qualité-prix des vêtements dans les hypermarchés et les magasins spécialisés. 30 % d'entre elles le jugent moins favorable dans les hypers. Chez les 25-34 ans, les chiffres sont respectivement de 56 % et de 20 %.
➤ Entre 15 et 45 ans, 28 % des hommes et 42 % des femmes portent des lunettes. La proportion est de 77 % des hommes et 81 % des femmes chez les plus de 45 ans.
➤ 77 % des Français ont une seule paire de lunettes, 21 % en ont deux, 2 % trois ou plus. L'ancienneté moyenne de la dernière paire est de 2 ans et 4 mois.
➤ 37 % des femmes déclarent avoir une peau sèche ou très sèche, 12 % une peau grasse ou très grasse. 47 % se plaignent d'allergies au moins ponctuelles.

LA SANTÉ

MALADIES

85 % des Français jugent leur santé satisfaisante ◆ Rôle croissant des « psys » ◆ Record de consommation de tranquillisants ◆ Mortalité globale en baisse ◆ Moins de maladies cardio-vasculaires que dans les pays comparables ◆ 200 000 cancers et 143 000 décès ◆ 100 000 séropositifs et 35 000 cas de sida ◆ Autres maladies infectieuses en régression ◆ Moins de maladies professionnelles ◆ 5 millions de handicapés ◆ Consommation d'alcool et de tabac en baisse ◆ Drogue et suicide en hausse

ÉTAT DE SANTÉ

85 % des Français jugent leur santé satisfaisante par rapport aux personnes de leur âge.

Dans l'enquête sur la perception de la santé réalisée fin 1992 par le CREDOC, 11 % seulement se déclarent peu satisfaits, 5 % pas du tout. La satisfaction décroît logiquement avec l'âge : 29 % des 20-29 ans sont très satisfaits (13 % pas du tout), contre seulement 9 % des 70 ans et plus (22 % pas du tout). La perception subjective de l'état de santé est légèrement moins favorable qu'en 1981, date de la précédente enquête ; la proportion de « très satisfaits » est passée de 27 % à 23 %, celle des « pas satisfaits du tout » de 3 % à 5 %. Cela peut s'expliquer en partie par le vieillissement continu de la population.

Les résultats individuels sont contradictoires avec la perception collective (surtout masculine) : 57 % des personnes interrogées pensent en effet que la santé des Français s'est améliorée, 25 % seulement qu'elle s'est détériorée. On peut voir dans ce décalage l'influence des médias qui accordent une place croissante aux conseils en matière de santé et à celle de la publicité, qui privilégie les personnages jeunes et en forme.

La plupart estiment que leur état de santé ne leur pose pas de problèmes dans la vie quotidienne...

84 % des Français déclarent pouvoir faire tout ce qu'ils souhaitent en matière de déplacements dans leur logement (2 % ne peuvent rien faire du tout). Ils sont 71 % en ce qui concerne les déplacements hors de chez eux, 64 % dans leur travail (10 % non). 60 % peuvent manger tout ce qu'ils veulent (14 % non). 48 % peuvent faire tout ce qu'ils souhaitent en matière de sport (23 % pas tout). Les jeunes, les hommes, les personnes les plus diplômées et les plus aisées financièrement sont ceux qui éprouvent le moins de difficultés.

... mais 28 % déclarent souffrir d'un handicap.

Un peu plus d'un Français sur quatre se dit atteint d'une infirmité, d'un handicap durable ou d'une maladie chronique. 80 % s'avouent en outre inquiets de l'éventualité d'une maladie grave en 1993 ; ils n'étaient que 69 % en 1981. La maladie grave est d'ailleurs de loin la principale inquiétude des Français, devant la peur de la drogue, la violence et l'insécurité ou même le chômage. Cette angoisse est sans doute la conséquence de la nécessité croissante, ressentie par chacun, d'être en bonne santé afin de répondre aux sollicitations de la vie professionnelle et sociale. Le paradoxe est que ces contraintes créent un stress qui peut être à l'origine de certaines maladies.

*La santé psychique est moins bonne
que la santé physique.*

S'ils se disent généralement en bonne santé, la majorité des Français (60 %) se sentent aussi fatigués. L'âge n'influe pas puisque 96 % des lycéens disent être fatigués en classe. Il ne s'agit pas le plus souvent d'asthénie pure, conséquence de maladies évolutives (grippe, cancer, sida, hépatites, diabète...). Les causes semblent plutôt être le stress, le surmenage professionnel, l'angoisse du lendemain et tous les troubles existentiels relevant de la psychiatrie (déprimes, troubles caractériels ou névrotiques...).

On constate de la même façon une forte augmentation de la proportion de Français disant souffrir de mal au dos, nervosité, maux de tête, insomnie, dépression (voir graphique). Cet accroissement ne saurait être expliqué par des raisons objectives telles que l'évolution des conditions de travail, le confort au domicile ou au travail. Il est donc le résultat probable d'une somatisation.

Le travail, c'est la santé

90 % des Français estiment que le fait d'être au chômage joue un rôle important sur l'état de santé. La proportion est la même en ce qui concerne le manque d'argent. Deux autres aspects de la vie personnelle et relationnelle sont également considérés comme influençant fortement l'état de santé : l'isolement par rapport aux enfants (45 %) et le sentiment d'insécurité (45 %). L'absence de formation est jugée moins importante (36 %), de même que l'éloignement du lieu de travail (36 %, mais 43 % pour les habitants de la région parisienne) et le fait de vivre seul (33 %). Ces exemples confirment si besoin était que la santé physique n'est pas indépendante du bien-être moral. Les femmes, les plus de 50 ans et ceux qui disposent de faibles ressources sont ceux qui sont le plus convaincus de cette corrélation.

*Les Français consultent de plus en plus
les psychiatres et les psychanalystes.*

On estime que 800 000 patients sont suivis par des « psys », dont la moitié hors de l'hôpital (dans des dispensaires, des centres de vie, ou à domicile). Le Conseil national de l'Ordre des médecins recense 10 000 médecins psychiatres à fin 1993, contre 2 600 en 1980, 72 en 1970 et 40 en 1950. Il faut y ajouter 1 000 à 5 000 psychanalystes ne relevant d'aucune institution spécialisée.

En dehors de leurs cabinets, les « psys » sont aujourd'hui présents dans de nombreux domaines : le sport (pour aider les champions à travailler leur « mental ») ; l'entreprise (pour favoriser la motivation et l'efficacité des cadres) ; l'école (où ils conseillent les élèves dans leur façon de travailler et leur orientation) ; les médias (où ils interviennent de plus en plus souvent pour expliquer des événements, des comportements, ou dans les *reality shows* pour aider les personnes ou les couples en difficulté). Les problèmes d'insertion et de maintien dans la vie professionnelle et sociale, la fragilité de la vie familiale, l'absence de projet collectif et l'incapacité des institutions (école, Eglise, partis, syndicats) expliquent cet accroissement considérable de la demande d'aide psychologique.

Les maladies du siècle

Proportion de personnes ayant souffert au cours des quatre dernières semaines de certains maux (en %) :

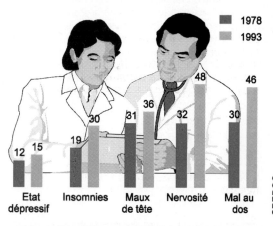

CREDOC

➤ 77 % des Français sont tout à fait d'accord avec l'idée que le maintien en bonne santé de la population est d'abord une affaire personnelle, c'est-à-dire un problème d'hygiène de vie (alimentation équilibrée, restrictions sur l'alcool et le tabac, hygiène dentaire, etc.). 51 % estiment que c'est un problème de cadre de vie ou de travail où le médecin n'intervient qu'à l'occasion d'un accident ou d'une maladie. 16 % estiment que c'est l'affaire des médecins.

La montée de la déraison

Le climat de dépression qui s'est installé en France depuis quelques années est à l'origine d'un accroissement des troubles de la raison. Certains individus ne parviennent plus à conserver leur intégrité mentale. Certains glissent progressivement vers la folie ou se laissent aller à commettre des actes de violence gratuite, comme lors de la prise d'otages de l'école maternelle Commandant-Charcot de Neuilly, en avril 1993 par Eric Schmidt, alias « human bomb ».
Des individus « normaux » peuvent sombrer dans la violence à partir du désespoir et de la frustration. Le mal-être individuel rejaillit sur les comportements à l'égard des autres.

Les Français sont les plus gros consommateurs de médicaments psychotropes d'Europe.

Plus de 20 % des Français ont déjà pris des benzodiazépines (contre 7 % des Américains et 5 % des Japonais) ; 32 % recourent au moins de temps en temps aux tranquillisants, 7 % sont des utilisateurs réguliers. En 1993, le nombre de prescriptions pour des tranquillisants a atteint 27 millions, 16 millions pour les somnifères et les calmants, 14 millions pour les antidépresseurs et 5 millions pour les neuroleptiques. La consommation française est deux fois plus élevée que celle des Américains, trois fois plus que celle des Britanniques ou des Néerlandais. On constate aussi que la consommation de psychotropes va de pair avec celle des autres médicaments.

L'une des causes objectives de cette surconsommation tient au prix des médicaments, moins élevé que dans la plupart des autres pays ; un produit vendu 77 F en France en coûte 117 en Grande-Bretagne et 133 aux Pays-Bas. Les comparaisons internationales sont cependant peu fiables, car les ventes en pharmacie recouvrent une part variable de l'ensemble et les unités de mesure sont fragiles, du fait des difficultés de conversion des prix et des différences de conditionnement.

> ➤ Pour les Français, être en bonne santé, c'est d'abord prendre plaisir à la vie (88 % pouvoir faire ce que l'on veut (80 %), ne pas être malade (63 %), vivre vieux (60 %), ne pas souffrir (56 %), ne pas avoir besoin de consulter un médecin (40 %).
> ➤ 45 % des Français estiment qu'ils pourraient être un jour atteints de dépression.

Chômeurs et inactives

11 % des adultes prennent régulièrement un médicament psychotrope (sédatif, tranquillisant, antidépresseur, psychostimulant, neuroleptique ou hypnotique). Leur usage est très fortement croissant avec l'âge : 32 % des hommes et 34 % des femmes à partir de 80 ans contre 0,1 % des hommes et 2 % des femmes entre 20 et 30 ans. Les femmes sont davantage concernées que les hommes : 14 % de consommatrices régulières contre 9 %.
Le chômage est le facteur le plus important : la consommation triple chez les hommes ; elle augmente seulement d'un tiers chez les femmes. Les femmes au foyer sont également plus concernées que les actives, même au chômage. Les autres catégories touchées sont les célibataires (essentiellement masculins et non divorcés) et les veufs.

La fatigue et le stress sont des indicateurs de l'état de la société.

Ils sont le tribut à payer au confort matériel et à l'inconfort moral caractéristiques de l'époque. La palette des manifestations possibles est large, de la fatigue à la perte de sommeil en passant par la dépression, accompagnée parfois de la tentation extrême, celle du suicide.

L'accumulation de difficultés ou de frustrations dans la vie professionnelle, familiale ou personnelle est la cause principale. Chaque individu doit souvent jouer plusieurs rôles dans une même journée : employé ou patron, parent ou époux, élève ou professeur... L'obligation de résultat, la surcharge de travail, les problèmes de communication ou la solitude sont des contraintes difficiles à assumer dans une société qui ne pardonne guère les faiblesses et les erreurs. Les nuisances de l'environnement (bruit, pollution, agressivité ambiante) ajoutent encore à cette difficulté.

MORTALITÉ

Le taux de mortalité continue de baisser.

Depuis des décennies, on observe une forte régression des maladies infectieuses (ce qui explique la chute spectaculaire de la mortalité infantile), ainsi que des maladies cardio-vasculaires. A l'inverse, les tumeurs ont progressé chez l'homme et arrivent en seconde position des causes de décès (quatrième en

1925). Après avoir progressé jusqu'en 1960, les maladies liées à l'alcoolisme ont régressé.

La baisse de la mortalité a moins bénéficié aux hommes qu'aux femmes. C'est le cas en particulier des 25-35 ans, du fait des accidents, des suicides et de l'apparition du sida, ainsi que des 55-65 ans, touchés par le cancer.

Depuis le premier quart du XIXe siècle, la fréquence annuelle des morts violentes par temps de paix a été multipliée par trois, tandis que celle des morts naturelles a été divisée par trois, malgré le vieillissement constant de la population.

On meurt moins dans le Sud

Le taux de mortalité varie de façon importante selon les régions. Il est toujours plus élevé dans le nord que dans le sud de la France. Les cinq régions de forte mortalité sont situées le long d'un arc de cercle partant de Bretagne et aboutissant en Alsace, après avoir traversé le Pas-de-Calais, la Picardie et la Lorraine. La surmortalité dans ces régions est générale ; elle concerne à la fois les tumeurs, les maladies cardio-vasculaires ou respiratoires. La différence selon les sexes est globalement peu marquée.

Il existe apparemment un lien entre la surmortalité régionale et la carte de l'alcoolisme. On constate aussi que les régions de plus faible mortalité du Sud sont aussi celles qui possèdent la plus forte densité de médecins et dans lesquelles la consommation médicale par habitant est la plus élevée.

Les maladies cardio-vasculaires sont à l'origine de 33 % des décès.

Les « maladies de cœur » restent la première cause de mortalité en France (170 000 décès en 1992). Plus de la moitié d'entre elles concernent le cerveau (46 000 décès dus aux maladies cérébrovasculaires) et les arrêts cardiaques (48 000 ischémies). Viennent ensuite les problèmes liés à l'hypertension. L'hérédité, mais aussi les modes de vie, sont les principaux responsables de ces maladies. Les hommes sont les plus concernés ; entre 35 et 65 ans, ils meurent trois fois plus des diverses maladies cardio-vasculaires que les femmes (deux fois plus entre 15 et 34 ans).

La France est, parmi les pays européens, le moins touché par ces maladies : 30 pour 100 000 habitants contre environ 50 au Royaume-Uni ou en Allemagne. Cette situation s'explique par une politique efficace de prévention, d'information et de dépistage des personnes à haut risque (en particulier

les hypertendus). Les accidents vasculaires cérébraux ont ainsi diminué de 40 % entre 1975 et 1985. Leur part continue de baisser. Des études réalisées aux Etats-Unis montrent que la consommation (modérée) de vin a aussi des effets bénéfiques.

Maladies mortelles

Evolution des causes de mortalité :

	Nombre		Part (%)	
	1992	1980	1992	1980
• Maladies de l'appareil circulatoire	169 708	204 416	33	37
• Tumeurs	143 387	128 685	27	23
• Accidents et autres morts violentes	45 885	50 506	9	9
• Maladies de l'appareil respiratoire	37 491	33 389	7	6
• Maladies de l'appareil digestif	25 893	35 669	5	7
• Autres causes	98 197	94 442	19	17
Total des décès	520 561	547 107	100	100

INSERM

Chaque année, 200 000 personnes sont atteintes du cancer, 143 387 en sont mortes en 1992.

La mortalité par cancer a augmenté de 10 % en dix ans, alors que la population n'augmentait que de 5 % et que l'efficacité des traitements progressait. L'augmentation a été sensible chez les hommes, en particulier à cause du tabac et de l'augmentation des cancers de la prostate ; ils détiennent aujourd'hui le record du monde de mortalité par cancer. Chez la femme, on observe une baisse des cancers de l'utérus et de l'estomac, mais une hausse des cancers du sein et du poumon. L'écart de mortalité entre les sexes est aujourd'hui le plus important des pays de l'Union européenne. Globalement, le tabac serait responsable d'un cancer sur quatre, le type d'alimentation interviendrait dans 20 à 30 % des cas, l'alcool dans 10 %. Le risque augmente à partir de 50 ans mais diminue à partir de 80 ans.

INSERM

Les chiffres des décès ne reflètent pas l'importance des différents types de cancer, du fait de leurs taux de guérison très variables. Ainsi, le cancer du sein représente près de la moitié des cancers des femmes mais seulement 18 % de leur mortalité par ce type de maladie.

Mort et tumeurs

Nombre de décès par cancer (1992) :

	Hommes	Femmes
Toutes tumeurs	**87 082**	**56 305**
dont :		
• Poumons, trachée, bronches	19 433	3 039
• Voies aéro-digestives supérieures	11 417	1 553
• Intestin	8 390	7 808
• Sein	98	10 356
• Prostate	9 068	0
• Estomac	3 682	2 592
• Pancréas	3 298	2 846
• Vessie	3 188	1 067
• Leucémies	2 503	2 081

Euthanasie : la mort choisie

La plupart des Français (85 %) trouvent normal qu'un malade ait le droit d'être aidé à mourir dans le cas d'une maladie grave et incurable et de souffrances insurmontables. Les médecins sont plus partagés, objectant la législation actuelle et l'existence de médicaments qui permettent de soulager ou de supprimer la douleur. L'Eglise reste opposée à l'euthanasie, considérée comme un meurtre. Les politiciens craignent, en modifiant la loi, de créer une situation irréversible.
Dans une société où l'espérance de vie continue de croître, le problème de la fin de vie se pose de façon de plus en plus aiguë. Les adversaires de l'acharnement thérapeutique affirment que chacun est maître de sa vie et doit donc l'être de sa mort. Le débat porte en fait sur la poursuite ou non du processus d'individualisation de la société, dont l'euthanasie pourrait représenter une étape ultime.

➤ Si un de leurs patients était séropositif, 79 % des médecins ne lèveraient pas le secret médical pour informer son entourage ou sa famille, 16 % oui. 5 % l'ont déjà fait.

A fin décembre 1993, la France comptait plus de 100 000 séropositifs et 35 000 cas de sida depuis le début de l'épidémie.

28 497 cas de sida (syndrome immuno-déficitaire acquis) ont été enregistrés au total, soit 7,6 % de plus qu'à fin 1992. Mais 10 à 20 % des cas ne sont pas déclarés et il existe un délai entre le diagnostic et la déclaration, de sorte que l'on peut estimer le nombre des cas de sida à 35 000.
Le taux de mortalité global cumulé (nombre de personnes décédées par rapport au nombre de cas recensés) était de 57 %. Il tend à diminuer chaque année du fait de l'apparition de nouveaux cas et de l'amélioration des soins apportés aux malades. Cependant, dans l'état actuel des recherches, la plupart des séropositifs sont appelés à développer la maladie.

Le record d'Europe du sida

La France est doublement concernée par ce fléau, apparu en 1978. D'abord parce que c'est une équipe française, celle du docteur Montagnier, qui a découvert un premier virus en 1983. Ensuite, parce qu'elle détient le triste record du plus fort taux de sida de l'Union européenne. Cette situation s'explique par l'utilisation peu répandue des préservatifs et par une prise de conscience insuffisante et en tout cas tardive, surtout parmi les jeunes. Les diverses campagnes d'information diffusées n'ont pas eu un effet comparable à celui constaté dans d'autres pays ; leur impact a été limité par la croyance en l'arrivée prochaine d'un vaccin.

Les Français se mobilisent

20 000 sidéens

Nombre de cas de sida diagnostiqués (en cumul, au 31 décembre) :

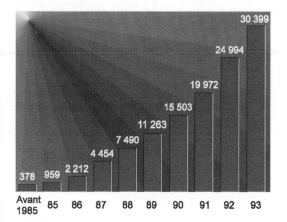

30 399
24 994
19 972
15 503
11 263
7 490
4 454
2 212
959
378

Avant 1985 · 85 · 86 · 87 · 88 · 89 · 90 · 91 · 92 · 93

84 % des personnes atteintes sont des hommes.

L'augmentation constatée en 1993 est cependant plus forte chez les femmes : 24 % contre 5 %. La tranche d'âge la plus atteinte est celle des 30-39 ans, mais les plus menacés sont les 20-30 ans, compte tenu du délai entre la contamination et l'apparition de la maladie. On observe un accroissement de l'âge moyen du diagnostic du sida, particulièrement net chez les toxicomanes : 32 ans contre 26 ans en 1986. Chez les hommes de plus de 25 ans, les célibataires sont dix fois plus touchés que les hommes mariés.

Contrairement à ce qui se passe pour la plupart des maladies, les catégories sociales favorisées sont plus concernées que les autres. Le taux de mortalité le plus bas est celui des agriculteurs, le plus élevé celui des « professions de l'information, des arts et du spectacle » (plus de 500 par million).

L'Ile-de-France et la région Provence-Alpes-Côte d'Azur représentent à elles seules 60 % des cas déclarés, avec respectivement 13 700 cas (1,3 pour 1 000 habitants) et 3 800 cas (0,9 pour 1 000).

➤ Le temps de travail actuellement perdu pour cause de sida est comparable à celui lié aux accidents de la route.

150 millions de préservatifs

Un tiers des Français sexuellement actifs ont utilisé au moins occasionnellement un préservatif en 1993. 53 % des utilisateurs sont des jeunes de moins de 25 ans. 52 % sont célibataires. 31 % habitent dans des villes de plus de 10 000 habitants. 50 % des achats ont lieu dans des pharmacies, 30 % dans des grandes surfaces, 20 % dans des distributeurs automatiques et autres sources.
Malgré sa forte augmentation (36 % en un an), la consommation française reste proportionnellement inférieure à celle des autres grands pays européens. Plus qu'une protection contre le sida, le préservatif reste d'abord pour les Français un moyen de contraception. Il permet plus de ne pas donner la vie que d'éviter la mort.

Secodip, AFLS

Les homosexuels et les bisexuels sont les plus touchés ; la part des toxicomanes augmente.

39 % des personnes atteintes du virus sont des personnes homosexuelles ou bisexuelles, 27 % des toxicomanes, 16 % des hétérosexuels, 3 % des transfusés, 1 % des hémophiles. 1 % des cas concernent des enfants infectés par transmission materno-fœtale (mère séropositive). On estime à 1 700 le nombre des séropositifs dans les prisons.

Longtemps ignorée ou niée, la contamination hétérosexuelle est de plus en plus apparente. Le nombre de cas a augmenté de 25 % en 1993 contre 9 % chez les toxicomanes, 4 % chez les hémophiles et transfusés, alors qu'il a baissé de 3 % chez les homosexuels et bisexuels.

En dépit des contaminations intervenues il y a quelques années, les risques liés aux transfusions sanguines ont été en principe supprimés par les mesures de prévention et de dépistage prises dans les hôpitaux. Les transfusions à partir de sang contaminé ont concerné au total 7 000 personnes, dont 1 200 hémophiles.

Le nombre des maladies infectieuses est stable.

Hors sida, on a dénombré 6 948 décès dus à des maladies infectieuses ou parasitaires en 1992. Après avoir diminué au cours des précédentes décennies, leur part est stable. Plus des trois quarts des décès concernent des personnes âgées de plus de 65 ans. Les principales causes restent la septicémie (2 072 décès) et la tuberculose (805), devant les infections intestinales. On enregistre environ 100 000 cas d'hépatites virales de type B chaque année.

L'incidence des maladies sexuellement transmissibles (MST) est difficile à mesurer. Il semble néanmoins que la syphilis (2 000 à 10 000 cas annuels, 16 décès en 1992) et la gonococcie (200 000 à 400 000 cas) soient en baisse depuis déjà une vingtaine d'années.

Le nombre des maladies professionnelles diminue : moins de 4 000 cas par an, contre 10 000 en 1950.

La plupart des maladies professionnelles sont des affections pulmonaires provoquées par l'inhalation de poussières métalliques ou minérales (pneumoconioses) ou des affections de la peau (dermatoses). Leur nombre est globalement en régression. Ainsi, la silicose (maladie des mineurs) devient rare : environ 200 personnes atteintes chaque année contre 3 000 en 1976, 8 500 en 1954. Il faut noter l'accroissement du nombre des affections provoquées par le bruit (environ 1 000 par an, contre 275 en 1975).

Mais de nombreuses maladies, de nature psychosomatique, ne sont pas prises en compte du fait de leur relation incertaine avec le travail : ulcères, maux gastro-intestinaux, troubles du sommeil, dépressions, bronchites, asthme, etc. Les chiffres seraient bien plus élevés encore si l'on devait considérer le stress comme une maladie professionnelle...

Grippe : 4 millions de Français sont touchés chaque année. 565 morts en 1992 (16 000 en 1968).

La grippe coûte chaque année plusieurs milliards de francs à la communauté ; elle est à l'origine selon les années de 10 à 30 millions de journées d'arrêt de travail. La prévention est cependant largement développée : environ 10 % des Français se font vacciner à l'approche de l'hiver (20 % chez les plus de 65 ans).

Après trois années plus favorables en 1987, 1988 (environ 500 et 1 000 morts) et 1989 (1 323 morts), 1990 avait été une année plus redoutable, avec un nombre de décès comparable à celui de 1986 (2 183 morts). Les chiffres de 1991 et 1992 sont revenus à un niveau très inférieur.

➤ La proportion moyenne de travailleurs handicapés dans les entreprises est de 4 %.

VACCINATION CONTRE LA GRIPPE

En vous protégeant vous protégez les vôtres.

l'Assurance Maladie
sécurité sociale

La prévention, une forme de solidarité

On a recensé environ 3 000 maladies héréditaires.

La plupart des quelque 3 000 maladies héréditaires entraînent un avortement spontané. Mais d'autres n'empêchent pas l'enfant de naître. 15 à 20 % des grossesses connaissent des accidents dus à des problèmes chromosomiques. En 1992, les anomalies congénitales ont été à l'origine de 1 503 décès. L'hémophilie touche un enfant (de sexe masculin) sur 7 000, la myopathie un sur 3 500 (l'espérance de vie d'un myopathe est limitée à une vingtaine d'années), la débilité mentale un sur 1 500. La mucoviscidose concerne un enfant sur 2 500.

La recherche dans ce domaine est très active ; elle a été aidée en France par les sommes considérables collectées lors des *Téléthons* organisés par France 2. Des chercheurs ont déjà identifié les gènes responsables de la myopathie et de la mucoviscidose.

HANDICAPS

Environ 5 millions de Français souffrent de handicaps divers.

L'estimation du nombre des handicapés varie largement selon la définition prise en compte. On estime qu'environ 10 % des Français « éprouvent une gêne ou des difficultés dans la vie quotidienne », liées à des maladies, à des accidents ou à la vieillesse. Cette dernière cause est la plus importante ; un peu plus de 3 millions de personnes handicapées ont plus de 60 ans. Si l'on retient seulement les déficiences graves (mentales, sensorielles et suites d'accidents), on compte 1,2 million de handicapés sévères de moins de 60 ans.

On retrouve des proportions de handicapés similaires dans d'autres pays d'Europe : Danemark, Espagne, Pays-Bas, Luxembourg. La proportion est supérieure en RFA (environ 12 %) ; elle serait inférieure en Irlande, en Grande-Bretagne et au Portugal.

L'âge, un handicap

La proportion de Français estimant souffrir d'une infirmité, d'un handicap ou d'une maladie chronique est globalement de 28 %. Elle augmente régulièrement avec l'âge[*] :
- 13 % entre 20 et 29 ans ;
- 18 % entre 30 et 39 ans ;
- 23 % entre 40 et 49 ans ;
- 37 % entre 50 et 59 ans ;
- 45 % entre 60 et 69 ans ;
- 45 % à partir de 70 ans.

[*] Le taux de non-réponse à la question est de 6 % en moyenne.

Un quart des handicaps physiques lourds ont une origine congénitale.

Sur les 810 000 handicapés pensionnés (ayant un handicap lourd reconnu), 23 % le sont depuis leur naissance : 2 % des nouveau-nés sont porteurs d'une malformation, 2‰ d'une maladie héréditaire du métabolisme se manifestant dès le premier âge.

Les autres handicaps physiques sont dus à des causes socio-économiques : accidents, maladies, conditions de vie n'ayant pas permis un développement normal de l'individu.

En 1992, les maladies du système nerveux et des organes des sens ont tué 11 120 personnes. La principale est la maladie de Parkinson (2 416 décès), qui touche principalement les personnes âgées.

➤ Environ 10 000 jeunes de moins de 20 ans souffrent de façon circonstancielle d'un double handicap (ex : surdité et cécité). 40 000 souffrent d'une déficience mentale sévère et de troubles (moteurs, sensoriels, épileptiques...) entraînant une restriction extrême de l'autonomie. 70 000 souffrent d'un handicap originel cumulé avec un handicap relationnel (troubles du comportement...).

210 000 enfants handicapés

Les établissements et services médico-sociaux abritent un peu plus de 200 000 enfants et adolescents. 80 000 jeunes d'âge scolaire présentant des troubles de la personnalité ou de la connaissance fréquentent de façon plus ou moins continue des centres médico-psycho-pédagogiques. Parmi les autres, 53 % ont un retard intellectuel plus ou moins prononcé, 22 % ont une déficience du psychisme, 5 % sont polyhandicapés (retard mental profond associé à des troubles moteurs importants). 60 % sont des garçons.

La France compte environ 250 000 malentendants, 17 000 sourds-muets, 65 000 aveugles et amblyopes (dont la vue est très affaiblie).

La surdité et les difficultés de la vue augmentent avec l'âge, bien qu'elles ne conduisent pas dans tous les cas à une infirmité totale. Parmi les malentendants (sourds profonds ou personnes ne pouvant entendre sans aide auditive), 80 % ont plus de 60 ans. La proportion est de 60 % parmi les aveugles.

Ces handicaps rendent l'intégration sociale et professionnelle difficile. 5 000 aveugles seulement occupent un emploi, le plus fréquemment comme standardistes, musiciens ou masseurs. Les entreprises, qui sont tenues par une loi de 1987 d'employer des personnes handicapées dans la proportion de 6 % de leurs effectifs, préfèrent souvent verser une contribution financière à un organisme spécialisé.

Il y aurait environ 1 700 000 handicapés mentaux. La moitié souffrent de déficiences légères. 75 % ont moins de 20 ans.

Les causes majeures du handicap mental chez l'adulte sont les névroses graves, les psychoses chroniques, les déficiences profondes, l'alcoolisme, la toxicomanie et les formes graves de psychopathie. Les dépressions touchent, à des degrés divers, un nombre élevé de personnes (sans doute plus de 10 % de la population) ; un Français sur cinq souffre d'une maladie nerveuse au cours de sa vie.

Parmi les délinquants et marginaux, on estime que 200 000 personnes sont des irresponsables, victimes d'un handicap prononcé. La durée de vie moyenne des handicapés mentaux est très inférieure à celle de la moyenne des Français. C'est ce qui explique que la plupart d'entre eux sont jeunes.

Ministère de la Santé

Ministère de la Santé

Comptes de la folie ordinaire

Les hôpitaux psychiatriques abritent environ 75 000 personnes à temps complet. Ils suivent chaque année quelque 200 000 enfants et 70 000 adultes. Les placements d'office des personnes atteintes de formes diverses de maladies mentales ne représentent plus que 3 % des entrées contre 14 % en 1970, les « placements volontaires » (en réalité demandés par la famille) 21 % contre 59 %. Les hospitalisations libres sont largement majoritaires : 68 % contre 27 % en 1970.

ALCOOLISME, TABAC, DROGUE

Certains plaisirs de la vie tendent à en raccourcir la durée.

L'alcool serait responsable d'un tiers des décès liés aux maladies de l'appareil digestif et aux troubles mentaux, de 13 % des décès par cancer, de 40 % des accidents mortels de la route. Il est présent dans beaucoup de suicides et dans une part importante des homicides. L'abus d'alcool entraînerait chaque année la mort d'environ 60 000 personnes, dont les trois quarts sont des hommes.

Le tabac serait de son côté responsable de 20 % des décès par cancer et par maladie de l'appareil respiratoire, soit près de 9 % de l'ensemble des décès. On estime que la consommation excessive d'alcool ou de tabac est à l'origine de 100 000 morts chaque année, soit près d'un décès sur cinq.

La drogue provoque chaque année quelque 500 décès par overdose. Surtout, elle promet aux toxicomanes un paradis qui ressemble fort à l'enfer.

La consommation moyenne d'alcool pur est en baisse régulière :
12 litres par personne et par an en 1991 contre 17,7 litres en 1961.
Elle reste la plus élevée au monde.

Ramenée à la population des 15 ans et plus, la consommation moyenne est de 19 litres d'alcool pur par an (vins et spiritueux). Après avoir atteint un maximum entre 1951 et 1957, elle a diminué d'un tiers en trente ans. Une baisse due essentiellement à celle du vin, passée de 126 litres par personne à 67 litres. Celui-ci est de moins en moins consommé à table et de plus en plus en dehors ou « autour » des repas. Il tend à devenir une boisson de loisir plus qu'un composant de l'alimentation.

Dans le même temps, la consommation de bière augmentait légèrement passant de 37 à 41 litres et dépassait 45 litres dans les années 1975 à 1979, avant de décroître. Celle de spiritueux se maintenait à un niveau un peu inférieur à 3 litres par personne.

La France se trouve toujours au premier rang mondial de la consommation individuelle d'alcool. La consommation dépasse 10 litres d'alcool pur par personne et par an dans six autres pays : Portugal, Allemagne, Suisse, Hongrie, Espagne, Autriche.

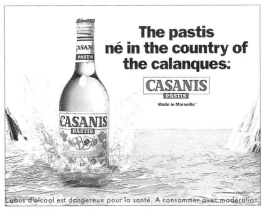

L'abus d'alcool est dangereux pour la santé. A consommer avec modération.

Z Groupe

L'alcool, tradition nationale et régionale

La consommation d'alcool est une vieille tradition française.

Les habitudes varient selon l'âge, le sexe et la profession exercée. Les plus âgés sont les plus nombreux à boire régulièrement ; 87 % des hommes de plus de 75 ans consomment au moins une boisson alcoolisée chaque jour. Mais c'est entre 45 et 54 ans que les hommes consomment les plus grosses quantités, de 35 à 44 ans pour les femmes. Les métiers où l'on boit le plus sont ceux de l'agriculture, de l'artisanat et du commerce, où les traditions sont le plus solidement installées.

Les femmes sont beaucoup plus sobres que les hommes : 39 % seulement d'entre elles consomment régulièrement des boissons alcoolisées, contre 66 % des hommes. Parmi les consommateurs occasionnels, les femmes boivent trois fois moins que les hommes. Cet écart serait d'ailleurs l'une des principales causes de la surmortalité masculine.

Les jeunes ont réduit leur consommation.

Les adolescents de 13 à 18 ans consomment en moyenne 3,3 litres d'alcool pur par an (soit quatre fois moins que l'ensemble de la population). 64 % d'entre eux consomment moins de deux verres de boissons alcoolisées par semaine.

Les 18-24 ans semblent réduire leur consommation, qui avait augmenté au cours des dernières années. Elle est aujourd'hui équivalente à celle des plus jeunes, soit beaucoup moins que la moyenne nationale. 30 % d'entre eux ne boivent d'ailleurs jamais d'alcool. Les jeunes qui boivent le plus ne sont pas, comme on pourrait le penser, issus de milieux défavorisés.

Qui a bu boira

On estime que les comportements face à l'alcool sont installés à partir de l'âge de 15 ans. Ceux qui apparaissent comme les plus forts buveurs potentiels ont en commun un tempérament plutôt insatisfait, rebelle, radical, laxiste, hédoniste et marginal. Ils aiment les sorties dans les boîtes, ont des parents fumeurs et sont fumeurs eux-mêmes, sont peu conscients des dangers de l'alcool et se montrent tolérants à l'égard des alcooliques.

A l'inverse, ceux qui boivent peu d'alcool sont moins émancipés, plus équilibrés, plus heureux et d'une nature joviale. Ils consomment peu de café et sont sensibles aux risques liés à l'alcool en général. On observe qu'il n'existe aucune corrélation entre le fait de boire et l'environnement socio-économique familial.

La consommation globale de tabac est en diminution depuis 1992.

Après avoir connu une progression sensible jusqu'au milieu des années 60, puis entre 1965 et 1975, conséquence de son accroissement chez les femmes et chez les jeunes, la consommation de tabac a commencé à se tasser en 1992 et le mouvement s'est confirmé en 1993. La diminution a atteint 2,7 % sur deux ans et 3,5 % en ce qui concerne les cigarettes, ce qui porte la consommation à son plus bas niveau depuis 1985. La hausse du prix des cigarettes n'y est sans doute pas étrangère.

Les attitudes évoluent vers un plus grand respect des non-fumeurs. Une forte majorité des Français (même parmi les fumeurs) a bien accepté les interdictions de fumer dans les lieux publics et les lois obligeant les restaurateurs à prévoir une salle non-fumeurs.

Alcool et tabac en baisse

Evolution de la consommation annuelle de cigarettes et de la consommation annuelle d'alcool pur (en cigarettes et en litres d'alcool pur par habitant) :

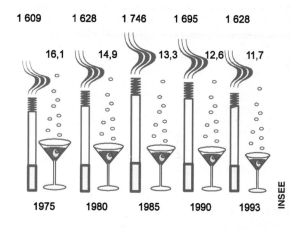

1 609	1 628	1 746	1 695	1 628
16,1	14,9	13,3	12,6	11,7
1975	1980	1985	1990	1993

INSEE

Les hommes sont moins nombreux à fumer, les femmes plus nombreuses.

L'égalité des sexes progresse dans tous les domaines... 47 % des hommes et 36 % des femmes sont fumeurs ; ils étaient respectivement 51 % et 29 % en 1977. La proportion de fumeurs (toute personne déclarant fumer, ne serait-ce que de temps en temps) est en légère diminution chez les hommes. Elle a également diminué chez les personnes âgées.

Elle a augmenté en revanche chez les femmes. Leur attitude vis-à-vis du tabac a beaucoup changé en une génération. Aujourd'hui, quatre femmes de moins de 25 ans sur cinq fument ou ont déjà fumé, alors que 70 % des plus de 45 ans n'ont jamais fumé. 57 % des fumeurs ont déjà essayé de s'arrêter ; 12 % ont l'intention de le faire.

> ➤ Le coût des maladies liées au tabac s'élève à 40 milliards de francs.
> ➤ En 1993, les dix marques de cigarettes les plus vendues en France étaient : Gauloises brunes (21 %) ; Marlboro (17 %), Gitanes brunes (8 %) ; Gauloises blondes (8 %) ; Chesterfield (6 %) ; Peter Stuyvesant (6 %) ; Winston (5 %) ; Camel (5 %) ; Philip Morris (4 %) ; Royales (4 %).
> ➤ Les Français ont acheté 93,6 milliards de cigarettes en 1993, contre 96,3 en 1992.

La vie en fumée

Les femmes de 30 à 55 ans qui fument ont deux fois plus de risques de décéder au cours des douze prochaines années que celles qui n'ont jamais fumé. Une femme qui arrête de fumer doit attendre de 10 à 14 ans pour que son risque de mortalité retrouve le même niveau que les femmes qui n'ont jamais fumé. L'association pilule-tabac représente un risque important en matière de maladies cardio-vasculaires. Une grossesse extra-utérine sur cinq serait due au tabagisme. Le risque de mort subite du nourrisson est quatre fois plus élevé chez les enfants de mères fumeuses. Celui de tumeur cérébrale chez l'enfant est multiplié par deux.
Les enfants dont la mère a fumé pendant sa grossesse ont un quotient intellectuel inférieur de 9 points à ceux des mères non fumeuses. Les femmes dont les mères ont fumé pendant leur grossesse ont plus de risque de faire une fausse couche.

On constate une progression de la part des gros fumeurs chez les adultes.

La part des gros fumeurs (plus d'un paquet par jour) a doublé chez les femmes : 12 % en 1991 contre 6 % en 1977. Elle a augmenté de moitié chez les hommes : 23,5 % en 1991 ; 16 % en 1977.

Les plus gros fumeurs sont les cadres moyens, les membres des professions intermédiaires, les employés. Les inactifs sont les moins concernés ; 19 % seulement d'entre eux fument. On fume plus à Paris et dans les villes de 40 000 à 100 000 habitants que dans les grandes villes de plus de 100 000 habitants. On constate aussi que l'on fume plus lorsqu'on est de gauche que de droite, et beaucoup plus que la moyenne si l'on se situe à l'extrême gauche et à l'extrême droite.

Le tabac encore bon marché en France

Malgré les fortes augmentations successives (52 % entre janvier 1992 et janvier 1994), le prix des cigarettes est moins élevé en France que dans la plupart des pays de l'Union européenne, avec un prix d'environ 15 F. Au Danemark, le paquet coûte en moyenne 25 F (dont 84,4 % vont à l'Etat), contre 20 en Grande-Bretagne, 17 en Allemagne et 16 en Italie. C'est cependant en Grèce qu'il est le moins cher, environ 10 F. Les augmentations de prix ont eu pour conséquence le lancement de paquets de 10 ou 14 cigarettes destinés aux petits fumeurs.

Les jeunes sont moins nombreux à fumer. Ils commencent plus tard et fument moins en quantité.

On compte environ 30 % de fumeurs parmi les jeunes, filles ou garçons de 12 à 18 ans, alors qu'ils étaient respectivement 43 % et 49 % en 1977. On constate également qu'ils commencent à fumer plus tard : 14 ans et demi en moyenne pour les deux sexes, contre 12,3 ans pour les filles et 13,1 ans pour les garçons en 1980. La cigarette est donc en passe de perdre son rôle de symbole du passage de l'enfance à l'adolescence. Mais la proportion de fumeurs s'accroît rapidement au-delà de 18 ans. C'est entre 18 et 24 ans qu'elle est la plus élevée.

La consommation de tabac des jeunes a également diminué en quantité, tant chez les filles que chez les garçons. La part des très gros fumeurs (plus d'un paquet par jour) est relativement faible chez les garçons (5 %) et pratiquement nulle chez les filles.

Avec 1 628 cigarettes par habitant et par an, la France se situe au 6e rang de l'Union européenne.

La consommation moyenne de cigarettes est d'environ 4,5 par jour et par personne (enfants et non-fumeurs compris) ou 6,5 par personne de 20 ans ou plus. Celle des cigares a également diminué de 0,6 % en 1993. Celle de tabac à fumer, à pipe ou à rouler a en revanche augmenté de 11 %. La consommation moyenne annuelle représente 2,3 kg de tabac par personne.

La part des cigarettes légères (brunes et blondes contenant moins de 10 mg de goudron) s'accroît : 33 % des achats en 1993 contre 24 % en 1988 et 20 % en 1978. La part des cigarettes blondes (autrefois réservées aux femmes) est majoritaire depuis 1984 et continue d'augmenter. Celle des brunes n'est plus que de 30 %. Les cigarettes sans filtre connaissent aussi une baisse.

La tendance est à la stagnation ou à la baisse dans la plupart des pays de l'Union européenne. On constate paradoxalement que c'est dans les pays où la publicité pour le tabac est autorisée que la baisse de la consommation a été la plus forte (Grande-Bretagne, Allemagne). Il semble que la publicité ne serve pas à créer un marché mais à le répartir entre les marques concurrentes.

➤ Malgré la baisse globale de consommation du tabac, les recettes fiscales (74 % du prix de vente) ont augmenté de 18 % en 1993 et rapporté 42 milliards de francs à l'Etat.

L'Europe du tabac

Consommation annuelle de cigarettes par habitant dans les pays de l'Union européenne (en 1991) :

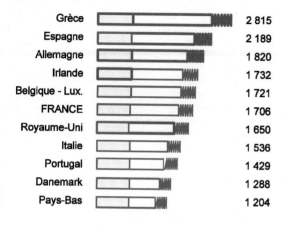

Grèce	2 815
Espagne	2 189
Allemagne	1 820
Irlande	1 732
Belgique - Lux.	1 721
FRANCE	1 706
Royaume-Uni	1 650
Italie	1 536
Portugal	1 429
Danemark	1 288
Pays-Bas	1 204

Drogue : 150 000 à 300 000 personnes sont des utilisateurs réguliers. 500 sont mortes par overdose en 1992 (350 en 1990).

La toxicomanie (état de dépendance vis-à-vis d'une substance particulière) continue de s'accroître en France, comme dans tous les pays développés. 5 millions de Français âgés de 12 à 44 ans déclarent avoir déjà fait l'expérience du haschich, environ 250 000 peuvent être considérés comme des utilisateurs réguliers ou occasionnels. Une situation inquiétante, mais cependant moins dramatique que celle de l'Espagne, de l'Italie ou de l'Allemagne.

Les trois quarts des drogués sont des hommes.

La proportion de femmes tend cependant à augmenter, ce qui accroît les risques dans le cas de grossesse. La plupart sont des jeunes ; 85 % ont moins de 30 ans, dont un tiers entre 25 et 29 ans. Mais on constate un accroissement de l'âge moyen. La moitié des personnes concernées sont dépendantes de leur entourage, beaucoup vivant chez leurs parents.

Le développement du sida chez les utilisateurs de drogues dures est un autre phénomène inquiétant. On estime que 40 à 50 % des drogués sont séropositifs.

Les produits consommés varient en fonction de l'âge.

Parmi les toxicomanes ayant recours au système de soins existant en France, près de 60 % utilisent principalement l'héroïne, 11 % des médicaments psychotropes (barbituriques, antidépresseurs, tranquillisants, stimulants), 15 % le cannabis et ses dérivés, 10 % des produits tels que la morphine, l'opium, la cocaïne ou le LSD. Une faible proportion utilise les colles et solvants (éther, trichloréthylène...). 39 % des drogués ont commencé par le cannabis, 21 % par l'héroïne.

Les enfants et les adolescents consomment plutôt les colles, les solvants et le cannabis. Les jeunes adultes (20 à 30 ans) utilisent l'héroïne, mais la crainte de la transmission du sida par les seringues tend à faire baisser la consommation. Beaucoup préfèrent aujourd'hui des mélanges de médicaments et d'alcool, par ailleurs plus faciles à obtenir. Les adultes font une place plus large aux médicaments psychotropes ou stimulants. A la différence des autres produits, ceux-ci concernent aussi bien les femmes que les hommes.

Méthadone : la France aussi

Les programmes de substitution par la méthadone sont encore peu utilisés en France : 52 toxicomanes en bénéficiaient fin 1993, contre 17 000 au Royaume-Uni, 15 000 en Italie, 10 000 en Suisse, 8 000 aux Pays-Bas, 5 000 en Allemagne. 1 000 places sont prévues en 1994.
L'objectif poursuivi est triple : aider à la désintoxication ; réduire dans de fortes proportions la mortalité (par héroïne ou par le sida) ; permettre un accès aux soins et une aide à la réinsertion sociale.

L'usage de la drogue est fortement lié aux difficultés des jeunes dans leur vie familiale ou sociale.

Le recours à la drogue est le résultat d'une triple rencontre : un produit, une personnalité, un « moment socioculturel » (selon l'expression du Dr Olievenstein). Les toxicomanes ont souvent une vie de famille difficile : un sur deux a des parents séparés ; 17 % ont perdu leur père, 7 % leur mère. 39 % ont fugué avant de se droguer, 38 % ont commis un délit.

Beaucoup subissent en outre des difficultés scolaires ou professionnelles. A 18 ans, 16 % seulement sont encore scolarisés (contre 75 % de l'ensemble de la population). 60 % n'ont pas dépassé le niveau secondaire, ce qui explique que plus de la moitié soient chômeurs ou sans activité.

Fait significatif : l'image que les jeunes drogués ont d'eux-mêmes est beaucoup moins favorable que celle des non-drogués. Les premiers se jugent plus pessimistes, tristes, inquiets, énervés, fantaisistes, paresseux, dépensiers, mal organisés, sans ambition, mal dans leur peau. Même ceux qui ne consomment que des drogues « licites » (alcool, tabac, médicaments psychotropes) sont plus nombreux à avoir le cafard que ceux qui n'en utilisent pas (55 % contre 21 %). Ils sont même 13 % à avoir des idées de suicide, contre 3 % des non-consommateurs de ces drogues du quotidien. Il n'y a pas de drogués heureux.

L'offre et la demande

L'accroissement de la toxicomanie est lié à celui de la demande émanant de jeunes qui croient en l'existence de paradis artificiels pour échapper à la misère de leur condition, matérielle et/ou morale. Il est aussi la conséquence de l'offre. D'abord parce que la disponibilité des produits est une incitation à se les procurer. Mais aussi parce que le « métier » de revendeur est parfois considéré comme une promotion sociale. C'est le cas dans certaines banlieues où il constitue un moyen d'échapper au chômage et de gagner de l'argent, c'est-à-dire de jouir à la fois des biens matériels et de la considération de son entourage.

La toxicomanie n'est plus comme il y a trente ans une manière de contester. Elle est pour les vendeurs une façon de gagner sa vie. Mais elle est surtout pour les acheteurs une manière de la perdre.

SUICIDE

11 460 Français se sont suicidés en 1992. Le nombre des tentatives est estimé à plus de 150 000.

Entre 1950 et 1976, le décès par suicide concernait environ 15 habitants sur 100 000 ; la proportion est proche de 21 depuis le début des années 80, époque à laquelle s'est produite une forte augmentation. Depuis 1982, le nombre des suicides dépasse celui des décès par accident de la route. Les chiffres officiels sont d'ailleurs probablement sous-estimés, beaucoup de suicides étant camouflés en mort accidentelle ou en disparition.

16 % des Français déclarent avoir déjà songé à mettre fin à leurs jours ; un quart d'entre eux ont effectivement essayé, ce qui signifie que 4 % des Français auraient fait au cours de leur vie une tentative de suicide. La « carte sociale » du suicide a évolué : il est aujourd'hui plus élevé chez les hommes, les célibataires et les veufs, à la campagne et dans les petites agglomérations ; il se produit plus souvent de jour, en début de semaine, au printemps ; on se suicide plus le lundi, jour de la reprise du travail après le congé hebdomadaire ; la généralisation des congés payés a entraîné une diminution des suicides en juillet et août.

La pendaison reste le moyen le plus utilisé (40 % des cas), devant l'arme à feu, les noyades et les chutes. L'absorption de médicaments n'entraîne la mort que dans un cas sur dix (mais 25 % chez les femmes).

Les hommes sont 3 fois plus concernés que les femmes.
Les manœuvres se suicident 3 à 4 fois plus que les contremaîtres ou les cadres supérieurs.

Les taux de décès par suicide augmentent avec l'âge, surtout chez les hommes après 65 ans. Si ceux-ci sont trois fois plus nombreux à être concernés que les femmes, on constate que les tentatives sont deux fois plus nombreuses chez ces dernières. Cela tendrait à prouver que la volonté de mourir est moins forte chez les femmes, la tentative de suicide étant le plus souvent une forme d'appel au secours. On constate aussi que le taux des suicides « réussis » n'est que de 4 % entre 15 et 24 ans, alors qu'il est de 20 % chez les hommes de plus de 65 ans.

L'alcool est une cause déterminante, contrairement au chômage.
Le rôle de l'entourage familial est déterminant.

Plus d'un tiers des suicidants sont en état d'ébriété avant une tentative. La corrélation avec la carte de l'alcoolisme est apparente ; les régions les plus touchées sont la Bretagne et la Normandie. L'alcoolisme est d'ailleurs un facteur important de récidive. A l'inverse, la relation avec le chômage semble inexistante ; on se suicide moins en Midi-Pyrénées qu'en Bretagne, alors que le taux de chômage y est plus élevé.

La situation familiale joue un rôle essentiel. Le suicide est 2,3 fois plus fréquent chez les célibataires que dans la moyenne de population, 2,9 fois chez les divorcés et 3,6 fois chez les veufs (ces facteurs ont moins d'influence chez les femmes). Il semble aussi que certains facteurs héréditaires soient importants ; le risque est 30 fois plus élevé chez les adolescents dont la mère a des problèmes psychologiques. L'appartenance à un milieu rural et modeste est également un facteur aggravant.

Plus de morts que sur la route

Evolution du nombre de suicides :

	Hommes	Femmes
• 1980	7 361	3 044
• 1981	7 537	3 043
• 1982	8 072	3 287
• 1983	8 474	3 435
• 1984	8 615	3 492
• 1985	8 895	3 600
• 1986	8 870	3 655
• 1987	8 587	3 574
• 1988	8 234	3 365
• 1989	8 343	3 372
• 1990	8 178	3 225
• 1991	8 221	3 281
• 1992	8 308	3 152

Le Nord plus touché que le Sud

L'accroissement du nombre des suicides concerne la plupart des pays développés, en particulier ceux du nord de l'Europe. Le taux le plus élevé est celui du Danemark (40 pour 100 000 chez les hommes et 20 pour 100 000 chez les femmes), le plus faible celui de la Grèce (respectivement 6 et 2 pour 100 000). En France, les régions Nord et Ouest sont deux fois plus touchées que les régions méridionales. Les taux tendent à s'accroître avec l'âge, surtout dans la population masculine. Hors de l'Europe, le Japon est particulièrement concerné, avec un taux en forte croissance depuis quelques années, surtout chez les jeunes.

Le taux de suicide des jeunes a triplé en trente ans.

Le nombre de suicides de jeunes a été multiplié par trois depuis les années 60 ; au cours des dix dernières années, il a augmenté de 80 % pour les garçons et 20 % pour les filles. Il est la première cause de décès chez les 25-35 ans.

746 jeunes de 15 à 24 ans (dont 575 garçons) se sont donné la mort en 1992. Il faudrait sans doute y ajouter les 249 garçons et 54 filles décédés à la suite de « traumatismes et empoisonnements causés d'une manière indéterminée quant à l'intention ». Parmi les quelque 45 000 jeunes qui tentent de se suicider chaque année, un tiers récidivent.

Il a aussi augmenté chez les personnes âgées.

Les cas de suicide parmi les 55 ans et plus représentent la moitié de l'ensemble des suicides. Le taux est de 28 pour 100 000 chez les personnes de 55 à 64 ans ; il dépasse 50 au-delà de 75 ans.

L'arrivée à la retraite est souvent ressentie comme une déchéance, surtout chez les hommes. Le décès de l'épouse est le traumatisme le plus sévère ; c'est dans l'année qui suit le décès du conjoint que le nombre des dépressions suivies de tentatives de suicide est le plus élevé. La France enregistre un taux de suicide des personnes âgées deux à trois fois plus élevé que celui des autres pays européens.

Le suicide est autant la conséquence d'un problème individuel que d'une faillite collective.

Le suicide relève surtout de causes socio-économiques. Comment ne pas mettre en relation la montée du taux de suicide avec les difficultés surgies depuis quelques années dans les pays développés ? Les premières sont d'ordre moral et existentiel : recherche d'identité et de valeurs dans un monde en mutation ; déclin des points de repère traditionnels (religion, Etat, école, justice et autres institutions) ; craintes vis-à-vis de l'avenir (menaces écologiques, démographiques...). Les secondes sont d'ordre économique : difficulté à trouver un premier emploi pour les jeunes ; angoisse du chômage ; accroissement de la compétition dans la vie professionnelle ; prépondérance de la vie matérielle et place centrale de l'argent. Ces causes se traduisent par une montée des frustrations qui peut avoir des conséquences dramatiques.

➤ La France compte environ 25 000 paraplégiques et tétraplégiques, dont plus de la moitié ont moins de 25 ans. On enregistre 1 500 à 2 000 cas nouveaux chaque année.
➤ 55 % des Français estiment que la drogue est la plus grande menace pour leurs enfants ou leurs proches.

ACCIDENTS

Accidents de la route moins nombreux mais plus graves, du fait de la vitesse ◆ Baisse des accidents du travail et des décès, après la hausse de 1987 à 1990 ◆ 5 millions d'accidents de la vie privée (maison, école, loisirs) ; 25 000 morts par an, plus de 2 millions de blessés

ROUTE

400 000 Français sont morts sur la route en 30 ans, 9 millions ont été blessés.

Un bilan insupportable sur le plan humain et détestable sur le plan économique ; chaque décès coûte environ 4 millions de francs à la collectivité. Le prix de revient total de l'insécurité routière pour 1993 est estimé à 121 milliards de francs.

On observe depuis vingt ans une tendance régulière à la baisse du nombre des accidents corporels ainsi que du nombre de tués. On enregistre en revanche un accroissement de la gravité des accidents. Avant l'âge de 45 ans, les accidents constituent la première cause de décès.

Il y a eu 9 052 morts en 1993, contre 9 617 en 1992 (et 16 617 en 1972).

Le nombre des tués était passé pour la première fois en dessous de la barre des 10 000 en 1987 (9 855). Mais il était remonté au-dessus entre 1988 et 1990, marquant un palier avant de fléchir à nouveau depuis 1991. Il a atteint en 1993 le chiffre le plus bas depuis trente et un ans. Par rapport à 1972, année la plus noire, le nombre de morts a diminué de 46 %.

Cette amélioration a pu être obtenue grâce aux différentes mesures prises depuis 1973 : amélioration du réseau routier ; obligation du port de la ceinture ; limitation de la vitesse ; abaissement de la puissance moyenne des voitures. Les campagnes successives sur la sécurité routière et l'accroissement de la vigilance des policiers et des gendarmes ont aussi contribué à cette amélioration. L'instauration du permis à points, en juillet 1992, ne s'est pas traduite jusqu'ici par des résultats notables.

Encore un effort de conduite

Malgré les progrès réalisés, la France est l'un des pays de l'Union européenne loù l'on meurt le plus sur la route. Avec 341 tués par million de véhicules en circulation (1992), elle arrive au sixième rang de l'Union européenne, derrière le Royaume-Uni (175), les Pays-Bas (199), l'Italie (239), l'Allemagne (250), le Danemark (308). Elle ne se situe qu'au septième rang si l'on considère le nombre de tués par million d'habitants.

137 500 accidents corporels ont fait 189 020 blessés, dont 43 535 graves.

Le nombre d'accidents enregistré en 1993 est le moins élevé depuis plus de vingt ans. Mais la proportion de tués (6,6 pour 100 accidents corporels) poursuit une tendance à l'augmentation depuis 1979, seulement interrompue en 1985 et 1987, ce qui la place au niveau de 1971. La vitesse est sans doute responsable de cette situation.

Par rapport à 1992, le nombre d'accidents corporels a diminué de 8 % sur les autoroutes et les routes nationales, de 5 % sur les voies communales ; il a légèrement augmenté sur les routes départementales (0,5 %). Le nombre des accidents corporels et des blessés a diminué en milieu urbain ; il a augmenté en rase campagne. C'est dans les villes de plus de 20 000 habitants que l'on enregistre les plus fortes diminutions, mais c'est aussi dans celles-ci que la gravité des accidents et le nombre des tués ont le plus augmenté.

1 131 piétons, 490 motocyclistes, 329 cyclistes et 861 cyclomotoristes ont été tués.

Dans les grandes villes, Paris en tête, la traversée des rues constitue souvent une périlleuse aventure.

Ministère des

Des accidents moins nombreux mais plus graves

Evolution du nombre des accidents corporels, des blessés et des tués par accident de la route (en milliers) :

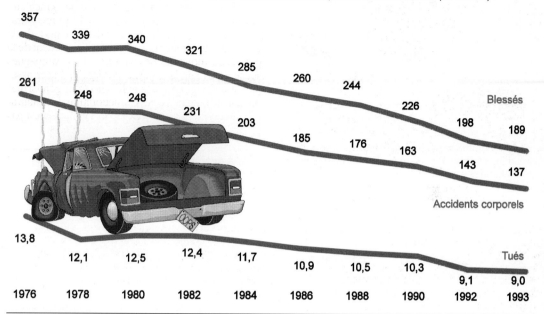

Chaque année, des milliers d'enfants y sont blessés ; 103 piétons de moins de 14 ans y ont laissé la vie en 1993. Les personnes âgées (65 ans et plus), plus prudentes mais moins mobiles, ne sont pas épargnées ; elles représentaient 43 % des piétons tués et 27 % des cyclistes. Au contraire, ce sont les jeunes qui meurent le plus à moto : 45 % des tués avaient entre 15 et 25 ans.

Par rapport à 1992, le taux de gravité des accidents (nombre de tués pour 100 accidents corporels) a baissé pour les cyclistes ; il a augmenté pour toutes les autres catégories. Il s'est accru en milieu urbain et a légèrement diminué en rase campagne. Le nombre de blessés est en recul dans toutes les catégories.

La vitesse est la principale cause des accidents.

Après la diminution enregistrée au cours des quatre premiers mois d'application du permis à points (juillet à novembre 1993), les vitesses moyennes pratiquées ont augmenté sur tous les réseaux, de jour ou de nuit, quel que soit le véhicule. En agglomération, la vitesse moyenne enregistrée était de 62 km/h en traversée d'agglomération de moins de 5 000 habitants, 55 km/h dans les agglomérations moyennes. Sur autoroute, 38 % des conducteurs dépassaient la vitesse autorisée, 52 % sur les routes nationales, 58 % sur les routes départementales à grande circulation. Les infractions étaient encore plus fréquentes au cours de la nuit.

Le jour et l'heure

Les jours de la semaine où se produit le plus grand nombre d'accidents sont les vendredis et les samedis (12,6 % et 12,1 %). Les veilles de fête sont les jours les plus meurtriers : 11 jours de l'année représentent 14 % des tués.

Les accidents corporels se produisent essentiellement entre 8 h et 20 h, avec un maximum entre 16 h et 20 h (30 %). Aux autres moments de la journée, les accidents sont moins nombreux mais plus graves ; un tiers se produisent la nuit et représentent la moitié des tués. C'est en juin et juillet que les accidents corporels sont les plus nombreux (9,5 % chacun du nombre total), devant mai, octobre et septembre ; février et mars sont les mois les moins dangereux.

Ministère des transports

Sécurité routière

*Les erreurs humaines sont beaucoup
plus nombreuses que les défaillances
mécaniques.*

Le danger, ce n'est pas toujours les autres. Seuls 60 % des accidents sont dus à la collision de deux véhicules (ou plus). Deux sur dix sont le fait d'un véhicule seul ; ce sont les accidents les plus graves (plus d'un tué sur trois).

L'alcool joue bien souvent un rôle. On estime qu'il est présent dans 40 % des accidents mortels. Son importance est d'ailleurs sous-évaluée dans les statistiques, du fait de l'impossibilité de pratiquer l'Alcootest sur les morts et les blessés graves.

2 % seulement des accidents seraient dus à des défaillances mécaniques, mais on estime que 40 % des véhicules sont en mauvais état.

La Vento a été conçue pour des gens qui n'ont pas le permis de conduire.

Vento

Bien conduire implique de bien se conduire

TRAVAIL

*749 411 accidents ont entraîné
un arrêt de travail en 1992.
Environ 25 millions de journées de travail
sont perdues chaque année.*

Le nombre total d'accidents était de 1 487 008, en baisse de 3,3 % par rapport à l'année précédente. Après trois années de baisse consécutives, la hausse constatée entre 1987 et 1990 semble donc enrayée. Les chiffres de 1993 devraient confirmer la tendance.

Après avoir été stable, aux alentours de un million par an jusqu'en 1977, le nombre des accidents du travail avec arrêt avait diminué régulièrement : moins 30 % entre 1982 et 1987. La tendance s'était inversée à partir de 1987, avec un accroissement des accidents avec arrêt et des décès. Cette hausse s'expliquait par l'augmentation des effectifs des catégories vulnérables et moins protégées (intérimaires, contrats à durée déterminée, sous-traitants...). Elle remettait en question les progrès réalisés entre 1955 et 1986, période pendant laquelle le taux de fréquence (nombre d'accidents par million d'heures travaillées) était passé de 53 à 29, soit une baisse de près de moitié.

*Après avoir augmenté à la fin des années 80,
le nombre des décès est en diminution :
1 059 en 1992 contre 1 094 en 1991
et 1 244 en 1990.*

Après avoir fortement régressé entre 1970 et 1986 (978 contre 2 268), le nombre des personnes tuées par accident du travail avait augmenté de 23 % entre 1987 et 1990 par rapport à la période 1982-1986. Il est à nouveau en diminution depuis 1991.

La fréquence des décès est cinq fois plus élevée chez les ouvriers que chez les autres travailleurs. Les travailleurs étrangers sont plus touchés que les Français, du fait de leur forte présence dans le secteur exposé du bâtiment et des travaux publics (surtout les charpentes métalliques et les travaux souterrains). Le risque est maximal entre 20 et 29 ans ; il décroît ensuite avec l'âge. Les accidents sont moins fréquents dans les tranches d'âge élevées, mais ils sont plus graves.

Le nombre des accidents de trajet avec arrêt a fortement diminué depuis une douzaine d'années ; il avait atteint 154 000 en 1979 et occasionné la perte de 6,7 millions de journées de travail. Il s'élevait à 82 940 en 1992, pour 129 399 accidents de trajet, en baisse de 5,9 % par rapport à 1991. La mise en place d'horaires flexibles, qui a diminué la crainte d'arriver en retard au travail, explique en partie cette amélioration.

*Les jeunes et les travailleurs à statut précaire
sont les plus touchés.*

Un quart des accidents constatés concernent des jeunes de moins de 25 ans, alors qu'ils ne représentent que 12 % des salariés. Cependant, les accidents qu'ils subissent ont une moindre gravité, car ils travaillent surtout dans le secteur tertiaire.

DDB Needham Paris

Les intérimaires sont deux fois plus souvent victimes d'accidents du travail que l'ensemble des salariés et les accidents qui les concernent sont plus graves : 11,5 pour mille intérimaires contre 5,9 pour mille salariés. Ce phénomène s'explique en partie par le fait que les intérimaires travaillent plus souvent dans les secteurs à risque (industrie et surtout BTP). Leur formation à la sécurité du travail est également moins complète. Enfin, ils sont souvent affectés aux postes les plus dangereux ou présentant de fortes contraintes de rendement.

DOMICILE

Les accidents de la vie privée font chaque année environ 25 000 morts et plus de 2 millions de blessés.

5 millions d'accidents se produisent chaque année dans le cadre de la vie privée (à la maison, aux abords de la maison ou en pratiquant des loisirs extérieurs). Ils entraînent 450 000 hospitalisations et 550 000 arrêts de travail. Un Français sur dix en est victime ; 60 % sont des hommes.

La mortalité liée à ces accidents est d'autant plus inacceptable qu'elle pourrait être réduite. Parmi les pays industrialisés, la France est l'un des plus touchés. Les principales populations à risque sont les enfants de moins de 16 ans et les personnes âgées de plus de 60 ans. Les cadres sont les plus concernés, suivis des professions intermédiaires et des ouvriers.

Les enfants sont les plus exposés : environ 1 000 morts par an.

Les enfants de moins de 16 ans sont victimes chaque année de plus d'un million d'accidents de la vie privée donnant lieu à des soins de médecin, soit plus d'un dixième de la population concernée. La proportion atteint 21 % pour les garçons de 2 à 4 ans et 15 % pour les filles. Un peu moins de la moitié des accidents se produisent à la maison. Le taux d'accidents scolaires croît jusqu'à 16 ans et diminue ensuite fortement ; à tout âge, il est supérieur chez les garçons.

Dans plus de la moitié des cas, la cause est une chute. Dans un cas sur cinq, il s'agit d'un choc. Les brûlures ne représentent que 10 % des accidents domestiques survenant aux enfants, les coupures environ 6 %.

65 % des accidents se produisent à l'extérieur de la maison.
47 % sont liés à des chutes, 18 % à des chocs.

19 % des accidents ont lieu sur les terrains de sport, 14 % aux abords de la maison (cour, jardin...). Les enfants sont les principales victimes, ce qui explique que 35 % des blessures se produisent lors de jeux, 20 % en pratiquant un sport. Les activités ménagères et le bricolage arrivent nettement derrière (6 % chacune). Les autres causes d'accident sont, par ordre décroissant d'importance, la pénétration d'objets dans le corps, les brûlures, les morsures de chien, les étouffements, les intoxications, l'électrocution.

35 % des accidents entraînent des hématomes ou des contusions, 21 % des plaies ouvertes, 17 % des fractures, 12 % des entorses. 40 % des blessés reçoivent des soins à domicile, 44 % consultent un médecin ou vont dans un service externe d'un hôpital. 15 % des personnes doivent être hospitalisées, pour une durée moyenne de 6 jours.

Les accidents domestiques sont à l'origine de 12 000 morts par an.

Le nombre des décès survenant dans le cadre d'un accident à la maison (à l'intérieur ou à l'extérieur) est dix fois plus élevé que celui des accidents du travail ; il est supérieur à celui des tués sur la route. Pourtant, 0,5 % seulement de ces accidents sont mortels, contre 6,5 % dans le cas des accidents de la circulation.

60 % des accidents domestiques nécessitent une consultation, un traitement ou une hospitalisation (15 % des cas). Près de la moitié des victimes sont des jeunes de moins de 15 ans, une sur cinq a moins de 5 ans. Chez ces derniers, les intoxications sont responsables d'un accident sur quatre. Les médicaments et les produits d'entretien sont à l'origine de 60 % des cas. Il faut citer aussi l'ingestion d'objets les plus divers (cacahuètes, pépins, haricots, clous, boutons, capuchons de stylo...), qui peut parfois se terminer de façon tragique, surtout lorsque l'enfant se trouve seul.

➤ Sur 100 accidents de la vie courante, 9 ont lieu à l'école. Plus de 60 % d'entre eux se produisent pendant la récréation et concernent les 10-15 ans. Dans 65 % des cas, il s'agit de chutes, dans 28 % de collisions. 10 % des enfants doivent être hospitalisés.

Danger à domicile

Les enfants de 2 à 3 ans sont les plus vulnérables aux accidents domestiques. Les moins atteints ont entre 5 et 10 ans.
Les bébés sont surtout victimes de chutes (53 %), de brûlures (15 %) et d'empoisonnements (8 %).
Jusqu'à 9 ans, les parties du corps le plus souvent atteintes sont la tête et le cou ; à partir de 10 ans, ce sont les bras et les jambes.
Les chutes représentent 60 % des causes d'accidents. 43 % des intoxications ont pour origine des médicaments, 20 % des produits ménagers, 10 % des cosmétiques.

27 % des accidents domestiques se produisent dans la cuisine.

19 % ont lieu dans la salle de bains, 13 % dans le jardin. Les autres endroits à risque sont, par ordre décroissant, la salle de séjour et les chambres (17 %), les escaliers et l'ascenseur (10 %), les dépendances (buanderie, cave, grenier, balcon, etc., 6 %) et l'atelier de bricolage (3 %).

Si le foyer est pour les Français un lieu de détente et de paix, il peut être aussi le théâtre de véritables drames, en particulier pour les enfants. Le souci général de protection, sensible dans de nombreux domaines, l'est ici beaucoup moins. Peut-être parce qu'il ne s'agit pas de se protéger contre les autres mais contre soi-même.

➤ Près de 200 000 personnes se blessent chaque année en bricolant. Ce type d'accident représente 9 % des accidents domestiques survenant aux hommes (30 % entre 45 et 64 ans), contre 3 % pour les femmes.
➤ 25 % des blessures liées à l'utilisation d'un barbecue sont des brûlures au visage. Dans 50 % des cas, il s'agit d'hommes de 25 à 45 ans, dans 32 % des moins de 15 ans. 30 % sont hospitalisés, pour une durée moyenne de 3 semaines.
➤ 80 000 personnes ont eu un accident au cours de l'hiver 1992-93 en pratiquant le ski. Les hommes de 15 à 25 ans représentent 60 % des accidentés. 78 % des cas sont des chutes.
➤ 150 personnes environ sont blessées chaque année lors d'accidents de remontées mécaniques. Les 3 000 téléskis et 1 000 télésièges effectuent environ 500 millions de transport au cours de la saison.
➤ Chaque année, environ 35 000 automobilistes français sont accidentés à l'étranger.
➤ 30 % des accidents de nuit pourraient être évités par un meilleur éclairage des routes.

SOINS

11 000 F par personne et par an ◆ 74 % des dépenses prises en charge par la collectivité ◆ 5,2 consultations de médecin par personne et par an ◆ Consommation médicale élevée mais inégale ◆ Deux fois plus de médecins qu'en 1970 ; de plus en plus de spécialistes ◆ 700 000 lits d'hôpitaux ◆ Intérêt croissant pour les médecines différentes

DÉPENSES

En 1993, chaque Français a dépensé 11 234 F pour sa santé, contre 8 772 F en 1990, 1 576 F en 1980, 870 F en 1970.

A une époque où la compétition individuelle est de plus en plus dure, la santé représente un capital précieux. C'est pourquoi les Français lui consacrent une part de plus en plus importante de leur budget. Les dépenses représentent aujourd'hui 10,3 % du budget des ménages, contre 8,7 % en 1970. Elles devraient atteindre 16,4 % en 2000 et rejoindre celles de l'alimentation (voir graphique ci-après).

La France est le pays de l'Union européenne qui consacre la plus grande part de son PIB aux dépenses de santé : 9,1 % contre 5,2 % en Grèce, 6,6 % au Royaume-Uni, 6,7 % en Espagne, 8,3 % en Italie et 8,5 % en Allemagne (1991). Le système allemand, qui ne semble pas conduire à un niveau de santé publique inférieur, coûte chaque année 300 milliards de francs de moins à la collectivité.

La santé bientôt avant l'alimentation

Evolution de la part de la santé et de l'alimentation dans le budget des ménages :

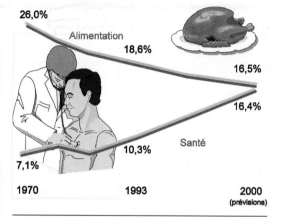

26,0%
Alimentation
18,6%
16,5%
16,4%
7,1%
10,3%
Santé
1970   1993   2000 (prévisions)

Les dépenses ont encore augmenté de 6,5 %, mais le rythme de croissance diminue.

Entre 1981 et 1992, les dépenses médicales ont progressé de 256 % en francs constants pour les actes infirmiers, 192 % pour les frais d'ambulances, 145 % pour les frais hospitaliers, 111 % pour les honoraires médicaux, 95 % pour les dépenses pharmaceutiques, 110 % pour les cures thermales, 52 % pour la radiologie.

Le taux d'accroissement des dépenses reste encore largement supérieur à l'inflation, mais il tend à ralentir. Il est passé de 17,3 % par an entre 1970 et 1975 à 7,6 % entre 1985 et 1990.

L'explosion qui s'est produite depuis plus de vingt ans s'explique d'abord par l'attachement croissant des Français à la santé, mais aussi par l'extension de la couverture médicale, l'augmentation du nombre des médecins, l'évolution du niveau de vie et le vieillissement de la population.

➤ 90 % des Français affirment qu'il ne leur est jamais arrivé de prendre un arrêt de travail injustifié sur le plan médical.
➤ 95 % des Français estiment que leur consommation médicale n'augmenterait pas du tout si les soins étaient intégralement remboursés.

Ministère des Affaires sociales, de la Santé et de la Ville

11 234 F par habitant

Répartition des dépenses de santé en 1993 :

• Soins hospitaliers	5 372 F
(dont 3 997 F dans le secteur public)	
• Soins ambulatoires	3 143 F
(dont 1 485 F de soins de médecins et 716 F de dentistes)	
• Médicaments	2 022 F
• Lunettes et orthopédie	298 F
• Médecine préventive	236 F
• Transports sanitaires	163 F

La collectivité prend en charge les trois quarts des dépenses totales.

La part des remboursements de la Sécurité sociale a diminué depuis plus de dix ans (74,1 % en 1992 contre 76,5 % en 1980), ainsi que celle de l'Etat et des collectivités locales (0,9 % contre 2,9 %). Ce sont les ménages qui financent la différence (18,9 % contre 15 %), aidés par leurs assurances mutuelles, les institutions de prévoyance et les assurances privées (6,1 %). Le taux moyen de remboursement des médicaments est inférieur à 70 %, contre 77 % en 1986.

Les Français sont aujourd'hui presque tous couverts par un régime d'assurance maladie. 80 % disposent en outre d'une assurance complémentaire (un tiers en 1960) ; leur consommation médicale est d'ailleurs supérieure de moitié à celle des autres assurés. Pour 100 F de dépenses, la Sécurité sociale rembourse 74 F en France, 85 F au Royaume-Uni, 89 F en Suède et 72 F en Allemagne.

Fraude, abus et gaspillage

Le déficit cumulé de l'assurance-maladie a atteint 24 milliards de francs fin 1993. La fraude et le gaspillage sont estimés à 120 milliards de francs (rapport du docteur Béraud, ex médecin-conseil de la CNAM) soit l'équivalent de 4 points de CSG. 20 % des interventions médicales et 40 % des prescriptions pharmaceutiques seraient sans utilité ou dangereuses pour les patients. Les taux très variables de césariennes pratiqués dans les cliniques privées et les hôpitaux montrent que des critères subjectifs s'ajoutent parfois à des critères médicaux. Ainsi, 57 Français sur 10 000 ont déjà subi une appendicectomie, soit 5 à 10 fois plus que dans les autres pays occidentaux.

Qui paye ?

Répartition des frais de santé (1993) :

Etat 0,8 %
Ménages 15,3 %
Mutuelles et assurances privées 9,9 %
Sécurité sociale 74,0 %

Ministère de la Santé, SESI

*Les Français consultent un médecin
8 fois par an en moyenne.*

Depuis 1970, le nombre de consultations et visites a plus que doublé ! (il était de 3,2). La fréquence des visites est supérieure à celle du Royaume-Uni (6), très inférieure à celle de l'Allemagne (12 fois). Mais la durée moyenne de la visite est de 14 minutes en France, contre 9 minutes en Allemagne et 8 minutes au Royaume-Uni.

Chaque Français consulte en moyenne 4,5 fois un généraliste, 3 fois un spécialiste, dont un radiologue dans 19 % des cas, un ophtalmologiste (12 %), un gynécologue (12 %). Deux-tiers des séances ont lieu au cabinet du médecin, une sur cinq à domicile, une sur dix à l'hôpital.

Les femmes consultent en moyenne plus souvent que les hommes. Mais elles ont plus de raisons particulières qu'eux de se rendre chez le médecin : périodes de grossesse, choix et suivi des méthodes contraceptives, ménopause, etc. Les personnes âgées consultent également davantage.

La croissance des dépenses de soins ambulatoires (consultations de médecins, dentistes, auxiliaires médicaux et frais de laboratoires d'analyses) s'accélère ; elles représentaient 28 % du total en 1993, contre 25 % en 1980. A l'inverse, les soins hospitaliers ne comptent plus que pour 48 % dans le total, contre 52 %.

*La consommation médicale est très inégale :
13 % des familles effectuent
55 % des dépenses.*

On estime que 4 % des familles bénéficient de plus des trois quarts des indemnités journalières versées. Les cadres et les employés sont ceux qui consultent le plus les médecins ; les membres des professions libérales, agriculteurs et patrons sont ceux qui consultent le moins. L'âge est évidemment un critère essentiel : 46 % des dépenses médicales concernent les personnes de 60 ans et plus, 33 % celles de 30 à 59 ans, 21 % celles des moins de 30 ans.

Les cadres supérieurs se rendent beaucoup plus fréquemment chez les spécialistes que les agriculteurs ou les ouvriers non qualifiés, plus fidèles aux médecins généralistes. Cette inégalité devant les soins se double d'ailleurs d'une inégalité devant la maladie : un quart des bénéficiaires du RMI se trouve dans un état de santé insuffisant.

La santé est le poste sur lequel les Français se restreignent le moins : 13 % seulement déclaraient le faire fin 1993, contre 37 % pour le logement et 78 % pour les vacances.

*Les Français sont les plus gros
consommateurs de médicaments du monde :
2 000 F par personne en 1993.*

Le nombre moyen de médicaments prescrits par personne est proche de 40 par an, contre 22 en Italie, 15 en Allemagne et en Espagne, 10 en Belgique, 6 aux Etats-Unis et au Danemark. La croissance est de 12 % par an en moyenne depuis 1970. Les principales catégories de produits utilisés concernent les troubles du métabolisme et de l'appareil digestif, les affections du système nerveux et les problèmes cardio-vasculaires.

Cette surconsommation française s'explique par les habitudes de prescription des médecins qui ne résistent guère aux demandes de leurs patients ni, pour certains, aux sollicitations des visiteurs médicaux envoyés par les laboratoires, et par le prix des médicaments (voir encadré page suivante).

Les Français sont cependant loin de consommer tous les médicaments qu'ils achètent ; les armoires à pharmacie sont pleines de boîtes périmées ou partiellement utilisées. Ils pratiquent de plus en plus l'automédication, réalisée à partir de médicaments non prescrits et non remboursés (éventuellement conseillés par le pharmacien) ou de produits remboursables en vente libre.

Médicaments en solde

Le prix des médicaments est en moyenne près de deux fois moins élevé en France que dans les pays comparables de l'Union européenne : pour un indice moyen de 100, le prix est en France de 72, contre 133 aux Pays-Bas, 129 au Danemark, 127 en Allemagne, 117 au Royaume-Uni.
20 % des consultations des hommes et 30 % de celles des femmes aboutissent à un diagnostic d'anxiété ou de dépression et à une ordonnance prescrivant tranquillisants, antidépresseurs ou somnifères dont les Français sont particulièrement friands (record européen).

Avec le "Passeport pour la santé" n'avancez plus l'argent de vos médicaments.

Mutuelle
de Seine et Marne

La gratuité favorise la quantité

MÉDECINS

159 000 médecins étaient inscrits à l'Ordre en 1993, contre 104 000 en 1980 et 77 000 en 1970.
La part des spécialistes augmente.

On compte 80 460 généralistes (dont 60 401 libéraux et 20 059 salariés) et 78 527 spécialistes (48 271 libéraux, 30 256 salariés). Parmi ces derniers, les plus nombreux sont les anesthésistes (7 489). Le nombre des médecins libéraux est en progression (108 672). 70,5 % pratiquent des tarifs conventionnels (secteur 1), 3,4 % sont titulaires d'un « droit à dépassement » hérité du passé et en

voie d'extinction progressive, 25,7 % pratiquent des honoraires libres (secteur 2) ; ils sont majoritaires à Paris et dans certaines grandes villes. Seuls 0,4 % ne sont pas conventionnés.

Le nombre des médecins est aujourd'hui considéré comme pléthorique (un pour 360 habitants), surtout dans les grandes villes. Malgré la limitation du nombre d'étudiants, il devrait continuer à s'accroître à un rythme ralenti, pour se stabiliser vers 180 000 en l'an 2 005.

Les hôpitaux offrent 485 000 lits dans le secteur public, 204 000 dans le secteur privé.

La capacité d'accueil des 3 834 établissements hospitaliers (1 062 publics et 2 772 privés) est aujourd'hui largement supérieure aux besoins, du fait des progrès réalisés en matière de soins chirurgicaux. On estime ainsi que 20 % des lits du secteur public en hospitalisation complète (353 115 en 1993) sont excédentaires.

Les hôpitaux sont de moins en moins des lieux d'hébergement, mais des lieux d'intervention chirurgicale ; la durée moyenne de séjour a diminué de moitié en vingt ans ; elle est actuellement de 6,7 jours dans le secteur public et 5,8 jours dans le privé (courts séjours). Une solution au surnombre de lits disponibles pourrait être de reconvertir des lits pour accueillir les vieillards, de plus en plus nombreux ; le taux d'occupation des lits en long séjour est proche de 100 %.

Bavures médicales

Le scandale des contaminations par transfusion sanguine qui a éclaté en 1991 a jeté une lumière nouvelle sur la responsabilité des médecins et des institutions médicales. Les associations de défense des usagers estiment à 10 000 par an le nombre de personnes victimes d'une erreur médicale (2 000 selon les organisations de médecins). Un chiffre faible si on le compare aux quelque 400 millions d'actes médicaux établis au cours d'une année.
Les trois quarts des procès intentés sont perdus par les plaignants ; une cinquantaine de médecins sont condamnés chaque année en correctionnelle. Avant de réclamer une indemnisation, le plaignant doit faire la preuve d'une « faute lourde » ou « caractérisée » du médecin et payer les frais d'expertise.
La situation française reste très éloignée de celle des Etats-Unis, où 40 % des médecins sont poursuivis au moins une fois dans leur carrière. Les procès médicaux se soldent parfois par des indemnités de plusieurs millions de dollars (en moyenne 70 000 dollars).

Pour un nombre croissant de Français,
la médecine est un service comme les autres.

Pendant longtemps, les Français ont considéré le médecin comme le détenteur unique d'un pouvoir magique, celui de guérir la maladie, de prolonger la vie. Mais les attitudes ont changé. Les « patients » se considèrent aujourd'hui plutôt comme des clients. Ils attendent de leur médecin un service de qualité, souhaitent connaître la vérité sur leur état de santé et entendent participer aux décisions concernant les soins qui leur sont prodigués. Un tiers des malades ne suivent pas les ordonnances à la lettre : certains n'achètent pas tous les médicaments prescrits ; d'autres n'en consomment qu'une partie. Beaucoup pratiquent, enfin, l'automédication.

Un nombre croissant de malades mettent en concurrence le diagnostic de leur médecin avec celui d'autres hommes de l'art ; un sur trois demande l'avis d'au moins un autre praticien.

Un Français sur trois recourt
aux « médecines alternatives ».

Les Français ont redécouvert depuis quelques années les vertus des médecines anciennes (homéopathie, phytothérapie, ostéopathie, aromathérapie, etc.) ou « exotiques » (acupuncture). Ils les utilisent à la place ou, le plus souvent, en complément des médecines conventionnelles, notamment lorsqu'elles ont échoué.

Le succès de ces médecines différentes peut s'expliquer par la montée des préoccupations écologiques et la volonté des Français d'être moins dépendants de leur médecin habituel. Il traduit aussi une volonté de lutter contre la surmédicalisation caractéristique des années récentes. Enfin, la logique différente, souvent d'origine orientale, qui sert de fondement à ces médecines exerce une attirance croissante dans un pays où la rationalité scientifique a montré ses limites.

Les médecins sont d'ailleurs de plus en plus nombreux à s'y intéresser. On compterait en France 20 000 homéopathes, 15 000 acupuncteurs. Aux motivations commerciales s'ajoute souvent la volonté de parvenir à des résultats lorsque les techniques traditionnelles s'avèrent inefficaces.

➤ La consommation médicale annuelle des plus de 80 ans est 3,4 fois supérieure à celle des 20-30 ans. Le rapport devrait passer à 4,4 en 2010.

➤ La part de l'automédication dans les dépenses pharmaceutiques est d'environ 30 %, soit 150 F par personne.

➤ L'ordonnance moyenne d'un médecin généraliste se monte à 500 F, dont 280 F de pharmacie, 90 F de frais liés aux arrêts de travail, 80 F de soins auxiliaires, 50 F d'analyses et divers. Elle n'est que de 300 F chez un spécialiste.

➤ On estime que les laboratoires pharmaceutiques dépensent en moyenne 150 000 francs par médecin pour promouvoir leurs médicaments.

➤ En Allemagne, les dépenses de santé représentent 8,5 % du PIB, contre 9 % en France. Les soins sont remboursés à 89 % contre 70 % en France, alors que les cotisations n'atteignent que 13 % des salaires contre 19 %. De plus, les patients allemands n'ont pas à débourser le prix des consultations.

➤ 18 millions de ménages possèdent une assurance complémentaire maladie souscrite auprès de l'un des 6 200 organismes.

➤ Une enquête de *Santé Magazine* estimait en 1990 que, dans 56 % des cas, les prescriptions des médecins sont inspirées ou dictées par les patients.

➤ Entre 1980 et 1990, le nombre de visites chez les spécialistes a presque doublé (8 fois par an en moyenne pour une personne de 50 ans, contre 5 en 1980), alors que le nombre de praticiens augmentait de 45 %. Les dépenses médicales ont triplé pendant cette période.

➤ 47 % des Français reconnaissent qu'il leur est arrivé de ne pas consulter un médecin ou un service médical alors qu'ils en avaient besoin (7 % une fois, 40 % plusieurs fois).

➤ Les médecins américains ont 58 % de risque de se voir intenter un procès au cours de leur carrière. Le coût annuel s'élève pour eux à près de 30 milliards de francs, soit 10 % du montant des honoraires.

➤ Plus de 170 régimes spéciaux de Sécurité sociale subsistent à côté du régime général.

➤ 13 % des cadres, 26 % des ouvriers et 37 % des chômeurs déclarent avoir renoncé à des soins à cause de l'insuffisance de leur taux de remboursement.

➤ 57 % des Français ne sont pas favorables au remboursement des soins de confort.

➤ 85 % des médecins sont favorables à la maîtrise des dépenses de santé.

➤ 75 % des Français estiment qu'ils supporteraient mieux la douleur si les médecins leur en expliquaient mieux l'origine.

L'INSTRUCTION

CULTURE

Un Français sur cinq sans diplôme ◆ 3 millions d'adultes illettrés ◆ Rôle croissant de la formation continue, mais répartition inégale ◆ Milieu familial déterminant mais influence croissante des médias ◆ Redécouverte de la culture générale ◆ Unification linguistique et évolution du langage

FORMATION

18 % des Français de 18 ans et plus n'ont aucun diplôme.
16 % ont suivi des études supérieures.

Un peu plus d'un adulte sur trois (36 %) a au mieux le certificat d'études. 29 % ont au moins le baccalauréat. 30 % ont arrêté leurs études à temps complet à l'âge de 15 ans ou moins, 47 % entre 16 et 19 ans, 23 % à 20 ans ou plus. Les hommes sont encore en moyenne plus diplômés que les femmes, mais l'écart est en train de s'inverser dans les jeunes générations. Les jeunes de 25 à 35 ans sont beaucoup plus nombreux à disposer de diplômes secondaires ou supérieurs (les trois quarts d'entre eux). Le taux de bacheliers a dépassé 50 % depuis la classe 1975.

Les personnes actives sont plus diplômées que les inactives. Le lien entre les professions et les diplômes est très apparent : 14 % seulement des agriculteurs ont un niveau d'instruction équivalent ou supérieur au bac, contre 82 % des cadres supérieurs ; 48 % des ouvriers n'ont aucun diplôme ou le CEP seul, contre 33 % des employés. On peut néanmoins se demander si les diplômes constitueront encore demain une « assurance vie professionnelle ». Les emplois créés seront en effet surtout des emplois de services à faible qualification, pour lesquels les qualités personnelles seront déterminantes.

Le niveau monte-t-il ?

Les tests passés chaque année par les conscrits dans les centres de sélection, dont le contenu n'a pas varié pour l'essentiel depuis 1967, font apparaître une élévation du niveau général brut : 73,9 en moyenne en 1992 contre 64,3 en 1981 et 60,8 en 1971. La progression a été beaucoup plus marquée pour les 10 % les plus faibles (+ 44 % entre 1981 et 1992) que pour les 10 % les plus forts (+ 3,7 %), de sorte qu'on assiste à une réduction des écarts.
Cette élévation du niveau moyen s'explique pour une large part par celle de l'âge des conscrits, du fait de l'allongement de la scolarité. En 1981, 73 % d'entre eux étaient sans diplôme ou au mieux titulaires du BEPC ; 2 % seulement avaient un diplôme équivalent ou supérieur à la licence ; les proportions étaient respectivement de 43 % et 7 % en 1992. On constate par ailleurs que si le niveau a monté aux deux extrémités de l'échelle, il a stagné ou régressé au milieu.

Plus de 3 millions d'adultes sont illettrés.

Sur les 37 millions de personnes de plus de 18 ans vivant en France métropolitaine, 3,3 millions (soit près d'une sur dix) éprouvent de graves difficultés à parler, lire, écrire ou comprendre la langue française, dont 1,9 million de Français et 1,4 million d'étrangers. On estime qu'un immigré sur quatre a des difficultés graves avec la langue : 16 % ne savent pas parler, 7 % parlent mais ne savent pas lire. Parmi les quelque 400 000 appelés d'une classe d'âge, un cinquième n'est pas en mesure de lire

Ministère de l'Education nationale

Sept actifs sur dix n'ont pas le bac

Répartition de la population active de plus de 15 ans, selon le diplôme (en 1993) :

INSEE (Enquête sur l'emploi en 1993)

HOMMES	
• En cours d'études initiales	2 %
• Aucun diplôme ou CEP seul	31 %
• BEPC seul	6 %
• CAP, BEP ou autre diplôme de ce niveau	33 %
• Bac, BP, ou autre diplôme de ce niveau	10 %
• Diplôme du 1er cycle universitaire, BTS, DUT, paramédical	8 %
• Diplôme du 2e ou 3e cycle universitaire ou grande école	10 %

FEMMES	
• En cours d'études initiales	2 %
• Aucun diplôme ou CEP seul	31 %
• BEPC seul	9 %
• CAP, BEP ou autre diplôme de ce niveau	25 %
• Bac, BP, ou autre diplôme de ce niveau	13 %
• Diplôme du 1er cycle universitaire, BTS, DUT, paramédical	12 %
• Diplôme du 2e ou 3e cycle universitaire ou grande école	8 %

normalement et de comprendre un texte simple de 70 mots. 1 % sont des analphabètes complets (ne sachant ni lire ni écrire).

L'analphabétisme a reculé à la faveur du développement de la scolarité obligatoire, mais on découvre qu'une proportion non négligeable de jeunes est illettrée à la sortie de l'école. La classe de troisième constitue une étape essentielle en matière de consolidation des savoirs de base.

L'illettrisme représente un handicap croissant.

S'il est difficile de le recenser précisément, il est encore plus ardu d'y remédier. La plupart des personnes qui sont concernées s'efforcent de cacher leurs problèmes, craignant de perdre leur dignité. Sans cesse confrontées à la « civilisation de l'écriture », qui reste prépondérante dans la société de l'image, elles vivent une humiliation quotidienne du fait de leur incapacité à lire le journal, rédiger une lettre administrative, remplir un chèque, compter ou se diriger à l'aide de plans ou de panneaux indicateurs.

Elles ont aussi beaucoup plus de difficultés qu'il y a vingt-cinq ou trente ans à trouver un emploi et à s'insérer socialement. Le résultat est souvent l'isolement, la honte, voire le mépris de soi. Car le malheur guette celui qui ne peut comprendre ni s'exprimer, dans un monde où tout est communication.

53 % des adultes ont suivi des études classiques, 28 % ont suivi des études techniques, 19 % les deux filières successivement.

La filière suivie au moment de la scolarité n'a pas toujours de rapport avec la vie professionnelle et personnelle de l'adulte. Ainsi, plus de la moitié des plus de 18 ans ont flirté dans leur jeunesse avec les déclinaisons latines, le grec ancien ou la littérature française.

L'orientation scolaire tient plus au hasard qu'à un choix délibéré : pour 70 % des adultes, le type d'études suivi a été dicté par les circonstances ; pour les autres, il a été guidé par l'entourage (parents, professeurs...). Le décalage entre la formation reçue à l'école et les besoins économiques s'accentue.

➤ Près de 150 000 salariés ont bénéficié d'un congé individuel de formation d'un an à temps plein entre 1982 et 1992.

PIERRE-GILLES DE GENNES *

G.M. - *Faut-il développer la culture scientifique ?*

P.-G. de G. - Il faut que les gens aient une certaine culture scientifique du monde. A l'école, cette éducation ne doit pas s'adresser seulement à une petite minorité appelée à faire de la technique plus tard. Beaucoup de décisions écologiques, mais aussi politiques ou militaires que nos enfants auront à prendre plus tard nécessitent une formation scientifique, au même titre que la formation historique. Une culture très large est de plus en plus nécessaire ; elle doit comprendre des éléments à la fois historiques et scientifiques.

_____

* Prix Nobel de physique 1992.

La formation continue est un moyen de rattrapage et de perfectionnement. Près de 8 millions d'actifs en ont bénéficié en 1993.

L'instauration, en 1971, de la loi sur la formation continue (ou permanente) a permis à des millions de Français de progresser dans leur métier. L'effort réalisé est important puisqu'il concernait en 1993 un tiers de la population active, contre 15 % en 1976. 4 millions de salariés ont bénéficié d'une formation payée par l'employeur entre janvier 1992 et mai 1993. Le nombre des agents de l'Etat concernés tend à s'accroître : 1,8 million en 1993.

Les sommes dépensées ont représenté 40 milliards de francs. Les entreprises en financent environ 40 %, le reste est pris en charge par l'Etat, les collectivités territoriales et les autres administrations publiques (moins de 1 % reste à la charge des particuliers). Contrairement à ce qui se passait auparavant, les deux tiers des entreprises ne dépassent pas l'obligation légale de 1,2 % de la masse salariale. La durée moyenne des actions tend aussi à se réduire. Dans tous les secteurs économiques, les grandes entreprises forment chaque année près du tiers de leurs effectifs, trois fois plus que les petites.

La formation continue n'est pas répartie de façon égalitaire parmi les salariés.

Elle bénéficie davantage au personnel déjà qualifié et tend à renforcer les écarts hiérarchiques liés à la formation initiale. Plus de 30 % des cadres, techniciens et agents de maîtrise ont suivi un stage au cours de l'année 1993, contre seulement 5 % des ouvriers non qualifiés. Les jeunes sont davantage concernés que les plus âgés ; seuls 10 % des plus de 55 ans en ont bénéficié.

Les inégalités entre les sexes tendent à s'estomper et ne s'expliquent plus que par les spécificités des emplois féminins : postes moins qualifiés, plus forte proportion d'actives à temps partiel.

La formation est plus destinée à adapter les connaissances à la fonction occupée qu'à offrir des promotions individuelles ; au terme de leur formation, moins de 7 % des bénéficiaires occupent une position hiérarchique supérieure.

La culture est présente partout

FAMILLE ET MÉDIAS

L'origine familiale reste l'un des principaux facteurs d'inégalité culturelle.

Le milieu familial joue un rôle déterminant dans l'éducation et la formation des jeunes. L'idée que l'enfant se fait de la société dépend davantage des situations vécues en famille que de la présentation formelle qu'en font ses professeurs. Le fils d'un cadre supérieur, d'un écrivain ou d'un chercheur ne connaît pas dans sa vie d'enfant les mêmes expériences que le fils d'un agriculteur ou d'un ouvrier. Le premier a été amené tout naturellement à s'intéresser aux différents aspects de la « culture » et aux discussions de portée générale. Le second n'en a guère eu la possibilité, ramené le plus souvent aux réalités matérielles et aux difficultés qu'elles engendrent dans les familles modestes.

A 7 ans, un enfant de cadre ou d'enseignant dispose d'un vocabulaire 2 à 3 fois plus riche qu'un enfant d'ouvrier.

Les enfants de catégories sociales différentes ont de grandes chances (le mot est pris, ici, dans son sens statistique) de devenir des adultes différents. Le taux de redoublement au cours préparatoire est trois fois plus élevé chez les enfants d'OS que chez ceux des cadres. Sans nier l'influence, sans aucun doute considérable, de l'hérédité, il est certain que les différences de vocabulaire ou d'ouverture d'esprit jouent en défaveur des enfants des milieux modestes.

Grâce aux médias, tous les Français peuvent accéder à l'information et à la culture.

Le prix de revient d'une heure d'écoute de la radio est dérisoire : de l'ordre de un centime, représentant l'amortissement d'un poste et sa consommation électrique. Celui d'une heure d'écoute de la télévision peut être estimé à 30 centimes. Le téléspectateur bénéficie pour ce prix d'au moins cinq chaînes. Le coût des autres moyens de diffusion de la connaissance (journaux, livres, Minitel) est évidemment supérieur, sans être toutefois très élevé. La plupart des Français utilisent d'ailleurs largement les possibilités médiatiques qui leur sont offertes (voir *Médias*).

Aujourd'hui, un ménage sur quatre est équipé d'un Minitel, deux sur trois d'un magnétoscope, un sur cinq d'un micro-ordinateur. Cette révolution de la communication va se poursuivre : satellites, câble, télévision haute définition, cassettes audionumériques, vidéodisques, CDI, CD-Rom, etc.

L'élargissement du choix médiatique pourrait entraîner un renforcement des inégalités culturelles.

Pendant longtemps, la télévision a été une formidable machine égalitaire, apportant à l'ensemble de la population une sorte de « tronc culturel commun » d'informations et de connaissances diffusées au même moment à tous. La multiplication des chaînes a autorisé un choix beaucoup plus vaste.

La contrepartie est un risque croissant de ségrégation culturelle entre deux types de public. D'un côté, ceux qui font un effort (ou disposent de l'instruction suffisante) pour choisir les programmes à fort contenu de formation et d'information : débats, documentaires, reportages, émissions scientifiques, littéraires, économiques, etc. De l'autre, ceux qui cèdent à la facilité et se contentent de regarder des films, émissions de variétés ou jeux. Après avoir contribué à la réduction des inégalités culturelles entre les Français, les médias pourraient donc, à l'avenir, les renforcer.

Ecole contre télévision : la trêve

Les enseignants sont aujourd'hui moins sévères à l'égard de la télévision. 57 % d'entre eux estiment qu'à l'âge de l'audiovisuel la télévision et la vidéo doivent prendre de plus en plus de place dans l'enseignement ; seuls 30 % considèrent que cela n'apporte pas grand chose à l'enseignement, qui doit rester fondé sur la culture écrite (35 % en 1980). 62 % pensent que les élèves profiteraient plus de l'enseignement si on y intégrait davantage l'audiovisuel (27 % non). 28 % utilisent déjà la télévision ou la vidéo au moins une fois par mois (8 % une fois par semaine) ; seuls 34 % ne l'utilisent jamais. 67 % conseillent à leurs élèves de regarder certaines émissions. Mais 39 % pensent encore que la télévision a une telle influence sur les élèves que l'un des rôles de l'école est de combattre les fausses idées et la culture artificielle reçues de la télévision (43 en 1980).

Téléramá-CNDP/CSA, septembre

L'information est devenue la matière première de la civilisation.

La carte du monde des richesses nationales se confond avec celle des capacités de traitement de l'information. Les pays développés comme la France font autant commerce de données de toute nature que d'objets matériels. La culture générale tend donc à changer de contenu. L'attention des Français, celle des jeunes en particulier, est attirée par d'autres formes d'apprentissage et de connaissance que celles qui sont traditionnellement associées à la culture.

Les médias jouent un rôle important dans la représentation du monde et influent sur le climat social.

La concurrence de plus en plus féroce explique leur tendance croissante à se surveiller, à se copier ou à faire de la surenchère. Car leur survie dépend de leur capacité à attirer le public, donc les annonceurs. Cette contrainte les amène à amplifier certains événements, à les « co-produire », voire à les créer, le plus souvent de façon non intentionnelle.

La contagion médiatique a des conséquences sur l'état d'esprit individuel et sur le climat social. A force de mettre en exergue ce qui ne va pas en France et dans le monde, les médias ont accéléré une prise de conscience nécessaire. Mais ils ont fini par convaincre le public que tout allait très mal, créant un sentiment d'angoisse généralisé.

Les conséquences sont sensibles également sur le plan économique. Les comportements nouveaux en matière de consommation s'accélèrent au fur et à mesure que le public en est informé. Des pans entiers de l'activité nationale peuvent ainsi être sinistrés en quelques mois (l'immobilier, l'automobile...).

CULTURE ET MODERNITÉ

Les jeunes privilégient la culture contemporaine.

La plupart connaissent mieux les noms des chanteurs ou des champions sportifs que les grandes batailles des siècles passés. Ils ne sont sans doute pas capables de réciter des vers de *l'Ecole des femmes*, mais beaucoup savent converser avec un ordinateur.

On peut s'interroger sur les mérites comparés de la culture classique et de la culture contemporaine. Les deux sont nécessaires à la vie, tant personnelle que professionnelle. Certaines activités artistiques populaires considérées comme mineures (le rap, le tag ou la bande dessinée) nous renvoient des informations utiles sur l'état de la société. Mais l'honnête homme du XXIe siècle ne pourra pas se contenter d'être bien informé ; il devra disposer des points de repère qui lui permettront d'analyser les situations afin de mieux les comprendre et de pouvoir y faire face.

Le débat entre les tenants du tout-culturel démocratique et ceux de la culture classique élitiste, qui a repris récemment de la vigueur, est donc un faux débat.

➤ 51 % des Français considèrent que le patrimoine est uniquement constitué de choses anciennes, de sites, de monuments et d'objets historiques. 45 % estiment qu'il comporte aussi des choses récentes, des constructions et des œuvres contemporaines.

Micro-entretien ▬▬▬▬

LUC FERRY *

G.M. - *A quoi sert la philosophie aujourd'hui ?*

L.F. - Il faudrait distinguer plusieurs projets et plusieurs époques de la philosophie. Il y a eu un moment, entre Descartes et Marx, entre le XVIIe et la fin du XIXe siècle, où la philosophie s'est comprise comme construction de grands systèmes, de grandes visions du monde dans lesquelles on prétendait apporter toutes les réponses à toutes les questions que pouvait se poser l'être humain. Il y avait le projet de concurrencer la religion. Il y a eu après, du milieu du XIXe siècle jusqu'à aujourd'hui, une grande période de déconstruction, de critique de cette illusion du système. Nous sortons à la fois du projet de construire des grands systèmes et de ce processus de déconstruction interminable que représentaient encore les philosophes de la génération précédente comme Derrida, Foucault, Deleuze. Pour l'essentiel, le travail du philosophe est aujourd'hui de comprendre ce qui est, de rendre intelligibles des pans entiers de la réalité sociale, politique et intellectuelle. Mais il doit aussi faire une critique des sociétés démocratiques dans lesquelles nous vivons, non pas au nom d'un modèle radicalement nouveau, mais en celui des promesses qu'elles nous font et qu'elles ne tiennent pas.

---

* Philosophe.

RFI

▬▬▬▬

Les Français attachent une importance croissante à la culture.

Ils sont de plus en plus nombreux à se rendre aux grandes expositions (1 500 000 pour la fondation Barnes, 100 000 lors de l'inauguration du Grand Louvre), à visiter les musées nationaux ou à consacrer quelques jours de vacances aux festivals qui se multiplient au cours des mois d'été. Ils s'intéressent aux œuvres et en achètent pour décorer leur logement. Ils pratiquent des activités artistiques comme la musique ou la peinture.

Les médias se font largement l'écho des diverses manifestations culturelles, hésitant moins à donner la parole aux intellectuels et aux créateurs. Les entreprises consacrent des sommes croissantes au mécénat. La philosophie resurgit dans la vie quotidienne des Français, avec des figures de proue telles que Alain Finkielkraut, André Glucksmann, Albert Jacquard, Bernard-Henri Lévy, Hubert Reeves ou Michel Serres. Les « grands travaux » culturels décidés par François Mitterrand ont été généralement bien accueillis dans leur principe, même s'ils sont discutés sur leur architecture ou leur gestion. Il en est de même de la chaîne culturelle Arte.

La recherche du beau, de l'authentique, de l'historique concerne un nombre croissant de Français en quête de points de repère et de permanence pour mieux comprendre la société, et peut-être mieux l'accepter.

Exception culturelle

La passion qui anime régulièrement les débats organisés autour de la définition de la culture montre combien elle reste importante pour les Français, même parmi ceux que l'on imagine peu concernés.
Le fait qu'ils plébiscitent dans les sondages les émissions culturelles de la télévision mais qu'ils ne les regardent pas ne doit pas être considéré comme une hypocrisie. Beaucoup ne sont sans doute pas disponibles pour la culture « majuscule », parce qu'ils sont fatigués ou parce qu'ils manquent du bagage nécessaire pour la recevoir et la décoder sans effort. Mais le fait important est qu'ils le regrettent. C'est pourquoi Bernard Pivot, Jean-Marie Cavada, Michel Field ou Daniel Leconte jouissent d'un capital d'estime et de sympathie qui dépasse largement l'audience de leurs émissions.
Le débat sur le GATT et l'insistance de la France à demander l'exemption des biens culturels des autres types de production est une autre illustration de cette mentalité collective particulière.
Si les Français restent très attachés à la culture, c'est qu'ils sentent confusément qu'elle est une clé pour comprendre le présent et inventer l'avenir.

Le temps des généralistes semble revenu.

Après avoir cru que l'avenir appartenait aux spécialistes, les entreprises reconnaissent aujourd'hui l'importance de la culture générale. Celle-ci est en effet la condition première de l'efficacité collective et de l'épanouissement individuel. S'il veut trouver son identité, comprendre et agir, l'homme de cette fin de siècle et de millénaire a plus que jamais besoin des points de repère et de l'esprit critique apportés par la culture.

C'est la raison pour laquelle on assiste à un retour en grâce des littéraires dans la vie économique. Dans une société complexe et changeante, l'esprit de finesse (sens de la complexité, intégration de la durée et du passé, réflexion, qualités de synthèse et de communication) apparaît comme un atout essentiel. Il n'exclut pas, bien sûr, l'esprit de géomé-

trie (méthode, rigueur du raisonnement, précision, sens de l'abstraction et capacité d'analyse).

Micro-entretien

ANDRÉ COMTE SPONVILLE*

G.M. - *La philosophie doit-elle être présente dans le débat social ?*

A. C. S. - Les philosophes sont déchirés entre deux sentiments. Le premier, c'est celui de leur responsabilité dans le débat public et démocratique. Ils n'y ont aucun rôle déterminant, mais ils ont leur place à tenir. L'autre sentiment est celui de réticence ou de perplexité devant l'univers médiatique. Les philosophes sont toujours exposés au risque d'en faire trop ou pas assez. Pour ma part, je ne demande rien mais ne refuse rien sans de bonnes raisons.

---

* Philosophe.

RFI

Le langage est l'une des composantes essentielles de la culture.

Pour la plupart des Français, la langue représente un élément important du patrimoine national et un aspect du rayonnement culturel de la France dans le monde. C'est pourquoi ils lui restent attachés, bien qu'ils aient le sentiment qu'elle a perdu de son influence. Le débat sur la réforme de l'ortho-

La publicité n'a pas peur des mots

Les mots racontent l'histoire

Les mots qui font leur entrée chaque année dans le *Petit Larousse* racontent le cheminement économique, social, politique, technique et culturel de la France. En voici une sélection, depuis le début des années 80 :

- **1980** : bande-vidéo, défonce, extraterrestre, gratifiant, micro-ordinateur, overdose, régionalisation, somatiser, squattériser, valorisant.
- **1981** : après-vente, assurance-crédit, antihéros, antisyndical, bénévolat, bioénergie, bisexualité, centrisme, chronobiologie, consumérisme, convivial, deltaplane, demi-volée, dénucléariser, doudoune.
- **1982** : antitabac, biotechnologie, bureautique, charentaise, dealer, Dow Jones, géostratégie, incontournable, I.V.G., jogging, sponsoriser, walkman.
- **1983** : assisté, baba cool, clonage, coke, disquette, hyperréalisme, multimédia, must, péritélévision, piratage, santiag, skinhead, soixante-huitard, tiers-mondiste.
- **1984** : cibler, déprogrammer, déqualification, dévalorisant, fast-food, intoxiqué, mamy, méritocratie, papy, pub, réunionite.
- **1985** : aérobic, amincissant, automédication, crédibiliser, écolo, épanouissant, eurodevise, hypocalorique, look, monocoque, non-résident, recentrage, sida, surendettement, télétravail, vidéoclub.
- **1986** : clip, déréglementation, désyndicalisation, médiatique, Minitel, monétique, pole position, postmodernisme, progiciel, provisionner, rééchelonnement, smurf, sureffectif, téléimpression, turbo, vidéo clip, visioconférence.
- **1987** : aromathérapie, bêtabloquant, bicross, bioéthique, capital-risque, démotivation, désindexer, fun, non-dit, présidentiable, repreneur, unipersonnel, vidéogramme.
- **1988** : autodérision, bancarisation, Caméscope, cogniticien, dérégulation, domotique, franco-français, frilosité, handicapant, inconvertibilité, interactivité, micro-ondes, raider, séropositif, vidéothèque.
- **1989** : aspartam, beauf, crasher (se), défiscaliser, désindexation, désinformer, eurocentrisme, euroterrorisme, feeling, fivete, franchouillard, high-tech, husky, ludologue, mercaticien, minitéliste, parapente, rurbain, sidatique, sidéen, technopole, top niveau, zapping.
- **1990** : Audimat, CD-Rom, C.F.C., délocalisation, glasnost, I.S.F., médiaplanning, narcodollar, numérologie, perestroïka, profitabilité, R.M.I., sitcom, surimi, téléachat, titrisation, transfrontalier, zoner.
- **1991** : AZT, bifidus, C.D., cliquer, concouriste, Déchetterie, démotivant, fax, dynamisant, lobbying, mal-être, multiracial, narcotrafiquant, ripou, V.I.H.
- **1992** : C.A.C. 40, confiscatoire, écologue, imprédictible, jacuzzi, libanisation, multiconfessionnel, postcommunisme, postmoderne, rap, revisiter, tag, T.V.H.D., vrai-faux.
- **1993** : accréditation, biocarburant, coévolution, déremboursement, écoproduit, graffeur, hypertexte, interleukine, maximalisme, minimalisme, négationnisme, Péritel, pin's, redéfinition, saisonnalité, suicidant, transversalité.
- **1994** : agritourisme, Air Bag, biodiversité, CD-I, cognitivisme, délocaliser, intracommunautaire, mal-vivre, monocorps, monospace, oligothérapie, prime time, rappeur, recadrer, S.D.F., subsidiarité, surinformation, télémarketing, télépéage, top-model.

Larousse

graphe qui s'était instauré fin 1990 témoignait de cette volonté de préservation, qui est l'une des manifestations de l'état d'esprit écologique contemporain.

La guerre contre le « franglais » engagée en 1994 par le ministre de la Culture s'inscrit dans ce même souci de défendre l'identité nationale. Depuis l'ordonnance de Villers-Cotterêts de 1539 et la création de l'Académie française en 1635, la volonté de réglementer l'usage de la langue française resurgit périodiquement. En 1966, Etiemble écrivait « Parlez-vous franglais ? ».

Le Premier ministre Georges Pompidou créait peu après un Haut Comité de la langue française. La loi Bas-Lauriol de 1975 ne fut guère appliquée ; on parle de sa réforme depuis la création du Commissariat général de la langue française en 1984.

Le projet actuel risque de connaître le même sort que les tentatives précédentes s'il entend sanctionner plutôt que favoriser la nécessaire alliance entre protection et enrichissement de la langue. L'histoire de la langue française, vieille de mille ans, est en effet celle d'un long métissage, depuis le gaulois (celtique) jusqu'aux influences anglo-saxonnes, en passant par celles des langues indo-européennes. Mais le français a aussi essaimé sur d'autres continents et reste une langue de culture et de diplomatie. Il exporte parfois des mots populaires ; il faut rappeler que *blue-jean* est un mot d'origine française (déformation de Gênes, nom français du port italien d'où était importé le tissu utilisé).

➤ 25 % des familles d'Alsace et de Moselle parlent encore l'alsacien, contre 40 % il y a une génération.

L'unification linguistique de la France a beaucoup progressé en une génération.

Une étude menée par l'INED et l'INSEE en 1992 montre que l'utilisation d'autres langues que le français (y compris des dialectes) concerne aujourd'hui moins de 5 % des foyers. Cette proportion traduit une progression importante de l'unité linguistique : 16 % des personnes habitant en France déclarent en effet que leurs parents leur parlaient une autre langue que le français lorsqu'ils étaient enfants. Cela signifie que les deux tiers des parents d'aujourd'hui à qui l'on parlait autrefois une langue régionale ou étrangère ne la parlent plus avec leurs enfants.

L'arabe est la première des langues étrangères parlées à titre habituel, mais il concerne moins de 2 % des familles, en incluant celles qui déclarent l'usage simultané de l'arabe et du français. Le portugais est en voie de disparition rapide et n'est utilisé que dans 1 % des familles. Viennent ensuite l'alsacien (auquel on adjoint le mosellan, dialecte parlé dans la région de Metz et Strasbourg, 0,6 % au niveau national mais 25 % des familles de la région), le turc (0,4 %) et l'espagnol (0,2 %).

Les mots des ados

S'appuyant largement sur le verlan, le vocabulaire des adolescents s'est considérablement diversifié au cours des dernières années. Voici quelques-unes des expressions à la mode :
A donf dans la drepou : à fond dans la poudreuse (les doigts dans le nez).
Basique : moto sportive sans carénage.
Bâtard : policier.
Beubon : superbe fille.
Biomanes : parents (ou dabs, leufs).
Boulifiant : énervant.
Carbure : argent (ou rebuc, keus).
Caviar (c'est) : c'est génial.
Charpenter : faire l'amour.
Feba : gifle.
Haine (avoir la) : être en colère.
Nain : enfant.
Ouverture (avoir une) : plaire.
Pizza : chute.
Se raser avec une biscotte : se raser n'importe comment.
Spot : bouton d'acné.
Tej (se faire) : se faire jeter, expulser.
Zarbi : bizarre (ou zarb).

ÉCOLE

4,5 millions d'enfants sont scolarisés au niveau élémentaire, 5,9 millions d'élèves dans le second degré ◆ Un élève sur six dans le privé ◆ 63 % des jeunes au niveau du baccalauréat, contre 34 % en 1980 ◆ Les filles réussissent mieux que les garçons ◆ 2 millions d'étudiants ◆ 11 % des jeunes quittent l'école sans qualification ◆ Manque d'ingénieurs et de commerciaux ◆ L'égalité des chances n'est pas réalisée ◆ Élèves, parents et enseignants mécontents

PREMIER ET SECOND DEGRÉ

A 2 ans, 35 % des enfants sont scolarisés ; 99,3 % à 3 ans.

Le système éducatif français se distingue par un taux de scolarisation élevé avant l'âge où l'école est obligatoire (entrée au cours préparatoire à 6 ans). L'accueil en maternelle des enfants de 5 ans, puis de 4 ans, s'est progressivement généralisé durant les années 60 et 70. 548 490 enfants de 2 à 3 ans étaient scolarisés lors de la rentrée 1993-1994. 5,5 % des élèves de 2 ans et 11,8 % de ceux de 3 ans se trouvaient dans des écoles privées. Les enfants scolarisés dès l'âge de 2 ans en retirent des avantages sensibles, tout au long de l'école primaire, sans distinction d'origine sociale.

3 943 300 enfants étaient scolarisés au niveau élémentaire (CP à CM2) dans 43 019 écoles. 7,4 % des élèves de CP étaient en retard (plus de 6 ans). La proportion d'enfants en retard du CP au CM2 était de 15,3 % ; elle diminue régulièrement depuis quelques années. 14,8 % des élèves étaient inscrits dans le privé.

Le nombre moyen d'élèves s'élevait à 27 dans le préélémentaire et 23 dans les classes élémentaires, avec un très faible écart entre le public et le privé. Environ 70 000 élèves étaient placés dans des classes d'initiation (étrangers), d'adaptation (élèves ayant des difficultés) ou d'intégration scolaire (perfectionnement).

Un système ternaire

La scolarité est obligatoire en France entre 6 et 16 ans. Le système éducatif se compose de trois degrés :
• Premier degré. Enseignement préélémentaire (écoles maternelles) et élémentaire (écoles primaires). Scolarité en trois cycles : apprentissages premiers (petite, moyenne et grande section), fondamentaux (grande section, CP, CE1), approfondissements (CE2, CM1, CM2).
• Second degré ou enseignement secondaire dispensé dans les collèges (premier cycle, classes de 6e à 3e), lycées professionnels (deuxième cycle professionnel) et lycées (deuxième cycle général, classes de 2e à terminale, et technologique).
• Enseignement supérieur dispensé dans les lycées, écoles spécialisées, grandes écoles ou universités.

27 % des élèves entrant en sixième ont redoublé au moins une classe depuis le début de leur scolarité.

Le taux de redoublement dans l'enseignement primaire continue de baisser ; il est de 6,4 % en CP (contre 12,3 % en 1980) et 3,2 % en CM2 (contre 10 %). Les taux sont inférieurs dans le secteur privé, mais ceux du public ont diminué plus vite et tendent à s'en rapprocher.

Compte tenu de cette évolution, la durée moyenne de scolarisation dans l'enseignement élémentaire est aujourd'hui très proche des 5 ans théoriques sans redoublement : 5,2 ans contre 6,1 ans en 1960. Les enfants de cadres et de membres des professions intermédiaires effectuent leur scolarité en cinq ans ; les enfants d'ouvriers mettent en moyenne 0,4 année supplémentaire. Les filles redoublent un peu moins fréquemment que les garçons ; 26 % des garçons de CM2 avaient plus de 10 ans en 1992, contre 20 % des filles.

Plus des deux tiers des enfants entrent aujourd'hui au collège à 11 ans au plus, contre la moitié en 1970.

4 644 000 élèves sont entrés dans les établissements publics du second degré en 1993 (France et DOM). Les changements dans les orientations des élèves expliquent l'augmentation des effectifs du premier cycle (+ 1,8 %) et la diminution de ceux du second cycle général et technologique (- 1,7 %). Les effectifs de second cycle professionnel sont en hausse (+ 1,2 %) après deux années de baisse.

Au total, 5 862 380 élèves étaient scolarisés dans le second degré, dont 1 218 586 dans le secteur privé (20,8 %). Le second cycle professionnel continue de décroître en raison de la désaffection des préparations au CAP.

76 % des élèves des classes de 6e parviennent en quatrième sans redoublement, contre 58 % en 1980. Cette amélioration est due à la mise en place des 4e et 3e technologiques et à la suppression des classes préprofessionnelles de niveau ; la proportion d'élèves orientés deux ans après l'entrée en 6e vers la préparation d'un CAP ou en apprentissage est passée de 16 % à 4 %. Mais les taux de redoublement de la 6e et de la 5e restent importants : deux ans après leur entrée au collège, 39 % des élèves ont redoublé au moins une fois depuis le début de leur scolarité primaire, mais la proportion était de 51 % en 1980.

C'est avec une bonne pile qu'on recharge ses batteries

SALON DU LIVRE DE JEUNESSE À MONTREUIL

La vie, un long apprentissage

➤ Depuis le début du siècle, la durée de la scolarité moyenne a plus que doublé.

Ministère de l'Éducation nationale

Euro RSCG

MEN-DEP

L'évaluation en sixième

En 1992, l'évaluation nationale des acquis des élèves à l'entrée en sixième a montré qu'ils répondaient correctement en moyenne à 69 % des questions posées en français et à 72 % de celles posées en mathématiques. Les disparités entre les élèves sont très marquées : les résultats des 10 % les meilleurs sont 2,5 fois supérieurs à ceux des 10 % les moins bons. Les filles obtiennent des scores nettement plus élevés que les garçons en français et identiques en mathématiques.

Les résultats sont d'autant meilleurs que les élèves sont plus jeunes. Dans les deux disciplines, les enfants de cadres obtiennent les scores les plus élevés ; les enfants d'ouvriers, d'employés et d'inactifs les scores les plus faibles.

Cette enquête, ponctuelle, ne permet pas encore de mesurer l'évolution du niveau des élèves. La même dictée proposée aux élèves de 12-13 ans en 1875 et 1987 avait cependant montré que les élèves faisaient en moyenne pratiquement le même nombre de fautes. Mais on note trois différences sensibles : les élèves continuent aujourd'hui d'améliorer leur orthographe après 13 ans ; il y a moins de très bons et de très mauvais élèves qu'au siècle dernier ; les fautes concernent la grammaire et le lexique, alors qu'elles étaient dues autrefois à une mauvaise compréhension du texte.

Dans le second cycle, la durée annuelle théorique d'enseignement est de 1 087 heures (1992-93).

Cet enseignement dispensé dans le second cycle général et technologique correspond à une moyenne hebdomadaire de 30,2 heures pendant 36 semaines (hors absentéisme). Les sciences sont les disciplines qui occupent le plus de temps (327 heures), devant les langues étrangères (203), les lettres (français, philosophie, latin, grec, 165 heures), les sciences humaines (histoire, géographie, sciences économiques et sociales, 157), les disciplines professionnelles (147), l'éducation physique (73), les autres (arts, informatique..., 15).

La tendance depuis une dizaine d'années est à l'augmentation des heures consacrées aux sciences et aux langues étrangères et à la diminution de celles consacrées aux sciences humaines, aux lettres et aux disciplines professionnelles et technologiques.

➤ 31 % des lycéens de 15 à 20 ans s'attendent à être un jour confrontés au chômage. 69 % pensent que l'école prépare mal au monde du travail.

Grandes vacances et longues journées

Du fait de la durée des vacances scolaires (en moyenne 17 semaines), la France est l'un des pays où les élèves ont le moins de jours de classe dans l'année : 180 contre 240 au Japon, 215 en Italie, 200 au Royaume-Uni, au Danemark, 180 aux Etats-Unis. Seules la Grèce et l'Espagne ont des années plus courtes : 175 jours (170 dans le secondaire en Espagne).

Les horaires hebdomadaires sont en revanche plus chargés dans le primaire : 27 heures par semaine en France contre 18 aux Etats-Unis et au Japon, 23 en moyenne au Danemark, 21 au Royaume-Uni, 20 en RFA. Dans le secondaire, les Français ont 30,5 heures de cours, contre 33 en RFA, 30 en Italie et au Danemark, 26 au Japon, 22 au Royaume-Uni.

BACCALAURÉAT

63 % des jeunes sont parvenus au niveau du baccalauréat en 1993, contre 34 % en 1980.

Créé en 1808 par Napoléon, le baccalauréat n'était obtenu en 1900 que par 1 % de la génération scolarisée. La proportion atteignait 5 % en 1950, 11 % en 1960, 20 % en 1970, et 26 % en 1980. Elle est d'environ 45 % aujourd'hui. Le baccalauréat est devenu le visa nécessaire à l'entrée dans la vie professionnelle, la clé qui ouvre les portes des universités et entrouvre celles des grandes écoles.

L'objectif de porter 80 % d'une classe d'âge au niveau du bac en l'an 2000 est cependant loin d'être atteint. Il passe par le développement de nouvelles voies d'accès, comme les 4e et 3e technologiques et les baccalauréats professionnels, ainsi que par un accroissement des taux de réussite dans ces filières.

En 30 ans, le nombre des admis au bac a été multiplié par six :
- *75 000 en 1963 ;*
- *460 000 en 1993.*

639 000 candidats se sont présentés aux épreuves du baccalauréat, y compris professionnel, en 1993 et 71,6 % d'entre eux l'ont obtenu, contre 72,5 % en 1992 et 66,7 % en 1987. Le taux de succès était de 74 % pour les 384 000 candidats au baccalauréat général (82,8 % pour la série C), 66,4 % pour les 182 000 candidats au baccalauréat technologique, 71,8 % pour les 73 000 candidats au baccalauréat professionnel. En 1960, seuls 10 %

d'une génération étaient bacheliers et le taux de réussite ne dépassait pas 60 %. Cette évolution est due pour une large part au fort accroissement du taux de scolarisation : à 17 ans, 68 % des jeunes sont à l'école ; ils n'étaient que 36 % en 1968.

Un bachelier sur quatre obtient son diplôme avec mention : assez bien 20 % ; bien 5 % ; très bien 0,8 %. Ce sont les séries scientifiques qui obtiennent la plus forte proportion de mentions (43 % en série C). 17 % seulement des titulaires du baccalauréat technologique en obtiennent.

Bac 1993 : 74 % de reçus

Taux de réussite au baccalauréat d'enseignement général par série (en %) :

Séries	Total	dont filles
A1 - Lettres, mathématiques	71,6	72,8
A2 - Lettres, langues	75,5	76,0
A3 - Lettres, arts	70,1	70,7
B - Economique et social	68,1	70,0
C - Maths et sc. physiques	82,8	87,1
D - Maths et sc. de la nature	74,1	78,7
D' - Sciences agro. et techn.	64,3	62,1
E - Sciences et techniques	72,4	70,4
Total France sans TOM	**74,0**	**75,6**

Un élève entrant en sixième
a 59 % de chances de devenir bachelier,
contre 30 % en 1980.

Cet accroissement touche l'ensemble des jeunes, garçons et filles, quel que soit leur milieu d'origine. On compte cependant trois fois plus de bacheliers parmi les enfants de cadres supérieurs et professeurs que parmi ceux d'ouvriers ; le rapport était de 4,5 il y a vingt ans. Ces disparités sont d'ailleurs d'autant plus fortes que les séries sont plus prestigieuses.

10 % de jeunes obtiennent aujourd'hui le bac en suivant une filière scolaire professionnelle, contre 1 % en 1980. Pour le seul baccalauréat général, la présence des enfants d'ouvriers progresse aussi, en même temps que la prédominance des enfants de cadres diminue. Le rapport de ces deux catégories sociales de bacheliers est passé de 3,2 en 1988 à 2,4 en 1992.

86 % des lycéens accèdent au niveau du BEP ou de la seconde, contre 58 % en 1981. Plus de la moitié de ceux entrant en seconde obtiennent le baccalauréat au premier essai (91 % après plusieurs tentatives).

Les diplômés meilleurs que leurs aînés

Contrairement à une idée répandue (notamment chez les enseignants), le niveau des élèves diplômés a monté. Les élèves font aujourd'hui moins de fautes d'orthographe, à âge égal, que leurs aînés. Une étude réalisée sur les appelés montre que les bacheliers obtiennent de meilleures notes aux tests du service national (qui ont dû être relevés à plusieurs reprises) que leurs homologues de 1967. Les résultats sont en revanche moins bons pour les titulaires du brevet ou du CAP.

D'une manière générale, les taux de réussite sont en augmentation constante. Cette amélioration du niveau moyen d'éducation ne semble pas avoir été obtenue au prix d'une réduction de la qualité de l'enseignement, comme le montrent les évaluations menées en français et en mathématiques. Ces dernières placent d'ailleurs la France dans une position honorable sur le plan international.

Les filles réussissent mieux que les garçons.

Tout au long de la scolarité, les filles sont plus nombreuses. Elles représentent 52 % des élèves de quatrième, 55 % de ceux de terminale. Entre 18 et 25 ans, leur taux de scolarisation est de 24 % contre 19 %.

Elles redoublent aussi moins fréquemment, dès le CP. Pour 100 garçons, 110 filles parviennent en sixième sans redoubler. C'est ce qui explique qu'elles sont également plus jeunes en moyenne : en terminale, 38,7 % ont 16 ou 17 ans, contre 31,9 % des garçons ; 61,3 % ont 18 ans ou plus, contre 68,1 %.

Enfin, les filles réussissent mieux que les garçons ; leur taux d'admission au baccalauréat était de 75,6 % en 1993, contre 72,0 % chez les garçons. Elles représentaient ainsi 57 % du nombre des reçus au baccalauréat.

Parmi les causes avancées, on peut citer leur plus grande maturité, leur meilleur « rendement scolaire » à capacités égales, dû à une plus grande application dans le travail.

On constate cependant un décalage entre réussite scolaire et réussite professionnelle. Il s'explique par la misogynie de nombre d'entreprises dirigées par des hommes, la moindre ambition professionnelle des femmes et le fait qu'elles choisissent des filières moins valorisantes ; 38 % des lycéennes se présentent aux séries A du bac (littéraire) contre 27 % des garçons, alors que seulement 13 % se présentent en C (scientifique) contre 20 % des garçons. Mais la situation évolue et les femmes devraient trouver progressivement à l'avenir la place qui leur revient dans la vie économique, politique et scientifique.

Diplôme : la potion magique ?

La probabilité de trouver un emploi pour les diplômés est très supérieure à celle des non-diplômés ; le taux de chômage de ces derniers est supérieur de 14 points (17 pour les femmes et 13 pour les hommes) et l'écart s'est accru en vingt ans.
De même, le niveau de salaire obtenu est étroitement lié à celui de la formation scolaire. En 1992, les salariés non diplômés âgés de 25 à 29 ans gagnaient en moyenne 10 % de moins que les titulaires du CAP ou du BEP. Les bacheliers gagnaient 10 % de plus que les précédents, les titulaires d'un diplôme « bac + 2 » 30 % de plus et les diplômés de niveau supérieur 80 % de plus.
Les comparaisons internationales montrent que la France est l'un des pays où les écarts sont les plus élevés en début de carrière, la situation étant comparable à celle de l'étranger après quelques années.

---

11 % des jeunes quittent l'école sans qualification (niveau inférieur au CAP ou BEP).

Parmi les quelque 850 000 jeunes qui quittent chaque année le système éducatif, 25 % ont le baccalauréat, 33 % un diplôme supérieur (bac + 2, autre diplôme universitaire ou de grande école). Parmi les autres, 31 % ont le niveau de fin du second cycle court et 11 % n'ont aucune formation professionnelle.
Après avoir stagné au milieu des années 80, le nombre de ces jeunes sans qualification tend à diminuer ; il est passé en dessous de 100 000 depuis 1989. Leur taux de chômage est proche de 30 % entre 15 et 24 ans (il a même atteint 42 % en 1985), alors qu'il ne dépasse pas 20 % chez les titulaires du CAP, du BEP ou du bac. Leurs chances d'accéder à l'encadrement ou à une profession intermédiaire sont sept fois moins grandes que pour les bacheliers

ou les titulaires d'un diplôme supérieur. Leur seul recours est la formation continue.

ÉTUDES SUPÉRIEURES

Près de 2 millions d'étudiants étaient inscrits dans l'enseignement supérieur à la rentrée 1993, soit 50 % de plus qu'il y a 10 ans.

La quasi-totalité des titulaires du baccalauréat général s'inscrit aujourd'hui pour suivre dès la rentrée suivante des études supérieures, contre 84 % en 1980. La proportion est de 83 % pour les bacheliers technologiques, dont la moitié se dirigent vers des sections de techniciens supérieurs. C'est le cas de seulement 30 % des bacheliers professionnels.
Cette évolution explique l'accroissement important du nombre des étudiants. Un phénomène renforcé par le fait que 36 % des filles de 19 à 21 ans sont inscrites dans l'enseignement supérieur (28 % seulement des garçons), contre 21 % en 1982.
Sur l'ensemble des étudiants de la rentrée 1993, 1 406 335 étaient inscrits en université (dont un quart en Ile-de-France, contre un tiers il y a dix ans), dont 93 593 dans les IUT (instituts supérieurs de technologie). On observait une forte progression des inscriptions dans les matières scientifiques et, à un moindre degré, en lettres et sciences humaines, au détriment des disciplines de santé et des IUT.

Un tiers de littéraires

Répartition des étudiants des universités selon les matières en 1993-94 (en %) :

• Lettres	35,0
• Sciences et MASS	19,9
• Droit	13,9
• Sciences économiques et AES	10,8
• Médecine	7,8
• IUT	6,7
• Pharmacie	2,1
• Ingénieurs	1,7
• Autres	2,1
• **Total**	**100,0**

➤ Seul un littéraire sur cinq obtient une mention au bac, contre un scientifique sur deux (45 %). Le taux de réussite est supérieur dans l'enseignement privé depuis 1992.

INSEE

Ministère de l'Education nationale

*55 % des étudiants inscrits à l'université
accèdent au second cycle
après l'obtention du DEUG.*

La proportion n'était que de 46 % en 1987. La hausse constatée est due à la rénovation des DEUG (diplômes d'études universitaires générales) et à la mise en place de formations professionnelles de second cycle. Six bacheliers généraux sur dix atteignent le deuxième cycle en deux, trois ou quatre ans, contre un sur quatre parmi les bacheliers technologiques. A titre de comparaison, 77 % des étudiants en IUT obtiennent un DUT (diplôme universitaire de technologie) en deux ou trois ans.

*70 000 élèves sont en classe préparatoire
aux grandes écoles (CPGE), soit une
augmentation de 40 % en dix ans.*

437 établissements publics et privés comportent des classes de ce type. 20 % des élèves sont regroupés dans l'académie de Paris. Les préparations scientifiques et économiques concernent 82 % des effectifs. Les jeunes filles en représentent aujourd'hui 37 %, une majorité se destinant aux formations économiques de type HEC ; mais 70 % des filles suivent des préparations littéraires. Les bacheliers C représentent deux tiers des élèves. 40 % d'entre eux se dirigent en première année de préparation, dont 25 % en mathématiques supérieures.

Le monde des études supérieures

Proportion d'étudiants dans quelques pays (en 1991, pour 1 000 habitants) :

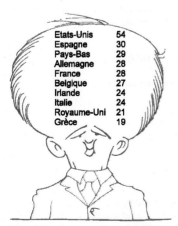

Etats-Unis	54
Espagne	30
Pays-Bas	29
Allemagne	28
France	28
Belgique	27
Irlande	24
Italie	24
Royaume-Uni	21
Grèce	19

Grandes écoles : la fin de l'âge d'or

Face aux universités, en principe ouvertes à tous les bacheliers, les grandes écoles françaises forment un club très fermé. Beaucoup d'étudiants rêvent d'y être un jour admis. Il leur faudra pour cela franchir plusieurs obstacles : d'abord le bac (de préférence avec mention), puis deux années de préparation spéciale, avant le concours d'entrée.
Une fois admis dans le sanctuaire, l'étudiant devra encore mériter d'en sortir avec les honneurs, qui prennent ici la forme du diplôme et d'un bon rang de sortie. Les cinq années nécessaires après le bac ont jusqu'ici constitué le meilleur des placements. On pourrait même parler de rente, puisque la plupart en percevaient les dividendes pendant toute leur vie. Pourtant, ce système dual, sans équivalent dans le monde, ne semble plus fonctionner aussi bien. La forte croissance du chômage des cadres (voir *Chômage*) n'a pas épargné les plus diplômés d'entre eux, d'HEC à Polytechnique. Les entreprises, qui les achetaient à prix d'or à leur sortie de l'école, leur préfèrent parfois des jeunes moins brillants mais plus « agressifs »... et moins coûteux. Les grandes écoles de commerce ont d'ailleurs enregistré en 1993 une baisse du nombre des candidats, après dix années de forte progression.

---

*400 000 jeunes sont sortis de l'enseignement
supérieur en 1993, soit environ le tiers
d'une génération.*

Si les jeunes sont de plus en plus nombreux à accéder à l'enseignement supérieur, ils en sortent aussi de plus en plus qualifiés, après des études de plus en plus longues. 150 000 d'entre eux ont un niveau au moins égal à la licence, soit la moitié, contre 32 % en 1979. Les femmes sont plus nombreuses que les hommes, mais elles sont moins présentes dans les filières les plus qualifiantes ; elles restent très majoritaires dans les formations de type sanitaire ou social et dans les écoles normales d'instituteurs.

Enfin, environ 120 000 jeunes, soit un tiers des sortants, se retrouvent sur le marché du travail sans avoir d'autre diplôme que le baccalauréat.

*Le système éducatif ne forme pas assez
d'ingénieurs ni de commerciaux.*

La France forme chaque année environ 17 000 ingénieurs contre 30 000 en Allemagne. Cet écart explique la surenchère des salaires chez les diplômés des grandes écoles d'ingénieurs françaises. Les entreprises déplorent également que la grande majorité des ingénieurs ne soient guère attirés par les fonctions de production et préfèrent les études, la recherche et, surtout, la gestion.

L'objectif annoncé est de doubler en vingt ans le nombre d'ingénieurs formés et d'ouvrir le diplôme à des techniciens et à des cadres ayant une bonne expérience pratique.

Les mêmes reproches sont adressés aux diplômés des grandes écoles commerciales, qui préfèrent la stratégie, le conseil ou les études aux carrières véritablement commerciales, impliquant une présence sur le terrain.

Micro-entretien ▬▬▬

ALAIN PEYREFITTE*

G.M. - *Le système dual université-grandes écoles doit-il être maintenu ?*

A.P. - La place des grandes écoles dans l'enseignement supérieur est numériquement très faible : environ 50 000 élèves sur deux millions. Je pense qu'elle doit être préservée, car il est utile qu'il y ait des centres d'excellence et de compétition. Je considère d'ailleurs que le fait de faire khâgne est aussi important que d'entrer à Normale sup. L'important, c'est de s'être préparé, de s'être mis au niveau du concours. C'est d'essayer de se dépasser soi-même en dépassant les autres. Depuis que les hommes existent, tous les progrès qui ont été accomplis l'ont été par la compétition, l'émulation, la concurrence. Il en est ainsi pour le sport. C'est également le cas pour ce sport de l'intelligence qu'est le travail intellectuel.

───────

* De l'Académie française, auteur de *Rue d'Ulm*, Fayard.

RFI

▬▬▬▬▬▬▬▬▬

L'égalité des chances n'est pas réalisée.

L'école a réussi à accroître le niveau d'instruction moyen des élèves, à travers l'allongement de la scolarité et l'amélioration des taux d'accès et de réussite aux diplômes. Mais il apparaît qu'elle n'a pas réalisé l'égalité des chances entre les élèves indépendamment de leur milieu familial.

Dès la maternelle, 32 % des enfants d'ouvriers sont « signalés » (éprouvent des difficultés à suivre normalement) contre 14 % des enfants de cadres supérieurs. A 6 ans, l'écart s'est déjà fortement creusé entre les enfants : 22 % des enfants d'ouvriers redoublent le cours préparatoire, contre 2,2 % des enfants de cadres supérieurs et de membres des professions libérales.

En quatre années de collège, il se crée deux fois plus d'inégalités qu'au cours des cinq années de primaire. Sur 10 enfants d'ouvriers entrant en 6e, un seul va jusqu'en terminale. 28 % des bacheliers sont enfants de cadres supérieurs, contre 16 % d'enfants d'ouvriers ; les premiers ont trois fois plus de chances que les seconds d'obtenir le diplôme (huit fois plus pour le bac scientifique). Au total, la probabilité d'accès à l'enseignement supérieur d'un fils de cadre supérieur est 20 fois plus grande que celle d'un fils d'ouvrier. Outre ces handicaps, les enfants d'immigrés souffrent de problèmes linguistiques et culturels liés à leur origine étrangère et à leur difficile insertion sociale.

Mais l'école ne saurait être tenue pour seule responsable de cette situation. On sait que le développement intellectuel des enfants est davantage stimulé dans les milieux sociaux les plus favorisés, indépendamment des différences de capacité existant entre les individus. Les différences de vocabulaire sont par exemple très sensibles à l'âge de 7 ans. L'attitude des familles en matière d'orientation est importante ; les milieux défavorisés sont en moyenne deux fois moins persévérants pour faire accéder un enfant au second cycle long. Avant même d'imaginer réduire les écarts innés, le chemin sera donc encore long pour compenser ceux qui sont acquis.

───────────

Le prix du savoir

Un élève inscrit en préélémentaire coûtait en moyenne 16 000 F à la collectivité en 1992. Un élève du premier degré coûtait 18 300 F ; en sept ans, la dépense a augmenté de 42 % en francs constants (12 300 F en 1975). Dans le second degré, la dépense était de 40 300 F (second cycle général et technique). Un étudiant en formation d'ingénieur dans une université coûtait 74 700 F.
Le coût de la rentrée scolaire pour les familles s'est élevé à 567 F pour un élève entrant en sixième, 560 F pour la quatrième, 930 F pour la seconde. Les dépenses annuelles correspondantes étaient respectivement de 179 F, 1 245 F et 1623 F.
Le coût total d'une scolarité varie de 297 000 F pour l'obtention d'un CAP en 13 ans à 486 000 F pour l'obtention d'une licence en 18 ans. Il est de 392 000 F pour l'obtention d'un bac général ou technologique en 15 ans.

───────────

➤ La cote des métiers manuels ne s'est guère améliorée ; le nombre des candidats au CAP est passé de 400 000 à moins de 100 000 en dix ans.

Ministère de l'Education nationale

Les différentes parties prenantes du système éducatif ressentent un profond malaise.

Les enseignants souffrent d'un manque de considération de la part des élèves et des parents, eu égard à l'importance de leur mission. Dans certaines banlieues, cette incompréhension s'accompagne de violence (voir encadré). Ils se sentent aussi délaissés par l'administration, qui les paye mal et ne leur fournit pas les moyens pédagogiques nécessaires à l'exercice de leur métier.

De leur côté, les élèves souffrent de conditions matérielles souvent insuffisantes. Mais leur inquiétude essentielle, souvent non exprimée, concerne leur insertion dans la vie professionnelle et sociale.

Quant aux parents, ils s'inquiètent de la trop lente adaptation de l'école et de la résistance qu'enseignants et syndicats opposent à toute réforme. Ils sont aujourd'hui conscients d'un retard par rapport à d'autres pays, comme l'Allemagne.

Après avoir été un lieu de relation et de libération, l'école républicaine a subi les soubresauts de Mai 68 et leurs effets sur les mentalités. Elle s'est raidie devant la concurrence croissante de la télévision. Elle n'a pas su répondre aux attentes des familles ni à celles de l'économie. Les progrès de la scolarisation ont amplifié ces problèmes d'adaptation, les rendant de plus en plus apparents et de moins en moins supportables.

Violences

La violence à l'école est devenue un véritable fléau. Les traditionnelles bousculades dans les couloirs ou les bagarres dans les cours de récréation ont laissé place aux rackets, vols, viols, incendies, dégradations et agressions. Les enseignants sont eux-mêmes pris à partie, menacés et agressés ; les locaux sont de plus en plus fréquemment dégradés ou saccagés dans les lycées et collèges. L'environnement social n'est pas seul responsable de cette montée de la violence. La pression exercée sur les élèves par les notes et les emplois du temps chargés favorisent ces comportements. Les enfants d'origine sociale modeste sont davantage concernés, car ils sentent que l'école ne leur permettra pas d'accéder aux mêmes situations que les plus favorisés.
L'école est devenue un lieu semblable à la société tout entière ; la concurrence et la loi du plus fort s'y développent. Malgré les progrès constatés, le système éducatif ne remplit pas sa fonction égalitaire ; dans un contexte de crise économique et culturelle, il continue au contraire d'assurer la reproduction du modèle social.

Les métiers du futur nécessiteront peut-être d'autres types de formation.

La plupart des experts s'accordent sur le fait que les « gisements d'emploi » se situent dans les services. Parmi eux, les services aux personnes et les emplois de proximité devraient connaître la plus forte progression : garde d'enfants ; livraisons à domicile ; ménage ; gardiennage d'immeuble ; pompistes ; aide aux personnes âgées, etc.

Par ailleurs, les progrès de productivité permis par l'évolution technique touchent désormais les cadres et la crise a incité les entreprises à réduire le nombre des échelons hiérarchiques, créant ainsi un mouvement vers le bas des fonctions et des salaires.

Les emplois de demain risquent donc d'être peu qualifiés et les qualités individuelles seront plus importantes que les diplômes. Il existe alors une contradiction avec la volonté de pousser les jeunes vers les études supérieures. On peut donc se demander si la promesse républicaine d'une possibilité d'élévation dans la hiérarchie sociale par les études pourra être tenue, sauf par quelques formations-privilèges comme l'ENA ou Polytechnique.

➤ Une étude comparative sur les douze pays de l'Union européenne a montré que les élèves français étaient ceux qui montraient le meilleur niveau de compréhension d'un texte littéraire, tant en CM1 qu'en classe de 3e.
➤ 360 000 élèves apprennent le latin dans le premier cycle, et 30 000 le grec, soit respectivement 27 % et 2,4 % des élèves de 4e et 3e. La proportion est inférieure dans le second cycle général : 10 % et 1,3 %.
➤ Les jeunes qui entrent à l'école aujourd'hui peuvent espérer la fréquenter en moyenne 18,3 années (18,1 pour les garçons, 18,4 pour les filles).
➤ Les élèves des classes nombreuses obtiennent des résultats comparables à ceux des classes moins chargées.
➤ Lire la presse est une activité culturelle pour 66 % des Français. La proportion est de 65 % pour les voyages, 51 % pour les mots croisés, 49 % pour la télévision, 24 % pour le bricolage-jardinage, 19 % pour la cuisine, 18 % pour la lecture de bandes dessinées, 13 % pour les concerts rock, 9 % pour les matchs de football, 4 % pour les corridas, 3 % pour les tags.
➤ Pour 19 % des Français, c'est Paris qui représente le mieux le patrimoine historique national. Viennent ensuite Versailles (10 %), la tour Eiffel (9 %), le Louvre (8 %), les châteaux de la Loire (6 %), le Mont-Saint-Michel (6 %), Notre-Dame de Paris (3 %), l'Arc de Triomphe (2 %), le centre Georges-Pompidou (1 %).

LE TEMPS

ESPÉRANCE DE VIE

73,3 ans pour les hommes et 81,5 ans pour les femmes ◆ 4 000 centenaires ◆ Gain de 33 ans depuis le début du siècle, lié à la forte chute de la mortalité infantile ◆ Inégalité des sexes, des âges, des professions, des modes de vie, des pays

LONGÉVITÉ

L'espérance de vie à la naissance est de 73,3 ans pour les hommes et 81,5 ans pour les femmes (1993). Elle a augmenté de 33 ans depuis le début du siècle.

L'espérance de vie est « la moyenne des années de vie d'une génération imaginaire qui serait soumise toute sa vie aux quotients de mortalité par âge (nombre de décès dans un groupe donné pendant une année donnée par rapport à la population du groupe en début d'année) pendant l'année d'observation ». Elle ne cesse de s'accroître en France comme dans tous les pays développés : en dix ans, 2,7 ans pour les femmes et 2,6 ans pour les hommes. Si on compare à l'époque de la Révolution française (fin du XVIIIᵉ siècle), l'augmentation a été de 54 ans pour les femmes et 46 ans pour les hommes !

Entre 1990 et 1993, le gain moyen a été de 2,4 mois par an, comme au début des années 80. Il avait atteint 3,6 mois par an entre 1985 et 1990. Si les progrès se poursuivaient au rythme actuel, la durée de vie moyenne devrait être de 75 ans pour les hommes et 83 ans pour les femmes en l'an 2000. Les Françaises continuent de bénéficier de la durée de vie la plus longue des douze pays de l'Union européenne.

La baisse de la mortalité infantile a eu une forte incidence sur l'espérance de vie moyenne.

L'accroissement constaté de l'espérance de vie à la naissance est dû en partie aux progrès réalisés dans la lutte contre les maladies infectieuses, cardio-vasculaires et bactériennes, et à l'amélioration de l'équilibre alimentaire. Il s'explique surtout par la très forte diminution de la mortalité infantile (nombre d'enfants décédés avant l'âge de un an pour 1 000 enfants nés vivants). En 1993, le taux était de 6,5 pour mille, contre 36,5 en 1955 et 7,3 en 1991, le plus bas d'Europe avec les Pays-Bas.

On a une idée précise de son influence en observant l'évolution de l'espérance de vie des adultes. On constate alors qu'en un demi-siècle ils n'ont gagné que 7 ans d'espérance de vie supplémentaire à l'âge de 40 ans (6 ans pour les hommes et 8 pour les femmes). L'espérance de vie pour les hommes est de 54 ans à 20 ans, 36 à 40 ans et 19 à 60 ans. Pour les femmes, elle est de 62 ans à 20 ans, 43 à 40 ans et 24 à 60 ans.

La France compte environ 4 000 centenaires, contre 3 en 1900, 200 en 1950.

60 000 Français avaient au moins 95 ans au recensement de 1990, ce qui présage une augmentation du nombre des centenaires, qui devrait dépasser 6 000 en l'an 2000. La plupart sont des femmes. Il faut noter que la doyenne du monde est française : Jeanne Calment est née le 21 février 1875. Elle a fêté en 1994 ses 119 ans à Arles, où elle est née.

Plus de la moitié des centenaires présentent un bon ou très bon état de santé : constantes biologiques comparables à celles des jeunes adultes (taux de globules rouges et blancs, glycémie, cholestérol,

Le capital-temps

Evolution de l'espérance de vie à la naissance par sexe (en années) :

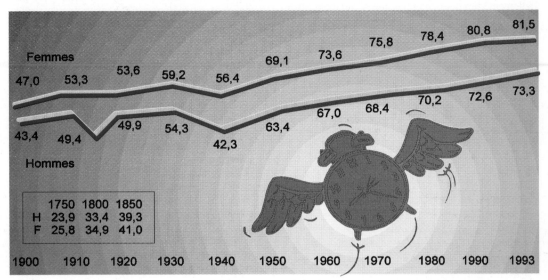

	1750	1800	1850
H	23,9	33,4	39,3
F	25,8	34,9	41,0

INSEE

albumine...), tension artérielle normale. Les vertiges sont rares. Ils souffrent surtout d'incontinence, de troubles de la mémoire (40 % des cas), de chutes et d'isolement affectif.

La poursuite d'une activité physique (marche, natation), intellectuelle, culturelle et sociale, l'absence de stress et la qualité du régime alimentaire sont des facteurs importants dans la longévité des centenaires.

L'allongement de la vie est l'une des causes du vieillissement général de la population.

Le vieillissement de la population française est dû au moins autant à l'accroissement de l'espérance de vie qu'à la baisse de la fécondité. Il pose à terme des problèmes d'équilibre économique et démographique.

Il faut cependant relativiser les incidences de ce vieillissement de la société. Les personnes âgées de 80 ans aujourd'hui sont dans un état de santé comparable à celui des personnes de 70 ans il y a vingt ans. On constate depuis une dizaine d'années une augmentation de l'espérance de vie sans incapacité : 72,9 ans contre 70,4 ans en 1981. Son allongement

dépasse de 6 mois celui de l'espérance de vie, ce qui autorise une meilleure fin de vie pour les personnes âgées.

Age réel, âge biologique, âge social

L'âge d'un individu est en principe déterminé par sa date de naissance. Mais l'âge biologique, mesuré par l'usure physique ou cérébrale, peut différer considérablement entre des individus nés la même année. Il varie d'ailleurs selon les époques, on est plus « jeune » aujourd'hui à un âge donné. Il existe enfin un âge social, décidé par les institutions et utilisé tout au long de la vie dans certaines situations. Il y a ainsi un âge pour entrer à l'école (3 ans), pour en sortir (au moins 16 ans), pour faire son service militaire, pour se marier ou ouvrir un compte en banque (15 ans), un pour voter (18 ans), un âge minimal pour se faire élire (de 18 à 35 ans selon les postes), un pour partir à la retraite (60 ans). Tout au long de l'Histoire, l'Etat, l'école, l'Eglise ou l'armée ont défini pour les citoyens des seuils ou des limites à ne pas dépasser qui ne correspondent pas (ou plus) toujours à une réalité objective.

*L'allongement de la vie influe
sur le système de valeurs de la société.*

Au plan individuel, la mort d'un proche est une expérience plus rare puisqu'elle se produit essentiellement chez des personnes âgées, qui meurent de plus en plus tard. Cet éloignement croissant de l'idée de la mort n'est pas sans effet sur les conceptions religieuses, la production artistique ou la vision générale de la vie. Devant les progrès médicaux et les espoirs affichés par les chercheurs, les Français ressentent un certain sentiment d'immortalité. Ils craignent d'autant plus l'idée de la mort qu'elle est peu présente dans l'imagerie collective et apparaît comme un phénomène anormal et résistible.

Hollywood Light goût longue durée, longue durée, longue durée...

HOLLYWOOD
light
SANS SUCRE

La durée au goût du jour

INÉGALITÉS

L'inégalité des sexes :
* *A la naissance, les Françaises
ont une espérance de vie supérieure
de 8,2 ans à celle des Français ;*
* *L'écart n'était que de 6,7 ans en 1960.*

Le « sexe faible » est en fait celui qui vit le plus longtemps. Plus des trois quarts des personnes âgées de plus de 85 ans sont des femmes. Avec un peu plus de 8 ans de vie supplémentaire par rapport aux hommes, les Françaises sont d'ailleurs les championnes d'Europe (l'écart n'est que de 6 ans en moyenne pour les pays de l'Union européenne).

Les raisons de la plus grande longévité des femmes sont difficiles à cerner avec précision. Elles tiennent pour une part à une probabilité inférieure de mourir d'un accident (au travail, sur la route, en pratiquant un sport, etc.) du fait d'une vie plus sédentaire, de métiers présentant moins de risques et d'activités de loisirs moins dangereuses. Entre 15 et 35 ans, 80 % des victimes de la route sont des hommes. Les femmes sont en outre trois fois moins touchées par le suicide que les hommes. Elles sont peut-être aussi plus résistantes ; dès les premières années de la vie, la mortalité des filles est inférieure à celle des garçons.

L'une des causes essentielles semble être une moindre consommation d'alcool et de tabac que celle des hommes. Les femmes sont ainsi beaucoup moins nombreuses à mourir d'une cirrhose du foie (2 579 contre 6 021 en 1992) ou d'un cancer du poumon (3 039 contre 19 433). La mortalité violente (décès dus à des accidents, suicides ou homicides) est aussi plus fréquente chez les hommes : 32 000 cas contre 21 000 en 1990. Enfin, on constate que les femmes sont mieux suivies médicalement que les hommes (par le biais de la contraception et des maternités) et qu'elles ont mieux profité des progrès sanitaires.

Mais les écarts de modes de vie entre les sexes tendent à se réduire, pour le tabac en particulier, ce qui pourrait à terme remettre en cause ces données.

L'inégalité des âges :
* *A 20 ans, l'espérance de vie moyenne
est de 54 ans pour les hommes
et 62 ans pour les femmes ;*
* *A 60 ans, elle est de 19,2 ans pour les
hommes et 24,4 ans pour les femmes.*

Plus on est âgé et plus on a de chances de vivre longtemps. De toutes les inégalités, celle-ci est sans doute la moins choquante. Les risques de décès à 20 ans (accident, maladie, guerre, etc.) sont en effet plus élevés que ceux que l'on court à 60 ans, après avoir survécu 40 années supplémentaires. Il est donc logique que l'espérance de vie des personnes âgées soit plus élevée que celle des jeunes.

L'accroissement de l'espérance de vie a moins profité aux hommes de 25 à 35 ans, qui sont davantage concernés par les accidents de la circulation, les suicides et le sida. Les hommes âgés de 55 à 65 ans ont été également plus touchés par les cancers.

➤ Aujourd'hui, un nouveau-né de sexe masculin a une chance sur cinq de fêter son 85e anniversaire et le double s'il est de sexe féminin.

Le travail et la vie

Espérance de vie masculine selon la catégorie socio-professionnelle (période 1980-1989 en années) :

	A 35 ans	A 60 ans
• Agriculteurs exploitants	41,5	20,2
• Salariés agricoles	38,6	18,3
• Artisans, commerçants, chefs d'entreprise	40,7	19,5
• Cadres et professions libérales	44,0	21,7
• Cadres moyens	42,9	20,9
• Employés	39,9	18,8
• Contremaîtres	43,1	21,2
• Ouvriers qualifiés	39,6	18,8
• Ouvriers spécialisés	38,7	18,4
• Manœuvres	35,8	17,1
• Personnel de service	36,9	16,7
• Armée et police	44,6	22,8
• Inactifs	32,1	15,8
• Ensemble	**39,3**	**18,4**

*L'inégalité des professions : à 35 ans,
un homme enseignant a en moyenne
9 ans de plus à vivre qu'un manœuvre.*

Parmi les actifs, les plus favorisés sont les instituteurs et les cadres supérieurs et membres des professions libérales ; entre 45 et 54 ans, leur mortalité est trois fois plus faible que celle de l'ensemble des hommes. A l'opposé, celle des manœuvres est double de la moyenne. Entre ces catégories extrêmes, la hiérarchie des longévités reproduit celle des professions.

Les écarts s'expliquent par des facteurs de risque différents selon les catégories professionnelles. Les membres des professions manuelles sont beaucoup plus souvent victimes d'accidents du travail que les autres. Ils ont aussi plus fréquemment des modes de vie pouvant entraîner des maladies mortelles. Enfin, la surveillance médicale et les efforts de prévention sont moins développés dans ces catégories sociales.

Il faut noter que en dehors des risques professionnels spécifiques, ce n'est pas le fait d'exercer un certain métier qui engendre une espérance de vie plus ou moins longue, mais l'ensemble des répercussions que ce métier a sur le style de vie en général : consommation de tabac et d'alcool, qualité de l'alimentation, poids, sédentarité, fatigue, etc.

*L'inégalité des modes de vie : à 35 ans,
les inactifs ont une espérance de vie moyenne
inférieure de 7,2 ans à la moyenne nationale.*

Il existe un lien positif entre l'exercice d'une activité et l'état de santé. Il est particulièrement net en ce qui concerne les hommes inactifs, plus sujets aux maladies et aux troubles psychologiques. Les hommes chômeurs et les femmes inactives consomment par exemple plus de médicaments psychotropes que les actifs (voir *Soins*).

A 35 ans, les inactifs sont le plus souvent des femmes. Certaines ne travaillent pas du fait d'une absence de qualification. D'autres sont inactives parce qu'en mauvaise santé. On sait enfin que les femmes actives sont mieux suivies médicalement.

Inégalité génétique

Outre les facteurs de vieillissement liés au sexe, à l'âge ou à la profession, il existe de toute évidence des inégalités génétiques qui induisent une longévité potentielle. Les recherches effectuées sur certaines espèces animales (mouches, drosophiles) laissent penser que, si le vieillissement est génétiquement programmé, le programme est susceptible de varier considérablement selon les individus. Certains individus pourraient donc théoriquement atteindre des âges aujourd'hui considérés comme inaccessibles.

*L'inégalité des pays : l'espérance de vie
à la naissance est presque deux fois moins
élevée en Afghanistan (42 ans) qu'en France.*

L'espérance de vie moyenne dans le monde est de 65 ans : 54 ans en Afrique ; 63 ans en Asie ; 73 ans en Océanie ; 68 ans en Amérique latine ; 76 ans en Amérique du Nord, 74 ans en Europe (hors ex-URSS) ; 70 ans dans l'ex-URSS. Les pays les plus défavorisés sont africains : 42 ans en Guinée et en Sierra Leone, 43 ans en Ouganda, 44 ans en Gambie. L'espérance de vie atteint 79 ans au Japon, 78 ans dans deux pays nordiques (Islande et Suède).

Les pays dits « en voie de développement » cumulent les handicaps de la malnutrition, du manque d'hygiène, de l'insuffisance des soins et de l'inexistence de la prévention. La mortalité infantile très élevée explique une partie de l'écart de longévité considérable avec les pays développés. Dans de nombreuses régions du tiers-monde, un enfant sur dix meurt avant son premier anniversaire (moins de un sur cent en France).

La vie dans tous ses Etats

Espérance de vie à la naissance (en années) et mortalité infantile (pour 1 000 naissances) dans le monde (en 1991) :

	Espérance de vie à la naissance		Mortalité infantile
	Hommes	Femmes	
• Pays-Bas	74,0	80,3	6,5
• Espagne	73,2	80,3	7,8
• Italie	73,5	80,0	8,3
• France	73,0	81,1	7,3
• RFA	72,6	79,0	7,1
• Grèce	74,1	78,9	9,0
• Belgique	72,4	79,1	8,4
• Royaume-Uni	73,2	78,8	7,4
• Danemark	72,0	77,7	7,5
• Irlande	71,0	77,0	8,2
• Portugal	70,9	77,9	10,8
• Luxembourg	70,6	77,9	9,2
• Japon	76,1	82,1	4,6
• Etats-Unis	72,0	78,8	8,9

OCDE

Dans la plupart des pays d'Europe de l'Est, l'espérance de vie est inférieure à 70 ans pour les hommes. Elle a en général diminué depuis 1970, contrairement à ce qui s'est produit à l'Ouest. L'alcoolisme, les conditions économiques défavorables, la mauvaise organisation des services de santé et leur manque d'équipement seraient en partie responsables de cette évolution. On constate enfin que les écarts d'espérance de vie en Europe et dans le monde tendent à s'accroître.

TROIS FOIS PLUS DE TEMPS À NE RIEN FAIRE...

EMPLOI DU TEMPS

Doublement de l'espérance de vie depuis 1800 ◆ Temps libre d'une vie 3 fois plus long que le temps de travail et 3,5 fois plus long qu'au début du siècle ◆ Emplois du temps différents entre hommes et femmes, actifs et inactifs, ruraux et citadins ◆ Paradoxe du manque de temps ◆ Réforme en cours de l'emploi du temps de la vie ◆ Le temps plus important que l'espace

VIE

Le capital-temps des Français a doublé en moins de deux siècles.

Il a augmenté de moitié depuis le début du XXe siècle. Bien sûr, cet écart d'espérance de vie moyenne à la naissance est dû pour partie à la forte baisse de la mortalité infantile (voir *Longévité*), mais il est aussi la conséquence des progrès considérables en matière de soins et de modes de vie.

L'utilisation de ce capital-temps au cours de la vie s'est aussi complètement transformée (voir page suivante). Un homme consacre aujourd'hui 30 années de sa vie aux activités de type physiologique, soit environ 40 % du temps total. Le sommeil en représente l'essentiel (24 ans), soit un tiers. Les autres fonctions (alimentation, soins personnels, etc.) nécessitent 6 années d'une vie moyenne.

Le temps à géométrie variable

Evolution de l'emploi du temps de la vie d'un homme en deux siècles :

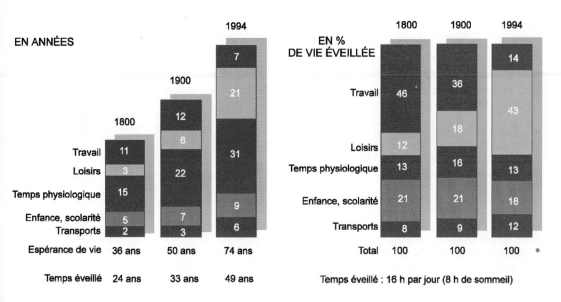

EN ANNÉES

	1800	1900	1994
Travail	11	12 / 6	7 / 21
Loisirs	3	22	31
Temps physiologique	15	9	22
Enfance, scolarité	5	7	9
Transports	2	3	6
Espérance de vie	36 ans	50 ans	74 ans
Temps éveillé	24 ans	33 ans	49 ans

EN %
DE VIE ÉVEILLÉE

	1800	1900	1994
Travail	46	36	14
Loisirs	12	18	43
Temps physiologique	13	16	13
Enfance, scolarité	21	21	18
Transports	8	9	12
Total	100	100	100

Temps éveillé : 16 h par jour (8 h de sommeil)

Le temps « subi » est celui consacré au travail (y compris les trajets), à la formation et aux tâches domestiques ; il est très inférieur au temps libre, ou « temps choisi », qui correspond aux activités de loisir et à la vie sociale. Enfin, l'enfance et la scolarité (hors temps physiologique) représentent 8 années pleines.

*Le travail représente 14 %
du temps éveillé de la vie.*

Sur la base actuelle de 40 années de vie active (entre 20 et 60 ans) et de 1 500 heures effectives de travail par an (pour 1 650 heures théoriques), le temps total de travail est de 60 000 heures dans une vie, soit environ 7 années pleines. Il est donc à peine supérieur au temps de déplacement (6 ans) et représente 14 % du temps éveillé d'une vie moyenne. Encore ce calcul ne tient-il pas compte des périodes de chômage et de formation.

Peu de Français sont conscients de la révolution qui s'est opérée dans les modes de vie avec l'inversion, au cours du XXe siècle, des durées consacrées au travail et au loisir. Depuis la fin de la Seconde Guerre mondiale, le temps de travail des Français a

été divisé par deux. En un peu plus de quarante ans, la durée de la vie active s'est raccourcie de 10 ans, soit 3 semaines par an et 6 heures par semaine. On observe que le temps de travail augmente avec les responsabilités et les revenus.

*Le temps libre d'une vie est aujourd'hui
3 fois plus long que le temps de travail.
Il a triplé depuis le début du siècle.*

Depuis deux siècles, le temps disponible s'est globalement « dilaté », mais les différentes parties qui le composent ont subi des déformations très différentes. Au début du XIXe siècle, les Français vivaient en moyenne 36 ans et consacraient la moitié de leur vie éveillée au travail. Leur temps libre était donc très limité : 3 ans. Aujourd'hui, ils disposent de deux fois plus de temps, mais la part qu'ils consacrent au travail est moins élevée qu'en 1800.

La période de l'enfance s'est un peu étirée, du fait de l'allongement de la scolarité. Seul le temps accordé au sommeil et aux divers besoins d'ordre physiologique n'a guère évolué, du fait de sa nature peu compressible.

Mais le véritable bouleversement est celui du temps libre de l'adulte, multiplié par 7 depuis 1800.

Bien sûr, une bonne partie de ce temps-là n'est disponible qu'au moment de la retraite, malgré l'allongement de la durée des vacances et la diminution du temps de travail hebdomadaire.

Le processus de réduction du temps de travail est ancien.

Il a commencé dès 1814, avec la législation sur le chômage des dimanches et jours de fête catholiques. Pendant la révolution de 1848, le décret de Louis Blanc limitait la journée de travail à 10 heures à Paris et 11 en province. Il fallut cependant attendre 1912 pour que ces dispositions entrent dans les faits. La journée fut réduite à 8 heures en 1919, répondant ainsi à une demande apparue dès 1880.

Les pressions sociales pour réduire le temps de travail s'exprimèrent ensuite à l'échelle de la semaine, avec le droit au week-end. Puis elles concernèrent l'année, avec la mise en place des congés payés : 12 jours ouvrables en 1936, portés à 18 en 1956, 24 en 1969, 30 en 1982 (cinq semaines). A l'échelle de la vie, il faut noter l'avancement de l'âge de la retraite, fixé pour l'ensemble du régime général à 65 ans vers 1950, puis à 60 ans en 1982. Mais les nouvelles dispositions de 1993, en augmentant le nombre de trimestres de cotisation nécessaires, vont restreindre le nombre d'actifs qui pourront en bénéficier à cet âge.

Deux fois moins de travail

Evolution de la durée effective de travail en France (en heures) :

3021 — 1851
3006 — 1881
2676 — 1913
2022 — 1938
2035 — 1963
1642 — 1991

INSEE

Plus ou moins de temps libre ?

Selon la perspective adoptée et les indicateurs choisis, l'étude de l'évolution de la durée du temps libre peut conduire à des résultats opposés. Jonathan Gershuny, de l'université d'Oxford, a ainsi démontré que le temps libre a diminué par rapport à celui des sociétés primitives ; les peuplades de chasseurs-cueilleurs travaillaient en moyenne 4 heures par jour. Dans les sociétés pré-industrielles, le temps de travail annuel n'était pas très éloigné de celui des sociétés modernes, environ 2 100 heures, compte tenu du très grand nombre de jours chômés (surtout en hiver) et des fêtes religieuses. Leur nombre a fortement diminué après la Réforme, de telle sorte que le temps de travail annuel atteignait 3 500 heures vers le milieu du xixᵉ siècle en Europe.

On peut faire une constatation semblable en ce qui concerne l'évolution du temps de travail non rémunéré, celui des femmes en particulier. Joanne Vanek a montré au milieu des années 70 que le temps économisé grâce aux robots ménagers a été utilisé à accomplir d'autres tâches domestiques et qu'il a stagné, voire augmenté, d'autant que le personnel de maison disparaissait peu à peu. Le raisonnement tient compte aussi du taux d'activité des femmes et du fait que l'essentiel du temps libre est consacré à la consommation.

Le paradoxe est donc que les individus consacrent une part de plus en plus grande de leurs loisirs à consommer une abondance de biens dont la production leur demande de plus en plus de travail. Mais on peut démontrer aussi la proposition inverse, beaucoup plus répandue, selon laquelle le temps libre augmente régulièrement. L'augmentation de la durée du travail féminin correspond à celle de leur taux d'activité rémunérée.

JOURNÉE

Les hommes ont en moyenne 50 minutes de temps libre de plus par jour que les femmes (actifs citadins).

L'emploi du temps des adultes actifs (citadins) fait évidemment une large place au travail. Si les femmes travaillent à l'extérieur en moyenne une heure de moins que les hommes, elles consacrent plus de 4 h 30 aux tâches domestiques, contre 2 h 48 pour les hommes (durée journalière calculée sur une base de 7 jours).

Le temps physiologique (ou personnel) des deux sexes est comparable. Les hommes restent un peu plus longtemps à table (1 h 23 contre 1 h 18 pour les repas à domicile), tandis que leurs épouses prennent un peu plus de temps pour s'occuper d'elles-mêmes. Au total, les femmes actives sont donc pénalisées de près d'une heure de loisir par rapport aux hommes, soit près du tiers de leur temps libre quotidien.

La journée des citadins actifs

Hommes et femmes de 18 à 64 ans (1985-86) :

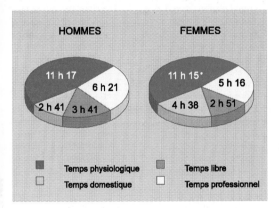

Temps exprimés en heures et minutes. Ces chiffres sont des moyennes incluant les samedis et les dimanches.

L'écart entre hommes et femmes est plus important parmi les inactifs (de moins de 65 ans).

La différence d'emploi du temps entre hommes et femmes est encore plus marquée en l'absence d'activité professionnelle. Les hommes sont de plus gros dormeurs. Les femmes « inactives » consacrent tout de même 6 h 53 au ménage et autres travaux domestiques, les hommes seulement 2 h 41. De sorte que les hommes sont encore les grands gagnants, avec 5 h 33 de temps libre par jour, soit une heure et demie de plus que leurs compagnes.

Les hommes âgés ont une heure de temps libre de plus que les femmes.

La journée des plus de 65 ans ressemble un peu à celle de leurs cadets non actifs. S'ils consacrent moins de temps aux travaux domestiques, c'est principalement parce que leurs foyers comptent moins de personnes. Les enfants étant partis, les

courses et le ménage leur demandent moins de temps. C'est peut-être pourquoi ils ont tendance à en consacrer davantage aux repas, moments importants de la journée, souvent prolongés, l'après-midi, par la sieste.

Comme pour les actifs, l'écart de temps libre entre les hommes et les femmes est d'environ une heure en faveur des hommes, soit moins que chez les inactifs jeunes. Pour les personnes âgées, le temps est une matière première à la fois abondante dans le présent et rare dans l'avenir.

La journée des inactifs

Hommes et femmes de 25 à 54 ans (1985-86) :

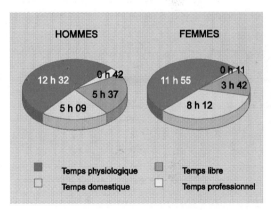

Hommes et femmes de 65 à 74 ans (1985-86) :

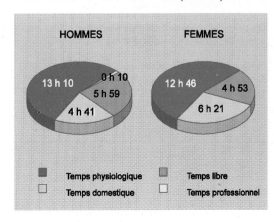

Temps exprimé en heures et en minutes.

Les agriculteurs travaillent deux heures de plus par jour que les citadins.

Le temps passé par les agricultrices ou aides familiales au travail professionnel et domestique représente au total 10 heures et demie par jour, soit une heure de plus que pour les citadines. En particulier, la préparation des repas et la vaisselle prennent deux fois plus de temps à la ferme. Cet écart tient au fait que les agriculteurs participent une heure de moins que les actifs urbains aux travaux ménagers.

On constate aussi que les ruraux (surtout âgés) dorment davantage que les citadins. Ils passent plus de temps à table : 1 h 35 par jour à domicile contre 1 h 20 en ville. Enfin, la télévision et les sorties occupent moins de temps à la campagne qu'à la ville. D'abord parce que le temps de loisir est inférieur d'une demi-heure par jour en milieu rural. Ensuite parce que la pratique de la chasse ou de la pêche y est beaucoup plus fréquente.

L'horloge des saisons

Contrairement à ce que l'on entend parfois, il y a encore des saisons. La vie individuelle et collective est en effet largement réglée par le calendrier. La courbe des mariages présente chaque année une pointe fin juin-début juillet. Celle des naissances est plus marquée en mai et creuse en novembre. Même la mort a un caractère saisonnier, vers fin janvier-début février. Les suicides, eux, sont plus nombreux au printemps et se produisent plus fréquemment le lundi, traduisant « l'angoisse des recommencements ». Un phénomène qui explique peut-être aussi le creux souvent constaté en septembre de la sociabilité.
L'alimentation, les achats, la lecture, la pratique sportive sont aussi des activités étroitement liées aux saisons. L'humeur elle-même serait en partie dépendante de la lumière du jour. La violence, dont la relation avec les phases lunaires n'est pas démontrée, est maximale en octobre-novembre et limitée en juillet. Les fêtes, païennes ou religieuses, continuent de rythmer les saisons et la vie des Français, qui se sentent ainsi rattachés à l'Univers.
L'année calendaire comporte au total huit moments critiques : les solstices d'été et d'hiver ; les équinoxes de printemps et d'automne ; les débuts des mois de février, mai, août et novembre.
Les découvertes récentes de la chronobiologie montrent d'ailleurs que les Français vivent à contre-temps ; le corps a plus besoin de repos en hiver (on dort moins en été), mais c'est pourtant en été que partent les vacanciers.

Philippe Besnard, Mœurs et humeurs

Le temps change

Evolution des emplois du temps des adultes citadins entre 1975 et 1985 (en heures et minutes) :

	1975	1985
• Temps physiologique	12 h 05	11 h 53
dont :		
- *repas à domicile*	*1 h 41*	*1 h 30*
- *repas hors domicile*	*0 h 29*	*0 h 28*
• Temps professionnel et de formation	4 h 01	3 h 32
dont :		
- *travail professionnel*	*3 h 23*	*2 h 49*
- *études et formation*	*0 h 14*	*0 h 20*
- *trajets*	*0 h 24*	*0 h 23*
• Temps domestique	4 h 26	4 h 31
dont :		
- *activités ménagères*	*2 h 44*	*2 h 38*
- *bricolage, couture*	*0 h 21*	*0 h 23*
- *autres trajets*	*0 h 43*	*0 h 47*
- *soins aux personnes*	*0 h 24*	*0 h 24*
• Temps libre	3 h 28	4 h 04
dont :		
- *télévision*	*1 h 22*	*1 h 48*
- *sports*	*0 h 03*	*0 h 08*
- *spectacles, sorties*	*0 h 05*	*0 h 08*
- *jeux*	*0 h 08*	*0 h 11*

Entre 1975 et 1985, le temps de travail a diminué, le temps libre a augmenté, les repas ont raccourci.

Pendant cette période, le temps libre s'est accru de 35 minutes. Les trois quarts de cette augmentation (26 minutes) se sont portés sur la télévision, qui absorbe aujourd'hui 40 % du temps libre des Français.

Les femmes et les hommes ont conservé des rôles domestiques distincts ; l'entretien du linge reste presque exclusivement féminin, mais le partage des tâches est un peu plus égalitaire (voir *Vie de couple*). Les activités masculines telles que le bricolage et le rangement ont augmenté, tandis que les tâches féminines (cuisine, vaisselle, linge) ont diminué.

Enfin, on constate que les adultes citadins consacrent un quart d'heure de moins aux repas. Une évolution qui touche toutes les catégories de personnes, jeunes ou âgées, actives ou non, hommes ou femmes.

➤ 54 % des Français se disent opposés au changement d'heure en été ; 33 % y sont favorables (mars 1991).

Le temps et l'espace

Structure des emplois du temps dans sept pays industrialisés (actifs à temps plein, en heures par semaine) :

	Royaume-Uni (1984)	Canada (1981)	Danemark (1975)	France (1986)	Norvège (1981)	Pays-Bas (1980)	Etats-Unis (1985)
Hommes							
• Temps personnel	73,5	70,4	70,7	71,0	70,9	70,4	71,0
• Temps professionnel	43,4	40,5	44,7	44,9	42,6	41,6	47,5
• Temps domestique	13,0	16,8	6,4	16,5	14,7	9,7	14,1
• Temps libre	38,1	40,3	46,2	35,6	39,8	46,3	35,4
Femmes							
• Temps personnel	73,9	72,7	70,0	72,5	69,7	73,6	72,3
• Temps professionnel	40,1	35,6	39,0	40,1	36,0	31,4	36,3
• Temps domestique	18,9	22,9	15,8	27,7	24,7	13,6	25,8
• Temps libre	35,1	36,8	43,2	27,7	37,6	49,4	33,6

INSEE

L'emploi du temps des Français diffère de celui des habitants des autres pays développés.

Une comparaison portant sur sept pays industrialisés montre que les Françaises sont celles qui ont le moins de temps libre. Les activités domestiques représentent pour elles 28 heures par semaine, (14 pour les Néerlandaises). Les besoins physiologiques occupent à peu près partout la moitié de la journée. Les femmes consacrent partout plus de temps au travail domestique que les hommes et moins à leur activité professionnelle lorsqu'elles en ont une.

Le 48h chrono.*
Gratuit et garanti.
On a beau chercher,
c'est unique.

MOI J'ECOUTE LA REDOUTE

Plus on a de temps, et plus il est court

L'une des motivations essentielles des Français est de gagner du temps.

Conscientes de cette demande en forte croissance, les entreprises ont multiplié au fil des années leurs offres de produits et de services : produits alimentaires (en poudre, concentrés, congelés, surgelés, en conserve, lyophilisés, précuits...) ; formules de restauration rapide ; équipements électroménagers (machines à laver le linge ou la vaisselle, four à micro-ondes...) ; transports (avion, TGV, transports urbains) ; services à domicile (Minitel, vente par correspondance, livraisons...). Car c'est bien du temps qu'on achète, chaque jour, en s'offrant un hamburger, les services du pressing, ceux d'une femme de ménage, d'un jardinier ou d'un livreur de pizzas...

Jamais les Français n'ont eu autant de temps libre ; jamais ils n'ont eu autant l'impression de manquer de temps.

Le doublement de l'espérance de vie en deux siècles et la diminution considérable de la place prise par le travail dans l'emploi du temps de la vie ont fait exploser le temps libre. Pourtant, les Français se plaignent plus que jamais de ne « pas avoir le temps ». Gagner du temps pour pouvoir le perdre à sa guise, tel est l'apparent paradoxe de la société actuelle.

Ce paradoxe s'explique par l'importance prise par les loisirs, qui ne sont plus aujourd'hui considérés comme une récompense ou une compensation au travail, mais comme un droit et une activité à part entière (voir *Civilisation des loisirs*). De plus, les offres de loisirs se sont multipliées.

Mais la conquête du temps n'a pas pour unique objet le divertissement. Elle offre à chacun la possibilité de gérer lui-même le temps dont il dispose, c'est-à-dire sa vie. Un pas important vers la maîtrise de son destin, revendication essentielle de l'époque.

Une révolution du temps est amorcée.

Le découpage formation-travail-retraite apparaît de plus en plus artificiel. Il ne correspond pas plus aux besoins individuels qu'aux nécessités collectives. Pourquoi ne pas apprendre quand on en a envie ou quand c'est nécessaire? Pourquoi ne pas « se mettre en retraite » à différentes époques de sa vie, afin de s'orienter vers un autre type d'activité, prendre un peu de recul ou simplement profiter de la vie? Pourquoi ne pas travailler de façon plus modulée, tant qu'on en éprouve le besoin, tant qu'on en a la capacité?

Au quotidien, d'autres revendications se font jour. Les Français souhaitent pouvoir faire leurs courses tard le soir ou le dimanche, utiliser les services publics sept jours sur sept, choisir les dates de leurs vacances et, pour ceux qui ont des enfants, ne pas dépendre du calendrier scolaire. Les ruptures du temps social (fins de semaine, congés payés, retraite, etc.), hier considérées comme des progrès, sont aujourd'hui vécues comme des contraintes.

Le temps plus important que l'espace

Les progrès considérables en matière de communication ont radicalement transformé la relation au temps et à l'espace dans les sociétés modernes. Le vieux rêve de l'ubiquité a été réalisé grâce aux moyens de transport et surtout à l'électronique, qui a rendu possible le déplacement instantané. Le "temps réel" remplace donc l'espace tandis que le temps est lui-même devenu de l'information, matière première essentielle de cette fin de millénaire. Le « travail du temps » devient plus important que le temps de travail. L'accroissement de la vitesse des échanges et le raccourcissement du temps qui en résulte (« plus on va vite et plus le temps est court » selon la théorie de la relativité d'Einstein) posent des problèmes nouveaux, tant aux individus qu'aux démocraties. Après la « réalité virtuelle », le siècle prochain sera peut-être celui du « temps virtuel ».

L'argent avant le temps

Evolution de la préférence entre une augmentation du pouvoir d'achat et un accroissement du temps libre (en %) :

	Pouvoir d'achat	Temps libre
1993	65%	34%
1982	55%	44%

Les structures sociales devront s'adapter aux nouvelles exigences.

Bien que le temps libre d'une vie soit aujourd'hui trois fois plus abondant que le travail, les structures de la société restent calquées sur le modèle traditionnel, organisé autour du travail. Pourtant, la revendication croissante d'un « autre temps » est aujourd'hui soutenue par des experts qui pensent que l'utopie sociale a des justifications économiques. Elle permettrait en particulier de mieux partager l'emploi, de mieux adapter la formation aux besoins de l'économie, en même temps qu'elle rendrait les gens plus motivés, donc plus efficaces.

On voit s'esquisser le passage à une autre société, caractérisée par une plus grande harmonie entre les nécessités collectives et les aspirations individuelles. La voie vers cette nouvelle civilisation passe par une véritable révolution du temps. Si elle apparaît souhaitable sur le plan individuel, l'importance actuelle du chômage la rend inéluctable sur le plan collectif. Le débat sur la semaine de 32 heures (quatre jours), amorcé puis avorté fin 1993, ne manquera pas de redevenir central.

> ➤ Un salarié consacre en moyenne 20 % de son temps au classement des informations. La part prise par la recherche d'informations atteint 30 % du temps de travail des cadres.

FAMILLE

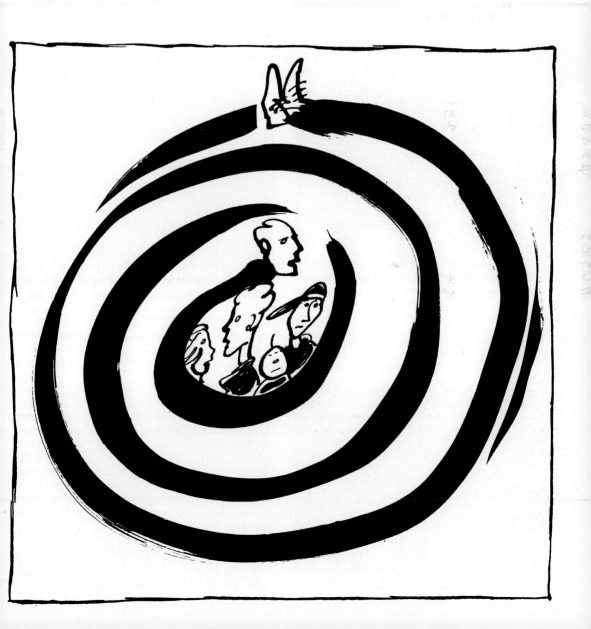

LE BAROMÈTRE DE LA FAMILLE

Les pourcentages indiqués correspondent aux réponses favorables aux affirmations proposées (population âgée de 18 ans et plus). L'enquête Agoramétrie n'a pas été effectuée en 1990.

« La famille doit rester la cellule de base de la société » (en %) :

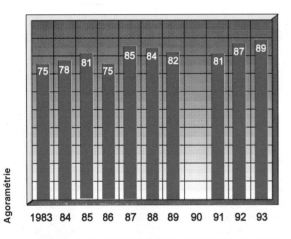

« Le mariage est une union indissoluble » (en %) :

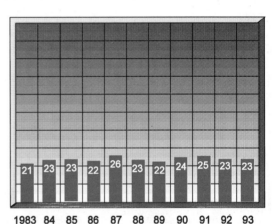

« La libéralisation de l'avortement est une bonne chose » (en %) :

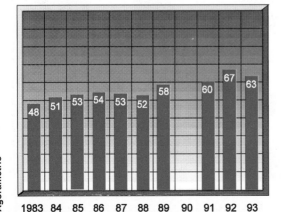

« Pensez-vous que vos conditions de vie vont s'améliorer au cours des 5 prochaines années » (en %) :

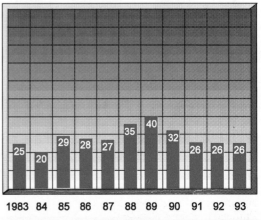

LE COUPLE

JE T'AIME
TROP POUR
T'ÉPOUSER
...

MARIAGE

Baisse en 1992 et 1993, après trois années de hausse ◆ Un mariage sur sept concerne au moins un époux étranger ◆ Plus d'un couple sur dix en union libre ◆ Age moyen au mariage en hausse : 26,3 ans pour les femmes ; 28,3 ans pour les hommes ◆ Homogamie et endogamie toujours fortes ◆ 52 % de mariages religieux

ÉVOLUTION

Entre 1973 et 1987, le nombre des mariages avait diminué de 150 000.

Le nombre maximum avait été atteint en 1972, avec 417 000 unions. La baisse avait ensuite été continue pendant quinze ans, alors que le nombre de personnes en âge de se marier augmentait. Le taux de mariages avait donc chuté dans de fortes proportions (4,8 pour 1 000 habitants en 1987 contre 8,1 en 1972) en même temps que se développait l'union libre.

Il faut cependant ramener cette spectaculaire diminution à ses proportions véritables. On peut considérer en effet que le nombre des mariages avait anormalement augmenté entre 1968 et 1972, sous l'influence de trois phénomènes :

• l'arrivée à l'âge du mariage des générations nombreuses de l'après-guerre, issues de ce qu'on a appelé le « baby-boom » ;
• l'accroissement des conceptions prénuptiales à une époque où la liberté sexuelle ne s'était pas encore accompagnée d'une large diffusion des moyens de contraception ;
• l'existence de pressions sociales fortes à l'encontre des naissances hors mariage.

Il faut enfin préciser que l'âge moyen au mariage avait augmenté pendant cette période, alors qu'il avait diminué entre 1950 et le milieu des années 70. Ce décalage dans le temps a eu évidemment pour effet de diminuer le nombre des mariages célébrés pendant cette période. Pour ces raisons, les années 1950 à 1970 apparaissent comme des années de transition.

La tendance s'était inversée entre 1988 et 1990.

Après s'être stabilisé en 1987, le nombre des mariages avait augmenté en 1988, 1989 et 1990. Cette augmentation était due aux remariages et à la « régularisation » d'unions libres et d'enfants nés hors mariage ; près d'un mariage sur quatre célébrés en 1991 concernait un couple dont l'un au moins des époux avait déjà été marié (contre 18 % en 1980).

On observait le même phénomène dans d'autres pays européens. La hausse était plus sensible dans des pays comme l'ex-RFA, le Danemark, l'Italie ou la Suède (où un changement de législation concernant la pension de réversion pour les couples non mariés sans enfant avait provoqué une hausse de 146 % en 1989 !). Mais le mouvement de reprise était en France limité par rapport au « déficit » accumulé parmi les jeunes générations depuis 1973.

On a enregistré de nouvelles baisses en 1992 et 1993.

Après une baisse de 3 % en 1992, celle de 1993 a atteint 6 %, alors que la population en âge de se marier est stable. Les 254 000 mariages célébrés en 1993 représentent le niveau le plus bas depuis le début du siècle, à l'exception de la période de guerre 1940-44.

Trente ans de mariages

Evolution du nombre annuel de mariages (en milliers) :

1960	320
1962	317
1964	348
1966	340
1968	357
1970	391
1972	417
1974	395
1976	374
1978	355
1980	334
1982	312
1984	281
1986	266
1988	271
1990	287
1992	271
1993	254

INSEE

Au cours des vingt dernières années, la baisse s'établit à 40 %. Si les femmes adoptaient au cours de leur vie les mêmes comportements de nuptialité par âge que ceux constatés en 1993, leur taux de célibat définitif serait de 50 %, contre 10 % il y a vingt ans. Il faut cependant encore tenir compte du recul de l'âge au mariage, qui se poursuit. Les mariages de jeunes célibataires sont en effet de moins en moins fréquents avant 26 ans pour les femmes et 28 ans pour les hommes. A l'inverse, les mariages tardifs sont plus nombreux.

La France championne de la dénuptialité

Par rapport aux habitants des autres pays de l'Union européenne, les Français sont ceux qui se marient le moins. Le taux de nuptialité, qui se situe à 4,4 unions pour 1 000 habitants en 1993, est le plus faible avec celui de l'Irlande ; le plus élevé est celui du Portugal (7,1, contre 5,6 en moyenne pour les douze pays). Les Français sont aussi ceux qui se marient le plus tard. Jusqu'à l'âge de 26 ans pour les femmes et 28 ans pour les hommes, ils sont de moins en moins nombreux à se marier.

Dans un mariage sur sept, l'un des époux au moins est étranger (un sur vingt en 1975).

Le nombre des mariages concernant un étranger (un époux français et un étranger ou deux époux étrangers) s'est élevé à 39 436 en 1992 ; il représentait 14,5 % du nombre total de mariages, contre 7,9 % en 1980 et 6,2 % en 1970.

Le nombre des mariages mixtes (un époux français et un étranger) avait été stable entre 1972 et 1988, autour de 20 000 par an. Son augmentation a été forte en 1989 et 1990 ; il s'est stabilisé un peu au-dessus de 30 000 depuis, soit 11,4 % de l'ensemble des mariages en 1992 (contre 6,2 % en 1980). Le nombre de mariages unissant deux époux étrangers avait lui aussi augmenté en 1989 et 1990. Il s'est stabilisé depuis : 8 469 en 1992, soit 3,1 % de l'ensemble.

Les nationalités les plus représentées sont celles des communautés d'immigrés les plus récentes : la moitié des mariages mixtes concernent des personnes de nationalité africaine, majoritairement maghrébine. Un tiers sont contractés avec des personnes de nationalité européenne, contre deux tiers

Eurostat, INSEE

il y a quinze ans. Ceux qui concernent les ressortissants de l'Union européenne évoluent peu.

Chaque année, environ 10 000 personnes acquièrent la nationalité française par le mariage. On estime qu'une part croissante de ces mariages correspond à des unions factices (mariages blancs).

---

11 % de mariages mixtes

Evolution de la proportion de mariages mixtes (en % du nombre total de mariages) :

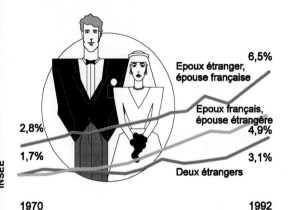

6,5%
Epoux étranger, épouse française

Epoux français, épouse étrangère
4,9%

Deux étrangers
3,1%

2,8%

1,7%

1970   1992

INSEE

Un Français sur trois célibataire

La proportion de célibataires s'est considérablement accrue. Elle représentait 35 % des hommes de 15 ans et plus et 28 % des femmes au recensement de 1990. Chez les hommes, les taux de célibat les plus élevés se rencontrent dans les catégories sociales modestes. On constate la tendance contraire chez les femmes : ce sont les femmes diplômées qui se marient le moins. A niveau scolaire égal, les femmes issues d'un milieu aisé se marient moins que celles qui ont été élevées dans un milieu modeste.

Aujourd'hui, 89 % des hommes et 72 % des femmes âgés de 20 à 24 ans sont de « vrais » célibataires, c'est-à-dire non mariés, non concubins et ne vivant pas en couple chez leurs parents. Ils sont encore respectivement 48 % et 32 % entre 25 et 29 ans, 22 % et 16 % entre 30 et 34 ans, 13 % et 9 % entre 35 et 39 ans.

Le mariage n'est plus considéré comme une nécessité, mais il n'est pas pour autant rejeté.

La conception du mariage s'est transformée au cours des quinze ou vingt dernières années ; on ne se sent plus contraint aujourd'hui de se marier pour se conformer à une règle sociale, explicite ou non. La nécessité institutionnelle du mariage, qui était sa principale raison d'être, a disparu.

Depuis vingt ans, les pressions sociales se sont considérablement relâchées. Le mariage n'est plus considéré comme la seule façon acceptable de vivre en couple et de fonder un foyer. 62 % des Français condamnaient ou trouvaient choquante l'union libre en 1976 ; ils sont moins de 30 % aujourd'hui. On constate également une grande tolérance à l'égard des naissances survenant hors mariage, des familles monoparentales, des couples qui décident de ne pas avoir d'enfants ou du divorce.

Mais les Français ne rejettent pas l'idée du mariage. Il représente pour eux un engagement profond et la plupart des jeunes n'excluent pas de se marier. 37 % de ceux qui vivent en union libre estiment que le mariage est d'abord l'intérêt des enfants. Une minorité considère qu'il est plus facile de vivre en étant marié (15 % des hommes et 10 % des femmes).

Plus d'un couple sur dix vit en union libre.

Apparue vers le milieu des années 70, la pratique de la cohabitation, ou union libre (autrefois appelée concubinage), s'est depuis largement développée, jusqu'à représenter un mode de vie à part entière. Elle concerne aujourd'hui plus de 12 % de la population totale et plus de 20 % chez les jeunes de 18 à 24 ans. Le recensement de 1990 a comptabilisé 1,7 million de couples, deux fois plus qu'en 1982, six fois plus qu'en 1968. Environ 60 % des couples qui se marient aujourd'hui ont vécu ensemble avant le mariage ; ils n'étaient que 8 % pendant la période 1960-1969.

A ses débuts, cette vie commune prénuptiale se substituait en quelque sorte à la période traditionnelle des fiançailles. La perspective de l'arrivée d'un enfant constituait alors une forte incitation au mariage.

➤ Parmi les femmes nées en 1962, 66 % seulement étaient mariées à 30 ans, contre 83 % de celles qui sont nées en 1952.

Concubins, concubines

Evolution du nombre de couples non mariés en France (en milliers) et part dans le nombre total de couples (en %) :

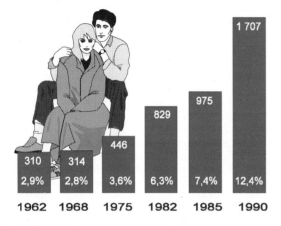

310	314	446	829	975	1 707
2,9%	2,8%	3,6%	6,3%	7,4%	12,4%
1962	**1968**	**1975**	**1982**	**1985**	**1990**

INSEE

Pour beaucoup de jeunes, l'union libre est à la fois un « mariage à l'essai » et une manière de conserver sa liberté.

D'autres la justifient par des raisons matérielles (coût financier du mariage ou d'un éventuel divorce ultérieur) ou pratiques (suppression des formalités administratives).

L'union libre est plus fréquente chez les jeunes et dans les grandes villes, surtout à Paris, où elle est en outre plus longue. Elle concerne cinq fois plus les non-croyants et elle est trois fois plus fréquente parmi les personnes diplômées que chez les non-diplômés. Les jeunes femmes sont plus nombreuses que les hommes à préférer l'union libre au mariage ; cette solution leur apparaît en effet plus égalitaire, plus souple et moins contraignante.

Les Français se marient de plus en plus tard :
* *26,3 ans en moyenne pour les femmes (22,4 en 1970) ;*
* *28,3 ans pour les hommes (24,4 en 1970).*

Le très fort développement de l'union libre a eu pour conséquence une augmentation sensible de l'âge moyen au premier mariage, qui a reculé de 3 ans entre 1982 et 1992. 7 % seulement des femmes se marient avant 21 ans, contre 36 % il y a vingt ans. Ce « retard au mariage », d'abord sensible chez les jeunes, concerne désormais les moins jeunes. A 30 ans, 34 % des femmes sont toujours célibataires.

Le report des mariages à des âges plus élevés ne compense pas le déficit enregistré chez les plus jeunes. On peut cependant observer qu'on se marie aujourd'hui presque au même âge qu'au XVIIIe siècle. L'âge moyen au premier mariage avait en effet baissé de deux ans en deux siècles ; il a augmenté d'autant, mais en quelques années.

L'âge au remariage des divorcés a augmenté encore davantage que celui des célibataires : 42,3 ans pour les hommes (38,1 ans en 1980) ; 38,8 ans pour les femmes (35,2 ans en 1980). Au total, les femmes qui se sont mariées en 1992 avaient en moyenne 3,8 ans de plus qu'en 1980 (28,4 ans contre 24,6) ; l'écart est le même pour les hommes (30,9 ans contre 26,0). Les femmes (plus mûres ou plus pressées ?) se marient en moyenne deux ans et demi plus tôt que les hommes. 70 % des hommes épousent ainsi des femmes plus jeunes qu'eux.

L'amour n'implique pas le mariage

Résonnances

Les couples continuent de se choisir au sein des mêmes groupes sociaux.

Qui se ressemble s'assemble. L'*homogamie*, qui désigne la propension des individus à se marier avec une personne issue d'un milieu social identique ou proche, reste à un niveau élevé. Ainsi, la moitié des filles de cadres épousent des cadres. Plus de la moitié des filles d'ouvriers restent en milieu ouvrier ; moins de 6 % vivent avec un cadre.

Les enquêtes montrent que les individus issus des milieux modestes ont d'autant plus de chances d'épouser une personne issue d'un milieu plus élevé qu'ils sont plus diplômés et qu'ils ont moins de frères et sœurs. Les catégories sociales les plus fermées aux autres sont celles des non-salariés : professions libérales, gros commerçants, industriels, artistes, agriculteurs. Le « coefficient d'homogamie » est ainsi de 10,1 pour les professions libérales (le nombre de couples dans lesquels le mari et le père de la femme exercent tous deux une profession libérale est 10,1 fois plus grand que si les couples se formaient purement par hasard).

Le coefficient est de 9 pour les gros commerçants, 8,4 pour les industriels, 5,9 pour les professeurs. Il est de 11,6 pour les artistes et... 20,7 pour les mineurs de fond. Certaines catégories sont plus ouvertes ; les enfants de techniciens, employés de bureau ou de commerce épousent plus souvent des représentant(e)s d'autres catégories.

Rencontres : le hasard moins que la nécessité

16 % des couples mariés se sont rencontrés dans un bal, 13 % dans un lieu public, 12 % au travail, 9 % chez des particuliers, 8 % dans des associations, 8 % pendant leurs études, 7 % au cours d'une fête entre amis, 5 % à l'occasion d'une sortie ou d'un spectacle, 5 % sur un lieu de vacances, 4 % dans une discothèque, 3 % par connaissance ancienne ou relation de voisinage, 3 % dans une fête publique, 1 % par l'intermédiaire d'une annonce ou d'une agence. L'importance des diverses occasions varie selon les milieux sociaux : 37 % des agriculteurs ont rencontré leur future épouse au cours d'un bal ou d'une autre situation liée à la danse. C'est le cas de 29 % des commerçants, 18 % des employés, 14 % des cadres, 12 % des professeurs.
On constate depuis une trentaine d'années une nette diminution de l'importance des bals publics, des rencontres de voisinage et des fêtes familiales. Les clubs de vacances, les rencontres entre amis, les discothèques, cafés et autres lieux publics jouent en revanche un rôle croissant, tandis que celui des lieux de travail et d'études reste stable, malgré l'allongement de la scolarité et la réduction du temps de travail.
Contrairement à ce qu'on pourrait imaginer, les Français se marient très peu par l'intermédiaire des agences matrimoniales, des petites annonces ou des messageries du Minitel (moins de 1 % des rencontres ayant donné lieu à un mariage).
Il faut préciser enfin que le « rendement matrimonial » des divers moyens de rencontres est très variable : si les fêtes de famille sont des événements beaucoup plus rares que les bals ou les soirées entre amis, elles se traduisent plus souvent par une union.

Michel Bozon, François Héran, INED

Les conjoints sont moins souvent issus de la même région et du même type de commune.

Entre 1914 et 1959, un mariage sur cinq concernait des conjoints originaires de la même commune ; la proportion n'était plus que d'un sur sept entre 1959 et 1983.

Pourtant, l'*endogamie* (propension à se marier entre personnes de la même aire géographique) est encore répandue. Sur 100 couples dont le mari est né dans une commune de moins de 5 000 habitants, 53 épouses sont nées dans la même catégorie de commune. Le taux est de 34 % dans les communes de 5 000 à 50 000 habitants, 45 % dans celles de 50 000 à 200 000 habitants, 55 % dans celles de plus de 200 000 habitants (45 % en 1959), 50 % dans l'agglomération parisienne.

Les saisons du cœur

60 % des mariages sont célébrés entre juin et septembre, avec une forte pointe en juin, une autre en septembre. Ils sont plus étalés dans les villes que dans les campagnes, où les interdits et les coutumes d'origine religieuse suggèrent d'éviter la période de carême, entre mardi gras et Pâques (« noce de mai, noce de mort », « mois des fleurs, mois des pleurs ») ou novembre (« mois des morts »).
Plus de 80 % des unions sont célébrées le samedi (dont 4 % pour le dernier samedi de juin). Une sur dix a lieu le vendredi (une sur deux pour les cadres). Les artisans et les commerçants se marient plus souvent le lundi, jour de fermeture de nombreux magasins.

INSEE

Le mariage est moins souvent religieux, mais la tradition n'est pas absente.

Le mariage civil était autrefois indissociable du mariage religieux. Aujourd'hui, les Français sont de moins en moins nombreux à se marier à l'église : 52 %, contre 78 % en 1965. A l'instar des autres sacrements, celui-ci n'est plus considéré comme indispensable par les jeunes couples, ni par leurs parents. On se marie plus facilement devant les hommes que devant Dieu, comme si l'on hésitait à donner à cette union un caractère solennel et définitif.

La contrepartie de cette évolution est que ceux qui se marient à l'église le font au terme d'une démarche plus réfléchie, plus personnelle que par le passé. La cérémonie religieuse prend alors pour eux un sens plus profond.

Après une période pendant laquelle on se mariait dans la simplicité et dans l'intimité, on observe aujourd'hui une tendance à un mariage plus traditionnel ; robe de mariée blanche, longue et sage, voiles de dentelle, riz, dragées et couronnes d'oranger. Les repas de mariage sont l'occasion de fêtes et de rencontres avec des membres souvent éparpillés de la famille.

Doubles vies conjugales

En même temps qu'à l'accroissement de l'union libre, des divorces, des remariages, des familles monoparentales, des enfants illégitimes et des familles recomposées, on assiste depuis quelques années à une augmentation du nombre des personnes menant une double vie sentimentale, parfois triple.
Ce sont surtout des hommes âgés de 40 à 55 ans, de toutes classes sociales, qui sont concernés. C'est ce qui explique que les clients des détectives privés soient dans une large majorité des femmes. L'allongement de la durée de vie moyenne, le besoin de changement et la volonté de concilier la stabilité du mariage avec le piment de la vie extraconjugale sont des explications à ces comportements de polygamie clandestine. Le besoin de transgression s'accompagne souvent d'une réelle volonté d'assumer, affectivement et sentimentalement, cette situation.

➤ 45 % des hommes célibataires se considèrent comme des « cœurs à prendre », 21 % comme des célibataires endurcis, 8 % comme des « cœurs brisés », 3 % comme des misogynes. Ce qui leur manque le plus est la complicité à deux (37 %), le bonheur d'avoir des enfants (29 %), la tendresse au quotidien (29 %).
➤ 50 % des hommes et 46 % des femmes estiment que le meilleur régime matrimonial est la communauté de biens, devant la séparation de biens (38 % des hommes et 45 % des femmes).
➤ 49 % des couples ont un compte commun et 24 % ont deux comptes personnels (dans ce cas, 52 % savent ce dont leur conjoint dispose sur son compte).
➤ Pour les Françaises, l'homme le plus romantique est le chanteur Roch Voisine, devant Francis Huster, Patrick Bruel, Richard Cleyderman et Julien Clerc.
➤ Dans 66 % des cas, c'est la femme qui gère l'argent du couple.
➤ Le nombre des femmes battues est estimé à 2 millions.
➤ 31 % des hommes ont offert un cadeau à leur amie ou compagne pour la Saint-Valentin ; la moitié ont acheté des fleurs ou des plantes.
➤ 71 % des hommes ont une idée de la taille des vêtements de leur femme ou amie.

VIE DE COUPLE

Redéfinition de vie à deux ◆ Répartition des tâches plus égalitaire, mais encore spécialisée ◆ Décisions mieux partagées ◆ Recherche d'un nouvel équilibre des femmes ◆ Baisse d'un an de l'âge au premier rapport depuis vingt ans ◆ Pratiques sexuelles un peu plus diversifiées ◆ Risques liés au sida insuffisamment pris en compte ◆ Une certaine atrophie du désir

RÉPARTITION DES TÂCHES

L'évolution de la condition féminine a entraîné une redéfinition de la vie de couple.

Très longtemps, les femmes s'étaient contentées de leur condition de mère et d'épouse, vivant une vie sociale par procuration. Durkheim affirmait déjà il y a un siècle que « la société conjugale, désastreuse pour la femme, est au contraire bénéfique pour l'homme ». Aujourd'hui, plus d'une femme sur trois est active et le modèle du couple biactif est majoritaire. Entre ces deux conceptions, il s'est produit une révolution, celle du féminisme.

La plus grande conquête a été celle de la contraception. Avant la disponibilité de la pilule et sa reconnaissance légale, en 1967, la vie de la femme était rythmée par la succession des grossesses. En devenant capable de maîtriser ce rythme, elle pouvait accéder à une vie professionnelle plus riche, à un rôle social plus important, à une vie de couple plus épanouie. Pour la première fois de son histoire, la femme n'était plus déterminée par sa fonction de procréation. Elle devenait un être à part entière, capable de conduire sa vie hors des limites étroites que la nature (largement aidée par les hommes) lui avait imposées.

La répartition des tâches est plus égalitaire...

Les femmes ont aujourd'hui moins de temps, mais aussi moins de goût pour les tâches domestiques. Les jeunes, surtout, ont d'autres ambitions dans la vie que d'être de parfaites femmes au foyer. Après des siècles d'inégalité officielle (l'homme chef de famille, la femme au foyer), les rôles des deux partenaires se sont rapprochés, que ce soit pour faire la vaisselle... ou l'amour.

Les contributions masculines sont un peu plus fréquentes : entre 1975 et 1986, les hommes ont augmenté de 11 minutes par jour le temps qu'ils consacrent au travail domestique, tandis que les femmes l'ont réduit de 4 minutes. Mais le déséquilibre reste important : 4 h 38 par jour en moyenne pour les femmes ; 2 h 41 pour les hommes. Les salariés (en particulier les cadres supérieurs) sont en général mieux disposés que les indépendants, commerçants, chefs d'entreprise, professions libérales ou les agriculteurs. On constate que plus le revenu de la femme est élevé par rapport à celui du mari, plus celui-ci participe.

... mais elle reste spécialisée.

Un nouvelle répartition des tâches et des décisions est amorcée entre les sexes. Mais, si les obstacles juridiques à l'égalité ont aujourd'hui disparu, on en est encore loin dans la pratique, et les risques parfois évoqués d'une forme nouvelle de matriarcat paraissent faibles. C'est encore la femme qui, le plus souvent, lave le linge (dans 97 % des couples), fait la cuisine (84 %), passe l'aspirateur (75 %), lave la vaisselle (73 %), fait les courses (67 %). Les tâches principalement masculines sont plus limitées : porter du bois, du charbon ou du mazout et laver la voiture. Plus de 70 % des hommes les prennent en charge et plus de 80 % y participent.

Il existe enfin des tâches « négociables » entre les époux : faire la cuisine ; laver les vitres ; passer l'aspirateur ou le balai ; laver la vaisselle ; faire les courses ; mettre le couvert. Les hommes les prennent en charge dans 10 à 20 % des couples et les autres y participent assez largement. Ils s'y prêtent d'autant plus que leur compagne exerce une activité professionnelle. Les hommes continuent d'avoir chaque jour près d'une heure de temps libre de plus que les femmes (3 h 40 contre 2 h 50).

L'inertie culturelle

Les résistances au changement ne sont pas seulement masculines. Elles peuvent s'expliquer en partie par le principe de l'« inertie culturelle » : chaque conjoint reproduirait inconsciemment le rôle que tenait son père ou sa mère. On observe d'ailleurs que cette inertie est d'autant moins forte que le niveau d'instruction des époux est élevé : plus l'homme est diplômé, plus il prend en charge les tâches féminines ou négociables.

Les décisions sont mieux partagées que les tâches domestiques.

L'égalité dans le couple se fait plus facilement lorsqu'il s'agit d'accroître l'influence de la femme dans les domaines importants que lorsqu'il s'agit de la réduire dans les tâches courantes. En d'autres termes, les maris acceptent plus volontiers de faire « monter » les femmes à leur hauteur que de « descendre » eux-mêmes à leur niveau. De plus en plus de décisions sont prises en commun dans le couple, qu'il s'agisse des vacances, des invitations à dîner ou de l'éducation des enfants (bien que, dans ce domaine, l'empreinte de la mère reste forte).

L'avis de l'homme reste fort ou prépondérant dans le choix du lieu d'habitation, de l'équipement électronique et de l'automobile. Mais c'est la femme qui, le plus souvent, décide de l'acquisition des biens culturels (livres, œuvres d'art), sauf pour les disques, qui sont achetés ensemble. Son poids reste déterminant lorsqu'il s'agit de choisir l'ameublement, la décoration de la maison ou l'équipement électroménager (c'est elle qui, le plus souvent, fera fonctionner la machine à laver...).

Le poids des femmes dans les décisions d'achat s'accroît rapidement, de sorte que les entreprises ont dû commencer à repenser les produits et les équipements pour en tenir compte (voir *Dépenses*).

L'accroissement du taux d'activité des femmes pourrait modifier les comportements dans le couple à l'égard de l'argent.

Le modèle du couple traditionnel en œuvre depuis le XIXe siècle reste dominant : l'homme est celui qui fait vivre le foyer ; la femme gère l'argent du ménage. Le « matriarcat budgétaire » est dominant, même lorsque les deux partenaires sont actifs

Qui fait quoi ?

Répartition des tâches domestiques dans les couples (en %) :

	Homme	Femme	Les deux conjoints également	Autre personne du ménage	Tiers rémunéré
Tâches « féminines »					
• Laver le linge à la main	1,1	96,7	0,5	0,9	0,8
• Laver le gros linge à la machine	2,6	94,2	1,3	0,9	1,0
• Laver du petit linge à la machine	2,0	95,0	1,7	0,8	0,5
• Repasser	2,2	89,3	0,9	2,4	5,2
• Recoudre un bouton	2,0	93,3	0,9	2,4	1,4
• Faire les sanitaires	4,4	89,7	1,9	1,2	2,8
Tâches « masculines »					
• Porter du bois, du charbon, du mazout	74,1	20,2	2,2	3,2	0,3
• Laver la voiture	71,3	12,3	2,3	3,1	11,0
Tâches négociables					
• Faire la cuisine	8,3	84,0	5,1	1,9	0,7
• Faire les vitres	13,6	77,9	2,1	1,1	5,3
• Passer l'aspirateur, le balai	13,5	75,3	5,5	2,9	3,0
• Faire la vaisselle à la main	16,4	73,7	6,8	2,6	0,5
• Faire les courses	19,9	67,4	10,6	2,0	0,1
• Remplir et vider le lave-vaisselle	21,9	63,0	6,3	8,4	0,2
• Mettre le couvert	23,5	52,0	8,4	15,9	0,2

INSEE, 1980

et disposent de revenus comparables. Dans les annonces matrimoniales, les hommes recherchent surtout des femmes jeunes et jolies, tandis que les femmes souhaitent trouver des hommes riches et généreux, si possible d'un niveau social supérieur au leur. Il semble d'ailleurs que les couples fonctionnent de façon plus harmonieuse lorsque les rôles sont contrastés.

Cette répartition des tâches pourrait pourtant changer. L'accès à la vie professionnelle n'a pas donné aux femmes que le goût de l'indépendance ; il leur a aussi conféré les moyens financiers de l'assumer. Un foyer sur deux compte aujourd'hui deux salaires. Et les jeunes femmes (moins de 40 ans) sont plus nombreuses que les hommes (40 % contre 27 %) à estimer qu'elles ont plus de désaccords d'argent dans leur couple que n'en avaient leurs parents (*le Nouvel Observateur/Sofres*, octobre 1993). Il faut rappeler que les femmes ne peuvent ouvrir un compte en banque sans le consentement de leur mari que depuis 1965.

Elles ne peuvent contracter des dettes gagées sur les biens communs que depuis 1985.

Certains hommes vivent mal la transformation des rapports entre les sexes.

Les qualités associées aux femmes (sens pratique, douceur, capacité d'écoute, pacifisme, résistance....) sont aujourd'hui valorisées, au détriment des caractéristiques plus typiquement masculines comme la violence, la domination ou la compétition. Au point qu'on a parfois tendance à assimiler le mâle et le mal, ce qui explique les difficultés de beaucoup d'hommes à se situer dans leur vie sociale et personnelle.

Selon Elisabeth Badinter, l'homme viril et dur a cédé la place à « l'homme mou », tenté par la fuite devant les femmes et les responsabilités. Pour elle, le sexe femelle (chromosomes XX) serait le sexe de base de l'espèce humaine, ce qui donnerait tort à Simone de Beauvoir : on ne naît pas homme, on le devient.

Les hommes ont découvert leur part de féminité (en particulier le droit à la sensibilité) au moment où les femmes achevaient leur propre exploration. Certains ont le sentiment de perdre leur identité, de devenir le sexe faible. C'est pourquoi ils sont de plus en plus nombreux à consulter les psychanalystes et les sexologues. Contrairement à ce que prétendait Freud, le continent noir ne serait pas la femme, mais l'homme.

De leur côté, les femmes ont du mal à trouver l'équilibre entre leurs différentes fonctions.

Les pressions sociales ont changé. Les magazines, la littérature et l'imagerie publicitaire des années 80 célébraient la « superwoman » ; ceux des années 90 insistent sur le prix à payer par les femmes pour tout réussir à la fois.

On observe aujourd'hui une certaine tendance de la publicité ou du cinéma à montrer des femmes « vamps », bombes sexuelles mangeuses d'hommes. La place prise par les « top models » dans les médias pourrait être vue comme un retour à la femme-objet. Mais le fait qu'on leur donne très largement la parole témoigne en même temps de la place prise par les femmes, qui sont devenues aussi un sujet essentiel du débat social.

L'équilibre entre les sexes n'est sans doute pas atteint, mais la situation des femmes est plus favorable qu'elle ne l'a jamais été. C'est pourquoi elles se battent moins aujourd'hui pour la parité que pour un compromis acceptable au sein du couple et de la société. Car le droit à l'égalité est difficilement compatible avec le droit à la différence.

74% des hommes se plaignent de manquer de tendresse.

René Derhy
L'amour vous va bien ✶

Les hommes sont mal dans leur peau

AMOUR, SEXUALITÉ

La « révolution sexuelle » des années 70 a modifié les attitudes...

Liberté, égalité, sexualité. Les années 70 ont modifié l'image de la sexualité en la faisant entrer dans les discussions familiales, dans les médias et, plus timidement, à l'école. L'érotisme n'était plus clandestin.

La diminution de la pratique religieuse explique la disparition des vieux tabous. Mais c'est la généralisation de la contraception qui a joué le rôle essentiel dans la libération des mœurs sexuelles. Les femmes et les adolescents ont été les principaux bénéficiaires de cette transformation en forme de révolution.

... mais elle a eu moins d'incidences sur les comportements.

L'étude réalisée par l'INSERM en 1991 et 1992 montre que les pratiques sexuelles ont assez peu changé depuis 1970, date de publication du rapport Simon. Le nombre de partenaires ou de rapports sexuels a peu varié. On constate seulement que les 30-50 ans pratiquent davantage les relations à plus de deux partenaires et que la sodomie hétérosexuelle est plus fréquente.

Les écarts mesurés s'expliquent surtout par le fait que les hommes et surtout les femmes répondent plus franchement aux questions concernant leur sexualité. Comme toutes les libertés, la liberté sexuelle, une fois obtenue, a été considérée comme un acquis. Elle n'implique pas qu'on en abuse ni même qu'on en use. Si les médias célèbrent régulièrement le retour de la tendresse, du romantisme et des sentiments, il semble qu'ils n'aient jamais été absents des jeux amoureux. Les expériences de toutes sortes apparaissent aujourd'hui moins subversives, mais elles restent le fait d'individus plutôt marginaux.

➤ 17 % des couples français choisissent un moyen de contraception ensemble. 57 % des femmes ont décidé seules.
➤ En anglais, un préservatif se dit « french letter » et en allemand un « parisien ».
➤ 72 % des hommes et 86 % des femmes déclarent avoir été toujours fidèles. 3 % des hommes et 1 % des femmes ont été souvent infidèles, 8 % et 3 % parfois, 11 % et 5 % exceptionnellement.

Histoire d'une libération

1956. 22 femmes créent « la Maternité heureuse », association destinée à favoriser l'idée de l'enfant désiré et à lutter contre l'avortement clandestin par un développement de la contraception.

1967. L'éducation sexuelle se vulgarise. On projette *Helga*, la vie intime d'une jeune femme, film allemand. Ménie Grégoire, sur RTL, réalise sa première émission. La loi Neuwirth légalise la contraception.

1970. Le MLF est créé. Les sex-shops commencent à se multiplier au grand jour.

1972. Procès de Bobigny, où maître Gisèle Halimi défend Marie-Claire Chevalier, jeune avortée de 17 ans. Avant son passage à l'Olympia, Michel Polnareff s'affiche nu et de dos sur les murs de Paris.

1973. Hachette publie *l'Encyclopédie de la vie sexuelle*, destinée aux enfants à partir de 7 ans aussi bien qu'aux adultes. Elle sera vendue à 1,5 million d'exemplaires et traduite en 16 langues. L'éducation sexuelle est officiellement introduite à l'école.

1974. Remboursement de la contraception par la Sécurité sociale et contraception possible pour les mineures sans autorisation parentale.

1975. Loi Veil légalisant l'interruption volontaire de grossesse (IVG). La pilule contraceptive est remboursée par la Sécurité sociale. Réforme du divorce prévoyant la séparation de fait et le consentement mutuel. Les prostituées revendiquent un statut, sous la conduite d'Ulla.

1976. Les films pornographiques ne sont plus interdits, mais présentés dans un réseau de salles spécialisées, avec la classification X.

1978. L'industrie de la pornographie s'essouffle. La fréquentation des salles chute, mais elle sera bientôt relayée par les cassettes vidéo. Naissance de Louise Brown, premier bébé-éprouvette (la première en France sera Amandine, en 1982).

1980. Loi sur la répression du viol. Les criminels, qui étaient auparavant redevables de la correctionnelle, sont jugés par un tribunal d'assises.

1981. Avenir présente Myriam, qui, après avoir enlevé le haut, tient sa promesse d'enlever le bas.

1983. L'IVG est remboursée par la Sécurité sociale. La majorité des femmes en âge de procréer utilisent un moyen contraceptif. Le virus du sida est identifié par le professeur Montagnier.

1984. Début du Minitel rose.

1986. Les chaînes de télévision diffusent des émissions érotiques.

1987. Canal Plus diffuse son premier film X. La publicité pour les préservatifs est autorisée.

1990. Antenne 2 diffuse une série controversée sur « l'Amour en France ».

1992. Loi sur le harcèlement sexuel. Enquête INSERM sur la sexualité des Français.

L'âge au premier rapport a baissé d'un an depuis vingt ans.

En un demi-siècle, il est passé de 18,4 ans à 17,1 ans pour les hommes, de 21,3 ans à 17,9 ans pour les femmes (personnes actuellement âgées de 55 à 69 ans). Cet abaissement s'est produit surtout au cours des années 1940-1960 pour les hommes ; il avait commencé plus tôt pour les femmes, entre 1920 et 1950. L'écart entre les sexes était beaucoup plus élevé au début du siècle (plus de 3 ans) ; il est aujourd'hui inférieur à un an chez les 20-34 ans.

L'âge moyen s'est stabilisé depuis une vingtaine d'années. L'apparition du sida ne semble pas avoir eu une forte incidence sur le report des premiers rapports chez les personnes de 18 ans et plus. La deuxième phase de l'enquête, portant sur les 15-18 ans, permettra de savoir ce qui a changé chez les plus jeunes, notamment en matière d'utilisation du préservatif (la France est actuellement plutôt en retard par rapport à d'autres pays européens).

Les pratiques sexuelles sont un peu plus diversifiées et surtout plus facilement déclarées.

96 % des hommes et 95 % des femmes de 18 à 69 ans déclarent avoir eu au moins un rapport sexuel dans leur vie. L'étude révèle un léger accroissement de l'ensemble des pratiques sexuelles, qu'il s'agisse de la masturbation, des rapports bucco-génitaux ou de la pénétration anale. Mais des phénomènes largement médiatisés comme le Minitel rose ou le téléphone érotique sont des pratiques très minoritaires. De même, le multipartenariat concerne un peu moins de 15 % des hommes et 6 % des femmes. Les différences de comportements sont marquées selon l'appartenance sociale, le niveau d'instruction et l'importance attachée à la religion.

On observe globalement une plus grande facilité à déclarer les activités sexuelles, surtout chez les femmes. Cette évolution traduit à la fois le rapprochement des comportements, surtout parmi les jeunes, et la plus grande acceptation sociale de pratiques minoritaires.

Le partage des rôles sexuels est plus égalitaire.

Qu'il s'agisse de l'acte sexuel ou des étapes qui le précèdent (séduction, rencontre), les femmes sont aujourd'hui moins passives. Une redéfinition des rapports amoureux s'est donc opérée dans un sens plus égalitaire.

Activité

Activité sexuelle au cours des douze derniers mois selon le sexe, l'âge et la situation matrimoniale (en %) :

	Sans activité sexuelle		Monopartenaire				Multipartenaire			
			Hétérosexuel		Homosexuel		Hétérosexuel		Homosexuel et bisexuel	
	H	F	H	F	H	F	H	F	H	F
Age :										
• 18-19 ans	13,0	35,4	60,6	54,6	0	0	25,9	9,9	0,5	0
• 20-24	9,9	11,2	64,2	78,4	0,4	0	24,4	10,0	1,1	0,3
• 25-29	6,8	10,5	77,9	82,7	0,4	0,1	14,1	6,3	0,8	0,3
• 30-34	1,9	2,7	84,7	90,7	0,3	0,1	11,8	6,2	1,2	0,2
• 35-39	2,3	2,5	85,6	90,0	0,5	0,2	10,7	6,9	0,9	0,4
• 40-44	1,9	4,0	86,6	91,0	0,3	0,3	11,0	4,6	0,3	0,1
• 45-49	4,0	7,4	83,8	86,5	0,3	0,2	11,2	5,5	0,8	0,4
• 50-54	4,4	6,8	86,1	89,5	0	0	8,8	3,7	0,6	0
• 55-59	2,4	13,9	91,5	83,2	0,4	0	5,2	2,9	0,5	0
• 60-64	15,5	27,9	76,3	70,8	0	0,1	8,0	1,2	0,2	0
• 65-69	14,5	41,3	80,7	58,7	1,1	0	2,0	0	1,7	0
Situation matrimoniale :										
• Marié cohabitant	1,5	2,8	91,6	94,4	0,2	0	6,4	2,7	0,3	0,1
• Non marié cohabitant	1,7	0	84,2	92,8	0,8	0,1	12,2	6,9	1,1	0,2
• En couple non cohabitant	0	6,0	81,3	83,3	0,4	0,7	16,0	9,1	2,4	0,9
• Non en couple	18,0	35,0	55,6	54,6	0,3	0,2	24,7	9,9	1,4	0,3

INSERM

L'enquête de l'INSERM fait cependant apparaître que les déclarations concernant la masturbation féminine restent sous-déclarées, car elles ne sont pas acceptées par une majorité de la population. A l'inverse, les hommes tendent à surestimer leur vie sexuelle passée. Ils déclarent plus de partenaires que les femmes (2,7 au cours des cinq dernières années contre 1,4) et semblent s'investir moins qu'elles sur le plan sentimental.

Les risques liés au sida n'ont pas encore été suffisamment pris en compte.

Face au sida, beaucoup de Français continuent de prendre des risques considérables. 54 % des hommes et 42 % des femmes déclarent avoir utilisé un préservatif au cours de leur vie sexuelle ; la proportion n'est que de 64 % chez les 20-24 ans, particulièrement exposés. Parmi les multipartenaires, 39 % des hommes et 58 % des femmes n'en ont jamais utilisé.

Cette inconscience est liée à un sentiment d'immunité : 34 % des hommes et 38 % des femmes estiment qu'ils ont moins de risques que la moyenne d'être contaminés par le virus du sida, 6 % et 5 % plus de risques (44 % et 38 % autant). 14 % des hommes et 23 % des femmes se demandent très souvent ou parfois s'ils ne sont pas contaminés.

20 % des hommes et 12 % des femmes déclarent cependant avoir changé leur comportement sexuel depuis l'apparition du sida. C'est le cas de 25 % des moins de 30 ans (contre 12 % des plus de 30 ans), 28 % des célibataires (7 % des personnes mariées), 24 % des multipartenaires (13 % des monopartenaires). Mais ces changements n'impliquent pas obligatoirement l'utilisation du préservatif ; 75 % déclarent n'avoir des rapports qu'avec des personnes qu'ils connaissent, 72 % seulement avec des personnes dont ils sont amoureux... Malgré les campagnes d'information successives, les Français restent peu conscients du danger.

Tout ce que vous avez toujours voulu savoir sur le sexe...

N.B. Sauf indication contraire, les chiffres qui suivent portent sur la population de 18 à 69 ans.

Premiers rapports. 6,5 % des hommes ont eu leur premier rapport avec une prostituée (21 % de ceux de la génération 1920-1925, 16 % de la génération 1937-1943, 2,5 % de la génération 1962-1971).
18 % des hommes et 34 % des femmes ont eu leur premier rapport sexuel au moment de leur mise en couple (mariage ou union libre) ; les proportions étaient de 22 % et 45 % pour ceux qui sont aujourd'hui âgés de 45 à 69 ans.
91 % des femmes et 67 % des hommes étaient amoureux lors de leur premier rapport ;
9 % des femmes et 33 % des hommes ne l'étaient pas du tout.

Activité. Au cours des douze derniers mois, 89 % des hommes et 83 % des femmes ont eu au moins un rapport sexuel (6,2 % et 12,4 % n'en ont pas eu).
12,5 % des hommes et 5,4 % des femmes ont eu au moins un rapport hétérosexuel multipartenaire.

Fréquence. Les hommes déclarent en moyenne 8 rapports sexuels au cours des quatre dernières semaines, les femmes 7. 11 % des hommes et 15 % des femmes n'en ont eu aucun. La fréquence varie de 13 par mois pour les couples formés depuis moins d'un an à 7 pour ceux qui ont plus de 15 ans de vie commune.

Pratiques. 79 % des hommes employés et ouvriers qualifiés ont déjà pratiqué au cours de leur vie le cunnilingus, contre 70 % des cadres et 51 % des agriculteurs (personnes de 25 à 49 ans). 31 % des ouvriers non qualifiés et 25 % des artisans et commerçants ont pratiqué la pénétration anale, contre 14 % des agriculteurs. 75 % des femmes cadres ont pratiqué, au moins une fois, le cunnilingus, contre 56 % des ouvrières. Lors de leur dernier rapport, les pratiques des hommes hétérosexuels monopartenaires ont été les suivantes : pénétration vaginale (99 %, dont 92 % sans préservatif) ; caresses mutuelles (94 %) ; insérer un doigt dans le vagin (62 %) ; masturber le partenaire (51 %) ; se faire masturber (30 %) ; cunnilingus (28 %) ; fellation (24 %, dont 23 % sans préservatif) ; sodomie (4 %).

Erotisme. 47 % des hommes et 23 % des femmes ont déjà vu un film pornographique, 47 % et 19 % ont lu un magazine érotique. 10 % des hommes et 3 % des femmes ont déjà utilisé une messagerie rose ou un numéro de téléphone érotique.

Expériences rares. 10 % des hommes et 2 % des femmes ont eu des rapports sexuels avec deux personnes en même temps.
7 % des hommes et 7 % des femmes ont déjà utilisé un objet pour obtenir une excitation sexuelle.

4 % des hommes et 1 % des femmes ont déjà pratiqué l'échange de partenaires entre couples.

Violence. 4,4 % des femmes et 0,8 % des hommes disent avoir eu des rapports sexuels imposés par la contrainte (8 % des 20-24 ans). Dans un cas sur quatre, l'agresseur était un membre de la famille, dans la moitié des cas une autre personne connue, dans un cas sur quatre un inconnu. 29 % des femmes et 8 % des hommes déclarent avoir subi des conversations ou des appels téléphoniques à caractère pornographique.

Homosexualité. 4,1 % des hommes et 2,6 % des femmes déclarent avoir pratiqué au moins une fois l'homosexualité (5,9 % et 4,1 % parmi les habitants de la région parisienne, 1,6 % et 1,2 % dans les communes rurales). Les proportions sont de 6,1 % et 3,9 % chez les personnes de 35 à 44 ans. 1,1 % des hommes et 0,3 % des femmes ont eu ce type de pratique au cours des douze derniers mois.

Partenaires. Les hommes ont eu en moyenne 11,3 partenaires dans leur vie, les femmes 3,4.
Les chiffres sont de 2,9 et 1,6 sur les cinq dernières années, 1,3 et 1,1 sur un an.
Entre 20 et 24 ans, les hommes déclarent avoir eu en moyenne 6,2 partenaires, les femmes 2,2. Le recours des hommes à la prostitution n'explique qu'une faible partie de la différence (0,7).

Prostitution. Au cours des cinq dernières années, 3,3 % des hommes y ont eu recours : 5,4 % des 20-24 ans, 2,2 % des 65-69 ans. C'est le cas de 2,2 % des hommes mariés, 4,2 % de ceux qui vivent en couple non marié.

Amour. Les hommes ont été amoureux en moyenne 4,5 fois au cours de leur vie, les femmes 3,0 fois. 43 % des hommes et 35 % des femmes estiment qu'il peut y avoir amour sans fidélité. 64 % des hommes et 36 % des femmes estiment que l'on peut avoir des rapports sexuels avec quelqu'un sans l'aimer.
27 % des hommes et 17 % des femmes pensent que les infidélités passagères renforcent l'amour. Pour 63 % des hommes et 48 % des femmes, l'attirance sexuelle entraîne forcément un passage à l'acte.

Rencontres. Principales circonstances de la rencontre avec le dernier partenaire en date : par des amis (20 %) ; au travail (14 %) ; à un bal (12 %) ; au cours des études (10 %) ; au sein de la famille ou du voisinage (9 %) ; dans des associations sportives ou de loisirs (9 %) ; dans un lieu public ou les transports (9 %) ; dans une boîte de nuit (7 %) ; en vacances (4 %).

Satisfaction. 89 % des hommes et 84 % des femmes se disent très ou assez satisfaits de leur vie sexuelle actuelle, 10 % des hommes et 13 % des femmes peu ou pas du tout satisfaits. 89 % des hommes et 75 % des femmes déclarent avoir atteint l'orgasme au cours de leur dernier rapport.

INSERM

*Les sexologues croient déceler
une atrophie générale du désir.*

Beaucoup de Français ont l'impression que le sexe, comme l'argent, ne fait pas le bonheur. La soif de liberté sexuelle propre aux années 70 semble avoir laissé place à un détachement, parfois même à un désintérêt vis-à-vis des choses du sexe. Une fraction importante de la population (de 15 à 20 %) serait même aujourd'hui privée de cette fonction essentielle qu'est le désir sexuel.

Les sociologues expliquent cette situation par le manque de temps et l'accroissement du stress. La fatigue morale a remplacé la fatigue physique et, comme elle, elle est difficilement compatible avec une vie sexuelle épanouie.

D'autres ont transféré ce désir sur d'autres activités, en particulier professionnelles ; ils ont cherché dans la réussite sociale une jouissance qu'ils jugeaient supérieure à la jouissance physique.

Enfin, la prolifération des attributs de la sexualité dans l'imagerie collective (publicité, émissions de télévision, cinéma, magazines...) a tué le désir en le banalisant. En déshabillant les êtres, ils leur ont ôté leur mystère, condition essentielle de stimulation d'une fonction qui restera toujours du domaine de l'instinct.

C'est sans doute pourquoi on observe une demande accrue pour les aphrodisiaques de toutes sortes et, en même temps, une tendance croissante à la chasteté.

Le désir en baisse ?

➤ 70 % des Français trouvent normal qu'une femme prenne l'initiative d'un rendez-vous amoureux, 30 % non.

DIVORCE

Un divorce pour trois mariages ◆ Hausse enrayée depuis 1987 ◆ On divorce plus tôt ◆ Moins de remariages ◆ Plus de la moitié de divorces par consentement mutuel ◆ L'instabilité sociale pousse à l'instabilité individuelle ◆ Le divorce largement accepté par la société ◆ Garde conjointe des enfants plus fréquente ◆ De plus en plus de familles éclatées

*104 200 divorces en 1992,
soit 41 pour 100 mariages.*

La diminution du nombre des mariages aurait dû logiquement entraîner celle des divorces. C'est le contraire qui s'est produit. On est passé d'un divorce pour dix mariages vers 1970 à plus de quatre pour dix aujourd'hui. Amorcé au début du siècle, le phénomène s'est largement amplifié à partir du milieu des années 60. Alors que le nombre des mariages diminuait dans de larges proportions, celui des divorces doublait entre 1970 et 1975, triplait entre 1970 et 1985. La loi du 11 juillet 1975, qui reconnaissait le divorce par consentement mutuel, ne semble pas avoir eu d'incidence notable sur cet accroissement, déjà très sensible à partir de 1965.

Le nombre des divorces dépasse 100 000 depuis 1984. Si la situation actuelle se prolongeait dans les prochaines décennies, plus d'un tiers des mariages contractés se solderaient par un divorce.

Le nombre des divorces semble stabilisé depuis 1988.

Pour la première fois depuis des décennies, le nombre des divorces avait diminué en 1987. On assiste depuis à une stabilisation, un peu au-dessus de 100 000 par an. On a enregistré une légère baisse entre 1991 et 1992, en même temps que celle du nombre des mariages. Ces deux mouvements doivent cependant être interprétés avec prudence, mais ils indiquent peut-être la recherche d'un nouveau point d'équilibre entre la volonté de fonder un foyer et celle de réussir sa vie personnelle. De la même façon que la cohabitation est vécue comme un moyen de préserver sa liberté, le divorce est considéré comme une solution normale lorsqu'il y a constat d'échec au sein d'un couple marié.

L'escalade

Evolution du nombre de divorces (en milliers) :

104,2

| 1900 | 10 | 20 | 30 | 40 | 50 | 60 | 70 | 80 | 90 | 92 |

7,4 — 13,4 — 33,3 — 22,0 — 13,0 — 32,0 — 30,0 — 37,5 — 79,5 — 104,2

Ministère de la Justice

Le divorce intervient plus tôt, mais la durée moyenne des mariages soldés par un divorce tend à s'allonger.

On assiste à l'apparition d'un nouveau modèle de divorce. Les ruptures se produisent surtout au début du mariage et atteignent leur maximum plus tôt qu'auparavant, vers la quatrième année. Deux raisons peuvent expliquer cette évolution : les époux hésitent moins que par le passé à constater leur désaccord (un constat facilité par un environnement familial et social moins défavorable au divorce) ; les procédures de divorce sont accélérées.

Après ces premières années difficiles, la fréquence des ruptures a tendance à chuter rapidement à mesure que la durée de l'union augmente. La conséquence, paradoxale, de ce nouveau modèle est que la durée moyenne du mariage avant rupture tend à s'allonger : elle est de 13 ans aujourd'hui, contre 11 ans en 1975.

Le divorce Nord-Sud

En simplifiant, la France du divorce est coupée en deux par une ligne allant de Caen à Marseille en passant par Lyon. Les taux de divorce sont souvent plus élevés que la moyenne à l'Est, plus faibles à l'Ouest. Le divorce est particulièrement fréquent en Ile-de-France (un pour deux mariages à Paris) et dans les grandes métropoles régionales. Il est plus rare en Bretagne, en Auvergne et dans la région Midi-Pyrénées, zones de forte tradition religieuse ou rurale.
Au cours des dernières années, la hausse a été plus forte à l'Ouest, de sorte que les écarts régionaux tendent à se réduire.

Les divorcés se remarient de moins en moins.

15 % des hommes et 14 % des femmes qui se sont mariés en 1992 étaient des divorcés. Après avoir augmenté au cours des années 80 (10,6 % et 9,7 % en 1980), ces proportions se sont stabilisées depuis 1989. Les divorcés se remarient de moins en moins fréquemment. Ils le font surtout de plus en plus tard. L'âge moyen au remariage est passé pour les hommes de 38,1 ans en 1980 à 42,3 ans en 1992 ; il est passé pour les femmes de 35,2 ans à 38,8 ans.

Les hommes divorcés se remarient une fois sur deux avec une femme célibataire, mais 40 % épousent une divorcée. Cette propension à épouser un divorcé quand on l'est soi-même est encore plus marquée chez les femmes : 49 % des remariages. La présence d'enfants auprès de la mère est sans doute une explication à ce phénomène. On recense environ trois femmes divorcées non remariées pour deux hommes. Entre 25 et 44 ans, plus de la moitié des femmes divorcées vivent sans conjoint avec des enfants, une sur trois vit en couple. On constate enfin que les unions libres sont de plus en plus fréquentes chez les divorcés, mais elles aboutissent parfois à un remariage.

Le consentement mutuel est à l'origine de plus de la moitié des divorces (54 %).

Parmi eux, la plus grande part correspond à des requêtes conjointes (41 %), les autres sont des demandes de l'un des époux acceptées par l'autre. Les divorces pour faute représentent 44 % des cas. Enfin, les divorces pour cause de rupture de la vie commune comptent pour une très faible part dans le total : 1,4 %.

Le divorce par consentement mutuel est particulièrement fréquent dans le cas de mariages récents : environ les deux tiers avant 5 ans. A partir de 20 ans de vie conjugale, c'est le divorce pour faute qui est prépondérant, avec plus de 50 % des cas. Mais la rupture de la vie commune joue également un rôle croissant dans les mariages de longue durée ; elle est à l'origine de plus d'un divorce sur dix après 35 ans de vie commune.

Demandes en divorce

Répartition des divorces directs selon les demandes (en %) :

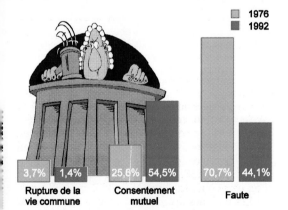

	1976	1992
Rupture de la vie commune	3,7%	1,4%
Consentement mutuel	25,6%	54,5%
Faute	70,7%	44,1%

Les professions respectives des époux ont une grande influence.

La hausse des trente dernières années a concerné l'ensemble des catégories sociales, mais le taux de divorce est très variable selon la profession. Il reste plus élevé chez les employés et plus rare chez les agriculteurs. La divortialité n'augmente pas avec la situation sociale du mari, mais s'accroît lorsque le niveau de formation de la femme est plus élevé. Les couples dans lesquels la formation de la femme est supérieure à celle du mari sont ainsi plus vulnérables que les autres.

Les professions respectives des époux ont aussi une incidence notable. Un couple formé d'une employée et d'un agriculteur a 50 fois plus de risques de divorcer qu'un couple d'agriculteurs. Un couple où la femme est employée et le mari ouvrier divorcera 2 fois plus que si les deux sont employés, mais un peu moins que s'ils étaient tous deux ouvriers.

On observe des résultats semblables en ce qui concerne l'écart des revenus. Un patron de l'industrie ou du commerce a 3 fois plus de risques de divorcer si son épouse est cadre supérieur que si elle est également patron, 4 fois plus si elle est cadre moyen, 7 fois plus si elle est employée.

Les conjoints divorcent conjointement

Si c'est encore traditionnellement l'homme qui fait la demande en mariage, c'est plus souvent la femme qui fait la « demande en divorce ». 25 % des demandes enregistrées en 1992 ont été faites par les épouses, 13 % par les époux. Mais cette part a beaucoup diminué au cours des dernières années, au profit des demandes conjointes ; elles représentaient 61 % des demandes en 1992, contre 37 % en 1990. Dans les cas de rupture de la vie commune, l'initiative est pratiquement partagée. La part des demandes de rupture par consentement mutuel présentées par un seul époux (et acceptée par l'autre) représentait 24 % en 1992.

CAUSES ET CONSÉQUENCES

Les couples revendiquent le droit à l'erreur.

Les chiffres du divorce ne traduisent pas un rejet de la vie de couple mais au contraire un attachement croissant à sa réussite et une exigence croissante quant à sa qualité. Plus que jamais, les Français recherchent l'amour et l'harmonie, au point de ne pas accepter de les vivre imparfaitement.

Mais l'amour n'est ni garanti par contrat (y compris celui du mariage) ni éternel. Au nom du réalisme, on revendique donc le droit à l'erreur. Le divorce apparaît alors comme le seul moyen d'éviter que cette erreur n'ait des conséquences définitives sur la vie de ceux qui, en toute bonne foi, l'ont commise. D'autant qu'en ce domaine la réussite d'aujourd'hui peut devenir l'échec de demain.

Ministère de la Justice

Le nombre et la précocité des divorces s'expliquent d'abord par le fait que les jeunes attendent moins longtemps avant de constater l'échec de leur vie de couple. Beaucoup choisissent d'ailleurs l'union libre, qui leur permet de se ménager une sortie. Ceux qui sont mariés trouvent normal de recourir au divorce si l'harmonie n'est pas présente.

Les partenaires veulent être heureux ensemble, mais aussi séparément.

La montée de l'individualisme ne pouvait être sans conséquences sur les relations au sein du couple. Chacun des époux veut aujourd'hui s'épanouir sans contrainte et vivre à deux sans abdiquer sa vie personnelle. Cette aspiration à plus de liberté ne s'accompagne pas d'un recul de la vie affective. Au contraire, l'amour et la tendresse sont des revendications très fortes, plus peut-être que par le passé. Il faut se souvenir que l'amour dans le mariage est une invention récente. Montaigne affirmait en son temps : « Un bon mariage, s'il en est, refuse la compagnie et condition de l'amour. » L'attitude actuelle est différente ; on ne se marie pas si on ne s'aime pas, mais on n'est pas obligé de se marier si on s'aime. Cette évolution des mentalités explique celles du mariage, de la vie de couple et du divorce.

Un couple, deux individus

Lintas

➤ 80 % des femmes divorcées sans enfant gardent leur nom de naissance, 13 % seulement le nom de leur mari (6 % gardent le double nom, comme elles en ont la possibilité).

L'instabilité sociale pousse à l'instabilité individuelle.

L'environnement social, économique, professionnel est marqué depuis des années par l'instabilité. Le chômage, les pratiques d'une société de consommation qui tend à renouveler en permanence les produits pour les remplacer par d'autres, plus modernes et plus « performants », la recherche permanente de nouvelles sensations proposées par la publicité et les médias sont autant d'incitations à l'infidélité et au changement. Comme la vie matérielle ou professionnelle, la vie affective est donc de plus en plus souvent faite d'une succession d'expériences, vécues avec des partenaires différents. Le *zapping* s'est développé aussi dans la vie sociale et conjugale. De plus, l'allongement considérable de l'espérance de vie fait que la durée potentielle des couples qui se marient aujourd'hui est d'environ 45 ans, contre 17 ans au XVIIIe siècle et 38 ans en 1940. Une perspective souvent ressentie avec angoisse par les jeunes.

Plusieurs vies conjugales dans une vie

La succession de plusieurs vies conjugales successives tend à devenir un mode de vie d'importance croissante. 34 % des hommes et 16 % des femmes de 18 ans et plus déclarent en avoir fait l'expérience. 23 % des hommes et 15 % des femmes pensaient déjà, lorsqu'ils se sont mariés, qu'ils ne passeraient pas le reste de leurs jours avec la même personne.
Pour la grande majorité des Français (71 %), le fait de ne pas passer toute sa vie amoureuse avec la même personne ne constitue pas un échec. Ceux qui ont déjà fait plusieurs expériences sont même 77 % à penser ainsi. Mais les opinions changent lorsqu'il y a des enfants en cause ; 72 % des femmes et 66 % des hommes considèrent que ceux-ci en subissent des conséquences négatives.
Cependant, l'idéal reste pour 89 % des Français une vie commune avec une seule personne tout au long de la vie (93 % des femmes et 84 % des hommes). Ils sont d'ailleurs respectivement 47 % et 32 % à envier des couples qui vivent ensemble depuis longtemps et n'ont connu qu'une seule vie amoureuse.

Le divorce est aujourd'hui largement accepté par la société.

43 % des Français estimaient en 1972 que le fait d'être divorcé entraînait de la réprobation de la part de l'entourage ; ils n'étaient plus que 19 % en 1992.

Les enfants de divorcés sont (au moins vis-à-vis de la collectivité) des enfants comme les autres. La grande majorité des Français (76 %) considèrent que le divorce est aujourd'hui très bien accepté ; ils sont même 80 % parmi les 18-24 ans. Les agriculteurs restent les plus réticents (61 %), tandis que le taux atteint 87 % parmi les employés.

Cette acceptation ne signifie pas pour autant bénédiction. Si 57 % des Français estiment que la séparation ou le divorce peuvent être la seule issue pour un couple en conflit, 33 % considèrent que toutes les crises, même les plus graves, peuvent être dépassées. Mais 78 % pensent qu'il est possible de réussir son divorce, contre 15 % de l'avis contraire.

Les enfants souffrent davantage du divorce que leurs parents.

Si le divorce est moins traumatisant pour les adultes, il reste une expérience difficile pour les enfants. 65 % des Français estiment préférable qu'un couple en difficulté ayant des enfants se sépare pour leur éviter de vivre dans un climat conflictuel. 25 % seulement pensent que les enfants doivent être absolument épargnés et que c'est une raison suffisante pour ne pas divorcer. Les enfants sont d'ailleurs du même avis et considèrent qu'il est plus difficile d'avoir des parents qui ne s'entendent pas que des parents séparés.

Les statistiques montrent que la présence d'enfants dans un couple n'influe pas sur sa probabilité de divorcer. La proportion de couples sans enfants est en effet la même chez les divorcés et chez les couples mariés. On constate en revanche une fréquence de divorce plus élevée dans les couples ayant eu des enfants avant d'être mariés et ceux dans lesquels les naissances ont été rapprochées.

Dans près d'un cas sur deux la garde des enfants est conjointe.

Des enfants mineurs sont concernés dans les deux tiers des divorces. Le père obtient encore très rarement leur garde (moins de 10 % des cas). Mais elle est de plus en plus souvent attribuée aux deux parents : près de la moitié des cas contre 3,5 % en 1976.

La garde alternée (l'enfant demeure une semaine, un mois ou une année chez l'un, puis chez l'autre de ses parents) est encore peu fréquente. Elle présente des inconvénients pratiques lorsqu'il s'agit d'assurer à l'enfant une scolarité normale et un environnement stable.

Les enquêtes montrent que, paradoxalement, les hommes se sentent davantage responsables d'un enfant né hors des liens du mariage (74 % sont partisans d'une reconnaissance paternelle) que d'un enfant dont ils n'ont pas la garde après un divorce. Mais, dans la réalité, un enfant sur trois né de parents non mariés n'est pas reconnu par le père.

La famille prend de nouvelles formes.

Le modèle traditionnel de la famille comportant un couple marié et des enfants issus de ce mariage coexiste avec des modèles nouveaux. Le développement de la cohabitation a entraîné celui des enfants hors mariage (30 % des naissances). L'accroissement des divorces a provoqué celui des familles monoparentales (environ 5 % des ménages). Les remariages ont multiplié les situations dans lesquelles des enfants vivent avec d'autres enfants issus d'un ou plusieurs autres mariages. L'allongement de la durée de vie et du nombre de célibataires explique la croissance du nombre des monoménages ; 27 % des ménages français ne comptent qu'une personne. Il faut ajouter enfin les cas de cohabitation de personnes du même sexe (homosexuels), d'amis ou de communautés. Toutes ces situations autrefois marginales se sont développées au cours des dix dernières années. Elles sont à l'origine de nouveaux modes de vie.

Familles éclatées

Parmi les jeunes de moins de 25 ans, 10 % sont des enfants de familles monoparentales (9 % de mère seule) et 6 % vivent dans des familles recomposées (3 % avec un demi-frère ou une demi-sœur, 3 % sans). 85 % des enfants de divorcés connaissent l'expérience d'une nouvelle union de leur père et/ou de leur mère (le quart des mariages célébrés chaque année concerne un couple dont l'un au moins des époux a déjà été marié). 66 % se retrouvent avec un ou plusieurs demi-frères ou demi-sœurs, et bien sûr les familles correspondantes : beaux-grands-parents, demi-oncles et demi-tantes, demi-cousins, etc.

Ces familles éclatées, recomposées ou « mosaïques » sont différentes du modèle traditionnel. On constate en particulier que le beau-parent tente moins que par le passé de se substituer au parent absent.

INSEE, INED

➤ 29 % des Français se disent capables d'aimer deux personnes à la fois.

LES ENFANTS

DÉMOGRAPHIE

Poursuite de la baisse des naissances ; taux le plus bas depuis 1945 ◆ Plus forte fécondité des immigrés ◆ Une naissance sur trois hors mariage, contre une sur dix en 1980 ◆ Fécondité des femmes plus tardive et plus longue ◆ Diminution des familles nombreuses et baisse de la part des jeunes dans la population ◆ Fin des enfants non désirés ◆ Généralisation des méthodes contraceptives ◆ 170 000 avortements par an ; un pour cinq naissances ◆ Importance des contraintes économiques

NATALITÉ

La baisse des naissances se poursuit. 712 000 enfants sont nés en 1993, contre 743 000 en 1992.

La chute enregistrée depuis 1989 est ainsi confirmée et amplifiée : 4 % sur un an ; 8 % en 5 ans. La chute de la fécondité a commencé en France en 1965, après les vingt années de forte fécondité qui ont suivi la Seconde Guerre mondiale. Elle a fait place à une importante remontée jusqu'au début des années 80.

La baisse a repris depuis dix ans. Elle concerne presque toutes les régions, à l'exception de l'Ile-de-France et Provence-Alpes-Côte d'Azur. Le « croissant fertile » du Nord tend à se rapprocher des autres régions, mais la fécondité la plus élevée reste celle du Nord-Pas-de-Calais. La plus faible est celle des régions du Sud-Ouest, avec un minimum dans le Limousin. Le mouvement est favorisé par les traditions de transmission du patrimoine en milieu paysan qui cherchent à limiter le morcellement des terres.

L'indicateur conjoncturel de fécondité est descendu à 1,65, un niveau jamais atteint depuis 1945.

Cet indicateur est obtenu en additionnant les taux de fécondité des femmes en âge de procréer (15 à 49 ans) au cours d'une année donnée. Depuis le milieu des années 70, il variait entre 1,8 et 1,95. Il est en baisse régulière depuis 1987.

Les femmes arrivent aujourd'hui à l'âge de 30 ans avec en moyenne 1,3 enfant, alors que celles de la génération née en 1940 en avaient à cet âge 1,8, celles de la génération 1950 plus de 1,5 et celles de la génération 1960 encore 1,4. Pour compenser ce recul, il faudrait que la fécondité au-delà de 30 ans connaisse une forte progression, que les données actuelles ne font pas apparaître.

La fécondité des citadines est désormais supérieure à celle des femmes vivant à la campagne. Entre 1975 et 1990, le nombre moyen d'enfants est passé de 1,78 à 1,82 dans l'agglomération parisienne, tandis qu'il passait de 1,95 à 1,78 dans l'ensemble de la France métropolitaine. La présence des familles étrangères dans les grandes villes explique en partie ce phénomène.

Lorsque l'enfant (dis)paraît

Evolution du nombre des naissances (en milliers) et de l'indicateur conjoncturel de fécondité (définition page précédente) :

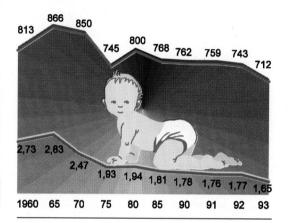

866
813   850
       745   800
              768   762   759   743
                                       712

2,73   2,83
       2,47
              1,93 1,94 1,81 1,78 1,76 1,77 1,65

1960   65   70   75   80   85   90   91   92   93

Le plus faible taux en temps de paix

La France a enregistré en 1993 son plus faible taux de natalité en temps de paix depuis le début du siècle et probablement sur une période beaucoup plus longue si les statistiques permettaient de remonter plus loin dans le temps.

Il faut rappeler que le taux de natalité est le rapport entre le nombre des naissances (vivantes) de l'année et la population totale au milieu de l'année. Il tend donc mécaniquement à diminuer du seul fait de l'accroissement de la durée de vie moyenne et du vieillissement de la population qui en résulte. Mais le facteur le plus explicatif de la baisse du taux réside bien sûr dans les nouveaux comportements des ménages en âge d'avoir des enfants.

La plus forte fécondité des immigrés atténue la baisse globale de la natalité.

13 % des naissances sont dues à des couples comptant au moins un étranger. Cette part est deux fois plus importante que le poids des étrangers dans la population totale (environ 7 %). L'explication tient à la différence de fécondité entre les femmes françaises et les étrangères. Les premières ont en moyenne moins de 2 enfants, les secondes un peu plus de 3. Près de 40 % des parents ayant eu un enfant de rang quatre ou plus au cours de l'année étaient étrangers. On estime que l'immigration a accru d'environ 5 % le nombre des femmes aujourd'hui en âge de procréer.

La fécondité des femmes étrangères varie cependant avec la nationalité. Celle des Italiennes et des Espagnoles est inférieure ou comparable à celle des Françaises. La plus élevée est celle des Marocaines (5,23), devant les Tunisiennes (5,20), les Turques (5,05) et les Algériennes (4,29). Leur fécondité tend cependant à se rapprocher de celle des Françaises au fur et à mesure de leur durée de résidence en France.

Une naissance sur trois se produit en dehors du mariage, contre une sur dix en 1980. Une sur deux pour les mères de moins de 25 ans.

241 628 enfants sont nés hors du cadre du mariage en 1991. Le taux atteint 34 % pour les enfants nés de mères françaises, contre 17 % dans le cas des naissances de mères étrangères. La proportion varie de façon importante selon l'âge de la mère : elle représente trois naissances sur quatre pour les moins de 20 ans, une sur deux pour les 20-24 ans et une sur quatre au-delà. Les deux tiers des enfants concernés sont reconnus par le père lors de la déclaration à la mairie, une proportion en augmentation régulière.

La part des enfants nés hors mariage est en forte croissance depuis une quinzaine d'années, conséquence de l'intérêt croissant des Français pour l'union libre. Mais elle reste inférieure à celle des pays du nord de l'Europe : environ 50 % en Suède et au Danemark.

➤ Il naît chaque année environ 105 garçons pour 100 filles.
➤ La période de plus forte natalité se situe entre mai et juillet. On constate un décalage vers la fin de l'année pour les naissances hors mariage.
➤ La procréation médicalement assistée est à l'origine de 25 000 naissances par fécondation in vitro depuis 1982. 20 000 ont été obtenues par recours à un donneur de sperme en vingt ans.
➤ 80 % des médecins souhaitent l'instauration d'une limite d'âge pour la procréation médicalement assistée.

La France se rapproche de l'Europe

La France, qui était jusqu'ici l'un des pays les plus féconds d'Europe, tend à se rapprocher de la moyenne. La reprise qui s'était amorcée à la fin des années 80 en Europe du Nord ne s'est pas confirmée. La situation est également critique en Allemagne : le niveau de natalité de la RFA était inférieur à celui de la France depuis 1942 ; l'indicateur conjoncturel de fécondité est de 1,3 depuis la réunification. Le déclin a été plus tardif en Europe du Sud, mais aussi plus brutal ; l'indicateur est tombé à 1,23 en Espagne, 1,26 en Italie. Depuis plus de dix ans, aucun des pays de l'Union européenne, sauf l'Irlande, ne parvient à préserver l'équilibre des générations.

Les enfants de l'Europe

Nombre de naissances pour 1 000 habitants (1991) :

Irlande	15,0
Royaume-Uni	13,8
FRANCE	13,3
Pays-Bas	13,2
Luxembourg	12,9
Belgique	12,6
Danemark	12,5
Portugal	11,8
Allemagne	10,5
Grèce	10,1
Espagne	9,9
Italie	9,7

La fécondité des femmes est plus tardive et plus longue....

L'âge moyen des mères au premier enfant est passé de 24 ans en 1970 à un peu plus de 26 ans aujourd'hui. D'une manière générale, l'âge moyen des mères à la maternité augmente de façon continue depuis une quinzaine d'années. Il était de 28,5 ans en 1992, contre 27,5 en 1985 et 26,5 en 1977. Parmi les enfants nés en 1992, moins d'un sur quatre avait une mère âgée de moins de 25 ans, contre un sur deux vers 1970 ; deux sur trois avaient une mère âgée de 25 à 35 ans.

Ce phénomène propre à la génération du baby-boom est la conséquence de l'allongement des études des femmes, de l'augmentation de leur taux d'activité et de la maîtrise de leur fécondité. La pilule, apparue au milieu des années 60, était surtout accessible aux femmes ayant déjà un ou deux enfants. Son utilisation a entraîné une baisse immédiate des taux de fécondité aux âges correspondants.

La période de fécondité s'est en même temps allongée. Cela se traduit par une remontée des taux de fécondité au-delà de l'âge de 30 ans. 13 % des nouveau-nés de 1992 avaient une mère âgée de 35 ans ou plus ; 2,3 % avaient même une mère âgée d'au moins 40 ans, contre 1 % en 1980.

... mais la descendance finale ne sera sans doute pas suffisante pour assurer le remplacement des générations actuelles.

Le « calendrier » de la fécondité décrit ci-dessus a une incidence sur la descendance finale des femmes, c'est-à-dire le nombre d'enfants qu'elles ont en moyenne sur l'ensemble de leur période féconde. C'est ainsi que les femmes nées entre 1950 et 1953, qui ne sont pas encore arrivées au terme de leur période féconde, ont déjà eu en moyenne un peu plus de deux enfants. Le remplacement des générations nées dans les années 50 est donc pratiquement assuré.

Mais la fécondité des générations plus récentes est sensiblement plus faible : les femmes nées en 1960 n'ont aujourd'hui en moyenne que 1,5 enfant, alors qu'au même âge, celles qui sont nées en 1950 en avaient déjà 1,64. Il est évidemment risqué d'estimer la descendance finale de ces générations, qui sont encore trop éloignées de la fin de leur période de fécondité. Mais le remplacement ne pourrait être assuré que s'il se produisait un nouveau déplacement de la fécondité vers des âges plus avancés. Or, celui-ci n'est pas apparu au cours des dernières années.

Le remplacement des générations

Pour que le remplacement des générations s'effectue à l'identique (nombre des enfants égal à celui des parents), il faut que chaque femme ait en moyenne 2,1 enfants au cours de sa vie. Ce chiffre est supérieur à 2 afin de compenser le fait que la proportion de filles est inférieure à celle des garçons dans chaque génération ; il naît invariablement 95,2 filles pour 100 garçons. Il compense aussi la mortalité entre la naissance et l'âge de la maternité (en moyenne 28 ans). On aboutit ainsi à un seuil de remplacement de 2,08 enfants par femme, arrondi à 2,1. A titre de comparaison, il était de 2,2 enfants en 1950, compte tenu de la plus grande mortalité.

Les ménages du futur

Prévisions d'évolution du nombre de ménages selon le type (en milliers) :

	La famille principale est :				Personnes seules			Ménages sans famille	En-semble
	Un couple	Une famille monoparentale			Ensemble	Hommes	Femmes		
		Ensemble	Hommes	Femmes					
• en 1990	13 690	1 139	156	983	5 826	2 159	3 667	866	21 521
• en 2000	14 792	1 355	189	1 166	6 718	2 542	4 176	935	23 800
• en 2010	15 630	1 408	201	1 207	7 503	2 779	4 724	1 010	25 551

Claudie Louvot, INSEE

Les familles nombreuses sont de plus en plus rares.

Les familles d'au moins quatre enfants étaient courantes après la Seconde Guerre mondiale. Leur nombre a été divisé par deux entre 1968 et 1982. Entre ces deux dates, le nombre de familles de six enfants avait diminué de 66 %, celui des familles de neuf enfants ou plus de 82 %. La baisse récente a d'abord été provoquée par la diminution des naissances de rang 3, puis par celles de rang 1 et 2. Ce sont les agricultrices, les ouvrières et les inactives qui ont le plus d'enfants ; les femmes appartenant aux couches moyennes salariées (surtout employées) sont celles qui en ont le moins.

La fécondité est d'une certaine façon « héréditaire », les familles nombreuses ayant tendance à se reproduire. Plus une femme a de frères et sœurs, plus ses chances d'avoir une famille nombreuse sont élevées. Une femme issue d'une famille de cinq enfants et plus en milieu ouvrier a en moyenne un enfant de plus qu'une fille unique issue d'une catégorie moyenne. Le rang de naissance de la mère a aussi une influence sur le nombre de ses enfants : l'aînée d'une famille très nombreuse a en général plus d'enfants que ses sœurs.

Davantage de naissances multiples

Le nombre des naissances multiples tend à augmenter. On comptait 9 459 naissances de jumeaux en 1991, soit une proportion de 13 pour 1 000 femmes ayant accouché, 314 naissances de triplés, 10 de quadruplés. Cet accroissement s'explique par celui de l'âge moyen des femmes qui accouchent ; ce sont en effet les mères de plus de 35 ans qui ont le plus de chances d'avoir des naissances multiples.

La part des jeunes dans la population ne cesse de diminuer.

L'une des conséquences de la chute de la natalité est le vieillissement général de la population française. 15,3 millions de Français ont moins de 20 ans en 1994. Leur part dans la population ne représente plus que 26,4 %, contre 32,2 % en 1962 et 29,2 % en 1985. A l'inverse, on observe un accroissement de la part des personnes âgées de 65 ans et plus : 14,7 % en 1994 contre 12,6 % en 1962 et 13,9 % en 1985.

La diminution des naissances depuis vingt ans n'est pas la seule explication à ce vieillissement. L'allongement de la durée de vie et l'arrivée à l'âge mûr des générations nombreuses de l'après-guerre y ont également contribué.

ATTITUDES ET COMPORTEMENTS

La baisse de la natalité est d'abord la conséquence des choix effectués par les couples.

La diffusion des méthodes contraceptives et la légalisation de l'avortement ont permis aux couples de décider du nombre de leurs enfants et du moment où ils les mettent au monde. De sorte que le nombre d'enfants non désirés est aujourd'hui très faible.

Il existe d'autres raisons, d'ordre psycho-sociologique, à cette évolution. La volonté des hommes et des femmes de vivre une vie personnelle et professionnelle riche et variée s'accommode parfois mal de la présence d'enfants, qui implique en outre des contraintes économiques. De plus, le climat social actuel est ressenti comme peu favorable à l'insertion des jeunes dans la vie professionnelle ; certains couples hésitent à mettre au monde de « futurs chômeurs ».

Le nombre des naissances non désirées a considérablement diminué.

Il est aujourd'hui trois fois moins élevé qu'en 1965. La législation de 1967 sur la contraception et la diffusion des moyens contraceptifs ont bouleversé les données de la natalité. L'utilisation massive de la pilule chez les adolescentes de 15 à 18 ans a commencé entre 1970 et 1975 ; on constate que c'est au moment où ces jeunes filles sont arrivées à l'âge de procréer que la chute de la natalité s'est accentuée. La généralisation des méthodes de contraception a touché toutes les catégories sociales et les descendances de quatre enfants ou plus sont devenues rares.

Sur cinq naissances survenues dans les années 1963-67, une n'était pas désirée et une autre arrivait plus tôt que prévu. La proportion avait chuté à une sur dix dès 1983. Au total, la diminution du nombre des naissances non désirées explique environ la moitié de la baisse de la fécondité.

Le choix de l'enfant unique

Au cours des années 60, un enfant sur treize ou quatorze était unique ; c'est le cas d'un sur dix aujourd'hui. Ce choix est en partie lié à un comportement d'imitation. Les enfants uniques deviennent plus fréquemment des parents d'enfants uniques. Ils ont un niveau d'études plus élevé, obtiennent des diplômes supérieurs à ceux des enfants de familles nombreuses, quel que soit le milieu social : 65 % des filles uniques ont eu le baccalauréat ou suivi des études supérieures, trois fois plus que les filles issues d'une famille de cinq enfants ou plus.

La quasi-totalité des femmes risquant une grossesse utilisent une méthode contraceptive.

La proportion de Françaises utilisant une méthode contraceptive n'est que de 70 %, mais les autres sont à l'abri de naissances non désirées : 11 % d'entre elles ne peuvent plus avoir d'enfants ; 12 % n'ont pas de partenaire ; 4 % sont enceintes ou souhaitent l'être. Seules environ 2 % des femmes risquant une grossesse non souhaitée ne déclarent aucune pratique contraceptive.

La pilule est de loin le moyen le plus répandu ; elle concerne une femme sur deux parmi celles qui sont concernées par la contraception. L'usage du stérilet augmente avec l'âge ; il occupe la première place après 35 ans. La méthode du retrait est plus pratiquée par les générations anciennes. Elle est en très net recul depuis une quinzaine d'années, comme l'abstinence périodique.

On constate que la pilule est utilisée de plus en plus tôt ; environ la moitié des premiers rapports ont lieu « avec pilule ». Le nombre des cas où aucune contraception n'est utilisée est en recul, du fait de la prise de conscience des risques liés au sida. Les différences entre les groupes sociaux se sont aussi largement amenuisées. Il y a douze ans, les femmes vivant en milieu rural utilisaient deux fois moins la pilule ou le stérilet que les Parisiennes ; l'écart est pratiquement inexistant aujourd'hui.

Environ 170 000 avortements sont pratiqués chaque année.

Après avoir dépassé 180 000 cas déclarés par an pendant la période 1981-1984, le nombre des avortements s'est stabilisé vers 170 000. Mais certains cas échappent sans doute à l'enregistrement, en raison du refus de certaines femmes d'évoquer un souvenir douloureux ; on estime que le nombre réel est proche de 200 000. L'âge moyen des femmes lors de l'intervention est en augmentation ; il est aujourd'hui de 29 ans en moyenne.

Un avortement pour cinq naissances

Evolution du nombre d'avortements déclarés (en milliers) :

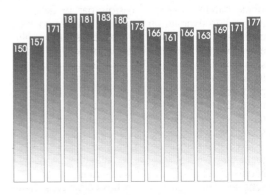

Guy Desplanques, INSEE

La légalisation de l'interruption volontaire de grossesse (1974) et son remboursement (1982) lui ont ôté son aspect immoral, même si la religion continue de lui être hostile. L'avortement a participé à la maîtrise de la fécondité des femmes. Mais on constate que celles qui ont subi un avortement n'ont pas, au cours de leur vie, moins d'enfants que les autres.

On constate aussi que la loi Veil n'est pas toujours appliquée. Les centres publics d'interruption volontaire sont considérés avec suspicion par une partie du corps médical ; les deux tiers des interventions sont pratiquées dans le secteur privé.

*L'évolution du système de valeurs
a été peu favorable aux familles nombreuses.*

La grande vague matérialiste des vingt dernières années a mis en avant les valeurs de jouissance immédiate. Elle a été renforcée au cours des années 80 par celle de l'individualisme, qui prône la liberté de chacun de disposer de sa propre vie. Dans cette perspective, le fait d'avoir à élever des enfants est apparu à certains comme une contrainte, dans la mesure où le temps qu'on leur consacre est pris sur celui que l'on pourrait utiliser pour ses loisirs.

Le déclin de la religion a joué également un rôle dans la baisse de la natalité. 35 % des femmes pratiquantes ont trois ou quatre enfants, contre 21 % des non-pratiquantes. Celles-ci sont aujourd'hui largement majoritaires.

*Les contraintes économiques
jouent un rôle important.*

Le coût des enfants réduit d'autant le budget disponible du couple. L'hésitation à avoir un troisième enfant s'explique parfois par le fait qu'il oblige à trouver un appartement plus grand ou à changer de voiture. Le prix à payer est encore plus élevé lorsque la mère doit cesser son activité professionnelle. Plus de la moitié des mères de famille de trois enfants et plus restent au foyer, alors que la proportion n'est que d'un tiers pour l'ensemble des mères de famille. Au coût direct (éducation, alimentation, etc.) s'ajoute alors le manque à gagner du second salaire.

Les problèmes de garde peuvent également jouer un rôle dans la décision d'avoir des enfants. Moins de la moitié des enfants de moins de trois ans sont accueillis dans des crèches collectives, familiales ou chez des assistantes maternelles agréées. Les autres sont gardés le plus souvent par leurs grands-parents, par des nourrices non agréées ou à domicile.

Enfin, les ambitions des parents pour leurs enfants se sont accrues par rapport aux décennies passées et elles concernent aujourd'hui l'ensemble des catégories sociales. Beaucoup préfèrent donc avoir moins d'enfants, afin de leur consacrer le temps et l'argent nécessaires pour leur donner toutes les chances de bien démarrer dans la vie.

Tout ce qui vous touche.

Pèlerin

Les pères plus proches de leurs enfants

Les Français restent collectivement plutôt natalistes, mais les indices d'une reprise de la natalité ne sont guère apparents.

Les enquêtes montrent que les Français souhaitent un nombre de naissances supérieur à celui qu'ils sont prêts à assumer individuellement. Le nombre d'enfants souhaité a d'ailleurs légèrement augmenté depuis une douzaine d'années, alors que le nombre des naissances diminuait.

Il est évidemment impossible de prévoir les attitudes et les comportements qui prévaudront à l'avenir en matière de natalité. On observe cependant que les jeunes de moins de 25 ans souhaitent moins d'enfants que les personnes plus âgées. La baisse actuelle pourrait aussi être accentuée par le fait que les enfants de familles peu nombreuses ont tendance à vouloir à leur tour moins d'enfants que leurs parents. La possibilité, techniquement réaliste, de choisir le sexe des enfants pourrait enfin, comme le montrent certaines enquêtes, entraîner un déséquilibre en faveur des garçons, ce qui ne serait évidemment pas favorable à la fécondité.

Les facteurs d'une reprise démographique résident dans une amélioration du climat social, la possibilité de travailler plus facilement à temps partiel à certaines périodes de la vie et un changement de valeurs privilégiant la vie familiale par rapport à la vie professionnelle. Des incitations financières peuvent avoir dans ce domaine certains effets.

Mère ou femme active ?

On constate que les femmes diplômées et actives ont moins d'enfants que les autres ; entre 1985 et 1989, l'indicateur de fécondité était de 1,6 pour les femmes ayant suivi au moins quatre années d'études supérieures et 2,5 pour celles qui n'avaient aucun diplôme. Il n'apparaît guère étonnant que la possession d'un diplôme incite à privilégier la vie professionnelle. Mais l'écart constaté est dû aussi à la proportion supérieure à la moyenne des femmes très diplômées qui vivent seules et sans enfant. Les femmes diplômées qui fondent une famille ont moins d'enfants que celles qui ne le sont pas, mais elles en ont autant que celles qui ont au moins le BEPC. Dans les couples où le conjoint est cadre, les femmes les plus diplômées ne sont pas celles qui ont le moins d'enfants ; on peut l'expliquer par le fait que les contraintes économiques liées à la présence d'enfants y sont moins fortes. Les jeunes filles semblent en tout cas attacher plus d'importance à la vie professionnelle qu'à la vie familiale. 61 % de celles qui ont entre 18 et 24 ans estiment qu'une femme peut réussir sa vie sans avoir d'enfants (38 % non). Elles ne sont que 10 % à estimer qu'on peut réussir sa vie sans avoir un métier. 89 % pensent qu'il est préférable de réussir d'abord sa vie professionnelle, puis d'avoir des enfants ; 9 % seulement pensent qu'il vaut mieux avoir des enfants le plus tôt possible et se consacrer ensuite à sa vie professionnelle (Madame Figaro/Sofres, février 1993).

➤ Il naît plus d'enfants en semaine que pendant les week-ends. Le nombre des naissances ayant lieu le dimanche est inférieur de 20 % à la moyenne de la semaine, 10 % le samedi.
➤ Environ 6 000 enfants sont adoptés chaque année, sur les 20 000 demandes enregistrées.
➤ 19 % des foyers comptent une seul personne, 34 % deux, 19 % trois, 17 % quatre, 7 % cinq, 2 % six, 1 % sept et plus. 63 % ne comptent aucun enfant, 16 % un, 15 % deux, 5 % trois, 1 % quatre et plus.
➤ 81 % des médecins reconnaissent la légitimité du droit à l'avortement.
➤ La France compte aujourd'hui 15 000 pupilles de l'Etat, un nombre en diminution régulière. Plus de 90 % d'entre eux sont placés dans des familles. Les autres (dont 90 % ont 15 ans et plus) sont accueillis dans des établissements spécialisés.

VIE QUOTIDIENNE

Adolescents plus tôt, adultes plus tard ◆ Moindre différence de comportement entre filles et garçons ◆ Importance de la consommation pour les jeunes ◆ Valeurs centrées sur la sphère personnelle ◆ L'amour et l'amitié jouent un rôle prépondérant ◆ Plus réformistes que révolutionnaires ◆ Tolérance et inquiétude pour la vie professionnelle ◆ Méfiance envers les institutions

MOINS DE 15 ANS

Jusqu'à 7 ans, la vie est surtout un jeu.

Les 4,7 millions d'enfants de moins de 7 ans ne constituent pas un groupe homogène. Entre 0 et 3 ans, six sur dix passent leurs journées à la maison. Les autres sont confiés à une crèche ou à une nourrice. A 2 ans, un enfant sur trois est scolarisé. L'école commence vraiment à 3 ans ; à cet âge, 99 % sont scolarisés.

Entre 4 et 5 ans, la moitié des enfants ont des mères actives. La vie se déroule alors pour eux hors de la maison et les journées sont longues, souvent 12 à 13 heures. Mais les enquêtes montrent que les mères actives compensent leur moindre présence en s'occupant davantage de leurs enfants lorsqu'elles sont chez elles.

C'est entre 6 et 7 ans que les enfants font véritablement l'apprentissage de « l'extérieur » (la rue, les magasins) et découvrent les sollicitations liées à la consommation.

D'une manière générale, les moins de 7 ans se sentent plutôt bien dans leur peau.

Leurs parents n'épargnent pas leurs efforts pour leur rendre la vie simple et agréable. Le monde des adultes leur apparaît comme un gigantesque jeu aux possibilités infinies. Chaque jour est une découverte. L'école n'est pas encore un outil de sélection ; on s'y fait des copains, avec qui on partage ses expériences et ses rêves.

La télévision occupe très vite une place essentielle : les 4-7 ans passent plus de temps devant la télévision qu'à l'école (1 000 heures contre 800), mais la durée est en baisse (voir *Télévision*).

I million de jouets chez Toys'R'us, il faut l'avoir vu au moins une fois dans sa vie.

TOYS'R'US
Les Jouets C'est Nous.

L'âge du jeu

Entre 8 et 14 ans, les enfants s'intéressent au monde des adultes.

Ils sont 5,3 millions, soit 10 % de la population française. Les plus jeunes (8-10 ans) acquièrent peu à peu une certaine autonomie au sein du foyer et à l'extérieur : ils se rendent seuls à l'école, commencent à recevoir et à dépenser de l'argent, ont accès au réfrigérateur familial. La socialisation commence vers 8 ans. C'est l'âge où l'on passe progressivement de l'objet aux individus, des perceptions concrètes à la pensée conceptuelle.

A partir de 11 ans, les centres d'intérêt évoluent. Si la télévision reste le média privilégié, les émissions enfantines sont délaissées au profit des émissions musicales et cinématographiques. Les 11-14 ans connaissent les doutes de la préadolescence, ceux liés à l'intégration au groupe et au développement de la personnalité. L'argent dont ils disposent leur permet d'affirmer leur autonomie et leur identité. Les actes de consommation sont pour eux des moyens de se forger leur identité.

La fascination de la vidéo

77 % des 8-14 ans possèdent une console de jeux vidéo. Ils déclarent y jouer en moyenne 4 heures par semaine. Pourtant, ce loisir n'arrive qu'en troisième position (33 % des suffrages) derrière le sport (59 %) et les sorties avec les copains (40 %). Il représente néanmoins la première activité de loisir à la maison et devance la télévision (25 %) et la lecture (19 %).
37 % des 8-15 ans qui jouent à des jeux vidéo déclarent regarder moins la télévision, ce qui confirme la baisse des chiffres d'audience enregistrée depuis plus d'un an par Médiamétrie et qui constitue un phénomène nouveau.

La consommation est l'un des éléments de structuration de la personnalité.

Très tôt, les enfants sont des consommateurs à part entière. Leurs désirs portent d'abord essentiellement sur des produits courants : alimentation, jouets. Vers 10 ans, ils s'intéressent aux biens d'équipement familial. L'âge de 11 ans marque une rupture essentielle, avec l'entrée dans le secondaire.

Entre 11 et 14 ans, le désir d'autonomie se manifeste dans l'habillement, l'alimentation, la communication. C'est l'âge de la surconsommation de téléphone, qui permet de parler aux copains sous n'importe quel prétexte. Toute la période de l'adolescence est placée sous le signe de l'ambivalence ; l'enfant cherche en même temps à trouver son identité et à s'intégrer au groupe.

Les différences de comportements entre filles et garçons tendent à s'estomper.

On observe depuis quelques années une convergence croissante entre garçons et filles, tant dans l'éducation dispensée par les parents que dans les modes de vie des enfants. Les équipements possédés, l'argent de poche disponible, les activités pratiquées ou les produits consommés sont de plus en

Télérama Junior/Ipsos, novembre 1993

plus proches. Seuls certains loisirs (les sports en particulier) et les « héros » des enfants restent assez largement distincts.

On observe par ailleurs une homogénéisation des attitudes et des comportements par rapport aux enfants dans les diverses catégories socioprofessionnelles. Le montant de l'argent de poche, les types de consommation ou la pratique des médias deviennent beaucoup moins discriminants en fonction du revenu des familles.

Sans en être vraiment conscients, les enfants d'aujourd'hui vivent dans une période paradoxale. Jamais, sans doute, le présent n'a été pour eux aussi riche et l'avenir si incertain. Il y a donc deux poids et deux mesures entre la vie facile de l'enfance et celle, beaucoup plus complexe, de l'adolescence.

15-25 ANS

Les 15-25 ans forment
une génération particulière.

Ils sont 8,2 millions et représentent 15,5 % de la population française. Appelés génération X aux Etats-Unis, ils ont été successivement qualifiés en France de bof-génération, boss-génération, génération sacrifiée, génération morale, génération conformiste, génération consensus ou génération galère. Ils constituent peut-être plus simplement la génération transition.

Transition d'abord entre une société industrielle qui s'essouffle et une société postindustrielle qui n'a pas encore trouvé ses marques. Un peu plus de vingt ans après, la révolution culturelle de Mai 68 reste largement inachevée.

Transition entre deux appartenances géographiques : nés Français, les jeunes vivront leur vie d'adulte en tant qu'Européens et, peut-être, citoyens du monde.

Transition entre deux siècles et, expérience rare, entre deux millénaires. A ceux qui auront la possibilité de le connaître, le troisième millénaire apparaît chargé aujourd'hui d'incertitudes et de menaces.

Transition, surtout, entre deux systèmes de valeurs ; la vision collective de la vie s'efface au profit d'une vision individuelle. L'« égologie » se combine à l'écologie pour exprimer l'inquiétude non seulement quant à la préservation de l'environnement mais aussi en ce qui concerne la survie de l'espèce humaine.

Transition, enfin, entre deux civilisations : celle de la consommation et des loisirs a remplacé celle du travail. Une mutation à la fois quantitative et qualitative dont on est loin d'avoir mesuré tous les effets.

Les enfants de la crise

Nés entre 1968 et 1978, les 15-25 ans ont subi les conséquences de la « révolution » à laquelle ont été mêlés leurs parents. Mais ils ne l'ont connue qu'à travers les descriptions, probablement floues, que ceux-ci ont pu leur en fournir et grâce aux images d'archives des médias.
Ils ont eu 15 ans entre 1983 et 1993. Leur adolescence a donc été largement placée sous le signe des excès des années 80. Leur vision de la société est influencée par les contradictions contemporaines : confort matériel et inconfort moral ; protection au sein de la famille et menaces du monde extérieur ; sophistication technique et accroissement de l'inégalité... C'est pourquoi leur perception est parfois teintée de schizophrénie.
Du monde, les 15-25 ans connaissent surtout l'image qui leur en est donnée par la télévision, car la grande majorité d'entre eux vivent chez leurs parents jusqu'à l'âge de 20 ans (ils sont encore plus de 50 % à 22 ans). Une image souvent violente, menaçante, en tout cas pessimiste.

La consommation tient une place importante
dans leur vie.

A partir de 15 ans, les jeunes représentent une clientèle directe pour les industriels ; ils disposent d'un pouvoir d'achat relativement élevé, qu'ils consacrent principalement à des dépenses de plaisir. Ils sont prêts à investir des sommes importantes pour se procurer des produits « symboles » qui sont autant de signes d'appartenance à un groupe social et à une époque. Les marques jouent dans ce domaine un rôle essentiel, surtout en matière vestimentaire, même si leur poids tend à diminuer depuis peu.

Non contents de dépenser eux-mêmes l'argent dont ils disposent (plus de 10 milliards de francs par an), les jeunes exercent aussi une influence déterminante sur les achats effectués par leurs parents.

➤ 56 % des 15-20 ans pensent que l'enseignement technique et professionnel est de bon niveau (72 % des élèves concernés), 67 % qu'il est efficace pour trouver du travail (68 % des élèves concernés).

On est adolescent plus tôt et adulte plus tard.

Grâce à l'omniprésence des médias et à la communication familiale, les enfants parviennent plus vite à l'adolescence que les générations précédentes. Mais ils acquièrent rapidement le sentiment que leur intégration au monde des adultes sera plus difficile. C'est ce qui explique que cette adolescence précoce tend à se prolonger, retardant l'arrivée à l'âge adulte.

Les jeunes de 15 à 25 ans se ressemblent, à la fois dans leur apparence, leurs modes de vie et leur échelle des valeurs. Garçons et filles expriment à la fois leur volonté de vivre en harmonie avec les autres et celle d'être indépendant. Ils privilégient la recherche du bonheur individuel et repoussent ce qu'ils considèrent comme l'illusion du bonheur collectif. Ils ne se paient pas de grands mots ni de grands principes, puisque à leurs yeux les uns et les autres ont montré leur impuissance à résoudre les problèmes de l'époque.

Les grandes causes

Les causes qui paraissent les plus importantes aux jeunes de 18 à 24 ans :
- la prévention du sida (79 %) ;
- la prévention de la drogue (69 %) ;
- l'aide aux malades et aux handicapés (49 %) ;
- la défense de l'environnement (49 %) ;
- les causes humanitaires en France (48 %) ;
- la prévention de la délinquance (47 %) ;
- les droits des jeunes (45 %) ;
- les causes humanitaires dans le monde (40 %) ;
- la lutte contre le racisme (40 %) ;
- l'action en faveur du tiers-monde (31 %) ;
- l'action en faveur des banlieues (23 %) ;
- l'intégration des immigrés (18 %) ;
- l'aide aux réfugiés politiques (8 %).

Les valeurs des 15-25 ans sont centrées sur la sphère personnelle.

Si la patrie, la religion ou la politique sont éloignées de leurs préoccupations, la famille et le travail restent pour les 15-25 ans des valeurs sûres. Mais ces mots n'ont plus tout à fait le même sens que pour les adultes des générations précédentes. La famille qu'ils souhaitent est plus ouverte, plus attentive au monde extérieur, plus favorable à l'équilibre de chacun de ses membres. Le travail qu'ils réclament n'a plus la valeur mythique que lui attribuaient les anciens. C'est d'un « autre » travail qu'il s'agit, par

lequel ils veulent à la fois gagner leur vie et s'épanouir, sans lui consacrer pour autant la totalité de leur énergie ni de leur temps.

Valeurs actuelles

« Quelles sont les valeurs qui comptent le plus pour vous, qui vous paraissent le plus fondamentales ? » (réponses des 15-20 ans, en %) :

- La tolérance, le respect des autres — 46
- L'honnêteté — 44
- La politesse, les bonnes manières — 39
- Le respect de l'environnement, de la nature — 32
- L'obéissance — 26
- La générosité — 25
- Le goût du travail, de l'effort — 21
- La solidarité avec les gens, avec les peuples — 19
- Le sens de la famille — 17
- La réussite sociale, l'esprit de compétition — 16
- Le courage — 15
- La patience, la persévérance — 13
- La fidélité, la loyauté — 13
- Le sens de la justice — 10
- Le respect de la propriété — 8
- Le sens du devoir — 7
- L'autorité, le sens du commandement — 6
- La recherche spirituelle, la foi — 5
- Le respect de la tradition — 5
- L'attachement à la patrie — 4
- Le civisme, le respect du bien commun — 3

Notre Temps-Phosphore/CSA, décembre 1992

L'amour et l'amitié jouent un rôle prépondérant.

La jeunesse est une période d'expérimentation, de quête de sa propre identité. Cette recherche de soi passe par la découverte des autres. Jusqu'à environ 15 ans, les jeunes placent l'amitié au-dessus de tout. La sexualité est ensuite l'un des révélateurs privilégiés. Faire l'amour, c'est entrer dans l'univers des adultes.

En un demi-siècle, l'âge de la puberté s'est abaissé en moyenne de deux ans, passant de 13 à 11 ans. L'une des fonctions principales de la période d'adolescence est de transformer la sexualité latente en sexualité véritable, c'est-à-dire partagée. Du bon déroulement de ce processus dépend l'équilibre futur de l'adulte. L'évolution sociale des vingt dernières années a rendu les relations amoureuses moins mystérieuses, sans pour autant les banaliser. Par ailleurs, la contraception est devenue plus facile et efficace. Mais le préservatif n'est pas encore suffisamment utilisé par les jeunes comme protection face à la menace du sida (voir *Couple*).

Les jeunes plus conscients du risque

Les 15-25 ans sont davantage réformistes que révolutionnaires.

Contrairement à leurs parents qui ont « fait » Mai 68, ils ne souhaitent pas casser la société ; ils cherchent avant tout à s'y faire une place. L'illustration de cette différence a été donnée en décembre 1986 : lors des manifestations des lycéens, il ne s'agissait pas de démolir les écoles, mais de repeindre les salles de classe. En mars 1994, les manifestations contre le contrat d'insertion professionnelle n'étaient que le prétexte pour crier un désarroi face à l'héritage légué par les adultes : chômage, pauvreté, sida, drogue, risques écologiques, prolifération nucléaire...

La tolérance est l'une des valeurs-clés de la jeunesse.

Les enquêtes indiquent que les 15-25 ans sont plus tolérants que leurs aînés dans la plupart des domaines. Cette disposition d'esprit est d'abord sensible à l'égard des autres. Le racisme et la xénophobie sont beaucoup moins présents dans leur mentalité, du fait d'une conception plus généreuse de la vie. Ils attachent beaucoup moins d'importance aux problèmes liés à l'immigration et se trouvent même souvent aux côtés des immigrés.

Ils sont aussi les plus tolérants à l'égard de pratiques comme l'homosexualité (76 % estiment qu'elle n'est pas condamnable), le travail au noir (62 %) ou même le fait de voyager sans titre de transport (45 %). Ils font enfin preuve d'une vision plus large du monde. 16 % d'entre eux se sentent d'abord citoyens du monde, contre 9 % de l'ensemble de la population.

La génération amorale ?

La génération que l'on a qualifiée de morale n'hésite pas à prendre certaines libertés avec les principes. Cette amoralité est frappante lorsqu'on compare ses attitudes et ses comportements avec ceux des autres tranches d'âge : les 15-25 ans sont les plus nombreux à avoir essayé la drogue (19 % des 20-24 ans contre 0,5 % des 65 ans et plus), à avoir déjà volé quelque chose (27 % contre 1 %)) ou à avoir été infidèles dans leur vie sentimentale (18 % contre 9 %). D'autres enquêtes montrent qu'environ un tiers des jeunes trouvent normal ou excusable qu'on utilise le métro sans payer à Paris ou qu'on parte d'un café sans payer. Ces attitudes sont à mettre au moins en partie sur le compte du défi et surtout de la frustration. Elles constituent une façon de manifester sa désapprobation à l'égard d'une société qui ne remplit pas son rôle vis-à-vis des futurs adultes, au même titre que la mode *grunge*, le goût de la dérision ou le « hooliganisme ».

Leur crainte essentielle concerne la vie professionnelle.

81 % des 15-20 ans estiment probable qu'ils se trouvent un jour au chômage (17 % sont de l'avis contraire). 68 % d'entre eux connaissent quelqu'un au chômage dans leur famille ou leur entourage proche.

Mais les enquêtes indiquent que les jeunes sont décidés à faire des efforts importants pour trouver un emploi. 73 % des 18-24 ans se disaient prêts, en mars 1994, à prendre le premier emploi qui se présente. La plupart accepteraient de quitter leur ville ou leur région, plus de la moitié iraient travailler dans un autre pays d'Europe, voire sur un autre continent.

➤ 47 % des 15-20 ans estiment que le plus important pour réussir sa vie professionnelle est d'avoir des diplômes, 44 % du caractère, de la volonté, 9 % des relations, de connaître des gens.
➤ 72 % des 15-25 ans habitent chez leurs parents ; ils sont encore 24 % à 24 ans.

L'avenir en demi-teinte

L'inquiétude des 15-24 ans se focalise sur les perspectives professionnelles. 60 % considèrent qu'ils ont moins de chances de réussir leur vie professionnelle que leurs parents, 14 % davantage, 25 % autant. Les parents se montrent encore plus inquiets que leurs enfants dans ce domaine. 52 % de l'ensemble des Français avouent d'ailleurs qu'ils n'aimeraient pas avoir 20 ans aujourd'hui, une proportion croissante avec l'âge.
Le pessimisme est beaucoup moins marqué en ce qui concerne la vie de famille. 65 % des 15-24 ans considèrent qu'ils ont autant de chances de la réussir, 27 % moins et 6 % davantage.

Les institutions ne leur inspirent plus confiance.

Les jeunes ont une attitude très réservée vis-à-vis des différentes institutions nationales. L'école ne leur paraît pas apte à leur ouvrir les portes des entreprises, ni même à leur fournir des conditions matérielles d'étude satisfaisantes. L'Eglise ne représente pas non plus à leurs yeux un point d'appui, ni même une référence morale. Pourtant, si les jeunes rejettent les institutions telles qu'elles sont aujourd'hui, ils ne souhaitent pas leur disparition : bien qu'ils soient très peu syndiqués, 69 % trouveraient par exemple grave que l'on supprime les syndicats (29 % non). Les institutions politiques sont les moins appréciées. Peu avant les élections législatives de mars 1993, 63 % des 16-24 ans estimaient que la politique n'est pas une activité honorable, contre 39 % en octobre 1992.

Le réalisme des jeunes devrait les aider à assumer leurs responsabilités futures.

Désorientés, pessimistes, individualistes, blasés mais solidaires et tolérants, c'est ainsi que se définissent eux-mêmes, par ordre décroissant d'importance, les 15-25 ans. Pourtant, face aux grandes menaces et aux grandes mutations de cette fin de siècle et de millénaire, ils devront inventer un monde nouveau. Leur tâche sera d'autant plus difficile qu'ils vont recevoir en héritage une société aux prises avec de graves problèmes : chômage, sida, pollution, terrorisme, risques technologiques, racisme, antisémitisme, etc.
Inquiets des perspectives à court terme et peu enclins à faire confiance aux institutions, que feront-ils lorsqu'ils joueront (dans dix ou vingt ans) un rôle déterminant dans la société ? Il est bien sûr difficile de prévoir leurs comportements. Mais leur pessimisme actuel ne signifie pas qu'ils ne sont pas prêts à assumer les responsabilités, très lourdes, qui les attendent. Leur réalisme et leur volonté d'humanisme peuvent constituer des leviers pour soulever le monde, en tout cas pour le changer.

➤ Entre 4 et 7 ans, les enfants passent en moyenne 1 250 heures dans l'année avec leur mère, lorsque celle-ci est active (1 000 heures seulement avec un père actif). Ils passent en moyenne 1 500 heures avec une mère au foyer. 72 % des mères actives jouent à des jeux avec leurs enfants contre 50 % des mères non actives, 67 % leur lisent des histoires (contre 53 %), 59 % les emmènent faire des courses (contre 45 %).
➤ Les sujets de conversation les plus fréquents des garçons et des filles de 13 à 18 ans sont (respectivement) : les filles et les garçons (65 %, 69 %) ; la musique (37 %, 58 %) ; les fringues (31 %, 62 %) ; l'amour (34 %, 42 %) ; l'école (28 %, 45 %) ; le sport (54 %, 19 %) ; la sexualité (39 %, 27 %) ; la télévision (33 %, 24 %).
➤ Avant les élections législatives de mars 1993, 45 % des 13-18 ans souhaitaient la victoire des écologistes, 24 % celle de la droite, 23 % celle de la gauche.
➤ 20 % des 15-24 ans connaissent personnellement une personne séropositive ou atteinte du sida (12 % seulement parmi leurs parents).
➤ 28 % des 15-25 ans pensent qu'ils peuvent être atteints un jour par la maladie, 71 % non.
➤ 49 % des Européens de 15 à 20 ans sont plutôt optimistes sur leur avenir, 49 % se disent plutôt pessimistes.
➤ Par rapport à leurs parents au même âge, les 15-24 ans se trouvent plus désorientés (52 %), plus individualistes (45 %), plus pessimistes (45 %), plus blasés (38 %), plus tolérants (30 %).
➤ 72 % des 15-25 ans pensent que l'accroissement du chômage pourrait provoquer un mouvement de révolte chez les jeunes.
➤ 37 % des 15-25 ans auraient aimé être médecins d'une association humanitaire dans les années 80, 16 % hippies des années 70, 14 % révoltés de Mai 68, 6 % golden boys des années 80.
➤ 46 % des lycéens se sentent personnellement concernés par la violence dans les établissements, 53 % non.
➤ 82 % des jeunes de 13 à 25 ans vivant en banlieue déclarent aimer leur ville, 77 % leur quartier.
➤ 36 % des 15-24 ans estiment que l'image des jeunes qui est donnée par les médias est moins bonne que celle des jeunes qu'ils connaissent, 27 % qu'elle est meilleure (35 % qu'elle la reflète bien).
➤ 92 % des jeunes de 18 à 24 ans estiment que le fait de vivre en couple sans être marié n'est pas condamnable.

LES PERSONNES ÂGÉES

TROISIÈME ÂGE

11,5 millions de 60 ans et plus, un Français sur cinq ◆ Deux tiers de femmes à partir de 75 ans ◆ Le vieillissement va se poursuivre ◆ 2 cotisants pour un retraité, contre 10 en 1950 ◆ Des réformes nécessaires

VIEILLISSEMENT

*20 % des Français ont 60 ans et plus.
Ils n'étaient que 13 % en 1900.*

11,5 millions de Français avaient 60 ans et plus au 1er janvier 1994, contre 10 millions en 1982, soit un adulte sur trois. Le vieillissement national est dû à trois phénomènes : la chute de la fécondité; l'allongement de la durée de vie moyenne; la forme de la pyramide des âges qui fait qu'il y a eu plus de personnes dépassant 60 ans dans les années 80 qu'au cours de la décennie précédente (les classes creuses de 1914-1918 ont eu 60 ans entre 1974 et 1978).

Le déséquilibre de la structure de la population française s'est beaucoup accru au fil du temps. Il y avait cinq jeunes de moins de 20 ans pour un « vieux » de plus de 65 ans en 1789; il y en a moins de deux aujourd'hui.

La vieille France

Evolution de la part des personnes âgées dans la population totale :

	60 ans et plus (%)	85 ans et plus (%)	Population France (millions)
• 1850	10,2	0,2	35,8
• 1900	12,9	0,3	38,5
• 1970	18,0	0,8	50,5
• 1980	17,0	1,1	53,7
• 1990	19,9	1,8	56,6
• 1994	19,8	1,8	57,8

*A partir de 75 ans, les deux tiers
de la population sont des femmes.*

Si les femmes sont minoritaires jusqu'à 50 ans, du fait du déséquilibre des naissances (il naît 105 garçons pour 100 filles), elles représentent 55 % de la population entre 60 et 74 ans. A partir de 75 ans, elles comptent pour 65 %. La proportion dépasse les trois quarts parmi les personnes de plus de 85 ans. L'écart d'espérance de vie entre les sexes (8 ans) explique aussi que l'on compte cinq fois plus de veuves que de veufs parmi les 60 ans et plus.

L'Europe, plus vieille région du monde

L'Union européenne est la région du monde qui compte la plus forte proportion de personnes âgées. 15 % des habitants ont aujourd'hui au moins 65 ans, contre 13 % au Japon, 12 % aux Etats-Unis, 11 % en Australie, 6 % en Chine, 5 % en Amérique latine, 4 % en Amérique centrale et en Inde, 3 % en Afrique. Vers 2030, les douze pays (à l'exception de l'Irlande) compteront plus de personnes âgées de 65 ans et plus que de moins de 15 ans.

*La répartition des personnes âgées
est très variable selon les régions.*

Les régions les plus âgées sont le Limousin (28 % d'habitants de 60 ans et plus), le Languedoc-Roussillon, Midi-Pyrénées et Poitou-Charentes (plus de 24 %). L'Ile-de-France est une région jeune, mais le département de Paris comporte 21 % de personnes âgées de 60 ans et plus (contre 13 % dans les banlieues) et même 8,5 % des 75 ans et plus.

740 000 personnes âgées ont quitté leur département entre les recensements de 1982 et 1990; la plupart (530 000) ont changé de région, 44 % d'entre elles ayant quitté l'Ile-de-France. Dans un cas sur quatre, le déménagement est un retour au pays; c'est le cas en particulier de ceux qui sont originaires du Languedoc-Roussillon, de Bretagne, de l'Aquitaine et de Corse. La région Provence-Alpes-Côte d'Azur attire 14 % des personnes qui ont changé de région, mais beaucoup en partent également.

La vieille Europe

Part des personnes de 65 ans et plus dans la population totale des pays de l'Union européenne (1991, en %) :

	Hommes	Femmes
• Belgique	6,0	9,1
• Danemark	6,4	9,2
• Espagne	5,6	8,1
• FRANCE	5,6	8,6
• Grèce	6,2	8,0
• Irlande	4,9	6,6
• Italie	5,9	8,8
• Luxembourg	5,0	8,5
• Pays-Bas	5,2	7,8
• Portugal	5,4	7,8
• RFA	5,0	9,9
• Royaume-Uni	6,3	9,4
• **Union européenne**	**5,6**	**8,9**

Sur les 11,5 millions de personnes âgées de 60 ans et plus, environ 10 millions sont à la retraite.

Plus d'un Français sur deux arrive sans emploi à l'âge de la retraite. 63 % de ceux qui ont demandé la liquidation de leur retraite au régime général de la Sécurité sociale en 1992 étaient déjà en inactivité, la moitié pour cause de chômage ou de préretraite, l'autre moitié (essentiellement des femmes) par retrait volontaire du monde du travail. 57 % des cadres étaient aussi dans cette situation.

400 000 personnes cumulent emploi et retraite, soit environ 4 % des retraités (7 % des hommes et 3 % des femmes). 60 % d'entre eux cumulent une retraite et une activité indépendante. C'est le cas de 21 % des agriculteurs exploitants, de 15 % des cadres et professions intellectuelles supérieures.

Le troisième âge, une seconde vie

Paco

La retraite inégale

Les enseignants cumulent une espérance de vie de 8 ans supérieure à celle des manœuvres et une retraite plus précoce (souvent 5 ans). Celle-ci durera donc en moyenne 13 ans de plus que celle des manœuvres. On trouve des inégalités encore plus fortes dans certains secteurs d'activité, où la retraite peut être prise bien avant l'âge de 60 ans :

• Militaires non officiers ayant quinze ans de service, certains mineurs, mères d'au moins trois enfants ayant quinze années de service dans la fonction publique, à EDF-GDF ou à la Banque de France.
• Artistes de l'Opéra : 40 ans.
• Femmes artistes du chant de l'Opéra ou pensionnaires de la Comédie-Française, marins ayant vingt-cinq ans de service, officiers ayant entre quinze et vingt-cinq ans de service, mineurs ayant vingt années de fond et trente ans de service : 50 ans.
• Marins ayant trente-sept ans et demi de service : 52 ans et demi.
• Hommes artistes de la Comédie-Française, machinistes, électriciens, régisseurs de la Comédie-Française et de l'Opéra, marins, mineurs, agents de la SNCF, fonctionnaires et agents des collectivités locales, d'EDF et de la RATP ayant accompli au moins quinze années en catégorie active : 55 ans.

La retraite ailleurs

Age légal du départ à la retraite dans certains pays :

	Age de départ	Période taux plein	Salaire de référence
• Allemagne	H : 65 ans F : 60 ans	40 ans	carrière
• Belgique	H : 65 ans F : 60 ans	H : 45 ans F : 40 ans	carrière
• Espagne	65 ans	35 ans	8 dernières années
• FRANCE	60 ans	40 ans*	25 meilleures années*
• Italie	H : 65 ans F : 55 ans	40 ans	5 dernières années
• Pays-Bas	65 ans	50 ans	carrière
• Royaume-Uni	H : 65 ans F : 60 ans	H : 44 ans F : 39 ans	carrière

* progressivement

Le poids social des personnes âgées est très inférieur à leur poids démographique ou économique.

L'un des paradoxes de la société moderne est que sa population âgée, qui représente un cinquième de la population, est très peu visible. La publicité et les médias, reflets instantanés de l'inconscient collectif, mettent en scène le dynamisme, la vitesse, la fantaisie, la dérision, la force et la séduction qui sont par essence les attributs de la jeunesse. La sérénité, la sagesse et l'expérience tiennent au contraire peu de place dans l'imagerie populaire.

La raison de ce phénomène est que les Français ont peur de vieillir. S'ils n'osent pas regarder la vieillesse en face, c'est qu'ils refusent ce qu'elle annonce : la maladie, l'incapacité, la mort.

➤ Pour les retraités, les plus grandes avancées sociales ont été la création de la Sécurité sociale (88 %), l'instauration des congés payés (55 %), l'avancement de la retraite à 60 ans (41 %).

AVENIR

Le vieillissement de la France devrait se poursuivre au cours des prochaines décennies.

Entre 1965 et 1994, la proportion de jeunes de moins de 20 ans est passée de 34 % à 26 %. Dans le même temps, celle des 65 ans et plus passait de 15 % à 17 %. Quelle que soit la fécondité au cours des dix prochaines années, la population française continuera de croître jusqu'à la fin du siècle. Elle diminuera après l'an 2000 si le taux de fécondité est inférieur ou égal à 1,8 et continuera d'augmenter s'il dépasse 2 enfants par femme.

Dans tous les cas, le vieillissement se poursuivra. En 2020, les personnes de 60 ans et plus devraient représenter environ le quart de la population totale. Il y aura alors plus de personnes âgées de 60 ans et plus que de jeunes de moins de 20 ans.

Bientôt plus de seniors que de jeunes

Evolution de la part des moins de 20 ans et des 60 ans et plus (en % de la population totale*) :

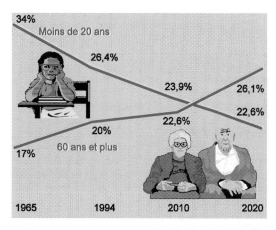

* Hypothèses : fécondité 1,8 ; poursuite de la tendance actuelle de mortalité.

C'est à partir de l'an 2005 que vont se poser les grands problèmes démographiques.

Le déséquilibre démographique devrait continuer de s'accroître à partir de l'an 2005, avec l'arrivée à 60 ans des générations du baby-boom. De plus, la poursuite des progrès médicaux, en particulier dans le domaine de la lutte contre les maladies cardio-vasculaires et le cancer, permettra d'allonger encore la durée de vie moyenne. On prévoit 12,6 millions de 60 ans et plus en 2005; ils devraient être 17 millions en 2020 et 21 millions en 2035. Entre 1990 et 2050, le nombre des 60 ans ou plus devrait doubler, celui des 75 ans ou plus tripler, celui des 85 ans et plus quintupler.

Cette évolution, qui semble inéluctable, pose deux questions essentielles pour l'avenir de la société. Comment donner aux plus âgés les moyens de bien vivre la période de plus en plus longue de la retraite? Comment faire pour que les autres n'aient pas un tribut trop lourd à payer ?

En 1950, il y avait dix cotisants pour un retraité; ils ne sont plus que deux aujourd'hui.

Trois ans après la mise en œuvre des régimes de retraite par répartition (1947), on comptait environ dix actifs cotisants pour un retraité. Ces actifs cotisaient en moyenne depuis l'âge de 18 ans jusqu'à 65 ans. De plus, l'espérance de vie était en 1950 de 63 ans pour les hommes et 69 ans pour les femmes, de sorte que les pensions de retraite n'étaient pas versées très longtemps.

Les conditions actuelles sont très différentes dans ces trois domaines : on ne compte plus que 2,1 actifs cotisants pour un retraité; l'espérance de vie s'est allongée de plus de 10 ans; l'âge légal de la retraite a été avancé à 60 ans (mais les mesures prises en 1993 vont progressivement le ramener à 65 ans). C'est ce qui explique le déséquilibre du système de répartition et la nécessité de lui adjoindre un complément de capitalisation individuelle.

A partir de l'an 2000, le vieillissement de la population et l'arrivée à la retraite des premières générations de femmes actives vont rendre encore plus difficile l'équilibre des caisses de retraite. Cette situation pose évidemment le problème de la prise en charge par la collectivité des dépenses de la vieillesse : retraites, santé, etc.

> ➤ L'espérance de vie plus longue des cadres supérieurs (malgré leur départ en retraite plus tardif) fait qu'ils reçoivent en moyenne 160 % des cotisations versées, alors que le taux de récupération n'est que de 147 % pour les ouvriers et 151 % pour les employés (mais 168 % pour les professions intermédiaires).

Notre Temps/Sofres, mai 1992

Les retraités, une chance ou une charge ?

Pour 54 % des Français, le fait qu'il y ait de plus en plus de retraités est une chance, car leur expérience et leur disponibilité sont utiles. Mais 32 % estiment que c'est une charge, car le financement des retraites pèse de plus en plus lourd sur les actifs. Les jeunes de 18 à 24 ans, qui seront les plus concernés par l'accroissement du déséquilibre démographique, sont les plus partagés : 43 % considèrent que c'est une chance, 43 % une charge. La guerre des âges aura-t-elle lieu ?

L'équilibre des régimes de retraite ne pourra être maintenu sans de profondes réformes.

Les mesures prises en 1993 ont à la fois accru les cotisations de retraite, augmenté leur durée (de 37,5 ans à 40 ans, ce qui équivaut à reculer progressivement l'âge moyen de la retraite, avancé en 1982) et réduit les pensions qui seront versées. On observe que ces réformes de fond ont été facilement acceptées par la population, qui y était préparée.

Les systèmes de retraite par capitalisation individuelle vont devoir se développer, afin d'apporter le complément de revenu nécessaire aux futurs retraités. L'accroissement du patrimoine des ménages au cours des trente dernières années devrait faciliter sa mise en œuvre. Elle est déjà engagée, sous l'impulsion des compagnies d'assurances et des banques qui ont trouvé là un marché d'avenir.

La retraite par répartition est aujourd'hui dominante dans les pays de l'Union européenne : 90 % en France; 86 % en Italie; 84 % aux Pays-Bas; 80 % en Allemagne. La capitalisation est en revanche largement majoritaire au Royaume-Uni, où elle représente 70 % des prestations vieillesse financées par les secteurs public ou privé.

Les scénarios-catastrophe sous-estiment la capacité d'adaptation sociale.

On peut bâtir à partir des projections démographiques un scénario plus optimiste, qui prend en compte certains aspects qualitatifs du vieillissement. D'abord, si l'on vieillit davantage, on est jeune plus longtemps; l'âge de 75 ans aujourd'hui correspond biologiquement à celui de 60 ans entre les deux guerres.

De plus, le découpage ternaire de la vie (formation, travail, retraite) ne correspond plus aux aspirations individuelles, ni aux contraintes économiques. Il est donc probable que les périodes de travail, de formation et de repos alterneront au cours d'une vie (voir *Emploi du temps*). Dans ce contexte, l'expérience professionnelle et humaine des anciens sera une plus-value que les entreprises auront tout intérêt à exploiter.

L'accroissement du nombre de personnes âgées ne serait alors plus un problème social, mais une opportunité. C'est déjà en partie le cas, dans la mesure où le troisième âge est de plus en plus considéré comme un « marché ».

Le fossé des générations

Les différences d'attitude et de comportement entre les jeunes et les seniors sont sensibles dans de nombreux domaines. Ainsi, les anciens sont plus pessimistes devant la vie. Leur réticence est beaucoup plus forte devant l'innovation, y compris pour les biens d'équipement qui pourraient les concerner (magnétoscope, lave-vaisselle...). D'une manière générale, les opinions des seniors sont plus traditionnelles que celles des plus jeunes. Leurs attitudes évoluent aussi plus lentement.
Ces constatations confortent ceux qui considèrent que le vieillissement d'une société constitue une menace pour son dynamisme. Mais la résistance à la nouveauté et au changement n'est pas obligatoirement une marque de sénilité; elle peut être parfois une preuve de sagesse...

➤ Les plus de 60 ans consomment 47 % des soins de médecine ambulatoire remboursés par la Sécurité sociale.
➤ Si l'on supprimait les cumuls emploi-retraite, moins de la moitié des 400 000 emplois concernés pourraient être libérés et donner lieu à des embauches.
➤ 79 % des retraités estiment qu'il faudrait prévoir un âge de la retraite obligatoire pour les hommes politiques (17 % non).
➤ L'âge moyen des sénateurs est de 62 ans.
➤ La moitié des grands-parents ont l'occasion de garder leurs petits-enfants : 30 % pendant les vacances; 20 % au moins un jour par semaine.
➤ 56 % des retraités disent s'intéresser beaucoup ou assez à la politique, 43 % peu ou pas du tout.
➤ L'image du vieillard respecté, consulté et célébré des sociétés anciennes est un mythe. Il a fallu attendre le XVIIIᵉ siècle pour que les vieillards occupent une place à part entière dans la société.
➤ Au cours des cinq dernières années, une personne âgée sur trois (plus de 60 ans) a donné ou prêté de l'argent à ses descendants : en moyenne 6 400 F de dons et 4 000 F de prêts.

VIE QUOTIDIENNE

Etat de santé très variable selon les individus ◆ 1,5 million de personnes dépendantes ◆ La plupart des personnes âgées vivent à domicile ◆ Les femmes plus concernées par la solitude ◆ Activité domestique importante ◆ Relations fréquentes avec l'entourage ◆ Revenu moyen supérieur à celui des actifs, mais forte dispersion ◆ 40 % du patrimoine national ◆ Consommation supérieure à la moyenne, confort des logements et équipement inférieurs ◆ Evolution des mentalités

SANTÉ

A 60 ans, une femme a en moyenne 24,4 ans à vivre, un homme 19,2.

L'espérance de vie continue de s'allonger, de sorte que la durée du troisième âge est aujourd'hui plus longue que celle de l'enfance. L'état de santé des personnes âgées n'a cessé de s'améliorer au cours des dernières décennies. Les sexagénaires d'aujourd'hui ne peuvent être comparés à ceux des siècles ou même des décennies précédents. L'espérance de vie à 60 ans a progressé. L'état de santé moyen s'est amélioré et l'incapacité, donc la dépendance, est moins fréquente. Surtout, l'état d'esprit des personnes âgées a considérablement évolué. L'augmentation continue de leur pouvoir d'achat n'est sans doute pas étrangère à ce changement, car elle leur permet de vivre mieux et de façon plus active.

L'état de santé des personnes âgées est très variable selon les individus.

Les plus de 60 ans ne constituent pas un groupe homogène. Pour certains, la « dernière ligne droite » de la vie peut être une période de bonheur, dont chaque instant prend une saveur particulière. Elle est vécue par d'autres comme une « prolongation » douloureuse dont la fin est parfois attendue comme une délivrance.

L'âge joue évidemment un rôle essentiel. 68 % des 65 ans et plus suivent un traitement médical, 39 % ont des difficultés à monter ou descendre un escalier, 22 % à sortir de leur logement, 9 % ont subi une hospitalisation au cours des six derniers mois. Après 85 ans, le taux d'incapacité atteint 80 %. Les personnes seules de 75 ans et plus ne sont guère plus nombreuses que les autres à suivre un traitement ou être hospitalisées, mais 51 % d'entre elles ont des difficultés pour monter ou descendre un escalier, 33 % à sortir de chez elles.

Un quart des malades sont totalement valides et autonomes, un autre quart exige une intervention de l'entourage trois ou quatre fois par semaine pour assurer des tâches spécifiques, un tiers a besoin d'une aide quotidienne et 17 % sont grabataires.

1,5 million de personnes âgées sont dépendantes.

4 % des personnes de plus de 65 ans souffrent d'une forte incapacité qui les oblige à rester au lit ou dans un fauteuil. 20 % ont une incapacité moyenne qui les empêche de sortir de chez elles. 940 000 ne peuvent sortir sans aide de leur domicile ou de l'institution qui les héberge. 320 000 doivent être aidées pour faire leur toilette ou s'habiller.

Une personne dépendante sur quatre habite seule. L'entrée en institution est le plus souvent la conséquence d'une aggravation de la dépendance. L'âge moyen des personnes concernées est de 82 ans. Les trois quarts sont des femmes.

➤ 350 000 personnes âgées seraient atteintes de la maladie d'Alzheimer; elles pourraient être 500 000 en l'an 2000.
➤ 15 % des Français comptent dans leur famille proche un parent âgé souffrant d'un problème de dépendance aigu.

Le recul des incapacités

Entre 1981 et 1991, l'espérance de vie sans incapacité a augmenté de près de 3 ans, passant de 70,4 ans à 72,9 ans. Cette augmentation est supérieure de 6 mois à celle de l'espérance de vie à la naissance. Ces chiffres tendent à confirmer l'hypothèse de la « compression de la morbidité », selon laquelle l'âge moyen d'apparition des maladies incapacitantes est davantage retardé que celui de la mort. Une théorie renforcée par le fait que les progrès de la médecine permettent un retour plus fréquent à une activité normale des personnes en situation d'incapacité temporaire. Les gains observés existent à tout âge et pour tous les types d'incapacité : vie en institution; confinement à domicile; alitement; gêne ou handicap permanent, arrêt d'activité.

Les ménages âgés sont de mieux en mieux couverts par les systèmes de protection sociale.

Outre la Sécurité sociale, 49 % des ménages de 60 ans et plus bénéficient d'une mutuelle, 4 % d'une assistance médicale gratuite. Environ 80 % bénéficient de remboursements intégraux des soins. 12 % ont droit à une aide ménagère.

Pour lutter contre les effets du vieillissement, les seniors s'efforcent de pratiquer les mêmes activités que les plus jeunes et de se maintenir en bonne santé. C'est pourquoi ils sont de plus en plus nombreux à faire du sport ou à s'intéresser à la prévention, aussi bien en matière alimentaire (diététique) que dans d'autres domaines. Beaucoup s'efforcent de prendre de nouvelles habitudes de vie, excluant par exemple le tabac et l'alcool.

MODES DE VIE

La plupart des personnes âgées vivent à leur domicile.

Contrairement à une idée reçue, l'hébergement collectif ne concerne qu'une faible minorité des personnes âgées : 6 % des plus de 65 ans et 16 % des plus de 80 ans. La plupart vivent en effet dans leur propre logement ou celui de membres de leur famille.

La prise en charge des personnes âgées à domicile par la famille apparaît aujourd'hui comme une solution susceptible de réduire le coût financier pour la collectivité. Elle est dans 55 % des cas assurée par le conjoint. Mais 10 % seulement des plus de 60 ans habitent avec d'autres membres de leur famille, contre 20 % il y a trente ans.

Les femmes sont plus concernées par la solitude que les hommes.

Compte tenu de l'écart d'espérance de vie, la disparition du conjoint touche beaucoup plus fréquemment les femmes que les hommes. La solitude est alors d'autant mieux vécue que la mobilité physique et l'intégrité intellectuelle sont préservées. La proximité, géographique et relationnelle, de l'entourage familial est également un critère important.

25 000 clubs du troisième âge se sont créés en vingt ans, regroupant environ 2 millions de membres plus ou moins réguliers. La plupart organisent périodiquement des voyages, conférences et manifestations diverses qui leur fournissent l'occasion de se distraire et de se cultiver. Dans certaines communes, les clubs prennent en charge une partie des problèmes de leurs membres : maintien à domicile, assistance financière, etc.

Retraite sexuelle

Le mouvement de libération des années 60 et 70 n'a pas fait disparaître les tabous liés à la sexualité des personnes âgées. Certains sont de nature religieuse : on a des rapports sexuels pour procréer et on cesse lorsque la période de procréation s'achève. D'autres se situent dans l'inconscient collectif; la sexualité est liée à la beauté et à la séduction, caractéristiques de la jeunesse.

C'est peut-être pour ces raisons que l'enquête réalisée par l'INSERM en 1991 sur la sexualité des Français ne concernait pas les personnes âgées de plus de 69 ans. Parmi les sexagénaires, elle faisait apparaître une forte disparité entre les hommes et les femmes : 85 % des premiers déclaraient avoir eu une activité sexuelle au cours des douze derniers mois, contre 59 % des secondes (et 94 % de l'ensemble des personnes interrogées). 15 % des hommes déclaraient avoir eu au moins un nouveau partenaire pendant cette période, mais aucune femme. La fréquence des rapports au cours du dernier mois était en moyenne de 4, tant pour les hommes que pour les femmes. On observe qu'elle est à peu près constante entre 50 et 69 ans pour les femmes, une diminution notable intervenant entre 45 et 50 ans. La baisse se produit plus tardivement chez les hommes, entre 50 et 55 ans.

L'activité domestique des retraités est considérable.

L'économie parallèle (bricolage, jardinage, travaux ménagers, couture, etc.) joue un rôle particulièrement important chez les retraités. Ils disposent de plus de temps pour cultiver leur jardin, faire des confitures ou effectuer les travaux d'entretien et de réparation du logement. Beaucoup aident aussi leurs enfants et petits-enfants en leur fournissant des légumes, en réalisant pour eux des travaux de couture, de tricot ou de bricolage.

Les activités professionnelles, bénévoles ou non, tendent aussi à se développer. Elles servent à tromper l'ennui, à se procurer un complément de revenu (officiel ou non) et surtout à se donner l'impression d'être encore utile à la collectivité. Au total, l'activité domestique des plus de 60 ans est estimée à 15 milliards d'heures par an, soit 30 % du travail domestique national.

Les relations avec l'entourage demeurent fréquentes.

La plupart des personnes âgées gardent des relations avec l'extérieur en se déplaçant, en recevant leur famille et leurs amis ou par l'intermédiaire du téléphone. Dans plus d'un ménage de retraités sur deux, les personnes qui étaient actives ont gardé le contact avec leurs anciens collègues de travail.

Les relations familiales restent souvent fréquentes : 60 % des enfants rendent visite à leurs parents au moins une fois par semaine (mais ceux qui habitent à plus de 600 km les voient seulement une fois par an). 40 % des personnes ayant des petits-enfants de moins de 12 ans les gardent pendant les vacances ou au cours de l'année.

Dans les familles, la coexistence de trois ou quatre générations est de plus en plus courante.

Le vieillissement de la population a créé de nouveaux rapports entre les générations. Un retraité sur trois a encore ses parents. L'allongement de la durée de vie moyenne fait qu'il est de plus en plus fréquent qu'un enfant connaisse ses arrière-grands-parents, ce qui constitue une innovation sociologique.

La contrepartie du vieillissement général est que les personnes âgées finissent souvent leur vie alors que leurs propres enfants sont eux-mêmes à la retraite et ne peuvent pas les aider financièrement. La coexistence de trois ou quatre générations est à la fois une chance et une charge, pour les familles comme pour la collectivité.

Troisième âge, deuxième vie

Les nouveaux retraités ont le temps de faire des projets, même à long terme. La plupart d'entre eux n'en manquent pas; ayant connu tardivement l'ère de la consommation et des congés payés, ils en goûtent aujourd'hui d'autant mieux les plaisirs. C'est ainsi qu'on a vu depuis quelques années se multiplier les activités des personnes âgées, à travers les clubs, les voyages, les pratiques sportives ou culturelles.
Si certaines activités culturelles restent limitées (ils ne vont guère au cinéma ou au théâtre, écoutent moins de musique), ils lisent en moyenne 25 livres par an, soit davantage que le reste de la population.

REVENUS

Le pouvoir d'achat des retraités
a plus progressé depuis vingt ans
que celui des actifs.

L'amélioration de la situation des retraités, qui avait été spectaculaire au cours des années 70, s'est poursuivie depuis, mais à un rythme inférieur. Le revenu minimum a été multiplié par 20 en 20 ans. Début 1994, le minimum vieillesse se montait à 3 200 F pour une personne seule et 5 800 F pour un couple. Des allocations d'aide à domicile (1 400 F par mois) sont versées aux personnes dont les ressources ne dépassent pas 40 000 F par an; une aide ménagère leur est également proposée. Aux pensions s'ajoutent enfin d'autres revenus du capital ou du travail, représentant environ 20 % des revenus totaux. La disparité entre les revenus est forte. Le rapport entre les 10 % de revenus les plus élevés et les 10 % les moins élevés est de 3,5 (pensions et autres revenus, du capital notamment). Il n'est que de 3,1 pour les actifs.

Les retraités ont perçu en 1993
un revenu moyen de 77 500 F par personne,
soit 4 % de plus que les salariés actifs.

Les retraités ayant eu une carrière professionnelle complète (37,5 années de cotisation) ont reçu en moyenne une rémunération de 7 600 F par mois en 1993. Les retraites de base (Sécurité sociale et retraite complémentaire) représentaient 6 990 F, soit plus de 90 % du montant des pensions. La disparité est cependant marquée : 10 % des retraités ont perçu plus de 12 490 F par mois et 10 % moins de 2 000 F.

NICE-ITALIE
BOLOGNE, NAPLES, MILAN, FLORENCE, VENISE

L'avion là où vous ne l'attendiez pas. **AIR LITTORAL ⊕**

Kaena

Troisième âge rime avec voyage

Les générations inégales

L'examen des pensions de quatre générations de retraités nés en 1906, 1912, 1918 et 1922 fait apparaître les disparités suivantes (actualisées pour 1993) :
• 60 % des retraités perçoivent moins de 7 500 F par mois, 4 % plus de 200 000 F par an.
• Les pensions les plus élevées sont celles des fonctionnaires : en moyenne 11 000 F par mois. Les plus basses sont celles des exploitants agricoles, des artisans et commerçants.
• Les femmes perçoivent une retraite inférieure d'un tiers à celle des hommes.
• Les octogénaires ont une retraite inférieure de 38 % à celle des sexagénaires.
• Le rapport entre les 10 % de pensions les plus faibles et les 10 % les plus élevées est de 6.

Sesi

Les ménages retraités détiennent environ
40 % du patrimoine total des Français.

Ils possèdent aussi 46 % du patrimoine de rapport, alors qu'ils représentent 36 % de la population. Les ménages salariés, qui comptent pour 53 % de la population, ne détiennent que 36 % du patrimoine. Ramenée à l'échelle individuelle, la fortune des personnes âgées de 65 ans et plus est environ le double de celle des plus jeunes.

Comme pour les revenus, la répartition n'est pas égalitaire : sur 100 ménages d'inactifs, 40 disposent d'un capital de moins de 100 000 F, alors que 15 dépassent le million de francs. Plus de la moitié des contribuables payant l'impôt sur les grosses fortunes sont des ménages de plus de 60 ans.

Les patrimoines ont été constitués grâce à l'épargne accumulée pendant la vie active, à raison de plus de 10 % des revenus disponibles annuels. Ils ont bénéficié de la hausse des prix de l'immobilier, de celle des valeurs mobilières ainsi que des héritages. Les ménages âgés continuent d'ailleurs d'épargner davantage que la moyenne nationale.

Leur endettement est également beaucoup plus réduit. Le patrimoine brut d'un ménage d'ouvriers, qui se monte en moyenne à 350 000 F, n'est plus que de 270 000 F après déduction des dettes. Celui des retraités ex-salariés atteint 880 000 F, avec un endettement pratiquement nul.

Les personnes âgées consomment davantage que la moyenne.

Elles jouent un rôle de plus en plus important dans la vie économique. Ce sont elles qui dépensent le plus pour leur alimentation, leur santé, les voyages, etc. Elles sont plus souvent propriétaires de leur logement que les plus jeunes et détiennent plus d'un tiers du parc immobilier.

Au cours des quinze dernières années, les foyers de plus de 65 ans ont multiplié leurs dépenses en francs constants par 3, contre 2,6 en moyenne nationale. La proportion de ceux qui partent en vacances atteint 50 %, contre 36 % en 1975. En 1992, les retraités ont acheté 11,2 millions de séjours de vacances (au moins quatre nuits) soit 17 % du total. 84 % sont restés en France, 21 % ont choisi l'hôtel, 10 % la location, 18 % la résidence secondaire, 45 % ont été hébergés par la famille ou des amis.

L'équipement et le confort de leurs logements restent inférieurs à la moyenne nationale.

Malgré les progrès importants réalisés au cours des vingt dernières années, les personnes âgées occupent souvent des logements anciens et insalubres, surtout en milieu rural. 15 % des logements dont la personne de référence a au moins 60 ans ne disposent ni de baignoire ni de douche; la proportion atteint 29 % chez les personnes de 75 ans et plus. Elles sont respectivement 8 % et 12 % à ne pas disposer de WC intérieurs.

Au total, 71 % des 60 ans et plus et 62 % des 75 ans et plus ont dans leur logement à la fois des WC intérieurs, une douche ou une baignoire et un chauffage central, contre 76 % de la population.

Le déséquilibre est encore plus marqué en ce qui concerne l'équipement du logement. Les seniors sont beaucoup moins nombreux que les plus jeunes à disposer d'un lave-vaisselle (20 % après 60 ans, contre 60 % vers 40 ans) ou d'un magnétoscope (20 % des plus de 65 ans contre 55 % des moins de 45 ans). 70 % des ménages dont la personne de référence a entre 60 et 74 ans ont une voiture et 35 % à partir de 75 ans, contre 76 % en moyenne.

Le marché des seniors

Consommateurs à part entière et dotés d'un solide pouvoir d'achat, les plus de 50 ans, souvent baptisés seniors, intéressent de plus en plus les entreprises. Ils deviennent des cibles pour les publicitaires qui les avaient longtemps ignorés. 8 % d'entre eux disposent d'au moins trois comptes-chèques. 12 % voyagent au moins deux fois par an en avion à l'étranger, contre 6 % des 25-34 ans. Entre 1977 et 1993, leurs achats de cuisines équipées ont augmenté de 91 % alors que le marché global n'a progressé que de 11 % sur la période.

Cette surconsommation est sensible pour des produits comme les lave-linge, les crèmes pour le visage, les produits frais ou les whiskies haut de gamme. En Europe, les seniors représentent 20 % du marché total; leur part devrait atteindre 30 % en l'an 2000.

L'accroissement des dépenses est dû autant à celui du pouvoir d'achat qu'à un changement de mentalité.

Un nombre croissant de personnes âgées trouvent aujourd'hui normal de profiter de la vie et de s'offrir des plaisirs qu'elles n'avaient pas eu le temps ou les moyens de connaître auparavant. C'est pourquoi elles sont de plus en plus nombreuses à voyager, à prendre l'avion, à aller au spectacle ou à faire du sport, même si leurs modes de vie restent différents de ceux des plus jeunes.

Cette attitude est encouragée par l'offre de produits et de services qui leur sont spécifiquement destinés. Elle est également favorisée par les nombreuses réductions dont elles peuvent bénéficier : tarifs ferroviaires, voyages aériens intérieurs, voyages organisés, etc. Les personnes de condition modeste peuvent même obtenir la gratuité du téléphone, des transports urbains, de la redevance télévision, des aides ménagères, des impôts locaux ou des conseils judiciaires.

LA VIE DE FAMILLE

T'AS PENSÉ À RAPPORTER LE PAIN ?

RELATIONS FAMILIALES

L'entraide nécessaire ◆ A 22 ans, 60 % des garçons et 45 % des filles habitent chez leurs parents ◆ Importance des relations familiales pour trouver un emploi ◆ La famille reste une valeur prioritaire ◆ Peu de conflits de générations entre parents et enfants ◆ Nouveaux modèles familiaux ◆ Ambition destructrice des parents ◆ Forte influence économique des enfants ◆ Dégradation de l'autorité parentale ◆ Des problèmes demeurent : drogue, fugues, suicides, enfants battus

ENTRAIDE

L'entraide familiale est nécessaire pour pallier les défaillances des institutions.

Les changements importants qui sont intervenus dans la vie du couple, dans le sens d'une plus grande autonomie de chacun, et l'évolution en matière démographique ont finalement assez peu affecté le rôle d'entraide traditionnellement joué par la famille. Dans une situation économique et sociale incertaine, la cellule familiale doit même aujourd'hui se substituer aux institutions défaillantes (Etat, école, associations...) pour aider ses membres dans leurs relations avec la société.

La solidarité s'exerce surtout à l'égard des jeunes. Beaucoup connaissent à leur sortie du système scolaire des difficultés d'insertion dans la vie professionnelle. La famille joue alors un rôle de filet protecteur, retardant le moment où les enfants sont dans l'obligation de se prendre en charge, moralement et financièrement. Ce rôle est souvent déterminant ; les enquêtes réalisées auprès des bénéficiaires du RMI montrent que les plus vulnérables sont ceux qui sont coupés des réseaux familiaux.

Solidarité et inégalité

La solidarité familiale est naturelle et souhaitable. Mais elle est inégale, car elle est d'autant plus efficace que la famille est aisée et dispose d'un réseau de relations influent. L'un des rôles de l'Etat est de se substituer aux familles qui ne peuvent venir en aide à leurs membres et de favoriser ainsi une meilleure égalité sociale. Le paradoxe est que c'est aujourd'hui la famille qui se substitue à l'Etat, celui-ci ne parvenant plus à assumer sa fonction de régulation. L'Etat encourage d'ailleurs la prise en charge par les familles d'une partie de la solidarité nationale, sans paraître se soucier de ses conséquences sur la justice sociale.

L'aide peut prendre des formes très diverses selon les familles.

Entretien du linge, prêt d'une voiture, aide aux démarches administratives, courses, cuisine, accueil des petits-enfants sont quelques-uns des multiples services rendus par les parents à leurs enfants. Il s'accompagnent souvent de cadeaux en espèces (donations, argent donné aux petits-enfants à l'occasion de fêtes ou d'anniversaires...) ou en nature (fourniture de légumes du jardin, services divers).

L'aide peut aussi être affective, dans le cas par exemple où un enfant connaît des problèmes sentimentaux ou conjugaux ; 70 % des femmes qui déménagent à la suite d'une rupture sont hébergées par leur famille.

L'existence de cette entraide est favorisée par la coexistence de trois, voire quatre générations et l'accroissement du pouvoir d'achat des personnes âgées au cours des dernières décennies. Elle explique indirectement la réticence de certains ménages à s'éloigner de la région où réside leur famille. Ainsi, les deux tiers des 45-60 ans habitent à moins de 20 km de leurs enfants. En région parisienne, trois adultes sur dix ont au moins un parent ou beau-parent dans le même département ; six sur dix au moins un enfant. 30 % habitent le même quartier, 12,5 % la même rue, 7 % le même immeuble.

Micro-entretien ▬▬▬▬▬

BERNARD KOUCHNER *

G.M. - *L'entraide est-elle comparable en France à celle que l'on rencontre dans les pays pauvres ?*

B.K. - Dans le tiers-monde, la pauvreté est grande, mais elle est différente car elle est vécue dans la chaleur des familles, des clans, du village, dans la protection des autres. A Médecins du Monde, nous travaillons aujourd'hui en France, car nous avons appris que les solitudes y sont plus grandes. Elles sont vécues à côté des richesses et dans un système de protection qui déresponsabilise. Si vous dites à un jeune chômeur d'une banlieue parisienne qui n'a jamais travaillé qu'on est plus malheureux en Somalie qu'en France, ça lui fait une belle jambe ! Les malheurs s'additionnent, ils ne se soustraient pas. Bien sûr, la France est le quatrième pays du monde, avec une formidable armature sociale, malgré ces éternels Français qui râlent. Mais c'est vrai aussi que certains sont seuls et qu'il faut construire autre chose. Et surtout restaurer un idéal et une morale qui disparaissent.

––––––––
* Ancien ministre de la Santé et de l'Action humanitaire.

▬▬▬▬▬

A 16 ans, 95 % des jeunes habitent chez leurs parents.
A 22 ans, c'est encore le cas de 60 % des garçons et 45 % des filles.

Les enfants uniques, ceux des agriculteurs (surtout les fils), des cadres et des membres des professions indépendantes restent plus longtemps au foyer parental que la moyenne. Les fils des salariés modestes (employés ou ouvriers) sont ceux qui partent le plus tôt.

Cette évolution est due pour une part à l'accroissement de la durée des études et à celui de l'âge moyen au mariage. Elle est rendue possible par l'accroissement de la taille moyenne des logements. On observe aussi une acceptation croissante de la

part des parents d'héberger un jeune couple vivant en union libre.

Le rôle des grands-parents est moins sensible dans l'éducation des enfants.

Pendant des générations, la présence des grands-parents au sein de la famille a donné une sorte de « plus-value » à l'éducation dispensée par les parents. Aujourd'hui, les grands-parents habitent de moins en moins avec leurs enfants et petits-enfants. La difficulté de trouver un logement, la plus grande mobilité géographique, les différences de mentalité, le souci croissant d'indépendance expliquent cette évolution. Leur apport est donc davantage matériel et financier que moral et culturel.

La vision que les jeunes ont de la vie est donc essentiellement influencée par celle de leurs parents. Aussi beaucoup ne connaissent-ils plus guère l'histoire des générations antérieures. La participation des grands-parents représentait l'un des aspects les plus riches de la formation des enfants. Aucun livre, aucune émission de télévision ne pourra vraiment le remplacer.

Les relations familiales jouent souvent un rôle déterminant dans la recherche d'un emploi.

Un Français sur cinq a été aidé pour trouver un emploi, un sur trois parmi les moins de 35 ans. Dans huit cas sur dix, c'est la famille qui est à l'origine de l'aide. Celle-ci peut aller du simple « coup de pouce » pour signaler un emploi disponible à l'entrée pure et simple dans l'entreprise familiale (parfois pour succéder au père) en passant par le « piston » auprès de relations influentes.

Cette aide est évidemment déterminante à une époque où les jeunes trouvent difficilement un premier emploi. Elle constitue un facteur d'aggravation des inégalités dans la mesure où elle est plus répandue et plus efficace dans les milieux favorisés, où elle s'ajoute d'ailleurs à un niveau de formation des jeunes déjà plus élevé (voir *Culture*).

➤ 80 % des Français déclarent ne pas avoir plus de cinq intimes dans leur entourage. Seules les femmes ont, jusqu'à 50 ans, plus d'amis que de parents parmi leurs intimes. Un quart des Français ne citent aucun ami parmi eux ; 6 % ne citent au contraire aucun parent. Les cadres supérieurs ont beaucoup plus d'amis que les ouvriers.

Les trois cercles familiaux

Une enquête réalisée en 1991 a montré que la famille très proche se compose en moyenne de 8 personnes (4,8 membres de la famille et 3,2 amis proches) toutes susceptibles de s'entraider. L'entourage familial est plus étendu ; il comprend le couple, les parents et grands-parents des deux côtés, les enfants et petits-enfants avec leurs conjoints ou compagnons. Au total 18 personnes, auxquelles on peut ajouter 45 personnes de la « famille large » : oncles et tantes (et leurs conjoints) ; nièces et cousins germains des deux membres du couple.

L'évolution démographique a des incidences considérables sur les relations familiales.

La diminution des mariages, la baisse de la natalité, la hausse des naissances hors mariage et la montée des divorces pèsent sur la vie de famille. Elles traduisent des comportements nouveaux et sans doute durables, conséquences de l'individualisation des décisions et des modes de vie. Elles se situent hors du champ traditionnel des institutions et mettent en cause les notions de durée et d'irréversibilité.

D'autres tendances démographiques lourdes ont ou auront également des effets importants. La poursuite de l'accroissement de l'espérance de vie va multiplier le nombre de familles de quatre générations vivantes. Une personne de 60 ans aura de plus en plus fréquemment ses parents, des enfants et petits-enfants, ce qui impliquera une charge à la fois affective et financière, donc parfois des conflits. Cette charge sera d'autant plus forte qu'elle sera répartie sur un faible nombre d'enfants.

Une autre conséquence de la faible natalité est la diminution du nombre d'oncles et de tantes, de cousins et de cousines ; les relations affectives collatérales seront donc plus rares, au contraire des relations verticales (ascendants-descendants).

RELATIONS PARENTS-ENFANTS

Malgré les changements qu'elle a subis, la famille reste une valeur essentielle.

La famille traditionnelle reposait sur des fondements religieux ; sa raison d'être était d'assurer sa pérennité et de transmettre un patrimoine. La femme arrivait vierge au mariage et se mariait en blanc. Aujourd'hui, les époux ont déjà en général vécu ensemble ; ils ont souvent un ou deux enfants et « régularisent » leur situation. L'union reste fragile et peut à tout moment déboucher sur la rupture, car on se marie surtout « pour le meilleur ». Un tiers des naissances ont lieu en dehors du mariage. Un nombre croissant d'enfants naissent d'une seconde union de la mère. Ils ont moins de frères et de sœurs que leurs parents. Un sur deux a une mère active. A 10 ans, un sur dix a des parents séparés ou divorcés.

Malgré ces changements, la famille reste une valeur sûre dans une société sans repères. Elle est le lieu de l'amour, de la tendresse, de la solidarité, de la transmission de la vie et des valeurs.

Les rapports entre parents et enfants sont globalement bons.

Les années 80 ont marqué une sorte de trêve dans le conflit traditionnel entre les générations. Pour la grande majorité des enfants, la famille est un nid douillet dans lequel il fait bon vivre. On parle beaucoup plus volontiers aux parents (à la mère en particulier) qu'aux professeurs. Même si les copains restent, malgré tout, les interlocuteurs privilégiés.

L'âge ne semble pas modifier sensiblement ce sentiment général de satisfaction. Tous les sondages montrent que l'on se sent aussi bien en famille à 5 ans qu'à 20 ou à 25, si l'on vit encore au domicile des parents, ce qui est de plus en plus fréquent.

L'entente cordiale

Les enfants de 10 à 18 ans voient d'abord leurs parents comme des protecteurs et des soutiens affectifs (50 %), mais aussi comme des personnes qui leur transmettent des valeurs (37 %), des guides, des éducateurs (27 %), des copains (20 %), des appuis financiers (15 %).
75 % d'entre eux estiment que leurs parents sont sévères « comme il faut » ; 17 % des garçons les trouvent « pas assez sévères » (8 % trop) et 15 % des filles les trouvent « trop sévères » (7 % pas assez).
Lorsqu'ils ont un grave problème, 34 % préfèrent en parler d'abord à leur mère, 34 % à un(e) ami(e), 21 % à un frère ou une sœur, 7 % à leur père, 1 % à leurs grands-parents.
Les reproches adressés aux parents sont qu'ils ne font pas assez confiance (37 %), travaillent trop (29 %), ne s'intéressent qu'aux résultats scolaires (28 %), n'écoutent pas assez (25 %), sont rétrogrades (19 %) et un peu avares (11 %).
72 % des garçons et 54 % des filles n'ont jamais souhaité changer de parents. Mais 26 % des filles et 9 % des garçons y ont songé souvent ou de temps en temps.

Profession Parents/CSA, décembre 1994

L'harmonie règne entre les générations

L'apprentissage de l'autonomie

86 % des enfants de 10 à 18 ans estiment que leurs parents les laissent décider seuls en matière vestimentaire (12 % ensemble, 2 % les parents seuls). La proportion est de 66 % pour la télévision (20 % et 13 %), 64 % pour les loisirs (34 % et 2 %), 37 % pour les sorties (53 % et 10 %), 31 % pour la scolarité et les orientations scolaires (57 % et 12 %).
En ce qui concerne les tâches ménagères, 79 % des enfants estiment que cela se passe plutôt bien, 20 % plutôt mal. 81 % déclarent ranger leur chambre toujours ou de temps en temps, 91 % mettent la table, 78 % la débarrassent, 42 % font les courses, 42 % préparent les repas, 38 % font le ménage, 33 % vident la poubelle, 29 % font des travaux dans la maison.

Profession Parents/CSA, octobre 1993

De nouveaux modèles familiaux se sont mis en place.

Les relations entre parents et enfants varient selon les modes de vie, les attitudes face à l'éducation et le système de valeurs choisi par les parents. On observe depuis quelques années le développement du modèle de la « famille ouverte ». Il cherche à constituer en son sein un îlot de paix, un territoire dans lequel la responsabilité de chacun est limitée. Les enfants bénéficient d'une assez grande liberté, afin de faire leurs propres expériences, mais ils sont soutenus à chaque instant par leurs parents.

Le modèle de la « famille réaliste » connaît aussi un développement rapide. Il est fondé sur l'adaptation et l'autonomie. L'objectif poursuivi est de construire et de vivre une expérience commune dans le respect de la personnalité de chacun. Partant du principe que tout individu, pour s'épanouir, doit se prendre en charge, les enfants sont considérés comme des êtres mûrs et raisonnables, capables de faire un bon usage de l'autonomie qui leur est laissée.

Ces deux modèles tendent à remplacer celui de la famille « tradition », considérée comme le lieu privilégié de la transmission des valeurs des parents : morale, sécurité, réalisme, ordre. Ils remplacent aussi la famille « cocon », refuge face aux agressions et aux dangers extérieurs de toutes natures, dans laquelle le but de l'éducation est d'aider les enfants à avoir plus tard une vie harmonieuse autour d'une famille unie.

➤ 75 % des Français estiment que la punition est nécessaire dans toute éducation, 22 % non.

Les parents font beaucoup d'efforts pour l'éducation de leurs enfants.

Face aux risques du chômage, de la drogue et des autres menaces qui pèsent sur la vie et l'avenir de leurs enfants, les parents ont tendance à se culpabiliser. Ce sentiment est renforcé par le besoin de conserver leur liberté d'action individuelle et de préserver leur vie de couple. Les mères, en particulier, qui sont nombreuses à exercer une activité professionnelle, se reprochent de ne pas être en même temps au foyer et au bureau. Un sentiment de culpabilité non fondé, puisque les enquêtes montrent que les enfants sont en grande majorité favorables au travail de la mère ; ceux des femmes actives obtiennent d'ailleurs en moyenne de meilleurs résultats scolaires que ceux des femmes au foyer.

Les écarts entre les catégories sociales se sont accrus.

L'inégalité d'éducation des enfants reste forte entre les catégories sociales. Les parents appartenant aux catégories aisées consacrent beaucoup de temps et d'argent à la culture générale de leurs enfants et à l'aide scolaire : cours particuliers, stages linguistiques, livres, contrôle des devoirs et leçons, entretiens avec les professeurs, etc. Les autres ne disposent pas des mêmes moyens, tant financiers que culturels, pour aider leurs enfants.

C'est entre 6 et 10 ans que se créent ou plutôt s'élargissent les différences. Constamment stimulé intellectuellement dans certaines familles, l'enfant se retrouve au contraire seul face à ses devoirs dans d'autres familles, moins disponibles ou moins concernées. C'est à cette période que les écarts scolaires commencent à se creuser (voir *Ecole*).

L'ambition destructrice

Les enfants ont de moins en moins le temps de vivre leur jeunesse. Très vite, leurs parents les mettent en garde contre la dureté des temps et les difficultés qui vont se dresser devant eux : chômage ; compétition implacable entre individus, entreprises, pays ; menaces écologiques, démographiques, éthiques... Face à ce tableau apocalyptique du monde et de la société, largement relayé par les médias, les résultats scolaires prennent une place considérable et tous les moyens sont bons pour tenter de les améliorer.

L'une des conséquences de cette situation est que l'on n'apprend pas aux enfants à mesurer leur « réussite » future par rapport à leurs propres désirs et à leurs capacités, mais à partir de critères matériels et uniformes : position professionnelle, salaire, attributs. Ce « gavage intellectuel », qui s'ajoute au discours alarmiste sur l'avenir, explique l'inquiétude des jeunes. C'est même d'angoisse qu'il faut parler à propos de ceux qui, malgré l'aide et les encouragements parentaux, ont des difficultés à être à la hauteur des ambitions que l'on a pour eux. Des ambitions qui peuvent être destructrices.

Les enfants exercent une forte influence sur leurs parents.

Elle est particulièrement nette en matière de consommation, où ils jouent un rôle actif de prescripteurs. Des bonbons aux vêtements en passant par les voitures et les ordinateurs, leur ombre se profile derrière un grand nombre de décisions d'achats.

Les parents sont de plus en plus sensibles à ces pressions. Les mères tiennent souvent compte des marques qui leur sont réclamées, que ce soit en matière de vêtements ou d'alimentation. L'équipement du foyer dépend aussi largement de la présence d'enfants. C'est le cas en particulier des appareils électroniques : magnétoscope, chaîne hi-fi, Caméscope...

➤ Le père idéal des 10-18 ans est Christophe Dechavanne (28 %), devant Smaïn (25 %), Jean-Paul Belmondo (11 %), Renaud (9 %), Bernard Tapie (8 %), Julien Clerc (8 %), Richard Bohringer (8 %), Nicolas Hulot (6 %).

Les enfants prescripteurs

L'influence des enfants de moins de 15 ans sur la consommation familiale s'exerce sur des types de produits très différents selon l'âge :
• De 0 à 2 ans, l'impact est surtout sensible sur les produits alimentaires et les jouets ; l'enfant manifeste le plus souvent ses choix par le refus, plus facile à exprimer à cet âge.
• De 3 à 6 ans, les enfants exercent leur influence sur un domaine élargi aux vêtements, livres, journaux, disques, etc.
• De 7 à 8 ans, les pressions portent sur les produits familiaux courants (alimentation, loisirs, etc.) ; les demandes sont précises et l'incitation à l'achat très directe.
• De 9 à 12 ans, l'influence s'exerce sur les produits familiaux d'équipement (voiture, télévision, hi-fi, etc.), en même temps qu'apparaît le désir d'accéder à des produits normalement réservés aux adultes. Elle est forte également dans le domaine des vêtements, sous-vêtements, produits d'hygiène et certains produits alimentaires (produits de grignotage, céréales, glaces, produits laitiers).
• Entre 12 et 14 ans, c'est l'âge du « spécialiste », imbattable dans les domaines qu'il a choisis. L'enfant organise tout son univers autour de ses passions, tendant à abandonner le reste. L'adolescence et la technologie font souvent bon ménage.

Les relations entre les parents d'aujourd'hui et leurs enfants ne sont pas exemptes de difficultés.

Même si elles sont moins nombreuses que par le passé, les incompréhensions et les difficultés de communication entre les générations n'ont pas disparu. Le nombre des fugues est estimé entre 50 000 et 300 000 par an. Elles sont souvent liées à des problèmes familiaux, les motifs sentimentaux ou scolaires venant très loin derrière.

Un quart des moins de 18 ans ont déjà essayé une drogue. 7 % des lycéens seraient concernés par son usage, régulier ou non. Plus de 80 % sont des garçons. Des études ont montré qu'il existe une forte corrélation entre l'usage de la drogue et la nature des relations au sein du milieu familial. Moins la vie familiale apparaît satisfaisante à l'enfant, plus il a tendance à lui chercher des substituts.

Enfin, il y aurait en France 50 000 enfants maltraités, dont 80 % ont moins de 3 ans. Environ 700 meurent chaque année de mauvais traitements. Les victimes sont souvent des bébés non désirés ou des prématurés séparés de leur mère dès la naissance.

Le monde du silence

Les mauvais traitements dont certains enfants sont l'objet peuvent être des châtiments corporels, des sévices sexuels, des carences nutritionnelles ou affectives (y compris dans certains cas la violence verbale). Les responsables sont dans la plupart des cas les pères ou les hommes qui en tiennent lieu. Ce ne sont pas en général des malades mentaux, mais beaucoup sont alcooliques. En dehors de cas sociaux notoires, tous les milieux sont concernés. On trouve fréquemment parmi les maltraitants des parents qui ont été battus eux-mêmes, ainsi que des couples qui ne s'entendent pas et reportent leur agressivité sur leurs enfants.

Sur les dizaines de milliers de cas d'enfants maltraités existants, 2 000 seulement sont signalés chaque année à la justice et le nombre d'enquêtes judiciaires reste très limité. Ce silence s'explique par la réticence (ou la peur) de beaucoup à se mêler de la vie privée de leurs voisins (mais les parents concernés sont souvent d'habiles dissimulateurs). Il s'explique aussi par la difficulté qu'éprouvent les enfants battus à avouer leur détresse à leurs amis ou aux enseignants. Quels que soient les drames dont ils sont victimes, il est important pour eux de garder une bonne image de leurs parents.

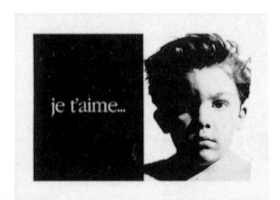

Taxi Jaune

50 000 enfants maltraités

L'autorité parentale tend à se dégrader.

C'est le constat souvent fait par ceux qui sont amenés à intervenir dans le domaine des relations familiales : juges, policiers, assistantes sociales. Le phénomène est particulièrement sensible dans les banlieues difficiles où les enfants font la loi, battent parfois leurs parents et vivent de délinquance. Les parents immigrés sont le plus vulnérables ; le père a le sentiment d'avoir perdu ses racines, il ne comprend plus sa femme, émancipée, ni ses enfants à qui il ne peut rien transmettre.

Cette forme de démission concerne des parents incapables d'aider financièrement ou culturellement leurs enfants ou soucieux de faire preuve de libéralisme. Elle est souvent la conséquence du désarroi des jeunes face à une société dans laquelle ils ne pensent pas trouver leur place.

Les institutions, qui ont cru un moment pouvoir remplacer l'autorité parentale défaillante, constatent aujourd'hui leur échec. Après avoir lutté pour les droits des enfants, peut-être faut-il aujourd'hui militer pour une restauration des droits et devoirs des parents.

La paternité en question

Depuis quelques années, l'évolution des modes de vie et des sciences biologiques a abouti au développement de formes nouvelles de paternité : polyandrique (plusieurs pères se succèdent pour élever un même enfant) ; monoparentale (un seul parent, divorcé ou veuf, élève un enfant) ; orthospermatique (conception réalisée à partir de spermatozoïdes sélectionnés et traités, avec ou sans donneur, avec ou sans rapports sexuels ; cryospermatique (à partir de sperme congelé) ; homosexuelle (un couple de femmes homosexuelles élève un enfant obtenu par l'intermédiaire d'un donneur).

Ces récentes évolutions ont fait éclater la fonction paternelle en trois fonctions distinctes ; le géniteur, le père affectif et l'éducateur sont en effet de moins en moins souvent une seule et même personne.

On assiste à une certaine « dévirilisation » de l'univers des enfants.

Ceux-ci sont le plus souvent confiés aux soins des femmes (mères, institutrices, baby-sitters...). En participant davantage aux tâches quotidiennes liées à l'élevage de leurs enfants, les pères ont aussi féminisé leurs comportements avec les enfants et n'exercent plus leur fonction paternelle comme auparavant. L'explosion des familles monoparentales, dont 80 % sont constituées d'une mère et d'un ou plusieurs enfants, a accentué ce phénomène. Il faut ajouter que 9 % seulement des pères qui divorcent obtiennent la garde de leurs enfants. Au total, près de 2 millions d'enfants sont séparés de leur père.

ALIMENTATION

Budget en baisse relative régulière ♦
Alimentation moins formelle ♦ **Plus d'un**
repas sur trois à l'extérieur ♦ **Séparation**
entre repas quotidiens et repas de fête ♦
Rapprochement des habitudes alimentaires
entre les catégories sociales et les pays ♦
Moins de pain, de céréales et de féculents
♦ **Plus de surgelés** ♦ **Essoufflement des**
produits allégés ♦ **Consommation de vin**
diminuée de moitié en trente ans

ATTITUDES

La part du budget des ménages consacrée
à l'alimentation est passée de 36 % en 1959
à 18,6 % en 1993.

Le budget alimentation, tel qu'il est pris en
compte par l'INSEE, comprend les dépenses alimentaires (nourriture et boissons) ainsi que celles de
tabac. Il inclut la production « autoconsommée »
par les ménages d'agriculteurs et par ceux qui détiennent des jardins, mais pas les dépenses des repas
pris hors du domicile (restaurant, cantine d'entreprise...). Si l'on inclut ces dépenses, chaque Français dépense en moyenne 14 000 F par an pour se
nourrir, dont 11 000 F à domicile.

La part du budget consacrée à la nourriture est
en baisse régulière depuis plus de 30 ans. Cela ne
signifie pas que les dépenses d'alimentation ont

diminué en valeur absolue, mais que l'accroissement du pouvoir d'achat a permis un accroissement
plus marqué d'autres types de dépenses. Cette
baisse relative est aussi liée à une augmentation
modérée des prix d'un certain nombre de produits
alimentaires et, plus récemment, aux transformations des attitudes des consommateurs. On constate
un phénomène de même nature dans la plupart des
pays industrialisés.

La baisse relative s'est amplifiée depuis 1992.

Après une augmentation moyenne de 1,5 % par
an des dépenses alimentaires entre 1981 et 1991, on
observe depuis deux ans une croissance plus faible,
liée aux nouvelles attitudes des ménages, notamment à l'égard des prix. Le succès des magasins de
« hard discount », la part croissante des marques de
distributeurs et celle des « premiers prix » dans les
grandes surfaces témoignent de ce souci d'optimi-
ser le rapport qualité/prix.

Le phénomène est particulièrement sensible lors
des fêtes de fin d'année ; les produits de luxe à prix
réduit (saumon fumé, champagne, foie gras, caviar)
sont de plus en plus recherchés et forcent les
grandes marques à baisser leurs marges. En 1993, la
consommation des produits de haut de gamme a
augmenté de 18 % en volume par rapport à 1992,
alors que les prix baissaient en moyenne de 7 %. Au
total, l'inflation des prix des produits alimentaires a
été limitée à 0,4 %, contre 2,1 % pour l'ensemble.

L'Europe à table

Part de l'alimentation dans les dépenses des Européens
(en % du budget disponible brut des ménages) :

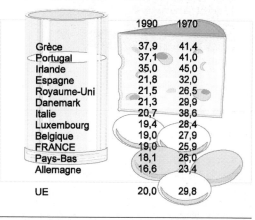

	1990	1970
Grèce	37,9	41,4
Portugal	37,1	41,0
Irlande	35,0	45,0
Espagne	21,8	32,0
Royaume-Uni	21,5	26,5
Danemark	21,3	29,9
Italie	20,7	38,6
Luxembourg	19,4	28,4
Belgique	19,0	27,9
FRANCE	19,0	25,9
Pays-Bas	18,1	26,0
Allemagne	16,6	23,4
UE	20,0	29,8

Eurostat

*Les habitudes alimentaires des Français
se sont modifiées.*

Les préoccupations diététiques sont de plus en plus présentes, entraînant de nouveaux modes de consommation. Le temps consacré chaque jour aux repas a diminué ; ceux qui sont pris à domicile durent en moyenne 1 h 30 par jour pour les adultes citadins, contre 1 h 42 en 1975. Les repas pris à l'extérieur durent beaucoup moins longtemps : 27 minutes par jour en moyenne pour l'ensemble des Français, dont plus des trois quarts continuent de déjeuner chez eux.

Le temps consacré à la préparation est aussi en forte diminution ; les femmes sont de plus en plus souvent actives et les plus jeunes ne souhaitent pas passer leur temps dans leur cuisine. C'est ce qui explique l'accroissement des taux d'équipement des ménages en congélateurs (45 % début 1994, auxquels il faut ajouter les compartiments congélation des réfrigérateurs) et en fours à micro-ondes (40 %). La généralisation de ces équipements a fortement stimulé l'achat de produits surgelés.

L'alimentation des Français

67 % des Français déjeunent chez eux en semaine en général, 30 % sur leur lieu de travail. 3 % ne déjeunent pas.
Le temps moyen consacré aux repas est de 17 minutes pour le petit déjeuner, 33 minutes pour le déjeuner, 38 minutes pour le dîner.
50 % estiment avoir un appétit moyen, 19 % un gros appétit, 10 % un petit appétit, 21 % un appétit variable.
26 % évitent en général les repas trop copieux, 22 % font systématiquement attention à ce qu'ils mangent, 22 % se permettent quelques excès mais compensent par la suite, 22 % font des repas importants sans se restreindre, 10 % mangent peu habituellement.
39 % grignotent entre les repas (12 % souvent), 21 % rarement, 40 % jamais.
40 % vont une fois par mois au restaurant en dehors de leur activité professionnelle, 14 % deux fois, 7 % trois fois, 6 % quatre fois, 5 % cinq fois et plus. Seuls 28 % n'y vont jamais.
79 % accordent à l'alimentation une place importante, 21 % non.
80 % estiment que leur alimentation est harmonieuse, 20 % non.
46 % ont changé leurs habitudes alimentaires au cours des cinq dernières années, 54 % non.

Observatoire CIDIL de l'harmonie alimentaire, mars 1993

La façon de se nourrir est moins formelle.

Les Français mangent moins à chaque repas mais plus souvent dans la journée. Ils tendent à se limiter à un plat principal, éventuellement complété d'un fromage ou d'un dessert. Cette tendance à manger moins à chaque repas fait qu'on mange plus souvent au cours de la journée. Les horaires variables, fréquents au travail, s'étendent peu à peu à l'alimentation. Le « grignotage » se développe au bureau, devant la télévision, en voiture ou en marchant. 12 % des adultes disent prendre un en-cas dans la matinée, 20 % un goûter dans l'après-midi.

Avec la diminution des métiers manuels et l'amélioration des conditions de travail, les besoins énergétiques ont fortement diminué. La ration moyenne est passé de 3 000-3 500 calories par jour au début du siècle à 1 700-2 000 aujourd'hui.

*Les repas pris à l'extérieur du domicile
représentent 18 % du budget alimentaire,
contre 13,8 % en 1981 et 11,5 % en 1971.*

23 % des Français déjeunent le plus souvent hors de leur domicile, deux fois plus qu'il y a vingt ans. Le nombre moyen de repas pris à l'extérieur, à midi et le soir, est passé de 2 à presque 3 par personne et par semaine. Les Français se rendent en moyenne deux fois par mois au restaurant, contre moins d'une fois toutes les trois semaines en 1971.

Le développement de la journée continue, l'accroissement du nombre de femmes actives et l'éloignement du lieu de travail par rapport au domicile expliquent cette évolution. Les ménages où la femme est active dépensent deux fois plus que les autres. Les ménages parisiens consacrent 12 000 F par an, deux fois plus que la moyenne nationale. Les repas à l'extérieur coûtent en moyenne 35 F, contre 17 F à domicile.

*La restauration collective se développe
moins vite depuis 1992.*

Le nombre de repas pris à l'extérieur avait diminué de 1,6 % en 1992 et la baisse avait atteint 7 % pour la restauration commerciale traditionnelle. Le chiffre d'affaires de la restauration commerciale a subi une forte baisse de 15 % en 1993, liée à une diminution du nombre de repas servis ainsi que de l'addition moyenne. La baisse est moindre pour les cafétérias. Seules la restauration rapide, celle d'entreprise et celle des hôpitaux continuent de progresser. Cette évolution est due à l'incidence du chômage et à l'abandon de la formule de l'internat dans un certain nombre d'établissements scolaires. Elle est surtout liée à un changement de comportement des consommateurs, plus attentifs aux prix et à la qualité.

Restauration rapide

La restauration rapide représente 7 % du chiffre d'affaires de la restauration commerciale en France. Le vide laissé par la disparition de 120 000 bistrots en dix ans (il n'en reste plus que 80 000) a été comblé par la création des boutiques de « fast food ». McDonald's (1 424 restaurants en Europe début 1994, pour 14 000 dans le monde), Burger King (392) et Quick (219) représentent à eux trois les trois quarts des recettes des 50 enseignes présentes en France ; les hamburgers représentent 81 % de l'activité (contre 48 % en 1988).
La Croissanterie, formule française de viennoiserie, avait ouvert 150 points de vente fin 1992, la Brioche Dorée 118, la Viennoiserie 67 et la Pomme de Pain 43.
La France compte au total 127 enseignes de restaurants à thèmes, qui représentent 18 % de la restauration commerciale, contre 8 % en 1980.

La séparation est plus nette entre repas quotidien et repas de fête.

Le repas de midi est généralement rapide, parfois frugal. Celui du soir obéit aux mêmes contraintes de temps, mais il est plus consistant. 61 % des Français disent préférer, lorsqu'ils ont le temps, un repas complet avec entrée, plat, fromage, dessert (10 % seulement préfèrent une assiette de fromages ou des salades, 9 % un plat unique de type choucroute ou couscous, 8 % un plateau télévision, 3 % un plat cuisiné surgelé). C'est pourquoi leur attitude vis-à-vis des repas de fête est différente. C'est l'occasion de passer un moment agréable en famille ou avec des amis, en profitant de l'ambiance créée par un bon repas. Ils consacrent donc le temps et l'argent nécessaires pour que la fête soit réussie.

Les habitudes alimentaires des catégories sociales se rapprochent.

Les ouvriers et les paysans consomment davantage certains aliments d'image populaire (pain, pommes de terre, pâtes, vin ordinaire, etc.) tandis que les produits « de luxe » (crustacés, pâtisserie, confiserie, vins fins, plats préparés, produits surgelés) restent principalement consommés par les catégories les plus aisées.

On constate cependant un rapprochement des modes d'alimentation. La dilution du sentiment de classe chez les ouvriers et, dans une moindre mesure, chez les agriculteurs a entraîné la disparition de certaines habitudes, comme la soupe quotidienne ou l'influence des saisons sur le choix des menus. Les employés sont plus proches des cadres que des ouvriers, bien qu'ils soient moins consommateurs de produits à forte valeur ajoutée (plats préparés, surgelés...) ou fortement liés au statut social (légumes et fruits exotiques, crustacés, whisky...).

Micro-entretien

ALAIN SENDERENS*

G.M. - *N'y a-t-il pas une nostalgie du passé en matière culinaire ?*

A.S. - C'est une tendance assez forte chez les Français d'un certain âge, mais les jeunes ne sont pas autant concernés. Il faut relativiser ce mouvement. Lorsque les premières cuisinières à gaz sont apparues, à la fin du siècle dernier, la presse recommandait de ne pas les utiliser car cela sentait mauvais. Lorsque l'on a fabriqué les premières conserves, la presse a dit qu'il ne fallait pas en manger car c'était la nourriture de l'année dernière. Proust, en 1912, avait écrit qu'il n'y avait plus de bon bœuf et de bonnes carottes pour faire un bœuf mode. A chaque époque, les gastronomes sont critiques et souhaitent un retour à l'époque précédente; c'est comme cela depuis Tacite. Il faut savoir raison garder. Je pense que la plupart des gens peuvent aujourd'hui disposer des produits alimentaires dans de meilleures conditions que leurs parents.

---

* Directeur du restaurant Lucas Carton à Paris.

RFI

Les différences avec les autres pays s'estompent, mais les traditions nationales et régionales demeurent.

On constate un rapprochement des menus types et des produits consommés dans les différents pays industrialisés. Ce phénomène d'uniformisation est particulièrement sensible à l'intérieur de l'Union européenne. Le ketchup, les céréales du petit déjeuner, l'eau minérale, le vin ou la bière sont des produits dont la consommation déborde largement les frontières d'origine. Les grandes sociétés alimentaires internationales constatent de moins en moins de différences dans les comportements nationaux. C'est d'ailleurs pourquoi elles réalisent souvent des campagnes publicitaires semblables dans les différents pays.

Les corps gras solides (beurre, margarine, saindoux) restent largement utilisés pour la cuisson dans les pays du Nord. Les pays méditerranéens sont utilisateurs d'huile d'olive. Les Français appartiennent aux deux cultures gastronomiques : ils utilisent le beurre au nord de la Loire et l'huile au sud.

Convergence européenne

La consommation de vin augmente dans les pays du nord de l'Europe où elle était faible (moins de 30 litres par personne et par an) ; c'est le cas en Allemagne, Belgique, Pays-Bas, Royaume-Uni, Irlande. Elle diminue au contraire dans les pays du Sud, où elle était supérieure à 70 litres (France, Italie, Espagne), à l'exception du Portugal où elle est stable à environ 90 litres.

On observe le même phénomène avec la bière. Boisson typique des pays du Nord, sa consommation tend à y diminuer, alors qu'elle augmente dans les pays méditerranéens. Elle stagne cependant en France aux alentours de 40 litres par personne et par an (à domicile et à l'extérieur).

Eurostat

CONSOMMATION

Les Français ont largement modifié leur consommation alimentaire.

En vingt ans, les Français ont progressivement délaissé les produits énergétiques de base (pain, pomme de terre, sucre, corps gras) au profit de produits plus élaborés, mieux équilibrés sur le plan diététique et nécessitant moins de préparation. La part des protéines animales s'est accrue, mais les Français tendent aujourd'hui à acheter moins de viande de boucherie et les achats de charcuterie et de volaille stagnent. La consommation de poisson frais s'est substituée progressivement à celle des conserves. A l'inverse, les légumes en conserve, les plats préparés ou surgelés se développent au détriment des légumes frais.

La part des produits laitiers a fortement augmenté, du fait de la consommation des produits frais (en particulier les yaourts), des fromages, des laits liquides et de l'arrivée de nouveaux produits comme les yaourts vitaminés, « bio », allégés, etc. Les fruits frais tendent à être remplacés par d'autres types de desserts : produits laitiers ou crèmes glacées.

Les produits laitiers en hausse

Nouveau Monde

Le garde-manger des Français

Les Français détiennent en moyenne chez eux 25 produits différents, représentant 32 kg d'aliments et 15 litres de boissons par personne, soit l'équivalent de 24 et 36 jours de consommation.

Les stocks d'aliments non achetés - provenant de la culture, cueillette, pêche, chasse, cadeaux - sont importants : 60 % des ménages possèdent au moins un produit qu'ils n'ont pas acheté et les quantités représentent 48 % du stock de nourriture et 17 % de celui de boissons (10 % des ménages ont des réserves supérieures à 84 kg par personne, 10 % moins de 10 kg).

Plus le revenu des ménages est élevé et plus ils stockent. Paradoxalement, plus ils comptent de personnes et moins ils stockent ; la diminution est de 3,7 kg par personne pour chaque personne supplémentaire. On stocke en moyenne 11 kg de plus à la campagne qu'ailleurs ; les agriculteurs détiennent le record, avec plus de 100 kg par personne.

Ainsi, les pommes de terre sont stockées pour 126 jours d'avance, les conserves de légumes pour 64 jours, le sucre pour 35 jours, les pâtes pour 28 jours, le café pour 26 jours et les légumes frais pour 18 jours.

INSEE/INRA

➤ Les aliments préférés des jeunes de 7 à 14 ans sont : les steaks frites (51 %), le hamburger (51 %), les pizzas (49 %), les gâteaux (37 %), les pâtes ou raviolis (32 %), les fruits (31 %), les laitages (24 %), le hachis parmentier (24 %), les sandwiches (17 %).
➤ 71 % des Français disent préférer la cuisine française aux cuisines étrangères.

La croissance concerne à la fois les produits de haut de gamme et de bas de gamme.

Les Français consomment de plus en plus de produits élaborés : pâtes « aux œufs frais », poulets « de ferme », œufs « extra-frais », riz « non collant », vins « d'appellation contrôlée », etc.

On assiste en même temps depuis trois ans à un développement des achats de produits basiques, « premier prix » ou à marque de distributeur. Les comportements d'achat deviennent de plus en plus rationnels ; on expérimente les produits jusqu'à trouver le meilleur rapport qualité/prix. La nouveauté n'est plus un argument en soi. Certaines grandes marques nationales qui pratiquent des écarts de prix injustifiés ont ainsi perdu leur crédibilité.

La consommation de pain, de céréales et de féculents a diminué.

En 1920, chaque Français consommait en moyenne 630 g de pain par jour (à domicile). Il n'en consommait plus que 290 g en 1960 et 120 g en 1991. Pourtant, le pain constitue toujours un ingrédient de base, puisque plus de 80 % en consomment tous les jours ou presque et que 4 % seulement n'en consomment jamais.

La consommation de pommes de terre a elle aussi diminué dans de fortes proportions : 64 kg par personne en 1991, contre 96 kg en 1970. Cette chute pourrait être enrayée par les efforts des professionnels pour faciliter l'achat et l'utilisation : conditionnements moins volumineux ; produits lavés ou brossés ; nouvelles variétés à chair ferme, plus résistantes à la cuisson ; produits épluchés et cuits surgelés.

A l'inverse, la consommation de céréales en boîte (notamment les corn flakes) a beaucoup progressé, en particulier chez les enfants et les jeunes. Les pâtes ne sont plus un produit banalisé. Les variétés se sont multipliées, ainsi que les produits d'accompagnement (viande, sauces).

En 1993, les Français ont consommé 14 kg de surgelés par personne, contre 12 kg en 1983.

En dix ans, la consommation de surgelés à domicile a été multipliée par quatre (1,6 million de tonnes en 1993, soit 7,5 % de plus qu'en 1992). Elle reste cependant très inférieure à celle d'autres pays comme les Etats-Unis (40 kg par personne et par an) ou le Danemark (25 kg). La consommation des crèmes glacées est stable, à 5,7 litres par personne.

84 % des foyers sont acheteurs de surgelés, 90 % parmi les moins de 50 ans. Mais un tiers seulement les utilisent lorsqu'ils reçoivent des invités. La consommation est plus faible dans les ménages aisés. Les supermarchés assurent 31 % des ventes totales, les hypermarchés 30 %, les magasins spécialisés 15 %.

Un an de nourriture

Evolution des quantités consommées par personne et par an (en kg) :

	1970	1991
• Pain	80,6	65,0
• Pommes de terre	95,6	64,3
• Légumes frais	70,4	92,3
• Légumes surgelés	0,5	5,5*
• Bœuf	15,6	17,9
• Charcuterie et conserves de viande	9,2	14,6
• Volailles	14,2	22,3
• Œufs	11,5	14,7
• Poissons, coquillages, crustacés	10,8	19,6
• Yaourts	8,6	15,9*
• Huile	8,1	11,8
• Sucre	20,4	9,8

* 1989

INSEE

Les produits allégés sont en régression.

Les beurres à faible teneur en matières grasses, la charcuterie « maigre », les édulcorants, les sauces, yaourts et boissons à basses calories avaient connu une forte croissance au cours de la seconde moitié des années 80 (les achats de beurres allégés ont été multipliés par trois entre 1984 et 1988). Les boissons basses calories, qui n'ont été autorisées en France qu'en mars 1988, représentaient déjà 6 % des achats de « soft-drinks » en 1989 (colas, boissons aux fruits...).

Mais les Français semblent depuis 1991 beaucoup plus circonspects à l'égard de ces produits. La baisse concerne en particulier les achats de beurres, fromages, sauces ou plats allégés ; seules les boissons « light » et les crèmes allégées se maintiennent. Cette désaffection est due pour une part à l'incertitude portant sur l'efficacité des allégés pour perdre du poids ou à l'utilité des édulcorants et d'autres ingrédients de substitution, ainsi qu'au prix souvent plus élevé des produits allégés.

Ceux-ci ont pris cependant une part conséquente sur certains marchés ; ils représentent 20 % des achats de produits ultra-frais, 18 % des chewing-gums, 12 % du beurre. La part est beaucoup plus faible en ce qui concerne les boissons rafraîchissantes sans alcool et les plats préparés (5 %) ou la charcuterie (2 %).

Les fabricants estiment que les produits allégés pourraient représenter 10 % des dépenses alimentaires en 1995 (contre 5,5 % en 1986) et culminer à 15 % en l'an 2000. Ils s'efforcent aujourd'hui de reconquérir ou d'accroître la clientèle en lui proposant des produits « équilibrés » (entre protides et lipides) et traditionnels plutôt qu'allégés et originaux.

Régimes

17 % des Français déclarent suivre un régime alimentaire. 39 % le suivent pour des raisons de santé, 35 % pour être svelte, 21 % pour être bien dans leur peau, 4 % pour avoir plus de tonus. Dans 50 % des cas, le régime est décidé seul, dans 40 % il est prescrit par un médecin, dans 10 % il est conseillé par une autre personne.
20 % ont suivi un régime dans le passé. Dans 17 % des cas, le régime était très sévère, 25 % plutôt sévère, 58 % pas très sévère. 37 % l'ont abandonné parce qu'ils n'en avaient pas besoin, 25 % parce qu'ils ont « craqué », 20 % parce que cela ne donnait aucun résultat, 16 % sur le conseil de leur médecin.

La consommation de vin a diminué de moitié en trente ans :
65 litres par personne et par an en 1993, contre 127 litres en 1963.

Le vin ordinaire est de plus en plus délaissé par les Français. Sa consommation a baissé de moitié depuis 1970. Dans le même temps, celle des vins fins (VDQS ou AOC) a presque triplé : + 67 % entre 1980 et 1990. Mais cette tendance s'est inversée depuis 1992 ; les vins d'appellation contrôlée connaissent eux aussi un déclin, lié à l'augmentation du nombre de non-consommateurs. La moitié des Français (50,7 %) ne boivent en effet jamais de vin, contre 38,7 % en 1980 et 45,1 % en 1985. Les consommateurs réguliers (tous les jours) sont aussi en régression : 18,5 % contre 32,5 % en 1980 et 25,9 % en 1985. Seules 10,9 % des femmes boivent du vin tous les jours, contre 28,1 % des hommes. La désaffection pour le vin concerne toutes les classes

Observatoire CIDIL de l'harmonie alimentaire, mars 1993

d'âge. Elle est cependant moins sensible chez les moins de 20 ans.

Malgré la forte baisse enregistrée, les Français restent parmi les plus gros consommateurs de vin du monde, mais ils sont dépassés par le Portugal et l'Italie.

Les Français mettent de l'eau dans leur vin

Evolution des quantités de boissons consommées à domicile par an et par personne (en litres) :

	1965	1992
Vin	90,6	31,6
- dont vin ordinaire	83,6	21,5
Apéritifs et liqueurs	2,7	3,5
Bière	20,8	11,5
Cidre	13,5	2,6
Boissons non alcoolisées	-	87,4
- dont eaux minérales	-	65,2

INSEE

Le recul du vin a profité aux autres types de boissons.

La consommation de bière avait progressé en France jusqu'au milieu des années 70, atteignant 49 litres par personne en 1976. Elle a ensuite diminué régulièrement jusqu'en 1987, avec 38,9 litres, pour se stabiliser à ce niveau, grâce à la diversification de l'offre et à une meilleure pénétration des bières légères. La bière n'est consommée à table que par 3 % des plus de 14 ans, contre 4 % en 1980. Le cidre, de son côté, dont la consommation avait été divisée par quatre en vingt-cinq ans, connaît depuis peu un regain d'intérêt.

Parmi les boissons non alcoolisées, l'eau minérale a largement profité de la diminution de consommation de vin. Mais elle subit depuis 1990 une stagnation peut-être liée aux augmentations de prix. Avec 94 litres par personne et par an, les Français restent, comme pour le vin, parmi les tout premiers consommateurs du monde. 75 % des foyers sont acheteurs d'eau minérale plate. 44 % des Français

L'ABUS D'ALCOOL EST DANGEREUX POUR LA SANTÉ, CONSOMMEZ AVEC MODÉRATION.

McCann-Erickson

La consommation d'alcool pur diminue

en boivent tous les jours, 9 % plusieurs fois par semaine. 53 % sont acheteurs d'eau minérale gazeuse ; 7 % en boivent tous les jours, 10 % plusieurs fois par semaine.

Ce sont les jus de fruits qui ont connu la plus forte croissance, avec une consommation multipliée par 3 depuis le début des années 80. Aujourd'hui, 13,2 % des Français consomment des boissons sans alcool (jus de fruits, colas...) contre 10,7 % en 1980.

Du producteur au consommateur

95 % des ménages d'agriculteurs disposent d'un jardin potager, d'un verger ou d'un élevage (seulement 12 % dans la région parisienne). On estime que la production autoconsommée représente 8 % de la consommation alimentaire totale des ménages : 37 % pour les agriculteurs, 7 % dans les petites villes et 1,5 % dans la région parisienne.

L'autoconsommation des ruraux explique en partie la présence plus fréquente dans leur alimentation de certains produits : légumes frais ou surgelés, volailles, charcuterie et viande de porc.

INSEE

➤ 37 % des Français pensent que la réglementation européenne va entraîner la disparition de produits typiquement français, 53 % non.

➤ 65 % des Français ne connaissent pas la composition de la mayonnaise. 77 % ne savent pas identifier l'odeur de la vanille. 4 % seulement savent confectionner une crème anglaise. Mais 75 % savent que le Riesling est un vin d'Alsace, 64 % que le Saint-Emilion est bordelais.

➤ 56 % des Français estiment que l'on mange de plus en plus mal en France (58 % des femmes, 59 % des Parisiens).

➤ 27 % des Européennes sont satisfaites de leur poids. 67 % voudraient maigrir, 4 % voudraient avoir quelques kilos de plus. Les femmes européennes ont pris en moyenne 10,6 kilos entre 20 et 50 ans, en général à l'occasion d'une grossesse ou de la ménopause (8 kg en moyenne).

➤ 44 % des Français se nourrissent de la même façon le week-end et la semaine, 56 % non.

➤ Parmi les Français qui grignotent entre les repas (39 %), 37 % le font parce qu'ils ont trop faim, 28 % parce qu'ils ont besoin de réconfort, 16 % d'énergie, 24 % pour d'autres raisons.

➤ 49 % des Français estiment que le stress fait varier l'appétit; 24 % pensent qu'il l'augmente, 25 % qu'il le diminue.

➤ S'ils devaient aller sur une île déserte pour quelques jours (et qu'il n'y ait pas de problème de conservation), 59 % des Français emporteraient du fromage, 58 % des légumes, 21 % des tartines beurrées, 16 % du pâté, du saucisson, 16 % des biscuits, 12 % du corned beef.

➤ Les qualités principales d'un produit alimentaire de qualité sont : la fraîcheur (39 %), le naturel (25 %), la saveur, le goût (23 %), l'authenticité (6 %), l'aspect (3 %).

➤ 600 tonnes de foie gras sont produites en France, 1 200 tonnes sont importées, surtout des pays de l'Est (73 % en provenance de Hongrie) et d'Israël.

➤ En 1993, les Restos du Cœur ont servi 31 millions de repas à 400 000 personnes, grâce à l'action de 17 000 bénévoles. Le prix moyen d'un repas est de 4,3 F. L'association dispose de 1 200 restaurants, 40 camions allant au-devant des démunis.

➤ Chaque Français consomme en moyenne un peu plus de 50 tonnes de nourriture (boissons comprises) au cours de sa vie.

LA MAISON

LOGEMENT

**75 % des Français dans des communes
urbaines ◆ Un Français sur cinq en
Ile-de-France ◆ Construction de logements
insuffisante ◆ 2 millions de logements
vacants ◆ 57 % des ménages en maison
individuelle ◆ 54 % de propriétaires
◆ Amélioration sensible du confort
◆ 3,2 millions de ménages en HLM ◆
Augmentation de la surface moyenne
◆ 13 % de résidences secondaires**

HABITAT

*75 % des Français habitent
dans des communes urbaines.*

L'urbanisation de la France, amorcée vers la fin
du XVIIIe siècle, avait été particulièrement forte
après la Seconde Guerre mondiale. Les chiffres du
recensement de 1982 avaient cependant indiqué un
arrêt de la croissance urbaine et une attirance gran-
dissante pour les communes rurales, pour la première fois depuis la fin du XIXe siècle.

Le recensement de 1990 montre que, sur les
25,6 % de logements situés en zone rurale (25,0 %
en 1982), la majorité sont proches d'une agglomération, de sorte que les communes du « rural profond » ne regroupent plus qu'un Français sur dix.

Sur les 74,4 % de résidences principales situées
en zone urbaine, 17 % sont situées dans l'agglomération parisienne (dont 5 % dans Paris intra-muros).
La moitié des autres se trouvent dans des villes de
plus de 100 000 habitants.

*5 % des communes abritent 51 %
de la population.*

Sur les 36 551 communes françaises, 85,5 %
comptent moins de 2 000 habitants et sont considérées comme rurales. Elles n'abritent que 26 % de la
population. Un autre quart de la population habite
les 1 781 petites villes de moins de 50 000 habitants
(23 % de la population, 9 % du nombre des communes). L'autre moitié de la population est concen-
trée dans les 110 unités urbaines de plus de 50 000
habitants, soit 5 % du nombre de communes et 4 %
de la superficie du territoire.

*L'Ile-de-France regroupe 11 millions
d'habitants, soit 19 % de la population.*

Entre 1975 et 1982, la population de l'Ile-de-
France n'avait augmenté que de 2 % tandis que la
population française augmentait de 3,2 %. La croissance de l'agglomération parisienne était négative
depuis 1962. Le recensement de 1990 a fait apparaître un renversement de tendance avec une croissance de 600 000 habitants depuis 1982, conforme
au mouvement qui s'est produit depuis plus d'un
siècle. L'Ile-de-France représentait 7 % de la population nationale au milieu du XIXe siècle, 12 % au
début du XXe, 17 % au milieu du XXe, 19 % aujour-
d'hui, avec une densité de 887 habitants au km².
Depuis trente ans, un quart de l'accroissement de la
population totale s'est produit en Ile-de-France.
Paris intra-muros comptait 2 152 423 habitants en
1990.

➤ Au total, le parc de logements a plus que doublé
en France en un siècle, alors que la population n'a
augmenté que de moitié.
➤ 7 % des ménages occupent un logement
directement reçu en héritage ou donation,
contre 9 % en 1984.

Les Franciliens

44 % des habitants de l'Ile-de-France y vivent pour des raisons professionnelles, 22 % parce qu'ils y sont nés, 20 % pour des raisons familiales ou personnelles, 13 % par choix de mode de vie. 52 % sont d'abord attachés à l'Ile-de-France, 32 % à une autre région, 6 % à un autre pays. 37 % estiment qu'il y a trop d'habitants dans la région, 53 % suffisamment, 4 % pas assez.

Pour ses habitants, le principal inconvénient de la vie dans la région est le stress (47 %), devant le bruit (31 %), la solitude (10 %) et la promiscuité (8 %). 34 % mettent au moins 30 minutes pour se rendre à leur travail. 29 % seulement connaissent le nom de leur député, 67 % celui de leur maire.

La concentration se fait aussi autour de grands pôles urbains.

Le déséquilibre entre l'Ile-de-France et le reste du territoire est compensé par l'accroissement de population autour des zones qui étaient déjà les plus denses et les plus urbanisées. Celles-ci constituent deux grands ensembles : au nord-ouest, l'Ile-de-France, le Bassin parisien, le Grand Ouest et la façade atlantique ; au sud-est, le Bassin méditerranéen (étendu jusqu'à Toulouse) et la région Rhône-Alpes.

La conséquence est un dépeuplement de zones moins favorisées. Entre les recensements de 1982 et 1990, la population a diminué dans 22 départements. Ils constituent une diagonale des Ardennes aux Hautes-Pyrénées, coupée cependant par l'axe Paris-Dijon-Genève et la vallée de la Garonne, zones de croissance démographique.

Métropoles

Population des villes et agglomérations urbaines de plus de 500 000 habitants (1990) :

• Paris	9 318 821
• Lyon	1 262 223
• Marseille-Aix-en-Provence	1 230 936
• Lille	959 234
• Bordeaux	696 364
• Toulouse	650 336
• Nice	516 740

INSEE

Le développement des villes a connu des cycles distincts depuis la fin de la Seconde Guerre mondiale.

Dans les années 50, les grandes villes se sont développées plus vite que les petites, du fait de la modernisation des structures sociales et économiques qui a suivi la guerre. Ce sont ensuite les petites villes et les banlieues qui ont connu la plus forte croissance. Cette situation résultait d'un double mouvement : d'un côté, l'arrivée de personnes en provenance des campagnes peu créatrices d'emploi et offrant une vie sociale et culturelle peu animée ; de l'autre, l'éloignement des habitants des centres-villes, à la recherche d'un jardin et de conditions de vie plus sereines.

Les banlieues se sont ensuite dépeuplées au profit des petites villes et des communes rurales. Ce phénomène, appelé périurbanisation, concernait près de 20 % de la population totale au recensement de 1982. Les personnes concernées par cet exode étaient surtout des ouvriers et des membres des catégories moyennes, principaux déçus de la vie urbaine. Le mouvement d'éloignement par rapport aux centres des grandes villes était plus souvent dû à des contraintes économiques pas qu'à un véritable choix.

Entre 1982 et 1990, les grandes agglomérations se sont développées plus vite que les villes moyennes.

Cette croissance s'est faite essentiellement par les banlieues, la population des centres-villes étant restée stable. Les petites villes de 2 000 à 20 000 habitants ont connu des taux de croissance élevés mais inférieurs à ceux de la période précédente.

La mise en place de la décentralisation administrative et économique vers les régions, l'augmentation des prix de l'immobilier dans les grandes villes, le développement des moyens de communication (routes, autoroutes, transports en commun, télématique) favorisent le mouvement de repeuplement des zones périphériques ou rurales.

A l'inverse, l'effort de réhabilitation des centres des villes, la construction de logements mieux adaptés et l'animation des quartiers tendent à ramener vers les plus grandes villes des ménages qui supportent mal les contraintes de la vie dans les petites communes. On constate d'ailleurs un phénomène de cette nature en Scandinavie, en Allemagne ou en Grande-Bretagne, lorsque les prix des logements le permettent.

Les Français moins mobiles

9,4 % des ménages avaient changé de logement entre 1975 et 1982, contre 9,7 % entre 1968 et 1975.
5,9 % avaient changé de commune (contre 6,1 %), 2,7 % de département (contre 2,9 %) et 1,7 % de région (contre 1,8 %). Cette diminution de la mobilité s'est accentuée entre 1982 et 1990, avec 8,6 % de changements de logement, 5,6 % de commune, 2,6 % de département, 1,6 % de région.
La baisse du rythme de la construction de logements est l'un des facteurs explicatifs, l'autre étant probablement la crainte du changement et des frais qu'il entraîne dans une période économique difficile.
La Méditerranée, Ile-de-France, Normandie et Rhône-Alpes sont les régions de plus forte mobilité, au contraire de l'Auvergne, Limousin, Poitou-Charentes, Bretagne, Alsace, Lorraine.
Les jeunes et les cadres supérieurs sont les plus mobiles. Les chômeurs le sont davantage que les actifs, sans doute à cause de la perte d'emploi occasionnée pour le conjoint lorsque le chef de ménage déménage pour raison professionnelle.
Les étrangers sont plus mobiles que les Français, les Français par acquisition moins que les Français de naissance.
Dans six cas sur dix, ces déménagements s'accompagnent d'un changement de statut.
Dans un tiers des cas, les personnes concernées deviennent propriétaires.

INSEE

---

*La construction de logements
reste très inférieure aux besoins.*

Une véritable crise du logement s'était produite à partir du début des années 70, avec un effondrement du secteur locatif (en particulier non aidé par l'Etat) et de l'accession à la propriété en immeuble collectif. On avait surtout construit des maisons individuelles et des HLM, ainsi que des résidences secondaires, principalement en bord de mer ou en montagne. La conséquence fut une explosion des prix à Paris et dans certaines régions, ainsi qu'un vieillissement du parc, dont la moitié est aujourd'hui âgé de plus de 20 ans, contre un quart en 1980.

La tendance s'était inversée à partir de 1985, avec une augmentation des mises en chantier et une volonté des pouvoirs publics de relancer le secteur. Mais cette reprise a été interrompue depuis 1989. Les mises en chantier n'ont cessé de diminuer : 319 500 en 1993 contre 416 000 en 1988. Elles restent très insuffisantes par rapport aux besoins de logements.

Quand le bâtiment ne va plus

Nombre de logements terminés (de 1930 à 1975) ou commencés dans l'année (depuis 1980), en milliers :

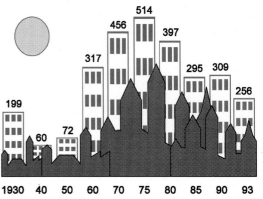

Ministère de l'Equipement et du Logement

La France compte 1,9 million de logements vacants, soit 7,3 % de l'ensemble.

La plupart sont situés à la campagne et sont dans un état vétuste. Chaque année, 550 000 résidences principales deviennent vacantes, tandis que 450 000 à 500 000 logements vacants sont réaffectés à l'habitation et 100 000 disparaissent.

L'importance et la densité des logements vacants traduisent les difficultés des régions au cours des dernières années. Ils sont nombreux dans les bassins miniers ou les régions économiquement sinistrées. D'autres sont des résidences de loisirs neuves ou récentes situées dans les Alpes ou sur le littoral et qui ne trouvent pas preneur. Certains logements de rapport ne sont plus donnés à la location par leurs propriétaires qui craignent des difficultés avec les locataires.

Il faut y ajouter 400 000 logements considérés comme « occasionnels », dont 112 000 dans la seule région parisienne (70 000 à Paris). Beaucoup de ces logements sont des « pied-à-terre » pour des ménages qui préfèrent habiter un logement plus grand en dehors des grandes villes tout en conservant la possibilité d'y habiter parfois. D'autres sont utilisés par l'un des membres du couple amené à travailler loin du domicile conjugal.

> ➤ Les logements achevés depuis 1975 comptent en moyenne plus de quatre pièces.

CONFORT

53 % des ménages habitent en maison individuelle, soit 57 % des Français.

La proportion d'habitants en maison n'était que de 48 % en 1982. Cette augmentation s'explique par la construction de 2 millions de maisons individuelles au cours des années 80, contre seulement 460 000 appartements.

La part des immeubles collectifs de dix logements ou plus a elle aussi augmenté : elle est passée de 19 % en 1962 à environ 30 % aujourd'hui. C'est la part des petits logements collectifs, de moins de dix appartements, qui a diminué.

Les prix de l'immobilier ont baissé

55 % des ménages sont propriétaires de leur résidence principale.

Depuis le début des années 80, plus d'un Français sur deux est propriétaire. 12 millions de ménages possèdent aujourd'hui leur logement, contre 6 millions en 1962. Ce taux ne place cependant la France qu'en dixième position dans l'Union européenne, devant les Pays-Bas et l'Allemagne. La proportion varie selon le lieu d'habitation : 75 % dans les communes rurales ; 46 % dans les villes d'au moins 100 000 habitants ; 28 % seulement dans Paris intra-muros. La proportion est beaucoup plus élevée pour les maisons individuelles que pour les appartements.

La proportion de propriétaires est très variable selon les professions (voir tableau). Elle varie aussi selon l'âge. Trois propriétaires sur quatre ont plus de 40 ans, mais seulement moins d'un locataire sur deux. La transition s'effectue à partir de 30 ans. La plus forte proportion se trouve entre 50 et 64 ans ; elle diminue au-delà de 65 ans.

L'accession à la propriété s'est ralentie au cours des cinq dernières années, surtout pour les ménages modestes. L'acquisition de logements neufs a nettement diminué en zone urbaine et dans les petites agglomérations, au profit de la location. Depuis 1991, la crise de l'immobilier a paralysé le marché, en particulier à Paris. Les locataires d'HLM ont été également moins nombreux à devenir propriétaires.

6 % des Français logés gratuitement

Sur les 21,5 millions de logements servant de résidences principales, 1,3 million sont occupés à titre gracieux. La proportion est plus forte dans les zones rurales que dans les zones urbaines : 7,2 % contre 5,5 %.

Les logements concernés sont le plus souvent prêtés par des familles aisées à leurs enfants. C'est pourquoi la proportion atteint 8,7 % à Paris (4,7 % seulement en banlieue). Une autre raison est la baisse du rendement locatif dans la capitale et l'hésitation des propriétaires à louer leurs biens dans un contexte juridique favorable aux locataires.

Les autres bénéficiaires de logements gratuits sont les employés de certaines entreprises, en particulier dans la fonction publique.

INSEE

76 % des logements disposent de tout le confort, contre 34 % en 1970.

Les trois quarts des ménages disposent de l'eau courante, d'un chauffage central, de W-C intérieurs et d'une douche ou baignoire. Le confort des résidences principales s'est considérablement amélioré depuis une quinzaine d'années. Il n'existe aujourd'hui pratiquement plus de logements sans eau courante. La proportion de logements disposant de l'eau chaude ou de W-C intérieurs a augmenté dans des proportions spectaculaires. 75 % des logements actuels comportent une baignoire, contre 24 % en 1970, et 18,5 % n'ont qu'une douche. Seuls 6 % n'ont ni douche ni baignoire.

On compte 6,5 % de résidences non équipées de W-C intérieurs, salle d'eau, chauffage central contre 49 % en 1970. Les logements dépourvus de sani-

Profession et propriété

Caractéristiques de la résidence principale selon la profession (1990, en %) :

	Ménages occupant leur logement à titre de :			Nombre moyen de :		Ménages habitant une maison indivi-duelle (1)	Ménages ayant tout le confort (2)
	Proprié-taire	Locataire	Gratuit	personnes par logement	pièces par logement		
• Agriculteurs	77,0	16,8	6,2	3,39	4,83	95,7	56,2
• Artisans, commerçants	66,0	30,0	4,0	3,15	4,38	71,0	80,9
• Cadres	59,0	36,0	8,0	2,95	4,35	51,3	91,2
• Professions intermédiaires	54,0	40,1	5,9	2,83	3,90	54,0	86,4
• Employés	35,3	56,4	8,3	2,48	3,37	36,8	81,7
• Ouvriers	45,3	50,6	4,1	3,30	3,78	56,6	73,4
• Retraités	66,5	27,3	6,2	1,84	3,70	64,8	68,2
• Autres inactifs	39,8	50,8	9,4	1,79	3,17	43,2	67,5
• **Ensemble**	**54,4**	**39,6**	**6,0**	**2,57**	**3,80**	**56,9**	**75,6**

(1) Immeuble d'un seul logement.
(2) Baignoire ou douche, W-C intérieurs, chauffage central.

taires sont deux fois plus nombreux à la campagne (10,8 %) qu'à la ville (5,2 %). De même, 37,5 % des logements en milieu rural n'ont pas de chauffage central, contre 15,8 % en zone urbaine. Il faut dire que 83 % des fermes et 48 % des logements dont la personne de référence a au moins 60 ans ont été construites avant 1949.

Dans les immeubles collectifs, seule l'existence d'un ascenseur n'est toujours pas généralisée. Si la quasi-totalité de ceux de huit étages ou plus en possèdent, la proportion est inférieure à 20 % pour ceux de trois étages, 30 % pour quatre étages.

3,2 millions de ménages sont logés en HLM.

En vingt ans, le parc d'HLM (habitations à loyer modéré) est passé de 700 000 à plus de 3 millions. Il représente un peu plus de 14 % des résidences principales et 41 % des logements loués vides. La grande majorité (94 %) ont été construites après 1948. La plupart sont situées dans des immeubles collectifs, mais le quart de celles construites depuis 1981 l'ont été dans le secteur individuel. 90 % disposent des principaux éléments de confort.

La proportion de familles d'immigrés y est forte, ainsi que celle des ménages avec enfants (43 %). Plus de 50 % des personnes de référence ont moins de 40 ans. La mobilité des ménages habitant en HLM est plus faible que celle des autres ménages.

La taille moyenne des logements augmente et celle des ménages diminue.

La surface moyenne des logements a augmenté de 10 m^2 en dix ans. Elle est aujourd'hui de 68 m^2 en appartement et de 105 m^2 en maison indivi-duelle. Le nombre de pièces moyen s'est lui aussi accru, passant de 3,1 à 3,8 entre 1962 et 1990. Le nombre d'occupants par pièce est donc inférieur, d'autant que la taille moyenne des ménages a prati-quement diminué d'une personne en trente ans, après avoir diminué d'une personne en un siècle.

Ce mouvement s'explique par la décohabitation des générations ; les parents et leurs propres parents habitent plus rarement ensemble, surtout en milieu urbain. Il est lié aussi à la baisse de la fécondité, qui a fait baisser la taille moyenne des ménages avec enfants depuis une vingtaine d'années. Il est dû, enfin, à l'accroissement du nombre des monomé-nages, composés d'un célibataire, d'une personne veuve, divorcée ou séparée non remariée. 27 % des résidences principales sont occupées par une per-sonne seule.

Trois ménages sur quatre ont tout le confort

Proportion de résidences principales possédant certains éléments de confort (en %) :

	1970	1973	1978	1984	1990
• **Sans confort :**					
- sans eau	5,7	3,4	1,3	0,4	0,3
- eau seulement	27,9	22,9	15,6	7,5	3,8
- eau, W-C, sans installations sanitaires*	10,5	8,7	6,0	4,4	2,7
- installations sanitaires* sans W-C	4,5	4,0	4,0	2,8	1,8
• **Confort :**					
- W-C, installations sanitaires* sans chauffage central	17,1	16,9	16,7	15,3	15,2
• **Tout le confort :**					
- W-C, installations sanitaires* et chauffage central	34,3	44,1	56,4	69,6	76,0
• Ensemble	100,0	100,0	100,0	100,0	100,0
• **Total** (en milliers)	**16 407**	17 124	**18 641**	**20 093**	**21 536**

INSEE

* Douche ou baignoire

11 % de logements surpeuplés, 36 % sous-peuplés

2,2 millions de ménages ayant un domicile fixe, soit 10,6 % de la population, sont considérés comme mal logés, soit en raison d'un confort insuffisant, soit d'un surpeuplement critique. La norme d'occupation est calculée de la façon suivante :
• Une pièce quel que soit le nombre de personnes ;
• Une pièce pour chaque couple vivant dans le logement ;
• Une pièce pour chaque personne mariée, veuve ou divorcée, dont le conjoint n'habite pas le logement ;
• Une pièce par célibataire de plus de 18 ans ;
• Une pièce par groupe de deux enfants de moins de 7 ans ;
• Une pièce pour l'ensemble des salariés logés par le ménage.
Il y a surpeuplement si le logement a au moins une pièce de moins que la norme. Il concerne 11,5 % des ménages. Ce sont les ménages les plus nombreux, les plus modestes et ceux habitant les grandes villes qui sont les plus concernés. A l'inverse, il y a sous-peuplement si le logement compte au moins une pièce de plus que la norme. 36 % des ménages sont dans cette situation. La diminution du surpeuplement au cours des dernières années est liée d'abord à la réduction de la taille moyenne des ménages. Elle est liée aussi à l'accroissement de la taille des logements.

Les Français consacrent 21 % de leur budget à leur logement et à son entretien, contre 15 % en 1970.

Les dépenses de loyer (réel pour les locataires, fictif pour les propriétaires), d'entretien courant, de chauffage, d'éclairage, d'assurance représentent une part croissante du budget des ménages. Il faut préciser que les dépenses liées à l'achat des logements neufs et de gros entretien ne sont pas comptabilisées dans ce poste (elles contribuent à la formation brute de capital fixe).

Au cours des années 80, les dépenses qui ont le plus augmenté sont celles d'électricité et de loyer, alors que celles de fioul et de charbon diminuaient en francs constants.

Il faut ajouter à ces dépenses celles d'équipement, qui représentent 8 % du budget disponible. Au total, les ménages consacrent donc plus du quart de leurs revenus au logement.

➤ 83 % des logements parisiens disposent de l'eau courante, W-C intérieurs, douche et chauffage central, contre 62 % en 1975. Leur taille moyenne s'est accrue de 8 %, le nombre de personnes par pièce est passé de 1,06 en 1962 à 0,77 en 1990.
➤ Paris compte environ 10 000 SDF, contre 100 000 au début du siècle.
➤ Le nombre de fermes est passé de 906 000 à 577 000 entre 1982 et 1990.

Un choix important et difficile

Indépendamment du prix et des caractéristiques intérieures, les facteurs qui comptent le plus pour les Français dans le choix d'un logement sont : les espaces verts (57 %), l'absence de bruit (48 %), la proximité des commerces (47 %), la sécurité du quartier (43 %), les facilités de transport (35 %), la vue et le paysage (35 %), les bonnes relations avec le voisinage (34 %), la proximité d'écoles, crèches, garderies (33 %), les commodités de l'immeuble (code d'entrée, gardien, vide-ordures, 23 %).
92 % des Français préfèrent un quartier excentré avec des espaces verts à un quartier bien desservi mais pollué (6 %). 51 % préfèrent un appartement sombre mais très calme à un appartement plein sud, très lumineux mais bruyant (42 %). 56 % préfèrent un 5/6 pièces dans un quartier populaire à un 2 pièces dans un quartier chic (36 %).

La France détient le record du monde des résidences secondaires : 13 % des ménages.

L'urbanisation a incité beaucoup de ménages, frustrés par l'habitat collectif et la vie dans les grandes villes, à acquérir une résidence à la campagne. Entre 1982 et 1992, le parc a progressé de 2 % par an ; 2,8 millions de ménages sont concernés, soit 13 %. Ils étaient 1,7 % en 1946, 3,3 % en 1954, 6,7 % en 1962, 7,8 % en 1968, 9,4 % en 1975 et 11,5 % en 1982. Il s'agit dans 80 % des cas d'une maison, presque toujours pourvue d'un jardin. 56 % de ces habitations sont situées à la campagne, 32 % à la mer et 16 % à la montagne.

La plupart des ménages concernés sont propriétaires, à la suite d'une acquisition ou d'un héritage. D'autres bénéficient du prêt d'une résidence ou la partagent avec d'autres. Les cadres supérieurs et professions libérales sont les plus nombreux à en disposer (26 %), dont 8 % à titre gracieux. Les moins nombreux sont les agriculteurs (6 %), les ouvriers (7 %) et les employés (10 %). Les Français dépensent en moyenne 18 000 F par an pour entretenir leur résidence secondaire.

Le développement attendu du télétravail et d'un nouveau partage du temps de travail devraient favoriser le multi-équipement en matière de logement. Les diverses formules de multipropriété constituent depuis quelques années une alternative permettant de disposer au moins à temps partiel d'une résidence secondaire.

ÉQUIPEMENT

Croissance du multi-équipement (électroménager, radio, télévision) ◆ Développement du four à micro-ondes, du congélateur et des équipements de loisir électroniques ◆ 28 % des ménages équipés d'un Minitel ◆ Intérêt croissant pour la cuisine et la salle de bains ◆ La moitié des foyers meublés en rustique, un quart en ancien ◆ Réduction des achats de meubles depuis 1990

ÉLECTRONIQUE

La quasi-totalité des ménages sont équipés des gros appareils électroménagers.

La plupart des ménages sont aujourd'hui équipés d'un réfrigérateur (98 % en 1993), d'un aspirateur (90 %), d'un lave-linge (90 %) et d'une cuisinière (87 %). Ceux qui n'en ont pas sont des célibataires qui ne sont pas encore installés, des ménages marginaux ou des personnes âgées qui n'en ont pas l'usage. Le sèche-linge indépendant est encore peu répandu (20 %) à cause de la place supplémentaire qu'il nécessite et de sa consommation d'électricité.

Le lave-vaisselle n'est présent que dans un tiers des foyers (34 % à fin 1991) et il progresse relativement lentement depuis le début des années 70. Les disparités sont ici très marquées entre les catégories sociales. On le trouve beaucoup plus fréquemment chez les ménages aisés et les familles avec enfants, où il est évidemment plus nécessaire.

Chaque ménage possède en moyenne une douzaine de petits appareils ménagers.

L'équipement congélateur-micro-ondes a modifié les habitudes alimentaires des ménages.

Près de la moitié des ménages (45 % en 1993) disposent d'un congélateur indépendant. Le taux est moins élevé dans les grandes villes, où les ménages comptent moins de personnes et les logements sont plus exigus. L'appareil est alors souvent remplacé par un combiné réfrigérateur-congélateur, de sorte que plus des deux tiers des Français sont équipés d'un moyen de congélation. Le four à micro-ondes, son complément naturel, équipait 44 % des ménages au début de 1994. Les tables de cuisson en vitrocéramique et les fours encastrables poursuivent leur pénétration (respectivement 33 % et 27 %).

Robots ménagers

Taux d'équipement des ménages (1993, en %) :

- Fer à repasser — 96
- Aspirateur — 90
- Sèche-cheveux — 80
- Cafetière électrique — 80
- Mixer — 75
- Grille-pain électrique — 67
- Couteau électrique — 58
- Hotte aspirante — 49
- Rasoir électrique — 48
- Grille-viande — 45
- Appareil à raclette — 43
- Minifour et rôtissoire — 42
- Préparateur culinaire — 42
- Four à micro-ondes — 40
- Friteuse électrique — 39
- Table de cuisson — 33
- Four à encastrer — 27
- Brosse à dents électrique — 17

Plus de 90 % des foyers sont équipés de produits audio ; le multi-équipement est de plus en plus fréquent.

99 % des ménages ont au moins un poste de radio. Les achats concernent aujourd'hui surtout les autoradios (82 % des voitures en sont équipées), les radiocassettes et combinés CD transportables (70 %

des ménages) ou les radioréveils (55 %). Le baladeur s'est imposé en quelques années auprès des jeunes ; plus de 60 % des ménages en sont équipés.

67 % des ménages ont une chaîne hi-fi. Les lecteurs de disques compacts sont de plus en plus souvent présents, souvent sous la pression des jeunes. On les trouve sous plusieurs formes : 49 % des ménages disposent d'une platine laser, qui peut être en éléments séparés, incluse dans une chaîne hi-fi, une radiocassette ou un combiné transportable.

Meubles de cuisine

Evolution du taux d'équipement des ménages (en %) :

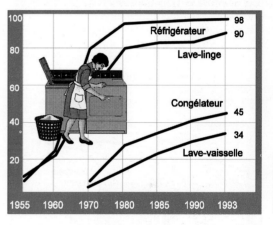

INSEE-GIFAM

Domotique : la révolution n'a pas encore eu lieu

L'intégration dans le logement de fonctions multiples programmables et commandables à distance (surveillance et sécurité des issues, régulation de la température de chaque pièce, détection des fuites, diffusion généralisée de musique, mesure individuelle des consommations, liaison avec les administrations, etc.) est annoncée depuis des années comme la prochaine révolution concernant l'aménagement du logement. Mais sa mise en œuvre se heurte à plusieurs freins importants : le prix des équipements nécessaires ; celui de leur installation ; la méconnaissance des systèmes existants par les Français. La seule attente massive des ménages concerne la sécurité, mais elle est le plus souvent satisfaite par le blindage de la porte d'entrée ou la pose d'un système d'alarme. Seuls 20 % des Français se disent intéressés par l'acquisition de systèmes de domotique (9 % certainement, 11 % probablement).

Les équipements vidéo sont très présents dans les foyers.

L'équipement en télévision est aujourd'hui arrivé à saturation. Près de la moitié des ménages disposent déjà d'au moins deux téléviseurs (42 % à fin 1993). Les achats de renouvellement concernent surtout le haut de gamme : écrans à coins carrés, écrans géants, son stéréo...

Le magnétoscope s'est rapidement implanté, du fait des services qu'il rend aux familles et de la baisse des prix depuis quelques années. 57 % des ménages en étaient équipés en 1993.

Les Caméscopes et caméras vidéo ne concernent encore que 14 % des foyers. La baisse des prix déjà amorcée et la simplification des appareils devraient favoriser leur pénétration au cours des prochaines années.

Loisirs électroniques

Evolution du taux d'équipement des ménages (en %) :

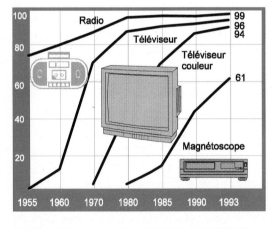

INSEE/Simavelec

Les différences entre catégories sociales sont plus ou moins marquées selon les biens d'équipement.

Les écarts sont d'autant plus importants que les appareils concernés sont apparus plus récemment (micro-ordinateurs, Caméscopes). Les ménages les moins bien équipés sont les plus jeunes, à très faible revenu ou composés d'une seule personne et, dans une moindre mesure, les ménages âgés et ceux habitant Paris. La télévision couleur est moins présente chez les agriculteurs et à Paris.

En ce qui concerne le lave-vaisselle, les disparités sont marquées entre les catégories sociales : les moins équipés sont les ménages aux revenus les plus modestes et comptant peu de personnes.

Les différences entre les ménages sont plus sensibles en matière de multi-équipement et de substitution d'équipements anciens par d'autres plus modernes. La durée de conservation moyenne varie assez sensiblement. L'âge moyen d'un réfrigérateur est de 9 ans, celui d'un congélateur ou d'un lave-linge est de 7 ans, celui d'un lave-vaisselle ou d'un téléviseur est de 6 ans.

Micro : en attendant le multimédia

Après la forte croissance de la première moitié des années 80, l'équipement des ménages en micro-ordinateurs connaît depuis cinq ans une pause. Les achats annuels sont inférieurs à 300 000 unités, alors que les prix ont baissé et que les performances se sont accrues. Ils restent cependant élevés compte tenu de la difficulté de trouver des applications domestiques autres que les jeux (disponibles aussi par les consoles spécialisées). Les problèmes de compatibilité entre les machines et l'apparition de nouvelles générations ont également incité les ménages à attendre. Les développements attendus du multimédia et les applications nouvelles qu'il permettra devraient bientôt concerner le grand public.

---

94 % des foyers disposent du téléphone.

Au début des années 70, le téléphone était en France un sujet de moquerie (on se souvient du célèbre sketch de Fernand Reynaud sur le « 22 à Asnières »...). Il est aujourd'hui présent dans la plupart des foyers. 20 % d'entre eux disposent d'un téléphone sans fil. Les moins équipés sont paradoxalement les personnes seules, souvent âgées, ainsi que les jeunes. Cependant, le taux d'équipement ne descend pratiquement pas en dessous de 80 % pour les inactifs, les salariés agricoles, les ouvriers non qualifiés.

Chaque Français effectue en moyenne 500 appels par an, pour un budget total de 1 800 F. Le nombre d'appels des Français reste quatre fois inférieur à celui des Américains, trois fois à celui des Canadiens, deux fois à celui des Japonais.

➤ 64 % des Français n'ont jamais modifié l'aménagement de leur séjour.
➤ 8 % des ménages ayant le téléphone sont sur liste rouge.

Confort et profession

Taux d'équipement des ménages selon la catégorie socioprofessionnelle (1991, en %) :

	Congé-lateur	Réfrigé-rateur - congélateur	Lave-vaisselle	Téléviseur couleur	Magné-toscope	Baladeur
• Exploitants agricoles	87,3	19,8	43,9	81,5	27,8	22,6
• Salariés agricoles	51,3	31,3	13,8	76,3	32,5	21,4
• Patrons de l'industrie et du commerce	53,5	42,9	57,5	92,7	58,2	39,0
• Cadres supérieurs et professions libérales	44,0	55,3	65,3	90,0	62,9	55,2
• Cadres moyens	43,0	46,5	44,8	89,6	48,8	50,0
• Employés	34,8	44,0	29,0	87,1	38,4	49,9
• Ouvriers	50,9	43,9	28,5	92,5	48,4	38,2
• Personnel de service	32,4	39,8	17,6	81,9	33,3	28,9
• Autres actifs	35,6	45,3	31,1	86,4	51,6	49,7
• Retraités	38,9	34,4	19,3	89,4	16,1	5,6
• Autres inactifs	21,1	34,7	9,1	78,8	15,2	20,1
• Ensemble	**43,3**	**41,0**	**31,5**	**89,1**	**36,9**	**30,2**

INSEE

28 % des ménages étaient équipés d'un Minitel début 1994.

Spécificité française, le Minitel fait aujourd'hui partie de l'équipement de plus d'un ménage sur quatre. Après dix ans d'existence (les premiers appareils ont été livrés en 1983) on en compte 6,5 millions. 13 % des Français l'utilisent régulièrement, 27 % occasionnellement, 59 % jamais.

28 % des possesseurs consultent essentiellement l'annuaire électronique, 58 % recourent en priorité aux services bancaires, d'achat et de transport. Les « gros » utilisateurs sont surtout des femmes, habitant la province et appartenant aux catégories socioprofessionnelles moyennes et modestes. 33 % du temps de connexion concerne l'annuaire électronique (760 millions d'appels dans l'année), 23 % les applications professionnelles, 18 % la banque et la Bourse, 12 % les services de la vie pratique, 8 % la messagerie, 7 % les informations générales, 7 % les loisirs et jeux.

➤ S'ils avaient le choix, 75 % des Français préféreraient agrandir leur salle de bains que d'en construire une deuxième.
➤ 3,7 millions d'enfants ne disposent pas d'une chambre individuelle.

AMÉNAGEMENT

L'accroissement de la taille et du confort des logements a accru la qualité de vie.

Des appartements plus grands pour des ménages de taille plus réduite permettent des conditions de vie meilleures. Les enfants sont ainsi plus nombreux à disposer d'une chambre individuelle ; c'est le cas de 73 % des enfants de cadres supérieurs et de 47 % des enfants d'ouvriers. Il est aussi plus facile de séparer les espaces de réception et les espaces privés, à l'exemple des appartements bourgeois du siècle dernier.

Le phénomène du « cocooning » a incité les Français à améliorer le confort, l'équipement et la qualité de leur logement. Leurs travaux d'aménagement et de décoration ont porté de façon inégale sur les différentes pièces de la maison.

La pièce du logement qui a le plus changé est la cuisine.

La cuisine tend à devenir (ou plutôt redevenir) un lieu de vie, centre de la convivialité familiale. Elle s'est agrandie afin que la famille puisse y prendre facilement ses repas. Elle est de plus en plus souvent « intégrée », avec des éléments suspendus hauts et bas, des plans de travail et des appareils ménagers. 47 % des foyers disposent d'une cuisine équipée : 24 % intégrées, 14 % aménagées, 8 % composées d'éléments en kit. Elle s'ouvre souvent sur le séjour par des portes coulissantes, paravents, comptoirs ou cloisons basses.

Les rythmes de vie décalés, les pressions des femmes actives qui recherchent le pratique et ne veulent pas être exclues de la vie familiale pendant la préparation des repas expliquent ces changements. Lorsque sa taille le permet, les repas quotidiens sont pris dans la cuisine, la salle à manger étant réservée aux réceptions. Le téléviseur est souvent présent ; ils est d'ailleurs allumé aux heures des repas (où qu'ils se prennent) dans 62 % des ménages ouvriers, 45 % de ceux de cadres supérieurs. La salle à manger traditionnelle, séparée, tend à disparaître au profit du séjour.

Des logements de plus en plus confortables

Jean & Montmarin

La salle de bains devient aussi un lieu de vie et de plaisir.

Plus récemment, c'est la salle de bains qui a fait l'objet d'une attention particulière de la part des ménages. Considérée de plus en plus comme une véritable pièce à vivre, elle intègre en plus de la fonction traditionnelle d'hygiène d'autres fonctions plus nouvelles, liées à la forme et au bien-être. Elle est le lieu privilégié dans lequel on peut s'occuper de soi. L'offre de nouveaux équipements (baignoire à remous, Jacuzzi, sauna), bien que non accessibles

aux ménages moyens, favorise cet intérêt récent pour la salle de bains. 21 % des salles de bains sont composées d'éléments assortis.

Le bureau à la maison

Le logement n'est plus seulement un lieu de repos et de loisir. On y travaille de plus en plus souvent. Un Français sur quatre rapporte du travail en rentrant le soir ou en fin de semaine. 30 % des cadres supérieurs disposent d'une pièce bureau et beaucoup de ménages ont un coin de leur chambre aménagé en bureau. Celui-ci est aussi utilisé pour les tâches de gestion du ménage. Il constitue un moyen de s'isoler du bruit des autres pièces, provoqué par la présence croissante des appareils audiovisuels utilisés par les enfants.

Près de la moitié des foyers sont meublés en style rustique, un quart en style ancien.

44 % des ménages déclarent posséder des meubles de style rustique. 27 % sont principalement meublés en ancien, 2 % ayant choisi le style anglais. Dans 60 % des cas, les meubles anciens sont des copies.

Le contemporain séduit 24 % des ménages, le plus souvent les jeunes. Ce sont eux aussi qui sont le plus attirés par l'exotisme. Si seulement 1,5 % des ménages sont entièrement meublés dans ce style, il est de plus en plus présent dans les logements avec les canapés anglais, les futons japonais, les couettes scandinaves, les tapis orientaux et les tissus sud-américains. Enfin, le style « créateur » (2,7 %) attire surtout les ménages à revenus élevés et qui se piquent de modernisme. Si 25 % des Français préfèrent meubler toutes les pièces de leur logement dans un même style, la grande majorité (75 %) souhaitent effectuer un mélange à leur convenance.

Les meubles de loisir (séjour, bureau, bibliothèque) représentent une part croissante des dépenses. Les meubles de salle à manger connaissent une évolution contrastée. Ceux qui permettent des gains de place (lit d'enfant en mezzanine, véranda vitrée...) sont de plus en plus recherchés.

➤ La majorité des Français (57 %) préfèrent de beaux meubles bien fabriqués qui durent longtemps et qu'on peut être fier de laisser derrière soi. 13 % sont attirés par les meubles très simples et gais, qu'on peut changer souvent pour suivre la mode et ses goûts personnels.

Le langage des fleurs

Neuf ménages sur dix possèdent au moins une plante ; la moyenne est de 7 plantes par foyer. Mais ce chiffre reste encore largement inférieur à celui des Allemands (23 plantes en moyenne par ménage) ou des Autrichiens (16). Les fleurs sont également très présentes en France à l'extérieur des maisons ; il existe 12 millions de jardins privatifs pour 20 millions de foyers.
En 1993, les Français ont acheté 229 millions de plantes et fleurs (unités ou bouquets) d'intérieur, soit une baisse de 3 % par rapport à l'année précédente. 23 millions de sapins ont été achetés à Noël, un chiffre en augmentation de 21 %, avec un prix moyen de 80 F. Les achats de végétaux d'extérieur ont progressé de 2 % en volume, mais diminué de 13 % en valeur.

Le moderne et le « design » commencent à trouver leur place.

Le mobilier ancien, de préférence authentique (avec une influence anglo-saxonne plus marquée) représente un peu moins du tiers des achats. On note d'ailleurs un certain intérêt pour des rééditions de meubles des années 40 et 50.

Après avoir longtemps été ignoré, le mobilier contemporain commence à être reconnu. Les ménages les plus modernes s'intéressent aux créations « high tech » et aux séries limitées des grands créateurs.

Les ensembles (salon, chambre à coucher, salle à manger) vendus comme un tout représentent une part importante des achats. Près de la moitié des meubles sont acquis sous cette forme : trois lits sur quatre sont achetés avec une chambre à coucher ; trois buffets sur quatre avec une salle à manger.

Enfin, les meubles à monter soi-même n'ont représenté que 6 % des achats de mobilier neuf au cours des cinq dernières années, les meubles d'occasion moins de 10 %.

Les Français ont réduit leurs achats de meubles depuis 1990.

Entre 1979 et 1985, les Français avaient déjà réduit leurs dépenses de mobilier. A la crise économique et ses conséquences sur le pouvoir d'achat s'étaient ajoutées les crises de la distribution et, surtout, de la création. L'attrait du « kit », pratique et moins coûteux, expliquait aussi la stagnation des achats en valeur. Une amélioration avait été consta-

tée à la fin des années 80. Elle est remise en question depuis 1990.

Cette situation est due en partie à la baisse de la construction de logements. Elle tient aussi à l'attitude des Français, qui tendent à différer les gros achats en période de crise. La croissance du surendettement des ménages a par ailleurs amené les organismes de crédit à être beaucoup plus vigilants et sélectifs dans l'examen des demandes. Les achats concernent donc surtout les produits peu coûteux : meubles d'appoint, banquettes-lits, bureaux. Les meubles de jardin ont connu en 1993 une chute importante en valeur, liée au développement des sièges monoblocs en plastique, d'un faible prix de vente. Les lits constituent une exception, liée à l'importance accordée par les Français à la qualité du couchage.

➤ On estime à 500 000 le nombre de personnes sans domicile fixe. 91 % sont des hommes. 86 % sont de nationalité française. 59 % n'ont aucune qualification professionnelle. 50 % ont moins de 25 ans, et 68 % ont moins de 40 ans. 40 % sont issus de « familles à problèmes ». 30 % ont épuisé leurs droits de chômeurs de longue durée. 16 % ont des antécédents de santé ou d'ordre psychiatrique. 14 % ont un passé alcoolique ou ont eu des problèmes de toxicomanie.
➤ A Paris, 82 000 familles attendent un logement social.
➤ 55 % des habitants de la région parisienne considèrent que « toutes les pièces de leur logement sont ouvertes aux amis » (maximum régional), contre 22 % en Picardie (minimum).
➤ 60 % des habitants du Languedoc estiment que « toutes les pièces de la maison doivent être propres et rangées » (maximum régional), contre 37 % en Bretagne (minimum).
➤ 56 % des ménages possèdent une machine à coudre électrique, 8 % une machine manuelle. 7 % possèdent une machine à tricoter.
➤ Les chambres des enfants sont plus souvent fermées que celles des parents (10 % de ces derniers l'interdisent à leurs enfants).
➤ A Paris, le prix moyen des appartements anciens était de 18 390 F/m² fin 1993, soit le même niveau qu'en automne 1989.
➤ 39 % des appels téléphoniques passés en 1993 avaient une durée inférieure à une minute, 22 % entre une et deux minutes, 11 % entre deux et trois minutes. La facture moyenne était de 300 F pour deux mois, abonnement compris. 72 % des appels étaient locaux, 28 % autres (nationaux, internationaux...).
➤ 43 % des foyers sont équipés d'un four à micro-ondes, 52 % d'un service à fondue, 9 % d'un barbecue électrique, 13 % d'une pierrade.

TRANSPORT

78 % des ménages ont une voiture, contre 58 % en 1970 ◆ 15 % du budget pour les transports ◆ 14 000 km par an en voiture ◆ Puissance moyenne en baisse ◆ 40 % de diesels ◆ Vieillissement du parc ◆ La voiture résidence secondaire ◆ Voitures étrangères : 40 % des immatriculations ◆ Forte baisse des achats de deux-roues en 1993 ◆ 95 % des motos neuves immatriculées étrangères ◆ Augmentation de l'âge moyen des motards

VOITURE

78 % des ménages ont une voiture (1994). Ils n'étaient que 30 % en 1960 (58 % en 1970). 27 % ont au moins 2 voitures.

Avec 420 voitures pour 1 000 habitants, la France se situe au troisième rang des pays de l'Union européenne, derrière l'Italie et l'Allemagne. La densité automobile est supérieure aux Etats-Unis (580) mais inférieure au Japon (295).

Le taux d'équipement global augmente assez lentement, car les ménages qui ne disposent pas d'une voiture sont ceux qui n'en ressentent pas l'utilité (ce sont souvent des ménages sans enfants) ou qui sont trop âgés pour conduire.

Le taux de multi-équipement s'est accru plus rapidement : 27 % des ménages ont au moins deux voitures, contre 17 % en 1980. 3 % en ont trois, 0,5 % en ont quatre ou plus. Les ménages les plus aisés sont davantage multi-équipés ; 55 % des cadres supérieurs contre 26 % des ouvriers, mais 38 % des agriculteurs.

---

24 millions de voitures

Evolution du nombre de voitures particulières selon la puissance :

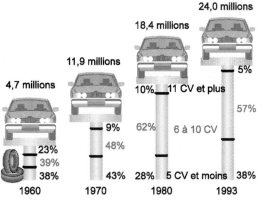

Les ménages ont dépensé 24 000 F en moyenne pour les transports en 1993, soit 15,9 % de leur budget. 31 000 F pour les ménages motorisés.

Les frais d'achat de véhicules représentaient 31 % de ces dépenses, les frais d'entretien, réparations, pneus et accessoires 33 %, les carburants 27 %, les péages et stationnements 6 %, les assurances 3 %.

Après avoir connu une forte progression entre 1986 et 1990, les achats de véhicules neufs étaient en net recul en 1991. La reprise de 1992 a précédé une année 1993 catastrophique, avec une baisse record de 18 % des immatriculations.

1994 s'annonce plus favorable. Elle devrait profiter des achats différés au cours des années précédentes et de la prime de 5 000 F accordée par le gouvernement à ceux qui décident de changer leur voiture âgée d'au moins 10 ans pour un véhicule neuf. Les fabricants estiment que l'impact de cette mesure pourrait être d'environ 150 000 véhicules sur l'année.

Transports collectifs : l'avion décolle

Les dépenses liées aux services et transports collectifs (transports en commun urbains et routiers, train, avion) représentent un peu plus de 2 % du budget total des ménages. Entre 1980 et 1990, l'utilisation de l'avion s'est beaucoup plus développée que celle des autres modes de transports collectifs. Son taux de croissance sur dix ans a été de 60 %, contre 17 % pour le train et 9 % pour les autres transports terrestres (urbains, routiers, taxis).

Après une diminution exceptionnelle en 1991 due à celle des transports aériens lors de la guerre du Golfe, l'ensemble des dépenses de transports collectifs est de nouveau en hausse. Les dépenses d'avion sont encore celles qui augmentent le plus. Mais 46 % des Français n'ont encore jamais pris l'avion au cours de leur vie (61 % n'ont jamais pris le TGV).

La part du rail dans les transports interurbains (hors Ile-de-France) est passée de 13,1 % en 1985 à 10,7 % en 1992. Celle de l'avion est passée de 1,8 % à 2,4 % (trafic intérieur), celle des voitures de 80,2 % à 82,0 %. La part des autocars est restée stable à 4,9 %.

Les Français ont parcouru en moyenne 14 000 km en 1993.

Le kilométrage moyen des ménages augmente légèrement depuis quelques années. Il est presque le double pour les voitures Diesel que pour les voitures à essence : 22 000 km contre 12 000 km.

L'évolution du prix du carburant (multiplié par trois en francs courants entre 1975 et 1985) ne semble pas avoir eu d'incidence notable sur l'utilisation de la voiture. Mais la consommation moyenne d'essence par voiture a diminué depuis 1973, date du premier choc pétrolier, du fait des efforts des constructeurs et de la diminution de la puissance du parc des véhicules. La consommation moyenne unitaire est de 8,6 litres aux 100 km pour les voitures à essence et de 6,8 litres pour les voitures fonctionnant au gazole. Les automobilistes parisiens consomment 12 % de plus que ceux de Province.

La puissance moyenne des véhicules continue de baisser.

Après avoir augmenté jusqu'en 1981, la cylindrée moyenne du parc de voitures a régulièrement diminué. Le nombre de véhicules de plus de 10 CV est passé de 1 890 000 en 1980 à 1 242 000 en 1993. Le nombre des moyennes cylindrées (de 6 à 10 CV) a moins augmenté pendant cette période que celui

des petites (5 CV et moins). Les voitures neuves immatriculées en 1992 avaient une cylindrée moyenne de 1 599 cm^3, un peu inférieure à la moyenne de l'Union européenne (1 617 cm^3) ; le maximum est de 1 776 cm^3 en Allemagne et le minimum de 1 392 cm^3 en Italie.

Les achats de voitures de très grosse cylindrée avaient été multipliés par près de six entre 1984 et 1989. Mais on a assisté depuis 1990 à une inversion de tendance. La part des voitures de gamme inférieure se maintient aux environs de 40 % des immatriculations, grâce à l'abondance de l'offre (Renault Clio et Twingo, Peugeot 106, Citroën AX...). Les ventes de la gamme moyenne inférieure ont progressé, passant de 21 % à 27 % entre 1991 et 1993 et se rapprochant ainsi de la moyenne européenne. Les immatriculations de gamme moyenne supérieure ont reculé, du fait des nouvelles attitudes des acheteurs. Aux deux extrémités de la gamme, les voitures économiques et de luxe comptent respectivement pour 1,6 % et 1,8 % de l'ensemble.

La voiture encore inégale

Taux d'équipement des ménages selon la catégorie socioprofessionnelle (mi-1991, en %) :

- Exploitants agricoles — 95,8
- Salariés agricoles — 82,5
- Patrons de l'industrie et du commerce — 93,5
- Cadres supérieurs et professions libérales — 95,6
- Cadres moyens — 92,3
- Employés — 79,8
- Ouvriers — 88,4
- Personnel de service — 63,0
- Autres actifs — 88,3
- Retraités — 58,6
- Autres inactifs — 36,2

- **Ensemble** — **76,8**

INSEE

Les modèles Diesel représentent 21 % du parc des voitures particulières (1993), contre 4 % en 1980 et 1 % en 1970.

La proportion continue de s'accroître régulièrement. 40 % des véhicules achetés en 1993, soit 700 000 immatriculations sur 1,7 million, étaient des modèles Diesel, contre 33 % en 1990. La France détient le record d'Europe (le taux n'est par exemple que de 15 % en Allemagne).

Longtemps réservé aux camions et aux taxis, le moteur Diesel intéresse de plus en plus les particuliers. L'avantage de sa moindre consommation a pris de l'importance au fur et à mesure que l'écart de prix entre le supercarburant et le gazole augmentait. La durée de vie plus longue du diesel n'est pas non plus pour déplaire aux Français qui gardent leurs voitures de plus en plus longtemps.

La montée en puissance du diesel

Evolution de la part du Diesel dans les immatriculations de voitures neuves (en %) :

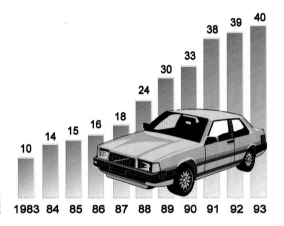

10 14 15 16 18 24 30 33 38 39 40

1983 84 85 86 87 88 89 90 91 92 93

CCFA

Le parc de voitures vieillit.

L'âge moyen des voitures en circulation est de 6,4 ans. Depuis 1982, le nombre des véhicules âgés de 5 à 20 ans est supérieur à celui des véhicules de moins de 5 ans. Avec la crise, les acheteurs ont été amenés à garder leur voiture plus longtemps, quitte à mieux l'entretenir. Le phénomène a été particulièrement net en 1993.

Beaucoup de Français préfèrent aussi les voitures d'occasion : ils en achètent environ deux fois plus que de neuves. D'une manière générale, les achats d'automobiles sont très liés au niveau des revenus des ménages. On constate cependant une certaine anticipation que rend possible le recours au crédit.

➤ 31 % des voitures neuves sont achetées à crédit, 21 % par crédit auto et 10 % par location avec option d'achat.
➤ Le budget annuel consacré aux carburants est de 4 500 F.

La part des immatriculations de voitures étrangères a atteint 39,7 % en 1991, contre 23 % en 1980.

30,6 % des voitures immatriculées en 1993 étaient des Renault. 29,7 % étaient des modèles commercialisés par le groupe PSA (Peugeot-Citroën). Les deux seules voitures vendues à plus de 100 000 exemplaires ont été la Renault Clio et la Renault 19.

Les marques étrangères avaient atteint en 1983 le tiers des immatriculations, après avoir gagné dix points de part de marché en trois ans. Leur pénétration semble stabilisée depuis 1986, mais à un niveau proche de 40 %.

Les trois principales marques étrangères implantées en France sont Ford (138 000 voitures vendues en 1993), Volkswagen (114 000) et General Motors (105 000). Les importations de modèles Fiat sont en forte baisse (90 000) ; elles restent très supérieures à celles d'Austin Rover (43 000), SEAT (31 000), Nissan (29 000), BMW (26 000) et Mercedes (24 000). Les voitures japonaises ont représenté 4,4 % des immatriculations (75 000), contre un peu moins de 3 % en 1990.

Après une année 1993 particulièrement difficile pour les constructeurs, français et étrangers, les achats ont fortement augmenté au cours du premier semestre 1994, du fait des mesures de soutien.

Les belles étrangères

Parts de marché des principales marques étrangères en 1993 (en %) :

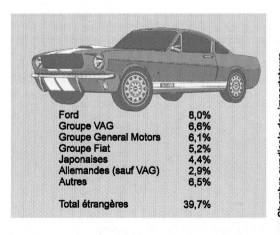

Ford	8,0%
Groupe VAG	6,6%
Groupe General Motors	6,1%
Groupe Fiat	5,2%
Japonaises	4,4%
Allemandes (sauf VAG)	2,9%
Autres	6,5%
Total étrangères	**39,7%**

*La voiture tend à devenir
une résidence secondaire.*

Comme toutes les machines inventées par l'homme pour son usage personnel, la voiture est une prothèse. Elle permet de se déplacer plus vite et plus loin. Dans les années 50, Roland Barthes voyait en elle un objet magique « consommé dans son image, sinon dans son usage » (*Mythologies*). A la fin des années 60, Jean Baudrillard la décrivait comme « une sphère close d'intimité mais douée d'une intense liberté formelle, d'une fonctionnalité vertigineuse » (*le Système des objets*). La « démassification » des années 80 a donné lieu à des types d'utilisation différenciés : voiture passe-partout des villes encombrées ; voiture-épate des « gagnants » ; voiture-look de ceux qui se veulent « différents » ; salon-roulant des inconditionnels du confort ; tapis-roulant de ceux qui veulent s'évader ou fuir.

Aujourd'hui, l'automobile connaît une nouvelle révolution. Son équipement (le téléphone, demain la télévision, l'ordinateur, le fax...) la transforme en une véritable résidence secondaire où il devient possible de travailler, de communiquer, de se distraire, tout en se déplaçant. L'automobile n'assure donc plus comme auparavant la transition entre l'extérieur et l'intérieur ; elle est le prolongement de la sphère domestique, du « chez-soi ». C'est la « voiture à vivre » dont parle la publicité.

La voiture change de sexe

L'irruption des valeurs féminines dans le design et la conception des produits explique la tendance récente à la rondeur. Elle est particulièrement visible dans les nouveaux modèles automobiles (Renault Clio, Twingo ou Safrane, Citroën Xantia, Série 3 de BMW, Mercedes 190, Opel Vectra...), jusqu'à la forme des phares, allongée et étroite, qui fait irrésistiblement penser à un regard de femme.
Après une longue période où elle privilégiait la puissance et la virilité, la voiture change de sexe et se fait à nouveau séductrice. Le confort, la douceur, le silence et la simplicité sont des revendications d'importance croissante. Elles expliquent le succès de la monospace (comme l'Espace Renault), concept typiquement féminin, qui a fini par l'emporter sur celui du 4 X 4, essentiellement masculin. On retrouve cette rondeur dans bien d'autres produits, des flacons de lessive liquide aux Caméscopes, en passant par les réfrigérateurs, les aspirateurs ou les meubles. A une époque où il est difficile d'être « carré » dans ses certitudes ou ses raisonnements, il n'est pas étonnant que l'on cherche à arrondir les angles.

Féminisme et optimisme

---

*Les Français sont de plus en plus conscients
des problèmes de circulation dans les villes.*

80 % sont favorables à des mesures pour restreindre la circulation à l'intérieur des villes. Ils se disent majoritairement favorables (avec des taux de 90 % à 60 %, par ordre décroissant) au développement des couloirs de bus, à la construction de lignes de RER, à la transformation des centres-villes en zones piétonnes, à la limitation de la circulation automobile en centre-ville, à la création d'autoroutes souterraines gratuites, à la limitation du stationnement en centre-ville et au développement de lignes de métro. Ils sont cependant hostiles à l'instauration d'un péage urbain, à l'interdiction totale de la circulation automobile en centre-ville et à la création d'autoroutes souterraines payantes.

DEUX-ROUES

*Les achats de motos avaient diminué
de moitié entre 1981 et 1985,
puis ils se sont redressés jusqu'en 1990.*

Les belles images en provenance du Paris-Dakar n'avaient pas empêché les achats de motos neuves de chuter de façon spectaculaire. Seule la légère augmentation des achats d'occasion expliquait la relative stabilité du nombre des motos en circulation. Dans les plus petites cylindrées, le cyclomoteur était

Chambre syndicale des importateurs
d'automobiles et de motocycles

Yamamotokadératé !

Evolution des immatriculations et du parc de motos :

	1980	1982	1984	1986	1988	1990	1991	1992	1993
• Immatriculations :									
- neuves	135 000	119 681	80 283	84 692	102 413	123 129	115 965	116 285	99 973
- occasion	-	221 325	231 319	227 271	237 242	273 930	-	282 200	-
• Part des marques étrangères	-	95,7%	95,8%	96,6%	96,8%	94,6%	94,0%	94,0%	94,7%
• Motos en circulation (au 31 décembre)	715 000	740 000	725 000	680 000	742 600	746 000	-	-	-

également en chute régulière depuis 10 ans : un million achetés en 1974, la moitié en 1985.

L'évolution du pouvoir d'achat des jeunes ainsi que leur taux de chômage élevé expliquaient leur hésitation à s'endetter pour acquérir des engins dont les prix (d'achat, d'entretien et de réparation) avaient beaucoup augmenté. Enfin, la création de nouveaux permis entraînant de nouvelles classifications administratives avait porté un coup très dur à la catégorie des 125 cm^3.

La moto a ensuite retrouvé une partie du public qu'elle avait perdu. Plus de 100 000 ont été achetés chaque année entre 1988 et 1992. Ce sont les marques étrangères (en particulier japonaises) qui ont profité de ce regain d'intérêt.

Les achats se sont de nouveau écroulés en 1993.

La moto a connu en 1993 la même désaffection que l'automobile. La morosité économique et sociale a incité les Français à reporter leurs achats ou à préférer les modèles d'occasion. Le résultat est une baisse de 14 % des immatriculations de motos neuves, avec un nombre total inférieur à 100 000 pour la première fois depuis 1987. Cette situation s'explique aussi par l'évolution de la demande, orientée vers les petites cylindrées. Les 125 cm^3 représentent un tiers des immatriculations nouvelles, devant la catégorie des 500-600 cm^3 (un peu moins du quart).

On constate globalement une stagnation du parc de deux-roues motorisés : 1 million de motos ; 2 millions de cyclomoteurs. Le nombre des vélos

est beaucoup plus élevé ; il atteint aujourd'hui 20 millions.

Le retour des petits cubes

Après avoir été sauvage et marginale, la moto devient BC-BG. Les « gros cubes » ne représentent plus que 20 % du marché. Le scooter, vieux souvenir des années 50 relancé depuis 1982 par des constructeurs, n'a pas immédiatement réalisé la percée attendue, malgré une augmentation sensible des ventes.
Il retrouve aujourd'hui des adeptes, séduits par la possibilité de circuler en costume cravate et en chaussures de ville. Les achats sont passés de 2 000 en 1982 à environ 50 000 aujourd'hui, dont 40 000 machines non immatriculées (moins de 50 cm^3).
85 % des utilisateurs sont des hommes, souvent des cadres de 25 à 40 ans, plutôt citadins. Un tiers des acheteurs habitent en Ile-de-France.

95 % des motos neuves immatriculées sont étrangères.

Les quatre constructeurs japonais (par ordre décroissant d'importance : Honda, Yamaha, Suzuki, Kawasaki) occupent les quatre premières places et représentent à eux seuls 77 % des importations. Honda s'est hissé en 1993 à la première position, détenue auparavant par Yamaha.

Les marques françaises se partagent 5 % des immatriculations. Il s'agit essentiellement de Peugeot, dont les ventes ont représenté 4 186 véhicules en 1993, en baisse d'un tiers par rapport à l'année précédente. Elles devancent encore largement celles de MBK : 1 070 exemplaires en 1993, près du double de 1992 (532).

En dix ans, l'âge moyen des motards est passé de 20 à 27 ans.

La moto n'est plus aujourd'hui un objet de culte réservé à des fanatiques bardés de cuir et marginalisés. Les deux tiers des motards sont aussi des automobilistes qui se servent alternativement de l'un ou l'autre moyen de transport selon leurs besoins et les conditions de la circulation.

La diversification croissante de la gamme des modèles proposés a permis de répondre à des attentes très variées. La première motivation d'achat et d'utilisation d'un deux-roues à moteur est la liberté de stationnement (89 %), devant la possibilité de rouler en plein air (84 %), le prix (81 %), le plaisir de la conduite (72 %) et la modicité du coût d'entretien (71 %). Bien que l'âge moyen soit de 27 ans, la clientèle principale est âgée de 25 à 45 ans. Elle roule en ville et change de véhicule tous les deux ans.

La moto moins dangereuse

861 personnes ont été tuées en moto en 1993, contre 945 en 1992. Le nombre des blessés graves (5 031) a aussi baissé de 6 %, celui des blessés légers (12 722) de 9 %. Ces résultats confirment l'amélioration constatée en 1992, qui intervenait après six années de hausse.
C'est chez les jeunes motards de 18 à 24 ans que les accidents ont le plus diminué, alors qu'ils représentent encore 40 % des tués et des blessés graves. Cette baisse semble traduire une prise de conscience des risques liés à l'usage de la moto. On note cependant que les vitesses moyennes pratiquées sont supérieures aux vitesses limites réglementaires ; en 1993, 52 % des motos dépassaient 130 km/h sur autoroute (31 % en 1992), 66 % dépassaient 90 km/h sur les nationales, 86 % dépassaient 50 km/h dans les agglomérations.
Les petites motos ont plus d'accidents que les grosses. Sur 1 000 pilotes de petites motos (50 à 80 cm³), 80 causent chaque année un accident matériel ou corporel, contre 33 parmi les pilotes de 125 cm³ et 78 parmi ceux de plus de 400 cm³.

ANIMAUX

58 % des foyers concernés ◆ 10 millions de chiens, 7 millions de chats ◆ Animaux plus fréquents en milieu rural et dans les familles nombreuses ◆ Rôle affectif et sécuritaire ◆ Plus de 30 milliards de francs par an ◆ Nuisances surtout concentrées dans les villes ◆ Nouveaux rapports entre hommes et animaux

PRÉSENCE

58 % des foyers possèdent un animal familier (record d'Europe).

36 % des Français possèdent un chien, 31 % un chat, 11 % des poissons, 8 % un oiseau, 6 % un lapin, 4 % une tortue, 2 % un cochon d'Inde, 1 % un hamster et 4 % d'autres animaux. 31 % possèdent un seul animal (chien, chat, hamster ou oiseau...), 27 % en ont au moins deux.

La France compte ainsi quelque 10 millions de chiens (un foyer sur trois) et 7 millions de chats (un foyer sur quatre). Il faut y ajouter environ 9 millions d'oiseaux (un foyer sur dix), 8 millions de poissons, 2 millions de lapins, hamsters, singes, tortues, etc. Elle est en Europe le pays qui compte globalement le plus d'animaux familiers, avec l'Irlande (qui la devance pour les chiens) et la Belgique (pour les chats). Leur nombre s'est surtout accru pendant les années 70 : on comptait 16 millions de chiens, chats et oiseaux en 1971 et 24,3 en 1979. Il est depuis resté stable aux environs de 25 millions.

Bien que la majorité des Français habitent aujourd'hui dans les villes, leurs racines rurales restent fortes. Avec elles se sont maintenues les traditions d'amitié entre deux espèces liées par une longue histoire commune. Le cheval et le chien ont été de tout temps des auxiliaires de l'homme, en même temps que des compagnons.

Chien ou chat ?

Le choix du chat ou du chien comme animal de compagnie n'est pas neutre. Il n'est peut-être pas lié seulement à des considérations de place ou de coût. Utilisant la dichotomie proposée par Pierre Bourdieu entre les groupes sociaux caractérisés par la préservation d'un « capital économique » (commerçants, artisans, policiers, militaires, contremaîtres...) et ceux motivés par la constitution d'un « capital culturel » (intellectuels, artistes, instituteurs, fonctionnaires...), le sociologue François Héran a montré que les premiers sont plutôt des propriétaires de chiens, les seconds des possesseurs de chats.

L'image sociale de ces deux animaux explique en partie cette répartition. Le chat est le symbole de la liberté et de l'indépendance, chères aux intellectuels. Le chien est plutôt celui de la défense des biens et des personnes ainsi que de l'ordre, valeurs souvent prioritaires dans les autres catégories.

Les animaux de compagnie sont plus fréquents en milieu rural...

La possession d'animaux domestiques est plus répandue en zone rurale. On y trouve plus de maisons individuelles et des logements de plus grande taille. De plus, les animaux jouent un autre rôle que dans les villes (garde, chasse...).

La proportion est de 75 % dans les agglomérations de moins de 2 000 habitants, contre 42 % dans la région parisienne. Ceux qui en ont le plus sont les agriculteurs (89 % des foyers), les artisans et les commerçants (71 %). Les ouvriers (65 %), les cadres et les employés (43 %) sont ceux qui en ont le moins.

Les régions comptant la plus forte densité se situent au Nord (70 %), à l'Ouest (69 %) et au Sud-Ouest (67 %), au contraire de l'Est (45 %) et de l'Ile-de-France (42 %). Environ 80 % des chiens et des chats vivent dans des maisons individuelles, 20 % en appartement.

... et dans les familles nombreuses.

Contrairement à une idée répandue, les inactifs habitant en ville, retraités ou non, sont ceux qui possèdent le moins d'animaux de compagnie (un foyer sur quatre seulement), suivis par les couples sans enfant. La présence d'un animal croît régulièrement avec la taille de la famille : 75 % des familles de cinq personnes et plus ont un animal.

Le taux de possession d'un chien est maximal chez les personnes de 50 à 64 ans (76 %) et chez celles de 25 à 34 ans (73 %). Le taux minimal est enregistré chez les 65 ans et plus (61 %) et les 18-24 ans (62 %).

Chiens et chats

Caractéristiques des chiens et chats des Français (en %) :

Poids du chien		Age du chien	
- moins de 5 kg	16,2	- moins de 1 an	8,0
- 5 à 10 kg	22,2	- de 1 à 4 ans	35,2
- 11 à 20 kg	26,0	- de 5 à 9 ans	35,9
- 21 à 40 kg	27,6	- 10 ans et plus	20,8
- plus de 40 kg	7,9		
Race du chien			
- Berger (allemand, belge, beauce)	14,2	- Setter	2,8
		- Yorkshire	2,4
		- Labrador	2,0
- Caniche	11,7	- Fox-terrier	2,0
- Epagneul breton	6,1	- Griffon	1,7
		- Boxer	1,5
- Teckel	3,7	- Doberman	0,5
- Cocker	3,4	- Bâtards	23,5
- Colley	3,0	- Autres	21,5
Age du chat			
- moins de 1 an			25,7
- de 1 à 4 ans			41,8
- de 5 à 9 ans			21,0
- 10 ans et plus			11,5

➤ 31 % des morsures sont dues à un animal appartenant à la famille du blessé, 22 % à celui d'un voisin ou d'un ami.
➤ 120 000 animaux sont retrouvés chaque année et placés dans les fourrières de la SPA.
➤ 59 % des Français estiment les lois contre la cruauté envers les animaux insuffisantes, 29 % suffisantes, 3 % excessives.

RELATIONS

Les animaux jouent un rôle affectif auprès des enfants et des adultes.

Chez les enfants, les chiens, chats, hamsters ou tortues sont un moyen de faire éclore des sentiments de tendresse qui pourraient être autrement refoulés. Pour les adultes, les animaux sont des compagnons avec lesquels ils peuvent communiquer sans crainte et partager parfois leur solitude. Les chiens jouent aussi un rôle de sécurité ; ils sont de plus en plus utilisés comme moyen de défense ou de dissuasion contre la délinquance.

Dans une période où la décision d'avoir des enfants est difficile à prendre, celle d'avoir un animal la précède souvent ; elle peut même dans des cas particuliers en tenir lieu. Ainsi, beaucoup de jeunes couples commencent par adopter un chien, moins exigeant qu'un enfant, moins coûteux à entretenir, plus facile à faire garder lorsqu'ils s'absentent. Bien que les deux phénomènes ne soient évidemment pas comparables, on constate qu'il y a en France deux fois plus d'animaux familiers que d'enfants.

Une place à part entière

91 % des possesseurs d'animaux pensent que ces derniers occupent une place « très » ou « assez » importante dans leur vie (seuls 2 % estiment qu'elle n'est « pas importante du tout »). Pour 36 %, les chiens sont même des « membres de la famille ». 6 % estiment que ce sont des animaux et rien de plus. Parmi les non-possesseurs d'animaux, 70 % ne souhaitent absolument pas en posséder à l'avenir, mais 27 % seraient prêts à en avoir.

Les Français dépensent plus de 30 milliards de francs par an pour leurs animaux. L'alimentation d'un chien coûte environ 2 500 F par an en aliments industriels, celle d'un chat revient à 1 000 francs.

Les achats d'aliments pour animaux représentent une dépense annuelle de 20 milliards de francs, contre un peu moins de 200 millions en 1970. La moitié de cette somme concerne des aliments préparés (environ un million de tonnes par an), le reste provenant de la préparation par les maîtres d'une alimentation fraîche ou des restes des repas familiaux.

Il faut ajouter à ces dépenses celles concernant l'achat des animaux (plus de 6 milliards de francs), les accessoires (niches, cages, aquariums, jouets, laisses, etc., 1,5 milliard de francs), les dépenses de santé et de toilettage (environ un milliard de francs) et les assurances (500 millions de francs).

Au total, les Français consacrent 1 % de leur budget disponible aux animaux ; leurs dépenses ont été multipliées par cinq depuis 1980. Mais quand on aime, on ne compte pas...

Aidez un chien à devenir quelqu'un de bien.

POUR LA FORMATION D'UN CHIEN GUIDE-D'AVEUGLE : **46 45 44 55**

Le meilleur ami des hommes

Les chiens sont à l'origine de certaines nuisances : 500 000 morsures par an ; 20 tonnes d'excréments par jour à Paris.

Plus de 40 % des accidents concernent des enfants de moins de 15 ans, une fois sur six un enfant de moins de 5 ans. Dans 78 % des cas, il s'agit de morsures, dans 10 % des cas de chutes ou de chocs (mais 22 % chez les plus de 65 ans). Neuf fois sur dix, l'enfant présente une plaie ouverte, la plupart du temps au visage. La moitié des victimes gardent une cicatrice, plus de 60 000 doivent être hospitalisées. On estime que 4 000 facteurs sont mordus au cours de leur tournée.

A Paris, les quelque 300 000 chiens seraient à l'origine de plus de 600 chutes par glissade chaque année. La plupart des communes prennent des dispositions pour réduire ces nuisances : réglementations, construction de « vespachiens », contrôle plus strict de la reproduction, etc. Mais, autant et parfois

DMB&B

CDIA

plus que les animaux, ce sont probablement les maîtres qu'il faudrait éduquer.

---

20 000 animaux sauvages tués chaque année

Beaucoup d'animaux trouvent la mort en traversant une route ou une autoroute. Dans 80 % des accidents, il s'agit d'un chevreuil, dans 11 % d'un sanglier, dans 9 % d'un cerf.
Dans 45 % des cas de choc avec un sanglier, la voiture en cause est inutilisable ; la proportion est de 36 % avec un cerf, 8 % avec un chevreuil. Les conducteurs et passagers ne sont blessés que dans 6 % des accidents avec un chevreuil, 4 % avec un sanglier, 2 % avec d'autres animaux.

La frontière entre les hommes et les animaux est de moins en moins nette.

Les chats et les chiens sont parfois mieux traités et mieux soignés que les enfants. En Ile-de-France, le nombre de cabinets vétérinaires a triplé en vingt ans. On compte 40 cliniques pour animaux (certaines équipées de scanners à 1 000 ou 2 000 F l'examen), ouvertes nuit et jour, contre une en 1975. Des ambulances animalières équipées d'oxygène, des taxis canins, des centres de kinésithérapie proposant des bains et des exercices pour chiens obèses, des « dog-sitters », des cimetières pour chiens et même des agences matrimoniales ont fait leur apparition. Ce phénomène, sensible en France, concerne la plupart des pays développés.

Il semble que certains possesseurs d'animaux tentent d'établir avec leurs compagnons des relations qu'ils ne peuvent avoir avec leurs semblables ou même avec leurs enfants. Tout se passe en fait comme si l'homme, reconnu aujourd'hui coupable de détruire la nature, tentait de se racheter en retrouvant sa place parmi les mammifères. Le succès de films mettant en scène des animaux *(l'Ours, le Grand Bleu, Jurassic Park...)* témoigne de cette crainte de l'avenir et de la volonté de régression, au sens psychanalytique, qui en résulte.

La morale de ces fables modernes est que les hommes dits civilisés de la fin du millénaire sont devenus moins fréquentables que les animaux et que la modernité ne saurait être confondue avec le progrès.

Le parti de l'animal

Avant les législatives de mars 1993, plus de la moitié des Français (53 %) déclaraient qu'ils tiendraient compte dans leur vote de la position des partis politiques en matière de protection des animaux (25 % beaucoup et 28 % assez). Il s'agissait surtout des retraités, des femmes, des ouvriers et des agriculteurs. 18 % déclaraient qu'ils en tiendraient peu compte, 26 % pas du tout. La liste Chasse, pêche et tradition a réalisé un score non négligeable aux élections européennes de juin 1994 (4 %).

SPA/Sofres, mars 1993

➤ 5 % des ménages ont plus de deux chiens.
➤ Les accidents dus à des chiens surviennent une fois sur trois à la maison ou dans les alentours.
➤ Les chiens souffrent surtout de maladies de peau (25 % d'eczéma, dermite ou dermatose), de troubles digestifs (25 %), d'otites et d'affections des yeux (17 %). Les caniches et les bergers allemands sont les plus nombreux à être malades.
➤ Environ 80 000 chiens bénéficient d'une assurance maladie-accident.
➤ 20 % des possesseurs d'animaux leur offrent un petit cadeau à Noël, 15 % à d'autres occasions.
➤ 66 % des Français se disent favorables à la création d'une Fête des animaux, 28 % y sont hostiles.
➤ Parmi les foyers qui ont un chien ou un chat, 56 % les laissent monter sur les canapés, 42 % dormir dans leur chambre, 35 % les suivre dans tous leurs déplacements, 20 % partager leurs repas.
➤ 39 % des Français qui ne possèdent pas d'animal trouvent qu'ils sont gênants pour les déplacements, 38 % n'ont pas le temps de s'en occuper, 37 % manquent de place, 23 % auraient trop de peine en cas de disparition, 9 % trouvent qu'ils coûtent cher, 4 % n'aiment pas les animaux.
➤ 18 % des ménages ont un chat, 4 % deux, 2 % trois.
➤ 5 % des ménages ont un chien de moins de 5 kg, 8 % un de 5 à 10 kg, 7 % un de 11 à 20 kg, 10 % un de plus de 20 kg.

SOCIÉTÉ

LE BAROMÈTRE DE LA SOCIÉTÉ

Les pourcentages indiqués correspondent aux réponses favorables aux affirmations proposées (population âgée de 18 ans et plus). L'enquête Agoramétrie n'a pas été effectuée en 1990.

« La société a besoin de se transformer » (%) :

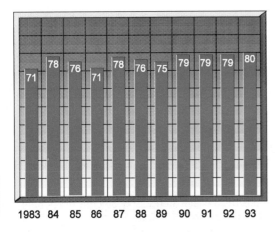

« Pour transformer la société, il faut des réformes radicales » (%) :

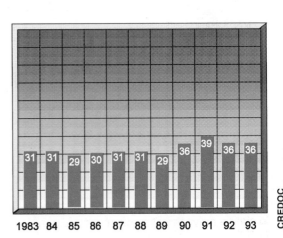

« On ne se sent plus en sécurité » (%) :

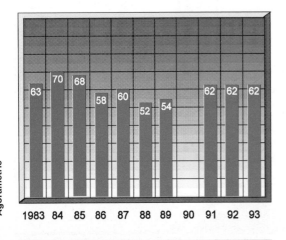

« On peut avoir confiance en la justice » (%) :

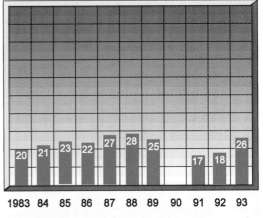

LA VIE EN SOCIÉTÉ

CLIMAT SOCIAL

Détérioration du climat social et développement des peurs ◆ Communication et excommunication ◆ Accroissement de l'individualisme et de la solitude ◆ Apparition de nouvelles formes de communication ◆ Eclatement de la classe moyenne et nouveau découpage social ◆ 4,5 millions d'immigrés ; augmentation de la part des Africains ◆ Radicalisation des attitudes à l'égard des étrangers

COMMUNICATION

Le climat social s'est dégradé depuis une quinzaine d'années.

Plusieurs indicateurs témoignent de ce malaise : augmentation du taux de suicide, en particulier chez les jeunes ; troubles du sommeil attestés par la consommation de tranquillisants et de somnifères ; montée du racisme et de la xénophobie ; inquiétudes croissantes vis-à-vis de l'avenir...

Cette dégradation a été particulièrement sensible dans les grandes villes, où les habitants subissent à la fois le stress urbain, l'insécurité et les difficultés de cohabitation avec les minorités ethniques, culturelles ou religieuses.

Le paysage social est donc traversé de tensions croissantes : entre Français et étrangers, entre actifs et inactifs, entre fonctionnaires et salariés du privé, entre jeunes et personnes âgées.

Les peurs se sont développées dans la population.

La principale crainte est celle du chômage, qui menace non seulement le statut économique mais aussi le statut social et personnel d'une majorité de Français, y compris parmi les classes moyennes. Les autres craintes concernent les risques de conflits sociaux, de dégradation de l'environnement, de restriction de la protection sociale sous toutes ses formes.

En s'inscrivant dans la compétition à la fois européenne et mondiale, l'économie française s'est contrainte à une productivité toujours plus élevée. Ceux qui ne peuvent, pour des raisons diverses, satisfaire aux exigences croissantes sont progressivement écartés de la compétition. Leurs conditions de vie s'éloignent alors de celles des autres.

Les mots de la vie courante, même les plus « positifs » en apparence, sont aujourd'hui porteurs de dangers et de menaces ; l'amour tue (sida), la politique est corrompue, l'Europe malade, l'air vicié, l'eau polluée, la science incontrôlée, l'argent sale, l'école inégalitaire, l'informatique créatrice de chômage, les aliments nuisibles à la santé, la télévision abêtissante, les villes surpeuplées, les rues dangereuses, les banlieues violentes, la religion inadaptée au monde moderne, le travail est un privilège, le voisin indifférent, etc. Aux craintes objectives s'ajoutent des peurs irraisonnées, comme celle de la fin du siècle et du millénaire.

> ➤ Lorsqu'ils rencontrent un aristocrate, 34 % des Français ont le sentiment d'avoir affaire à une personne différente des autres, 58 % non. 25 % auraient aimé (beaucoup, assez ou un peu) être aristocrate, 61 % pas du tout. S'ils avaient une fille en âge de se marier, 24 % aimeraient qu'elle épouse un aristocrate, 40 % non.
> ➤ 4 000 familles possédant un nom à particule sont véritablement nobles. 6 000 autres appartiennent à la fausse noblesse.

Rumeurs : la nouvelle mythologie

De nombreuses rumeurs et légendes se développent dans la vie sociale, économique, politique. Elles alimentent les peurs contemporaines en même temps qu'elles cherchent à les exorciser. Elles peuvent mettre en cause des individus, des entreprises ou des institutions. Certaines cherchent à manipuler l'opinion dans un but de profit ; c'est le cas des fréquentes rumeurs boursières ou de celles qui concernent des hommes politiques.

Ces rumeurs se répandent d'autant plus qu'elles sont vraisemblables et symboliques d'un problème concernant les milieux auxquels elles sont destinées (ce qui renforce leur crédibilité). Leur diffusion est d'autant plus rapide qu'elles sont largement reprises par les médias. Leur pouvoir de conviction est parfois accru par la caution (volontaire ou non) d'experts. L'une des raisons d'être de ces légendes contemporaines est d'exprimer des sentiments communément mais confusément ressentis, qui ne s'inscrivent pas dans le rationnel et sont donc incompatibles avec la modernité. Elles jouent alors le rôle d'une justice immanente ; c'est pourquoi l'aspect moral y est presque toujours présent. Dans un monde sans Dieu et sans magie, elles sont les ingrédients d'une nouvelle mythologie.

Contre la crise
les Suédois
ont une arme d'acier.

La crise? Quelle crise? IKEA

La crise s'affiche

Les peurs françaises ont été accrues par leur médiatisation.

Depuis des années, le « mal français » fait la une de tous les médias. Dans les journaux télévisés où le malheur et la crise sont déclinés dans leurs multiples aspects, nationaux ou planétaires, économiques ou sociaux. Dans les librairies, où les ouvrages décortiquent depuis des années les différentes manifestations de la morosité ambiante. Au cinéma, avec des films comme *Un monde sans pitié, la Crise, Une époque formidable...*

A force de mettre en exergue les dysfonctionnements et les menaces, les médias ont accéléré une prise de conscience qui était nécessaire. Mais ils ont fini par convaincre le public que *tout* allait mal, créant un sentiment d'angoisse généralisé.

On peut mesurer les effets du « noircissement » médiatique en observant les écarts dans les opinions des Français selon qu'il s'agit d'eux-mêmes ou de la collectivité. La perception qu'ils ont de leur propre situation est en effet globalement toujours largement plus favorable que celle qu'ils ont de l'ensemble de leurs concitoyens. Ce sentiment d'être heureux dans une société qui ne l'est pas renforce la crainte du lendemain. Il explique le pessimisme ambiant et la montée de peurs souvent irrationnelles.

Les grandes peurs

« Selon vous, ces sujets d'inquiétude sont-ils ou non importants ? » (en %) :

	Très ou plutôt importants	Peu ou pas du tout importants	Ne sait pas
• Le sida, les maladies graves	93,7	5,8	0,5
• Le chômage	93,3	6,2	0,5
• La drogue	91,1	8,4	0,5
• La pollution, les problèmes d'environnement	87,6	11,6	0,8
• La sécurité, les banlieues, la délinquance	86,4	12,6	1,0
• Le tiers-monde	77,3	20,2	2,5
• Les manipulations génétiques, les progrès scientifiques	72,8	24,5	2,7
• L'immigration clandestine	69,4	28,6	2,0
• Les islamistes	65,0	32,0	3,0

La société de communication tend à devenir une société d'excommunication.

Les systèmes de protection sociale ont retardé les effets de la crise ; ils ne les ont pas empêchés. C'est pourquoi on a vu se développer une nouvelle forme de pauvreté, conséquence des grandes mutations qui se sont opérées. Aujourd'hui, un travailleur sur dix n'a pas d'emploi ; un Français sur dix ne dispose pas d'un revenu suffisant pour vivre décemment.

La mise en place du RMI n'a pas fondamentalement transformé cette situation. L'exclusion, qui peut être définie comme l'incapacité à jouer un rôle dans la société, concerne aujourd'hui plus de 6 millions de personnes, soit plus d'un Français sur dix. Le fait nouveau est qu'elle peut toucher toutes les couches de la société. Après les immigrés, les ouvriers, les agriculteurs, les jeunes ou les femmes, ce sont aujourd'hui les cadres qui se sentent menacés ; leur taux de chômage a presque doublé entre 1990 et 1993.

La société d'hier était *centripète* : elle s'efforçait d'intégrer la totalité de ses membres. Celle d'aujourd'hui est *centrifuge* : elle tend à exclure ceux qui ne parviennent pas à se maintenir dans le courant, parce qu'ils n'ont pas la santé, la culture ou les relations nécessaires.

Les chiffres de l'exclusion

1,4 million de personnes vivent en France dans des conditions de grande difficulté. Parmi elles se trouvent 300 000 chômeurs de très longue durée, 250 000 bénéficiaires d'un contrat emploi-solidarité, 250 000 SDF, 200 000 jeunes de moins de 25 ans vivant dans des dispositifs d'insertion, 150 000 RMistes, 40 000 jeunes sortant de centres sociaux, 30 000 ex-prisonniers, 30 000 malades psychiatriques, 12 000 personnes en stage de formation.

L'individualisme s'est développé sur les décombres de la vie sociale et institutionnelle.

La décomposition des structures institutionnelles a provoqué l'affaissement des points d'appui traditionnels de la société et accéléré le lent mouvement d'individualisation amorcé depuis la fin du XVIIIe siècle. En même temps, les mécanismes régulateurs de l'Etat se sont avérés impuissants à empêcher ou compenser les dérives et les inégalités. Les hommes politiques et les partis traditionnels ont perdu beaucoup de leur crédibilité et leur image est aujourd'hui associée à celle de la corruption et de l'incompétence. Cette image rejaillit sur les grandes administrations, justice et école en tête, qui apparaissent incapables d'indépendance et/ou d'efficacité. Les syndicats ne pèsent plus guère dans les entreprises. L'influence de l'Eglise sur les comportements individuels est faible.

Micro-entretien

ALEXANDRE ADLER*

G.M. - *Les étrangers comprennent-ils le pessimisme des Français ?*

A.A. - Pour beaucoup d'étrangers, l'impression qui domine c'est la modernité de la France, qui n'existait pas auparavant, et la plus grande fluidité des rapports sociaux. Les Américains ne comprennent pas par exemple que ce pays si moderne, qu'ils regardent d'ailleurs à travers Paris, soit frappé d'une maladie de langueur ; le pessimisme ambiant les étonne. Paris est d'ailleurs devenue la capitale des artistes européens, qui ne comprennent pas non plus le « masochisme » français.

Il est vrai que nous ne subissons pas les problèmes de décomposition du tissu national que l'on rencontre en Italie entre le Nord et le Sud, en Grande-Bretagne avec l'Ecosse ou même en Espagne avec la Catalogne. Nous ne connaissons pas les mêmes problèmes que l'Allemagne avec l'Est qui est aujourd'hui un drain sur la croissance allemande. Parmi les grands pays européens, nous sommes certainement celui qui s'en tire le moins mal du point de vue de la cohésion sociale et des atouts face à l'avenir. Mais les Français ne le ressentent pas ainsi.

---

* Directeur de la rédaction de *Courrier International*.

RFI

La solitude s'est accrue. 6 millions d'adultes vivent seuls.

Entre 1968 et 1990, le nombre de personnes vivant seules a doublé. La moitié ont plus de 60 ans. Plus d'un ménage sur quatre (27 %) est aujourd'hui constitué d'une seule personne ; la proportion atteint 48 % à Paris, contre 32 % en 1954.

Le nombre des solitaires a augmenté beaucoup plus vite que la population. De 6,3 % en 1962, leur proportion est passée à 10 % en 1986 et devrait atteindre 12 % en l'an 2000. Les femmes sont les plus nombreuses. Du fait de leur espérance de vie plus longue, elles sont plus souvent veuves. De plus, les femmes divorcées se remarient moins fréquemment que les hommes.

On compte en France 6,5 millions de célibataires de moins de 35 ans habitant dans des villes de plus de 50 000 habitants et ne vivant pas en union libre. Un sur trois habite Paris, un sur cinq est cadre supérieur, un sur cinq exerce une profession libérale. Beaucoup considèrent le célibat comme un mode de vie, une sorte d'assurance-liberté. Mais d'autres supportent très mal la solitude, les pressions de l'entourage familial et la crainte qu'il soit un jour trop tard pour trouver l'âme sœur.

Les occasions de convivialité sont plus rares.

La disparition des petits commerces au profit des hypermarchés et la généralisation du libre service ont privé les Français d'occasions de se parler. La forte diminution du nombre des cafés est significative de ce mouvement. On comptait 510 000 bistrots en 1910 pour une population de 42 millions d'habitants ; il n'en restait plus que 200 000 en 1960, 107 000 en 1980 et 70 000 en 1990 pour 57 millions d'habitants. Près de 4 000 disparaissent encore chaque année. Cette érosion s'explique par le déplacement d'une partie de la population des centres-villes vers les banlieues où la densité de cafés est moins élevée, par la crise économique qui a touché durement certaines régions et surtout par le changement d'attitude à l'égard des loisirs. Le temps passé au café est remplacé par celui consacré à la télévision ou à des activités spécifiques. Avec le café, c'est un outil privilégié de la convivialité qui disparaît, en même temps qu'un mode de vie.

Les derniers bistrots

Un Français sur deux se rend au moins une fois par mois dans un café ; un sur deux n'y va pratiquement jamais. La fréquentation est plus importante dans le Nord : 35 % des habitants s'y rendent régulièrement, contre 31 % de ceux de la région parisienne, 30 % de ceux de l'Ouest, 20 % de ceux du Sud-Ouest. Les hommes sont deux fois plus nombreux que les femmes. 52 % des 15-24 ans les fréquentent, contre 5 % des plus de 65 ans. La proportion de cadres supérieurs (38 %), d'employés (31 %) et d'ouvriers (33 %) est pratiquement la même. 48 % fréquentent plus d'une fois sur deux le même café, 52 % en changent régulièrement.

Kronenbourg/BVA, avril 1992

Communication et excommunication

De nouvelles formes de communication se mettent en place.

Face à l'appauvrissement de la communication et au développement de la solitude, des formes nouvelles d'échange ont commencé à se développer. Si les cafés disparaissent, ils sont remplacés par des fast-foods qui jouent pour les jeunes un rôle analogue. A Paris et dans certaines grandes villes, des cafés sont parfois utilisés comme salons de philosophie ; on s'y réunit pour discuter autour d'un érudit des grands problèmes contemporains et de l'apport des maîtres à penser des siècles passés.

Les Français sont aussi davantage concernés par la vie associative. Les activités sportives, culturelles, créatives, etc., sont autant de moyens de ne pas se sentir exclu de la vie sociale. Le développement spectaculaire des clubs du troisième âge montre la volonté des personnes âgées de lutter contre la marginalisation qui les guette au soir de leur vie.

D'autres tentatives, inspirées par exemple par le mouvement du Nouvel Age, permettent aux gens de se rencontrer et de se parler, bien que certaines pratiques s'apparentent à celles des sectes.

➤ 62 % des Français estiment que le bistrot est un lieu indispensable à la vie ou à la survie d'un village, d'un quartier (38 % d'un avis contraire).
➤ La Direction de la protection du public a fermé 191 débits de boissons en 1993, autorisé 154 ouvertures de nuit, effectué 7 300 contrôles d'hygiène dans des restaurants, instruit 3 472 plaintes en nuisance.

Les Français associés

46 % des Français sont membres d'une ou plusieurs associations (fin 1993). 20 % font partie d'une association sportive, 17 % d'une association culturelle ou de loisirs, 9 % d'une association de parents d'élèves, 8 % d'une organisation syndicale, 5 % d'une association religieuse, 3 % d'une association de jeunes, 3 % d'une association de défense de l'environnement, 3 % d'un parti politique, 1 % d'une association de consommateurs.

Les adhérents sont plus souvent des hommes, actifs, diplômés, habitant en province. Depuis quinze ans, les associations à vocation de loisir (sport, culture...) ont connu un engouement croissant, tandis que les associations militantes ont au contraire décliné (syndicats, partis politiques, mouvements consuméristes ou féministes). On constate actuellement une stabilisation de ce double mouvement, en même temps qu'une augmentation de la proportion de personnes d'âge mûr (au-delà de 40 ans).

La solidarité progresse mais reste limitée.

Inventeurs de l'action humanitaire avec les *french doctors*, les Français donnent de plus en plus volontiers aux associations. 9 milliards de francs ont ainsi été récoltés en 1992 auprès de 5 millions de donateurs, contre un milliard en 1980. Mais ces dons ne représentent que 20 F par habitant, contre 65 F en Allemagne, 180 F en Norvège.

Ces écarts tiennent sans doute à la suspicion des Français quant à l'utilisation réelle des dons et au sentiment d'une déperdition liée à l'importance des frais de gestion. Ils s'expliquent aussi par la faiblesse des incitations fiscales par rapport aux dispositions mises en œuvre dans d'autres pays, en particulier anglo-saxons. Ils sont enfin liés à l'idée encore très présente d'un Etat providence, qui doit financer les efforts de solidarité nationale. Il est de plus en plus coûteux aujourd'hui d'accroître le nombre des donateurs. On estime qu'un franc dépensé en démarchage ne rapporte plus qu'un franc contre 10 francs en 1970.

➤ 70 % des vols d'objets d'art ont lieu au domicile de particuliers. 18 millions de ménages sont couverts par une assurance complémentaire maladie, dont plus de 8 millions par un contrat individuel.
➤ 20 % des procès d'assises sont liés à des cas d'inceste.

RECOMPOSITION SOCIALE

La classe moyenne a éclaté sous l'effet de la crise économique.

Comme la plupart des pays développés, la France avait constitué dans les années 70 un groupe social central numériquement important, aux attitudes et comportements homogènes. Ses membres pensaient, consommaient, se divertissaient ou votaient de façon relativement semblable ou en tout cas prévisible. Leur vie personnelle, familiale, professionnelle et sociale obéissait à des motivations claires et communes. Cette classe moyenne était considérée comme le symbole d'une réussite économique et politique qui s'était poursuivie tout au long des « trente glorieuses » (1945-1975). Mais les années de crise et la recomposition professionnelle l'ont fait progressivement éclater.

Un nouveau découpage social se met en place.

Les transformations économiques, technologiques et culturelles de ces vingt dernières années ont eu de fortes incidences sur la plupart des structures sociales. La hiérarchie des professions s'en est trouvée bouleversée. Les notables d'hier (médecins, enseignants, certaines professions libérales, hommes politiques...) ont perdu une partie de la considération et des privilèges dont ils bénéficiaient (voir *Les métiers*). Les cadres ont dû se mettre à l'heure de l'efficacité. Certains métiers de production ou de service, indépendants et rentables, se sont au contraire revalorisés : plombier, restaurateur, boulanger, viticulteur, garagiste, expert-comptable, kinésithérapeute...

Cette recomposition a touché également la vie familiale, avec le développement de la cohabitation, des naissances hors mariage, des divorces, des familles monoparentales ou « recomposées ». Sous l'effet des forces internes et externes, de nouvelles classes sociales ont commencé à se créer.

Les pouvoirs sont aux mains du cognitariat, aristocratie du savoir ou protocratie.

Au-dessus de la société plane toujours ce qu'il est convenu d'appeler « l'élite » de la nation ou *protocratie* (de protos, premier). Cette nomenklatura à la française tient les rênes du pouvoir politique, économique, intellectuel, social. Ses membres sont patrons, cadres supérieurs, professions libérales, gros commerçants, mais aussi hommes politiques, responsables d'associations, syndicalistes, experts, journalistes, etc.

Ils constituent une aristocratie moderne qui ne se reconnaît plus par la naissance mais par la réussite, le pouvoir ou l'influence. Leur force principale est de détenir l'information et la connaissance, qui sont les deux matières premières de cette nouvelle ère. Ils forment un *cognitariat* et bénéficient de l'avantage insigne d'accroître leur pouvoir avec le temps et l'expérience. Les heureux élus ne sont donc guère menacés par la crise, qui les rend au contraire indispensables. Ils sont au maximum 3 millions à détenir une parcelle de ce pouvoir récent mais essentiel.

C'est dans les périodes difficiles qu'on reconnaît ses amis.

MAMMOUTH. QUELLE ENERGIE!

Les relations sociales évoluent

Un protectorat s'est constitué à l'abri de la crise économique.

Il est composé de fonctionnaires, de certaines professions libérales non menacées, d'employés et cadres d'entreprises des secteurs non concurrentiels ou protégés. Il faut ajouter à ce groupe la plupart des retraités et préretraités, dont la situation financière n'a jamais été aussi favorable, bien qu'une minorité dispose encore de faibles revenus.

Au total, ce *protectorat* regroupe 17 à 20 millions de Français qui n'ont pas senti les effets de la crise, mais qui n'ont pas non plus réalisé qu'ils étaient privilégiés.

➤ 26 % des ménages ne comptent pas d'homme.

La classe moyenne a engendré vers le bas un néo-prolétariat aux conditions de vie précaires...

La grande centrifugeuse sociale a projeté vers les marges de nombreux membres de la classe moyenne qui étaient dans l'incapacité de se maintenir, par manque de bagage culturel, de qualification professionnelle, de santé... ou de chance.

On peut distinguer dans cette nouvelle classe sociale deux sous-groupes. Le premier est un *néo-prolétariat* composé de quelque 10 millions gens modestes, dont la situation a été rendue précaire par la crise. Alternant des périodes de travail, généralement courtes et mal rémunérées, et des périodes de chômage, ils éprouvent des difficultés à vivre et sont dans l'impossibilité de faire des projets d'avenir.

... et plus récemment une catégorie d'exclus, formant l'ectocratie.

L'autre catégorie regroupe les « nouveaux pauvres », exclus de la vie professionnelle, culturelle, sociale. Ils forment ce qu'on peut appeler une *ectocratie* (du préfixe *ecto* signifiant « en dehors ») forte de 6 ou 7 millions de membres. On pourrait dire aussi, par référence au système de castes en vigueur en Inde, qu'ils sont des « intouchables ». Si les Français évitent souvent de les regarder, c'est bien davantage par impuissance que par mépris. Car beaucoup savent que la spirale de l'exclusion peut s'abattre sur n'importe qui ; les médias ont montré que des cadres, même « supérieurs », pouvaient en quelques mois descendre toutes les marches de la pyramide sociale.

Les autres Français appartiennent à la néo-bourgeoisie.

Ce dernier groupe est numériquement important ; on peut estimer sa taille à un peu moins de 20 millions de personnes. Commerçants, petits patrons, employés ou même ouvriers qualifiés, ainsi que certains représentants de professions libérales en difficulté (médecins, architectes, avocats...), ils ont un pouvoir d'achat acceptable ou confortable, mais restent vulnérables à l'évolution de la conjoncture économique.

L'émergence de la *néo-bourgeoisie* a été favorisée d'abord par l'urbanisation du pays (par définition les bourgeois habitent les villes), mais aussi par le vieillissement général, car les valeurs bourgeoises sont plus compatibles avec l'âge mûr qu'avec la jeunesse. Une autre condition favorable a été l'élévation du niveau moyen d'éducation, qui a permis à beaucoup d'accéder à des métiers bénéficiant d'un statut et d'un pouvoir d'achat plus élevés que ceux de leurs parents.

Morale néo-bourgeoise

Les néo-bourgeois se caractérisent par la recherche d'une morale applicable dans la vie courante, le désir d'ordre, le souci de l'économie, le repli sur la sphère domestique et son corollaire, la recherche du confort. Le moindre attachement aux modes et aux modèles est un autre signe de l'embourgeoisement contemporain. C'est le cas aussi du passage progressif d'une culture plutôt élitiste au « tout culturel » des années 80, dans lequel l'esprit bourgeois se sent plus à l'aise.

La désaffection croissante pour l'affectation et la « frime », très sensible dans l'évolution de la consommation, vont aussi dans le sens de cet avènement. Enfin, la régression récente du socialisme de la scène politique peut apparaître comme une victoire de la bourgeoisie, au même titre que le procès fait à la modernité.

IMMIGRÉS

La France compte 4,1 millions d'immigrés et 3,6 millions d'étrangers.

Au recensement de 1990, la France comptait 4,1 millions d'immigrés, dont 2,8 millions d'étrangers nés hors de France et 1,3 million de personnes nées hors de France mais françaises par acquisition.

Elle comptait au total 3,6 millions d'étrangers, si on ajoute à ceux qui sont nés hors de France les 800 000 étrangers nés en France, soit 6,3 % de la population totale. Le chiffre avancé par le ministère de l'Intérieur est plus élevé : 4,5 millions. Les estimations du nombre d'étrangers clandestins en France varient entre 300 000 et un million.

La proportion d'étrangers est faible dans l'Ouest (moins de 1 % en Bretagne) et dans les communes rurales (2 %). Elle est élevée en Ile-de-France, où sont concentrés près de 40 % d'entre eux.

La part de la population étrangère de la France se situe dans la moyenne européenne. Elle est inférieure à celle du Luxembourg (32%, en grande majorité Européens), de la Belgique et de l'Allemagne (7,5 %). Les plus faibles sont celles de l'Espagne (0,3 %), du Portugal (0,6 %) et de la Grèce (0,7 %).

Par rapport aux deux précédents recensements, la proportion d'étrangers est restée à peu près stable.

Cette stabilité est le résultat des flux d'entrée et de sortie (solde net moyen de 60 000 par an entre 1982 et 1990), des décès et des acquisitions de la nationalité française. Ainsi, 135 000 étrangers se sont installés en France en 1992. Au cours de l'année, 95 000 étrangers ont obtenu la nationalité française, dont 39 000 par naturalisation, 32 000 par déclaration des parents, 24 000 « sans formalité » (ces deux derniers modes d'acquisition ont été supprimés en 1993). 54 000 étrangers en situation irrégulière ont été reconduits aux frontières, contre 41 000 en 1991 et 18 000 en 1990.

Le nombre des demandeurs d'asile a retrouvé le niveau des années 80 (11 000 en 1992), après la très forte croissance enregistrée en 1987 et surtout 1988 (60 000).

Plus d'Africains, moins d'Européens

Evolution du nombre total d'étrangers résidant en France et répartition selon les nationalités aux recensements :

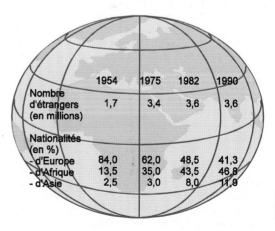

	1954	1975	1982	1990
Nombre d'étrangers (en millions)	1,7	3,4	3,6	3,6
Nationalités (en %)				
- d'Europe	84,0	62,0	48,5	41,3
- d'Afrique	13,5	35,0	43,5	46,8
- d'Asie	2,5	3,0	8,0	11,9

INSEE

➤ Au recensement de 1990, 131 000 personnes ont déclaré appartenir à diverses communautés africaines (notamment algérienne) alors qu'elles étaient françaises. A l'inverse, 130 000 étrangers se sont indûment déclarés français (deux fois plus qu'en 1982).

Globe Hebdo-Arte/Ifop-Gallup, octobre 1993

Droit du sang, droit du sol

Les différences entre la législation française (basée sur le droit du sol) et allemande (fondée sur le droit du sang) induisent des écarts sensibles d'opinion à l'égard des immigrés. Ainsi, 63 % des Français estiment que les personnes d'origine étrangère doivent adopter progressivement les mœurs, habitudes, langue, façon de s'habiller du pays d'accueil, contre 36 % seulement des Allemands. A l'inverse, 61 % des Allemands considèrent que ces personnes doivent conserver une partie des habitudes de leur pays d'origine, contre 33 % des Français.

82 % des Français considèrent qu'il est nécessaire qu'un étranger aille à l'école en France pour s'intégrer (38 % des Allemands). 71 % estiment qu'il doit abandonner les pratiques de son pays d'origine si elles sont en contradiction avec la législation française (45 % en Allemagne).

La part des nationalités africaines a beaucoup augmenté au détriment de celles d'Europe.

Les principales vagues d'immigration ont eu lieu en 1931, 1946 et 1962. La proportion des différentes nationalités s'est beaucoup modifiée. Depuis 1954, ce sont les Maghrébins qui ont fourni l'essentiel des nouveaux arrivants, alors que le nombre d'étrangers en provenance des pays d'Europe diminuait. Un tiers d'entre eux seulement (36 %) sont aujourd'hui originaires des autres pays de l'Union européenne, contre 54 % en 1975 et 43 % en 1982. On constate que la proportion de femmes a fortement augmenté parmi la population étrangère hors Union, du fait des regroupements familiaux ; on compte 73 femmes pour 100 hommes, contre 61 en 1982.

Les attitudes vis-à-vis de l'immigration se sont radicalisées.

Le véritable débat sur l'immigration a été pendant longtemps esquivé par les partis et les hommes politiques, à l'exception du Front national, qui en a fait son fonds de commerce. Il s'est véritablement amorcé à partir de 1990, sous l'impulsion des partis d'opposition et des médias, et sur fond d'actes racistes et xénophobes. On a pu constater à cette occasion une radicalisation des positions des Français.

Au cours des années de crise économique, les Français avaient surtout accusé les immigrés de porter une part de responsabilité dans la montée du chômage et dans celle de la délinquance. A ces craintes, qui restent présentes, s'ajoutent aujourd'hui des angoisses face à l'avenir. Certains Français s'inquiètent du déséquilibre démographique croissant de leur pays, dû à la natalité plus forte des étrangers. Surtout, ils craignent que l'identité française se dissolve progressivement dans la mise en place d'une société pluriculturelle. A travers ce grand débat sur l'immigration, ce sont toutes les peurs et les contradictions d'un peuple qui surgissent.

Les beurs de plus en plus français

Les beurs (Français de parents maghrébins) sont environ un million. 90 % des jeunes interrogés (18 à 30 ans) habitent les cités des banlieues. 71 % se sentent plus proches du mode de vie et de culture des Français, 20 % de celui de leurs parents. Dans 43 % des foyers, ils parlent français chez eux et leurs parents parlent arabe (ou berbère), dans 35 % tout le monde parle français, dans 20 % tout le monde parle arabe ou berbère.

81 % des hommes et 65 % des femmes ont déjà eu des relations sexuelles avec un(e) non-Maghrébin(e). 63 % sont hostiles ou inquiets face à l'intégrisme musulman, 9 % l'approuvent, 5 % y participent, 20 % sont indifférents. 64 % seraient prêts à défendre la France si elle était attaquée, 20 % non.

45 % estiment qu'ils pourraient sans problème épouser un(e) Français(e) d'origine non maghrébine, 25 % que c'est envisageable mais que leur famille ne serait pas contente, 10 % que leur famille s'y opposerait ; 17 % veulent se marier dans leur communauté d'origine.

Leur difficulté à trouver du travail est selon eux d'abord due à l'importance du chômage chez les jeunes (42 %), au fait d'être d'origine maghrébine (33 %) et au manque de qualification professionnelle (24 %).

La majorité des Français sont favorables à l'arrêt de l'immigration.

Plus des deux tiers des Français se prononcent en faveur d'une fermeture des frontières destinée à empêcher l'entrée de nouveaux immigrés. Ce front du refus se retrouve aussi contre l'affirmation des convictions religieuses à l'école et contre le droit de vote des étrangers aux élections municipales.

Persuadés que les différences de coutumes, de religion et, à un moindre degré, de langue, rendront la cohabitation difficile, les Français sont à peu près également partagés entre la possibilité d'intégrer les immigrés et le souhait de voir partir un grand nombre d'entre eux au cours des prochaines années. Mais ils mettent en doute la possibilité de faire coexister des modes de vie dérivés des préceptes de l'islam dans une société qui se veut fondamentalement laïque. Beaucoup considèrent que les différences entre les religions islamique et catholique rendent l'intégration des musulmans impossible.

L'immigration, qui a souvent été une chance pour la France au cours de son histoire, apparaît aujourd'hui comme un problème pour les Français.

La cohabitation possible ?

57 % des Français se déclarent pas très ou pas du tout racistes, 40 % plutôt ou un peu racistes. 63 % considèrent les travailleurs étrangers comme une charge pour l'économie française, mais 59 % estiment qu'ils sont néanmoins chez eux. 42 % voient dans les immigrés une source d'enrichissement culturel et intellectuel.

Pourtant, 92 % des immigrés se sentent bien en France, contre 82 % en 1983. Ils sont 64 % à penser que les Français ne sont pas racistes (30 % de l'avis contraire). 58 % des jeunes de 15 à 17 ans nés de parents étrangers trouvent souhaitable ou acceptable que les enfants d'étrangers nés en France fassent la demande pour acquérir la nationalité française (40 % de l'avis contraire). 55 % estiment que leur patrie est celle d'origine de leurs parents, 31 % la France.

➤ 57 % des Français pensent que les Algériens vivant en France ne sont pas bien intégrés (35 % de l'avis contraire). 60 % trouvent qu'ils ne sont pas respectueux des lois (31 % oui).
➤ 55 % des Français estiment qu'il faudrait refuser l'asile politique aux Algériens qui le demanderaient si le FIS prenait le pouvoir.
➤ 58 % des immigrés estiment que la France ne peut plus aujourd'hui accueillir de nouveaux immigrés (26 % de l'avis contraire).
➤ 50 % des Français sont favorables au droit de vote des immigrés, à condition qu'ils parlent français (57 % des moins de 35 ans et 69 % des sympathisants écologistes).

INSÉCURITÉ

Reprise de la délinquance depuis 1989 ◆ Quatre régions totalisent plus de la moitié de la criminalité ◆ Les deux tiers des délits sont des vols ◆ Infractions économiques et financières en diminution ◆ Faible part des crimes et délits contre les personnes (4 %) ◆ La sécurité reste une revendication majeure ◆ Nouvelles formes de délinquance ◆ Croissance du vandalisme ◆ 150 à 200 milliards de francs par an de fraude fiscale

DÉLINQUANCE

Entre 1944 et 1984, le nombre total des délits avait été multiplié par six. L'évolution a été ensuite plus contrastée.

Les dix premières années de la crise économique ont vu un doublement du nombre des crimes et délits enregistrés par la police et la gendarmerie : 3 564 000 en 1983 contre 1 763 000 en 1973. La progression s'est ralentie en 1984, puis on a assisté à une diminution véritable entre 1985 et 1988. La situation s'est à nouveau dégradée à partir de 1989. On a constaté cependant une diminution du rythme d'accroissement en 1992 et 1993.

La hausse de la délinquance n'est pas propre à la France. On la retrouve dans tous les pays de l'Union européenne depuis le milieu des années 50. Avec un

Flux et reflux

Evolution du nombre de crimes et délits depuis 1950 (en milliers) :

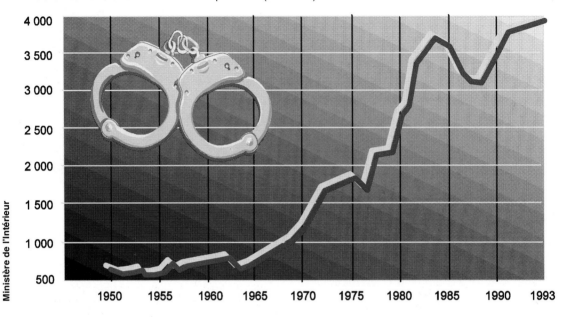

Ministère de l'Intérieur

taux de criminalité de 68 pour 1 000 habitants, la France occupe une position moyenne, assez loin derrière la Grande-Bretagne (112), le Danemark (101), loin devant le Portugal (9) ou l'Espagne (25). Mais les comparaisons doivent être considérées avec prudence, dans la mesure où les méthodes de comptabilisation ne sont pas identiques d'un pays à l'autre.

➤ Plus de 5 000 viols ont été déclarés en 1993, contre 2 200 en 1982 (mais il est probable que les freins à la déclaration ont diminué, bien qu'on estime encore que le nombre réel est trois fois plus élevé). A Marseille, un usager du métro sur dix fraude. La proportion est de 6 % à Lille dans les transports en commun et 4 % à Lyon, 3 % à Toulouse.
➤ Avec 45 délits pour 1 000 habitants en 1990, Paris arrivait au quatrième rang des capitales de l'Union européenne pour la criminalité, derrière Londres (65), Amsterdam (58) et Dublin (51).
➤ On constate chaque année environ 10 000 cas de fraude portant sur la falsification de documents d'identité, contre 6 000 en 1988.

Statistiques et vérité

Les statistiques de la délinquance cumulent deux phénomènes distincts : des délits faisant l'objet de plaintes ou de déclarations et d'autres que seuls les services concernés peuvent enregistrer (usage de stupéfiants, étrangers en situation irrégulière, infractions diverses...). Ils ne sont donc pas de même nature et dépendent de l'activité déployée par la police et la gendarmerie. Le nombre global de crimes et délits (3 864 583 en 1993) est l'addition de faits très différents dont les évolutions sont diverses et les gravités peu comparables. Ainsi, une diminution des délits constatés en matière de stupéfiants ne traduit pas obligatoirement un recul de la toxicomanie.
En 1993, des modifications législatives ont eu une incidence sur l'activité de la police. Elle a dû par exemple relâcher 6 000 étrangers en infraction, parce qu'ils n'avaient pas été interpellés dans des conditions régulières. Les changements de la législation peuvent d'ailleurs avoir des incidences sur le nombre des délits enregistrés ; c'est le cas par exemple des chèques sans provision, dont l'émission a été dépénalisée en décembre 1991. L'interprétation des chiffres globaux de la délinquance est donc délicate.

Délits en tout genre

Evolution de la criminalité et de la délinquance (en nombre de délits) :

	1950	1960	1970	1980	1993/94*	Evolution 1994/1950
• Vols (y compris recels)	187 496	345 945	690 899	1 624 547	2 622 724	+ 1509%
• Infractions économiques et financières	43 335	71 893	250 990	532 588	416 922	+ 1029%
• Crimes et délits contre les personnes	58 356	53 272	77 192	102 195	155 206	+ 352%
• Stupéfiants, paix publique et réglementation	285 102	216 656	116 540	369 178	688 438	+ 390%
TOTAL	574 289	**687 766**	**1 135 621**	**2 627 508**	**3 883 290**	**+ 773%**
• Taux pour 1 000 habitants	13,73	15,05	22,37	48,90	67,18	66,6

Ministère de l'Intérieur

* Avril 1993 à mars 1994 (12 mois).

L'aggravation de la délinquance a accompagné le développement de la société de consommation.

Depuis 1950, les profondes mutations de la vie économique et sociale n'ont pas sensiblement modifié l'importance de la grande délinquance (homicides, infanticides, coups et blessures, crimes et délits contre les personnes). On a assisté par contre à une véritable explosion des infractions liées au développement de la société de consommation et aux problèmes d'insertion qu'elle a engendrés depuis une vingtaine d'années. C'est le cas par exemple des contrefaçons et fraudes et surtout des vols, dont la part est passée de 33 % en 1950 à 69 % aujourd'hui.

La criminalité liée aux stupéfiants a également connu une très forte hausse ; les faits constatés sont passés de quelques centaines jusqu'en 1968 à 70 000 aujourd'hui. Il faut d'ailleurs noter que cette délinquance en induit d'autres ; les utilisateurs sont souvent contraints de voler pour se procurer les fortes sommes d'argent dont ils ont besoin pour s'approvisionner.

C'est l'évolution de la petite délinquance qui expliquait l'accroissement général constaté entre 1973 et 1984, puis son ralentissement. C'est celle de la moyenne délinquance (vols, cambriolages) qui est la cause principale de la hausse depuis 1989. On constate aussi que les agressions sur la voie publique augmentent plus vite que celles perpétrées à domicile.

Quatre régions totalisent aujourd'hui plus de la moitié de la criminalité.

L'Ile-de-France, le Nord-Pas-de-Calais, Rhône-Alpes et Provence-Alpes-Côte d'Azur représentent 55 % des délits enregistrés par la police, pour seulement 43 % de la population française. On a mesuré en 1993 une diminution à Paris (3 %), dans les Bouches-du-Rhône (6 %), les Alpes-Maritimes (5 %) et le Bas-Rhin (2 %).

De très fortes variations sont enregistrées dans les départements ruraux, où les délits sont proportionnellement beaucoup moins nombreux que dans les zones urbaines. En 1993, les plus fortes hausses ont concerné les Hautes-Alpes (23 %), l'Indre-et-Loire (21 %), l'Eure (20 %), la Sarthe (18 %) et la Vienne (14 %). Les plus nets reculs étaient enregistrés en Lozère (34 %), Corse du Sud (16 %), Ardèche (13 %), Haute-Vienne (11 %) et Tarn (9 %).

MONDIAL ASSISTANCE.
L'IMPOSSIBLE POUR VOUS AIDER.

Les Français n'aiment pas le risque

Jean & Montmarin

Les deux tiers des délits sont des vols.

Leur nombre a été multiplié par quinze depuis 1950. Il s'est légèrement tassé en 1993 (- 2,7 %). Les vols qui ont le plus augmenté sont ceux d'automobiles. Objets symboles de la société de consommation, elles sont souvent seulement « empruntées », 60 % des véhicules volés étant en effet retrouvés. Mais le nombre des véhicules détruits ou dégradés s'est beaucoup accru récemment.

Chaque année, environ 400 000 Français sont victimes d'un cambriolage de leur habitation (principale ou secondaire), commerce ou entreprise. Les villes les plus touchées sont Paris, Montpellier et Nîmes, où le taux de cambriolage dépasse 14 pour 1 000 habitants, contre 17 à Amiens ou Rennes, 19 à Limoges ou Clermont-Ferrand. Pourtant, la France reste l'un des pays de l'Union européenne où ces vols sont les moins fréquents : 8 pour 1 000, contre 25 en Grande-Bretagne, 16 en Allemagne, 11 en Espagne.

On estime que 70 % des cambriolages sont le fait d'amateurs. Les vols avec violence représentent une faible part du nombre total de cette catégorie.

➤ Sur 1 000 voitures de moins de deux ans, 48 sont volées. Le taux est de 39 pour 1 000 pour celles de 2 à 5 ans, de 20 pour 1 000 pour les plus de 5 ans.
➤ 5 % des cyclomoteurs et motocyclettes sont volés chaque année. La fréquence dépasse 10 % dans les Alpes-Maritimes, la Corse, l'Hérault, la Seine-Saint-Denis, Paris et les Bouches-du-Rhône.

Vols : toujours plus

Nombre de délits de vols et évolution :

	Avril 92/ Mars 93	Avril 93/ Mars 94	Variation
• Vols à main armée	10 345	10 938	5,73%
• Autres vols avec violence	60 939	60 335	- 0,99%
• Vols avec entrée par ruse	15 083	14 958	- 0,83%
• Cambriolages	456 121	465 982	2,16%
• Vols liés à l'automobile et aux deux roues à moteur	1 401 330	1 377 957	- 1,67%
• Autres vols simples au préjudice de particuliers	504 241	505 135	0,18%
• Autres vols simples (étalage, chantiers...)	159 384	154 119	- 3,30%
• Recels	33 645	33 300	- 1,03%
Total des vols	**2 641 088**	**2 622 724**	**- 0,70%**

Ministère de l'Intérieur

Les voitures les plus « recherchées »

Modèles de voitures les plus volés en France en 1993 :
- 205 GTI 1,9 litre (22 % au cours d'une année) ;
- R21 2 litres Turbo (16 %) ;
- R19 16 soupapes (13 %) ;
- 405 MI16 (13 %) ;
- R5 GT Turbo (13 %) ;
- 205 GTI 1,6 litre (12 %) ;
- 205 Turbo Diesel (12 %) ;
- Golf GL (12 %).

La moyenne nationale sur l'ensemble des modèles était de 3 %.

Les infractions économiques et financières sont en diminution.

Près de la moitié de ces délits concernent la falsification, l'usage de chèques et cartes de crédit. Un tiers des infractions concernent les escroqueries, faux et contrefaçons ; on observe une hausse du faux-monnayage. La délinquance économique et financière représente un peu plus de 10 % ; elle est constituée des achats et ventes sans factures et autres délits tels que ceux liés au travail clandestin et au trafic de main-d'œuvre.

Le nombre des chèques sans provision a diminué de 14 000 en 1993, ce qui peut étonner dans une conjoncture économique difficile. L'explication vient d'une modification de la législation en novembre 1991, qui a dépénalisé leur émission et modifié le régime des sanctions applicables.

Les Français ne manquent pas d'assurance

La part de l'assurance dans les dépenses des ménages est passée de 3 % en 1979 à 5 % en 1993. L'assurance automobile représente 2 700 F par véhicule assuré. Les ménages consacrent en moyenne 1 100 F par an à l'assurance de leur logement. Au-delà des assurances obligatoires, 97 % ont souscrit une assurance multirisques-habitation, 82 % une assurance complémentaire maladie, 12 % une individuelle-accident.
L'assurance-vie a connu une très forte croissance, avec une dépense moyenne de 3 600 F par an et par personne, qui place la France au quatrième rang des pays de l'Union européenne, derrière la Grande-Bretagne (5 900 F), les Pays-Bas (4 300 F) et l'Irlande (3 800 F). 33 % des ouvriers ont souscrit des contrats à titre individuel, 34 % des employés, 38 % des cadres moyens, 41 % des agriculteurs et des cadres supérieurs, 47 % des artisans, commerçants et chefs d'entreprise, 61 % des membres des professions libérales. 11 % des ménages disposent en outre d'une assurance concernant la protection juridique.
Il faut ajouter à ces dépenses celles concernant d'autres types de protection : actions de gardiennage (environ 6 milliards de francs) ; honoraires d'avocats ; systèmes de protection individuelle contre le vol (blindages, coffres-forts, systèmes d'alarme..., environ 3 milliards).

Les crimes et délits contre les personnes représentent une part de plus en plus faible de la délinquance : moins de 4 % contre 10 % en 1960.

Le nombre des homicides est stable depuis quelques années, aux alentours de 1 300 par an, mais les tentatives augmentent ; elles sont pratiquement aussi nombreuses que les homicides. Il faut noter que le nombre de crimes ayant entraîné la mort est trois fois moins élevé qu'en 1830. On estime qu'environ 30 % des affaires de crimes contre les personnes ne sont pas élucidées.
Les coups et blessures volontaires représentent environ 40 % des délits de cette rubrique ; moins de 1 % d'entre eux entraînent la mort. On observe une régression des prises d'otages et des séquestrations.

Les atteintes aux mœurs connaissent une hausse régulière depuis quelques années, malgré la nouvelle diminution des délits de proxénétisme. Cette hausse concerne les viols et attentats à la pudeur et peut s'expliquer en partie par le fait que les victimes hésitent moins à les déclarer.

Violence

Nombre de crimes et délits contre les personnes et les biens :

	Avril 92/ Mars 93	Avril 93/ Mars 94	Variation
• Homicides	1 378	1 512	9,72%
• Tentatives d'homicides	1 338	1 294	- 3,29%
• Coups et blessures volontaires	55 889	57 018	2,02%
• Autres atteintes volontaires contre les personnes	33 638	36 227	7,70%
• Atteintes aux murs	25 505	27 752	8,81%
• Infractions contre la famille et l'enfant	29 593	31 403	6,12%
• Destruction et dégradations de biens privés	376 614	403 334	7,09%
• Atteintes à la chose publique	23 046	22 441	- 2,63%
TOTAL	**547 001**	**580 981**	**6,21%**

Ministère de l'Intérieur

Racisme ordinaire

35 actes racistes ont été enregistrés en 1993, contre 32 en 1992, et 20 actes antisémites contre 25. Ces délits ont fait au total 32 blessés dont 19 Maghrébins et entraîné 41 interpellations.
D'autres formes de racisme sont en forte croissance : menaces par tracts ; graffiti (307 contre 140) ; provocations verbales, détériorations légères.
Le record a cependant été atteint en 1990.
La violence raciste est le plus souvent perpétrée sans réelle préméditation, par des individus isolés appartenant généralement aux milieux ultranationalistes ou à des bandes de skinheads.

CNDCH

➤ 93 % des Français estiment que les Juifs sont des Français comme les autres. 61 % pensent que le racisme est plus fort aujourd'hui qu'il y a dix ans.

*La sécurité reste l'une des revendications
majeures des Français.*

Le sentiment d'insécurité s'est développé en
France depuis les années 70. Il a accompagné et
peut-être précédé la forte montée de la délinquance
jusqu'au milieu des années 80. En août 1993, 54 %
des Français déclaraient se sentir sérieusement inquiets pour leur sécurité (contre 42 % en décembre
1987, mais 58 % en mars 1984), 24 % rarement,
22 % jamais.

Les Français placent le chômage des jeunes largement en tête des causes de la délinquance (66 %
contre 40 % en 1975), loin devant la perte du sens
de l'autorité et de la discipline (32 % contre 44 %),
les conditions de la vie moderne, notamment dans
les grands ensembles (31 % contre 39 %), le manque de fermeté des juges (17 % contre 15 %), la
présence des travailleurs étrangers (17 % contre
10 %), l'insuffisance des effectifs de police (15 %
contre 28 %) et la libéralisation des mœurs (12 %
contre 18 %).

Douze ans après l'abolition de la peine de mort,
50 % des Français souhaitent son rétablissement,
bien que le nombre des crimes de sang n'ait pas
augmenté.

**Peine de mort :
Les Français favorables**

« Il faut rétablir la peine de mort » (en %)[*] :

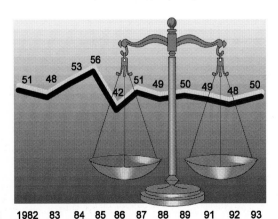

51 48 53 56 42 51 49 50 49 48 50

1982 83 84 85 86 87 88 89 91 92 93

* Cumul des réponses « bien d'accord » et « entièrement
d'accord » à l'affirmation proposée. Seuls 30 % ne sont pas
d'accord en 1993.

Agoramétrie

FORMES NOUVELLES

*Le développement des nouvelles formes
de délinquance témoigne de la dégradation
du climat social.*

A côté des formes traditionnelles de la délinquance (vols, cambriolages, homicides, etc.), des
pratiques plus modernes se sont développées depuis
quelques années. Certaines d'entre elles font parfois
la une de l'actualité et représentent des dangers
considérables pour l'avenir des nations développées. C'est le cas du terrorisme, du piratage informatique et surtout du trafic et de l'usage de
stupéfiants.

Il faut ajouter enfin le vandalisme et la fraude
fiscale qui, s'ils constituent une moindre menace,
coûtent très cher à la collectivité.

*Les délits liés à la drogue ont connu
une croissance considérable
depuis vingt-cinq ans.*

Environ 70 000 infractions à la législation sur
les stupéfiants ont été constatées en 1993, contre
moins de 1 000 jusqu'à la fin des années 60. Leur
nombre avait été multiplié par 4,5 entre 1969 et
1971. Il avait connu une autre forte poussée entre
1974 et 1981. Cet accroissement ne traduit pas
seulement celui de l'usage de la drogue ; il est aussi
la conséquence d'une mobilisation croissante des
services de police (qui enregistrent les deux tiers des
délits) et de gendarmerie impliqués dans la lutte.

Indépendamment des délits qui lui sont propres,
on estime que la drogue est à l'origine de la moitié
de la criminalité. Elle est aussi responsable d'un
grand nombre de cas de sida. Elle n'est plus aujour-
d'hui un phénomène limité aux villes. L'offre de
produits de substitution comme la méthadone se
développe en France, après d'autres pays comme
l'Italie, le Royaume-Uni ou l'Allemagne.

L'exemple des Etats-Unis est une illustration de
la menace que la drogue fait peser sur l'avenir de la
société, celui des jeunes en particulier. Certains
experts estiment que la disparition des frontières
intérieures de l'Union européenne pourrait faciliter
la diffusion de la consommation à partir des pays
comme les Pays-Bas où le haschisch est pratiquement en vente libre.

➤ La Direction de la circulation, des transports et du
commerce a fait enlever 172 000 véhicules en 1993.

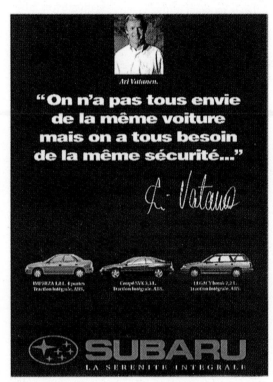

La sécurité est un bon argument de vente

Il y a eu 670 attentats par explosifs contre des biens publics ou privés en 1992.

Les actes de terrorisme sont, avec les meurtres, ceux qui impressionnent le plus les Français. Leur nombre peut varier considérablement d'une année à l'autre, en fonction de la situation politique internationale (les deux tiers ont des mobiles politiques). On avait ainsi assisté à des vagues d'attentats en 1980, 1982 et 1986.

Les incendies, destructions et dégradations des biens privés et publics ont aussi connu une hausse régulière. Ils sont à la fois les causes et les conséquences d'un climat social détérioré. 1 900 incendies volontaires ont concerné en 1992 des biens publics, 12 000 des biens privés. 250 000 voitures privées ont été détruites ou dégradées.

➤ 36 % des fraudeurs du métro parisien et du RER s'acquittent de leur amende.

Le vandalisme poursuit sa croissance.

Le malaise social, en particulier celui ressenti par les jeunes, s'est traduit par une véritable explosion du vandalisme. Le sabotage des parcmètres, cabines téléphoniques, voitures de métro ou de chemin de fer est un moyen de montrer son mépris du patrimoine public et donc de la société. Dans sa forme primaire, le vandalisme consiste à casser, abîmer, enlaidir, salir. Dans sa forme « culturelle », il se manifeste par les tags, graffiti et autres moyens d'expression s'appropriant les surfaces publiques pour communiquer le mal de vivre.

SNCF et RATP : les hauts lieux de la fraude

On évalue à 12 % la proportion de voyageurs en situation irrégulière sur le réseau SNCF d'Ile-de-France, contre 2 % à 8 % sur le réseau national. Le manque à gagner pour l'entreprise est de l'ordre de un milliard de francs, après recouvrement des amendes. A ce détournement s'ajoute le coût du personnel de contrôle (9 000 personnes).
A la RATP, la fraude visible (proportion de voyageurs qui sautent par-dessus les portillons) est passée de 5,9 % en 1989 à 7,2 % en 1991, mais 6,7 % en 1992. Le coût annuel est estimé à 500 millions de francs, soit 7 % des recettes, l'équivalent de la rénovation de 35 stations. Il faut y ajouter ceux de la fraude invisible (utilisation illégale de tickets demi-tarif...), du vandalisme (75 millions de francs en 1993, dont 50 millions pour effacer les graffiti) et de la lutte contre la fraude (1 000 agents à plein temps, 200 millions de francs annuels d'investissements en matériel antifraude).
29 % des usagers du métro s'avouent fraudeurs et 37 % se disent compréhensifs à l'égard de ceux qui ne payent pas. Seuls 34 % sont résolument contre la fraude. Il faut rappeler que le prix du ticket de métro parisien a augmenté de 45 % en trois ans.

Le piratage informatique constitue un fléau très préoccupant pour l'avenir de la société.

Si le vandalisme n'est jamais un acte gratuit pour la collectivité, il est rarement profitable à ceux qui s'y adonnent. C'est pourtant le cas avec les nouvelles technologies de piratage à but lucratif. Les ordinateurs sont la cible favorite de cette forme récente de délinquance. Sur 100 pannes survenant à des ordinateurs, 20 seraient dues à des fraudeurs, qui pénètrent dans les programmes pour en tirer un profit. Le coût du « vandalisme en col blanc » (détournements de fichiers, vols de matériels, sabotages, indiscrétions, copies de logiciels, virus...) est estimé entre 5 et 10 milliards de francs par an pour les entreprises.

La fraude fiscale coûte de 150 à 200 milliards de francs par an.

Même si beaucoup de Français n'en sont pas convaincus, la fraude fiscale est bien un délit, qui coûte cher à la collectivité. C'est pourquoi la chasse aux fraudeurs est payante. En 1993, elle a rapporté 47,6 milliards de francs sous forme de redressements fiscaux, soit environ le quart de la fraude. Celle-ci est estimée à 150 milliards par la Direction générale des Impôts et à 220 milliards par le Syndicat national unifié des impôts. La fréquence moyenne de contrôle est de 9 ans pour les grandes entreprises, 27 ans pour les moyennes, 17 ans pour les petites.

Des études montrent cependant que le contribuable français, contrairement à une légende tenace, n'est pas plus mauvais citoyen que son homologue anglais, allemand, américain ou surtout italien (en Italie, le montant d'impôts payé est quatre fois inférieur à ce qu'il devrait être).

➤ 11 % des ménages possèdent un contrat de protection juridique (anciennement défense et recours) spécifique.

➤ 12 % des personnes interpellées par la police sont incarcérées.

➤ Les ménages dont la personne de référence est étrangère comptent en moyenne 3,38 personnes, soit près d'une personne de plus que la moyenne nationale (2,57).

➤ La Direction de la police générale a délivré 110 679 cartes de séjour en 1993, reçu 10 731 demandes d'asile politique, décidé 13 961 mesures d'éloignement, accordé 6 417 autorisations de détention d'armes et 8 625 permis de chasse.

➤ 12 % des immigrés ne savent pas lire le Français, 57 % le lisent très bien, 31 % un peu.

➤ 68 % des immigrés souhaiteraient avoir le droit de vote lors des élections municipales, 22 % non.

LA FRANCE ET LE MONDE

ESPÈCE DE FONCTIONNAIRE!

GUICHET

FUTUR CHÔMEUR!

FRANCE

Plus de 4 millions de fonctionnaires ◆ Dégradation des relations des Français avec l'Etat ◆ Crise de la représentation des citoyens ◆ L'image de la justice particulièrement dégradée ◆ Débat sur le rôle et l'influence des médias ◆ Usagers plutôt satisfaits des services publics

ÉTAT

Plus de 4 millions de Français sont fonctionnaires, mais 6 millions d'actifs dépendent de l'Etat.

On compte environ 3 millions d'agents de l'Etat, soit le double de 1969. Mais le nombre total des fonctionnaires s'élève à 4,3 millions, en tenant compte des fonctions publiques d'Etat (2,3 millions de salariés des établissements publics), territoriale (1,3 million) et hospitalière (700 000).

Depuis sa création par Bonaparte, en 1800, le secteur public a connu une croissance impressionnante. Il représente aujourd'hui 30 % de la population active (en incluant les collectivités territoriales) contre 12 % en 1970, 6 % en 1936, un peu plus de 5 % en 1870.

La croissance de l'Etat depuis la Seconde Guerre mondiale s'explique d'abord par la recons-truction qui a suivi. Elle a été ensuite entretenue par le progrès social et le développement économique, qui ont accru le nombre des tâches non productives ; qui d'autre que l'Etat pouvait prendre en charge des activités considérées a priori comme non rentables ? La stabilisation récente est due à l'évolution du rôle de l'Etat et au souci d'une plus grande efficacité.

Les 1 000 entreprises et filiales qui resteront contrôlés par l'Etat après les privatisations prévues par la loi de 1993 regrouperont 1,1 million de sala-riés, contre 1,7 million avant le programme de pri-vatisations. On peut estimer, en tenant compte des relations indirectes de certaines entreprises, que 6 millions d'actifs dépendent de l'Etat, soit le quart des actifs.

Les trois formes de l'Etat

La notion la plus restreinte en effectifs est la *fonction publique*, qui présente cinq composantes : territoriale (communale, intercommunale, départementale et régionale) ; hospitalière (hôpitaux et maisons de retraite publics) ; personnels des ministères (civils et de la Défense) ; exploitants publics (Poste et France Télécom) ; établissements publics inclus ou apparentés à la fonction publique d'Etat (CNRS, CEA, ANPE, CROUS, Caisse des dépôts et consignations...).
Le *secteur public* comprend en plus les entreprises publiques (à statut d'établissement public comme la SNCF, la RATP, EDF, GDF... et les sociétés nationales, nationalisées ou d'économie mixte contrôlées majoritairement par l'Etat ou les collectivités locales).
Les *administrations publiques* comprennent la fonction publique moins la Poste et France Télécom, plus les organismes privés d'administration locale, les hôpitaux privés participant au service public hospitalier, les autres organismes dépendant des assurances sociales (ASSEDIC, retraites complémentaires...), la Sécurité sociale, l'enseignement privé sous contrat et les organismes privés d'administration centrale.

INSEE

Les relations des Français avec l'Etat se sont fortement dégradées.

La multiplication des « affaires » a lourdement entamé la crédibilité du monde politique. Celle du sang contaminé pèse d'un poids particulier, car il s'agit de la vie de milliers de personnes, victimes de ce que l'on est tenté de qualifier d'homicide perpétré par l'Etat contre des citoyens.

Le gaspillage a pris aussi dans les administrations des proportions inquiétantes, comme le montre chaque année le rapport de la Cour des Comptes. Pourtant, les abus dénoncés restent le plus souvent sans suite, comme la plupart des innombrables commissions, colloques, rapports et « livres blancs » produits par la machine institutionnelle.

Le résultat est que les Français considèrent aujourd'hui l'Etat comme une entité lointaine, à laquelle ils accordent de moins en moins facilement leur confiance.

L'Etat dinosaure

On sait que, depuis la disparition de l'Armée rouge, l'Education nationale représente la plus grande administration du monde, employant directement plus d'un million de fonctionnaires. On sait moins que l'Etat est à la tête d'un patrimoine incommensurable, que l'on peut évaluer à plus de 100 000 milliards de francs (à comparer aux 18 000 milliards de francs du patrimoine des particuliers). Il est ainsi propriétaire de 30 millions d'hectares de terrain (115 000 pour la seule SNCF), de 145 millions de mètres carrés de logements (l'équivalent de 1,5 million d'appartements de 100 m^2 !), d'au moins 30 000 milliards de francs de capital financier (valeurs mobilières, trésorerie, réserves), d'un nombre considérable de monuments et d'œuvres d'art (300 000 pour le musée du Louvre, dont le dixième seulement est accessible au public) auxquels il faudrait ajouter les ressources du sous-sol, les châteaux, les entreprises publiques, les hôpitaux, les églises, etc.

La Révolution de 1789, qui avait pour ambition de redonner le pouvoir et la propriété aux citoyens, n'a pas réussi sur le second point. Lorsqu'il ne s'enrichit pas de façon naturelle, l'Etat procède par confiscation ; celle des biens de l'Eglise, renouvelée en 1901 et 1905, explique qu'il soit aujourd'hui propriétaire de 76 cathédrales, 37 églises, 21 abbayes et monastères et, bien sûr, de tous les trésors artistiques qui s'y trouvent.

Mille milliards de milliards, Tsuru, 1993

Malgré leur déception, les citoyens attendent encore beaucoup de l'Etat.

La tradition jacobine reste forte. Beaucoup de Français considèrent que le centralisme historique peut être une chance dans une époque troublée. L'existence d'une véritable politique industrielle a dans le passé permis de réaliser de grands projets technologiques : Concorde, la filière atomique, le TGV, le Minitel ou Ariane, même si tous n'ont pas débouché sur des réussites économiques spectaculaires. La politique des grands travaux (parc de la Villette, Grande Arche de la Défense, opéra Bastille, Institut du monde arabe, pyramide du Louvre...) s'inscrit dans cette tradition. Les critiques aujourd'hui adressées au libéralisme, à son incapacité à organiser les marchés et surtout à les réguler donnent en partie raison aux partisans d'une présence forte de la puissance publique. Mais elle s'exerce au détriment des régions et contribue à accroître le déséquilibre entre Paris et ce que Jean-François Gravier appelait déjà en 1947 le « désert français ».

Les Français souhaitent passer du « moins d'Etat » au « mieux d'Etat ».

Les revendications de liberté, assez largement satisfaites au cours des décennies passées, sont aujourd'hui moins prioritaires. Elles cèdent la place à celles d'égalité et de solidarité, qui apparaissent nécessaires dans une société où l'exclusion s'est beaucoup développée.

Ces attentes impliquent un nouveau type de rapport entre les Français et les pouvoirs publics, caractérisé par une délégation à double sens : les citoyens confient à l'Etat la responsabilité d'assurer une juste redistribution de la richesse nationale par les mécanismes de répartition ; l'Etat consulte les citoyens sur les grands sujets et leur permet de participer à la gestion de leur environnement immédiat (quartier, commune, région).

Europe et démocratie

« Etes-vous satisfait du fonctionnement de la démocratie dans votre pays ? » (sept. 1993, en % d'avis favorables) :

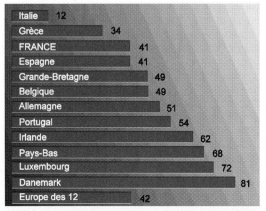

Italie	12
Grèce	34
FRANCE	41
Espagne	41
Grande-Bretagne	49
Belgique	49
Allemagne	51
Portugal	54
Irlande	62
Pays-Bas	68
Luxembourg	72
Danemark	81
Europe des 12	42

Eurobaromètre, juin 1993

Micro-entretien ▬▬▬▬

ALAIN MINC[*]

G.M. - *La France dispose-t-elle d'atouts particuliers pour inventer son avenir ?*

A.M. - La France est d'abord le seul Etat-nation stable de 58 millions d'habitants. Lorsqu'on est à l'étranger, on s'aperçoit que notre pays est considéré comme une oasis. Nous sommes relativement protégés des désordres de l'Est par l'énorme édredon de l'Allemagne. La machine à intégrer, même si elle a des ratés, fonctionne mieux en France qu'ailleurs. Dans une Europe qui s'émiette, avec des Etats-nations en train de se dissoudre, où l'on voit les micro-identités resurgir, nous avons intérêt à protéger cet Etat-nation qui fait de nous le plus grand ensemble homogène d'Europe. C'est un avantage comparatif gigantesque. Enfin, on peut encore faire des progrès en matière de décentralisation fonctionnelle et non politique, par exemple pour l'éducation. S'il fallait être girondin du temps de Brejnev, il faut être jacobin aujourd'hui, au temps du désordre.

――――――
[*] Consultant, auteur du *Nouveau Moyen Age*, Gallimard.

INSTITUTIONS

On assiste depuis quelques années à une crise de la représentation des citoyens.

28 % des Français ont le sentiment d'être bien représentés par un parti politique (65 % non), 15 % par un syndicat (76 % non) Ces chiffres (journaux de province/Sofres, octobre 1993) traduisent la méfiance des Français à l'égard des institutions ; ils expriment surtout une lassitude à l'égard des hommes qui les animent.

On observe pourtant une certaine amélioration de l'image des hommes politiques. Dans la même enquête, 62 % des Français estimaient que la politique est une activité honorable, contre 57 % un an plus tôt (33 % ne la jugeaient pas honorable, contre 39 %). Surtout, 61 % considéraient que s'occuper de politique est nécessaire pour se faire entendre, contre 50 % en 1992 (36 % estimaient que ça ne sert pas à grand-chose, contre 45 %).

Lors des cantonales de mars 1994, le taux de participation (60 % au premier tour) a été d'ailleurs supérieur à celui attendu, ce qui montre que les Français ne se désintéressent pas de la politique en tant que telle et continuent de respecter les institutions, même s'ils sont mécontents de leur fonctionnement.

L'image de la justice est particulièrement atteinte.

96 % des Français trouvent la justice lente, 93 % compliquée, 78 % chère. Certains événements, tels que l'amnistie des hommes politiques impliqués dans des affaires liées au financement des partis ou la grogne des magistrats dénonçant les pressions exercées sur eux par le pouvoir n'ont pu que les renforcer dans le sentiment d'une justice à plusieurs vitesses ou du laxisme. L'abolition de la peine de mort, votée en 1981, avait été mal acceptée par une majorité de Français, qui y ont vu une mesure préjudiciable à la sécurité. Une majorité reste d'ailleurs favorable à son rétablissement.

L'image de la police est plutôt meilleure que celle de la justice. 65 % des Français la jugent efficace (33 % pas efficace). Mais 77 % estiment qu'elle est paralysée par des tâches administratives, 39 % la trouvent raciste et 23 % l'estiment « anti-jeunes ».

58 millions de communards

59 % des Français estiment qu'il y a trop d'échelons administratifs et que cela crée des structures trop lourdes et trop coûteuses. 40 % pensent que le nombre d'échelons est correct car il permet une plus grande proximité avec les citoyens.
45 % ne sont pas d'accord pour supprimer un échelon ; 30 % souhaiteraient voir disparaître la région, 19 % le département, 5 % seulement la commune. Cet attachement à la commune est confirmé par d'autres sondages. 73 % des Français estiment ainsi que le nombre de communes est « juste bien ». Seuls 23 % pensent qu'il y en a trop. Mais 44 % se disent favorables à une réduction de leur nombre lorsqu'on leur précise que la France compte à elle seule plus de communes que l'ensemble des pays de l'Union européenne.

Pèlerin Magazine/Sofres, mars 1994

➤ Le médiateur de la République (institution créée par la loi de janvier 1973) a reçu 38 600 dossiers en 1993, soit 10 % de plus qu'en 1992. La plupart (95 %) émanaient de particuliers. 40 % des dossiers ont reçu une réponse positive, soit 80 % des demandes justifiées.

Le Nouvel Observateur/Sofres, février 1993

Méfiance

« Avez-vous plutôt confiance ou plutôt pas confiance dans les institutions suivantes ? » (en %) :

	Plutôt confiance	
	Février 1993	Décembre 1985
• L'armée	71	62
• Le Parlement	53	42
• L'Université	72	63
• Les grandes écoles	78	71
• La justice	46	44
• L'Eglise catholique	54	52
• Les services secrets	37	35
• L'école	73	74
• Les lois	56	56
• La police	70	74

L'image des syndicats a évolué en sens inverse de celle des entreprises.

De nombreux Français estiment, avec le recul, que les syndicats ont rendu un très mauvais service à la société et aux travailleurs à partir de 1974 en continuant à revendiquer (et à obtenir) des accroissements réguliers de pouvoir d'achat, assumant ainsi une lourde responsabilité dans la montée du chômage.

Les syndicats ont subi de plein fouet cette désaffection : moins d'un actif sur dix est syndiqué, contre 28 % en 1981 ; en quinze ans, la CGT a perdu les trois quarts de ses adhérents (500 000 contre 2 millions en 1977). Depuis quelques années, les grands mouvements de revendication ont été le fait de coordinations créées spontanément : infirmières, lycéens et étudiants, agriculteurs, personnel d'Air France, etc.

La politisation, le décalage entre les revendications et les réalités économiques, les grèves déclenchées dans le secteur public (SNCF, enseignement...) ou dans des professions protégées (transport aérien...) sont d'autres causes de ce rejet (voir *Conditions de travail*).

Le débat sur le rôle et l'influence des médias a pris une ampleur nouvelle.

Il traduit d'abord le fait que le système médiatique est aujourd'hui considéré comme une institution, même s'il ne dispose pas d'une véritable légitimité (mais les choix individuels et le zapping tiennent lieu de vote permanent).

Les Français sont aujourd'hui conscients que les médias sont des entreprises commerciales et que leur vocation n'est pas de servir la collectivité mais d'accroître leur audience et leurs recettes publicitaires. Ils s'interrogent sur l'influence qu'ils exercent sur le fonctionnement de la démocratie. Si les investigations de la presse, écrite ou audiovisuelle, permettent parfois de faire progresser la vérité, il arrive aussi qu'elles perturbent la sérénité nécessaire au fonctionnement de la justice en instruisant les procès devant l'opinion avant ou en même temps que leur déroulement. Le suicide de Pierre Bérégovoy, le 1er mai 1993, a constitué à cet égard un choc pour l'opinion.

La radio d'abord

« Avez-vous plutôt confiance ou plutôt pas confiance dans ... ? » (en %) :

	Plutôt confiance	
	Février 1993	Décembre 1985
• Les radios locales	61	54
• Les journaux	39	39
• La radio	57	57
• La publicité	20	28
• La télévision	38	49

Le Nouvel Observateur/

Les médias à la une

Lorsqu'on demandait, en novembre 1993, aux Français : « Pensez-vous que les choses se sont passées vraiment ou à peu près comme la télévision les a montrées ? », seuls 49 % répondaient par l'affirmative, alors qu'ils étaient 65 % en décembre 1989. En quatre ans, la crédibilité de la télévision a perdu 16 points, celle des journaux 10 points, celle de la radio 6 points.

67 % se déclaraient plutôt méfiants à l'égard des moyens d'information, contre 57 % en décembre 1989. Seuls 33 % se disaient plutôt confiants, contre 43 %.

Enfin, 57 % estimaient que les journalistes ne sont pas indépendants des partis politiques, du pouvoir ou de l'argent, 30 % seulement qu'ils étaient indépendants.

MédiasPouvoirs-Télérama-

➤ 87 % des Français ne croient pas à la possibilité de la fin du monde d'ici l'an 2000 (10 % oui).

Apartheid
17 octobre à 20h40

LAISSEZ VOUS DERANGER PAR ARTE.

Médias et démocratie : le grand débat

POLITIQUE

Modifications de comportements des électeurs ◆ Les Français prêts à accepter des réformes de fond à certaines conditions ◆ Dégradation de l'image des partis traditionnels ◆ L'écologie, attitude générale plus qu'opinion politique

Les usagers sont davantage satisfaits des services publics.

Les Français portent sur les administrations et les services publics un jugement globalement plus favorable que sur les institutions. EDF-GDF, France Télécom et la Poste arrivent largement en tête, avec plus de 80 % d'avis favorables. On constate aussi que les hôpitaux publics obtiennent un taux de satisfaction élevé, même si les malades hésitent moins que par le passé à se plaindre, voire à engager des actions judiciaires en cas d'erreur médicale.

L'image de la SNCF a été récemment ternie par la mise en œuvre du système de réservation Socrate, difficilement utilisable par les usagers. Elle a souffert en outre d'avoir un peu délaissé les trains classiques et les services à la clientèle au profit des TGV. 49 % seulement se disaient satisfaits de ses services en août 1993, contre 57 % en avril.

La Sécurité sociale reste le symbole incontesté de la bureaucratie française et l'un des lieux privilégiés du mécontentement.

La RATP et l'Education nationale sont avec la justice les plus mal notées. Là encore, les institutions ou les administrations ne sont pas condamnées dans leur principe, mais dans leur fonctionnement. Ainsi, 70 % des Français sont d'accord avec l'idée que le système national de protection sociale est le meilleur du monde (25 % non).

ÉLECTIONS

Les attitudes des électeurs se sont profondément modifiées depuis 1981.

On peut analyser les douze dernières années comme celles du divorce progressif des Français et de la politique. On peut aussi les voir comme celles de la transition et du cheminement vers une forme nouvelle de démocratie.

Tout s'est passé en effet comme si le corps électoral avait inconsciemment défini et appliqué une stratégie destinée à casser des structures et des habitudes qu'il jugeait périmées et inefficaces. Les électeurs ont successivement contraint les partis politiques à l'alternance (1981), à la cohabitation (1986), à l'ouverture (1988) puis à nouveau à l'alternance et la à cohabitation (1993). Ils veulent les forcer aujourd'hui à la rénovation.

> ➤ 34 % des Français craignent le déclenchement dans les prochaines années d'un conflit mondial (31 % en 1992)

Treize ans de mitterrandisme

Evolution de la cote de confiance de François Mitterrand (juin de chaque année, en %) :

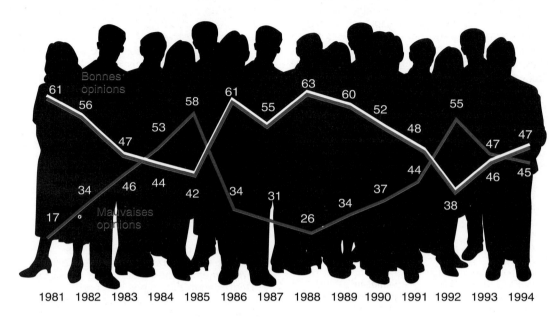

L'alternance de 1981 a été la première étape du processus.

La droite a été désavouée en 1981 pour n'avoir pas su expliquer et encore moins éviter les effets de la crise économique sur la vie quotidienne des citoyens. Depuis plus de vingt ans, une majorité de Français, par conviction ou par habitude, se réclamaient de la droite, garante selon eux de la prospérité économique et de la liberté individuelle. Les premiers symptômes d'une crise économique, dès 1973, ne les avaient pas inquiétés ; après avoir identifié le virus, le pouvoir allait bientôt fabriquer le vaccin. 1981 les trouva donc fort étonnés d'être toujours malades. Un certain nombre d'entre eux décidèrent alors de changer de médecin ; ils joignirent leurs voix à celles qui appelaient depuis longtemps une thérapeutique socialiste.

La cohabitation est apparue en 1986 comme la possibilité de créer un gouvernement d'union nationale.

Ceux qui, par idéalisme ou par tradition, se réclamaient de la gauche, seule capable à leurs yeux

de mettre en œuvre une politique de justice sociale, donnèrent libre cours à leur joie du printemps 1981, après 23 ans de frustration. Cinq ans plus tard, en 1986, le chômage avait augmenté, les impôts étaient plus lourds, le franc dévalué. Malgré sa remise en cause de 1982, la gauche n'avait pas pu davantage que la droite résoudre les problèmes économiques, ni empêcher les inégalités de s'accroître.

Pour beaucoup, le rêve était fini. Après avoir provoqué l'alternance, le corps électoral inventait la cohabitation, dont il imaginait qu'elle serait une sorte de réconciliation nationale, d'union sacrée entre la droite et la gauche modérées.

L'ouverture fut en 1988 une tentative de réponse à la cohabitation manquée.

Loin de permettre l'union dont rêvaient les Français, la cohabitation de 1986 à 1988 se traduisit au contraire par un certain immobilisme et une radicalisation des positions : le libéralisme s'opposait au socialisme. En 1988, les électeurs écrivirent donc un nouveau chapitre de l'histoire politique.

Pour la première fois dans l'histoire de la Ve République, un président était réélu. Moins à cause du bilan de son premier septennat que parce qu'il paraissait le mieux placé pour réaliser « l'ouverture » vers le centre, lieu de convergence naturel des attentes des citoyens, dans une période où le pragmatisme leur paraissait plus souhaitable que l'idéologie, le conservatisme mieux adapté que la fuite en avant. La gauche avait en effet compris à ce moment que le progressisme n'était pas dans l'air du temps. C'est ainsi que François Mitterrand a pu battre la droite sur son propre terrain, en présentant aux Français un programme qui s'appuyait bien davantage sur le maintien des acquis que sur la conquête de nouveaux territoires.

Un nouvel électorat

Les attitudes et les comportements des électeurs se sont profondément modifiés depuis 1981. L'image qu'ils ont des partis et des hommes politiques s'est d'abord considérablement dégradée, au fur et à mesure de leur éloignement des problèmes concrets. La pertinence du clivage gauche-droite s'est aussi beaucoup affaiblie ; un tiers des électeurs ne se reconnaissent plus aujourd'hui dans ces notions, plus de la moitié estiment qu'elles ne permettent plus de juger les partis et les hommes politiques. 56 % des Français estiment que « les notions de droite et de gauche sont dépassées, car ce n'est plus comme cela qu'on peut juger les prises de position des partis et des hommes politiques » (53 % parmi les personnes proches de la gauche). Seuls 35 % considèrent au contraire que « les notions de droite et de gauche sont toujours valables pour comprendre les prises de position des partis et des hommes politiques » (42 % parmi les personnes proches de la gauche) [Le Nouvel Observateur/Sofres, juin 1993].
Il faut noter enfin la plus grande mobilité (on peut même parler de volatilité) des électeurs, qui n'hésitent pas à changer de camp en cas d'insatisfaction ou de frustration. On constate que les critères socio-démographiques traditionnels (sexe, catégorie professionnelle, revenu...) ne sont plus prédictifs des votes. Seule la pratique religieuse est encore corrélée au vote de droite, mais son poids électoral est, comme celui qu'elle a dans la population, de plus en plus faible.
On assiste donc en politique à une évolution comparable à celle qui prévaut en matière de consommation ; les programmes et les hommes sont considérés comme des produits que les électeurs essaient et dont ils changent s'ils ne sont pas satisfaits.

> ➤ 60 % des Français estiment que le retour à la monarchie serait un recul, 3 % un progrès, 35 % ni l'un ni l'autre.

La poursuite de la croissance du chômage a été à l'origine du vote massif à droite en mars 1993.

La lassitude à l'égard du président de la République, sa mésentente avec Michel Rocard, l'échec d'Edith Cresson et la succession des « affaires » (en particulier celle du sang contaminé) ont pesé sur l'image de la gauche. Mais c'est avant tout son impuissance à lutter contre le chômage qui lui a été

La balance électorale

Evolution des rapports gauche/droite depuis 1974 (en % des suffrages exprimés) :

	Gauche	Ecologistes et inclassables	Droite
• Présidentielle de 1974 (2e tour)	49,4	-	50,6
• Cantonales de 1978 (1er tour)	52,5	-	47,5
• Municipales de 1977* (1er tour)	50,8	2,9	46,3
• Législatives de 1978 (1er tour)	49,4	2,7	47,9
• Européennes de 1979	47,4	4,5	48,1
• Présidentielle de 1981 (1er tour)	47,3	3,9	48,8
(2e tour)	52,2	-	47,8
• Législatives de 1981 (1er tour)	55,8	1,1	43,1
• Cantonales de 1982 (1er tour)	48,1	2,0	49,9
• Municipales de 1983* (1er tour)	44,2	2,2	53,6
• Législatives de 1986	42,5	3,0	54,5
• Présidentielle de 1988 (1er tour)	44,9	4,2	50,9
(2e tour)	54,0	-	46,0
• Législatives de 1988 (1er tour)	49,3	0,4	50,3
• Municipales de 1989	39,5	0,4	60,1
• Européennes de 1989	33,8	15,9	50,3
• Régionales de 1992	29,6	19,0	51,4
• Cantonales de 1992	34,6	10,0	55,4
• Législatives de 1993 (1er tour)	32,8	7,4	59,8
• Cantonales de 1994 (2e tour)	40,8	4,9	54,3
• Européennes de 1994	38,3	13,3	48,4

(*) Villes de plus de 30 000 habitants.

fatale lors des élections législatives de mars 1993. Il faut rappeler que François Mitterrand avait été élu en 1981 essentiellement pour sa meilleure crédibilité que Valéry Giscard d'Estaing dans ce domaine.

En rappelant la droite au pouvoir et en imposant à Matignon un homme politique jugé atypique, les Français souhaitaient une cohabitation harmonieuse mais ferme, condition pour que des mesures puissent être mises en œuvre rapidement. Après avoir accordé pendant un an un niveau de confiance exceptionnel au Premier ministre, ils ont une nouvelle fois été déçus par l'absence de résultats sur le front du chômage.

Les Français sont aujourd'hui prêts à accepter des réformes de fond...

L'année 1993 marque en France une étape essentielle ; celle d'un retournement de l'opinion dans la façon d'appréhender la crise (et surtout sa conséquence la plus dramatique, le chômage) et sur la nature des moyens susceptibles d'y porter remède. Pour la première fois, la majorité des Français ne s'arc-boutent plus sur le principe sacré des avantages acquis et acceptent l'idée d'un grand partage. Celui-ci concerne d'abord l'emploi ; les sondages indiquent depuis janvier 1993 que plus de la moitié des Français sont prêts à travailler moins et gagner moins si cela peut aider à résorber le chômage.

...mais à certaines conditions.

Cette transformation de la mentalité collective traverse l'ensemble des sensibilités politiques. Elle ouvre la voie à des changements considérables, à trois conditions. La première est qu'ils soient inscrits dans un projet d'ensemble capable de redonner aux Français confiance en l'avenir. Ce programme devra aussi être présenté et expliqué clairement, tant dans ses enjeux que dans ses conséquences en termes d'efforts individuels ; la pédagogie sera une dimension de plus en plus essentielle de l'action politique. Enfin, il faudra démontrer que ces efforts seront équitablement répartis entre les citoyens.

A la veille de l'élection présidentielle de 1995, il existe une opportunité unique de fédérer les énergies autour d'un grand projet, de lutter avec plus d'efficacité contre le fléau du chômage tout en entrant dans une autre civilisation et en faisant de la France un exemple pour les autres pays développés. L'évolution sociologique récente fait que tout devient possible, pour peu que les hommes politiques prennent conscience de ce retournement et qu'ils fassent preuve de créativité, de courage et de pédagogie.

PARTIS

L'image du parti socialiste s'est dégradée, du fait de l'affrontement des hommes, de l'absence d'idées et de résultats sur le front du chômage.

Entre 1984 et 1986, la gauche socialiste avait déjà perdu sur le plan social une partie de la crédibilité qu'elle avait acquise sur le plan économique. Mais elle avait réussi en 1988 à reconquérir son électorat en se posant comme la seule force capable de rassembler les Français et de faire reculer l'injustice sociale, sous-produit de la crise économique.

Le désaveu du gouvernement Cresson, matérialisé par l'échec des élections cantonales et régionales de mars 1992, était la conséquence des mauvais résultats enregistrés dans le domaine social, de la multiplication des « affaires » (aggravée par les deux lois d'amnistie de 1988 et 1990) et de la querelle des chefs qui continuait de sévir au sein du parti. En ne réussissant pas au cours de ces années à faire passer le concept de « société d'économie mixte », qui paraissait pourtant acceptable à beaucoup de Français, les socialistes ont peut-être manqué un rendez-vous avec l'histoire.

La déroute électorale de mars 1993 a été la sanction des manquements à la morale, de la montée des inégalités, de l'insécurité liée à l'immigration et surtout de l'absence de résultats dans la lutte essentielle contre le chômage.

Plus récemment, la place prise par Bernard Tapie, leader charismatique, populiste et controversé du Parti radical (12 % aux européennes de 1994), a encore brouillé l'image de la gauche et rendu encore moins crédible son attachement à la morale.

Poussé par la faillite du communisme à l'Est, le PC a commencé à faire sa révolution.

La montée en puissance du parti socialiste, entre 1974 et 1981, s'était faite en grande partie au détriment de son difficile partenaire de l'Union de la gauche, le parti communiste. Le déclin du PC n'a cessé ensuite de se poursuivre : le mauvais score de Georges Marchais à l'élection présidentielle de 1981 (15,5 % des voix) apparaissait fort enviable au regard de celui réalisé par André Lajoinie en 1988 (6,7 %). Mais les dirigeants communistes n'ont voulu voir dans ce déclin qu'une suite d'accidents de parcours, liés selon les cas au mode de scrutin, à la trahison du PS ou aux médias, plutôt qu'à leurs propres erreurs.

La vérité est que les Français se sont peu à peu lassés de la dialectique usée de la lutte des classes et ne riaient plus aux facéties médiatiques du secrétaire général. Dans le même temps, les militants s'accommodaient de plus en plus mal du centralisme démocratique et de la censure qui en résultait. Les événements de fin 1989 dans les pays de l'Est allaient infliger au parti un nouveau et formidable camouflet.

Le débat interne a fini par s'ouvrir. Il a débouché sur le départ de Georges Marchais, après 22 ans de règne. Les résultats des cantonales de mars 1994 (11,3 % au premier tour) indiquaient une remontée du PC, devenu peut-être un parti comme les autres.

Le clivage gauche-droite s'estompe

Tennesse

La droite modérée a plus bénéficié du déclin de la gauche qu'elle n'a convaincu par ses propres actes.

Le principal handicap de la droite est d'avoir perdu ce qu'elle croyait être une spécificité par rapport à la gauche, c'est-à-dire sa capacité naturelle à diriger l'économie. Depuis 1983, la gauche a en effet démontré qu'elle était capable de gérer, en maîtrisant l'inflation, en équilibrant (temporairement) les comptes de la Sécurité sociale, en accompagnant ou en favorisant la croissance, en assurant la solidité du franc.

En 1986, la droite avait cru pouvoir reconquérir sa suprématie en se faisant le chantre du libéralisme. Mais celui-ci est vite apparu aux Français comme une source d'inconfort (les dures lois du marché) et un générateur d'inégalités envers les plus vulnérables. Son triomphe de mars 1993 s'explique davantage par la volonté des électeurs de sanctionner la gauche que par un véritable enthousiasme pour l'idéologie libérale. Entre l'économique et le social, l'efficacité et la solidarité, la dictature du marché et le rôle modérateur et redistributeur de l'Etat, une nouvelle idéologie reste à inventer.

Le Front national a profité de la disqualification des partis traditionnels.

Le langage populiste de Jean-Marie Le Pen a touché les Français les plus vulnérables à la crise économique et ceux qui s'interrogent sur l'identité et l'avenir de la France. Le slogan inauguré pour les élections européennes de 1979 (« les Français d'abord ») a fait mouche auprès de tous ceux qui sont naturellement tentés par le repli sur soi, le protectionnisme et le rejet des « autres ».

Outre l'immigration, la droite traditionnelle et modérée a laissé au Front national le champ libre sur des thèmes auxquels beaucoup de Français sont sensibles : le sida, l'absentéisme des députés, la corruption, le remboursement de l'IVG, le rétablissement de la peine de mort, etc.

Les hésitations des partis modérés à agir et à engager les vrais débats ont eu pour effet de légitimer et de banaliser le Front national, de le placer au centre des discussions et des stratégies. Le jeu ambigu des médias, les attaques mal ciblées de certains intellectuels lui ont permis de se poser en martyr. La stratégie du « cordon sanitaire » n'a, pas plus que celle de l'affrontement, réussi à déstabiliser un parti dont l'image est pourtant mauvaise dans l'opinion.

Son score se maintient autour de 11 % de l'électorat, après le maximum de 14,4 % de son leader à l'élection présidentielle de 1988 (10,6 % aux européennes de 1994). Cette stabilité s'appuie sur la persistance des peurs et des risques liés aux déséquilibres économiques, démographiques et géostratégiques, aux difficultés actuelles de l'Europe et à la montée des nationalismes.

Sous-produit de la crise économique, sociale et psychologique, l'importance du Front national ne pourra s'estomper qu'avec elle. On note cependant que 23 % des Français se disaient d'accord en juin 1993 avec les idées défendues par Jean-Marie Le Pen, contre 32 % en octobre 1991.

Electorats

Structure de l'électorat des différents partis au premier tour des élections législatives de mars 1993 (sondage post-électoral, en % des suffrages exprimés) :

	Parti commu- niste	Extrême gauche	Parti socia- liste	Divers gauche	Généra- tion Ecologie - Verts	Divers inclas- sables	UDF	RPR	Divers droite	Front national
• **Ensemble des électeurs**	9	2	19	1	8	4	19	21	4	13
• **Sexe :**										
- Homme	10	1	19	1	7	4	20	21	3	14
- Femme	8	2	19	1	9	4	18	21	5	13
• **Age :**										
- 18-24 ans	9	1	18	0	12	6	14	17	5	18
- 25-34 ans	9	4	20	1	13	5	16	19	3	10
- 35-49 ans	11	2	18	1	9	5	19	18	4	13
- 50-64 ans	8	1	19	2	6	1	22	22	6	13
- 65 ans et plus	8	1	20	0	3	4	21	27	3	13
• **Profession du chef de famille :**										
- Agriculteur	4	0	13	0	2	8	28	24	7	14
- Commerçant, artisan, chef d'entreprise	5	0	11	3	3	4	20	30	6	18
- Cadre, profession intellectuelle supérieure	3	3	23	1	11	0	26	22	5	6
- Profession intermédiaire et employé	12	2	22	1	14	5	13	16	3	12
dont : Profession intermédiaire	12	2	24	1	15	5	12	16	3	10
Employé	10	2	19	1	11	6	15	16	4	16
- Ouvrier	12	3	18	1	8	6	17	16	4	15
- Inactif, retraité	9	1	19	1	5	2	21	25	4	13
• **Niveau de diplôme :**										
- Sans diplôme	14	1	19	1	5	3	18	23	3	13
- Certificat d'études	11	3	16	0	4	3	23	22	3	15
- BEPC, CAP, BEP	7	1	20	2	7	6	18	19	4	16
- Baccalauréat	9	1	16	2	10	3	20	24	7	8
- Enseignement supérieur	9	3	23	0	17	2	17	18	5	6
• **Religion :**										
- Catholique pratiquant régulier	2	0	10	0	7	5	27	33	4	12
- Catholique pratiquant occasionnel	2	2	16	1	7	2	27	25	6	12
- Catholique non pratiquant	10	1	21	1	6	4	19	20	5	13
- Sans religion	21	5	22	2	14	4	6	9	2	15

➤ 85 % des Français sont mécontents du jugement qui a été rendu dans l'affaire du sang contaminé. 70 % souhaitent que les ministres concernés soient jugés par une juridiction de droit commun composée de magistrats, 21 % devant une juridiction d'exception de la Haute Cour composée de députés et de sénateurs.

➤ 67 % des Français ont une mauvaise opinion des partis politiques, 20 % une bonne (mars 1994). 73 % les jugent inefficaces, 19 % efficaces. Mais 57 % pensent qu'ils ont de l'avenir contre 35 %.
➤ 69 % des Français sont favorables au maintien du service militaire, 29 % sont partisans de sa suppression.

Le centre introuvable

Pascal disait de l'infini que c'est un cercle où la circonférence est partout et le centre nulle part. Il en est de même de la vie politique ; la moindre pertinence du clivage gauche-droite n'a pas profité au centre, qui ne recueille spontanément que 17 % des voix lorsqu'on demande aux Français de se situer sur l'échiquier. Le centre n'apparaît donc plus aujourd'hui comme un lieu idéologique distinct, mais comme le point de rencontre du socialisme et du libéralisme, tous deux portés à parts inégales par la gauche et la droite. L'avenir dira s'il est le point Oméga de la politique auquel tout aboutit, ou une position temporaire d'attente en période de vide idéologique.

L'écologie est une attitude générale plus qu'une opinion politique.

L'écologie avait connu son heure de gloire au début des années 70. Puis elle avait été chassée des préoccupations des Français et des partis politiques par les contraintes de la crise économique. La réhabilitation de l'entreprise allait entraîner dans les années 80 un regain de confiance dans les produits industriels ; les risques technologiques passaient alors au second plan, derrière la reconquête de la croissance et des parts de marché. Il aura fallu Tchernobyl, la découverte d'une fissure dans la couche d'ozone, celle des effets des pluies acides sur les forêts et les variations climatiques de ces dernières années pour que l'écologie devienne en France (avec retard par rapport aux autres pays européens) une préoccupation majeure.

Elle ne se traduit pas cependant pour les partis écologistes (Génération Ecologie et les Verts) par des scores élevés, malgré les 14,7 % réalisés lors des élections régionales de 1992. Leur déroute lors des législatives de mars 1993, confirmée par le score des cantonales de 1994, s'explique par la volatilité particulière de leur électorat, susceptible au dernier moment de se reporter sur d'autres partis. Une autre raison tient à l'hétérogénéité idéologique de ses électeurs sur les thèmes non écologiques comme l'immigration, le partage du travail ou la politique extérieure.

L'écologie n'apparaît pas aux Français comme une idéologie suffisante pour constituer la base d'un parti de gouvernement. Tant qu'elle ne sera pas porteuse d'une vision opérationnelle du monde, elle restera une préoccupation « transversale » destinée à être intégrée dans les programmes de tous les partis.

CIRCULER SANS POLLUER.

Ademe

POUR VOUS INFORMER, POUR AGIR.
AGENCE DE L'ENVIRONNEMENT ET DE LA MAITRISE DE L'ENERGIE.

N° Vert 05 111 333

Richard Peyrat & Associés

Une préoccupation quotidienne

Machisme politique

Alors que les femmes constituent 53 % de l'électorat, elles ne représentent que 6 % des députés, ce qui place la France au 17e rang des Parlements européens (leur part est de 33 % au Danemark, 28 % aux Pays-Bas, 21 % en Allemagne). On ne compte en effet que 16 femmes sénateurs sur 320, 30 députés sur 577, 2 035 maires sur 38 645. Trois femmes seulement figurent dans le gouvernement mis en place en mars 1993.

➤ En 1993, les 15 entreprises publiques déficitaires (Bull, Air France, SNCF, Crédit Lyonnais, Usinor-Sacilor...) ont perdu 40 milliards de francs.
➤ Coûts des grands travaux : Eurotunnel (81 milliards de francs) ; TGV Sud Est (25) ; Euro Disney (22) ; Bibliothèque de France (7) ; Grande Arche de la Défense (5) ; Grand Louvre (4,7) ; Bercy (ministère des Finances, 3,5) ; Opéra Bastille (3,5) ; Grand Stade (2,7) ; Pont de Normandie (1,6).
➤ En octobre 1993, 47 % des Français estimaient que la démocratie fonctionnait très bien ou assez bien, 49 % qu'elle fonctionnait pas très bien ou pas bien du tout. 38 % considéraient les élus et les dirigeants politiques comme plutôt honnêtes, 52 % comme plutôt corrompus.
➤ 75 % des Français sont opposés aux essais nucléaires tant que les autres pays n'ont pas recommencé les leurs.
➤ Au cours de sa déclaration de politique générale à l'Assemblée, en avril 1993, Edouard Balladur a prononcé 11 414 mots, dont 45 fois « Etat », 43 fois « France », 38 fois « politique » et seulement 17 fois « chômage » et « Europe ».

MONDE

La construction européenne à un tournant de son histoire ◆ **Crise de confiance des citoyens** ◆ **Les jeunes plus favorables** ◆ **Une vision plus globale du monde** ◆ **Uniformisation des modes de vie entre les pays** ◆ **Disparition des modèles** ◆ **La France dispose d'atouts particuliers**

EUROPE

La construction européenne arrive à un tournant de son histoire.

Le rêve européen, né de la volonté française, n'avait d'abord guère excité l'imagination des citoyens. La crise économique avait ensuite fait oublier les solidarités nécessaires pour mettre en relief les difficultés de s'entendre à dix, puis à douze, sur les grands dossiers tels que l'agriculture, les contributions financières des Etats membres ou l'harmonisation des politiques économiques.

Malgré les difficultés, la construction européenne s'est poursuivie au cours des dernières années, avec la mise en œuvre du Marché unique en 1993, prélude à d'autres avancées inscrites dans le traité de Maastricht (monnaie unique, élargissement...), difficilement approuvé par les Français.

La crise actuelle de l'Europe est surtout celle de la confiance de ses citoyens.

L'Europe est entrée depuis 1991 dans une phase de turbulences. La crise actuelle est d'autant plus grave qu'elle ne touche plus seulement les eurocrates mais aussi les citoyens. Le doute s'est en effet installé dans leur esprit quant à son utilité, devant l'incapacité à intervenir dans le conflit yougoslave ou à aider les pays membres à résoudre le problème lancinant du chômage. A l'inverse, l'interventionnisme technocratique est ressenti comme une menace sur les identités culturelles nationales ou régionales.

On peut observer que cette crise intervient en même temps que celle des Etats-nations. Elle est sensible aussi dans les attitudes individuelles. 55 % des Français pensaient fin 1993 que l'appartenance de la France à l'Union européenne est une « bonne chose », alors qu'ils étaient 72 % en juin. 40 % estimaient que leur pays a globalement bénéficié de son appartenance à l'Union (39 % non), contre 45 % en juin.

Les Français reprochent à l'Europe d'être trop technocratique.

Un an après le référendum sur le traité de Maastricht, la majorité des Français déclaraient que si c'était à refaire, ils voteraient contre. On peut proposer plusieurs explications à cette grogne. La première est que le traité a instauré une Europe essentiellement technocratique, qui ne fait pas rêver les citoyens. Où sont les Victor Hugo, Monnet, Schuman et autres visionnaires éclairant l'avenir des peuples ?

L'autre raison est que ce que l'on a pris pour une peur de l'Europe est en réalité une peur de la France et de sa capacité à maintenir sa place au sein de l'Union. Si les Français restaient favorables à la construction européenne, ils craignent que la France y perde un peu de son âme.

Malgré les difficultés, une large majorité reste acquise à la poursuite de la construction européenne.

Trois Français sur quatre (73 % en septembre 1993) restent favorables aux efforts qui sont faits pour unifier l'Europe occidentale, même s'ils sont un peu moins nombreux (81 % fin 1990). 59 % sont favorables à la mise en place d'une monnaie unique. L'idée d'une armée européenne intégrée est majoritaire, une forte minorité souhaite même la création d'un futur gouvernement supranational. En dépit de leurs réticences, 52 % estiment que la France a plus à gagner qu'à perdre dans le renforcement de l'Union (35 % sont de l'avis contraire).

Les jeunes sont les plus favorables.

Les sondages montrent que le sentiment d'appartenance à une supranationalité européenne (bien plus qu'occidentale) est le plus fort chez ceux qui seront demain les acteurs de la vie économique, sociale, politique, scientifique ou artistique.

La mobilité, intellectuelle ou géographique, est déjà inscrite dans les projets des jeunes. La situation de l'emploi ne pourra que renforcer cette disposition nouvelle. Pour les futures élites, comme pour les futurs employés, l'appartenance à l'Europe ne sera pas cette idée vague qu'elle est aujourd'hui pour leurs parents, même si elle n'est pas exclusive d'une appartenance nationale. On observe que les jeunes de 15 à 19 ans sont les plus nombreux à se sentir d'abord européens.

ELLE N'A PAS ATTENDU 1992
POUR FAIRE L'EUROPE.

L'Europe dans la dernière ligne droite ?

Micro-entretien

ELISABETH GUIGOU[*]

G.M. - *Sur quoi peut-on fonder un nouveau projet européen ?*

E.G. - Juste après la guerre, Monnet et Schuman avaient réussi à faire l'Europe parce qu'ils répondaient à l'angoisse des Européens et à leur aspiration profonde pour la paix. C'était un objectif à la fois très politique et très limpide. Aujourd'hui, il nous faut retrouver l'esprit de la construction européenne et répondre aux nouvelles angoisses des Européens. En dehors de la paix, qui reste à faire à l'est de notre continent, il y a les craintes liées à la mondialisation. Celle de l'économie, qui pourrait voir notre modèle de société nivelé par le bas si nous acceptons de courir derrière des pays qui ont un niveau social moins élevé. Celle aussi des images, qui sont devenues le principal vecteur de la culture et qui nous font craindre une uniformisation de nos modèles culturels. Il faut que l'Europe réponde à ces deux inquiétudes, car elle constitue un modèle de civilisation. Pour le défendre, il faut une Europe qui sache s'affirmer face au reste du monde.

[*] Ancien ministre des Affaires européennes, auteur de *Pour les Européens*, Flammarion.

RFI

L'Europe devra combler son déficit démocratique.

L'évolution récente des attitudes est une leçon pour les responsables. Elle montre clairement la nécessité de refonder un projet sur de nouvelles valeurs, de redonner un sens (en même temps qu'une direction) à l'Europe, de la recentrer sur des problèmes concrets comme l'emploi, l'éducation ou la paix.

L'Europe peut devenir en effet un « grand projet » pour ses 343 millions d'habitants. Il faut se souvenir qu'elle constitue un modèle, voire un idéal pour ses voisins immédiats : c'est la seule région du monde ayant réussi malgré les difficultés à associer l'économique et le social.

L'élargissement prévu au 1er janvier 1995 aux trois pays scandinaves (Suède, Norvège, Finlande) et à l'Autriche n'est pas apparu dans l'opinion comme une opportunité mais comme une contrainte supplémentaire et un frein aux futures décisions communes. Il implique sans doute une révision des institutions pour rendre l'Europe plus souple, peut-être même à « géométrie variable ». Il faudra sans doute aussi à ses avocats plus d'enthousiasme et de lyrisme.

Les Européens ne connaissent guère leur histoire et leur culture communes.

Les pays de la Communauté ont en commun la religion chrétienne, une longue histoire et un certain nombre de pratiques ou d'attitudes culturelles. Au fil des années, les modes de vie et les systèmes de valeurs se sont rapprochés. Le mouvement a été amplifié par la multiplication des échanges et les réalisations communes. Mais la connaissance que les Européens ont de leurs voisins est limitée et l'école n'est pas encore entrée dans l'ère européenne.

Ces points communs n'empêchent pas des particularismes nationaux importants. Les pays du nord de la Communauté incarnent les valeurs de travail, d'effort, de sérieux, de sens de l'organisation. Ceux du Sud représentent la spontanéité, la chaleur, la convivialité, l'affectivité.

Les différences culturelles sont au moins aussi marquées entre les divers groupes sociaux d'un même pays ou entre ses régions qu'entre les pays eux-mêmes. Il y a même souvent plus de ressemblance entre des individus de pays différents ayant un système de valeurs proche, entraînant des modes de vie similaires, qu'entre les habitants d'un pays donné, séparés par des conceptions divergentes. Le principal obstacle à l'unité européenne est sans doute linguistique.

MONDE

Les événements récents ont transformé la vision que les Français avaient du monde.

Le monde a plus changé depuis 1989 qu'au cours des quatre décennies précédentes et les Français assistent avec une certaine angoisse à cette nouvelle « dérive des continents ». La proximité géographique et le souvenir d'une histoire souvent partagée expliquent l'intérêt qu'ils portent aux pays de l'Est et à ceux de l'ex-URSS. Elle explique aussi leur inquiétude face à la résurgence des nationalismes. Cette attitude constitue un changement notable dans un pays plus traditionnellement attaché à l'Afrique, même si l'opinion s'inquiète de la situa-

tion délicate de l'Algérie et de celle, peu démocratique, qui prévaut au Maroc.

La perception que les Français avaient jusqu'ici des pays d'Asie était en partie conditionnée par le spectaculaire développement économique du Japon, des « quatre dragons » (Corée du Sud, Hong-kong, Taiwan, Singapour) et plus récemment de la Corée du Sud. Deux faits apparemment contradictoires sont venus récemment leur rappeler l'existence de la Chine : la révolution manquée des étudiants en mai 1989 (et la sanglante répression qui l'a suivie) ; la croissance économique spectaculaire de ces deux dernières années (plus de 10 %). Quant au Japon, ses difficultés d'ordre économique et social lui ont fait perdre son statut de modèle.

La zone islamique est considérée comme la principale menace pour l'avenir de l'Occident.

Depuis la guerre du Golfe, c'est le Moyen-Orient qui représente aujourd'hui pour les Français la plus grande menace pour la paix du monde. L'Irak, l'Iran et la Libye apparaissent comme les pays les plus dangereux, par ordre décroissant d'importance. En négociant avec les Palestiniens, Israël a regagné un certain capital de sympathie dans l'opinion.

L'accélération de l'histoire dans l'ex-Yougoslavie, dans l'ex-URSS, en Irak ou en Algérie a convaincu les Français que tout peut arriver dans un monde plus que jamais dangereux. La période d'angélisme qui avait suivi la révolution de fin 1989 dans les pays de l'Est est aujourd'hui révolue. C'est l'inquiétude qui domine.

Solidarité bien ordonnée...

Plusieurs changements sont apparus en 1993 dans les attitudes des Français à l'égard des autres pays :
• La solidarité de proximité prend le pas sur la solidarité internationale. La lutte intérieure contre le chômage est prioritaire (74 %) par rapport à la lutte contre la faim dans le monde (58 %) et la recherche de la paix (54 %). De même, la lutte contre la pauvreté en France progresse dans la liste des causes prioritaires.
• L'aide au développement du tiers-monde reste à la sixième place, mais retrouve son niveau le plus bas depuis 1990 (17 %).
• Parmi les régions à aider en priorité, l'Afrique recule (43 % contre 54 % en 1992), tandis que l'Europe de l'Est progresse (38 % contre 32 %).
• 73 % des Français considèrent que le droit d'asile doit être limité, compte tenu de la situation économique.

CCFD. novembre 1993

La France vue d'ailleurs

L'image de la France à l'étranger reste marquée par des stéréotypes : un orgueil national démesuré ; un peuple élitiste et râleur ; un Etat plus intéressé par la culture que par l'économie (sauf le vin, la haute couture et les parfums). Elle conserve l'image d'un pays privilégié (l'Allemand Friedrich Sieburg se demandait en 1930 si Dieu n'était pas français).

Elle reste considérée comme la patrie de l'art de vivre, ce qui explique qu'elle soit aujourd'hui la première destination touristique mondiale. Ce souci de la qualité de la vie transparaît pour les étrangers dans le rapport plutôt détendu des Français avec le temps (celui des repas notamment), leur goût pour les vacances, la proportion record des résidences secondaires, la façon de s'habiller, l'art de la conversation ou, paraît-il, de la séduction. Des douze pays de l'Union européenne, c'est la France qui serait choisie par les autres Européens pour y vivre.

Mais l'image de la France comporte aussi quelques zones d'ombre. Le déficit est particulièrement notable en matière économique. Ainsi, les secteurs industriels dans lesquels la France détient une maîtrise (transport ferroviaire ou aérien, télécommunications, technique spatiale) ne sont guère reconnus. Même s'ils constituent une excellente vitrine de la technologie française et contribuent de façon très positive à la balance commerciale du pays, le TGV, la fusée Ariane, Airbus ou le Minitel ne sont pas partie intégrante de l'image nationale ; ils en constituent au mieux des appendices. La tradition scientifique et technique de la France, manifeste lorsqu'on examine l'histoire des inventions depuis deux siècles, est beaucoup moins prise en compte par les étrangers que sa tradition culturelle.

Tout se passe comme si la reconnaissance presque unanime de la culture française classique rendait peu crédibles ses performances technologiques et industrielles présentes.

Cette difficulté de la France à associer tradition et modernité dans son image vient peut-être du procès fait aujourd'hui au progrès. Il tend à exclure l'idée qu'un pays puisse être à la fois celui du bien-vivre et de la modernité. La France serait à cet égard le contraire du Japon.

Enfin, on reproche souvent aux Français l'accueil qu'ils réservent aux étrangers, qu'il s'agisse des entreprises, des touristes ou des immigrés.

L'impression générale est que l'hospitalité n'est pas la préoccupation première et qu'elle n'est pas facilitée par les règlements tatillons et mouvants, les procédures interminables et l'attitude suspicieuse des autorités.

La France serait au fond un pays où il fait bon vivre mais où il est difficile de séjourner.

La vision de la planète est devenue plus globale.

L'accélération de l'histoire a été l'occasion pour les Français d'une véritable leçon de géographie. Elle les a contraints à élargir leur champ de vision, qui était pour beaucoup limité à l'Hexagone. Ils ont ainsi découvert que le monde était devenu « interdépendant » et les problèmes, universels.

Beaucoup avaient été surpris de voir apparaître, il y a quelques années, des cartes où le centre du monde n'était plus l'Europe mais l'océan Pacifique, zone privilégiée des nouveaux enjeux stratégiques et économiques. De même, les cartes établies à partir de photos-satellite prises au-dessus du pôle Nord leur ont montré que les côtes de l'Alaska et du Grand Nord canadien font face à la Sibérie du Nord sur plusieurs milliers de kilomètres et que la Chine est proche de l'Union soviétique tout au long de sa frontière sud-est.

Ces nouvelles visions du monde illustrent les grands changements intervenus au cours des dernières années. Elles montrent aussi que les relations entre les nations dépendent pour une large part des rapports de force qu'elles entretiennent.

L'exotisme fait vendre

> ➤ Pour 51 % des Français, le pays le plus menaçant en 1993 pour la France est l'Irak (contre 3 % en 1989), devant l'Iran (34 % contre 25 %), le Japon (28 % contre 4 %)), la Chine (17 % contre 11 %), l'Allemagne (11 % contre 3 %), les Etats-Unis (11 % contre 7 %).

Les modes de vie tendent à s'uniformiser entre les différents pays.

Comme le dit justement le proverbe, « le monde est petit ». Il l'est même de plus en plus lorsqu'on considère la facilité avec laquelle on peut en faire le tour. Les 80 jours de Phileas Fogg, une belle performance à l'époque, font sourire aujourd'hui, alors que les navettes spatiales font une révolution complète en une heure et demie. En quelques dizaines d'années, la plupart des pays se sont largement ouverts aux idées et aux produits des autres. Même des pays très autarciques comme l'ex-URSS ou la Chine laissent pénétrer les symboles de cette culture universelle que sont les produits de consommation courante : alimentation, loisirs (musique, télévision, cinéma...), etc.

Les entreprises multinationales et les médias sont les principaux artisans de cette uniformisation. Les produits, les campagnes de publicité, les méthodes de travail, les modes de vie se ressemblent dans la plupart des pays. Le visiteur qui se rend à New York, Amsterdam, Francfort ou Mexico retrouve beaucoup d'images qui lui sont familières : affiches publicitaires, boutiques, hôtels, produits alimentaires, biens d'équipement, etc. A l'heure où les modes de vie tendent à devenir de plus en plus individuels, les cadres de vie tendent au contraire à s'uniformiser.

Aucun pays ne fait plus figure de modèle.

Les vingt dernières années ont vu la disparition ou la disqualification des modèles successifs venus d'Amérique (Nord et Sud), de Scandinavie, d'Europe ou d'Asie. Malgré la forte reprise économique et la maîtrise technologique, le modèle américain est fortement entravé par les difficultés sociales intérieures (drogue, minorités, protection sociale...), même si son influence culturelle reste forte.

La réussite des nouveaux pays industrialisés de l'Asie du Sud-Est (Taïwan, Hongkong, Singapour, Corée du Sud) a pris le relais de celle du Japon. Mais elle est essentiellement économique ; trois d'entre eux ne sont d'ailleurs que des villes et, symboliquement, des îles.

On ne voit guère non plus parmi les pays de l'Union européenne qui sera en mesure de proposer un modèle de société pour le troisième millénaire. L'Italie est aux prises avec des difficultés politiques et économiques. La Grande-Bretagne panse les plaies laissées par un libéralisme excessif. L'Allemagne digère lentement et difficilement sa réunifi-

cation. Le Danemark hésite entre son appartenance scandinave et son avenir européen...

Micro-entretien ▬▬▬▬▬

EDGAR MORIN *

G.M. - *La prise de conscience planétaire est-elle réalisée ?*

E.M. - Il a fallu du temps pour que l'ère planétaire puisse se concrétiser de façon aussi nette, sous la forme de l'interdépendance et de l'intersolidarité de toutes les parties du monde. C'est au xxᵉ siècle que nous avons connu deux guerres mondiales, des crises mondiales comme celles de 1929 ou de 1973. Ce n'est que tout récemment que l'on a pu voir sur les écrans la Terre depuis un satellite. La télévision balaie à tout instant les endroits du monde où il se passe quelque chose et nous permet de vivre presque en direct les événements. De plus, nous savons aujourd'hui qu'il existe des problèmes de vie et de mort qui concernent l'ensemble de l'humanité : la dissémination de l'arme nucléaire ; la dégradation de la biosphère ; la drogue ; le sida ; les dérégulations de l'économie. Il existe une communauté de destin dont chacun peut aujourd'hui prendre conscience.

───────

* Philosophe, auteur de *Terre-Patrie*, Seuil.

La France dispose d'atouts particuliers pour retrouver un rayonnement international...

Cette absence de modèle donne à la France une chance de proposer des idées nouvelles et de retrouver son rang dans le monde. Elle dispose en effet d'atouts spécifiques qui peuvent s'avérer déterminants à un moment où il est nécessaire de bâtir un nouveau type de société et de civilisation.

L'universalisme et l'humanisme sont de vieilles traditions nationales. Après les avoir quelque peu délaissées, les Français sont en train de renouer avec elles. Leur vision du monde devient globale, tandis que les intellectuels et les décideurs intègrent peu à peu la complexité.

L'attachement à la culture, le centralisme institutionnel et l'art de vivre constituent d'autres singularités nationales. Le monde pourrait être tenté de s'en inspirer, à condition que la France parvienne à rétablir la cohérence entre ce qu'elle est et l'image que les autres pays en ont.

... mais le masochisme est une autre spécialité nationale.

L'autoflagellation a succédé à l'arrogance longtemps reprochée à la France. Les Français ne sont guère conscients de leurs atouts et ils jugent avec trop de sévérité l'évolution des dernières décennies. Malgré ses défauts, l'Etat-providence a tendu autour des citoyens un filet de protection bien utile et évité les effets qu'a eus la dérégulation dans certains pays. L'immigration, crainte répandue, a été contenue ; son flux a baissé de moitié en dix ans sans que la France renie sa tradition républicaine d'ouverture et d'intégration.

Certes, les Français regrettent que la France ne soit plus la « grande nation » qu'elle était encore au siècle dernier et qu'elle ne chemine plus avec l'histoire. Mais les singularités nationales demeurent ; elles peuvent servir d'exemple dans certains domaines (le rôle de l'Etat, la préservation et le développement de la culture, l'art de vivre...) à d'autres pays du monde.

➤ 61 % des Français pensent qu'il y aura toujours des guerres entre les pays et entre les peuples et que c'est une illusion de croire qu'on pourra y mettre fin. 35 % pensent que les progrès de l'humanité et de l'organisation de la planète permettent de croire qu'on pourra progressivement supprimer les guerres.

➤ 63 % des Français ont une bonne opinion de l'Allemagne, 29 % non. 40 % seraient prêts à se battre pour la défendre si elle était envahie, 49 % non.

➤ Sept contrefaçons sur dix dans le monde sont des copies de produits français. 2 millions de fausses montres Cartier seraient vendues chaque année dans le monde, soit huit fois plus que d'originaux. Les fausses pièces de carrosserie Renault représentent un manque à gagner de 600 à 900 millions de francs.
On estime que 100 000 emplois ont disparu dans l'Union européenne du fait de la contrefaçon, dont 30 000 en France.

➤ 30 % des Français se disent prêts (tout à fait ou peut-être) à aller s'établir dans un autre pays de l'Union dans les deux ou trois ans qui viennent, à la suite de la création du marché unique européen (70 % non).

LES VALEURS

SYSTÈME DE RÉFÉRENCES

Trente Glorieuses, Dix Paresseuses, Dix Peureuses ◆ Sept chocs en vingt ans ◆ Fin de la modernité ◆ Prépondérance des valeurs individuelles ◆ Retour des revendications de solidarité, morale et vertu ◆ Déclin des valeurs matérielles ◆ Emergence des « valeurs féminines » ◆ Egologie et humanisme ◆ L'idée de partage fait son chemin ◆ Bonheur individuel et malheur collectif ◆ Satisfaction matérielle et inconfort moral

ÉVOLUTION

Le grand mouvement de remise en cause a commencé au milieu des années 60.

La société française est à la recherche d'une nouvelle identité. Son effort de contestation, puis d'adaptation à un monde en mutation est sensible depuis trente ans. Dès 1965, certains phénomènes, passés presque inaperçus, annonçaient déjà la « révolution des mœurs ». La natalité commençait à chuter, le chômage à s'accroître. La pratique religieuse régressait, en particulier chez les jeunes. Le nu faisait son apparition dans les magazines, dans les films et sur les plages. Pour la première fois depuis vingt ans, la productivité des entreprises diminuait dans l'ensemble des pays occidentaux, tandis que les coûts de la santé et de l'éducation amorçaient leur ascension, préparant le terrain de la crise économique des années 70. Enfin, la délinquance connaissait une très forte croissance à partir de 1964 ; le nombre des crimes et délits passait de 600 000 à 1 700 000 en 1972.

Les rapports des Français avec les institutions commencèrent aussi à se détériorer. L'Eglise, l'armée, l'entreprise, l'Etat connurent tour à tour la contestation. Celle qui touchait l'école atteignit son point culminant en mai 1968. Le goût de plus en plus affirmé pour la liberté allait provoquer la levée des tabous qui pesaient depuis des siècles sur la société. Avec, en contrepoint, la remise en cause des valeurs traditionnelles. La « révolution introuvable » de Mai 68 aura été un moment essentiel de l'histoire contemporaine. Elle reste inachevée.

Des Trente Glorieuses aux Dix Peureuses

Les *Trente Glorieuses* (1945-1974) ont été des années de prospérité économique ininterrompue et de réduction des écarts sociaux. Les années qui leur ont succédé après le premier choc pétrolier pourraient être baptisées les *Dix Paresseuses* (1975-1984). Englués dans le confort accumulé, les Français ont refusé pendant cette période de voir la crise en face, continuant de penser que le monde tournait autour de la France comme la Terre autour du Soleil. Après s'être longuement admirés dans le miroir déformant que leur tendaient les partis politiques, les syndicats et les médias, ils connurent un réveil d'autant plus brutal qu'il était tardif par rapport aux autres pays développés.

Les *Dix Peureuses* commencèrent en 1985. La crainte s'installait dans la société ; celle du chômage, du sida, de l'insécurité sous toutes ses formes, réelles ou fantasmatiques. Le foyer se transformait en une bulle stérile, refuge contre les agressions extérieures. La société de communication ressemblait fort à une société d'excommunication.

L'individualisme frileux cède aujourd'hui la place à une vision plus réaliste. La nécessité apparaît à chacun de prendre en charge son propre destin, tout en participant au nécessaire effort de solidarité. Les années à venir seront peut-être les *Dix Courageuses*.

*En un peu plus de vingt ans, la société
française a connu six chocs importants :
1968, 1973, 1982, 1987, 1991, 1993.*

Les grandes dates de l'histoire contemporaine
ont accéléré le processus de transformation naturel
de la société. Chacun de ces chocs a été l'occasion
d'une prise de conscience, en même temps qu'il
annonçait une forme de rupture avec le passé, la fin
d'une époque.

1968 fut avant tout un choc *culturel* ; les jeunes
Français descendirent dans la rue pour dénoncer la
civilisation industrielle et les dangers de la société
de consommation. Fin des utopies.

Le choc *économique* de 1973 sonna le glas de la
période d'abondance, annonçant l'avènement du
chômage et la redistribution des cartes entre les
régions du monde. Mais il fallut dix ans aux Français pour s'en convaincre. Fin de la croissance.

Fin 1982 eut lieu un choc *social,* plus important
au regard de l'histoire de la société que celui, politique, de 1981. La gauche, et avec elle tous les Français, découvrait l'existence d'une dépendance
économique planétaire et l'impossibilité pour un
pays de jouer seul sa partition. La peur s'emparait
de la société civile, suivie bientôt par le retour du
réalisme. Fin des idéologies.

Le choc *financier* de 1987 mit en évidence les
déséquilibres économiques, les limites de la coopé-
ration internationale, l'insuffisance des protections
mises en place depuis 1929, l'impuissance des
experts à prévoir et à enrayer les crises. Fin de la
confiance.

Le bonheur... ça peut être simple.

Jouets SCORE

... même dans un monde complexe

Le choc de la guerre du Golfe, en 1991, fut
d'ordre *psychanalytique*. Mettant un terme à la période d'angélisme inaugurée en 1989 par la libération des pays d'Europe de l'Est, il apportait la
preuve que le monde reste dangereux et la coexistence avec les pays arabes précaire. Fin d'une certaine vision du monde.

1993 fut enfin un choc *sociologique*, avec le
retournement de l'opinion en matière de solidarité ;
pour la première fois, une majorité des Français se
disaient prêts à partager le travail *et* les revenus pour
lutter contre le chômage. Fin d'une époque, peut-
être d'une civilisation, organisée autour du travail.
Avec la possibilité de véritablement changer la vie
des gens, dans des proportions telles qu'il est difficile de les imaginer aujourd'hui.

Ces chocs répétés ont été d'autant plus forts
qu'ils se sont produits sur fond de mutation technologique. Ils ont engendré des décalages, parfois
même des divorces entre les catégories sociales.
Chacun d'eux a accéléré l'évolution des mentalités
et a contribué à la mise en place progressive d'un
nouveau système de valeurs.

*Ce qu'on a pris pour la fin de l'Histoire
n'est que la fin de la modernité.*

L'ère moderne, parfois drôlement baptisée
« postmoderne » (le mot est entré dans le *Larousse*
en 1992), était née avec l'abondance économique et
le développement technique. Elle était caractérisée
par la recherche du plaisir immédiat et la conviction
que la vie pouvait (devait) être une fête, rendue
possible par l'intelligence des hommes et son illustration permanente, le progrès technique. Elle était
centrée sur l'argent, devenu seul étalon de mesure
de la valeur des objets et des individus.

Les dernières années ont fait voler en éclats le
rêve matérialiste. Beaucoup de Français sont aujourd'hui conscients des inégalités engendrées par
l'abondance économique, entre les pays mais aussi
à l'intérieur de chacun d'eux. L'écologie a montré
que le progrès scientifique et ses applications techniques sont à l'origine des menaces qui pèsent sur la
survie de la planète.

A l'idée de « fin de l'Histoire » proposée par
Fukuyama, qui n'est en fait que le constat de l'usure
des alternatives politiques au libéralisme démocratique, on est donc tenté de préférer celle de « fin de
la modernité », qui rend mieux compte du grand
mouvement de recentrage, voire de régression, qui
est à l'œuvre depuis quelques années en France et
dans les pays développés.

Les fondations renversées

L'évolution du système social et celle des mentalités se sont prodigieusement accélérées au cours des trente dernières années. Elles ont abouti à ce qui a d'abord semblé être un effondrement des valeurs. Il s'agissait en réalité d'une spectaculaire inversion des fondements sur lesquels reposait jusqu'ici la société. Aux caractéristiques fondatrices de l'identité individuelle et collective (lignage, lieu de naissance, transcendance, solidarité, sens du sacré, continuité, autorité, séniorité, masculinité, ethnicité) se sont substituées des valeurs opposées : famille éclatée, déracinement, matérialisme, individualisme, domination du profane, rupture, libéralisme, « jeunisme », féminisme, métissage (voir p. 12).
La fin du deuxième millénaire aura donc défait en quelques décennies ce que les siècles précédents avaient patiemment construit, entretenu et préservé. Ces transformations ont abouti à un décalage profond entre la rapidité du progrès et la lenteur de son assimilation par la société.

Micro-entretien ▬▬▬▬▬

ALAIN TOURAINE*

G.M. - *Ne sommes-nous pas en train d'assister à la fin de la modernité ?*

A. T. - L'idée de modernité et de rationalité s'est épuisée au fur et à mesure que le monde s'est mis en mouvement. Aujourd'hui, nous ne sommes plus sensibles au silence mais au bruit, plus à l'isolement mais à la foule, à l'encombrement, à la pollution. Nous sommes écrasés par ce que nous avons créé plutôt que par notre pauvreté ou notre isolement. Les problèmes se posent en termes d'éclatement entre une individualité de plus en plus exigeante et le monde des techniques qui est un monde de pouvoir. Je ne crois pas à l'idée selon laquelle on serait passé d'un monde religieux, enchanté, à un monde désenchanté, c'est-à-dire rationnel. Je crois que nous sommes passés d'un monde qui était à la fois divin et rationnel (Dieu, le Grand Architecte pour les Babyloniens, les Grecs ou les Juifs) à la séparation de l'homme intérieur et de la nature. C'est pourquoi le grand homme, selon moi, c'est Saint-Augustin avec tous ses descendants, de Luther à Descartes, qui disent que la modernité, c'est la séparation de la conscience et de la technique.

―――――
* Sociologue, auteur de *Qu'est-ce que la démocratie ?*, Fayard.

VALEURS ACTUELLES

Les valeurs individuelles ont pris le pas sur les valeurs collectives.

L'individualisme est apparent dans tous les domaines de la vie quotidienne des Français : redécouverte du corps ; déclin des sports collectifs au profit des sports individuels ; volonté de réussir la vie de couple ensemble *et* séparément ; diminution de l'adhésion aux syndicats ; désintérêt par rapport aux partis politiques ; moindre importance des phénomènes de mode, etc. La « règle du je » s'est affirmée au fil des années. Elle s'énonce de plusieurs façons qui, toutes, dévoilent un aspect de son contenu : « chacun pour soi et tout pour tous » ; « on ne vit qu'une fois » ; « après moi le déluge »...

Cette montée de l'individualisme s'est accélérée au cours des années 80. Elle est sensible dans les préférences exprimées à l'égard des valeurs. La patrie, la religion et l'idéal politique sont en régression, tandis que les valeurs centrées sur la sphère privée progressent.

La famille d'abord

« Avez-vous plutôt confiance ou plutôt pas confiance dans les valeurs suivantes » (en %) :

	Plutôt confiance	
	Février 1993	Décembre 1985
• La famille	93	92
• Les études	86	85
• Le progrès	82	83
• Le travail	79	84
• Le mariage	76	74
• La patrie	67	67
• L'avenir	67	69
• La religion	51	52
• L'idéal politique	31	30

➤ 95 % des Français disent attacher beaucoup ou assez d'importance aux marques de politesse.
➤ 65 % des Français se disent le plus attachés au mot liberté, 21 % au mot égalité, 12 % au mot solidarité.
➤ Les pertes liées au vol représentent entre 2,2 et 2,7 % du chiffre d'affaires des magasins.

Les consciences s'éveillent

Les années 90 voient resurgir
des revendications de solidarité,
de morale et de vertu.

L'individualisme triomphant des années 80 a engendré sur le plan social, politique et économique des excès dont les Français sont aujourd'hui conscients. Après avoir été longtemps « centripète » (elle tendait naturellement à ramener en son centre l'ensemble de ses membres), la société française est devenue « centrifuge ». Elle tend à rejeter ceux qui ne peuvent s'y maintenir, par manque de formation, de santé ou de combativité. Beaucoup de Français se sentent personnellement menacés de marginalisation.

Longtemps bannis du vocabulaire de la modernité, des mots comme morale ou vertu trouvent aujourd'hui un écho de plus en plus large dans l'opinion. Les médias et les intellectuels recommencent à les employer sans craindre de passer pour conservateur, réactionnaire ou « ringard ». Une majorité de Français trouve que la morale n'occupe pas une place assez importante dans la société d'aujourd'hui.

➤ 37 % des Français destinent leurs dons à la santé, 21 % à l'Eglise, 17 % à l'aide internationale, 16 % à l'éducation, 16 % à des services sociaux, 6 % à la culture, 4 % à des actions civiques ou concernant les droits de l'homme, 3 % à des associations professionnelles, 3 % à la protection de l'environnement.

Liberté, égalité, fraternité

Les trois grands principes fondateurs de la République n'ont jamais connu ensemble la faveur des Français. Les années 40 et 50 furent placées sous le signe de la *Fraternité* (même si elle ne fut pas totale), rendue nécessaire par la guerre et la reconstruction nationale. Au cours des années 60, l'état d'esprit général était tourné vers la recherche de la *Liberté*, la justice sociale étant assez bien assurée au moyen d'une redistribution par l'Etat des bienfaits de la croissance économique. Les années 70, qui allaient voir la crise s'installer, ne remirent pas en question ce partage. Elles allaient au contraire le poursuivre, avec en particulier un accroissement important du pouvoir d'achat des plus défavorisés (« smicards », retraités) qui répondait à un besoin d'*Egalité*.

Mais le spectre de l'inégalité s'installait à nouveau vers le milieu des années 80. L'éventail des revenus, qui n'avait cessé de se resserrer pendant plusieurs décennies, s'élargissait. Les revenus du capital dépassaient largement ceux du travail, de sorte que les écarts entre les patrimoines étaient beaucoup plus élevés qu'entre les salaires. Certaines catégories sociales se trouvaient marginalisées par le chômage. Ces « bavures » expliquent la forte demande de solidarité (plutôt que d'égalité) qui se manifeste aujourd'hui.

Les valeurs matérialistes deviennent
moins importantes, au profit de certaines
valeurs oubliées.

Les Français constatent avec regret la régression ou la disparition de certaines valeurs comme la politesse, l'honnêteté, la justice, le respect du bien commun, l'esprit de famille, le sens du devoir ou l'égalité. Leurs regrets sont moins forts en ce qui concerne le respect des traditions, l'honneur, l'autorité ou le sens de la fête.

Ils dénoncent à l'inverse l'importance considérable prise par la réussite matérielle, placée en première position des valeurs gagnantes des années 80 et au dernier rang de celles qu'il faut sauvegarder. La compétitivité et l'esprit d'entreprise sont un peu mieux traités, mais il apparaît clairement que les Français sont de moins en moins nombreux à célébrer le « culte de la performance ».

D'une manière générale, les valeurs d'essence matérialiste ou économique (réussite matérielle, compétitivité, esprit d'entreprise) sont considérées avec de plus en plus de suspicion. Les seules évolutions des vingt dernières années dont ils souhaitent le maintien sont la liberté, la solidarité et la responsabilité.

RFI

Micro-entretien ▬▬▬▬▬

GÉRARD DEMUTH*

G.M. - *Les Français sont-ils davantage solidaires ?*

G.D. - Il y a beaucoup de solidarité en France, mais elle flotte en électron libre dans un univers qui ne sait pas bien la saisir. La conscience de l'autre, le service rendu de façon désintéressée n'ont jamais été aussi forts. Cette capacité à avoir « mal à l'autre » que nous observons depuis une dizaine d'années se développe, souvent à l'insu de ceux qui la manifestent. Lorsqu'on demande aux gens les sentiments qu'ils éprouvent à l'égard de leurs semblables, ils ont souvent l'impression de ne pas être très utiles. Mais beaucoup se sont rendus compte récemment qu'ils pouvaient être utiles à quelqu'un. Il se pratique donc une sorte de solidarité clandestine. Le problème est que nous ne savons pas créer des structures sociales capables de récupérer cette solidarité.

---
* Président de la Cofremca.

▬▬▬▬▬▬▬▬▬▬

Rattrapage

La France avait pris beaucoup de retard dans la reconnaissance des femmes par rapport à d'autres pays, développés ou non. Le droit de vote féminin ne date que de 1944, alors qu'il avait été accordé en 1893 en Nouvelle-Zélande, en 1902 en Australie, en 1906 en Finlande, en 1918 en Allemagne, en 1934 à Cuba... Ce retard semble aujourd'hui rattrapé, ce qui explique sans doute les inquiétudes de certains hommes. Le mouvement vers l'égalité paraît bien installé en France, au contraire de pays comme les Etats-Unis, où l'on assiste à une remise en question de droits acquis tels que l'avortement.

Les « valeurs féminines » prennent une place croissante dans la société.

La générosité, le sens pratique, la sagesse, l'intuition, l'équilibre, le pacifisme, la douceur, le respect de la vie ou la modestie sont des vertus généralement attribuées aux femmes, même si elles n'en sont pas les dépositaires exclusives. On observe par exemple que les hommes tendent à surestimer leurs capacités intellectuelles et scolaires, alors que les femmes les sous-estiment. L'écart est encore plus apparent dans le domaine sexuel : les hommes déclarent avoir eu en moyenne 11 partenaires au cours de leur vie alors que les femmes n'en reconnaissent que 4 ! Il est donc permis de penser que la modestie n'est guère une vertu masculine.

Or, il apparaît que les qualités typiquement féminines seront de plus en plus utiles pour inventer un nouveau modèle de civilisation. Car elles peuvent conduire à une société plus juste, plu sereine et plus humaine.

La femme est l'avenir de l'homme

Les femmes devraient jouer un plus grand rôle au cours des prochaines décennies.

Leur formation les amènera naturellement à accroître leur influence sur la vie économique ; elles obtiennent de meilleurs résultats que les hommes au baccalauréat (77 % de reçues contre 74 %) et elles sont plus nombreuses qu'eux à accéder à l'enseignement supérieur.

En matière politique, les esprits évoluent. Michel Rocard a décidé que sa liste aux élections européennes de juin 1994 comporterait autant de femmes que d'hommes. On commence à s'apercevoir dans les entreprises que les femmes peuvent apporter une autre dimension à la gestion.

La place accordée par les médias et les intellectuels aux valeurs dites « féminines » laisse augurer qu'elles joueront un rôle croissant au cours des prochaines années. C'est un atout supplémentaire dans la reconstruction de la France. Un projet de société ne saurait être grand, ni même acceptable, s'il n'invite pas la moitié de ses membres (en réalité 51 %) à y participer. Les fabricants de biens d'équipement commencent à s'imprégner de ces réalités et féminisent leurs produits : les voitures vont moins vite et leurs formes s'arrondissent ; les magnétoscopes et les Caméscopes sont enfin conçus pour des utilisateurs qui n'ont pas une formation d'ingénieur électronicien ; les produits simples et pratiques remplacent les produits « frime ».

ÉGOLOGIE

L'individualisme est en train de prendre un sens nouveau.

La prépondérance de l'individu, cellule de base et finalité de toute société démocratique, avait été reconnue dès le siècle des Lumières. Elle avait amené la révolution de 1789 et abouti à la *Déclaration des droits de l'homme*. Le mouvement social depuis deux siècles n'est pas autre chose que la poursuite de ce processus d'individualisation, avec des moments forts comme Mai 68.

Le mérite des années 80 aura été de donner explicitement la priorité aux aspirations de type personnel. La préséance du « je » sur le « nous » s'est affirmée peu à peu dans tous les aspects de la vie quotidienne. Chaque individu est de plus en plus conscient d'être unique et s'efforce d'apparaître comme tel dans tous ses faits et gestes. C'est pourquoi il s'éloigne des modèles qui lui sont régulièrement proposés, ne pouvant avoir par définition d'autre modèle que lui-même.

Ce passage d'une vision collective à une vision individuelle de la vie et de la société ne doit pas être considéré comme une régression. Il constitue peut-être un cheminement ultime dans l'évolution humaine. L'ère de l'« égologie » commence.

L'égologie traduit la reconnaissance de l'individu comme valeur sociale prépondérante.

Elle ne saurait pourtant être confondue avec l'égoïsme ou l'égocentrisme. Elle exprime, pour la première fois dans l'histoire de la société française, que l'individu est non seulement plus important que le groupe mais aussi qu'il est par nature divers et complexe. Tout se passe comme si chaque individu, après avoir refoulé pendant des siècles certaines facettes de son être, avait enfin décidé (et trouvé l'occasion) de les libérer. L'égologie traduit l'évolution récente vers l'autonomie, qui est une forme beaucoup plus positive que l'individualisme.

Comme l'écologie, l'égologie porte en elle les germes d'un nouvel humanisme.

L'écologie et l'égologie pourraient bien être les deux revendications majeures de cette fin de siècle. La ressemblance entre ces deux attitudes ne s'arrête pas à celle des mots qui les qualifient. Tous deux se caractérisent par une volonté de retour à la nature. Mais c'est à la nature humaine que l'égologie s'intéresse.

Elle peut être l'aboutissement, le concept fédérateur des valeurs « postmatérialistes » dont parle Inglehart (paix, tolérance, qualité de vie, convivialité, liberté individuelle, attachement aux idées plutôt qu'aux objets, etc.). Après avoir été tentés par l'égoïsme et l'intolérance, les Français sont aujourd'hui à la recherche de solutions plus humanistes, voire spirituelles.

Héros et humanistes

Les héros des Français sont des humanistes. Aux trois premiers rangs des personnalités préférées, on trouve en effet (et généralement dans cet ordre) l'abbé Pierre, le commandant Cousteau et le professeur Schwartzenberg. Tous ont en commun une haute idée de la responsabilité des hommes envers les autres hommes et prêchent, chacun de son côté, l'entraide et la solidarité.

Contrairement aux héros des années 80, ils n'ont pas une image de « gagneur » aux dents longues dont l'archétype était Bernard Tapie, mais au contraire celle d'hommes bons et préoccupés de l'avenir de leurs semblables. Ce n'est d'ailleurs pas un hasard si leur nom est accolé à un titre : abbé, commandant, professeur. L'importance de leurs actions leur a conféré une grande légitimité, tandis que leur capacité à communiquer en a fait des vedettes des médias. Leur âge ne fait que renforcer leur statut de conscience morale et de modèle pour les Français.

Ces choix traduisent les craintes et les angoisses des Français face à un monde dangereux où l'injustice est largement présente et où les menaces s'accumulent. Ils montrent aussi leur espoir et leur confiance en la capacité d'entraînement de personnages hors du commun, capables d'insuffler une solidarité et un altruisme plus que jamais nécessaires.

Cette analyse est confirmée par le fait que la plupart des autres personnages plébiscités par les Français dans les sondages ont en commun une image forte dont les attributs principaux sont la gentillesse et la générosité : Jean-Paul Belmondo ; Robert Hossein ; Jean-Jacques Goldman ; Michel Drucker ; Bernard Kouchner ; Richard Bohringer ; Patrick Bruel ; Simone Veil...

L'idée de partage fait son chemin au sein de la société française.

Elle est la conséquence d'une double prise de conscience. Celle, d'abord, d'un renforcement des inégalités, alors que l'on avait cru pendant longtemps que le progrès technique permettrait de les réduire. Celle, aussi, de l'impossibilité de résoudre les problèmes d'aujourd'hui en maintenant les avantages acquis. Chacun sait aujourd'hui que la croissance ne permettra plus de résorber le chômage. La seule solution est donc de partager l'emploi d'une façon plus juste. Avec, en contrepartie, une autre répartition des revenus.

Cette notion de partage s'applique à bien d'autres domaines. Celui des tâches se développe entre les hommes et les femmes, entre l'Etat et les régions, entre la France et l'Europe. Celui des connaissances est la condition du développement, tant individuel que collectif ; des réseaux se créent, qui permettent d'échanger des compétences et du temps. Celui de l'information a commencé à se mettre en place avec l'explosion des médias. Il facilite celui des idées et de l'innovation, aussi bien technique que sociale. Enfin, le partage de l'espace devient une question cruciale dans un monde de concentration et de déséquilibre démographique.

BONHEUR

Près de neuf Français sur dix se disent heureux.

« La grande affaire et la seule qu'on doive avoir, c'est de vivre heureux », affirmait Voltaire. Mais on sait que la notion de bonheur est relative et subjective ; « on n'est jamais si malheureux qu'on croit, ni si heureux qu'on avait espéré » écrivait La Rochefoucauld. Pourtant, malgré la morosité ambiante, la grande majorité des Français se disent heureux. C'est peut-être d'ailleurs paradoxalement cette morosité qui les incite, par comparaison avec la situation des autres, à se sentir privilégiés lorsqu'ils ont un emploi, une famille et des revenus. Ce qui ne les empêche pas par ailleurs de craindre de les perdre et de regarder l'avenir avec angoisse. Le confort matériel s'accompagne d'un inconfort moral.

On constate que les hommes se déclarent presque toujours plus satisfaits que les femmes. On peut bien sûr se demander s'ils sont par nature plus facilement satisfaits d'eux ou si l'explication tient à leur situation souvent dominante dans la société. Dans ce cas, il faudrait s'attendre à terme à un rééquilibrage, car ce monopole historique apparaît largement entamé... L'âge entraîne une plus grande insatisfaction. Il semble enfin que l'argent contribue largement au bonheur ; plus le niveau de revenu est élevé et plus on est satisfait.

Le bonheur des uns...

88 % des Français se disaient plutôt ou très heureux en juin 1993, contre 89 % en août 1973 et 92 % dix ans auparavant. 10 % se disaient plutôt ou très malheureux (7 % en 1983, 9 % en 1973).
La conscience du malheur des autres progresse.
72 % estiment cependant que dans l'ensemble, les Français sont moins heureux qu'il y a dix ans (47 % en 1983). Seuls 15 % pensent qu'ils sont plus heureux (30 % en 1983). La culpabilité progresse aussi. 66 % se disent gênés de savoir qu'il y a des gens beaucoup moins favorisés qu'eux (51 % en 1983, 49 % en 1973). 67 % considèrent que leur revenu est suffisant dans l'ensemble, même s'ils ne peuvent pas toujours se payer tout ce qu'ils voudraient (59 % en 1983, 55 % en 1973).
Pour 49 %, le bonheur est avant tout lié à la santé, pour 32 % au fait d'avoir un emploi, pour 32 % à l'amour, pour 26 % à une vie dans une société juste et harmonieuse, pour 23 % à l'amitié, pour 8 % à l'argent.
Ce qui manque le plus aux Français pour être parfaitement heureux, c'est d'abord la possibilité de voyager davantage (37 %), de l'argent (33 %), du temps (26 %), une vie de couple (14 %), un travail qui les intéresse (13 %), un cadre de vie agréable (12 %), un travail régulier (11 %), des enfants (10 %), l'amour (10 %), des amis (8 %), un meilleur logement (7 %), la possibilité de faire du sport (6 %).

Le niveau de bonheur individuel est beaucoup plus élevé que le bonheur collectif.

Le niveau de satisfaction exprimé par chaque Français pour lui-même est considérablement plus élevé que celui qu'il exprime à propos de l'ensemble de la société. Ainsi, les taux de satisfaction individuelle sont souvent proches de 80 % dans les domaines de la sphère privée (apparence physique, santé, vie de famille, logement, vie sentimentale, vie sociale, réalisations). Ils sont beaucoup moins élevés dans les domaines collectifs (climat social, vie politique, évolution de la France, de l'Europe et du monde...). L'insistance des médias sur les malheurs du monde n'est sans doute pas étrangère à ce décalage.

Le bonheur des Français serait en somme complet s'ils ne dépendaient pas d'un environnement politique, social et économique qu'ils jugent très sévèrement : « Le bonheur est à ceux qui se suffisent à eux-mêmes » écrivait déjà Aristote.

Le bonheur est aujourd'hui individuel et multidimensionnel. Les vingt dernières années, marquées par une crise à la fois économique et morale, ont fortement ébranlé l'espoir d'un bonheur collectif. Dans ce contexte, chacun s'efforce de conduire sa propre vie et de la « réussir » en fonction de ses aspirations, de ses capacités et de ses contraintes.

Le confort participe au bonheur

La France n'arrive qu'au 9ᵉ rang de la satisfaction en Europe, alors qu'elle occupe la 3ᵉ place de la richesse.

Le « bonheur » est souvent approché et mesuré par le biais du bien-être économique, qui ne saurait pourtant être confondu avec lui. Si l'argent ne fait pas le bonheur, dit le proverbe, il semble en tout cas qu'il y contribue. Ainsi, lorsqu'on compare l'indice de satisfaction des Européens avec le PIB par habitant (en volume, unités standard de pouvoir d'achat), on observe une assez forte corrélation entre les deux indicateurs.

Les Français font pourtant exception. Ils se situent seulement au neuvième rang de la satisfaction (voir tableau), alors qu'ils détiennent le troisième rang en matière de PIB/habitant, derrière le Luxembourg et l'Allemagne (fin 1993). On observe que ce sont les habitants des pays du Sud qui se disent les

moins satisfaits de leur sort : Espagne, Portugal, Grèce. L'Italie arrive en huitième position, juste devant la France.

Les raisons de ce décalage sont évidemment difficiles à cerner : déception par rapport aux institutions ; sentiment d'un moindre rayonnement national ; inquiétude face à l'avenir. Peut-être les Français se sont-ils rendu compte avant les autres de la vanité de l'accumulation des biens matériels...

On constate paradoxalement que le bonheur d'être Français est mieux apprécié à l'étranger qu'en France. Les Français, qui cultivent une tendance à l'autoflagellation (entretenue par les médias) ne sont pas toujours conscients de l'attirance qu'exercent leur pays et leurs modes de vie. Comme en témoigne ce dicton allemand qui dit d'un homme comblé qu'il est « heureux comme Dieu en France ».

Bonheur national brut

« D'une manière générale, êtes-vous très satisfait, plutôt satisfait, plutôt pas satisfait ou pas satisfait du tout de la vie que vous menez ? » (total « très » ou « plutôt » satisfait, en %) :

	1973	1980	1990	1993
● Danemark	95	95	97	97
● Pays-Bas	93	95	93	94
● Luxembourg	79	92	93	93
● Royaume-Uni	85	86	87	87
● Irlande	92	86	90	85
● Belgique	73	88	90	85
● Allemagne	82	85	88	84
● Italie	65	64	77	74
● FRANCE	77	70	80	72
● Espagne	-	70	77	70
● Portugal	-	50	73	67
● Grèce	-	58	65	51

Eurobaromètre

➤ 25 % des Français se disent très heureux, 66 % assez heureux, contre respectivement 19 % et 70 % en 1981. Parmi les personnes âgées de 25 à 44 ans, les femmes sont deux fois plus nombreuses que les hommes à se déclarer très heureuses : 38 % contre 19 %. Les personnes mariées le sont davantage que celles qui vivent en concubinage (35 % contre 28 %) ou qui sont séparées ou divorcées (4 %).

Le bonheur est une sensation

A l'échelon individuel ou collectif, la sensation de bonheur varie dans le même sens que plusieurs facteurs d'ordre subjectif (tels que la confiance à l'égard d'autrui) ou objectif (le niveau de revenu, la prospérité économique nationale, le niveau de sécurité physique).

Il semble également que le bonheur ait besoin, pour se maintenir, d'une amélioration continue de ces facteurs favorables. C'est ce que le bon sens populaire appelle ne jamais être satisfait de son sort, en vouloir toujours plus. Il n'est donc pas étonnant que la courbe du bonheur ne suive pas fidèlement celle de la croissance économique. « Bonheur, je ne t'ai reconnu qu'au bruit que tu fis en t'enfuyant », écrivait fort justement Fontenelle.

Le progrès matériel et l'« hyperchoix » ont créé à la fois du bien-être et de la frustration.

Comme la plupart des sociétés occidentales, la société française est caractérisée par « l'hyperchoix » proposé par les entreprises et relayé par la publicité et les médias. Cette croissance considérable de l'offre commence à entraîner la lassitude de ceux qui courent sans cesse après les objets de la modernité. Elle implique aussi la frustration de ceux qui n'ont pas les moyens de se les offrir. Si les Français restent très attachés au matérialisme, ils sont de plus en plus conscients que celui-ci ne donne pas un sens à leur vie.

Plaisirs

85 % des Français sont d'accord avec l'idée qu'on trouve le plaisir sans le chercher, dans chaque petit moment de la vie. Pour 63 %, la recherche du plaisir est l'un des buts principaux de la vie. Pour 47 %, il est un luxe que tout le monde ne peut pas s'offrir. Pour 35 %, faire du plaisir une raison de vivre mène souvent à la débauche.

58 % des Français trouvent leur plaisir principalement dans la famille, les enfants, 35 % dans le partage des instants de tous les jours, 28 % dans l'amour, 23 % dans les relations avec l'entourage, 19 % dans la nature, 18 % dans le travail, 18 % dans les sorties, 17 % dans le sport.

Çà m'intéresse/Ipsos, août 1992

CROYANCES

79 % de catholiques, 16 % sans religion ◆ 4 millions de musulmans, un million de protestants, 600 000 juifs ◆ Pratique religieuse en baisse depuis le milieu des années 60 ◆ Moindre influence de l'Eglise sur les modes de vie, mais besoin croissant de spiritualité ◆ Méfiance à l'égard de la science et du progrès ◆ Résistance croissante aux excès de la modernité ◆ Forte demande d'éthique et de morale ◆ Montée de l'irrationnel ◆ Attirance pour les « religions douces »

RELIGIONS

79 % des Français se disent catholiques.
5 % se réclament d'une autre religion.
16 % sont sans religion.

La plupart des enquêtes indiquent que la proportion de Français de 18 ans et plus se déclarant catholiques est proche de 80 %. Elle n'a guère varié depuis une dizaine d'années, mais elle est inférieure à celle qui apparaissait dans les sondages plus anciens. Les autres religions représentées en France sont principalement l'islam, le protestantisme et le judaïsme. Les chrétiens orthodoxes sont très peu nombreux ; la majorité sont des Russes blancs émigrés après la révolution de 1917 et installés dans l'ouest parisien.

La proportion de personnes « sans religion » varie assez largement selon les catégories sociales. L'âge est le principal facteur discriminant ; la proportion de personnes sans religion diminue régulièrement avec l'âge : 29 % des jeunes de 18 à 24 ans ; 13 % des 65 ans et plus. Les ouvriers, cadres et membres des professions intellectuelles supérieures sont moins souvent religieux que les agriculteurs, commerçants, artisans et inactifs.

deste, mais aussi des intellectuels, des membres des professions libérales. Tous ne sont pas pratiquants et les principes du Coran sont interprétés de façon parfois très différente par les diverses communautés qui s'y réfèrent. Le nombre des lieux de culte (environ 600) a doublé depuis 1980.

---

80 % de catholiques, 16 % d'athées

Religion déclarée par les Français* en 1993 (en %) :

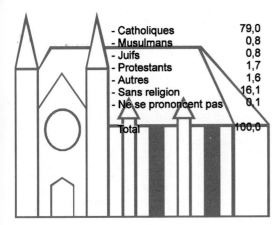

- Catholiques	79,0
- Musulmans	0,8
- Juifs	0,8
- Protestants	1,7
- Autres	1,6
- Sans religion	16,1
- Ne se prononcent pas	0,1
Total	100,0

* hors étrangers résidant en France.

La France compte environ 4 millions de musulmans.

Une grande partie des 3 à 5 millions de musulmans présents dans le pays n'ont pas la nationalité française. Mais 500 000 à 700 000 musulmans originaires d'Algérie (les familles harkies et leurs enfants nés depuis 1962) sont français. L'islam est aujourd'hui la seconde religion de France, loin derrière le catholicisme, mais largement devant les autres religions présentes.

La grande majorité des musulmans (plus de 90 %) sont sunnites ; ils se réclament du courant majoritaire de l'islam qui s'appuie sur le sunna, ensemble des paroles et actions de Mahomet et de la tradition qui les rapporte. Les autres sont chiites ou appartiennent à une secte schismatique peu nombreuse (les bahalis, environ 10 000).

On trouve parmi les musulmans vivant en France une majorité de personnes de condition mo-

Quand la science se prend pour Dieu

Venise

Les protestants représentent environ 2 % de la population, soit un million de personnes.

On compte parmi eux 500 000 réformés, 300 000 luthériens, 200 000 évangéliques. Comme les autres chrétiens, ils croient aux vérités du Credo : un seul Dieu en trois personnes (le Père, le Fils et le Saint-Esprit). Ils acceptent le Credo de Nicée (qui exclut la subordination du Verbe au Père), mais rejettent les dogmes concernant l'Assomption de la

Vierge ou de l'Immaculée Conception. Pour eux, les saints ne sont que des grands témoins de la foi et des modèles, non des médiateurs entre Dieu et les hommes.

Les divergences internes sont nombreuses. Pour les luthériens et les calvinistes, le Christ est le seul chef de l'Eglise (pour les catholiques, c'est le pape et le collège épiscopal) ; les anglicans ont cependant conservé une structure proche, accordant un rôle primordial à l'archevêque de Canterbury. Les protestants ne reconnaissent que deux sacrements (le baptême et l'eucharistie) contre sept chez les catholiques. 60 % environ ne se rendent jamais au temple.

Malgré la volonté œcuménique, les désaccords avec les catholiques restent profonds quant à la morale personnelle (avortement, contraception...) et la discipline des Eglises : le mariage des prêtres et l'ordination des femmes, pratiqués par les protestants, sont toujours refusés par le Vatican.

La montée des valeurs protestantes

Les valeurs généralement associées au protestantisme semblent trouver un écho croissant dans la société française. Après avoir été condamnés au nom de la modernité au cours des décennies passées, l'austérité, la simplicité, le dépouillement, l'authenticité tendent à devenir aujourd'hui des vertus. Les Français se sont aussi ralliés à l'économie de marché, à l'individualisme, l'éthique, la décentralisation, qui appartiennent davantage à la culture protestante que catholique. Cette évolution est significative d'un changement de culture, qui transforme notamment les rapports que les Français entretiennent avec le monde des affaires et avec l'argent. Après avoir longtemps pensé que le profit était un péché, ce qui correspond à la lecture que l'on fait des évangiles dans les pays catholiques, ils estiment désormais que les entreprises ne sont pas condamnables puisqu'elles contribuent au bien-être général.

Mais dans le même temps où ils reconnaissent les diverses parties prenantes du système économique, les Français modifient leur conception de l'existence, accordant une moins grande priorité à la consommation et aux satisfactions matérielles. On retrouve là un autre indice du rapprochement avec la mentalité protestante, dans laquelle l'austérité tient une large place. Comme l'Eglise au XVIe siècle, les Français sont en train d'accomplir leur « réforme ».

➤ 46 % des Français considèrent qu'il y a aujourd'hui un intérêt de plus en plus grand pour les questions religieuses, 45 % non.

La France compte environ 600 000 juifs.

On estime que la moitié d'entre eux vivent à Paris. Beaucoup de juifs ashkénazes (de culture et de langue yiddish) sont arrivés d'Europe centrale entre les deux guerres ; ils ont été suivis par les séfarades (juifs des pays méditerranéens) venus d'Afrique du Nord après la décolonisation. De tous les pays d'Europe occidentale, c'est la France qui compte la plus importante minorité juive.

On compte 80 rabbins, 40 ministres du culte et une centaine de ministres adjoints.

Le bouddhisme connaît un regain d'intérêt.

Le bouddhisme compterait en France quelque 600 000 adeptes, parmi lesquels 400 000 réfugiés du Sud-Est asiatique, 50 000 immigrés d'origine chinoise et quelques jeunes stars féminines comme Isabelle Adjani, Sophie Marceau ou Charlotte Gainsbourg. Tous sont séduits par son caractère multiple ; à la fois philosophie, mode de vie et religion. Cet engouement s'est concrétisé par la création de 90 instituts de formation et 300 centres de prière.

La tolérance, le souci de la compassion, la nécessité du partage et la recherche de satisfactions non matérielles sont des idées qui font leur chemin dans une société en quête de sérénité et de sagesse. Ces principes généraux ne sont pas éloignés de ceux prônés par l'Eglise catholique, ce qui explique son ouverture au bouddhisme.

ATTITUDES

Le « désenchantement » de la France a commencé avec la Révolution.

Depuis le XVIIIe siècle, l'histoire de la France se confond avec celle du passage d'un Etat religieux à un Etat laïque. La séparation du temporel et du spirituel, décidée une première fois pendant la Révolution, était confirmée au tout début du XXe siècle (1905). Elle était enfin consommée au cours des années 60, en vue de « libérer l'individu » et d'en finir avec les derniers tabous de la société judéo-chrétienne : l'argent, les loisirs, la sexualité.

Nietzsche a affirmé la mort de Dieu et la société est devenue littéralement désenchantée. Mais le besoin de sacré n'a pas disparu de la nature humaine et elle ne se satisfait guère du « faux sacré » qui lui est proposé par les médias ou les institutions.

L'érosion continue

Indicateurs de l'activité religieuse :

	1970	1987	1993
- Baptisés (%)	84	64	61*
- Mariages religieux (%)	95	55	52*
- Prêtres	45 259	34 522	30 000**
- Diacres	-	410	850
- Ordinations (prêtres diocésains)	264	104	126

* 1992. ** Estimation (dont 24 000 diocésains et 6 000 religieux).

La pratique religieuse a fortement diminué depuis le milieu des années 60.

Les indicateurs de la pratique religieuse ont beaucoup baissé chez les catholiques depuis le milieu des années 60 : les Français font moins baptiser leurs enfants, vont moins à l'église, même pour s'y marier. Dans le même temps, la population ecclésiastique a diminué.

Cette désaffection n'est pas seulement la conséquence d'un mouvement historique long. Elle s'est alimentée récemment du divorce entre les Français et leurs institutions, parmi lesquelles on doit encore compter l'Eglise. Mais la baisse s'est produite, pour l'essentiel, au cours des années 70 ; elle est beaucoup moins marquée depuis quelques années.

"J'ai consacré ma vie à Dieu, je n'ai pas envie d'avoir des problèmes avec mon magnétoscope."

Les nouvelles images pieuses

Plus on est jeune, moins on est pratiquant. 70 % des pratiquants réguliers sont des femmes.

15 % des catholiques sont des pratiquants réguliers (au moins deux participations par mois), 20 % des pratiquants occasionnels (participation aux grandes fêtes religieuses), 65 % des non-pratiquants (Sofres, avril 1993). La pratique régulière de la religion catholique croît de façon très nette avec l'âge : 9 % des 18-24 ans sont des pratiquants réguliers contre 29 % des 65 ans et plus.

La baisse est particulièrement forte dans l'Est ; on observe au contraire une hausse en région parisienne et dans le Centre. Les pratiquants réguliers habitent plus fréquemment en Lorraine et dans l'Ouest. Ceux qui se disent sans religion ont un niveau d'études plus élevé que la moyenne, habitent plus souvent l'agglomération parisienne et les régions méditerranéennes.

Pratiques

Evolution de la pratique religieuse régulière (au moins 2 fois par mois, en %) :

	1977	1983	1993
• **Ensemble des catholiques pratiquants réguliers**	17	14	12
• **Sexe :**			
- Homme	13	11	8
- Femme	21	17	16
• **Age :**			
- 18-24 ans	9	9	6
- 25-34 ans	9	7	6
- 35-49 ans	19	14	10
- 50-64 ans	21	19	13
- 65 ans et plus	27	24	24
• **Profession du chef de ménage :**			
- Agriculteur	31	22	13
- Commerçant, artisan, chef d'entreprise	15	12	5
- Cadre, profession intellectuelle	23	24	13
- Profession intermédiaire	14	10	11
- Employé	9	7	7
- Ouvrier	9	6	6
- Inactif, retraité	24	22	22

Episcopat

DDB Needham Paris

Sofres

Hélène Riffault, *Futuribles*, décembre 1993

La France n'est plus la fille aînée de l'Eglise

Pratique religieuse dans les pays de l'Union européenne :

	Pratiquants réguliers	Peu ou pas pratiquants	Sans religion
• Irlande	87	9	4
• Italie	52	33	15
• Espagne	43	44	13
• Portugal	41	32	27
• Allemagne	34	56	10
• Belgique	30	38	32
• Pays-Bas	30	31	49
• Grande-Bretagne	23	35	42
• FRANCE	17	45	38
• Danemark	11	81	8

La pratique tend à se stabiliser, mais l'avenir dépendra de l'évolution des jeunes.

Si la fréquentation des églises diminue globalement, les Français sont un peu plus nombreux à s'y rendre lors des moments importants de la vie : naissance, mariage, décès. La proportion de ceux qui feraient baptiser leur enfant est la même en 1993 qu'en 1983 : 81 %, dont la moitié sont des non-croyants. De même, les trois quarts des Français souhaitent être enterrés religieusement, alors qu'un quart sont athées.

Pourtant, il est difficile de prévoir comment évoluera l'attitude des jeunes, aujourd'hui très peu pratiquants, au cours de leur vie. Si les taux de pratique régulière constatés actuellement parmi eux restaient inchangés, la part des catholiques pratiquants réguliers devrait en effet se réduire considérablement : environ 10 % en l'an 2000 ; seulement 3 % en 2030.

L'influence de l'Eglise sur les modes de vie a beaucoup diminué.

Le pouvoir et l'influence de l'Eglise ont régulièrement diminué depuis la fin du XIXe siècle. La fonction d'assistance aux plus défavorisés, traditionnellement assumée par l'Eglise, s'est trouvée peu à peu transférée à l'Etat. L'Eglise avait donc perdu deux de ses rôles essentiels : proposer (et défendre) un système de valeurs servant de référence commune ; contribuer à l'égalisation de la société. Dès lors, son utilité apparaissait avec moins de clarté à l'ensemble des catholiques.

Pour la majorité des Français, le rôle du prêtre est de dire la messe, d'aider et de réconforter les plus déshérités, de prêcher la paix et le respect des droits de l'homme, d'être une référence morale plutôt que le censeur des mœurs et des modes de vie. Lorsque le pape se prononce contre le divorce, la pilule ou l'avortement, les trois quarts des catholiques (et plus de la moitié des pratiquants) déclarent ne pas en tenir compte. Ils ne comprennent pas davantage le refus du préservatif pour lutter contre la transmission du sida, celui de la pilule abortive ou la condamnation de certains films. Aujourd'hui, 16 % seulement des Français estiment importante l'influence de l'Eglise sur la vie politique, contre 44 % en 1966, 35 % en 1977, 26 % en 1986. La proportion est de 36 % parmi les pratiquants réguliers (Sofres, février 1993).

Micro-entretien ━━━━━━━━━

ABBÉ PIERRE *

G.M. - *L'Eglise doit-elle maintenir ses conceptions ou s'adapter ?*

A.B. - Le problème s'est posé à l'Eglise à deux reprises. D'abord avec la pilule et les moyens anticonceptionnels, une autre fois avec le sida, c'est-à-dire le préservatif comme unique moyen d'éviter la contamination. Lors du débat sur la pilule, j'avais indiqué que le devoir de l'Eglise était de redire l'appel à la perfection auquel l'Evangile nous invite. De même, si un couple n'est pas porteur du sida et qu'il est fidèle, il n'y a normalement aucun risque ; car le préservatif parfait, c'est la fidélité absolue. Mais on sait maintenant qu'il y a eu des risques par transfusion sanguine. De plus, les hommes sont de pauvres pécheurs...
Lorsque par exemple le pape s'adresse à la population de l'Ouganda (l'un des pays les plus touchés par le sida) et qu'il leur dit que le seul remède c'est la continence, c'est parler chinois à ces gens dont toute la culture veut qu'ils aient beaucoup d'enfants. Mais le pape vient d'une Pologne conservatrice où l'on était à 90 % pratiquant malgré un gouvernement athée qui s'efforçait de détruire cette force.

---

* Fondateur des Compagnons d'Emmaüs, auteur avec Bernard Kouchner de *Dieu et les hommes*, Robert Laffont.

RFI

➤ 47 % des Français disent éprouver de l'intérêt pour les questions religieuses, 52 % non.

Les rapports entre les individus et l'Eglise ont changé.

La proportion des Français qui déclarent croire en Dieu reste stable (environ 60 %). La crise de la religion n'est donc pas celle de la foi, mais celle de sa manifestation dans la vie quotidienne. La religion est devenue une affaire personnelle, que l'on n'est plus obligé de partager avec d'autres.

De nouveaux courants spirituels sont apparus. Alors que les catholiques intégristes s'opposaient de plus en plus ouvertement au Vatican, jusqu'à provoquer un schisme, de nouveaux courants spirituels naissaient, tels le *Renouveau charismatique*, qui tentaient d'élaborer de nouvelles façons de vivre sa foi, en autorisant des aménagements personnels avec l'Eglise.

Le faux sacré

Les médias se sont efforcés de répondre à la nostalgie du sacré en lui trouvant des solutions de remplacement. Ils ont ainsi fabriqué des « monstres sacrés » (acteurs, chanteurs, champions sportifs, gourous de tous bords ou même journalistes) ; TF1 a même proposé pendant des années des « sacrées soirées ». Ce n'est pas par hasard que l'on a parlé à propos de la télévision d'« Eglise cathodique ». L'Etat a lui aussi tenté de se sacraliser par ses fastes et les comportements de ses dirigeants. La Terre elle-même est en train de devenir sacrée pour les écologistes, qui l'ont d'ailleurs déifiée en la baptisant Gaïa.

Ce « faux sacré » a sans doute permis la survie provisoire de la société. Mais il n'est pas suffisant pour assurer son avenir. C'est le pari que font ceux qui pensent avec Malraux que le XXIe siècle sera spirituel ou ne sera pas.

Le besoin de transcendance et de sacré reste intact.

« On a toujours plus de religion qu'on ne croit », écrivait Marcel Jouhandeau. Dans une société qui se veut laïque et qui pense avoir détruit les derniers tabous (le sexe, l'argent, les loisirs), le besoin de transcendance n'a pas disparu. Il suffit pour s'en convaincre de constater la place prise par l'irrationnel dans la vie sociale (voir ci-après) ou le besoin souvent évoqué d'un « supplément d'âme ».

La culture et les modes de vie des Français restent en outre fortement imprégnés des valeurs chrétiennes. La France n'est peut-être plus la fille aînée de l'Eglise ; elle a fait une fugue pour montrer son besoin d'indépendance et protester contre une tutelle morale jugée trop pesante. « Une société sans religion est comme un vaisseau sans boussole » affirmait Napoléon.

La religion reste présente dans le langage

SCIENCE

Les Français sont plus méfiants à l'égard de la science et du progrès technique.

Leur attitude à l'égard de la science est ambivalente. Ils lui sont certes reconnaissants d'avoir historiquement combattu l'obscurantisme, l'ignorance et les privilèges et, plus récemment, amélioré les conditions de vie et de travail, vaincu certaines maladies, permis les progrès de la connaissance.

Mais ils sont aussi de plus en plus conscients des risques qu'elle fait peser aux hommes et des menaces qu'elle représente pour l'avenir. Si le nucléaire a permis de fournir de l'électricité (à un prix qui n'est peut-être pas aussi bas qu'on l'a dit), il a aussi rendu possible la bombe atomique et il est responsable de la catastrophe de Tchernobyl. Si les progrès de la biologie permettent de guérir certaines maladies génétiques, ils pourraient demain autoriser des manipulations et peser sur l'évolution de l'espèce humaine.

*La corrélation entre progrès et bien-être
ne paraît plus évidente.*

Au cours des années récentes, les Français ont eu le sentiment que l'augmentation de leur niveau de vie s'accompagnait d'une diminution de la qualité de la vie. Une impression paradoxale, qui remettait brutalement en cause le postulat sur lequel est basé toute la civilisation.

L'idée d'un découplage entre l'abondance et le bien-être (voire même la liberté) est aujourd'hui partagée par un nombre croissant de Français. Certains sont même convaincus que l'accroissement du confort matériel a entraîné celui de l'inconfort moral. L'énorme succès des *Visiteurs* (13 millions de spectateurs) est significatif de cette nouvelle disposition d'esprit ; débarqués brutalement de leur Moyen-Age, les deux héros constatent combien l'euphorie moderniste du XXᵉ siècle est pitoyable.

Le rationalisme du XVIIIᵉ siècle et le scientisme du XIXᵉ, qui plaçaient dans la science tous les espoirs de l'humanité, ont donc fait place au scepticisme. Les Français se sont rendu compte que la science n'était pas bonne ou mauvaise en elle-même, mais que son influence dépendait avant tout de l'utilisation qui en est faite par les hommes. Il n'y a pas d'indépendance de la science ; il n'y a pas non plus de fatalité de la catastrophe.

Le regret nucléaire

« Il faut continuer à construire des centrales nucléaires »* (en %) :

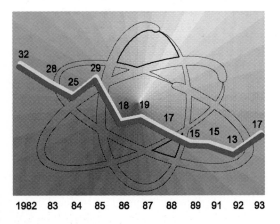

* Cumul des réponses « entièrement d'accord » et « bien d'accord ».

Agoramétrie

Science et conscience

A propos des avancées réalisées par la recherche médicale, 72 % des Français considèrent qu'il faut aller toujours plus loin, car c'est la façon de sauver des vies humaines. 24 % estiment qu'on est allé trop loin, car certains de ces progrès sont dangereux.
86 % estiment qu'on devrait autoriser le recours aux nouvelles techniques de manipulation génétique actuellement mises au point pour obtenir des traitements pour les maladies incurables (7 % pour l'interdiction). La proportion favorable est de 82 % pour prévenir ou guérir les maladies héréditaires (10 % opposés). Elle n'est que de 20 % pour améliorer les caractéristiques des enfants à naître (72 % opposés) et de 9 % pour décider du sexe d'un enfant (86 % opposés).
S'ils avaient une difficulté pour avoir un enfant, 48 % des Français envisageraient de recourir à une technique de bébé-éprouvette, mère porteuse ou don de sperme. Le taux de recours diminue avec l'âge et augmente avec le niveau de formation.

*Les craintes concernant l'environnement
s'accroissent.*

Les accidents liés au développement technologique ont provoqué en France, comme dans d'autres pays industrialisés, une croissance des inquiétudes concernant l'environnement. Les préoccupations prioritaires concernent la pollution de l'eau courante et les maladies liées à la dégradation de la flore et de la faune (craintes plus répandues chez les femmes). Le réchauffement de l'atmosphère, les changements de climat et l'élimination des déchets sont ressentis comme des menaces moins importantes, sans doute parce qu'elles apparaissent plus lointaines. Le développement du nucléaire arrive en dernière position, bien que les Français lui soient majoritairement défavorables.

*L'écologie est devenue une dimension
incontournable de la vie sociale, politique,
industrielle et philosophique.*

L'écologie était apparue en France au début des années 70, comme une suite logique de l'esprit de Mai 68, dont elle fut peut-être le dernier sursaut. Mais la crise économique allait mettre au premier plan des préoccupations plus immédiates, comme le chômage. L'écologie fut alors considérée comme un luxe hors de saison. Il aura fallu l'accident de Tchernobyl et les grandes campagnes de sensibilisation médiatique sur la fissure de couche d'ozone, l'effet

Sondages divers

de serre ou la disparition de la forêt amazonienne pour qu'elle fasse un retour remarqué, dans les mentalités plus que dans les urnes.

S'ils accusent volontiers les industriels, les politiques et les scientifiques de ne pas avoir suffisamment protégé la nature, les Français n'ont cependant pas encore le réflexe, à l'échelon individuel, de participer à cet effort, même s'ils se disent prêts à le faire. Ainsi, huit sur dix se déclarent prêts à ne pas utiliser leur voiture pour des trajets inférieurs à un kilomètre, alors que ces trajets représentent en réalité un quart de l'ensemble des trajets.

Le bruit, ennemi public numéro un

Les Français se plaignent plus du bruit que des autres nuisances. 2 millions d'entre eux sont exposés sur leur lieu de travail à des bruits jugés dangereux (supérieurs à 85 décibels, avec parfois des pointes à 120 décibels). Environ 20 000 plaintes sont enregistrées chaque année, dont plus de la moitié à Paris.
Dans la vie quotidienne, les véhicules sont les principaux responsables ; au cours des 25 dernières années, le parc automobile a triplé et le trafic aérien a décuplé. Les sirènes des voitures de police, la multiplication des systèmes d'alarme des logements et des voitures (dont beaucoup se déclenchent de façon intempestive) ont accru le niveau, déjà élevé, du bruit ambiant dans les villes.
Le bruit serait à l'origine de nombreuses maladies. Selon le CDIA, il est responsable de 15 % des journées de travail perdues chaque année et de 20 % des internements psychiatriques, sans oublier la consommation de certains médicaments (somnifères, hypnotiques...).

La résistance des Français aux excès de la modernité commence à s'organiser.

Elle se manifeste en particulier par une transformation profonde des comportements en matière de consommation, sensible depuis 1991. Les valeurs matérielles sont devenues moins prioritaires, les besoins plus intériorisés, les comportements d'achat plus rationnels, les acheteurs moins fidèles. Le succès des produits est moins lié à la mode, donc à la modernité. Dans toutes les couches de la société, la « néophilie » est en forte régression et les « néomaniaques » constituent une espèce en voie de disparition.

Cette résistance à la modernité s'est aussi traduite par une volonté de préserver les avantages acquis et accumulés pendant les périodes précé-

Le bruit, déchet de l'activité humaine

dentes. Un instinct de « conservation » s'est développé, qui a incité les Français à se tourner vers le passé et à refuser le présent. C'est ce qui explique par exemple le goût de la mémoire et de la commémoration ou l'engouement récent pour la philosophie.

Régressions

On peut voir dans les attitudes des Français depuis quelques années des marques évidentes de régression, aux deux acceptions du terme. D'abord, à travers le sentiment que le progrès n'est plus synonyme d'amélioration de la qualité de la vie, mais qu'il a parfois des effets inverses. Cette régression française se manifeste par la récession économique, mais aussi par la volonté de retour à des situations antérieures.
Une autre régression se manifeste, au sens psychanalytique. Elle est particulièrement sensible dans les rapports que les Français entretiennent avec les animaux. Tout se passe comme si l'homme, qui se sent aujourd'hui coupable de détruire la nature, tentait de se racheter en traitant les animaux comme des semblables (voir *Animaux*). Il cherche inconsciemment à retrouver sa place parmi les mammifères, comme l'attestent les succès du *Grand Bleu* ou, plus récemment, de *Jurassic Park*, le film de Spielberg.

➤ Pour 87 % des Français, les déchets radioactifs sont le premier problème environnemental, devant la destruction des forêts (86 %) et la pollution de l'eau (85 %).

Le consensus écologique

« Il faut soutenir les écologistes. »* (en %) :

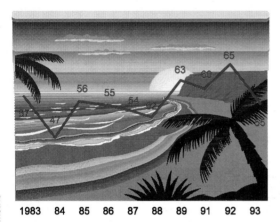

1983 84 85 86 87 88 89 91 92 93

* Cumul des réponses « entièrement d'accord » et « bien d'accord ».

Agoramétrie

Le contrôle social de l'activité scientifique apparaît de plus en plus nécessaire.

Les Français considèrent que la science est une chose trop importante pour être laissée aux seuls scientifiques, dont la bonne conscience apparaît parfois comme de la naïveté, les certitudes comme de l'arrogance. C'est pourquoi il leur semble de plus en plus nécessaire de contrôler les applications des recherches, voire la nature même de ces recherches.

S'ils ne font pas confiance aux savants et aux experts, les Français ne font pas davantage confiance aux hommes politiques. Dans un pays démocratique et un monde complexe, la société civile souhaite être à la fois informée des enjeux et prendre part aux décisions. Les catastrophes récentes ont laissé une trace indélébile dans la mémoire collective. La logique technocratique ne s'accommode pas toujours de la volonté démocratique.

➤ 710 accidents et pollutions accidentelles se sont produits en 1992.
➤ 43 % de l'énergie du chauffage urbain parisien sont fournis par l'incinération des ordures ménagères.
➤ 82 % des Français considèrent qu'il y a des réalités que la science ne parviendra jamais à expliquer.

Micro-entretien

HUBERT REEVES*

G.M. - *La science aide-t-elle à comprendre l'histoire humaine ?*

H.R. - La science nous apprend à travers l'évolution du cosmos, le passage en des milliards d'années d'une matière complètement désorganisée à la formation des étoiles, des galaxies, des planètes. L'histoire de l'univers est celle de la croissance de la complexité. Les sociétés et nous-mêmes sommes le chapitre présent de cette histoire qui dure depuis quinze milliards d'années. Ce qui se passe en Europe, en Yougoslavie, en fait partie. Cela nous amène à une grande question : la complexité est-elle viable ? Est-ce que c'est un mauvais pari ou est-ce qu'on peut arriver à la faire exister. Si l'on ne fait que regarder ce qui se passe en Yougoslavie, on se dit que c'est foutu ; mais si on regarde ailleurs en Europe, on se dit qu'il y a de l'espoir. Nous sommes dans une histoire qui est en train de se jouer. Nous ne savons pas vers quoi elle se dirige, mais nous en sommes les acteurs. Toute l'évolution du cosmos en dépend.

* Astrophysicien.

RFI

La technologie change la vie

Lintas

La demande d'éthique et de morale est de plus en plus forte.

Le débat sur l'éthique est lancé en France depuis plusieurs années. Il concerne aussi bien les médecins et les chercheurs, qui jouent avec la vie, que les entreprises ou les politiciens, qui exercent une influence sur l'environnement. Il cherche à donner au citoyen un pouvoir de contrôle, à créer des contre-pouvoirs ou à renforcer ceux qui existent déjà. Il s'agit de réduire l'écart existant entre la puissance, qui s'est accrue dans des proportions considérables avec les progrès de la science, et la sagesse, qui ne semble guère avoir progressé.

Ce débat a donné naissance à des comités d'éthique. Il a contribué à l'explosion de l'écologie comme nouvelle force politique. Il explique aussi la suspicion des Français à l'égard de la science et leur attirance croissante pour l'irrationnel.

IRRATIONNEL

Le scientisme a peu à peu cédé la place au mysticisme.

Si la religion ne répond pas aux nouveaux défis de la vie quotidienne, la science ne donne pas non plus une explication satisfaisante du monde. Les savants eux-mêmes s'interrogent, tant sur les conséquences de leur pouvoir que sur les limites de leurs connaissances ; certains n'hésitent pas à chercher dans d'autres voies.

La crise des valeurs, celle de l'économie et de la religion, la proximité de l'an 2000 expliquent sans doute le besoin, ressenti par beaucoup de Français, de chercher de nouvelles attaches, de nouvelles explications du monde, de nouvelles visions de l'avenir.

On observe un goût croissant pour l'irrationnel.

Les exemples de cet engouement ne manquent pas. Les astrologues et les voyants sont de plus en plus souvent consultés. Des entreprises font appel à eux pour recruter leurs employés ou leurs cadres ; elles n'hésitent pas à recourir à la numérologie, voire au spiritisme. Les sectes récupèrent une partie des déçus du rationalisme. Les adeptes du *Nouvel Age* se comptent par millions.

Les catholiques n'échappent pas à la tentation de l'irrationnel. Les affaires de sorcellerie, d'envoûtement, de possession ou de crimes rituels sont encore nombreuses en France, surtout dans les campagnes. Chaque année, les diocèses reçoivent plusieurs milliers de demandes d'exorcisme (mille pour la seule ville de Paris).

Le paranormal séduit

Evolution des taux de croyance en certains phénomènes paranormaux (en %) :

	1988	1993
• Les guérisons par magnétiseurs, imposition des mains	47	55
• La transmission de pensée	-	55
• L'explication des caractères par les signes astrologiques	40	46
• Les rêves qui prédisent l'avenir	38	35
• Les prédictions par les signes astrologiques, les horoscopes	24	29
• Les prédictions des voyantes	27	24
• L'inscription de la destinée dans les lignes de la main	17	23
• Les envoûtements, la sorcellerie	-	19
• Les tables tournantes	10	16
• Les fantômes, les revenants	5	11

Cité des Sciences-Le Monde/Sofres, janvier 1993

Les Français sont de plus en plus attirés par les « religions douces ».

La religion est la médecine de l'âme. C'est sans doute pourquoi l'engouement des Français pour les médecines douces, (homéopathie, acuponcture, phytothérapie, instinctothérapie, etc.) coïncide avec un intérêt croissant pour les religions venues d'ailleurs : bouddhisme, hindouisme, etc. Les sectes ont largement profité de ce mouvement depuis les années 70.

L'Eglise de Scientologie, la Méditation transcendantale, Ecoovie, l'Eglise de l'unification (Moon), la Nouvelle Acropole, les Témoins de Jéhovah et bien d'autres sont les plus solidement implantées en France. Le nombre des sectes présentes en France serait de 25 000. On estime que 600 000 Français sont concernés, dont 200 000 adeptes et 400 000 sympathisants.

Le Nouvel Age apparaît comme un mélange de religion, d'écologie et d'humanisme...

Comme beaucoup d'Occidentaux, les Français sont de plus en plus nombreux à être convaincus ou séduits par cette vision de l'avenir. Inspiré par l'astrologie, le Nouvel Age a pour point de départ le passage du Soleil dans le signe du Verseau, après vingt siècles dans le signe des Poissons. Le monde serait donc entré dans une ère de grande mutation (d'une durée prévue de 1 000 ans) qui verra l'homme retrouver l'harmonie avec la nature, avec le cosmos et avec lui-même. L'âge de l'être remplacerait celui de l'avoir.

La vocation du Nouvel Age est à la fois philosophique, universelle et globalisante. Il tente de réunifier la science et la conscience, l'individu et la collectivité, l'Orient et l'Occident et même le cerveau droit de l'homme (siège de l'instinct, de la fantaisie et du rêve) avec son cerveau gauche (lieu de la raison et de l'intelligence). Ces idées à la fois généreuses et exotiques sont d'autant mieux acceptées qu'elles arrivent au moment où la science doute d'elle-même, où l'humanité craint pour sa survie.

... mais la dimension matérialiste n'est pas absente et certaines pratiques sont dangereuses.

Comme ceux des sectes, les gourous du Nouvel Age demandent à leurs adeptes de transformer leurs modes de vie et même leur personnalité. Pour parvenir à l'harmonie promise, ils doivent d'abord surveiller leur alimentation (végétarisme, macrobiotique, instinctothérapie...). Il leur faut surtout accroître leur énergie (laquelle serait plus importante que la matière) par des méthodes de développement personnel, dont certaines ne sont pas sans risque (voir encadré). Il est clair que certaines de ces pratiques relèvent davantage de l'ésotérisme ou du charlatanisme que d'un humanisme désintéressé. Les demandes spirituelles sont souvent l'objet d'une exploitation commerciale.

Le mouvement propose une nouvelle forme de spiritualité, fondée sur l'expérience personnelle.

Outre ces pratiques destinées aux individus, le Nouvel Age se propose de remettre en cause les structures sociales et les institutions et de réaliser le syncrétisme religieux. Il s'appuie sur le besoin de sens et le désir de privatisation de l'expérience religieuse. Le « travail sur soi », la mise en évidence et la restauration des « énergies vitales » sont les concepts majeurs du mouvement.

Phénomène de mode, tentative utopique de synthèse ou dernière chance pour l'humanité ? Le mérite du Nouvel Age est de proposer une vision optimiste de l'avenir et de s'ancrer dans la réalité quotidienne. Mais les risques sont à la hauteur des ambitions : récupération marchande (déjà largement engagée) ; dérive ésotérique ; régression de type psychanalytique ; éclatement en « écoles »

divergentes et antinomiques ; prise de pouvoir par des mouvements de type intégriste.

Le « chemin de l'extase » ne serait alors qu'une route qui mène à de nouveaux affrontements entre les hommes, voire à de nouvelles guerres de Religion.

Le besoin d'harmonie

A travers la recherche spirituelle et la quête du sens, c'est au fond un énorme besoin d'harmonie qui se manifeste dans la société actuelle. Harmonie vis-à-vis de la nature avec l'écologie, du cosmos par l'intermédiaire de la transcendance. Harmonie aussi vis-à-vis de soi-même.

Pour y répondre, de nombreuses méthodes de développement personnel ou de psychothérapie sont proposées par le Nouvel Age. Ainsi, la « renaissance » *(rebirth)* consiste à revivre au moyen d'exercices respiratoires le traumatisme de la naissance ; le cri primal est une incitation à exprimer ses émotions.

Le « channeling » a pour but d'entrer en contact avec les esprits et la « mémoire collective ». La gestalt-thérapie a pour ambition de restaurer la responsabilité individuelle. La bioénergie et la visualisation prétendent aider les individus à puiser dans les ressources inutilisées de l'esprit et du corps. Le « voyage astral » est une sortie hors de son corps charnel... La panoplie des outils disponibles comprend aussi la relaxation, l'hypnose, l'analyse transactionnelle, des thérapies familiales, stratégiques ou comportementales, etc.

Ces nouvelles voies s'écartent de la psychanalyse freudienne traditionnelle. Elles considèrent que le langage du corps est aussi important que la parole et travaillent sur la respiration, les muscles, les nerfs et tous les organes.

---

10 millions de Français ont déjà utilisé les services de voyants et d'astrologues.

Il y aurait en France environ 50 000 extralucides professionnels ; deux fois plus que de prêtres ! Télépathie, clairvoyance, précognition sont les dons revendiqués par ces voyants, marabouts, occultistes, exorcistes, radiesthésistes que les Français consultent de plus en plus fréquemment et ouvertement. Le chiffre d'affaires des professions du « paranormal » représenterait environ 20 milliards de francs.

Comme la peur du diable, l'engouement pour l'irrationnel n'est pas un phénomène récent. Mais on constate aujourd'hui son institutionnalisation. Les entreprises lui ont donné récemment ses lettres de noblesse en intégrant ses techniques dans le recrutement, parfois même dans la gestion ou la définition des stratégies.

On aboutit d'ailleurs dans ce domaine à des abus qu'il convient de dénoncer. Le sort de beaucoup de candidats à un emploi est en effet souvent lié au résultat d'une analyse numérologique, d'un horoscope, d'un test de personnalité ou d'une étude graphologique (cette dernière technique est souvent utilisée pour effectuer une présélection des candidatures et donc éliminer la plus grande partie d'entre elles). Or, aucune de ces méthodes d'investigation n'a aujourd'hui démontré son efficacité. Au contraire, les études réalisées dans certains pays comme les Etats-Unis et l'Allemagne tendent à démontrer leur absence de pertinence.

➤ 26 % des Français ont déjà eu un différend avec un tiers (problème de consommation, de propriété, de travail...).

➤ 70 % des Français estiment que l'Eglise a tort de préconiser la fidélité ou l'abstinence pour lutter contre le sida.

➤ 45 % des Français croient à l'au-delà ; pour eux, la mort est un passage vers autre chose. 42 % pensent que c'est le néant. 12 % croient au dialogue avec les morts, 30 % que les morts nous voient et nous protègent.

➤ Une tonne de verre collecté produit environ 950 kg de calcin et permet d'économiser 80 à 100 kg de pétrole. Avec 100 tonnes de journaux et magazines récupérés, on fabrique 80 à 90 tonnes de papier recyclé. Chaque tonne de papier recyclé économise près de 500 kg de pétrole.

TRAVAIL

LE BAROMÈTRE DU TRAVAIL

Les pourcentages indiqués correspondent aux réponses favorables aux affirmations proposées (population âgée de 18 ans et plus). Les enquêtes n'ont pas été réalisées certaines années.

« Etes-vous inquiet de l'éventualité du chômage ? » (%) :

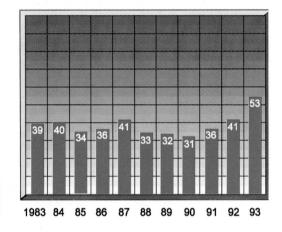

« A votre avis, le chômage va-t-il augmenter pendant plusieurs années ? » (%) :

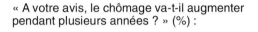
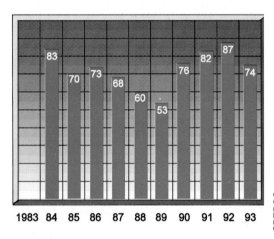

« Les femmes devraient travailler dans tous les cas si elles le désirent » (%) :

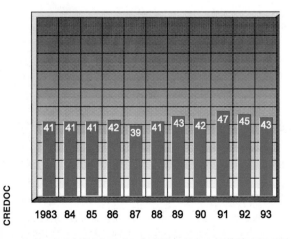

« La diffusion de l'informatique dans les années à venir est inévitable » (%) :

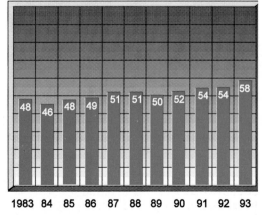

CREDOC

LA POPULATION ACTIVE

ACTIVITÉ

43 % d'actifs ◆ **Nombre des travailleurs étrangers stable** ◆ **Développement du travail précaire** ◆ **Moins de travailleurs intérimaires** ◆ **14 % des actifs à temps partiel (une femme sur quatre)** ◆ **1,4 million de personnes en situation d'exclusion, 12 millions socialement vulnérables** ◆ **Une femme sur deux active (75 % entre 25 et 49 ans)** ◆ **Inégalité encore sensible entre les sexes**

ACTIFS

43 % des Français sont actifs.

Entre 1900 et 1968, la proportion d'actifs dans la population totale avait diminué de 20 %, du fait de l'évolution de la pyramide des âges entre 1930 et 1945, de l'allongement de la scolarité, de la réduction de l'âge moyen à la retraite et de la réduction de l'activité féminine jusqu'à l'aube des années 70.

Le taux d'activité est remonté depuis la fin des années 60, à cause de la diminution de la fécondité, de l'arrivée sur le marché du travail des générations nombreuses du baby-boom, des départs en retraite des générations creuses de la guerre de 1914-1918 et des flux d'immigration importants jusqu'en

1974, en provenance principalement des pays du Maghreb.

Mais c'est le redémarrage de l'activité féminine, particulièrement sensible depuis 1968, qui explique le mieux cet accroissement de l'activité. Aujourd'hui, 46 % des femmes de 15 ans et plus sont actives (un taux qui reste cependant inférieur au maximum de 52 % observé en 1921).

Le travail commence plus tard, la retraite plus tôt

Evolution des taux d'activité selon l'âge et le sexe (en %) :

	Hommes		Femmes	
	1968	1994	1968	1994
• 15 à 19 ans	42,9	8,7	31,4	4,7
• 20 à 24 ans	82,6	55,9	62,4	47,9
• 25 à 49 ans	95,8	95,6	44,5	77,8
• 50 à 54 ans		91,0		68,3
• 55 à 59 ans	82,4	66,4	42,3	46,3
• 60 à 64 ans	65,7	7,7	32,3	4,5
• 65 et plus	19,1		6,9	
15 ans et plus	**74,4**	**62,7**	**36,1**	**47,0**

INSEE

La France comptait 25,1 millions d'actifs en mars 1994.

Cet effectif comprenait 22,0 millions de personnes exerçant effectivement une activité professionnelle et 3,1 millions de personnes sans emploi. Ce dernier nombre est estimé au sens du BIT (Bureau international du travail) : il concerne les personnes ne travaillant pas, disponibles immédiatement et ayant effectué des démarches de recherche au cours du mois précédant l'enquête. Le nombre obtenu est inférieur aux nombres publiés par le ministère du Travail ou l'ANPE. Les militaires du contingent ne sont pas pris en compte, sauf s'ils sont rattachés et déclarés par un ménage.

Alors que la population française s'est accrue d'un tiers depuis le début du siècle (de 41 à 58 millions), le nombre d'actifs occupés a très peu aug-

INSEE, enquêtes sur l'emploi

43 % d'actifs

Evolution du nombre d'actifs (chômeurs inclus) et pourcentage d'actifs dans la population totale :

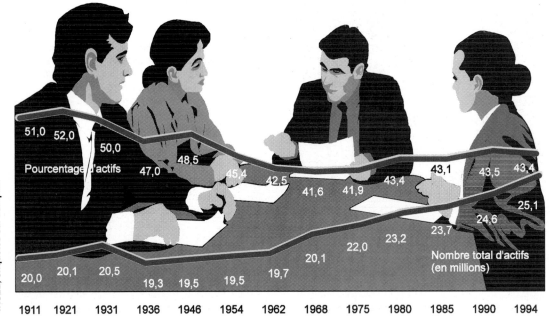

menté : de 21,4 à 22,0 millions. Ceux-ci représentent donc une part de plus en plus faible de la population : 38 % contre 44 % en 1955. Au total, près de deux Français sur trois n'ont pas d'activité professionnelle : enfants, étudiants, adultes inactifs, chômeurs, retraités et préretraités.

Actifs en tout genre

Situation des Français de 18 ans et plus à l'égard de l'emploi :
• 54 % travaillent et n'ont jamais été au chômage (sauf 3 % qui ont connu le chômage technique) ;
• 23 % travaillent et ont déjà été au chômage (16 % une seule fois, 7 % plusieurs fois) ;
• 8 % sont actuellement au chômage ;
• 11 % n'ont jamais travaillé ;
• 4 % ne se prononcent pas.

Libération/Ifop, décembre 1993

➤ La fonction publique va recruter en moyenne 50 000 agents par an jusqu'en l'an 2000.

Le nombre des travailleurs étrangers est à peu près stable depuis 1975 : 1,5 million.

Beaucoup d'étrangers sont arrivés en France pendant les années 60, période de prospérité économique, pour occuper des postes généralement délaissés par les Français. Leur nombre a continué d'augmenter, sous l'effet des nouvelles vagues d'immigration. Il s'est stabilisé depuis quelques années à environ 1,5 million, soit 6 % de la population active totale, un niveau comparable à celui du début des années 30.

Les plus nombreux sont les Portugais : 25 % en 1993. 15 % sont algériens, 12 % marocains, 6 % originaires d'Afrique noire, 6 % italiens, 5 % espagnols, 5 % turcs, 5 % tunisiens.

Les étrangers occupent les postes les moins qualifiés et les moins bien rémunérés : 51 % sont ouvriers, 23 % employés. Ils sont concentrés en Ile-de-France, en Corse, dans la vallée du Rhône et la région Provence-Côte d'Azur. Ils sont enfin deux fois plus touchés par le chômage que les Français : 20,4 % contre 11,1 % en mars 1993.

PIERRE, AUJOURD'HUI INGENIEUR COMMERCIAL EN LUBRIFIANTS POUR LA MARINE CHEZ ELF.

elf
LA PASSION
A TOUJOURS
RAISON.

L'emploi, un problème pour les jeunes

Travail au noir : 5 % du PIB

On estime que les activités échappant à la comptabilité (prestations échangées contre des espèces ou troc) représentent l'équivalent de 300 milliards de francs annuels (5 % du PIB). Elles occupent de un à deux millions de personnes.

Le total de la fraude et de l'évasion fiscale représente à lui seul 215 milliards de francs, soit 4 % du PIB, à quoi il faut ajouter le travail au noir proprement dit. Des estimations internationales indiquent une incidence plus forte, avec 9 % du PIB en France, inférieure cependant à celle de la Grèce (25 %), de l'Italie (18 %), de la Suède (13 %), des Etats-Unis (12 %), des Pays-Bas (10 %) ou du Royaume-Uni (7 %).

Le secteur le plus concerné est le bâtiment, avec environ 250 000 emplois « hors entreprises ». Dans certaines activités de service comme le nettoyage industriel ou l'hôtellerie-restauration, la part du chiffre d'affaires non déclarée serait de 15 % ; elle serait de 10 % dans la réparation automobile.

Ces chiffres élevés expliquent en partie le niveau du chômage, mais les activités illégales ne semblent pas s'être développées de façon significative avec la crise, car celle-ci n'a pas épargné les offres d'activités clandestines.

10 % des chômeurs inscrits reconnaissent pratiquer ce type d'activité, au moins occasionnellement ; 19 % des Français avouent y avoir recours. Si 29 % trouvent cette pratique condamnable, 64 % l'acceptent, car elle permet de compléter les revenus. Il faut dire que, dans certains cas, l'existence du travail au noir a servi d'amortisseur à la crise et sauvegardé la paix sociale, en même temps qu'elle a permis à certains ménages de survivre.

PRÉCARITÉ

Les formes de travail précaire se sont développées depuis le début des années 80.

Sous l'influence de la crise économique, le modèle traditionnel de l'activité professionnelle (un emploi stable et à plein temps) a éclaté. Il a laissé place à des formes plus complexes, plus souples et souvent moins stables d'activité.

Un peu plus de 3 millions de salariés occupent des emplois de ce type. Parmi eux, 1,2 million d'actifs sont en situation d'emploi précaire (mars 1993), dont 624 000 titulaires de contrats à durée déterminée, 399 000 stagiaires, 180 000 apprentis et 171 000 intérimaires. Parmi les 3 millions d'employés à temps partiel, 1,3 million n'ont pas choisi cette solution et souhaiteraient travailler davantage.

Les femmes, les jeunes et les personnes peu qualifiées sont les plus concernés.

Sur les 420 000 personnes qui pratiquent des horaires réduits (moins de 15 heures par semaine), près de 90 % sont des femmes. Beaucoup sont assistantes maternelles ou employées de maison. Près de la moitié des contrats de travail temporaire courts mais à horaires longs concernent des jeunes de moins de 25 ans, dont 60 % sont des hommes.

La moitié des « petits boulots » sont exercés par des personnes sans diplôme ou ayant au mieux le certificat d'études ; moins de 10 % ont un diplôme de l'enseignement supérieur. Le commerce et les services sont les secteurs qui ont le plus contribué au développement de ces formes d'emploi.

400 000 travailleurs handicapés

La loi du 10 juillet 1987 oblige les entreprises publiques ou privées de plus de 20 salariés à employer à temps plein ou partiel des personnes handicapées, dans la proportion de 6 % de leurs effectifs. 80 % des bénéficiaires sont des hommes. 58 % sont ouvriers, 8 % employés, 17 % appartiennent aux professions intermédiaires et 8 % sont cadres. Les employeurs peuvent faire face à cette obligation en embauchant des invalides, en faisant travailler en sous-traitance les handicapés des centres d'aide par le travail (CAT) ou en versant de l'argent à un organisme chargé de financer leur insertion professionnelle. Cette solution est choisie par environ la moitié des entreprises.

Le nombre des travailleurs intérimaires diminue : 170 000 en 1993.

Après la forte croissance qu'il avait connue au cours des années 80, le recours à l'intérim est moins fréquent. Le volume des heures de travail temporaire a chuté de 18 % en 1993, après une baisse de 7 % en 1992.

Cette forte diminution est liée au non renouvellement des contrats avec les gros clients de la profession comme le BTP, l'automobile et les biens d'équipement, qui ont connu une année difficile. Elle a été favorisée par le développement des autres formes d'emplois précaires, notamment les contrats à durée déterminée. Sur les 4 000 agences d'intérim existant fin 1992 (il y en avait 5 000 à mi-1991), 600 ont disparu en 1993.

La part de l'intérim a diminué depuis 1990 ; elle est inférieure à 1 % de la population active. Cinq entreprises réalisent à elles seules la moitié du chiffre d'affaires du secteur. La durée moyenne des contrats est d'environ trois mois. Ceux-ci concernent essentiellement des jeunes sans qualification et des chômeurs de longue durée.

3 millions de personnes travaillent à temps partiel, soit 13,7 % de la population active.

Il y a travail à temps partiel au sens du BIT (Bureau international du travail) lorsqu'une personne « occupe de façon régulière, volontaire et unique un poste pendant une durée sensiblement plus courte que la durée normale ». On considère en pratique que le temps partiel commence en dessous de 30 heures hebdomadaires.

Ce type de travail s'est beaucoup développé depuis une dizaine d'années. Il concerne 26 % des femmes actives, contre 4 % des hommes. 27 % des personnes embauchées depuis moins d'un an travaillaient à temps partiel en 1993, contre 22 % en 1992.

Malgré l'augmentation récente, la France reste néanmoins en retrait par rapport à d'autres pays. Aux Pays-Bas, 34 % des actifs sont occupés à temps partiel, 59 % des femmes et 16 % des hommes.

Ce type de travail ne correspond cependant pas toujours à un choix : 590 000 personnes concernées souhaitaient travailler davantage en 1993 et 460 000 cherchaient un emploi à temps plein ou un temps partiel supplémentaire ; 300 000 étaient des travailleurs à temps plein amenés à travailler à temps partiel involontairement, par exemple à la suite d'un chômage technique.

Temps partiel

Proportion d'actifs travaillant à temps partiel dans certains pays, par sexe (1992, en %) :

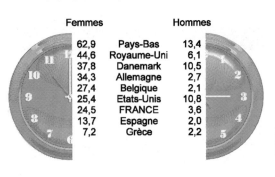

Femmes		Hommes
62,9	Pays-Bas	13,4
44,6	Royaume-Uni	6,1
37,8	Danemark	10,5
34,3	Allemagne	2,7
27,4	Belgique	2,1
25,4	Etats-Unis	10,8
24,5	FRANCE	3,6
13,7	Espagne	2,0
7,2	Grèce	2,2

1,4 million de Français sont en situation d'exclusion ; 12 millions sont en position de vulnérabilité sociale.

Une étude du CERC publiée fin 1993 indique que près d'un million et demi de Français peuvent être considérés comme en marge de la société. On compte parmi eux 150 000 RMistes, 250 000 bénéficiaires de contrats emploi-solidarité, 120 000 personnes en stages de formation, 300 000 jeunes de moins de 25 ans en échec scolaire et familial, 250 000 SDF, 300 000 chômeurs de longue durée.

L'étude montre aussi que 12 millions de personnes, soit près de la moitié des actifs, vivent en situation d'instabilité professionnelle ou de précarité et sont donc menacées d'exclusion ou de disqualification sociale. 5 millions d'entre elles sont dans cette situation, du fait du chômage ou de l'instabilité de leur emploi, dont 1,8 million risquent de s'éloigner progressivement du marché de l'emploi ; 1,3 million sont déjà en retrait de la vie active, dont 850 000 en danger de rupture de liens sociaux. 250 000 personnes sont totalement désocialisées.

7 autres millions de Français (28 % des actifs) sont titulaires d'un emploi menacé par les aléas économiques, dans des secteurs peu dynamiques et non protégés, et sont donc en situation précaire. De plus, leur état de santé est moins bon que la moyenne et ils sont nombreux à avoir connu des problèmes financiers ou familiaux dans leur jeunesse.

Il existe une forte corrélation entre la précarité professionnelle, les ruptures conjugales et les problèmes de revenu. 3 millions de personnes (12 % de la population active) vivent au-dessous du seuil de pauvreté (2 700 F par mois et par unité de consommation en 1993). Les hommes sont davantage concernés que les femmes, les 35-50 ans l'étant également plus que les autres tranches d'âge.

ACTIVITÉ FÉMININE

47 % des femmes de 15 ans ou plus sont actives.

11 millions de femmes sont actives, dont 2,7 millions à temps partiel. 1,4 million sont au chômage. L'accroissement du travail féminin est l'une des données majeures de l'évolution sociale de ces trente dernières années ; le nombre des femmes actives a augmenté de 3 millions, contre moins d'un million pour les hommes. Pourtant, ce phénomène n'est pas nouveau, lorsqu'on élargit le champ de la mémoire ; les femmes actives étaient proportionnellement aussi nombreuses au début du siècle, mais la notion d'activité n'était guère comparable. Après avoir atteint un maximum vers 1900, le taux d'activité des femmes avait fortement baissé jusqu'à la fin des années 60, sous l'effet de l'évolution démographique. La proportion des femmes actives a augmenté depuis, alors que celle des hommes diminuait.

Si les femmes ont, depuis 1968, « repris le travail », c'est en partie sous l'impulsion du grand mouvement féministe des années 70, dont l'une des revendications majeures était le droit au travail rémunéré, condition première de l'émancipation.

Dans le même temps, on constate que l'arrêt de l'activité est moins fréquent dans le cas de l'arrivée d'un second enfant : plus des deux tiers des femmes ayant deux enfants travaillent. Leurs carrières sont moins souvent interrompues que par le passé. La vie professionnelle des femmes tend à se rapprocher de celle des hommes.

Entre 25 et 49 ans, plus de trois femmes sur quatre sont actives, contre moins de la moitié en 1968.

Depuis 1990, le taux d'activité des femmes de 25 à 49 ans s'accroît d'un point par an ; il dépassait 77 % en 1993. On constate qu'il augmente avec le niveau de formation. Les femmes non mariées (célibataires, veuves ou divorcées) travaillent plus fréquemment que les autres (70 % sont actives). Ce sont les femmes d'ouvriers, mais aussi de cadres

"En ce moment, tout le monde a des problèmes, ce n'est pas une raison pour qu'une banque vous traite comme n'importe qui."

Pensée Aucun, CONSEILLER BANCAIRE AU CIC NEUILLY.

C C Paris

Les femmes très présentes dans les services

Alice

ou de « professions intellectuelles supérieures » (enseignants, professions scientifiques, etc.) qui ont les taux d'activité les plus faibles.

C'est entre 25 et 29 ans que l'activité féminine atteint son maximum. Les taux décroissent ensuite avec l'âge, du fait des contraintes familiales (maternités, éducation des enfants) et de la moindre volonté d'exercer une activité rémunérée parmi les femmes des anciennes générations. Plus les femmes ont d'enfants et moins elles exercent une activité rémunérée. Entre 25 et 39 ans, neuf femmes sur dix n'ayant pas d'enfants à charge travaillent. Elles ne sont plus que 83 % lorsqu'elles ont un enfant, 73 % avec deux, 47 % avec trois.

On constate depuis quelques années une féminisation accrue de certains secteurs, notamment dans le tertiaire, où la rotation de l'emploi est forte et le niveau de rémunération souvent peu élevé.

La nouvelle norme

Pour un nombre croissant de femmes, travailler est la condition de l'autonomie et de l'épanouissement personnel. Les femmes qui n'ont jamais travaillé sont d'ailleurs trois fois moins nombreuses avant l'âge de 30 ans qu'après : moins de 4 % contre 12 %.
La diminution du nombre des mariages, l'accroissement du nombre des femmes seules, avec ou sans enfants, la sécurité (parfois la nécessité) pour un couple de disposer de deux salaires sont autant de raisons qui expliquent la croissance du travail féminin.

Le partage du travail

Evolution du taux d'activité des hommes et des femmes (en % de la population totale de chaque sexe) :

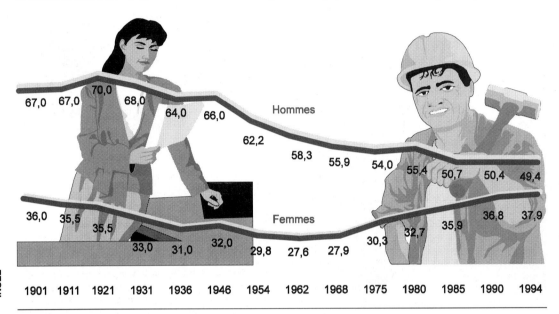

| 67,0 | 67,0 | 70,0 | 68,0 | 64,0 | 66,0 | | | | | | | | |
| | | | | | | 62,2 | 58,3 | 55,9 | 54,0 | 55,4 | 50,7 | 50,4 | 49,4 |

Hommes

Femmes

| 36,0 | 35,5 | 35,5 | 33,0 | 31,0 | 32,0 | 29,8 | 27,6 | 27,9 | 30,3 | 32,7 | 35,9 | 36,8 | 37,9 |

| 1901 | 1911 | 1921 | 1931 | 1936 | 1946 | 1954 | 1962 | 1968 | 1975 | 1980 | 1985 | 1990 | 1994 |

INSEE

L'évolution de la nature des emplois a été favorable à l'insertion des femmes.

Le très fort développement des activités de service et la diminution du nombre d'emplois nécessitant la force masculine ont beaucoup favorisé l'arrivée des femmes sur le marché du travail ; elles occupent aujourd'hui plus de la moitié des emplois du secteur tertiaire. A ces deux raisons liées au progrès économique et technique s'en sont ajoutées d'autres, moins avouables. A travail égal, les femmes étaient souvent moins bien payées que les hommes ; une bonne aubaine pour un certain nombre d'employeurs...

Mais c'est peut-être le développement du travail à temps partiel qui a le plus contribué à celui du travail féminin. On constate d'ailleurs que c'est dans les pays où les possibilités de travail à temps partiel sont les plus développées que les femmes sont les plus nombreuses à travailler.

> ➤ 63 % des Français ne sont pas choqués du projet d'inciter les femmes actives à revenir au foyer ; 35 % sont de l'avis contraire.

L'inégalité entre les sexes reste sensible dans la vie professionnelle.

Si les femmes représentent 53 % des bacheliers, 55 % des effectifs des classes préparatoires et de l'enseignement supérieur, elles ne comptent que pour 30 % des cadres, pour moins de 10 % des dirigeants, et leur taux de chômage est supérieur à celui des hommes (14 % contre 10 % à mi-1994).

La présence des femmes est particulièrement faible dans la vie politique. Le Parlement français ne compte que 5 % de femmes, contre 33 % au Danemark, 27 % aux Pays-Bas, 21 % en Allemagne, 13 % en Espagne, 10 % au Portugal. La haute fonction publique ne compte que 6 % de femmes directeurs d'administration centrale, 12 % de recteurs, 3 % de préfets, 1 % de trésoriers payeurs généraux.

C'est cependant en France que l'on trouve la plus forte proportion de femmes exerçant une fonction de direction (au sens large) : 22 % contre 15 % au Danemark, 13 % en Allemagne et en Belgique, 10 % en Grande-Bretagne, 4 % aux Pays-Bas. On peut raisonnablement penser que les femmes prendront une place croissante dans la vie professionnelle, du fait de leur formation, de leur volonté de jouer un rôle actif et de l'apport qu'elles représentent dans une entreprise. L'émergence des valeurs féminines dans la société devrait trouver son application dans la vie économique, comme dans la vie politique ou culturelle.

Grand Emprunt d'État 1993.
6%

INVESTISSONS DANS NOTRE AVENIR.

L'avenir des femmes est professionnel

➤ 72 % des Français estiment que les cotisations sociales trop élevées empêchent les entreprises d'embaucher des jeunes (26 % de l'avis contraire).
➤ Le nombre moyen de réponses pour une offre d'emploi est d'environ 50 pour les agents de service hospitalier, 35 dans la publicité, 30 pour les vendeurs débutants (hors alimentation), 30 pour les employés de ménage, 22 pour les employés de bureau, 18 pour les employés de banque, 18 pour les hôtesses d'accueil, 12 pour les secrétaires de direction, 7 pour les magasiniers, 5 pour les maçons, 4 pour les charcutiers, 3 pour les cuisiniers, 2 pour les infirmiers ou les vendeurs par téléphone.

CHÔMAGE

Nombre des chômeurs multiplié par cinq en vingt ans ◆ 12 % de la population active ◆ Nombre réel d'actifs sans emploi proche de 5 millions ◆ Chômage des cadres en forte hausse ◆ Jeunes deux fois plus touchés que la moyenne ◆ Plus de femmes que d'hommes ◆ Travailleurs immigrés deux fois plus touchés que les Français ◆ 13 mois de recherche d'emploi en moyenne ◆ Graves conséquences économiques et psychologiques

CHÔMEURS

En vingt ans, le nombre des chômeurs a été multiplié par cinq.

Le cap des 500 000 chômeurs, atteint au début des années 70, fut considéré à l'époque comme un seuil alarmant. En 1976, celui du million était dépassé. Le mal gagnait encore pour toucher 1,5 million de travailleurs au début de 1981, puis 2 millions en 1983. Il se stabilisait entre 1985 et 1990, avant de reprendre sa croissance à partir de 1991. Le cap des 3 millions, franchi officiellement en 1993, l'a été depuis plusieurs années si l'on tient compte des personnes en « formation-parking » (stages ne débouchant pas sur un emploi), de celles qui sont dans une situation de grande précarité et qui ne sont pas ou plus inscrites dans les statistiques officielles.

Un actif sur dix

Evolution du nombre de chômeurs au sens du BIT* (en mars de chaque année, en milliers) et part dans la population active (en %) :

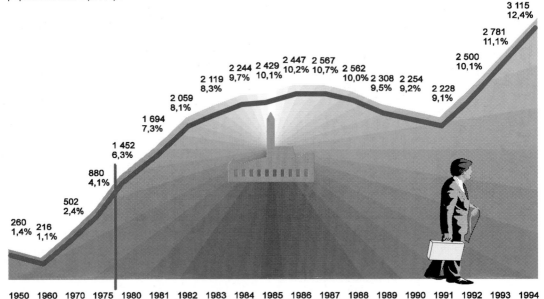

1950 1960 1970 1975 1980 1981 1982 1983 1984 1985 1986 1987 1988 1989 1990 1991 1992 1993 1994

* Bureau international du travail : personne au chômage cherchant effectivement un emploi ou ayant trouvé un emploi qui commence ultérieurement.

Le terme de chômage recouvre cependant des situations fort diverses : licenciement, départ volontaire, fin d'une période d'essai, fin d'un contrat à durée déterminée, retraite anticipée, impossibilité de trouver un premier emploi...

Dans une société en perpétuelle transformation, un certain taux de chômage est inévitable ; il est estimé par les experts aux environs de 4 %. Il n'est acceptable que s'il est limité dans le temps et s'il correspond à des phases de transition dans la vie professionnelle de chacun. Cela n'est plus le cas en France depuis longtemps.

Début 1994, le chômage concernait 12 % de la population active.

1993 aura été une autre mauvaise année pour l'emploi, avec 3 302 000 demandeurs d'emploi à la fin du mois de décembre, soit 312 000 de plus en un an. Plus d'un actif sur dix est à la recherche d'un emploi. Les effectifs salariés ont diminué dans toutes les branches d'activité industrielle, notamment l'automobile et les biens d'équipement. Le bâtiment a été aussi durement touché. La faible croissance des emplois tertiaires n'a pu compenser cette hémorragie, ce qui explique la perte nette de 220 000 emplois au cours de l'année.

Le nombre réel d'actifs sans emploi est proche de 5 millions.

Il faut en effet ajouter au chiffre officiel celui des chômeurs indemnisés mais dispensés de recherche d'emploi, les préretraités percevant une allocation spéciale du FNE, les stagiaires en formation, les chômeurs ANPE ayant eu un emploi temporaire, les licenciés économiques en convention de conversion, les RMistes non inscrits à l'ANPE et les bénéficiaires d'un contrat emploi-solidarité. Au total, quelque 5 millions d'actifs se trouvent aujourd'hui sans emploi réel ou souhaiteraient en occuper un plus stable.

Un actif sur trois a connu le chômage

Un tiers des actifs ont fait l'expérience du chômage depuis le début de la crise économique, et 24 % au cours des trois dernières années. La proportion est de 35 % chez les 18-24 ans ; elle atteint 53 % parmi les 25-34 ans. La proportion est évidemment encore plus élevée si l'on exclut du nombre total d'actifs ceux qui bénéficient de la garantie de l'emploi. Au total, on peut estimer que 40 % des foyers comportent soit une personne au chômage, soit une personne qui cherche un emploi sans le trouver, soit une personne dont l'emploi est menacé.

Les femmes sont en moyenne plus concernées que les hommes (34 % contre 28 %), malgré un taux d'activité moindre. Les emplois modestes sont les plus exposés : 53 % des employés et 49 % des ouvriers ont connu le chômage, contre 31 % des artisans et commerçants, 29 % des professions libérales et cadres supérieurs, 25 % des agriculteurs.

La France est l'un des pays les plus concernés de l'Union européenne.

Entre 1976 et 1986, le nombre de chômeurs avait triplé dans la Communauté européenne. Les niveaux atteints un peu partout étaient comparables à ceux enregistrés au cours des deux guerres mondiales. Les créations d'emploi dans le secteur des services (13,4 millions entre 1975 et 1987) ont permis de compenser les pertes survenues dans l'industrie et l'agriculture (au total 12 millions d'emplois). Mais ils n'ont pas été suffisants pour faire face à la demande de travail croissante du fait de la démographie et de l'accroissement du travail féminin. Dans le même temps, 26 millions d'emplois étaient créés aux Etats-Unis et 7 millions au Japon.

Depuis le début des années 90, la France a moins bien réussi que ses partenaires à préserver l'emploi. Elle fait partie, avec l'Espagne et l'Irlande, des pays où le taux de chômage est le plus élevé.

L'aggravation du chômage touche aujourd'hui l'ensemble des catégories professionnelles.

Les ouvriers et les employés ont été les premières victimes de la crise économique et des réductions d'effectifs qu'elle a entraînées. Les efforts réalisés par les entreprises pour améliorer la productivité ont eu aussi des conséquences sensibles sur l'emploi ouvrier.

Le climat social n'est guère positif

Mais l'augmentation récente du chômage a été particulièrement forte pour les travailleurs qualifiés ; en 1993, un bachelier sur dix était au chômage, contre un sur quinze l'année précédente. 24 % des personnes au chômage depuis moins d'un an sont titulaires d'un diplôme au moins égal au baccalauréat. Cette évolution concerne particulièrement les jeunes de moins de 25 ans. Si les diplômes, en particulier ceux de l'enseignement supérieur, sont toujours le meilleur atout pour trouver un emploi, ils ne constituent plus une garantie.

➤ 39 % des Français envisageraient de créer une entreprise s'ils se trouvaient au chômage.
➤ 40 % des Français se disent prêts à travailler dans une autre région pour trouver un emploi, 28 % à partir de l'étranger.

Libération/Sofres, décembre 1993

Proximité

Le chômage des autres

Proportion de chômeurs dans la population active de certains pays en mars 1994 (estimations au sens du BIT*, en %) :

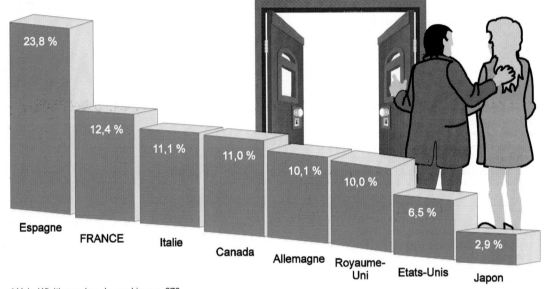

Espagne 23,8 %
FRANCE 12,4 %
Italie 11,1 %
Canada 11,0 %
Allemagne 10,1 %
Royaume-Uni 10,0 %
Etats-Unis 6,5 %
Japon 2,9 %

OCDE

* Voir définition en bas du graphique p. 270.

Le nombre des cadres au chômage a doublé entre 1990 et 1993.

Les cadres, qui avaient été longtemps épargnés, sont touchés depuis le début de la décennie. 191 000 étaient inscrits à l'ANPE en décembre 1993, contre 104 000 en décembre 1990. Les recrutements ont de leur côté diminué fortement ; 28 000 offres d'emplois de cadres ont été publiées dans la presse en 1993, contre 98 000 en 1989. On note cependant un ralentissement de la progression du chômage : 34 % en 1990, 33 % en 1991, 24 % en 1992, 11 % en 1993.

Le nombre d'ingénieurs concernés a doublé en dix ans ; 10 % des diplômés de moins de 30 ans sont à la recherche d'un emploi. On estime qu'en 1995, les écoles d'ingénieurs produiront 25 000 diplômés pour seulement 17 000 postes disponibles. Les postes de cadre administratif sont les plus menacés par les diminutions d'effectifs et de niveaux hiérarchiques.

La proportion de cadres au chômage reste cependant très inférieure à celle de l'ensemble des actifs : 5 % contre 12 %. Mais un cadre sur cinq estime que son emploi pourrait être menacé à court terme par les restructurations ou concentrations d'entreprises.

La fin des privilèges

Pour la première fois depuis vingt ans, le nombre des cadres a stagné en 1993. Après avoir concerné les usines et la production, l'amélioration de la productivité touche aujourd'hui les emplois de cadres. Le nombre des échelons hiérarchiques tend à diminuer, les effectifs pléthoriques sont réduits et les postes fonctionnels mal définis se trouvent éliminés.
On demande aujourd'hui aux cadres d'être plus mobiles, ce qui implique souvent de travailler davantage. Au nom de l'« excellence », on attend d'eux qu'ils soient motivés, efficaces et disponibles. Mais leur statut s'est dévalorisé depuis quelques années, ce qui explique leur frustration.

➤ Le coût total d'un ingénieur informaticien est de 50 000 F en France, contre 15 000 F en Inde et 5 000 F en Russie.

Micro-entretien ▬▬▬▬▬

HERVÉ SEYRIEX[*]

G.M. - *Quelle est la cause principale de la croissance du chômage ?*

H.S. - Quand on affronte les réalités de demain avec les organisations d'hier, on a les drames d'aujourd'hui. Les organisations ont été conçues pour gérer de la permanence ou du faible changement. Il y a vingt ans, la stabilité était la règle et le changement l'exception ; aujourd'hui, c'est le contraire. Cet écart entre les organisations et un environnement qui change très vite crée de graves difficultés. Nous avons changé d'économie, passant d'un système basé sur la transformation de la matière première et l'utilisation de l'énergie (qui créait des emplois en croissant) à un système qui repose sur l'échange de l'information et son traitement. Ce type d'économie est capable de fabriquer de plus en plus de produits et de services pour de plus en plus de gens pour de moins en moins cher et en utilisant de moins en moins de monde. Face à cette évolution, les organisations d'hier ne savent que licencier.

―――――
[*] Vice-président de l'Institut européen du leadership, auteur du *Big bang des organisations*, Calmann-Lévy.

▬▬▬▬▬▬▬▬

Les jeunes actifs sont deux fois plus touchés que la moyenne.

En février 1994, le taux de chômage des actifs de 15 à 24 ans atteignait 25 %, soit le double du taux moyen (12,2 %). 27 % des femmes étaient dans cette situation, contre 20 % des hommes.

Contrairement à ce que l'on imagine, le chômage des jeunes est cependant inférieur en France à celui des autres pays de l'Union européenne. Le taux de scolarisation à ces âges est en effet plus élevé (60 % contre 47 % en moyenne), de sorte que les jeunes actifs sont proportionnellement moins nombreux qu'ailleurs.

La pyramide des âges et l'effet du creux démographique de l'après baby-boom indiquent que le nombre des 15-24 ans va diminuer au cours des prochaines années. Le taux de chômage devrait alors mécaniquement baisser, en supposant que le nombre d'emplois reste constant.

➤ Le salaire mensuel moyen d'un ouvrier de la chaussure est de 7 000 F en France, contre 3 500 F à Taïwan et 350 F en Chine.

Les grandes écoles aussi

Les jeunes diplômés des grandes écoles n'échappent pas aux difficultés d'insertion dans la vie professionnelle. Leur part dans l'ensemble des jeunes chômeurs est passée de 2 % en 1990 à 10 % en 1994. Ainsi, au sein de la promotion 1993 de HEC, 7 % cherchaient encore un emploi en février 1993. Sur les 40 % qui travaillaient, 6 % étaient titulaires d'un contrat à durée déterminée. Parmi les diplômés de l'université Paris-Dauphine, 43 % mettent entre deux et six mois pour trouver un premier emploi, contre 23 % en 1989-90.

La hiérarchie du chômage

Taux de chômage selon la catégorie socio-professionnelle en 1993 (en % de la population active de la catégorie) :

• Agriculteurs exploitants	0,6
• Artisans, commerçants, chefs d'entreprise	4,5
• Cadres et professions intellectuelles supérieures	4,9
Dont	
- Cadres d'entreprises	*6,9*
• Professions intermédiaires	5,8
Dont	
- Professions intermédiaires de l'enseignement, de la santé, de la fonction publique et assimilés	*3,5*
- Professions intermédiaires administratives et commerciales des entreprises	*9,8*
• Techniciens	5,0
• Contremaîtres, agents de maîtrise	6,2
• Employés	13,9
Dont	
- Employés de la fonction publique	*6,6*
- Employés administratifs d'entreprises	*17,7*
- Employés de commerce	*19,1*
• Personnel des services directs aux particuliers	17,3
• Ouvriers	14,3
Dont	
- Ouvriers qualifiés	*10,2*
- Ouvriers non qualifiés	*21,5*
- Ouvriers agricoles	*15,3*
Total	**11,1**

INSEE, enquête sur l'emploi

Les femmes sont davantage menacées que les hommes.

13,3 % des femmes actives étaient au chômage en mars 1993, contre 9,4 % des hommes. Dans toutes les tranches d'âge, les femmes sont plus souvent concernées par le chômage : 28 % contre 21 % chez les jeunes âgés de 15 à 24 ans ; 12 % contre 8 % parmi les 25-49 ans ; 8 % contre 7 % parmi les 50 ans et plus.

34 % des femmes se sont retrouvées au chômage à la fin d'un emploi précaire, 28 % à la suite d'un licenciement, 10 % à la suite d'une démission. La part des femmes recherchant un premier emploi diminue. 14 % des femmes au chômage n'avaient jamais travaillé auparavant ou avaient cessé toute activité.

Les femmes et les jeunes d'abord

Evolution du taux de chômage par sexe et par âge en France (au sens du BIT*, en %) :

	1975		1994	
	Hom-mes	Fem-mes	Hom-mes	Fem-mes
• 15-24 ans	6,7	10,1	24,2	31,7
• 25-49 ans	2,0	4,5	9,8	13,5
• 50 ans et plus	2,1	5,4	7,5	8,1
Ensemble	**2,7**	**5,4**	**10,8**	**14,3**

* Voir définition en bas du graphique p. 270.

INSEE

Les travailleurs étrangers sont deux fois plus touchés que les Français.

20,4 % des étrangers actifs étaient au chômage en mars 1993, contre 10,5 % des Français. 61 % des étrangers à la recherche d'un emploi sont des hommes (45 % pour les Français), du fait d'un taux d'activité masculin très supérieur parmi eux à celui des femmes. Le taux de chômage diffère largement selon la nationalité : il est relativement faible chez les Portugais, très élevé chez les Algériens. A ces différences s'ajoutent celles concernant le sexe ou l'âge des travailleurs.

Le secteur d'activité joue également un rôle important. Les étrangers sont proportionnellement plus nombreux que les Français dans le bâtiment, le génie civil ou l'agriculture, où les taux de chômage sont élevés. Ainsi, 17 % des salariés du bâtiment, génie civil et agricole, sont des étrangers, alors que ceux-ci ne représentent que 6 % de l'ensemble des salariés. Ils y occupent en outre des postes particulièrement vulnérables au chômage (manœuvres, ouvriers...).

Emplois précaires : le chômage à temps partiel

Circonstances de la recherche d'emploi (mars 1994, en %) :

	Hommes	Femmes
• Licenciement	40,2	28,3
• Fin d'emploi précaire	32,9	34,1
• Démission	4,4	7,9
• Avaient cessé toute activité ou n'avaient jamais travaillé	3,5	14,9
• Fin d'études	5,8	8,4
• Autres	13,2	6,4
• Service militaire	5,3	-
• **Total**	**100,0**	**100,0**

INSEE, enquête sur l'emploi 1994

Le chômage frappe inégalement les régions.

Ce sont les régions situées au nord (de la Seine-Maritime aux Ardennes), le long de la façade méditerranéenne et à l'ouest qui sont les plus touchées : 15 % de chômeurs dans le Languedoc-Roussillon et le Nord-Pas-de-Calais en 1993. Les moins touchées se trouvent sur la bordure Est, de l'Alsace à la région Rhône-Alpes, avec l'Ile-de-France et certains départements ruraux du Centre (moins de 10 %). Il existe cependant de fortes différences, à l'intérieur d'une même région, entre les départements qui la composent.

Les disparités actuelles existaient généralement avant la crise, mais le niveau moyen du chômage s'est fortement accru partout. Depuis 1980, les régions dont la situation s'est le plus dégradée sont celles qui avaient déjà les plus forts taux de chômage initial. On a observé récemment un léger déplacement du chômage vers le sud (Rhône, Loire, Garonne). La situation s'est en revanche améliorée depuis 1987 en Lorraine et en Bretagne.

Les départements d'outre-mer ont des taux de chômage nettement plus élevés qu'en métropole : il est le double aux Antilles et en Guyane, le triple à la Réunion. Le chômage de longue durée, le travail à temps partiel et les emplois intérimaires y sont en outre plus fréquents.

Plus d'un actif sur trois craint de se retrouver au chômage.

Les trois quarts des Français connaissent des chômeurs dans leur entourage et beaucoup redoutent d'être eux-mêmes touchés. Selon une enquête réalisée en décembre 1993 (*Libération*/Sofres), 38 % des actifs de 18 ans et plus estimaient avoir des risques de se retrouver au chômage à titre personnel. Les plus vulnérables sont les professions les plus modestes : 49 % des ouvriers se sentaient menacés, ainsi que 36 % des employés, contre 12 % des professions libérales et cadres supérieurs (mais 42 % des professions intermédiaires). 68 % estimaient qu'ils retrouveraient difficilement un emploi. Leurs chances apparaissaient d'autant plus faibles qu'ils se sentaient menacés.

DURÉE

La durée moyenne de recherche d'emploi est de 13 mois.

Entre 1975 et 1985, l'ancienneté moyenne du chômage avait plus que doublé, quel que soit l'âge considéré. Depuis le début des années 90, elle tend à diminuer mécaniquement, du fait de l'arrivée massive de nouveaux chômeurs.

La profession exerce aussi une influence sur la durée du chômage. Parmi les hommes, ce sont les cadres, les agents de maîtrise et les techniciens qui mettent le plus de temps à retrouver un emploi. Le phénomène est particulièrement net pour ceux qui ne peuvent, ou ne veulent, accepter la mobilité professionnelle. Les ouvrières connaissent la durée de chômage la plus longue.

Un chômeur sur trois l'est depuis plus d'un an.

En mars 1994, près de 1 110 000 personnes étaient au chômage depuis au moins un an, soit 36 % des chômeurs. La proportion de femmes dans cette situation est légèrement plus importante que celle des hommes : 37 % contre 35 %. L'écart se vérifie à tous les âges.

D'une manière générale, les femmes ont plus de difficultés à retrouver un emploi que les hommes. La durée moyenne du chômage féminin était de 13,6 mois contre 12,4 mois pour les hommes. Après s'être resserré à la fin des années 80, l'écart tend à nouveau à s'accroître : 13,2 mois en 1994 contre 8,4 mois en 1990.

➤ 70 % des travailleurs intérimaires sont des hommes. Près de la moitié ont moins de 25 ans.
➤ En 1993, il y avait 30 000 demandeurs d'emploi parmi les informaticiens, contre 12 000 en 1990.

Les solutions

« Selon vous, quelles seraient les mesures à mettre en œuvre pour lutter efficacement contre le chômage ? » (question ouverte) :

- Partager le travail (26 %)
- Créer des emplois, ne plus licencier (15 %)
- Aider les entreprises (14 %)
- Développer et adapter la formation (10 %)
- Lutter contre les doubles emplois et le travail au noir (10 %)
- Limiter le travail des femmes (9 %)
- Mettre des hommes à la place des machines (9 %)
- Réserver les emplois aux Français (8 %)
- Encourager le nationalisme économique (7 %)
- Relancer la consommation (4 %)
- Diminuer les salaires (3 %)
- Créer des emplois manuels (3 %)
- Réduire l'indemnisation du chômage (3 %)
- Limiter les emplois précaires (3 %)
- Etre moins exigeant en matière d'emploi (2 %)

Libération/Ifop, décembre 1993

"Grâce à cette mesure, nous nous engageons à relancer l'appétit."

HIPPOPOTAMUS
Pour les mordus de la viande.

McCann-Erickson

Les chômeurs attendent la relance de l'emploi

Les plus de 50 ans restent trois fois plus longtemps « sur la touche » que les jeunes.

La vulnérabilité au chômage n'est pas obligatoirement le signe d'une plus grande difficulté à retrouver un emploi. Ainsi, les personnes plus âgées sont moins souvent concernées que les jeunes, mais la durée de leur chômage est plus longue. 52 % des hommes chômeurs de 50 ans et plus et 62 % des femmes étaient sans emploi depuis au moins un an, contre 19 % des jeunes hommes de 15 à 24 ans et 21 % des jeunes femmes. L'ancienneté moyenne du chômage était de 21 mois pour les chômeurs âgés d'au moins 50 ans, contre seulement 8 mois chez les jeunes de 15 à 24 ans.

Arrêt-chômage : 13 mois en moyenne

Evolution de l'ancienneté moyenne du chômage selon le sexe (en mois) :

	Hommes	Femmes
• 1975	6,7	8,3
• 1980	10,6	12,8
• 1985	13,7	16,2
• 1990	14,2	14,9
• 1991	13,9	15,1
• 1992	12,5	13,9
• 1993	11,5	13,2
• 1994	12,4	13,6

Proportion de personnes au chômage depuis un an et plus selon l'âge et le sexe en 1994 (en %) :

	Hommes	Femmes
• Moins de 25 ans	19,1	21,4
• 25 à 49 ans	36,6	37,6
• 50 ans et plus	52,3	62,1

Les conséquences psychologiques du chômage sont aussi dramatiques que ses conséquences financières.

L'augmentation de la durée du chômage est à l'origine de situations difficiles, voire dramatiques. Se sentant exclu, le chômeur tend à se comporter comme tel. Il éprouve de plus en plus de difficultés à se « vendre » à un employeur qui lui préférera souvent un non-chômeur cherchant à changer d'emploi.

La vie familiale en est souvent affectée. La frustration de ne plus pouvoir jouer comme auparavant un rôle de parent ou d'époux (sur le plan matériel autant qu'affectif) tend à rendre certains chômeurs agressifs. Les couples peu solides n'y résistent pas, et les difficultés de communication viennent aggraver une situation personnelle déjà délicate.

La perte d'un emploi aura donc fait perdre à certains leur famille, leur confiance, leur revenu et la possibilité de retrouver un autre emploi dans des conditions normales. Cela représente beaucoup de conséquences pour une cause dont, le plus souvent, les chômeurs ne sont pas responsables.

Le système d'indemnisation mis en place en France reste sans doute l'un des plus avantageux du monde, mais il a connu de profondes modifications depuis 1983. Aujourd'hui, la moitié environ des chômeurs ne touchent pas ou plus d'indemnités des Assedic.

Indemnisation : 80 % de « smicards »

Entre 25 et 50 ans, les chômeurs perçoivent 65 % de leur salaire précédent pendant 9 mois, puis ils reçoivent une proportion dégressive pendant un maximum de cinq périodes de 4 mois : 54 %, 45 %, 37 %, 31 %, 25 %. L'indemnisation cesse au bout de 30 mois.
Pour les 50 ans et plus, la durée maximale est de 45 mois avec une première période de 15 mois à 65 % du dernier salaire, puis huit périodes de 4 mois à 55 %, 47 %, 40 %, 34 %, 29 %, 24,5 %, 21 %, 18 %.
4,4 % des chômeurs perçoivent moins de 2 000 F par mois, 33 % de 2 000 à 3 000 F, 20 % de 3 000 à 4 000 F, 23 % de 4 000 à 5 000 F, 12 % de 5 000 à 10 000 F, 3 % de 10 000 à 15 000 F, 1 % de 15 000 à 26 000 F. Près de 8 chômeurs sur dix perçoivent des indemnités inférieures à 5 000 F par mois.
Le coût de l'indemnisation du chômage est passé de 2,4 milliards de francs en 1974 à 150 milliards en 1993.

LES MÉTIERS

PROFESSIONS

**5 % d'agriculteurs parmi les actifs
♦ 68 % des emplois dans les services
♦ Moins d'ouvriers, de commerçants et
d'artisans ♦ 86 % de salariés ♦ Un actif
sur quatre dépend de l'Etat ♦ Changement
de statut social des cadres, des professions
libérales, des enseignants ♦ Nouvelle
hiérarchie professionnelle**

SECTEURS D'ACTIVITÉ

*Un grand chambardement des métiers
s'est produit en trente ans.*

La structure professionnelle qui prévalait, depuis parfois des siècles, a été brutalement remise en question par les mutations récentes de l'économie. Le grand chambardement qui s'est produit a eu pour conséquences les plus spectaculaires la quasi-disparition du monde paysan et la réduction rapide du nombre des ouvriers.

Les transformations sont également sensibles dans les entreprises. Les « cols bleus » (manœuvres et ouvriers de toutes qualifications), dont la croissance avait accompagné les deux premières révolutions industrielles (la machine à vapeur et l'électricité), ont été mis à l'écart par la troisième révolution, celle de l'électronique. Les « cols blancs » (employés, cadres et techniciens) ont pris la relève, avant d'être menacés à leur tour par le chômage et la recomposition professionnelle.

*Les agriculteurs ne représentent plus
que 5 % de la population active.*

En 1800, les trois quarts des actifs travaillaient dans l'agriculture. Le changement s'est amorcé dès 1815. Pendant toute la période 1870-1940, les effectifs se sont maintenus, malgré la baisse régulière de la part de l'agriculture dans la production nationale. Dès la fin de la Seconde Guerre mondiale, la mécanisation a précipité l'exode rural.

Le déclin s'est encore accéléré depuis une trentaine d'années. La part des agriculteurs dans la population active est aujourd'hui quatre fois moins élevée qu'en 1960 : 5 % contre 20 %. Leurs effectifs, inférieurs à un million, ont diminué d'un tiers entre 1982 et 1990, et l'érosion n'est pas achevée ; les trois quarts de ceux qui partent en retraite n'ont pas de successeur, du fait des faibles perspectives de revenus de la profession dans son ensemble.

Un quart des agriculteurs habitent aujourd'hui dans des communes urbaines (contre 14 % en 1968), la moitié en périphérie des villes. Cette proximité avec d'autres groupes professionnels explique que le conjoint travaille plus souvent à l'extérieur, parfois même le chef d'exploitation.

La disparition des paysans est celle de toute une classe sociale, de laquelle beaucoup de Français sont issus. Au-delà des difficultés de reconversion, c'est un drame plus profond qui s'est joué au cours de la seconde moitié du XXe siècle pour le peuple français : la perte progressive de ses racines.

*Plus de deux Français sur trois travaillent
dans une entreprise de services.*

Les services marchands sont ceux qui sont vendus par des prestataires aux entreprises ou aux particuliers : location immobilière, hôtellerie-restauration ; agences de voyage ; sociétés de conseil ; assurances ; spectacles, etc. Les services non marchands (enseignement public, défense, police, etc.) sont ceux destinés à la collectivité et financés par l'impôt. 68 % des actifs travaillent aujourd'hui dans le secteur tertiaire.

L'ère tertiaire

Evolution de la structure de la population active occupée (en %) :

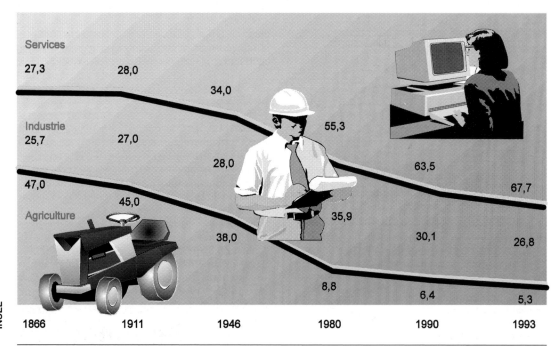

Services
27,3   28,0   34,0   55,3   63,5   67,7

Industrie
25,7   27,0   28,0   35,9   30,1   26,8

47,0   45,0   38,0   8,8   6,4   5,3

Agriculture

1866   1911   1946   1980   1990   1993

INSEE

Contrairement à ce que l'on croit souvent, celui-ci n'est pas une invention récente. La société française a toujours eu besoin de tailleurs, barbiers, commerçants, scribes, cantonniers et autres allumeurs de réverbères. En 1800, à l'aube de la révolution industrielle, les travailleurs impliqués dans les activités de services représentaient 25 % de la population active et 30 % de la production nationale. Le développement de l'industrie a largement contribué à celui des services connexes (négoce, banques, ingénierie, etc.). Mais c'est l'émergence de la société de consommation dans les années 50 et 60 qui lui a donné son importance actuelle.

Le nombre d'ouvriers a diminué régulièrement : 6,8 millions en 1993 contre 8,1 en 1975, mais un salarié sur trois est encore ouvrier (près d'un homme sur deux).

La diminution de l'importance du secteur industriel dans l'économie s'est traduite par une baisse du nombre des ouvriers. L'amélioration de la productivité des entreprises a permis aussi, à activité égale, d'économiser des emplois de production ou de limiter leur accroissement en faisant appel aux machines et aux robots. La part des ouvriers dans la population active reste cependant élevée : 27 %, soit 33 % des salariés. Celle des ouvriers qualifiés et des contremaîtres continue de s'accroître, alors que celle des manœuvres et des ouvriers spécialisés diminue.

La proportion de travailleurs étrangers est deux fois plus élevée parmi les ouvriers (11 %) que dans la population active totale (6 %). Disposant généralement d'une moindre formation professionnelle que les Français, ils occupent souvent les postes les moins qualifiés.

Huit ouvriers sur dix sont des hommes (79 %) ; la proportion est encore plus forte parmi les ouvriers qualifiés (89 %).

➤ 59 % des cadres connaissent le prénom de la femme de leur PDG.

Agriculture au sud, services au nord

Structure de la population active dans quelques pays (1992, en %) :

	Agri-culture	Industrie	Services
• Allemagne	3,1	38,3	58,6
• Belgique	2,6	27,7	69,7
• Canada	4,4	22,7	73,0
• Danemark	5,7	27,7	66,6
• Espagne	10,1	32,4	57,5
• Etats-Unis	2,9	24,6	72,5
• FRANCE	5,2	28,9	65,9
• Grèce	22,2	27,5	50,3
• Irlande	13,8	28,9	57,3
• Italie	8,2	32,2	59,6
• Japon	6,4	34,6	59,0
• Luxembourg	3,3	30,5	66,2
• Pays-Bas	4,0	24,6	71,4
• Portugal	11,6	33,2	55,2
• Royaume-Uni	2,2	26,5	71,3

La fin de la classe ouvrière

La nature du travail ouvrier a changé. Les tâches de production ont cédé la place à des tâches plus qualifiées ; entre 1982 et 1990, plus de 400 000 emplois d'ouvriers non qualifiés ont disparu, du fait de l'automatisation de certains secteurs et de la restructuration qui s'est opérée dans d'autres (textile, mines, cuir...). Beaucoup de postes d'ouvriers se sont transformés en postes d'employés, avec des conditions de travail beaucoup plus diversifiées. Aujourd'hui, deux ouvriers sur trois sont employés dans le tertiaire, la majorité dans des entreprises de moins de 500 salariés.

La « classe ouvrière », dont l'identité s'était forgée autour du travail dans la grande industrie, est donc en voie de disparition. Les modes de vie de ses membres tendent à se rapprocher de ceux des autres catégories sociales, de la façon de manger à l'habillement, en passant par les achats de biens d'équipement ou les loisirs. De même, la conscience de classe n'existe plus guère. Le déclin des effectifs syndicaux en est l'une des manifestations.

Le nombre des commerçants est passé de 1 million en 1960 à 770 000 en 1993.

Le monde du commerce a connu en France un véritable bouleversement, provoqué par l'énorme concentration qui s'est opérée. Trente ans après l'ouverture du premier hypermarché (le *Carrefour* ouvert en 1963 à Sainte-Geneviève-des-Bois, près de Paris), on en comptait 1 000 au début 1994, auxquels s'ajoutaient 7 600 supermarchés. Ce transfert de clientèle des petites surfaces vers les grandes surfaces a eu une incidence sensible sur les emplois du commerce.

Certains commerces de proximité ont pourtant réussi à se maintenir en offrant des services que ne pouvaient pas rendre les géants de la distribution : heures d'ouverture plus étendues ; spécialisation ; conseils ; boutiques « franchisées » bénéficiant de l'expérience et de la notoriété des grandes marques nationales. C'est ce qui explique le léger accroissement récent du nombre de commerçants, passé de 750 000 en 1989 à 770 000 en 1993. Le commerce emploie au total 2,7 millions de personnes, soit 12 % de la population active.

Coup de froid sur le commerce

Alice

Le nombre des artisans a aussi beaucoup diminué : 830 000 en 1993 contre un million en 1960.

L'artisanat ne fait guère parler de lui, du fait de sa faible représentation syndicale. Il regroupe pourtant un grand nombre d'entreprises, représentant au total 300 corps de métiers différents et employant chacune moins de dix salariés (non compris le patron et, le cas échéant, son conjoint). Un tiers de celles-ci opèrent dans le secteur du bâtiment.

Les plus dynamiques ont su adapter leur service, leur structure et leur façon de travailler aux nou-

Le nouveau paysage professionnel

Répartition de la population active occupée et des femmes, selon la catégorie socioprofessionnelle (en %) :

	1993		1968	
	Total	femmes	Total	femmes
• Agriculteurs exploitants	4,2	3,6	11,5	12,8
• Artisans, commerçants et chefs d'entreprise	7,5	5,7	10,7	11,5
• Cadres et professions intellectuelles supérieures	12,3	9,0	5,1	2,5
• Professions intermédiaires	21,0	21,5	10,4	11,4
• Employés	27,6	48,4	21,2	38,8
• Ouvriers	26,4	11,7	39,3	22,5
• Autres catégories	1,0	0,1	1,8	0,5
Total	100,0	100,0	100,0	100,0
Effectifs (en milliers)	**22 197**	**9 642**	**19 916**	**7 208**

INSEE

veaux besoins de la clientèle. Beaucoup ont misé, en particulier, sur la rapidité d'intervention. La revalorisation du travail manuel (bien qu'encore limitée), le goût de l'indépendance, mais aussi et peut-être surtout l'accroissement du chômage ont incité un certain nombre de Français à s'installer à leur compte au cours des dernières années. La part des femmes dans l'artisanat est deux fois moins importante que dans le commerce (27 % contre 43 %).

STATUTS

86 % des actifs sont salariés en 1994, contre 72 % en 1960.

L'une des conséquences de la révolution industrielle est l'accroissement de la proportion de salariés. Les non-salariés étaient principalement des paysans, des commerçants ou des artisans. Leur nombre a considérablement diminué (voir ci-dessus).

Les aides familiaux (femmes de ménage, domestiques, etc.) sont aussi beaucoup moins nombreux : un million de moins en vingt ans. De plus, un grand nombre de femmes sont venues rejoindre les rangs déjà nombreux des salariés. Mais ce sont les postes créés dans la fonction publique qui ont le plus contribué à l'accroissement des emplois salariés depuis vingt ans. Les emplois de salariés conti-

nuent de s'accroître ; on en compte aujourd'hui un peu plus de 19 millions, contre 18,0 en 1985.

Un actif sur quatre dépend de l'Etat.

En un siècle, la part du secteur public dans la population active a plus que triplé, du fait des nationalisations qui ont suivi la Seconde Guerre mondiale, puis celles de 1982. Elle a été plus récemment réduite par les privatisations réalisées en 1987-1988 et 1993-1994.

Une centaine d'entreprises sont contrôlées directement par l'Etat, soit environ 2 300 entreprises en tenant compte des filiales. Le secteur public est particulièrement présent dans l'énergie (EDF, GDF, Charbonnages de France...), les biens intermédiaires (Usinor-Sacilor, Rhône-Poulenc...), les biens d'équipement (Aerospatiale, SNECMA, Thomson...), l'automobile (Renault), les transports (SNCF, Air France...), les assurances (GAN...), les banques (Crédit lyonnais...).

En ajoutant les salariés de la fonction publique et des collectivités territoriales, on arrive à un total de 5 millions de personnes employées par l'Etat. Celui-ci contrôle directement ou indirectement la moitié de la production intérieure française.

➤ Seuls 10 % des cadres de plus de 50 ans retrouvent un emploi dans l'année, contre 28 % de ceux qui ont moins de 35 ans.

Le statut des cadres a changé.

Les cadres ont perdu au cours des années de crise une partie des attributs traditionnels de leur fonction : prestige, privilèges, pouvoir, sécurité. La diminution de leur pouvoir d'achat avait précédé celle des autres catégories. La désindexation des salaires et la généralisation des systèmes de rémunération au mérite dans les entreprises ont conféré à la fonction un nouveau statut. Les frontières avec les autres catégories (employés, maîtrise) sont devenues plus floues.

Pour réussir dans leur vie professionnelle, les cadres doivent aujourd'hui avoir moins le sens du confort que de l'effort, être plus responsables, compétents, créatifs. Ils doivent accepter d'être jugés sur leurs résultats plutôt que sur leurs diplômes.

Il faut observer que l'appellation de cadre n'a pas vraiment d'équivalent dans les autres pays industrialisés. Elle indique une position hiérarchique, mais dans une pyramide qui tend à s'aplatir. Les cadres ne constituent donc pas une classe sociale homogène, mais un vaste groupe multiforme aux aspirations et aux conditions de travail diversifiées.

Les membres des professions libérales sont inquiets.

Les difficultés des cadres concernent aussi les membres des professions libérales, qui, par leur formation, leurs responsabilités et leurs revenus, en sont proches. A la pression fiscale s'est ajoutée pour eux l'augmentation des charges sociales. Même si les revenus moyens restent élevés, leur disparité au sein de chaque catégorie s'est accrue. Seuls les pharmaciens, les notaires ou les huissiers, qui bénéficient du *numerus clausus*, sont encore à l'abri de la concurrence.

Certains médecins, avocats ou architectes connaissent aujourd'hui des difficultés financières, du fait d'une concurrence trop vive ou de la rareté de la clientèle. Une concurrence qui pourrait devenir européenne, après la mise en place du Marché unique en 1993, qui implique la libre circulation des membres de toutes les professions.

Le temps de l'adaptation est donc venu pour les professions libérales. Des avocats, des notaires, des agents d'assurance, des conseillers financiers se regroupent pour offrir à leur clientèle de meilleurs services.

➤ 30 % des cadres souhaitent prendre leur retraite avant 55 ans.

Colin Guittard Nazaret

Les cadres ruminent leur frustration

Les enseignants sont insatisfaits.

L'image que les Français ont des enseignants est en partie conditionnée par les privilèges dont ils jouissent : sécurité de l'emploi, horaires de travail réduits, grandes vacances. Ces avantages n'empêchent pas les enseignants d'être mal dans leur peau. Les causes de ce malaise sont l'insuffisance des salaires et les mauvaises conditions de travail dans les établissements scolaires. Les enseignants sont d'ailleurs de plus en plus nombreux, chaque année, à quitter leur poste et à tenter l'aventure de l'entreprise.

Le manque de considération est une cause importante d'insatisfaction. Le prestige de l'instituteur et l'autorité du professeur, tant vis-à-vis des élèves que des parents, ont été laminés par le développement des médias, qui concurrencent de plus en plus l'école dans la diffusion de la connaissance. Pour être efficaces et acceptées, les réformes en cours dans l'enseignement devront aboutir à une revalorisation à la fois matérielle et morale de la fonction.

Une nouvelle hiérarchie professionnelle s'est mise en place.

La restructuration économique et sociale a entraîné une transformation de la nature et de la hiérarchie des professions. Parmi les notables d'hier, beaucoup ne bénéficient plus d'un statut social aussi valorisant. Les détenteurs de l'information (journalistes, professions intellectuelles) et de son analyse (experts, consultants) détiennent une part croissante du pouvoir, formant une sorte de « cognitariat ».

Dans le même temps, certains métiers de production ou de service ont été revalorisés (plombier, restaurateur, boulanger, viticulteur, garagiste, kinésithérapeute...).

Le nombre des cadres a doublé entre 1970 et 1990.

Dans le processus de recomposition de la population active, la disparition des paysans et la réduction du nombre des ouvriers s'est faite au profit des cadres. La création de ces postes à haute qualification a répondu à l'informatisation croissante des entreprises, au besoin de personnes capables de superviser des tâches administratives complexes et de commerciaux performants. Car il fallait concevoir des nouveaux produits, gérer, vendre, distribuer, exporter, réfléchir à l'avenir face à une concurrence de plus en plus vive et à des marchés de plus en plus segmentés. Le rôle des cadres a donc pris de l'importance, en même temps que se développaient les activités de services, fortes consommatrices de matière grise.

On compte aujourd'hui 2,9 millions de cadres et « professions intellectuelles supérieures » (professions libérales, professeurs, ingénieurs et scientifiques, professions de l'information, des arts et spectacles) contre 900 000 en 1962. La proportion de femmes s'est accrue, mais elle ne représente encore que 32 %. Elle diminue d'ailleurs au fur et à mesure que l'on s'élève dans la hiérarchie.

Le nombre des cadres supérieurs a fortement augmenté depuis quinze ans sous l'effet de la demande de cadres administratifs supérieurs et de l'accroissement du corps professoral, qui entre dans cette catégorie. L'augmentation du nombre des cadres moyens est, elle, assez étroitement liée à la croissance du secteur médical et social.

Les hiérarchies tendent aujourd'hui à s'alléger.

La catégorie des cadres avait surtout été créée en France pour servir de référence ou de but à l'ensemble des salariés, et de récompense pour les plus méritants d'entre eux. Son élargissement en a fait un groupe très hétérogène, dans lequel les fonctions, les responsabilités et les salaires sont très diversifiés. La dimension du commandement, norma-

lement inhérente à la fonction, ne concerne pas l'ensemble des cadres en position fonctionnelle. De plus, les responsabilités se sont accrues avec la crise économique et avec la compétition croissante. Les entreprises se sont rendu compte qu'elles n'avaient plus besoin de « petits chefs » mais d'animateurs, d'entraîneurs.

Dans une conjoncture difficile, le nombre élevé des cadres, de même que leur coût, est devenu plus apparent. C'est ce qui explique les efforts réalisés pour « dégraisser » les structures, tendance favorisée par la concentration des entreprises et par la mise en œuvre de nouvelles relations humaines. Avec, en contrepartie, la forte augmentation du chômage des cadres depuis 1990.

800 000 cadres de 55 à 69 ans ont été mis en préretraite entre 1980 et 1992, dont 190 000 en 1983. C'est la raison pour laquelle le taux d'activité des personnes âgées de 55 à 59 ans est le plus faible des pays industrialisés.

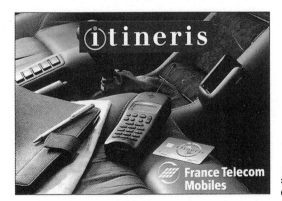

La communication, une obligation pour les cadres

Stag Ogilvy

Les cadres ont dû accepter l'obligation d'efficacité, au prix d'un accroissement du stress.

La vie des cadres a été transformée par la nécessité de faire la preuve permanente de leur efficacité au poste qu'ils occupent et par son corollaire, c'est-à-dire les politiques personnalisées de promotions et de salaires.

Au nom du principe d'efficacité ou de celui d'« excellence », un nombre croissant d'entreprises ont cherché à faire accepter à leurs cadres une « culture » et des contraintes nouvelles. Ceux-ci doivent pouvoir être joints à tout moment grâce aux nouveaux appareils mobiles de communication (Alphapage, Eurosignal, téléphone de voiture, fax installé au domicile, Bi-bop...), et beaucoup doivent parfois venir au bureau le samedi ou le dimanche. La frontière entre vie professionnelle et vie privée est donc de plus en plus floue. Le stress qui en résulte peut avoir des effets négatifs sur la santé, physique ou morale, des personnes concernées.

La demande supérieure à l'offre

Près d'un jeune sur deux entre dans l'enseignement supérieur, alors qu'un quart seulement des postes créés sont des postes de cadres. Il sera donc de plus en plus difficile de donner à chaque diplômé l'emploi qu'il est en droit d'attendre. Après les difficultés liées à l'échec scolaire, on peut s'attendre à d'autres difficultés liées à une qualification trop élevée par rapport aux emplois disponibles. Les manifestations contre le CIP (Contrat d'insertion professionnelle) en mars 1994 ont été la première illustration de ce décalage.

Le carriérisme est en régression.

Les « jeunes cadres dynamiques » des années 60 avaient disparu avec la crise économique et la montée de réflexes défensifs dans les entreprises et dans la société. On a assisté à leur retour dans la seconde moitié des années 80. Cette ambition retrouvée s'expliquait par la réhabilitation de l'entreprise, la volonté de gagner de l'argent (mythe du *golden boy* popularisé par les médias) et d'acquérir du pouvoir. Certains jeunes étaient alors décidés à tout mettre en œuvre pour accélérer leur ascension dans l'entreprise et accéder aux niveaux élevés de responsabilité, et surtout de salaire. Ils appliquaient dans ce but de véritables stratégies à la *Dallas*, choisissant avec soin les diplômes, les filières, les réseaux de relations et les comportements qui leur permettraient d'être remarqués de leurs supérieurs.

Ce carriérisme semble s'essouffler depuis quelques années, avec la diminution de l'activité économique et la montée de préoccupations plus qualitatives que quantitatives. Avec aussi la plus grande réserve affichée par les cadres à l'égard d'entreprises qui n'hésitent pas à réduire les effectifs et à supprimer des niveaux hiérarchiques.

➤ 54 % des cadres disposent d'un micro-ordinateur personnel à leur travail.

Les courtisans et les méchants

Les difficultés de la vie professionnelle ont des incidences sur le climat qui règne dans les entreprises en développant de nouvelles attitudes chez les cadres, comme la flagornerie : pour conserver leur place ou la consolider, certains n'hésitent pas à pratiquer le « lèche-bottes » à l'égard de leurs supérieurs, évitant soigneusement tout conflit avec eux, acceptant tout sans protester. Outre les effets psychologiques qu'elle peut avoir sur ceux qui s'y prêtent, cette flagornerie favorise la rétention d'informations et les mauvaises décisions. Surtout, elle interdit la créativité nécessaire. Une autre incidence de la crise est, au contraire, le développement de comportements agressifs, voire « méchants ». Certains cadres pratiquent une politique de harcèlement à l'égard de leurs collègues et concurrents ou de leurs collaborateurs, leur faisant subir des brimades de toutes natures (affectation à un poste moins valorisant, réduction de la taille du bureau, mise à l'écart de certaines réunions, désinformation...) jusqu'à ce que ceux-ci commettent des fautes.
Dans ces conditions, la vie professionnelle n'est plus le moyen de l'épanouissement individuel mais celui de la contrainte et de la répression. Cette situation explique l'augmentation du nombre des salariés qui ne se sentent pas heureux dans leur travail et la dégradation récente de l'image de l'entreprise.

JE VEUX DU BONHEUR !!!

DRH

AVENIR

Travail désacralisé ◆ **Développement des attentes non matérielles** ◆ **Besoin croissant d'épanouissement personnel** ◆ **Principe du partage de l'emploi de mieux en mieux accepté** ◆ **Révolution technologique « transversale »** ◆ **Croissance des métiers liés à l'environnement et du télétravail** ◆ **La culture générale, clé de l'adaptation**

IMAGE DU TRAVAIL

Depuis le milieu des années 60, la conception « religieuse » du travail a diminué d'importance...

Travail-destin, travail-devoir, travail-punition. Les vieux mythes de la civilisation judéo-chrétienne ne sont pas morts, mais ils sont fatigués. Et les Français avec eux, qui n'ont plus envie d'assumer pendant des siècles encore les conséquences du péché originel. Un mouvement s'est donc produit depuis le milieu des années 60 en faveur d'une désacralisation du travail, avec pour point culminant la contestation de Mai 68.

La conception « religieuse » du travail reste pourtant présente. C'est celle des catégories les plus conservatrices de la population : personnes âgées, mais aussi jeunes néoconservateurs épris d'ordre. Il s'agit pour eux de sauvegarder le travail en tant que valeur fondamentale.

...au profit d'attitudes nouvelles liées à la crise économique.

La conception « sécuritaire » est apparue surtout dans les catégories les plus vulnérables. Elle est particulièrement forte chez tous ceux qui se sentent menacés dans leur vie professionnelle pour des raisons diverses : manque de formation ; charges de famille ; emploi situé dans une région, une entreprise ou une profession vulnérable.

La conception « financière » se rencontre chez ceux qui restent attachés à la consommation. Leur vision du travail est simple et concrète. Il s'agit avant tout de bien gagner sa vie, afin de pouvoir dépenser sans trop compter.

La conception « affective » est répandue chez ceux qui attachent de l'importance aux relations humaines dans le travail et qui cherchent à s'épanouir. Elle concerne beaucoup de jeunes et des adultes des classes moyennes qui attachent une importance particulière à la nature de leur activité ainsi qu'à son environnement (les collègues, la hiérarchie, le cadre de travail...).

La conception « libertaire » envisage le travail comme une aventure professionnelle. Ses adeptes sont attirés surtout par la liberté, propice à la création et à la réalisation de soi-même. Ils sont ouverts à toutes les formes nouvelles de travail (temps partiel, intérim...) ainsi qu'à l'utilisation des technologies dans l'entreprise. Ils sont par principe très mobiles et considèrent a priori un changement de travail, d'entreprise ou de région comme une opportunité.

« Japonais » contre « Californiens »

Les plus conservateurs parmi les actifs ont une conception du travail de type libéral, proche du modèle japonais dans lequel la compétence et l'ordre sont prioritaires. La formule « californienne », caractérisée par les petites unités, l'autonomie, la créativité, l'absence de hiérarchie et l'omniprésence de la technologie, fascine les plus jeunes.

L'opposition entre ces deux modèles ne recouvre pas l'ensemble des conceptions, mais elle indique les pôles entre lesquels se situe le débat individuel et collectif concernant l'avenir du travail. Elle traduit aussi l'absence d'une réponse spécifiquement française à ce problème majeur.

➤ 32 % des cadres griffonnent sur des morceaux de papier, 19 % tordent des trombones, 7 % se tripotent les cheveux, 6 % sucent un crayon.

Les attentes non matérielles se développent.

Même s'il reste assez élevé, le niveau de satisfaction dans le travail a diminué depuis quelques années, traduisant à la fois l'angoisse du chômage et une frustration croissante.

Les Français sont partagés entre l'accroissement de leur pouvoir d'achat et celui de leur temps libre. S'ils avaient le choix, 47 % choisiraient une réduction de travail (36 % en 1987), 46 % une augmentation de salaire (55 % en 1987).

Depuis le début des années 90, la consommation a montré ses limites et il apparaît aujourd'hui qu'elle n'est pas un gage de bonheur. Ainsi, les métiers qui ont dans l'absolu les faveurs des Français (chercheur, médecin, journaliste, professeur...) ne sont pas systématiquement ceux qui permettent de gagner le plus d'argent. Les attentes qualitatives tendent à s'accroître : être utile ; exercer des responsabilités ; participer à un projet collectif ; apprendre ; avoir des contacts enrichissants ; créer.

Une place centrale dans la vie

Pour la majorité des Français, le travail est d'abord un moyen de s'épanouir (55 %). Il n'est ressenti comme une contrainte que par 11 %. La hiérarchie des professions correspond aussi à celle de l'épanouissement. Seuls 33 % des actifs disent ne travailler que pour l'argent, mais 45 % des 25-34 ans et 58 % des ouvriers. Les autres satisfactions citées sont l'utilité sociale, l'ouverture aux autres et l'intérêt personnel pour ce qu'on fait.
Pourtant, 25 % estiment qu'il y a un déficit entre ce qu'ils retirent du travail (argent, satisfactions diverses) et ce qu'ils apportent (temps, énergie, compétence...) ; 21 % s'estiment gagnants et 54 % trouvent le marché équilibré. Il apparaît que plus on gagne d'argent et plus on estime que la balance penche du bon côté.

Le besoin d'épanouissement personnel est de plus en plus fort.

Peu de Français, même parmi les plus jeunes, sont assez naïfs pour imaginer qu'on puisse se soustraire à « l'ardente obligation » du travail. Mais le désir de s'épanouir en occupant un emploi intéressant leur paraît de plus en plus légitime. Pour beaucoup, le travail idéal, c'est celui que l'on accomplit sans avoir l'impression de travailler, à l'image de ces vedettes de télévision, du cinéma ou du *show-business* qui prennent de toute évidence beaucoup de plaisir en faisant leur métier.

Les jeunes sont les plus inquiets des perspectives de l'emploi. La grande entreprise, lieu de prédilection des jeunes loups des années 60, n'est plus aujourd'hui le terrain d'expression privilégié de leurs ambitions professionnelles. Les petites structures dynamiques, qui autorisent une plus grande autonomie, ont souvent leurs faveurs. Dans le choix, réel ou imaginaire, d'un métier, il entre aujourd'hui d'autres dimensions que sa nature intrinsèque et sa rémunération : les conditions dans lesquelles il s'exerce ; la liberté qu'il laisse ; les gens qu'il permet de rencontrer, etc.

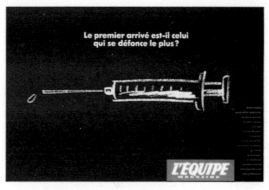

La concurrence n'est pas toujours un stimulant

Euro RSCG

Les jeunes et l'emploi

73 % des jeunes de 18 à 24 ans pensent que pour accéder au marché du travail, il faut prendre le premier emploi qui se présente, 26 % qu'il faut prendre l'emploi que l'on souhaite. 40 % considèrent qu'il vaut mieux faire des stages en entreprise, 36 % estiment qu'il faut obtenir un diplôme professionnel spécialisé, 23 % qu'il faut poursuivre des études supérieures le plus longtemps possible.
Les attentes prioritaires lorsqu'on a un emploi sont pour eux : un travail intéressant (70 %) ; la sécurité de l'emploi (66 %) ; un bon salaire (49 %) ; des perspectives de carrière intéressantes (33 %) ; l'entente avec ses collègues (27 %) ; des responsabilités (19 %) ; l'entente avec ses supérieurs (14 %).
Les filles ont davantage peur du chômage que les garçons ; elles sont moins nombreuses à revendiquer un travail intéressant et sont plus attachées à la sécurité de l'emploi.

La Tribune/Sofres, mars 1994

Les Français sont prêts à accepter davantage de flexibilité dans le travail.

Beaucoup de Français sont aujourd'hui prêts à accepter (ou à rechercher) davantage de souplesse dans les conditions de travail, les méthodes de gestion des effectifs ou l'introduction des outils de la technologie, alors qu'ils considéraient jusqu'ici ces évolutions comme un mal nécessaire.

Ce changement d'attitude, prévisible depuis le début de la décennie, est apparu de façon nette en 1993. Inquiets de la montée du chômage, la majorité des Français se disent prêts à remettre en cause certains avantages acquis, à condition que les efforts soient équitablement répartis et qu'ils s'inscrivent dans le cadre d'un « projet » courageux et créatif susceptible d'avoir une incidence sur le chômage.

Le retournement de l'opinion

En octobre 1992, seuls 32 % des Français se disaient prêts à accepter de réduire leur temps de travail avec une réduction correspondante de leur salaire afin de permettre à des chômeurs d'avoir un emploi, 51 % non. (*La Vie*/CSA)
En février 1993, ils étaient 71 % à accepter de travailler un peu moins et de gagner un peu moins pour permettre à leur entreprise d'embaucher, 68 % à accepter une réduction de 10 % pour éviter des licenciements dans leur entreprise. (*L'Express*/Ifop)
Ce retournement de l'opinion a été confirmé depuis par de nombreux sondages. Ainsi, 54 % des Français se disaient prêts en septembre 1993 à accepter une réduction de leur temps de travail accompagnée d'une baisse de salaire pour permettre des créations d'emplois dans leur entreprise, 44 % non (*Le Nouvel Observateur*/Sofres).

L'idée d'un partage du travail est de plus en plus largement acceptée.

Parmi les mesures susceptibles de lutter contre le chômage, celles qui concernent le partage du travail arrivent largement en tête dans l'opinion. Les plus favorables sont les femmes, les 25-34 ans, les membres des professions libérales et les cadres supérieurs. Il est difficile de savoir si ce choix s'explique par un sentiment d'inefficacité des autres méthodes, souvent fondées sur la croissance économique, ou par une volonté massive de travailler moins.

Cette évolution peut cependant être rapprochée des nouveaux comportements en matière de consommation, qui montrent un moindre attachement des Français aux valeurs matérielles (voir *Dépenses*). Ils ont en tout cas découvert en 1993 qu'ils pouvaient acheter autant et dépenser moins en rationalisant leurs achats. C'est la preuve que l'on peut vivre aussi bien en gagnant moins, donc en travaillant moins. Plus d'un tiers des actifs à plein temps (37 %) jugent leur temps de travail trop important. On retrouve logiquement la même proportion d'actifs souhaitant travailler moins et gagner moins (34 %). Elle croît avec le niveau de revenu, sauf aux deux extrêmes de la hiérarchie.

Le partage du travail dans les boîtes pour améliorer le pouvoir d'achat.

285F

C'est nous qui l'avons fait. **IKEA**

Une idée qui fait son chemin

➤ Le nombre des franchiseurs est passé de 740 en 1989 à 400 en 1994. Celui des franchisés est passé dans le même temps de 33 000 à 26 000, après un point bas de 20 000 en 1993. 20 % des enseignes représentent 85 % du chiffre d'affaires.
➤ Le mot « vendeur » n'est utilisé que dans 2 % des annonces de recrutement des commerciaux ; on lui préfère des mots comme chargé d'affaires, délégué, attaché, animateur... 82 % des annonces demandent une « expérience réussie ».
➤ En octobre 1993, 57 % se disaient prêts à accepter une baisse de salaire de 5 % en contrepartie de l'abaissement de la durée du travail à quatre jours.
➤ 61 % des responsables du recrutement de grosses entreprises estiment que l'atout de l'ingénieur de demain sera d'être généraliste, 31 % d'être spécialiste.

Micro-entretien ▬▬▬▬

MARC BLONDEL*

G.M. - *Le partage du travail est-il une solution pour lutter contre le chômage ?*

M.B. - Je me situe très clairement dans une vision très différente de celle du partage. Je suis pour une relance de l'activité. Je suis un keynésien raisonnable, donc favorable au maintien du pouvoir d'achat, si possible pour une légère augmentation. La France peut prendre quelques initiatives dans ce sens, l'Europe également. Le problème est de savoir si nous allons rester dans une situation de concurrence par rapport aux pays qui sont en voie de développement et notamment ceux qui sont en train de s'industrialiser. Je crois que si le partage du temps de travail implique le partage des salaires, il y aura des difficultés majeures.

———

* Secrétaire général de Force Ouvrière.

▬▬▬▬▬▬▬▬▬▬

EMPLOI ET TECHNOLOGIE

Les révolutions technologiques conditionnent le fonctionnement des entreprises.

L'invention de la *machine à vapeur*, à la fin du XVIIIe siècle, est associée à la première révolution industrielle. Elle a permis à l'homme de disposer pour la première fois d'énergie en quantité importante. On lui doit le développement considérable de l'industrie au cours du siècle suivant.

La seconde révolution industrielle fut liée à la généralisation de l'*électricité*, à la fin du XIXe siècle. Elle allait permettre le transport de l'énergie, donc son utilisation aussi bien par les industries que par les particuliers.

La troisième révolution industrielle est celle de l'électronique.

Cette révolution a commencé voici quarante ans. Elle a d'abord connu deux phases décisives :
• Le *transistor*, inventé en 1948, annonçait le véritable début des produits audiovisuels de masse (radio, télévision, électrophone...) et des calculateurs électroniques.

• Le *microprocesseur* ou circuit intégré (petite pastille de silicone contenant un véritable circuit électronique et des composants) date des années 60. Il a été à l'origine du fantastique développement de l'industrie électronique. Grâce à la miniaturisation, l'ordinateur est devenu de plus en plus puissant et de moins en moins cher. On lui doit le développement de l'informatique et l'accélération de celui des télécommunications.

La troisième phase est celle de la *télématique*, qui marie aujourd'hui le microprocesseur et les télécommunications.

———

Les trois révolutions

Les trois révolutions industrielles :

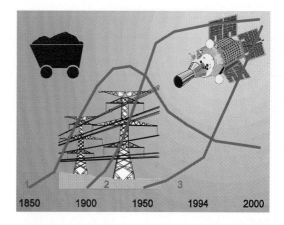

1. Charbon, acier, textile
2. Mécanique, automobile, avion, pétrole, chimie, électricité
3. Electronique, télématique, robotique, biotechnologie, biomasse, atome

———

L'utilisation de la micro-électronique s'étend à l'ensemble des activités professionnelles et humaines.

Cette phase du développement technologique est encore plus lourde de conséquences sur la vie des Français que les deux précédentes. Car elle ne concerne plus seulement les processus industriels et la nature des produits accessibles au grand public ; son champ d'application est illimité. Il concerne le développement de la production et de la communi-

La technologie encore élitiste

Evolution de la proportion de salariés utilisateurs des nouvelles technologies (en %) :

	Cadres		Professions intermédiaires		Employés		Ouvriers qualifiés		Ouvriers non qualifiés		Ensemble	
	1987	1991	1987	1991	1987	1991	1987	1991	1987	1991	1987	1991
• Terminal relié à un ordinateur	31	36	23	29	19	25	5	6	2	3	16	20
• Micro-ordinateur	35	47	23	34	12	21	3	5	1	2	14	21
• Ordinateurs (terminal relié à un ordinateur ou micro-ordinateur)	50	60	37	47	28	36	7	10	3	5	24	32
• Machine de traitement de texte	13	14	7	11	7	12	1	1	-	-	5	8
• Minitel	32	44	17	32	13	25	2	4	1	1	12	21
• Vidéo	13	17	9	13	2	3	2	2	-	1	4	6
• Robot ou manipulateur automatique	1	1	1	1	-	-	3	3	2	2	1	1
• Machine à commande numérique	-	1	1	1	-	-	2	4	1	2	1	1

Ministère du Travail, de l'Emploi et de la Formation professionnelle

cation à tous les niveaux de l'entreprise : conception assistée des produits ; optimisation des méthodes de fabrication ; robotique ; télécopie ; téléconférence, etc. Il est aussi responsable de la rapide diffusion des produits qui ont changé la vie des individus : télévision couleur ; magnétoscope ; micro-ordinateur ; lecteur de disques compacts ; vidéodisque ; Minitel ; billetteries automatiques, etc. Il a ouvert la voie au multimédia.

A la différence des autres innovations, celle du microprocesseur a des applications « transversales ».

Son utilisation permet non seulement d'inventer des nouveaux produits, mais de les fabriquer à des prix de plus en plus bas. Cette révolution porte en elle les germes d'une véritable civilisation nouvelle, qui entraînera de nouveaux modes de vie. On en voit déjà les effets dans la vie professionnelle et personnelle des Français.

La transition nécessaire entre cette révolution et l'évolution sociale a été souvent douloureuse, car la société a dû faire face en même temps à la mutation technologique et à une crise économique et sociale. Ces deux phénomènes, concomitants, n'étaient évidemment pas indépendants.

La technologie a supprimé plus d'emplois qu'elle n'en a créés.

Contrairement à ce qui avait été annoncé par certains experts, le solde d'emplois créés par les nouvelles technologies apparaît négatif. Il faudra donc diminuer la durée moyenne du travail et mieux la répartir entre les actifs si l'on veut lutter contre le chômage.

Mais les mutations technologiques, celle de l'informatique en particulier, ne font pas que supprimer des emplois. Elles sont aussi créatrices de nouveaux métiers. Il existe cependant trois décalages entre les deux phénomènes.

Le premier est temporel : les nouveaux emplois ne sont pas créés en même temps que certains sont supprimés.

Le second décalage est spatial : les nouveaux emplois ne sont pas créés au même endroit que les anciens, ce qui implique une plus grande mobilité des travailleurs.

Enfin, il existe un décalage qualitatif : les emplois créés n'utilisent pas les mêmes compétences que ceux qui disparaissent. Il existe ainsi des postes à pourvoir qui ne trouvent pas de candidats compétents. C'est pourquoi l'effort de formation revêt une grande importance.

Technologie, services et emploi

L'érosion du nombre d'emplois a été partiellement compensée depuis le début de la crise par les créations dans le domaine des services. Mais des gains de productivité sont souvent possibles dans ces domaines grâce à l'informatique, à la bureautique, etc. Dans les bureaux d'études et de méthodes, l'arrivée de la CAO (conception assistée par ordinateur) a transformé les métiers de dessinateur, traceur et préparateur. Le développement de la bureautique (gestion et stockage de l'information, traitement de texte, gestion des dossiers, agenda automatique, banques de données, etc.) ne sera pas sans effet sur les postes d'employés. C'est le cas aussi de la télématique (courrier électronique, téléconférences...). Enfin, l'avènement du multimédia va une fois encore modifier la nature de certains métiers (édition, vente, services divers) et supprimer des emplois.

Les travailleurs étrangers, âgés et les femmes sont les plus menacés par l'évolution technologique.

7 millions de salariés utilisent un ordinateur dans leur travail, contre 4,5 millions en 1987. Mais les outils technologiques ne se sont pas diffusés de façon égalitaire. Les étrangers occupent pour la plupart les postes les moins qualifiés et ne bénéficient guère de la formation continue. Les travailleurs les plus âgés sont souvent moins malléables à la nouveauté, qui dérange leurs habitudes de travail. Ils sont aussi moins disposés à se remettre en question et à retourner à l'école. Quant aux femmes, elles sont jusqu'ici assez peu nombreuses dans les métiers de l'informatique et elles remplissent souvent des fonctions que l'ordinateur peut ou pourra assurer en partie.

NOUVEAUX MÉTIERS

La plupart des professions sont concernées par l'évolution technologique.

Les travailleurs les moins qualifiés, qui effectuent des tâches répétitives, sont directement menacés par l'arrivée de machines électroniques. Mais ceux qui occupent des emplois de responsabilité sont également concernés par cette évolution. 18 % des cadres et membres des professions intellectuelles supérieures n'ont pas le niveau du bacca-

lauréat. Certains, souvent parmi les plus âgés, éprouvent des difficultés à dialoguer avec un ordinateur. Ils devront pourtant s'adapter à des méthodes de travail différentes de celles qu'ils ont toujours pratiquées : travail en équipe, décentralisation des responsabilités, rationalisation des prises de décision, etc.

Même les métiers de création, jusqu'ici les plus épargnés par le progrès technologique, se remettent aujourd'hui en question. Les graphistes, illustrateurs, stylistes, concepteurs et même artisans peuvent utiliser avec profit les outils informatiques et télématiques. Il seront touchés par les prochaines générations de systèmes experts, qui seront capables d'apprendre certains modes de fonctionnement du cerveau humain, d'intégrer l'expérience des individus les plus qualifiés et de les appliquer à des situations nouvelles.

Micro-entretien ■■■■■■■■■

GEORGES CHARPAK[*]

G.M. - *Comment expliquer la méfiance actuelle des salariés à l'égard de la technologie ?*

G.C. - Nous vivons une période extraordinaire où nous ressentons les effets des progrès technologiques, qui sont liés aux progrès de la science. Mais la conséquence peut apparaître à certains comme déplorable. Le chômage est lié à la mécanisation. On ne peut demander à celui qui est renvoyé de son travail d'être béat d'admiration devant les progrès de la technologie puisque cela se traduit pour lui par une catastrophe. L'incapacité de notre société à gérer les progrès de la science produit un certain rejet.

———
[*] Prix Nobel de physique.

RFI

Les métiers liés à l'environnement seront de plus en plus nombreux.

Les préoccupations écologiques croissantes vont imposer de nouvelles contraintes aux entreprises, qui devront « produire propre » sous peine de sanctions légales et, surtout, d'une détérioration de leur image. Les métiers liés à la protection de l'environnement vont donc se développer au cours des années à venir, à la fois à l'intérieur et à l'extérieur des entreprises.

Autant qu'une spécialité à part entière (ingénieurs ou techniciens de l'environnement), la dimension écologique devra être intégrée aux métiers existants et concernera tous les secteurs de l'industrie. Des disciplines comme la chimie, la biologie, l'agronomie, la géologie, l'hydrologie, mais aussi le droit ou l'informatique seront particulièrement touchées par la contrainte écologique. Les problèmes de traitement des eaux et des déchets, de rejet de matières toxiques dans l'air devront être progressivement résolus, en attendant que des techniques de fabrication non polluantes soient mises au point.

Fonctions et métiers d'avenir

Six *fonctions* de l'entreprise devraient se développer particulièrement au cours des prochaines années :
• Gestion-finances : audit ; responsable de crédit ; contrôleur de gestion ; analyste financier ; expert-comptable.
• Commerce-marketing : ingénieur technico-commercial ; acheteur industriel ; chef de rayon de supermarché ; chargé d'études marketing ; merchandiser ; chef de produit.
• Maintenance-qualité : logisticien ; responsable de maintenance ; qualiticien.
• Informatique : cogniticien ; administrateur de base de données ; spécialiste de maintenance informatique ; architecte de réseau ; chef de projet analyste ; ingénieur système.
• Recherche-développement : chercheur industriel.
• Formation : responsable de formation.

Le secteur tertiaire devrait poursuivre sa croissance, en particulier dans cinq *secteurs d'activité :*
• Professions juridiques : juriste d'entreprise ; avocat.
• Banques-assurances : spécialiste immobilier ; exploitant ; analyste de crédit.
• Santé : manipulateur en électroradiologie ; conseiller en économie sociale et familiale.
• Enseignement : instituteur ; professeur de mathématiques.
• Publicité-communication : chef de publicité d'agence ; responsable de la communication.

Enfin, cinq *branches industrielles* devraient se développer :
• Electronique-télécommunications : automaticien ; électrotechnicien ; concepteur de circuit intégré.
• Bâtiment-travaux publics : ingénieur d'étude de prix ; ingénieur méthodes du bâtiment.
• Froid-thermique : frigoriste ; thermicien.
• Industries des plastiques : plasturgiste.
• Aéronautique-espace : spécialiste télédétection.

Le télétravail devrait se développer au cours des prochaines années.

Fruit des progrès de la télématique, le télétravail consiste à à travailler à domicile et communiquer de chez soi avec son entreprise ou ses clients. Des ingénieurs, journalistes, employés sont d'ores et déjà concernés par ce nouveau type d'activité.
En France, le travail à domicile existe depuis longtemps ; il était développé dans certaines régions comme le Jura où des personnes réalisaient certains travaux pour le compte d'entreprises. Il connaît une seconde jeunesse dans des compagnies d'assurances qui confient à des télétravailleurs la gestion de dossiers de sinistres.
Le télétravail présente l'avantage d'une meilleure productivité pour l'entreprise (les expériences menées aux Etats-Unis ont fait apparaître des gains de l'ordre de 40 %) et d'une plus grande liberté pour les employés. Il reste à savoir, cependant, si

La communication, un métier d'avenir

l'absence de relations *de visu* avec les collègues ou les patrons sera ressentie par les télétravailleurs comme un handicap ou comme un privilège...

Oui au télétravail

Si leur activité professionnelle le permettait, 57 % des Français seraient prêts à travailler à leur domicile, par exemple à l'aide d'un ordinateur ou d'un télécopieur, 41 % non.
45 % estiment que la généralisation du travail à domicile serait une chance car elle permettrait de sauver des emplois en réduisant les frais des entreprises ; 45 % considèrent que ce serait un risque car le travail pourrait être déplacé vers des pays où la main-d'œuvre est beaucoup moins chère.

La technologie a évolué plus vite que les mentalités.

Le progrès technique est d'autant plus facile à accepter qu'il n'implique pas une remise en cause des valeurs. C'est pourquoi les premières phases de la révolution électronique s'étaient déroulées sans grandes difficultés sociales. L'évolution récente a entraîné beaucoup plus de résistances.

Les structures, qu'elles soient industrielles, sociales ou mentales, intègrent difficilement et lentement les bouleversements, surtout lorsqu'ils se succèdent à un rythme élevé. Il s'ensuit un décalage croissant entre ceux qui ont les moyens et la volonté de « rester dans le coup » et ceux qui se laissent emporter par le courant. C'est donc le système social et professionnel, plus que la volonté des hommes, qui engendre les inégalités.

On peut donc parier, au cours des prochaines années, sur une augmentation du nombre des exclus du modernisme, qui en subiront les effets sans pouvoir en tirer le moindre avantage.

La qualification et la spécialisation ne sont plus des garanties pour l'emploi.

Contrairement à ce que l'on imagine souvent, la place croissante de la technologie dans l'entreprise n'implique pas que la réussite professionnelle passera par une qualification croissante et une spécialisation des formations. C'est même le contraire qui pourrait se produire. D'ores et déjà, la formation donnée par l'enseignement supérieur dans les domaines de haute technologie est « en retard » par rapport aux développements en cours dans les entreprises et les laboratoires. De plus, les seules connaissances scientifiques et mathématiques sont largement insuffisantes pour permettre aux jeunes diplômés d'accéder aux postes de responsabilité ; il leur faut aussi savoir communiquer, avoir l'ouverture d'esprit suffisante pour travailler avec les autres et faire preuve de dynamisme et de créativité. Les qualités personnelles seront donc de plus en plus déterminantes pour la réussite professionnelle.

La culture générale est la clé de l'adaptation.

Les entreprises ont aujourd'hui besoin de salariés capables de comprendre ce qui se passe autour d'eux, non seulement dans leur domaine d'activité et dans leur pays, mais dans la société et dans le monde. Cette capacité requiert un niveau de plus en plus élevé de culture générale. Elle seule peut fournir des points de référence par rapport au passé et permettre la mise en perspective de mouvements et de tendances apparemment aléatoires ou contradictoires.

Dans cette optique, les lettres devraient prendre leur revanche sur les mathématiques. L'informatique n'est d'ores et déjà plus seulement un métier mais un outil de base. La sociologie, la géopolitique, la philosophie, l'art, l'histoire des civilisations ou des religions sont d'autres outils qui seront de plus en plus nécessaires aux cadres et aux dirigeants dont le métier est d'intégrer le présent afin de préparer l'avenir.

➤ S'ils avaient le choix, 59 % des Français choisiraient un travail intéressant mais pas très bien payé (50 % en 1978), 32 % un travail pas intéressant mais bien payé (39 % en 1978).

LA VIE PROFESSIONNELLE

ENTREPRISES

Diminution des créations d'entreprises et augmentation des faillites ◆ Déficit de création d'emplois ◆ Dégradation de l'image de l'entreprise ◆ L'entreprise citoyenne. Recherche de l'efficacité ◆ Réduction du nombre de niveaux hiérarchiques ◆ Vie professionnelle de plus en plus codifiée ◆ Moins de 10 % des salariés syndiqués, mais stabilisation des effectifs ◆ Nouvelles formes de revendication

DÉMOGRAPHIE

Le nombre des créations d'entreprises diminue : 172 000 en 1993 contre 224 000 en 1989.

Après la croissance des années 1983 à 1989, le nombre des créations d'entreprises a diminué de 20 % au cours des quatre dernières années. Le nombre total des créations pures et des reprises est retombé en 1993 au niveau de 1979. La baisse observée concerne l'industrie, la construction, les services aux entreprises et les transports. L'agroalimentaire, l'hôtellerie et les services aux ménages ont connu au contraire une augmentation du nombre des créations. On observe la même tendance à la baisse pour les reprises : 48 000 en 1993 contre 50 000 en 1992 et 57 000 en 1989.

Le ralentissement économique, les coûts élevés des emprunts et la réticence des banques à prêter de l'argent sont les causes principales de cette évolution. Le climat de morosité et la peur de l'avenir ont eu aussi pour effet de réduire les vocations d'entrepreneur. Ceux qui disposent d'un emploi ne veulent pas prendre le risque de l'abandonner. Les jeunes sont moins nombreux à vouloir créer une entreprise, compte tenu des sacrifices personnels que cela implique et de la difficulté à survivre dans un environnement très dur.

Une entreprise sur deux meurt avant 5 ans

Parmi les 232 000 entreprises créées ou reprises en 1987 (respectivement 77 % et 23 %, hors filiales), 117 000 subsistaient en 1992. Le taux de survie à 5 ans est donc de 50 %. Celui des reprises est supérieur à celui des créations : 58 % contre 48 %. Le taux le plus élevé est celui constaté dans les services aux particuliers (66 %), devant les industries agroalimentaires (62 %). Le plus faible est celui du commerce et des hôtels-cafés-restaurants (48 % au total, 40 % dans les restaurants).
Les sociétés résistent mieux que les entreprises individuelles (62 % contre 45 %). Mais les taux varient selon les activités : 36 % des commerçants, 47 % des artisans, 54 % des professions libérales et 58 % des artisans sont encore en activité après 5 ans.
Les chances de survie augmentent aussi avec la taille initiale : 66 % des entreprises comprenant plus de 10 salariés survivent, contre 47 % de celles qui n'en comptent aucun (les trois quarts des créations). 15 % des entreprises défaillantes avant 5 ans ont fait l'objet d'une reprise.

INSEE

63 000 entreprises ont fait faillite en 1993.

Le nombre des défaillances d'entreprises a encore augmenté de 9 % par rapport à 1992. Il a plus que doublé depuis 1985, date de la loi relative au redressement et à la liquidation judiciaire. Environ la moitié des entreprises défaillantes avaient moins de trois ans d'existence. La durée moyenne d'exis-

Démographie des entreprises

Evolution du nombre d'entreprises créées, des reprises et des faillites :

	1981	1983	1985	1987	1989	1990	1991	1992	1993
• Créations nouvelles	173 100	156 810	192 200	212 590	224 090	216 620	178 767	172 696	170 997
• Reprises	68 920	52 520	52 320	61 890	57 720	56 800	50 724	49 953	48 117
• Réactivations							49 485	51 993	54 407
Total	**242 980**	**209 330**	**244 520**	**274 480**	**281 810**	**273 420**	**278 976**	**274 642**	**273 521**
• Faillites	20 300	22 500	26 425	30 766	40 042	46 170	53 252	57 796	63 187
Solde créations moins faillites	**+152 800**	**+134 310**	**+165 775**	**+181 824**	**+184 048**	**+170 450**	**+125 515**	**+114 900**	**+107 810**

INSEE

tence tend à diminuer : elle n'est plus que de 10 à 15 ans, contre 15 à 20 ans dans les années 60.

C'est dans l'industrie que le taux de défaillance (rapport entre le nombre d'entreprises en situation de redressement judiciaire et le nombre total) est le plus élevé : plus de 4 % contre une moyenne de 3 %.

Il existe généralement une corrélation entre le nombre des créations d'entreprises et celui des cessations d'activité, mais elle n'a pas joué au cours des dernières années puisque le nombre des créations a diminué. Il faut toutefois préciser que certaines entreprises qui déposent leur bilan sont relancées ou rachetées.

Bien que le nombre des faillites ait augmenté partout, la France détient le record des pays d'Europe de l'Ouest, loin devant la Grande-Bretagne (37 500, hors Ecosse et Irlande du Nord), la Suède (19 700) et l'Italie (14 000).

La création d'emplois, qui avait repris entre 1985 et 1989, est à nouveau déficitaire.

Les créations nettes d'emplois ont représenté environ 300 000 postes par an entre 1985 et 1989. Elles se sont ensuite considérablement ralenties, pour redevenir négatives. Le solde entre créations et disparitions d'entreprises donne cependant une idée erronée de la situation de l'emploi. Les entreprises qui naissent ont une taille moyenne très inférieure à celles qui meurent : 66 % des sociétés créées entre 1981 et 1987 ne comptaient aucun salarié au 1er janvier 1988. L'effectif moyen par entreprise est passé de 6,1 employés en 1981 à 5,0 en 1987. C'est ce qui explique que le nombre d'emplois créés en France ait été, jusqu'en 1984, inférieur à celui des emplois supprimés. C'est de nouveau le cas aujourd'hui.

Dans ce domaine, la France a accusé un retard certain par rapport à d'autres pays industrialisés. Aux Etats-unis, 80 % des nouveaux emplois ont été créés dans des entreprises de moins de quatre ans d'existence.

Les métiers qui marchent

Entre 1982 et 1990, les professions qui ont connu le plus de créations d'emplois ont été le secrétariat (256 000), l'éducation (145 000 professeurs), le commerce (130 000 représentants), l'informatique (99 000 ingénieurs), la santé (75 000 aides-soignants), les services (74 000 nettoyeurs), la garde d'enfants (70 000 assistantes maternelles et gardiennes), l'expédition (67 000 ouvriers du tri, de l'emballage, des expéditions), la restauration (66 000 serveurs), les fonctionnaires (61 000 agents de service) et l'entretien (60 000 mécaniciens pour équipements industriels).

➤ Les PME (de 10 à 499 salariés) représentent 7 % des entreprises mais 47 % des emplois. Les très petites entreprises (moins de 10 salariés) comptent pour 93 % des entreprises et 21 % des emplois. Elles créent davantage d'emplois que les grandes entreprises.

IMAGE

Les Français s'étaient réconciliés avec l'entreprise au début des années 80.

Pendant longtemps, les Français ont cru aux vertus du dirigisme étatique et l'image qu'ils avaient de l'entreprise privée était plutôt défavorable. La crise économique leur a révélé l'existence d'une économie de marché planétaire et le rôle irremplaçable des entreprises dans la création des emplois et des richesses. L'échec du plan de relance économique de 1982 a convaincu les plus sceptiques de l'existence des contraintes internationales et des dépendances nationales qui en résultent.

C'est au moment où les entreprises éprouvaient le plus de difficultés que les Français ont décidé de leur accorder leur confiance. 58 % des Français pensaient en décembre 1982 que pour faire face aux difficultés économiques, il fallait faire confiance aux entreprises, contre 38 % en novembre 1980 (*Le Figaro Magazine*/Sofres). La proportion atteignait même 63 % en avril 1990.

L'image de l'entreprise s'est dégradée depuis le début des années 90.

L'accroissement du chômage a modifié les rapports que les salariés entretiennent avec l'entreprise. Les grands discours sur la « ressource humaine » ou la « culture d'entreprise » caractéristiques de la fin des années 80 sont moins crédibles dans un contexte de licenciement économique et de compétition interne acharnée. L'attachement affectif à l'entreprise s'efface donc au profit d'une attitude plus « contractuelle ». On ne se paie plus de grands mots, mais on s'efforce de justifier sa place dans la structure, tout en sachant qu'il ne faut pas en attendre une reconnaissance éternelle.

Les discours éthiques ne suffisent pas.

Les entreprises, qui sont par nature à l'écoute des consommateurs, ont ressenti le besoin croissant de morale et tenté d'y répondre par l'éthique. Cette attitude a priori louable risque de passer pour une récupération aux yeux du public si elle n'est qu'un prétexte à communiquer. Elle doit reposer sur un souci authentique, vécu à l'intérieur de l'entreprise et sensible dans son comportement économique et ses produits. Ainsi, les sociétés dont les usines sont polluantes ne peuvent se contenter d'investir en « communication verte » ; elles doivent prendre des mesures pour réduire leur action néfaste sur l'environnement.

L'éthique ne doit pas être considérée comme un investissement rentable destiné à améliorer l'image de l'entreprise et ses profits. Pour être crédible, elle doit être une disposition d'esprit partagée par tous ses membres, du patron à l'employé le plus modeste.

L'entreprise citoyenne

Les Français attendent aujourd'hui des entreprises qu'elles participent au débat public et deviennent de véritables citoyennes.
Cette demande traduit d'abord leur poids dans la vie collective ; un poids accru par les restructurations récentes et les concentrations auxquelles elles ont donné lieu. Il montre aussi l'insuffisance des institutions étatiques pour résoudre les problèmes du moment, faire avancer la recherche et, surtout, innover en matière sociale.
On peut d'ailleurs penser que la prochaine demande adressée aux entreprises sera de fournir à la société non plus seulement du travail, des revenus, des produits ou des services, mais aussi des idées.

n'oubliez pas que votre jardin est un petit morceau de la planète.

TONDEUSES "VERTES"
Outils WOLF

Crehalet Pouget Poussielgues

L'entreprise doit avoir une vision planétaire

➤ Pour 77 % des Français et 74 % des chefs d'entreprise, la fermeture des frontières pour protéger les secteurs économiques en difficulté du fait de la concurrence étrangère permettrait de lutter de manière significative contre le chômage.

FONCTIONNEMENT

La contrainte d'efficacité a modifié
les règles du jeu dans les entreprises.

Les Français ont eu quelque difficulté à accepter que leur rémunération et leur situation professionnelle dépendent de leur ardeur au travail et de leurs résultats. Le poids de la fonction publique, avec son système d'avancement à l'ancienneté, l'habitude des « plans de carrière », le goût du confort et l'absence de moyens de contrôle de l'efficacité personnelle expliquent cette situation assez particulière à la France.

La crise économique et l'internationalisation de la compétition ont entraîné une transformation brutale de ces habitudes. Les notions de « salaire au mérite », de « rémunération dynamique » et les « évaluations de performance » se sont généralisées dans les entreprises en même temps que se produisait une véritable révolution dans la gestion des ressources humaines.

Sport et entreprise

Les entreprises sont de plus en plus nombreuses à utiliser le sport pour améliorer chez leurs cadres les qualités de discipline personnelle, de travail en équipe, de vitesse de réaction, de gestion des efforts et de lutte contre le stress. C'est pourquoi elles multiplient les stages de parachutisme, arts martiaux, escalade, aviron ou hockey. Comme chaque mode managériale, celle-ci connaît parfois des excès, avec le « hors-limites » qui impose à des cadres non préparés de se dépasser, au risque d'accidents tant physiques que psychologiques.
L'approche sportive tend aujourd'hui à remplacer l'approche guerrière. Les entreprises et les individus y gagnent en humilité et le climat de travail est plus harmonieux. On observe curieusement la tendance inverse dans le sport de compétition où le langage et les attitudes guerriers prennent une place croissante.

La recherche de l'« excellence »
s'est généralisée.

Ce concept, importé du Japon et adapté aux Etats-Unis, a conduit certaines entreprises à mettre en œuvre des méthodes destinées à accroître le rendement de leurs employés et cadres. A côté des techniques douces (cercles de qualité, projets d'entreprise, objectifs « zéro défaut ») se sont dévelop-

pées des techniques plus dures, dont le but est d'influer directement sur la personnalité des employés : stages de survie ; sauts à l'élastique ; séminaires de dynamique de groupe. Si certains ont pu apprendre ainsi à se dépasser, d'autres ont « craqué » et se sont sentis menacés dans leur intégrité. C'est pourquoi on en vient aujourd'hui à d'autres méthodes (voir encadré ci-dessus).

Les entreprises tendent à réduire le nombre
de niveaux hiérarchiques.

Conscientes de l'importance du dialogue entre le sommet et la base de la pyramide hiérarchique, certaines entreprises ont entrepris de limiter le nombre des échelons. Pour ce faire, certaines ont supprimé le niveau de la maîtrise ; d'autres ont réduit le nombre des cadres supérieurs.

Cette pratique, née aux Etats-Unis dans les années 70, traduit la volonté de rendre plus rapide et plus efficace la prise de décision en limitant les échelons intermédiaires et donc les risques de parasitage. Elle a aussi pour but d'accroître la motivation et la créativité des salariés, qui se sentent ainsi plus autonomes. La contrepartie est une réduction des possibilités d'évolution de carrière des cadres ou des agents de maîtrise.

Le mouvement est encore limité en France, où beaucoup d'entreprises restent imprégnées par l'organisation tayloriste qui a prévalu pendant des décennies.

Micro-entretien

ROBERT LION*

G.M. - *L'Etat doit-il s'inspirer des entreprises ?*

R.L. - Il existe un décalage entre l'entreprise et l'Etat. L'entreprise n'est pas un modèle parfait, mais elle a su, parce qu'elle baignait dans la compétition et que c'était pour elle une question de vie ou de mort, évoluer dans ses modes de gestion depuis vingt ou trente ans. Une place beaucoup plus importante y est faite à la motivation des salariés, du corps social de l'entreprise, ainsi qu'à l'initiative et à la sanction. L'Etat de son côté a peu évolué par rapport à ses modes de fonctionnement, de commandement, de motivation. Mais les méthodes progressent quand même.

---

* Ancien président de la Caisse des dépôts et consignations, auteur de *L'Etat passion*, Plon.

RFI

*La « culture du stress » produit
autant d'efficacité que de frustration.*

Les entreprises se sont aperçues que le stress pouvait avoir des effets positifs sur les individus dans leur vie professionnelle : accroissement de l'énergie ; esprit de conquête ; volonté de se dépasser. Certaines l'ont donc utilisé comme une véritable méthode de management. En créant ou entretenant le stress chez les employés ou les cadres, elles pensaient les faire travailler plus vite, canaliser leur agressivité et entraîner l'ensemble des employés dans un climat de concurrence acharnée.

Mais le stress développe aussi chez ceux qui en sont atteints un sentiment d'angoisse, une tension permanente et une peur de l'échec qui finissent par les user intérieurement. L'insatisfaction est à la fois le moteur de la réussite et la source de problèmes personnels, dont certains peuvent être graves. Les chiffres de consommation de tranquillisants et de somnifères tendent à montrer que les Français sont plus sensibles au stress que les autres ou qu'ils sont moins armés pour lui résister...

Le culte de la performance
ou la société de comparaison

Le mot « performance » est l'un de ceux qui ont accompagné et caractérisé la décennie 80. Ces années n'ont pas pourtant été marquées par des avancées spectaculaires dans le domaine économique ou social. Mais, dans un monde où la compétition est partout et les certitudes nulle part, le culte de la performance est devenu un mode de vie ; il est apparu en tout cas comme une condition nécessaire pour la réussir. La société actuelle est donc basée sur la *comparaison*. On y établit sans cesse des classements, afin de mettre en exergue les personnes, les entreprises, les produits ou les idées qui réussissent.
Cette mode peut s'expliquer par la disparition progressive des repères transcendants, en particulier la religion et l'Etat.
L'homme n'a plus d'autre choix que de se « faire » tout seul. La « vie terrestre » est la seule qui compte ; il faut donc la réussir en ne comptant que sur soi, sans aide extérieure ou spirituelle. Il n'est plus suffisant de s'intégrer dans la société et de s'y fondre ; il faut aussi tenter de se singulariser pour exister.
Le culte de la performance remplace d'autres cultes aujourd'hui disparus ou affaiblis. Il renforce l'individualisme et il est par principe incompatible avec la recherche de l'égalité. On peut y voir la fin du modèle républicain.

*Si votre agence s'essouffle,
on n'a rien contre une petite compétition.*

RESONNANCES

La vie est une compétition

*Après avoir progressé, la liberté individuelle
est à nouveau menacée dans l'entreprise.*

Les Français avaient connu plusieurs décennies de progrès en matière de liberté individuelle au travail : horaires variables ou « à la carte » ; enrichissement des tâches ; diminution des contraintes en matière d'organisation du travail ; encouragement des initiatives et suggestions en faveur de la qualité des produits...

Certaines tendances récentes vont dans le sens contraire. La notion de « culture d'entreprise » (ensemble d'objectifs, d'attitudes et de comportements propres à une entreprise) est parfois présentée comme un modèle auquel chacun doit adhérer et se conformer. Au risque de perdre une partie de son identité et de sa créativité.

Certaines entreprises pratiquent en outre de véritables atteintes à la liberté individuelle : écoutes téléphoniques des salariés par l'intermédiaire de standards perfectionnés ; contrôles de la productivité par caméras ; inscription de cadres à des stages de conditionnement physique et moral ; obligation de porter des badges électroniques indiquant les déplacements des employés et leur interdisant l'accès à certains services...

Dans leur chasse à l'oiseau rare, d'autres mettent en œuvre des méthodes de recrutement de plus en plus complexes. Les curriculum vitae, entretiens d'embauche, analyses graphologiques, tests d'aptitude ou de personnalité ne leur suffisent plus ; elles ont recours à la numérologie ou à l'astrologie pour découvrir la personnalité des candidats. Certains employeurs rencontrent les épouses des cadres postulants afin d'estimer si elles peuvent représenter une entrave à la disponibilité de leurs maris.

La vie professionnelle est
de plus en plus codifiée.

La tenue vestimentaire, les comportements vis-à-vis des supérieurs ou des clients dans le cadre de la vie professionnelle, mais parfois aussi en dehors, sont souvent plus ou moins codifiés. Certaines entreprises acceptent mal des employés habillés ou coiffés de façon « voyante », trop gros, fumeurs, atteints de certaines maladies ou ayant des opinions politiques ou religieuses « non conformes ».

Le souci de la compétitivité, la volonté d'éliminer les conduites « déviantes » pour imposer une norme commune et le progrès technologique sont les principales causes de cette évolution. La liberté, revendiquée et acquise par les salariés au cours des précédentes décennies, tend à devenir une liberté surveillée.

SYNDICALISME

Le syndicalisme a connu un fort déclin
depuis la fin des années 70.

La conception traditionnelle de la lutte des classes qui oppose patrons exploiteurs et salariés exploités est aujourd'hui dépassée, au sein de l'entreprise comme dans l'ensemble de la société. Les syndicats ont vu leur fonds de commerce s'évanouir avec la disparition de la classe ouvrière et le développement des classes moyennes.

S'ils restent attachés au principe de la représentation des salariés, les Français manifestent une réserve croissante vis-à-vis de l'action syndicale. Les deux tiers d'entre eux considèrent que les syndicats obéissent davantage à des motivations d'ordre politique qu'au souci de défendre les intérêts des salariés. Les jeunes (15-25 ans) sont les plus sceptiques ; la moitié trouvent l'action syndicale inefficace et les trois quarts n'ont jamais participé à une action collective.

➤ FO et la CGT comptent chacune 300 000 adhérents retraités, ce qui leur a permis de limiter l'érosion des adhérents actifs.

Moins de 10 % des salariés sont syndiqués,
contre 28 % en 1981.

Les taux de syndicalisation issus des enquêtes par sondage sont très en deçà des effectifs, généralement surévalués, déclarés par les centrales. Les estimations les plus fiables tournent autour de 2 millions de syndiqués, soit 8 % de la population active. La proportion est plus élevée dans le secteur public, où elle dépasse 20 %, contre environ 6 % dans le privé.

Après une progression régulière jusqu'en 1975, le taux de syndicalisation a connu en France un déclin spectaculaire. Entre 1981 et 1989, il avait baissé de moitié, passant de 29 % à 15 % chez les hommes, de 11 % à 7 % chez les femmes (*Espace social*/Sofres, février 1990). La chute concernait toutes les catégories professionnelles et tous les âges ; elle était sensible quelle que soit l'appartenance politique.

Le taux de syndicalisation français est très faible par rapport à celui des autres pays occidentaux. Il est le plus faible des pays de l'Union européenne.

La baisse tendancielle du nombre des journées de grève depuis une vingtaine d'années est une illustration de ce déclin syndical. Elle s'explique aussi par la montée du chômage et la réhabilitation de l'entreprise.

L'Europe syndiquée

Evolution des taux de syndicalisation dans l'Union européenne (en % du nombre d'actifs) :

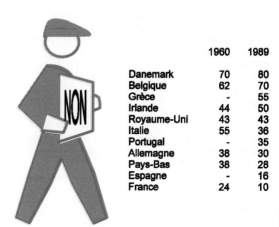

	1960	1989
Danemark	70	80
Belgique	62	70
Grèce	-	55
Irlande	44	50
Royaume-Uni	43	43
Italie	55	36
Portugal	-	35
Allemagne	38	30
Pays-Bas	38	28
Espagne	-	16
France	24	10

UE

Les conflits en veilleuse

Evolution du nombre de journées de travail perdues à la suite de conflits (en milliers) :

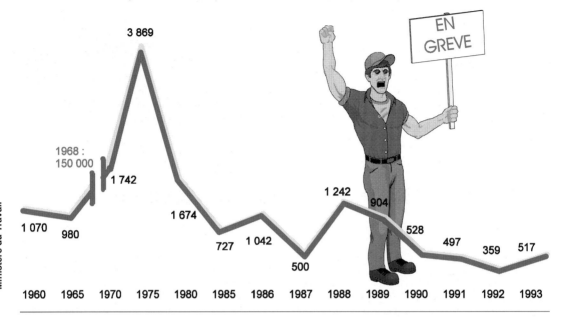

3 869

1968 :
150 000

1 742

1 242

904

1 674

1 070

980

1 042

727

500

528

497

359

517

Ministère du Travail

1960   1965   1970   1975   1980   1985   1986   1987   1988   1989   1990   1991   1992   1993

Quotidiens régionaux/Sofres, novembre 1992

L'érosion de la CGT

En quinze ans, la CGT a perdu environ les deux tiers de ses adhérents. Elle en compterait aujourd'hui 500 000 contre 2 millions en 1977. Les résultats des élections aux comités d'entreprise confirment cette rapide érosion, qui a fait perdre à la CGT la première place qu'elle occupait encore au début des années 80 : elle avait recueilli 36 % des suffrages en 1980, devant la CFDT (21 %).

Pour 23 % des Français, FO est aujourd'hui l'organisation syndicale qui traduit le mieux les aspirations des travailleurs, devant la CGT (16 %) et la CFDT (15 %). La CGT arrive cependant en tête chez les salariés (23 %), en particulier chez les ouvriers (34 %) et les électeurs communistes (67 %). Les électeurs socialistes préfèrent la CFDT, ceux de droite et les écologistes accordent davantage de confiance à FO.

➤ 36 % des Français font confiance aux syndicats pour défendre leurs intérêts. Mais 40 % les trouvent trop politisés et 26 % estiment qu'ils n'ont pas de solution à la crise économique.

Le déclin syndical est lié à l'évolution sociale et aux difficultés d'adaptation des organisations.

La tendance générale au repli sur soi, caractéristique des années 80, a rendu plus difficile la mobilisation des travailleurs pour des causes collectives. La dilution du sentiment d'appartenance à une classe sociale est une autre cause de la moindre agressivité envers les patrons. Elle s'est traduite par une baisse significative du nombre des conflits du travail depuis quelques années.

Pris de court par la crise, bousculés par les mutations économiques et sociales, gênés par la montée de l'individualisme et des nouveaux modes de vie, les syndicats n'ont pas su en général se remettre en cause et répondre aux inquiétudes des travailleurs. Beaucoup de Français ont le sentiment que les centrales se sont trompées de combat en privilégiant la lutte pour le pouvoir d'achat, favorisant ainsi la montée du chômage. Ils dénoncent les arrière-pensées politiques et les opérations aboutissant à mettre des entreprises ou des secteurs en difficulté (les chantiers navals, la presse...). Comme l'entreprise, le syndicat doit être citoyen.

Les revendications des travailleurs ont pris de nouvelles formes.

Depuis 1986, beaucoup de conflits du travail se sont déroulés en dehors du cadre syndical ; les infirmières, les chefs de clinique, les cheminots, les étudiants ou les salariés de la fonction publique en grève se sont regroupés en coordinations nationales indépendantes. De leur côté, les entreprises tendent à consulter directement les salariés lors de la mise en place de plans sociaux, comme ce fut le cas à Air France. Le référendum remplace alors la négociation avec les organisations syndicales, ou lui succède lorsque celle-ci conduit à une impasse.

Les revendications actuelles sont à la fois matérielles (salaires, conditions de travail) et immatérielles (revalorisation des fonctions et des statuts de certaines catégories, en particulier dans le domaine médical).

L'éclipse syndicale semble en train de s'achever.

Les syndicats traditionnels ont réussi à reprendre l'offensive depuis 1994, à l'occasion de la remise en cause de la loi Falloux puis du Contrat d'insertion professionnelle destiné aux jeunes.

L'image des syndicats tend à se redresser dans l'opinion, bien qu'elle reste négative. 38 % des Français disaient faire confiance aux syndicats pour défendre leurs intérêts en 1993, une proportion en légère amélioration par rapport aux années précédentes ; mais 51 % étaient de l'avis contraire. Ce mouvement est sans doute lié à la perspective d'une reprise économique qui permettrait à nouveau l'expression de revendications mises entre parenthèses, et au regain de méfiance des salariés à l'égard de l'entreprise.

Mais les syndicats ne devront pas se tromper de combat ; 57 % des Français estimaient en avril 1994 que la priorité était la défense de l'emploi, devant l'amélioration des conditions de travail (19 %). Seuls 14 % plaçaient au premier plan la défense des avantages acquis et 8 % la progression des salaires.

➤ Le stock de bureaux vacants en Ile-de-France fin 1993 est estimé à 3,6 millions de m², dont 1,3 million dans Paris intra-muros. Il représente 8,7 % des bureaux existants.
➤ En février 1994, 60 % des Français redoutaient une explosion sociale liée à l'accroissement du chômage. 16 % la souhaitaient et 23 % pensaient qu'elle ne se produirait pas.

CONDITIONS DE TRAVAIL

6 heures de travail en moins par semaine en 15 ans ◆ 1 750 heures de travail par an dans l'industrie ◆ Conditions de travail jugées moins favorables ◆ Un salarié sur deux soumis à un contrôle de ses horaires ◆ Pénibilité mentale du travail fortement ressentie ◆ Baisse de l'absentéisme

DURÉE DU TRAVAIL

La durée hebdomadaire du travail a diminué de 6 heures entre 1968 et 1982 ; elle est stable depuis.

La loi instituant la semaine de 40 heures date de 1936. Mais les multiples dérogations sectorielles et le recours systématique aux heures supplémentaires avaient empêché son application. De sorte que, jusqu'en 1968, la durée de la semaine de travail est restée pratiquement inchangée, autour de 45 heures.

Mai 1968 allait porter un coup décisif à ces habitudes. Le protocole des accords de Grenelle prévoyait la mise en place de mesures conventionnelles de réduction de la durée du travail. Entre 1969 et 1980, celle-ci passait de 45,2 heures à 40,8.

L'arrivée au pouvoir de la gauche donnait un nouveau coup de pouce : 39 heures en 1982 avec la perspective d'un passage progressif à 35 heures. La durée légale n'a cependant guère varié depuis une dizaine d'années.

Toujours moins

Evolution de la durée de travail hebdomadaire « offerte » * (en heures) :

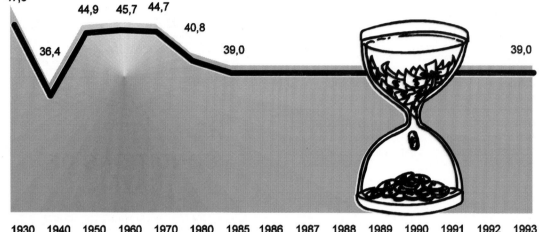

47,8   36,4   44,9   45,7   44,7   40,8   39,0   39,0

1930 1940 1950 1960 1970 1980 1985 1986 1987 1988 1989 1990 1991 1992 1993

* Proposée aux salariés à plein temps, hors grèves, absentéisme et heures supplémentaires.

La durée moyenne de travail est de 39 heures par semaine.

La durée « offerte » du travail ne concerne que les salariés à temps plein et ne comprend pas les pertes dues aux grèves et à des motifs personnels (maladie) ni les heures supplémentaires. Elle est passée de 44,3 heures en janvier 1971 à 39 heures depuis juillet 1984.

La réduction constatée est due principalement à la baisse des horaires les plus longs, dans le bâtiment par exemple (où la moyenne atteignait près de 50 heures en 1968) ou dans le secteur agroalimentaire (46 heures en 1968). L'écart entre les professions s'est également réduit. Celui qui séparait les ouvriers des employés était de 2 heures en 1974 ; il est pratiquement inexistant aujourd'hui.

L'écart s'est enfin réduit entre les pays. Après avoir longtemps pratiqué les durées hebdomadaires les plus longues de l'Union européenne, la France se situe aujourd'hui dans la moyenne.

➤ En 1840, les salariés travaillaient 4 000 heures par an.

La durée de travail des hommes est supérieure à celle des femmes.

Début 1994, la durée moyenne effective était de 38,9 heures pour les salariés. 63 % d'entre eux travaillaient 39 heures, 25 % moins et 12 % plus. Les hommes étaient deux fois plus nombreux à pratiquer des horaires de 41 heures ou plus. Dans tous les cas, la durée du travail professionnel des femmes actives est inférieure à celle des hommes : 8 h 02 contre 9 h 19 chez les non-salariés ; 7 h 06 contre 8 h 01 chez les salariés.

La durée moyenne réelle de travail varie selon les professions et les secteurs d'activité. Elle est plus longue dans le bâtiment, les transports, les activités artisanales et le commerce. Les ingénieurs et cadres d'entreprise sont ceux qui ont les horaires les plus longs : 4 à 5 heures de plus en moyenne que les ouvriers et employés.

14 % des salariés travaillent à temps partiel. Ce sont surtout des femmes : 26 % contre 4 % des hommes. Les postes occupés sont le plus souvent à faible qualification : personnels de service, aides familiales, etc. Les secteurs les plus concernés sont

le bâtiment-génie civil, l'agriculture et les services non marchands. Les postes de travail à temps partiel sont beaucoup moins fréquents dans l'industrie.

14 % du temps « éveillé » d'une vie

Beaucoup de Français, et surtout de Françaises, rêvent de travailler à mi-temps. Ils ne savent pas que ce souhait est déjà plus que réalisé puisque le travail représente en moyenne moins d'un septième du temps éveillé d'une vie.

Le calcul qui conduit à ce résultat est très simple. Après déduction d'une durée de sommeil de 8 heures par jour, les Français disposent d'un capital-temps annuel de 5 844 heures. Le temps réel que les actifs consacrent en moyenne à une activité professionnelle rémunérée est d'environ 1 500 heures par an, en tenant compte de l'absentéisme (mais pas du temps partiel et du chômage). C'est-à-dire en fait à peine plus du quart du temps disponible.

Le même calcul réalisé à l'échelle d'une vie humaine moyenne donne des résultats encore plus impressionnants. La vie professionnelle représente 7 années de travail sur 49 années « éveillées » pour les hommes (14 % du temps) et 6 années sur 54 pour les femmes (11 % du temps). Ces proportions sont à comparer avec 70 % pour les hommes au milieu du XIXe siècle et 40 % au début du XXe. La part consacrée effectivement à un travail rémunéré au cours d'une vie est en réalité inférieure, du fait des maladies, périodes de formation ou de chômage, mises en préretraite, etc.

Les non-salariés travaillent davantage que les salariés.

La journée de travail des non-salariés est plus longue que celle des salariés : 8 h 55 contre 7 h 38. De même, 61 % des non-salariés travaillent 6 ou 7 jours par semaine, alors que ce n'est le cas que de 11 % des salariés.

On trouve à une extrémité de l'échelle du temps de travail les instituteurs (31,5 heures par semaine en 1993) et à l'autre les agriculteurs (jusqu'à 62,1 heures pour les gros exploitants). Les artisans, commerçants et chefs d'entreprise dépassent les 50 heures (respectivement 53, 57 et 54 heures), de même que les professions libérales (50,4 heures).

Dans la pratique, la diminution de la durée de travail des salariés s'est traduite surtout par un resserrement des journées de travail : les horaires de travail commencent plus tard et finissent plus tôt ; l'interruption pour le repas de midi est plus courte.

Le temps, une obsession

BDDP

Un salarié sur cinq souhaite travailler moins et gagner moins

19 % des salariés à temps plein (30 % des femmes et 13 % des hommes, soit plus de 4 millions de personnes) souhaiteraient travailler à temps partiel avec une diminution de salaire. C'est le cas de 25 % des salariés qui disposent dans leur foyer d'un revenu supérieur à 15 000 F par mois.

Les femmes sont les plus motivées : 40 % des salariées ayant un enfant de moins de 6 ans ; 39 % de celles qui ont un conjoint actif ; 37 % des salariées de 25 à 39 ans ; 34 % des employées.

La demande est légèrement plus forte dans le secteur public que dans le privé (21 % des agents de la fonction publique).

Au total, la moitié des salariés seraient d'accord pour travailler 80 % du temps plein en percevant 90 % du salaire.

CREDOC

La durée annuelle de travail est de 1 750 heures dans l'industrie.

Si l'on examine la durée officielle de travail annuel, la France figure dans le peloton de queue des pays industrialisés, du fait de la durée des congés payés, passée de deux semaines en 1936 à trois en 1956, puis quatre en 1969 et cinq en 1982. Elle arrive derrière le Japon, les Etats-Unis, l'Italie ou le Royaume-Uni, mais devant la Belgique, les Pays-Bas, le Danemark et l'Allemagne, où les syndicats ont obtenu des réductions sensibles de la durée du travail dans l'industrie. Le record est tou-

L'Allemagne paresseuse

Durée annuelle du travail dans l'industrie (1990, en heures) :

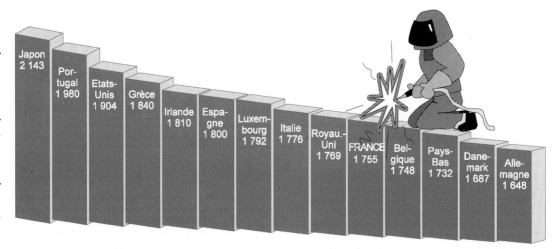

CEE, US Dept of Labor, Japanese Ministry of Labor

jours détenu par le Japon (2 140 heures) où les pouvoirs publics ont dû faire campagne pour inciter les employés à travailler moins et à prendre davantage de vacances.

La durée effective est sensiblement inférieure.

A l'horaire annuel théorique (47 semaines de 39 heures sur 5 jours), il convient d'abord de retrancher les 7 à 10 jours fériés légaux (en semaine) et les « ponts ». Les jours de congé supplémentaires (ancienneté, congés supplémentaires de branche, congés de fractionnement, repos compensateurs...) atteignent fréquemment une semaine par an.

La durée des pauses est très variable selon les branches et les entreprises. Dans l'industrie, le personnel travaillant en équipe a droit en général à une demi-heure par jour, soit 15 jours par an, mais les pauses peuvent atteindre plusieurs heures par jour dans certaines entreprises...

L'absentéisme (maladie, maternité, accidents du travail, absences autorisées non payées, absences non autorisées, absences autorisées payées, événements familiaux) est estimé entre 8 et 9 % du temps de travail théorique.

Les grèves ont également un effet sur la durée de travail réelle : environ 500 000 journées sont per-

dues chaque année. Les heures de formation viennent enfin en déduction des heures de travail effectif.

Au total, la durée annuelle de travail effectif serait de l'ordre de 1 400 heures en France, contre 1 750 heures théoriques (industrie), soit un écart de

ANNIVERSAIRE DU VIRGIN MEGASTORE. TOUTE ABSENCE SERA SEVEREMENT PUNIE.

L'absentéisme est en baisse

BDDP

20 %, c'est-à-dire l'équivalent d'un jour de travail par semaine. Le même calcul appliqué au Japon indique une durée réelle de 1 950 heures, contre 2 140 heures théoriques, soit 39 % de plus que la France.

CONTRAINTES

Les conditions de travail sont jugées de façon moins favorable depuis quelques années.

Dans la foulée de Mai 68, des préoccupations qualitatives concernant les conditions de travail étaient apparues ; elles avaient donné naissance en 1973 à l'Agence nationale pour l'amélioration des conditions de travail (ANACT). Elles ont permis des progrès notables jusqu'au milieu des années 80. La dernière enquête sur les conditions de travail réalisée en 1991 par le ministère du Travail montre que les salariés ont le sentiment de subir plus fréquemment des contraintes qu'en 1984, date de la précédente enquête.

La recherche par les entreprises d'une meilleure efficacité et d'une plus grande flexibilité les amenées à revoir les conditions de travail de leurs employés. La pression de la clientèle se fait en particulier davantage ressentir. Elle a des répercus-sions sur le travail d'un salarié sur deux, de deux employés ou cadres sur trois. Le travail dans le secteur industriel s'accompagne de nombreuses contraintes : un ouvrier sur deux est soumis à des cadences de travail imposées ; 39 % ressentent l'influence des contraintes commerciales sur leur rythme de travail.

Près de 10 millions de salariés pratiquent des horaires particuliers ou ne bénéficient pas d'un congé continu du samedi et du dimanche.

28 % des actifs commencent leur travail avant 7 h 30.
11 % des salariés et 25 % des non-salariés le terminent après 20 h 30.

La journée de travail commence le plus souvent dans la tranche 7 h 30-8 h 30 pour les salariés et après 8 h 30 pour les non-salariés. Parmi les salariés, les ouvriers, personnels de services et employés sont les plus matinaux.

Les personnels de services et les ouvriers sont aussi ceux qui terminent le plus tard, mais ce ne sont pas les mêmes qui commencent tôt et finissent tard ; deux ouvriers sur trois terminent leur journée avant 17 h 30.

Au contraire, les cadres et les membres des professions intellectuelles supérieures sont souvent des « travaille-tard » : 15 % d'entre eux quittent leur bureau après 20 h 30. C'est le cas aussi de 25 % des non-salariés.

Les temps modernes

Evolution de la proportion de salariés subissant des contraintes de rythme (en %) :

	Cadres		Professions intermédiaires		Employés		Ouvriers qualifiés		Ouvriers non qualifiés		Ensemble	
	1987	1991	1987	1991	1987	1991	1987	1991	1987	1991	1987	1991
• Déplacement automatique d'un produit ou d'une pièce	-	-	1	1	-	1	4	8	10	16	3	4
• Cadence automatique d'une machine	-	-	1	2	1	2	8	12	15	21	4	6
• Normes ou délais courts	8	23	14	32	12	29	31	56	31	54	19	38
• Demandes de clients ou du public	51	67	44	67	48	66	31	45	17	28	39	57
• Contrôle permanent de la hiérarchie	8	10	14	18	18	23	20	30	24	33	17	23

Ministère du Travail, de l'Emploi et de la Formation professionnelle

Le travail plus pénible

Evolution des principales pénibilités et nuisances subies par les salariés (en % de salariés concernés) :

	1978	1984	1991
• Rester longtemps debout	51	49	53
• Respirer des poussières	27	27	35
• Porter des charges lourdes	21	22	32
• Bruits très forts ou très aigus	27	25	32
• Rester longtemps dans une posture pénible	17	16	29
• Effectuer des déplacements à pied longs ou fréquents	-	17	28
• Ne pas quitter son travail des yeux	-	16	26
• Risquer de accidents de la circulation en cours de travail	18	17	25
• Respirer des fumées	12	15	21
• Risquer de faire une chute grave	17	14	21
• Risquer d'être atteint par la projection ou la chute de matériaux	10	14	20
• Ne pas entendre une personne parler sans élever la voix	20	16	19

Les travailleurs du dimanche

On observe depuis quelques années une augmentation du travail du dimanche. Elle concerne tous les secteurs, mais elle est particulièrement nette dans le commerce. 22 % des salariés et 58 % des non-salariés ont travaillé le dimanche en 1993, au moins occasionnellement. Les hommes sont davantage concernés que les femmes, surtout parmi les salariés : 25 % contre 19 %.

La proportion varie beaucoup selon le secteur d'activité. Chez les non-salariés, elle atteint 83 % dans l'agriculture, 52 % dans l'industrie, 52 % dans le commerce, 50 % dans le tertiaire, 40 % dans les transports et communications, 25 % dans le bâtiment, génie civil et agricole. Dans la moitié des cas, ce travail est occasionnel et ne dépasse pas un dimanche par mois.

La continuité de la vie sociale est assurée aussi dans les transports : les aéroports assurent 80 % du trafic habituel ; la SNCF propose un nombre de parcours semblable à celui d'un jour de semaine ; les métros et les bus assurent un demi-service (pour un trafic égal respectivement à 35 % et 20 % du trafic habituel) ; un tiers des stations-service sont ouvertes.

➤ Entre 1987 et 1991, le nombre des personnes concernées par le travail du dimanche a augmenté de 23 %.
➤ 77 % des actifs se disent heureux dans leur travail, 18 % non.

Un salarié sur deux est soumis à un contrôle de ses horaires.

48 % des salariés étaient l'objet d'un contrôle des horaires en 1991, la même proportion qu'en 1984. 26 % l'étaient par l'encadrement, 16 % par l'obligation de pointage, 6 % par des feuilles de présence. 28 % des salariés ne pouvaient interrompre leur travail, 8 % devaient se faire remplacer en cas d'interruption.

Les contraintes d'horaire variaient largement selon le poste occupé. Deux ouvriers qualifiés sur trois se disaient soumis à une forme de contrôle, contre un cadre sur cinq seulement ; 27 % des ouvriers non qualifiés pointaient, contre 6 % des cadres.

Si les contraintes horaires ont peu évolué, il n'en est pas de même de l'autonomie dans le travail, qui s'est accrue depuis quelques années : 82 % des salariés se déclaraient libres dans la façon de faire leur travail, les supérieurs fixant seulement l'objectif du travail, contre 78 % en 1987. Cette évolution est particulièrement nette chez les employés (81 % s'estimaient « autonomes » contre 76 %) et les ouvriers non qualifiés (60 % contre 54 %).

75 % des salariés déclaraient faire des efforts physiques dans leur travail en 1991, contre 68 % en 1984.

La position debout, l'exposition aux poussières, le port de charges lourdes et le bruit sont les

Fatigue mentale

Facteurs de pénibilité mentale les plus fréquents (1991, en % d'effectifs concernés pour chaque catégorie) :

	Cadres	Professions intermédiaires	Employés	Ouvriers qualifiés	Ouvriers non qualifiés	Ensemble
• Devoir retenir beaucoup d'informations à la fois	91	80	54	38	21	57
• Devoir fréquemment abandonner une tâche pour une autre non prévue	55	52	51	42	36	48
• Ne pas pouvoir faire varier les délais fixés	25	27	36	48	51	37
• Ne pas pouvoir interrompre son travail en dehors des heures des pauses	20	25	28	30	34	28
• Même de niveau modéré, le bruit gêne	33	34	22	23	19	26
• Ne pas quitter son travail des yeux	12	20	22	40	39	26

INSEE, enquête Conditions de travail

contraintes les plus fréquentes. Les préoccupations concernant les problèmes d'hygiène sont également plus nombreuses qu'en 1984. Cet accroissement du sentiment de pénibilité est plus fort dans les petites entreprises, le secteur public et les activités de services (en particulier la santé). Le BTP est le secteur où les conditions de travail sont les plus rudes : quatre salariés sur dix déclaraient travailler dans de mauvaises conditions d'hygiène (un sur deux dans l'industrie) ; le risque de chute grave ou de chute de matériaux était cité par 60 % d'entre eux.

L'accroissement observé a des causes subjectives.

L'évolution décrite ci-dessus ne peut guère s'expliquer par des raisons objectives, compte tenu des efforts accomplis dans les entreprises (notamment les grandes). Sous l'impulsion des revendications syndicales et des propositions des comités d'hygiène et de sécurité, certaines nuisances comme la chaleur, le bruit ou les risques de chute dans les activités à risques (bâtiment, mines, sidérurgie, construction navale...) ont été réduits.

L'explication tient probablement à l'accroissement des pressions internes sur la productivité du travail et à la répercussion des contraintes externes (concurrence accrue, pression de la clientèle). Elle

est aussi due à une plus grande sensibilité des travailleurs aux nuisances, conséquence d'une meilleure information sur les dangers encourus et leurs conséquences sur la santé. Enfin, l'inquiétude générale et le « moral » de la population ont sans doute joué un rôle dans ce domaine. On observe ainsi depuis quelques années un accroissement de la proportion de Français déclarant avoir mal au dos, sans

On rentre à la maison, je suis vidée.

Contrex. *Mon partenaire minceur.*

Australie

La fatigue au travail peut être physique ou mentale

que cela puisse s'expliquer par une dégradation objective des conditions de vie (voir *Maladies*).

La pénibilité mentale du travail est fortement ressentie.

L'augmentation du rythme de travail est source de tension nerveuse, elle-même génératrice de « stress ». Le sentiment de pénibilité mentale est particulièrement fort chez les cadres ; ils sont très nombreux (91 %) à considérer que leur travail est complexe et se déclarent d'autant plus « débordés » qu'ils se situent haut dans la hiérarchie. Un quart d'entre eux se plaignent de ne pas disposer d'informations claires et suffisantes pour faire correctement leur travail.

Les fonctionnaires (surtout les enseignants et personnels de santé) sont aussi concernés : plus d'un tiers se plaignent de moyens insuffisants (manque de locaux, d'équipement). Les personnels d'exécution (employés et ouvriers, surtout non qualifiés) regrettent de ne pouvoir coopérer avec leurs collègues pour faire correctement leur travail.

Enfin, sur les 61 % de salariés en contact direct avec le public, 22 % connaissent des tensions dans leurs rapports avec lui (les policiers et les infirmières davantage que les commerçants). Au total, 6 % des salariés déclarent ne pas pouvoir atteindre les objectifs de travail et de production qui leur sont fixés ; ils appartiennent surtout aux professions de santé et aux catégories ouvrières du secteur industriel. Le manque d'organisation et de moyens dans la fonction publique ainsi que les cadences élevées dans l'industrie sont sans doute les causes de cette situation qui peut être considérée comme un échec.

L'absentéisme est en baisse.

Après avoir atteint des niveaux élevés au cours de l'immédiat après-guerre (du fait de l'état de santé médiocre de la population), l'absentéisme avait diminué jusque vers 1950 en même temps que s'amélioraient les conditions sanitaires. Il avait augmenté au contraire entre 1951 et 1974. Il tend depuis à baisser de nouveau, mais reste élevé par rapport à d'autres pays industrialisés.

Les salariés sont absents de leur travail moins de 10 jours ouvrables par an. Le secteur le plus concerné est la banque-assurance : 17 jours par salarié et par an en moyenne. Le transport arrive en deuxième position, avec 16 jours, devant le textile et l'automobile (13), les mines (11), la chimie (10) et le pétrole-gaz (7).

L'absentéisme pour maladie est en baisse depuis 1975, du fait d'une réduction du nombre d'heures de travail et d'une meilleure prévention des maladies. Il est possible aussi que la crainte du chômage ait joué un rôle.

L'absentéisme féminin apparaît globalement plus élevé de moitié que celui des hommes, mais l'écart est beaucoup plus réduit si l'on exclut l'incidence des maternités.

Quel que soit le secteur d'activité, les cadres sont en moyenne moins souvent absents que les employés, qui le sont moins que les ouvriers. On retrouve d'ailleurs chez ces derniers une hiérarchie semblable, les ouvriers les moins qualifiés étant les plus souvent absents.

➤ La durée hebdomadaire moyenne de travail est passée de 46 heures en 1960 à 42 heures en 1970, puis 39 heures en 1983.
➤ En un siècle, le nombre total d'heures annuelles consacré à la production est passé de 57 à 37 milliards.
➤ Les heures supplémentaires effectuées par les seuls ouvriers représentent l'équivalent de 165 000 emplois à temps plein.
➤ Les salariés mettent deux fois plus de temps que les non salariés pour se rendre à leur travail : 58 minutes aller et retour chaque jour contre 30 minutes.
➤ 36 % des non-salariés travaillent à domicile contre 6 % des salariés.
➤ Le coût des indemnités journalières versées par la Sécurité sociale est passé de 12,6 milliards de francs en 1981 à 22,7 milliards en 1992.
➤ Deux cadres européens sur trois souhaitent s'arrêter de travailler avant 60 ans.

ARGENT

LE BAROMÈTRE DE L'ARGENT

Les pourcentages indiqués correspondent aux réponses favorables à la question posée ou à l'affirmation proposée (population âgée de 18 ans et plus). L'enquête Agoramétrie n'a pas été effectuée en 1990.

1. « En ce qui concerne le niveau de vie de l'ensemble des Français depuis une dizaine d'années, diriez-vous que... ». Il va mieux (%) :

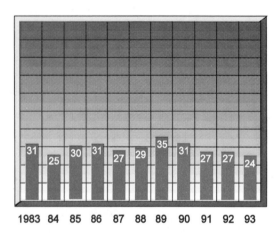

2. « En ce qui concerne votre niveau de vie personnel depuis une dizaine d'années, diriez-vous que... ». Il va mieux (%) :

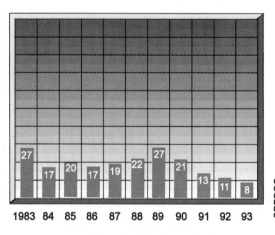

3. « Vous imposez-vous régulièrement des restrictions ? » (%) :

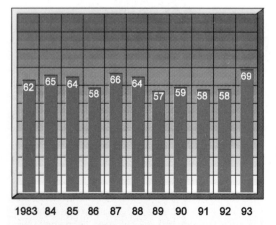

4. « Il faut réduire au maximum les écarts entre les revenus » (%) :

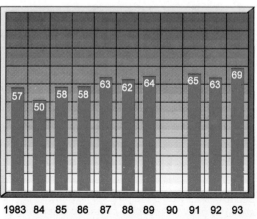

CREDOC

Agoramétrie

LES REVENUS

LA MORALE
JE CONNAIS...
JE N'AI QUE
DU PASCAL

IMAGE DE L'ARGENT

**Réhabilitation, voyeurisme et frustration
◆ Liens avec la vie, le pouvoir,
la morale et la mode ◆ Conscience
des inégalités économiques ◆ Corruption
et gaspillage de plus en plus mal perçus
◆ Volonté de réconcilier l'argent et la
morale ◆ 70 milliards de francs dépensés
dans les jeux**

ARGENT ET CULTURE

*Par sa tradition judéo-chrétienne, la culture
française est plutôt hostile à l'argent.*

On prétend ainsi depuis longtemps que « l'argent ne fait pas le bonheur » ou que « peine d'argent n'est pas mortelle ». Un honnête homme doit d'ailleurs se méfier de l'argent, qui est à la fois « bon serviteur et mauvais maître »... La tradition littéraire et intellectuelle n'est pas plus favorable, des auteurs anciens à Péguy, en passant par La Bruyère ou Zola.

Pourtant, si l'argent fut longtemps absent des conversations des Français, il n'a jamais été de leurs préoccupations. L'émergence progressive d'une société matérialiste et individualiste depuis le début des années 50 a modifié les règles du jeu social et placé l'argent au centre de son fonctionnement. Gagner de l'argent est devenu une ambition

légitime, que ce soit en travaillant, en jouant ou en héritant. Les années 80 ont remis à la mode un autre dicton, selon lequel « l'argent n'a pas d'odeur ». Une affirmation qui ne rend cependant pas compte de l'image très complexe de l'argent.

Les trois états de l'argent

L'argent a d'abord été solide. On parlait des espèces « sonnantes et trébuchantes » et il existait une relation directe entre leur poids et la somme, donc le pouvoir d'achat, qu'elles représentaient ; Balzac évoquait ainsi la « toute-puissante pièce de cent sous ».

Puis l'argent est devenu liquide, par le biais des chèques, bancaires ou postaux. Il « coulait » alors facilement entre les doigts ; le relation au poids était imparfaitement remplacée par celle au volume.

Aujourd'hui, l'argent est une sorte de gaz. Il n'a plus de matérialité, puisqu'il n'existe le plus souvent que sous forme virtuelle. La proportionnalité entre le support (écritures d'ordinateurs ou puces électroniques des cartes de crédit) et le montant qu'il contient a définitivement disparu. Comme le gaz, il peut se répandre partout, s'échappant facilement du récipient qui le contient.

C'est cette facilité de dépenser qui explique la diminution de l'épargne entre 1972 et 1990. Car l'argent est un gaz inodore (c'est le proverbe qui le dit) et incolore, du fait de sa dématérialisation. Mais, contrairement à beaucoup de gaz, l'argent n'est pas sans saveur ! Il a, pour ceux qui en disposent, le goût plaisant de la réussite et du pouvoir. Pour ceux qui en sont démunis, il a le goût amer de la frustration.

Une certaine réhabilitation s'est produite...

En rendant l'argent plus rare, la crise économique l'a aussi rendu plus « cher », plus désirable à tous ceux qui ont vu leur pouvoir d'achat réduit ou menacé. D'autant que la consommation, les loisirs et le plaisir étaient devenus des valeurs essentielles. Même la gauche, idéologiquement hostile au « mur de l'argent », reconnaissait en 1982 la notion de profit. Cette évolution coïncidait avec l'affaiblissement des points de repère moraux et la médiatisation croissante de l'argent ; les salaires des uns et la fortune des autres faisaient la une des magazines et les beaux soirs de la télévision. On a pu croire que les Français étaient enfin réconciliés avec l'argent.

... mais la transparence n'exclut pas le voyeurisme et l'étalage des inégalités est source de frustration.

On aurait tort de voir dans cette attitude nouvelle la disparition totale et définitive du tabou. La décontraction affichée est en effet superficielle et les traditions culturelles et religieuses continuent de peser lourdement sur l'image de l'argent. Le retour des inégalités de revenus, la montée de la corruption, le rôle croissant de l'argent dans le sport, dans l'art ou dans certaines professions publiques ont entraîné un besoin grandissant de morale. Les valeurs matérialistes sont contestées ; on observe un besoin pressant d'humanisme, de solidarité et d'éthique. S'il n'est plus honteux de gagner de l'argent, il redevient suspect d'en gagner trop, trop facilement. Le règne de l'argent fou est aussi celui de l'argent flou.

L'argent des autres

« Si l'on vous parle d'une personne ayant fait fortune en quelques années, éprouvez-vous à son égard plutôt de l'admiration ou plutôt de la méfiance ? » (en %) :

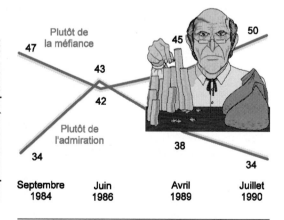

L'Expansion/Sofres, septembre 1990

➤ Pour les hommes, les problèmes d'argent arrivent en tête des motifs de désaccord dans les couples, à égalité avec les rapports avec la famille. Pour les femmes, ils arrivent en deuxième position, derrière l'éducation des enfants.

L'argent est lié aux notions de pouvoir, de morale, de mode et de vie.

Les rapports que les Français entretiennent avec l'argent sont aussi complexes que l'image qu'ils en ont. L'étude sémiométrique réalisée par la Sofres (présentée dans la première partie de l'ouvrage) permet d'en faire apparaître les composantes essentielles. Sur la carte représentant la projection de 210 mots-clés en fonction de leur proximité de sens et de contenu affectif, le mot argent est entouré de mots indiquant quatre connotations principales :

• Le pouvoir : *richesse* ; *admirer* ; *acheter*. Cette proximité est évidemment la plus attendue.

• La morale : *politesse* ; *respect* ; *honnêteté* ; *récompense* ; *franchise* ; *courage*. La présence de ces mots explique à quel point les notions d'argent et de morale ne peuvent être dissociées. On comprend mieux alors les réactions des Français à la corruption ou au gaspillage et le besoin de réconciliation entre l'argent et la morale (voir ci-après).

• La *mode*. La proximité de ce mot, plus inattendue, rattache l'argent à la modernité. L'argent permet à ceux qui en ont d'être de leur époque en s'offrant les différents attributs de la « modernité ». Mais cela signifie aussi que l'argent lui-même est à la mode puisqu'il occupe une place centrale dans la société. Il suffit de mesurer la place qui lui est faite par les médias pour s'en convaincre.

• La vie : *naissance* ; *maternel* ; *famille* ; *mariage*. L'image de l'argent puise sa substance beaucoup plus en profondeur qu'on ne l'imagine. L'argent est lié à la vie même, tant à son origine (naissance) qu'à son accomplissement (famille). Une vérité que l'on trouvait déjà exprimée dans un proverbe latin du Moyen Age : l'argent est un autre sang.

ARGENT ET MORALE

Les Français sont de plus en plus conscients des inégalités économiques.

Malgré les réticences de certaines sources d'information officielles et les chiffres contradictoires qui circulent parfois, les Français ont aujourd'hui une connaissance assez précise des revenus de leurs concitoyens. Les médias leur « révèlent » régulièrement les « vrais salaires » des ouvriers, des cadres, des chefs d'entreprise ou des retraités, ainsi que les avantages, rentes, prébendes et autres privilèges dont bénéficient certaines professions (notaires, fonctionnaires, hommes politiques...).

La diffusion croissante des statistiques officielles a montré l'accroissement des inégalités de revenus, après leur diminution régulière pendant des décennies. Elle a montré aussi que l'éventail des patrimoines s'est encore plus largement ouvert que celui des revenus.

De l'inégalité à l'indécence

Lorsqu'ils apprennent par les médias les revenus exorbitants de certains personnages publics (5 millions de francs par mois pour Alain Prost lorsqu'il courait en formule 1, 500 000 F pour des joueurs de football, 100 000 F pour des vedettes de la télévision...), beaucoup de Français sont choqués. Ils ont de la peine à imaginer que le vainqueur du tournoi de Roland-Garros 1994 ait pu recevoir 3,2 millions de francs, que Gérard Depardieu ait été payé 10 millions de francs pour jouer Christophe Colomb, la même somme qu'Isabelle Adjani pour Toxic Affair, un peu plus que Jean-Paul Belmondo pour l'Inconnu dans la maison (8 millions)...

Ils se demandent s'il est humainement juste qu'Alain Prost gagne à lui seul l'équivalent de 100 chefs d'entreprise, 200 cadres supérieurs, 400 cadres moyens ou 600 ouvriers, même si cela peut être « économiquement correct ».

La comparaison vaut dans d'autres domaines. Un Gérard Depardieu est-il 10 fois meilleur acteur qu'un Pierre Arditi ou un Fabrice Lucchini ? Un Paul-Loup Sulitzer ou une Betty Mahmoudi valent-ils comme écrivains 10 Patrick Modiano ? Une Mylène Farmer vaut-elle comme chanteuse 5 Véronique Sanson ? Un Christophe Dechavanne vaut-il comme animateur 10 Michel Field ? Que penser d'un personnage comme le financier Georges Soros, qui a gagné un milliard de dollars en spéculant contre la livre anglaise et une somme également considérable (mais non révélée) en jouant contre le franc français ?

La corruption est de plus en plus mal perçue.

Les multiples « affaires » politico-économiques de ces dernières années ont durablement entaché l'image d'intégrité dont bénéficiaient auparavant les hommes politiques. Les partis se sont financés en utilisant des méthodes pour le moins suspectes. Gauche et droite confondues, des députés ont été pris la main dans le sac ; environ 60 hommes politiques ont été inculpés en trois ans pour des affaires de fausses factures.

Le sommet a été atteint avec le scandale du sang contaminé : 7 000 transfusés et 1 200 hémophiles sont aujourd'hui porteurs du virus du sida. Bien plus que d'une bavure, il s'agit là d'un homicide que les Français ne peuvent se résoudre à qualifier d'involontaire. Situé au confluent de l'affairisme d'Etat, de l'incompétence institutionnelle et de l'irresponsabilité individuelle, il pèse lourd sur l'image que les citoyens ont aujourd'hui de l'administration.

La corruption, abondamment révélée par les médias, a donné aux Français l'impression d'un recul important de la démocratie et de la morale.

L'argent a une mauvaise image

Audour, Soum, Larue/SMS

Le gaspillage de l'argent public commence à préoccuper les citoyens.

Face à la dérive morale, le gaspillage de l'argent public (qui représente des sommes beaucoup plus importantes) choquait moins jusqu'ici les Français. La vieille idée d'un Etat protecteur, donc dépensier, ne les incitait guère à s'interroger sur les autres utilisations possibles des sommes englouties pour fabriquer le Concorde, lancer des satellites obsolètes (TDF1 et TDF2) ou maintenir certains secteurs en survie artificielle. Dans leur esprit, la santé, la sécurité, la défense ou la sauvegarde des emplois n'avaient pas de prix.

Ils commencent aujourd'hui à prendre conscience que l'interventionnisme, l'électoralisme, le népotisme, le goût de la grandeur, la mauvaise gestion ou l'incompétence coûtent très cher à la collectivité : 200 milliards de francs pour le

Rafale, 25 pour le plan câble, 3 pour la Chapelle-Darblay ou l'Opéra Bastille, 1 pour le circuit de Magny-Cours ou l'Ircam... Ils coûtent aussi quelques points d'impopularité aux hommes politiques.

Les Français souhaitent aujourd'hui une réconciliation de l'argent et de la morale.

Les années 1984-1986 avaient été celles de la découverte du libéralisme ; l'argent était considéré à la fois comme un moteur de l'économie et une juste récompense pour ceux qui en assuraient la croissance. Mais l'enthousiasme se dissipa rapidement à l'observation des modèles britannique et américain et à l'énoncé de l'accroissement des inégalités en France.

Le retournement de l'opinion fut sensible dans la seconde moitié des années 80. Un besoin de morale commença à se faire sentir. Il s'accompagne aujourd'hui d'une volonté de solidarité. Le chômage et la pauvreté sont considérés par les Français comme les injustices les plus préoccupantes. L'effort de solidarité apparaît donc nécessaire pour rétablir une plus grande justice sociale.

Micro-entretien

PIERRE BOURDIEU*

G.M. - *La misère est-elle héréditaire ?*

P.B. - Les sociétés sont très rigides. On a beaucoup dit que la société avait changé. Mais les discours sur la mutation sont un peu superficiels. Par mon travail, j'ai été très frappé de constater à quel point les destins individuels dépendent de la situation d'origine. En grande partie, les jeux sociaux sont faits très tôt. Chacun reçoit un capital culturel (des savoirs, des manières de parler, l'art de travailler, la familiarité culturelle...). A partir d'un certain moment, ce qui devient très important, c'est le « sens du placement » ; comme en football, le bon joueur est celui qui se place à l'endroit où la balle va tomber, pas là où elle passe. L'analogie existe en économie. Le système scolaire étant en situation de grand changement, il faut savoir réagir vite.

---

* Sociologue, auteur de *la Misère du monde*, Seuil.

> ➤ 94 % des Français pensent que le football est le sport le plus corrompu par l'argent.

La diminution des valeurs matérialistes ouvre la voie à un nouveau type de société.

Le débat actuellement en cours à propos des rapports entre la morale et l'argent est appelé à un large retentissement. Il va en effet modifier le système de valeurs des Français en même temps que leurs modes de vie. Les premières conséquences sont apparues en matière de consommation ou dans les relations avec les institutions. Elles seront encore plus sensibles demain lorsque s'installeront de nouveaux comportements dans la vie professionnelle et sociale.

JEUX D'ARGENT

En 1993, les Français ont joué 70 milliards de francs dans les jeux d'argent.

La moitié environ de cette somme concernait le PMU (34 milliards de francs). 31,3 milliards de francs ont été consacrés aux jeux administrés par la Française des Jeux, société publique gérante de jeux de hasard comme le Loto ou les « jeux instantanés » (Banco, Millionnaire, Poker...). Il faut y ajouter environ 4 milliards misés dans les casinos, dont la plus grande partie dans des machines à sous.

La dépense moyenne est de 1 200 F par an et par habitant. C'est en Corse qu'elle est la plus élevée, devant la Normandie, l'Ile-de-France et la Région Rhône-Alpes. Le minimum est atteint en Auvergne.

En réalité, le chiffre d'affaires des jeux approche sans doute les 100 milliards de francs si l'on tient compte des jeux clandestins (cercles non autorisés, jeux de rue du type bonneteau...).

Les paris sur les courses de chevaux sont en diminution.

Après avoir plafonné depuis le début des années 90, les sommes jouées aux courses ont diminué depuis 1992. A l'inverse, celles jouées dans les jeux de hasard de la Française des Jeux ont connu une très forte hausse pendant cette période, de sorte que l'écart qui sépare les deux sociétés s'est considérablement réduit : il n'était plus que de 2,6 milliards de francs en 1993 (soit 8 % en faveur du PMU), contre 15,5 milliards dix ans auparavant, soit 63 %.

28 % des Français ont déjà joué au PMU au cours de leur vie, 15 % au cours des douze derniers mois. Parmi les 8 millions de parieurs, 62 % sont des hommes. La moyenne d'âge est élevée ; elle

dépasse aujourd'hui 55 ans. Les catégories sociales les plus représentées sont les ouvriers et les employés (respectivement 27 % et 19 % du total).

50 % des parieurs jouent au moins une fois par semaine et 56 % jouent le plus souvent en groupe, avec des amis ou des membres de leur foyer. 34 % jouent le plus souvent au hasard, 31 % suivent les pronostics, 25 % étudient les chances des chevaux. La mise moyenne était de 27,9 F en 1993, contre 28,4 F en 1992. Le Quinté Plus a recueilli 9,3 milliards de francs, deux fois plus que le Tiercé (4,8) ou le Quarté Plus (4,5) ; le 2 sur 4 a recueilli 1 milliard de francs.

La course des jeux

Evolution des montants des jeux (en milliards de francs) :

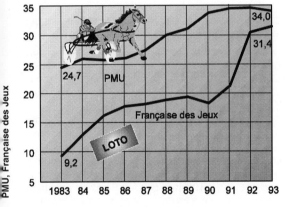

Les Français ont dépensé 13 milliards de francs au Loto.

Plus d'un Français sur deux participe à des jeux proposés et gérés par la Française des Jeux, société d'Etat. Créé en 1976, le Loto arrive en seconde position derrière les courses de chevaux, mais il concerne davantage de joueurs ; environ 30 % des Français de toutes catégories (surtout ceux ayant des revenus moyens-inférieurs). 13 millions de bulletins sont déposés chaque semaine dans les 13 500 points de vente (bureaux de tabac, kiosques et boutiques) avec une mise moyenne de 20 francs par bulletin. Le Loto sportif, créé en 1985, semble avoir

trouvé son régime de croisière après des débuts difficiles : 800 000 bulletins validés chaque semaine. Le Keno a fait un peu mieux, avec un million de tickets hebdomadaires.

Jouer, c'est rêver un peu

Une nouvelle génération est arrivée à partir de 1989 : les « jeux instantanés ».

Le succès de ces planches à gratter s'explique par le fait que les joueurs savent tout de suite s'ils ont gagné et peuvent être réglés immédiatement par le point de vente ou, pour les gros gains, par un centre de paiement agréé.

Plus d'un milliard de tickets de Millionnaire ont été vendus au cours des seize premiers mois de sa création ; en 1993, la moyenne des ventes a été de 18 millions de tickets à 10 F par semaine, soit près de 9 milliards de francs sur l'année. Ce succès est dû pour une large part à la perspective offerte aux gagnants de passer à la télévision (TF1) et d'y gagner de 100 000 F à un million de francs en tournant une roue.

Les Français ont aussi acheté 11 millions de Banco à 5 F par semaine, 7 millions de Bingo, 3,5 millions de Black Jack, 3 millions de Tac-O-Tac à 20 F et 2 millions de Poker. Au cours de la première semaine, 20 millions de tickets de Morpion ont été achetés.

➤ 56 % des joueurs du Millionnaire sont des femmes. 78 % des joueurs du Loto sportif sont des hommes ; 50 % ont moins de 35 ans.

McCann-Erickson

Comme quoi,
un rectangle dans un carré
ça peut donner des ronds.

Banco 5 F. Ça banque illico.

L'argent ne s'oppose plus au temps

Faites vos jeux

Dates de création des paris et jeux gérés par le PMU ou la Française des Jeux :

1933 : Loterie nationale.
1954 : Tiercé.
1976 : Loto. Quarté.
1980 : Dernier tirage de la Loterie nationale.
1984 : Tac-O-Tac.
1985 : Loto sportif, Tapis Vert.
1987 : Quarté Plus. Légalisation des machines à sous.
1989 : Quinté.
1990 : Banco.
1991 : Millionnaire.
1992 : Poker. Black Jack.
1993 : Bingo. Keno. Nouveau Tac-O-Tac. Suppression du Tapis Vert.
1994 : Création du Morpion.

Les Français ont joué 4 milliards de francs dans les casinos.

La clientèle traditionnelle des casinos, surtout constituée de personnes aisées et de riches étrangers, se fait plus rare depuis quelques années. L'autorisation des machines à sous, en 1986, a permis aux casinos concernés de séduire une nouvelle clientèle, plus jeune et moins fortunée. Elle représente aujourd'hui près des trois quarts de leur chiffre d'affaires (72 %). On compte 9 000 « bandits manchots » dans 109 des 136 casinos français. Les sommes jouées en 1993, environ 3 milliards de

francs, étaient en hausse de 54 % sur 1992. La mise moyenne est de 100 francs par visite. Parmi les jeux traditionnels, la roulette est en baisse, alors que les adeptes du Black Jack sont de plus en plus nombreux.

Le plaisir de jouer est aussi important que l'appât du gain.

Si les Français regrettent la place centrale prise par l'argent, les abus et les injustices qu'il engendre, ils restent désireux de s'enrichir à titre personnel. Ils savent que la possibilité de faire fortune avec leur seul salaire est faible. C'est pourquoi ils sont nombreux à s'en remettre à la chance et aux jeux. Ceux-ci leur apportent en outre la part de rêve dont ils ont besoin pour mieux vivre le quotidien, en imaginant sans trop y croire des lendemains dorés. « Je joue, donc je suis », telle est la devise de millions de Français qui investissent chaque année des milliards de francs dans le Loto ou les paris et qui suivent avec passion les jeux télévisés qui se sont multipliés depuis quelques années sur les chaînes.

Les Français jouent, l'Etat gagne

Depuis Napoléon, les jeux d'argent sont interdits en France. Mais l'Etat s'en est arrogé le monopole et peut accorder des dérogations à des entreprises privées, comme c'est le cas pour les casinos.
Les jeux lui auront rapporté plus de 20 milliards de francs en 1993. Cette somme, pudiquement baptisée « recette de poche » dans le budget général, représente l'équivalent de trois fois l'impôt de solidarité sur la fortune. Le prélèvement varie selon les jeux : il est de 15 % pour les machines à sous et de 29 % sur les mises reçues par le PMU ; il atteint 47 % sur celles du Loto.
La situation actuelle satisfait à la fois les joueurs et les percepteurs. Seuls quelques esprits chagrins tentent de dénoncer « l'Etat bookmaker » et lancent des appels à la morale qui ne sont guère entendus. La « république des jeux » a encore de beaux jours devant elle.

➤ 46 % des Français ont joué à des jeux d'argent (PMU, Loto...) au cours des six derniers mois (8 % plus de 500 F), 54 % non. Lorsqu'ils jouent, 57 % le font plutôt pour gagner de l'argent, 28 % plutôt pour le plaisir de jouer.
➤ S'il leur arrivait de gagner au Loto, 86 % des Français préféreraient garder l'anonymat ; 13 % accepteraient de se faire connaître.

Les joueurs cherchent autant à rêver qu'à s'enrichir.

« Forme laïque du miracle » selon Paul Guth, le jeu est une activité conviviale et intégratrice. Car le jeu n'est pas solitaire ; il est bien souvent un acte social, un prétexte à se réunir, comme les amateurs de tiercé chaque dimanche au bistrot. A la fois loisir et magie, il peut permettre de changer de vie ou au moins d'en rêver.

Il s'oppose en cela à la logique implacable de la sélection sociale par la culture, l'éducation ou l'origine. Il est l'une des rares activités où chacun a le sentiment de partir à égalité avec les autres. Avec le Loto ou le tiercé, on peut établir sa combinaison personnelle et livrer son propre combat contre le hasard. Si les courses de chevaux ne sont pas des jeux de hasard, elles sont en effet considérées comme telles par beaucoup de Français qui, chaque dimanche, jouent leur date de naissance ou le numéro d'immatriculation de leur voiture.

Dans la majorité des cas, il semble que la manne tombée du ciel ne transforme pas de façon radicale les habitudes et les modes de vie des gagnants. Beaucoup conservent leur emploi et se contentent de placer leur argent après s'être offert la maison et/ou le voyage dont ils rêvaient. Le souci de gagner sa vie est alors remplacé par celui de préserver son capital et, surtout, son incognito. Mais d'autres se laissent bercer par les sirènes de la célébrité soudaine et jouent les cigales le temps d'un été...

Fortune et bonne fortune

L'engouement pour les jeux d'argent traduit une certaine frustration sociale. L'importance de l'argent dans la société est telle que ceux qui en ont peu ont le sentiment diffus de ne pas avoir réussi leur vie. Cette quête de la fortune s'accompagne aujourd'hui de l'attente de la « bonne fortune », c'est-à-dire de la chance. Dans une société très structurée, où l'aventure tend à être réservée aux professionnels, on se donne le frisson en suivant celle des autres dans les médias ou en espérant être choisi par le hasard.
L'instinct ludique et le besoin de rêve sont tous deux inhérents à la nature humaine. C'est ce qui explique que l'acte d'achat d'un bulletin de Loto puisse dans certains cas tenir lieu d'effort individuel pour améliorer son sort.

REVENUS DISPONIBLES

121 000 F par salarié ♦ 665 000 personnes percevaient le RMI début 1994 ♦ Eventail des revenus plus ouvert depuis 1985 ♦ Baisse du pouvoir d'achat des cadres ♦ Les femmes moins bien payées que les hommes, mais les écarts diminuent ♦ Dispersion importante dans les revenus non salariaux ♦ La moitié des ménages non imposés sur le revenu ♦ Revenus du travail plus taxés que ceux du capital ♦ 44 % de prélèvements obligatoires ♦ 220 000 F de revenu disponible brut par ménage

SALAIRES

Les salariés ont perçu en moyenne 121 000 F en 1993 (salaire net).

Le salaire moyen des salariés à temps complet du privé et du semi-public (12 millions d'actifs) a dépassé pour la première fois 10 000 F par mois. Ce chiffre correspond au salaire net, y compris les primes et indemnités, après déduction des diverses cotisations sociales à la charge des salariés (Sécurité sociale, chômage, retraite). C'est celui qui apparaît sur la feuille de déclaration d'impôt remplie en 1994, en tant que salaire net imposable.

➤ 45 % des actifs s'estiment correctement payés pour le travail qu'ils font, 48 % non.

*Les salaires varient très largement
selon les caractéristiques individuelles.*

Le principal facteur influant sur le niveau de salaire est évidemment la profession : les cadres gagnent en moyenne trois fois plus que les ouvriers et deux fois plus que les techniciens.

Le sexe joue aussi un rôle important, mais les écarts entre hommes et femmes (23 % au détriment de ces dernières) ne peuvent s'apprécier qu'à poste, responsabilité et ancienneté comparables (voir ci-après).

L'âge intervient de façon non linéaire dans le déroulement de la vie professionnelle. En début de carrière, les salaires sont moins élevés, mais l'âge devient un atout à partir de 30 ans. Il le reste, pendant une durée variable selon les professions, jusque vers 45 ans (35 ans chez les cadres).

Le secteur d'activité est un facteur prépondérant. On gagne en moyenne 20 % de plus dans les transports que dans le bâtiment, mais les poids respectifs des catégories socioprofessionnelles y sont très différents. Le salaire moyen des ouvriers est de 14 500 F dans l'aéronautique, 12 000 F dans le secteur pétrolier, 11 000 F dans l'industrie chimique, 7 000 F dans la chaussure, 6 500 F dans l'habillement.

La taille de l'entreprise est un autre facteur déterminant. Les salariés des entreprises de 500 personnes et plus gagnent 17 % de plus que ceux des entreprises de 11 à 49 salariés. Dans un même secteur et à taille égale, on constate aussi que le dynamisme de l'entreprise joue un rôle croissant.

Enfin, les écarts régionaux dépassent 20 % entre Paris et les régions à faible implantation industrielle. Un ouvrier gagne 15 % de plus en Ile-de-France qu'en province (11 % pour les cadres).

*Le pouvoir d'achat des salariés
a augmenté de 0,4 % en 1993.*

La hausse du pouvoir d'achat (net de prélèvements à la source) est en diminution régulière : 1,9 % en 1990, 1,4 % en 1991, 1,1 % en 1992.

L'évolution des revenus doit être analysée avec précaution, car ce ne sont pas exactement les mêmes personnes qui travaillent au début et à la fin de la période considérée pour les comparaisons. Certaines sont parties en retraite (ou sont au chômage), d'autres ont changé d'emploi, d'autres enfin sont arrivées sur le marché du travail en cours de période. Dans un contexte de chômage croissant, ce sont les emplois les moins qualifiés qui disparaissent. Si on élimine les effets de structure pour mesurer l'évolu-

---

Combien gagnent les Français ?

Voir schéma ci-contre.

Sous son apparente simplicité, la question cache une certaine complexité. D'abord, il faut savoir de quoi on parle. Plus que le montant brut de la feuille de paie des salariés ou la rémunération des non-salariés (agriculteurs, professions libérales, commerçants...), ce sont les revenus réellement disponibles de chacun qu'il est intéressant de connaître.

Il faut, pour les déterminer, ajouter aux revenus bruts du travail ceux du capital (placements), puis déduire les cotisations sociales (Sécurité sociale, chômage, vieillesse, etc.) et les impôts directs prélevés sur ces revenus (impôts sur le revenu, taxe d'habitation, taxe foncière, impôts sur les revenus des placements). Le résultat de ces opérations, effectuées pour les différents membres du ménage, constitue le revenu primaire du ménage.

La prise en compte des prestations sociales reçues par les différents membres des ménages (allocations familiales, remboursements de maladie, indemnités de chômage, pensions de retraite, etc.) permet ensuite de déterminer le revenu disponible du ménage.

Cette dernière notion est la plus significative. C'est en effet celle qui reflète le mieux la situation financière réelle des Français, car la consommation, l'épargne ou l'investissement sont généralement mesurés à l'échelle du ménage dans son ensemble plutôt qu'à celle des personnes qui le composent.

Ces différentes étapes illustrent la complexité des transferts sociaux et leur incidence considérable sur le pouvoir d'achat des Français. Il faut enfin préciser que les chiffres figurant dans ces chapitres correspondent à des moyennes. Par définition, chacune d'elles gomme les disparités existant entre les individus du groupe social qu'elle concerne. Mais cette simplification, nécessaire, présente aussi l'avantage de la clarté...

---

tion à qualification égale, on constate que le pouvoir d'achat des salaires a diminué en 1993 de 0,6 %.

Pour être tout à fait valide, l'analyse de l'évolution du pouvoir d'achat doit en outre être faite à partir du revenu disponible, qui mesure les ressources réelles des Français après déduction des impôts et des prestations sociales (voir chapitre suivant).

➤ 2 % des femmes et 3 % des hommes ne connaissent pas du tout le montant du salaire de leur conjoint.

L'ARGENT DES FRANÇAIS

La structure des chapitres consacrés à l'argent correspond au schéma ci-dessous :

CE DONT ILS DISPOSENT

SALAIRES
REVENUS NON SALARIAUX

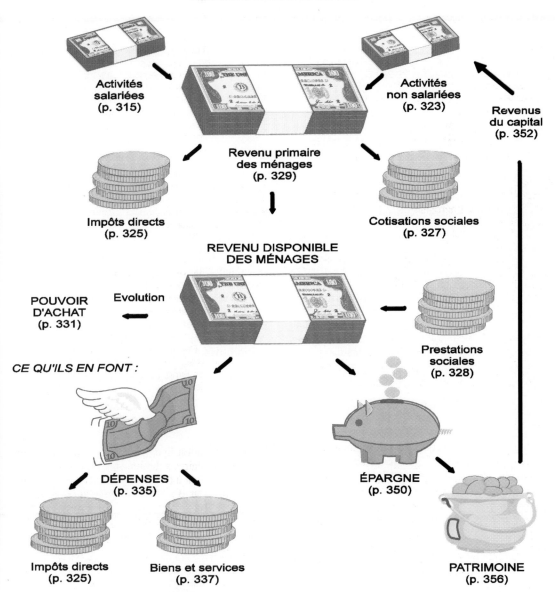

Activités salariées (p. 315)

Activités non salariées (p. 323)

Revenus du capital (p. 352)

Revenu primaire des ménages (p. 329)

Impôts directs (p. 325)

Cotisations sociales (p. 327)

REVENU DISPONIBLE DES MÉNAGES

POUVOIR D'ACHAT (p. 331)

Evolution

Prestations sociales (p. 328)

CE QU'ILS EN FONT :

DÉPENSES (p. 335)

ÉPARGNE (p. 350)

Impôts directs (p. 325)

Biens et services (p. 337)

PATRIMOINE (p. 356)

Sept ans de salaires

Evolution des salaires annuels nets moyens selon la catégorie socioprofessionnelle* (en francs) :

	1987	1988	1989	1990	1991	1992	1993
• Chefs d'entreprise, cadres	217 100	223 700	230 700	232 000	242 900	248 900	251 900
• Techniciens, agents de maîtrise	115 200	118 200	122 000	124 900	130 100	133 500	135 000
• Autres professions intermédiaires	117 400	120 800	124 900	123 600	128 200	130 600	132 200
• Employés	75 500	77 800	80 200	82 400	85 800	87 900	89 400
• Ouvriers qualifiés	78 200	80 400	82 800	86 400	90 600	93 400	94 700
• Ouvriers non qualifiés	68 300	70 100	72 300	74 000	74 400	76 400	77 400
Ensemble	**97 500**	**101 000**	**104 700**	**109 100**	**114 400**	**118 400**	**121 300**

INSEE

* Salariés à plein temps des secteurs privé et semi-public, hommes et femmes.

Le salaire net moyen des agents de l'Etat était de 127 000 F en 1992.

La rémunération des 1,9 million d'agents civils de l'Etat (en métropole, sur la base d'un temps plein) comprenait un traitement indiciaire brut de base de 127 230 F auquel s'ajoutaient des indemnités de résidence, suppléments familiaux de traitement et autres primes et indemnités d'un montant moyen de 21 090 F, soit 17 % du traitement de base, avec des écarts considérables selon les catégories. Les cotisations sociales et la contribution de solidarité ont représenté ensemble environ 21 100 F dans l'année.

Le salaire moyen net de prélèvements (charges sociales et CSG) a augmenté de 2,2 % en francs constants par rapport à 1991. Pour l'ensemble des agents en activité au cours des deux années concernées s'ajoute l'effet de l'avancement et des promotions, soit 3,3 % en francs constants. Si l'on prend en compte l'évolution des effectifs et de leur qualification, le salaire brut moyen a progressé de 0,9 % en francs constants à corps, grade et échelon identiques.

50 % des agents ont perçu un salaire net de prélèvements supérieur à 123 270 F. Les 10 % les moins bien rémunérés ont gagné moins de 81 030 F, alors que les 10 % les mieux rémunérés ont gagné plus de 194 500 F, soit 2,4 fois plus. Un écart inférieur à celui observé dans le privé.

Le SMIC augmente moins vite que par le passé.

Entre 1970 et 1985, le SMIC avait augmenté beaucoup plus vite que les autres salaires ; il fut multiplié par 6 pendant cette période, contre 3,8 pour le salaire horaire ouvrier. Son évolution a été moins favorable depuis. En 1986 et 1987, la progression du taux de salaire horaire ouvrier a été proche de celle du SMIC. Elle l'a dépassée en 1988 et 1989, mais un rattrapage a eu lieu en 1990 et, dans une moindre mesure, en 1991. Début 1994, le SMIC se montait à 5 900 F par mois pour 39 heures.

Le SMIC ne contribue donc plus aujourd'hui à l'accroissement des bas salaires. On note même depuis quelques années un léger élargissement de l'éventail des salaires ouvriers, lié à la difficulté de recrutement d'ouvriers qualifiés.

➤ Les retraités perçoivent en moyenne 77 500 F par personne et par an, soit environ 4 % de plus que les salariés actifs. Mais les écarts sont importants : les 10 % ayant les revenus les plus élevés perçoivent un revenu 3,5 fois supérieur aux 10 % les plus modestes.
➤ En 1993, 86 branches professionnelles sur 164 proposaient un salaire minimum supérieur au SMIC, alors qu'en 1990, 134 proposaient des salaires plancher inférieurs au SMIC (même si aucun salaire réel ne pouvait être inférieur).

La course salaires-inflation

Evolution des salaires annuels nets moyens, du SMIC et de l'inflation (en %) :

18,1

15,5

13,4

SMIC
Salaires
Inflation

2,6 2,5

2,1

1981 82 83 84 85 86 87 88 89 90 91 92 93

INSEE

Du SMIG au SMIC

En 1950, le SMIG (salaire minimum interprofessionnel garanti) fut indexé sur la hausse des prix (avec un seuil de déclenchement de 5 % jusqu'en 1957, puis de 2 %). Comme la moyenne des salaires augmentait plus vite que les prix, le SMIG avait pris au milieu des années 60 un retard important.

En 1968, le salaire minimum fut au centre des discussions de Grenelle. Le SMIC (salaire minimum interprofessionnel de croissance) remplaça le SMIG en 1970 et fut indexé à la fois sur les prix et sur l'ensemble des salaires. Il connut jusqu'en 1985 une augmentation très supérieure à celle des autres salaires.

En 1994, environ 2 millions de personnes perçoivent le SMIC. 11 % des salariés sont concernés dans l'ensemble des secteurs non agricoles. La proportion est de 28 % dans les hôtels, cafés, restaurants, 26 % dans le commerce de détail alimentaire, le textile et l'habillement. Les femmes sont deux fois plus nombreuses que les hommes à le percevoir : respectivement 25 % et 12 % dans les entreprises de moins de 10 salariés.

Des primes d'intéressement et de participation s'ajoutent aux revenus des salariés.

La France est le seul pays d'Europe où la loi oblige les entreprises à pratiquer la participation (à partir de 50 salariés). Les primes d'intéressement représentent environ 3 % de la masse salariale des entreprises qui en versent, et 20 % de leurs bénéfices (5 000 F par salarié).

Les entreprises peuvent en outre passer des accords d'intéressement avec les salariés ; c'est le cas d'un tiers des entreprises de plus de 1 000 salariés et de 4 % de celles qui en comptent entre 20 et 50. Le montant moyen est d'environ 5 000 F par salarié.

➤ La part variable des revenus des cadres (bonus et primes comptabilisés dans le salaire brut) représente environ 10 % de leur salaire annuel de base (elle peut atteindre 15 % pour un directeur financier et dépasser 30 % pour un directeur général).

Combien gagnent-ils ?

Salaires bruts mensuels moyens de quelques professions :

Bâtiment
- Ouvrier qualifié : 8 300 F
- Peintre : 8 500 F
- Conducteur d'engin : 8 700 F

Employés municipaux
- Agent d'entretien : 5 808 F (débutant) à 7 139 F (chef) et 200 F de prime
- Agent de bureau : 5 068 F à 7 139 F
- Egouttier, fossoyeur : SMIC (débutant) à 8 594 F (chef) et 650 F de prime
- Ingénieur subdivisionnaire : 7 558 F (débutant) à 15 601 F (chef) et prime de 4 300 F à 7 000 F

Enseignants
- Instituteur : 8 250 F à 12 881 F (fin de carrière)
- Maître auxiliaire : 8 629 F à 12 680 F
- Professeur (PEGC) : 9 811 F à 13 510 F
- Professeur certifié : 9 836 F à 16 478 F
- Conseiller d'éducation : 9 836 F à 16 478 F
- Professeur agrégé : 11 950 F à 20 579 F

Vendeurs
- Vendeur de grande surface : 6 200 F après un an
- Caissier : 7 000 F
- Chef de rayon : 8 500 F
- Représentant (alimentation, ménager) : 13 000 F
- Chef de zone de vente : 18 000 F

Hôtellerie
- Plongeur, légumier : SMIC
- Barman : 8 000 F
- Réceptionniste : 9 000 F
- Sommelier : 11 000 F
- Concierge : 12 000 F
- Directeur d'hôtel : 26 600 F

Santé (secteur public)
- Infirmière diplômée d'Etat : 8 763 F à 12 000 F
- Aide-soignante : 6 697 F à 8 959 F
- Sage-femme : 10 063 F à 15 000 F
- Directeur d'hôpital : 17 517 F à 27 557 F

Banque
- Employé, guichetier : 9 200 F
- Caissier : 10 405 F (10 ans d'ancienneté)
- Directeur de succursale de quartier : 16 700 F

665 000 personnes bénéficiaient du RMI début 1994, contre 575 000 en 1992.

Créé fin 1988, le RMI (Revenu minimum d'insertion) concernait 336 000 personnes au cours de l'année 1989. Le nombre des allocataires a presque doublé en cinq ans. La moitié sont des jeunes de moins de 35 ans. 90 % sont de nationalité française. Les trois quarts sont seuls, 25 % sont mariés ou

vivent maritalement. La proportion de divorcés dépasse 20 %, celle des veufs est de 8 %. Si environ 40 % d'entre eux étaient ouvriers (dont les deux tiers non qualifiés), un peu moins de 10 % occupaient des postes de techniciens ou cadres.

On compte en moyenne 11,1 allocataires pour 1 000 habitants en métropole, avec un maximum de 25,1 dans les Pyrénées-Orientales et un minimum de 4,3 dans les Yvelines. La proportion est plus élevée dans les DOM-TOM ; elle atteint 75 à la Réunion, 63 en Guadeloupe, 49 en Guyane, 48 en Martinique.

Début 1994, l'allocation se montait à 2 298 F par mois pour une personne seule, 3 447 F pour un couple, sans compter les majorations pour enfants à charge. Le coût total du RMI s'est élevé à 16,5 milliards en 1993, contre 13,9 en 1992.

La difficulté de l'insertion

La proportion de personnes sortant du RMI est relativement faible. Elle était de 23 % en 1993 pour les personnes entrées dans le système en 1989. Dans la moitié des cas, la sortie s'est traduite par un emploi salarié ou le suivi d'un stage rémunéré. Les personnes qui en ont bénéficié sont celles qui étaient le mieux à même de s'intégrer socialement et professionnellement, disposant par exemple du permis de conduire et de l'usage d'une automobile). Elles étaient souvent de nationalité française.
Pour les allocataires de longue durée (plus de 18 mois), la perspective de retour sur le marché du travail apparaît faible. On constate d'ailleurs qu'ils se sentent de moins en moins concernés par le suivi d'un stage ou par la reprise d'une formation ; seuls 47 % déclarent rechercher effectivement un emploi.

CREDOC

ÉCARTS

Après s'être longtemps resserré, l'éventail des salaires s'est ouvert à partir de 1984.

On peut mesurer l'éventail des salaires par le rapport entre le salaire moyen du dernier décile (montant au-dessus duquel se trouvent les 10 % de salariés les mieux rémunérés) et celui du premier décile (montant au-dessous duquel se trouvent les 10 % de salariés les moins bien rémunérés). Ce rapport était de 3,26 en 1980 pour les salariés du privé et il avait baissé jusqu'à 2,91 en 1984. Il est ensuite remonté à partir de 1985 pour atteindre 3,07 en 1993. Cette situation a été provoquée principalement par deux phénomènes : la moindre influence du SMIC sur les bas salaires ; les fortes hausses de salaires des cadres.

En 1993, 10 % des salariés à temps plein ont gagné moins de 64 100 F ; à l'inverse, 10 % ont gagné plus de 196 900 F.

Une petite voiture coûte six mois de salaire moyen

Les salaires des cadres ont connu une évolution contrastée depuis le début des années 80.

Entre 1979 et 1983, ils ont subi une perte de pouvoir d'achat de 0,2 % par an. De 1986 à 1989, les salaires des cadres et des patrons ont plus augmenté que ceux des ouvriers (12,1 % contre 10,1 %). Les salaires des cadres supérieurs ont également davantage augmenté que ceux des cadres moyens, ce qui a eu pour effet d'élargir l'éventail des revenus.

La même constatation s'appliquait aux rémunérations des chefs d'entreprise, qui s'étaient particulièrement accrus depuis 1986, du fait de la meilleure situation financière des entreprises. Le rapport entre leurs salaires et ceux des ouvriers qualifiés était ainsi passé de 3,11 en 1984 à 3,7 en 1989. La situation est moins favorable depuis 1990.

Ces fluctuations font que le pouvoir d'achat des cadres est resté pratiquement inchangé depuis une dizaine d'années. Une situation moyenne qui ne reflète évidemment pas les cas individuels ou sectoriels.

Une enquête effectuée auprès de grandes entreprises par la CEGOS a fait apparaître plusieurs changements importants en matière de rémunération des cadres entre 1980 et 1990 : désindexation des salaires par rapport à l'inflation à partir de 1983 ; les salaires des débutants ont augmenté plus vite que ceux des cadres confirmés ; la prime aux diplômes les plus cotés s'est réduite ; la part de l'intéressement dans le salaire a augmenté ; les primes d'ancienneté ont diminué.

Avantages en tout genre

Pour compléter (ou remplacer) des augmentations de salaires moins élevées que par le passé, de nombreuses entreprises proposent à leurs cadres des avantages financiers qui s'ajoutent aux primes d'intéressement, de participation, de transport ou aux prêts à faible taux. Certains cadres se voient proposer des stock options, possibilités d'acheter des actions de l'entreprise à un tarif inférieur au cours de la Bourse, dans un contexte fiscal favorable. Certains cadres supérieurs ou dirigeants bénéficient de plans de retraite garantissant jusqu'à 65 % de la rémunération moyenne des dernières années.

On estime que 6 % des cadres supérieurs du secteur privé bénéficient d'un logement fourni par l'employeur (3,5 % gratuitement), 13 % d'une voiture donnée ou prêtée. 72 % des sociétés participent aux frais de repas du personnel. 36 % offrent des examens médicaux gratuits. 27 % payent les cotisations à des organisations professionnelles, 7 % à des clubs sportifs ou à des associations. 39 % offrent des réductions sur les produits de l'entreprise. 20 % remboursent des frais de téléphone privé, 19 % des frais de représentation, 9 % des frais de consultation financière ou juridique. 4 % participent aux frais d'études des enfants. 29 % autorisent des voyages d'affaires en première classe sur longue distance.

La liste des avantages offerts aux cadres n'a de limites que celles de l'imagination : paiement des adhésions à des clubs ou associations ; conseiller fiscal pour remplir la déclaration de revenus ; cure de désintoxication pour les fumeurs ; aménagement du bureau ; installation d'un micro-ordinateur au domicile ; téléphone de voiture ; plans d'épargne d'entreprise ; invitation du conjoint à un voyage d'affaires, etc. L'importance relative de ces avantages est plus forte dans les secteurs où les salaires moyens sont déjà les plus élevés (énergie, chimie, sidérurgie, banques et assurances). De ce fait, ils accentuent les disparités de rémunération entre les entreprises et entre les individus.

➤ 59 % des Français sont favorables à une taxation des revenus du capital, 27 % non.

Les hommes gagnent un tiers de plus que les femmes

Evolution des salaires nets moyens annuels (en milliers de francs) selon le sexe :

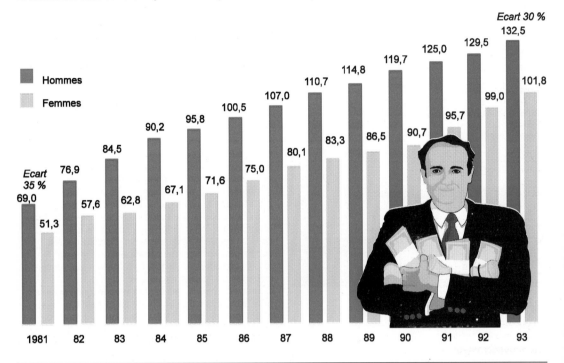

*Les femmes gagnent en moyenne
23 % de moins que les hommes.*

Mesuré dans l'autre sens, l'écart est encore plus spectaculaire : les hommes gagnent en moyenne 30 % de plus que les femmes. Il faut cependant nuancer la comparaison car les femmes occupent encore de façon générale des postes de qualification inférieure à ceux des hommes, même à fonction égale. Leurs horaires de travail sont plus courts et comportent moins d'heures supplémentaires. Enfin, elles bénéficient d'une ancienneté inférieure.

Pourtant, même à profession égale, les femmes sont moins bien rémunérées que les hommes. En 1993, l'écart variait de 10 % (employées) à 27 % (cadres). Il est plus grand en valeur relative pour les revenus les plus élevés.

➤ 93 % des hommes estiment que ce ne serait pas un problème si leur femme gagnait plus qu'eux.

*L'écart de salaire entre les sexes
diminue depuis le début des années 50,
mais de façon lente et irrégulière.*

Chez les ouvrières, l'écart s'était creusé entre 1950 et 1967, puis il avait diminué de 1968 à 1975 pour retrouver le niveau de 1950. Chez les cadres supérieurs, la tendance au redressement était apparue plus tôt (vers 1957), mais elle avait été stoppée dès 1964. Le resserrement général qui s'est produit à partir de 1968 est dû principalement au fort relèvement du SMIG puis du SMIC et des bas salaires, qui a profité davantage aux femmes, plus nombreuses à être concernées.

Le rapprochement s'est poursuivi au cours des dernières années (voir tableau). Il s'accroît avec l'âge, ce qui tendrait à prouver que les évolutions de carrière sont moins favorables aux femmes, autre forme d'inégalité.

On observe en fait un double mouvement : hausse générale des salaires féminins due à l'accès

Inégalité, sexe et profession

Evolution des salaires annuels nets moyens selon la catégorie professionnelle et le sexe (en francs courants) :

	1990		1991**		1992		1993	
	Hommes	Femmes	Hommes	Femmes	Hommes	Femmes	Hommes	Femmes
• Chefs d'entreprise, cadres - *Ecart hommes/femmes*	249 200	175 400 *- 29,6 %**	247 500	181 700 *- 26,6 %*	265 500	193 300 *- 27,2%*	269 100	196 200 *-27,1%*
• Techniciens, agents de maîtrise - *Ecart hommes/femmes*	127 500	108 000 *- 15,3 %*	128 700	108 200 *- 15,9 %*	135 800	114 300 *-15,8%*	137 300	115 800 *-15,7%*
• Autres professions intermédiaires - *Ecart hommes/femmes*	137 100	109 700 *- 20,0 %*	131 100	113 300 *- 13,6 %*	143 400	118 800 *-17,1%*	145 200	120 600 *-16,9%*
• Employés - *Ecart hommes/femmes*	85 700	79 600 *- 7,1 %*	92 500	83 100 *- 10,2 %*	95 200	85 400 *-10,3%*	95 600	86 800 *-9,3%*
• Ouvriers qualifiés - *Ecart hommes/femmes*	88 400	73 200 *- 17,2 %*	91 800	76 100 *- 17,2 %*	95 000	78 300 *-17,6%*	96 300	79 300 *-17,7%*
• Ouvriers non qualifiés - *Ecart hommes/femmes*	78 800	63 500 *- 19,4 %*	79 900	64 700 *- 19,0 %*	82 300	66 500 *-19,2%*	83 300	67 300 *-19,3%*
Ensemble *- Ecart hommes/femmes*	**119 700**	90 700 *- 24,2 %*	**125 200**	95 800 *- 23,5 %*	129 500	**99 000** *-23,6%*	132 500	101 800 *-23,2%*

* Lecture : parmi les chefs d'entreprise et les cadres, les femmes gagnent 29,6 % de moins que les hommes.
** A partir de 1991, les séries ne peuvent pas être raccordées à celles des années précédentes.

INSEE

croissant des femmes aux professions supérieures ; moindre augmentation des salaires féminins dans ces professions, résultant de l'arrivée récente des femmes.

➤ Chez Bouygues, la moyenne annuelle des dix salaires les plus élevés est de 3 millions de francs ; elle est de 2,5 millions chez Thomson, 2,2 chez Casino, 2 à l'Aérospatiale. 1,8 chez l'Oréal, 1,7 chez Hachette.
➤ Environ 50 000 foyers fiscaux déclarent plus d'un million de francs de revenu imposable. Près du quart sont des membres des professions libérales supérieures, 20 % sont des chefs d'entreprise, 16 % des retraités, 14 % des cadres supérieurs. 50 % des syndics-administrateurs judiciaires et des avoués, 25 % des greffiers des tribunaux de commerce et 10 % des notaires sont dans ce cas.

REVENUS NON SALARIAUX

2,8 millions d'actifs ont un statut de non-salarié.

On compte 900 000 agriculteurs non salariés et autant de personnes travaillant dans des professions de services (y compris les membres des professions libérales). Les autres non salariés sont artisans de l'industrie et du bâtiment (600 000) ou commerçants (400 000). Leur nombre diminue régulièrement.

L'évolution des professions non salariées depuis le début de la crise économique a été très contrastée. Il existe en outre une forte disparité des revenus à l'intérieur de chaque catégorie.

*De nombreux facteurs influent sur l'évolution
des revenus (bénéfices) de ces professions.*

L'évolution de la consommation ou de la demande pour un produit ou un service donné a évidemment une importance dans le chiffre d'affaires
réalisé. Les investissements en matériel ou en employés, nécessaires pour maintenir ou accroître le
volume d'activité et la productivité, représentent
des charges (amortissements ou salaires) qui viennent en déduction du bénéfice. Les prix des matières
premières éventuelles influent également sur les
prix de revient.

De la même façon, la variation, locale ou nationale, du nombre d'entreprises d'une profession joue
sur la concurrence, donc à la fois sur l'activité et les
prix. Les changements qui interviennent dans la
distribution (super- et hypermarchés, autres circuits
de distribution) modifient la part du marché qui
revient aux professions concernées. Enfin, l'évolution des prix relatifs a une incidence considérable à
la fois sur l'activité et la marge bénéficiaire.

*En 1993, le revenu brut agricole moyen
a diminué de 0,5 % en francs constants.*

Les revenus des agriculteurs sont très contrastés
selon l'activité et varient fortement d'une année à
l'autre. En dépit de la sécheresse et de la chute du
prix du bétail, la progression du revenu agricole
avait atteint 12 % en 1990, après une bonne année
1989, ce qui constituait une période faste inconnue
depuis 1978. La situation a été moins favorable en
1991 et 1992, en particulier pour les exploitations
spécialisées en productions végétales, à l'exception
des céréales. Elle a été bien meilleure pour les
exploitations spécialisées en productions bovines et
celles qui associent agriculture et élevage.

En 1993, les livraisons ont modérément baissé
en volume, mais fortement en prix. On constate
encore une très forte disparité des revenus bruts par
exploitation : de - 55 % pour l'arboriculture frui-
tière à + 10 % pour l'élevage bovin (+ 9 % pour le
secteur « céréales et autres grandes cultures »).

Le recul des prix et, dans une moindre mesure,
des volumes est la conséquence de la réforme de la
politique agricole commune de juillet 1993, qui a
touché particulièrement le secteur des terres arables.
Comme ceux des oléagineux, les prix des protéagi-
neux sont désormais fixés par le marché mondial.
La baisse du soutien par les prix et la mise en jachère
obligatoire des terres ont été compensées par un
doublement des subventions, qui ont atteint
37,5 milliards de francs.

Le nombre d'exploitations a encore diminué de
5 % (après 4 % en 1989 et 1990, 3,5 % en 1991 et
1992).

Salaires des paysans : maigres récoltes

Evolution des revenus moyens agricoles par activité
(début et fin des années 80, en francs constants)[*] :

	Moyennes des revenus par exploitation (en francs 1992)		Evolution du RBE[**] 1993/1992 (en %)
	1981-1983	1990-1992	
• Vins de qualité	112 500	314 500	- 8,5
• Autre viticulture	100 000	256 000	+ 8,5
• Bovins-mixte	73 000	122 500	-
• Orientations mixtes	100 000	136 000	+ 5,7
• Fruits	115 000	143 000	- 54,9
• Bovins-lait	80 000	99 000	-
• Ovins et autres herbivores	49 000	57 500	+ 8,7
• Polyculture	116 500	131 500	+ 6,3
• Bovins-viande	34 000	36 500	+ 9,6
• Hors-sol	401 000	333 500	- 40,6
• Céréales	155 500	121 000	+ 9,2
• Autre agriculture générale	187 500	131 000	
• Ensemble des exploitations à temps complet	107 500	130 000	- 0,5

[*] Moyenne sur trois ans du revenu net de cotisations
personnelles des exploitants, amortissements déduits.
[**] Résultat brut d'exploitation par exploitation, en francs
constants.

CERC. INSEE

---

*Les bénéfices des professions non salariées
non agricoles continuent de progresser,
mais à un moindre rythme depuis 1991.*

Dans les professions de négoce (épicerie, habillement, chaussure), on constate un ralentissement
du bénéfice en 1991 et 1992. Pour les professions
effectuant à la fois une transformation et une distribution, les bénéfices ont baissé pour les boulangers
et leur croissance s'est ralentie pour les bouchers.

Les activités de services ont vu leur bénéfice
fléchir de façon importante entre 1989 et 1991 et se
stabiliser en 1992, à l'exception des hôtels-cafés-
restaurants, dont le bénéfice moyen a baissé.

Les artisans du bâtiment ont été moins affectés
par la crise que l'ensemble de la branche de la

construction, du fait de l'importance de leur activité d'entretien-amélioration.

Entre 1989 et 1992, les bénéfices nets des médecins ont augmenté d'environ 2 % en francs constants. Ceux des chirurgiens-dentistes, infirmières et kinésithérapeutes ont stagné.

Depuis le début des années 80, la pyramide des revenus non salariaux s'est élargie à la base et au sommet.

Parmi les professions libérales, un avocat au Conseil d'Etat et à la Cour de cassation perçoit en moyenne environ 80 000 F par mois, soit cinq fois plus qu'un architecte. Parmi les artisans, commerçants et professions de services, l'écart n'est que de un à trois. Le pharmacien arrive très largement en tête, avec plus de 35 000 F par mois, soit le double du restaurateur, qui se trouve en seconde position.

Au sein d'une même profession, les situations individuelles font apparaître des écarts considérables. Des médecins généralistes gagnent le SMIC, des architectes ou des restaurateurs de renom perçoivent des sommes très élevées. Enfin, il faut préciser que les montants officiels des revenus sont probablement sous-évalués, du fait d'une évasion fiscale plus facile que dans les professions salariées.

IMPÔTS

L'impôt sur le revenu est plus faible que dans d'autres pays.

En 1993, l'impôt sur le revenu payé par les ménages s'est élevé à 325 milliards de francs, soit un peu moins de 5 % du PIB. Ce taux est largement inférieur à celui d'autres pays industrialisés : 11 % en moyenne dans les pays de l'Union européenne. Il représente 13 % des prélèvements obligatoires, contre plus de 30 % en Suède, aux Etats-Unis ou en Belgique.

Pour un revenu brut de 250 000 F, le montant des impôts et des charges sociales payé par un ménage avec deux enfants s'élève à 64 000 F en France, contre 77 000 F en Allemagne et 62 000 F en Grande-Bretagne. Pour 100 000 F de revenu, les chiffres sont respectivement de 18 000 F, 19 000 F et 12 000 F. Pour 600 000 F de revenu, ils se montent à 224 000 F, 196 000 F et 182 000 F. Les ménages français sont donc relativement épargnés par le fisc en ce qui concerne leurs revenus. Mais les impôts indirects compensent largement.

La moitié des ménages ne paient pas d'impôt sur le revenu.

Le nombre de contribuables a augmenté de 12 % entre 1985 et 1990, mais le nombre de foyers payant des impôts a diminué d'un million pendant la même période. Aujourd'hui, 48 % des ménages fiscaux (13 millions sur 28 millions) ne paient pas d'impôt sur le revenu. Le seuil de revenu annuel net non imposable est de 58 000 F pour les célibataires, 84 000 F pour les couples mariés sans enfant, 99 000 F pour les couples mariés avec un enfant, 114 000 F pour les couples mariés avec deux enfants, 142 000 F pour les couples mariés avec trois enfants. Pour une famille avec deux enfants, le seuil de non imposition est 2,5 fois plus élevé en France que dans les autres pays de l'Union européenne.

Par ailleurs, 20 000 foyers déclarant plus de 200 000 F de revenu par an ne paient pas l'impôt sur le revenu, grâce à l'utilisation de la loi Pons permettant de déduire des impôts les investissements réalisés dans les DOM-TOM.

Gare à vous, fisc

La fraude fiscale est estimée entre 150 et 200 milliards de francs. 47,8 milliards de francs de redressements fiscaux ont été notifiés en 1993. Les contrôles ont concerné 1,5 million de particuliers et 450 000 entreprises. Les redressements fiscaux opérés en 1992 avaient rapporté 54 milliards de francs (dont 3,9 milliards auprès des particuliers), soit un peu plus de 3 % des recettes fiscales de l'Etat et 20 % de la fraude. La périodicité moyenne des contrôles fiscaux est très variable selon les professions :

- 8 ans pour les salariés
- 21 ans pour les hôteliers-cafetiers
- 25 ans pour les architectes
- 28 ans pour les notaires
- 29 ans pour les chirurgiens
- 30 ans pour les marchands de prêt-à-porter
- 33 ans pour les avocats
- 34 ans pour les garagistes
- 36 ans pour les routiers
- 39 ans pour les coiffeurs
- 40 ans pour les boulangers
- 41 ans pour les plombier
- 43 ans pour les épiciers
- 47 ans pour les experts-comptables
- 47 ans pour les bouchers
- 51 ans pour les médecins
- 56 ans pour les dentistes
- 67 ans pour les pharmaciens
- 134 ans pour les agriculteurs.

Rapport parlementaire Guy Bêche

*Le montant des impôts indirects
est quatre fois plus élevé
que celui de l'impôt sur le revenu.*

Au cours de l'année 1993, les Français ont acquitté 705 milliards de francs de TVA, 500 de cotisations sociales, 125 de taxes sur l'essence, 70 de CSG, 12 de taxes sur l'alcool, soit au total plus de 1 400 milliards de francs d'impôts indirects. On peut reprocher au système fiscal français une certaine injustice, dans la mesure où il privilégie les impôts qui ne sont pas progressifs en fonction du revenu. L'écart entre la part de l'impôt sur le revenu et celle des impôts indirects s'est accentué en 1993, du fait de la diminution des premiers.

En vingt ans, on a assisté à une inversion de la part des impôts et des cotisations sociales dans les recettes de l'Etat : les premiers représentaient 36 % en 1991 contre 51 % en 1971 ; les secondes pesaient pour 44 %, contre 37 %.

*Les revenus du travail sont plus taxés
que ceux du capital et de l'épargne.*

Pour 200 000 F de revenu déclaré, le taux moyen de l'impôt est de 24 % pour un salarié ; il n'est que de 5 % pour un actionnaire. Pour un montant de 500 000 F, les taux sont respectivement de 41 % et 18 %. Les revenus provenant du travail sont donc beaucoup moins taxés que ceux provenant des placements. Mais il faut noter que, dans la plupart des cas, les placements réalisés par les ménages sont issus de leur épargne, c'est-à-dire de leurs revenus non dépensés. Or, ceux-ci ont déjà été taxés une première fois au titre de salaires ou de revenus non salariaux. La situation est évidemment différente pour les rentiers, auxquels les revenus des capitaux placés permettent de vivre sans travailler.

Ministère de l'Economie et des Finances

160 000 grandes fortunes

En 1992, le fisc a reçu 157 666 déclarations au titre de l'impôt de solidarité sur la fortune (ISF), contre 155 177 en 1991, soit une progression de 5 %. L'impôt a rapporté 7 milliards de francs, contre 6,8 en 1991. La moitié des ménages concernés habitent en Ile-de-France. Ils ont versé en moyenne 53 349 F, contre 34 467 F en province. Les autres régions qui contribuent le plus sont Provence-Alpes-Côte d'Azur (6,5 % du montant national), Rhône-Alpes (6,0 %) et Nord-Pas-de-Calais (3 %).

*Les Français reversent près de la moitié
de leurs revenus à l'Etat.*

44 % de la production intérieure brute, fruit du travail des Français, sont consommés par l'Etat. Les prélèvements obligatoires sont inférieurs dans la majorité des autres pays développés (voir graphique) ; seuls les pays du nord de l'Europe comme la Belgique, les Pays-Bas ou le Danemark connaissent des taux plus élevés. La Sécurité sociale absorbe près de la moitié de ces prélèvements obligatoires (44 %), soit davantage que dans les pays comparables.

Les gouvernements se sont engagés à partir de 1984 dans une politique de réduction des impôts. Mais la baisse relative des impôts directs (en particulier l'impôt sur le revenu) a été compensée par la hausse des cotisations sociales et la mise en place de prélèvements exceptionnels, mais régulièrement reconduits, comme la CSG (contribution sociale généralisée), pour faire face aux déficits, tel celui de la Sécurité sociale. De sorte que le total des prélèvements obligatoires est resté stable.

Les bonnes recettes

Part des prélèvements obligatoires dans le PIB de certains pays (1991, en %) :

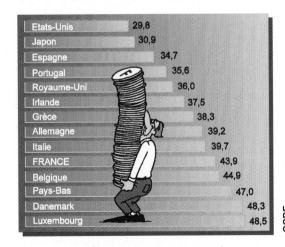

Etats-Unis	29,8
Japon	30,9
Espagne	34,7
Portugal	35,6
Royaume-Uni	36,0
Irlande	37,5
Grèce	38,3
Allemagne	39,2
Italie	39,7
FRANCE	43,9
Belgique	44,9
Pays-Bas	47,0
Danemark	48,3
Luxembourg	48,5

OCDE

➤ A Paris, 240 000 couples avec deux enfants ne paient pas de taxe d'habitation, du fait des abattements fiscaux.

REVENUS DISPONIBLES

Le revenu primaire des ménages s'élevait à 165 000 F en 1993.

Le revenu primaire des ménages est la première étape nécessaire au calcul de leur revenu disponible. Il est obtenu en ajoutant aux revenus professionnels perçus par les différents membres (salaires et revenus non salariaux du foyer, voir chapitre précédent) ceux du capital (placements mobiliers et immobiliers). Il ne tient pas compte des transferts sociaux, c'est-à-dire des prestations sociales reçues, des cotisations sociales et des impôts directs payés par les ménages. La part des revenus professionnels dans le revenu primaire est de 85 %, celle des revenus du patrimoine est de 15 %.

Entre 1960 et 1980, le poids des salaires dans les revenus primaires avait augmenté de 12 points, pour atteindre 73 %. Il s'est stabilisé depuis et a même amorcé une légère régression (71 %). Depuis 1982, la croissance des revenus du capital a été supérieure à celle du travail.

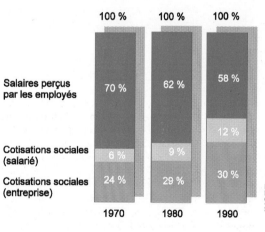

La France, un pays riche

Les cotisations sociales versées représentent environ un tiers du revenu primaire.

Les cotisations sociales sont destinées au financement de la Sécurité sociale (maladie, infirmité, accidents du travail, maternité, famille, vieillesse, veuvage...), des caisses de chômage et de retraite complémentaire. Elles concernent l'ensemble des personnes qui perçoivent des revenus du travail (y compris les retraités) et sont réparties entre employés et employeurs, à raison d'un tiers pour les premiers et deux tiers pour les seconds.

Le poids des cotisations sociales a augmenté dans des proportions considérables depuis 30 ans : elles représentent aujourd'hui 31 % du revenu primaire, contre 27 % en 1980 et 16 % en 1959. La part payée par les salariés, qui était de 22 % en 1970, a régulièrement augmenté pour se stabiliser à 34 % depuis 1989. Le résultat est qu'un salarié perçoit en salaire net moins de 60 % du coût du travail payé par l'entreprise, contre 70 % en 1970.

Cotisations : toujours plus

Evolution du coût du travail (en % des salaires payés par l'entreprise) :

	100 %	100 %	100 %
Salaires perçus par les employés	70 %	62 %	58 %
Cotisations sociales (salarié)	6 %	9 %	12 %
Cotisations sociales (entreprise)	24 %	29 %	30 %
	1970	1980	1990

INSEE

Les impôts directs sur le revenu et le patrimoine représentent 9 % du revenu primaire.

Les impôts directs prélevés sur les revenus des ménages complètent le dispositif de redistribution. Ils sont progressifs, c'est-à-dire que plus les revenus sont élevés et plus on paie proportionnellement. Les impôts indirects (par exemple la TVA payée par les ménages sur les achats de biens et services) n'interviennent pas dans le calcul du revenu disponible total car ils concernent son utilisation, dans le cadre de la consommation, et non sa constitution.

A mi-temps pour l'Etat

Evolution de la part des prélèvements obligatoires dans le PIB (en %) :

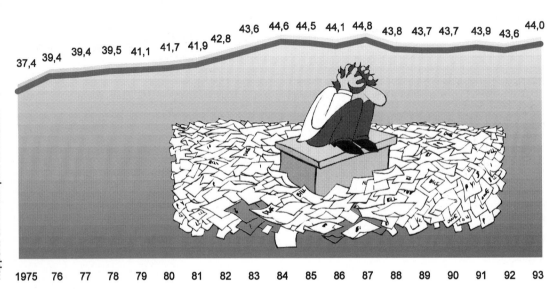

37,4 39,4 39,4 39,5 41,1 41,7 41,9 42,8 43,6 44,6 44,5 44,1 44,8 43,8 43,7 43,7 43,9 43,6 44,0

1975 76 77 78 79 80 81 82 83 84 85 86 87 88 89 90 91 92 93

Rapports sur les comptes de la nation

Au fil des années, la fiscalité directe a évolué dans deux directions. Le poids de l'impôt (revenu et patrimoine) a augmenté pour les ménages qui le payaient : il représentait 7 % du revenu des ménages en 1970 ; il a atteint 10 % en 1984 et s'est stabilisé depuis aux environs de 8 %. Son rôle redistributif s'est également accentué. C'est ainsi que 64 % des foyers étaient imposés en 1980, contre seulement 52 % aujourd'hui.

***Les prestations sociales représentent
un tiers du revenu primaire.***

D'une manière générale, les prestations sociales sont inversement proportionnelles au montant des revenus, à cause de l'effet redistributif mentionné précédemment et de leur plafonnement ; leur part varie ainsi de 4 % pour les cadres supérieurs à 73 % pour les inactifs.

L'évolution au cours des trente dernières années a été spectaculaire. En 1959, les prestations sociales représentaient 19 % du revenu primaire des ménages. Leur part atteignait 25 % en 1970 et 37 % en 1986, pour se stabiliser vers 33 % aujourd'hui.

Leur destination principale est la « vieillesse » (retraites, pensions de réversion, minimum vieillesse), qui absorbe 50 % des dépenses. La santé arrive en seconde position, avec 28 %, devant les prestations d'allocations familiales et de maternité (13 %). Enfin, les allocations de chômage et d'inadaptation professionnelle représentent 8 % des dépenses ; ce sont elles qui ont le plus augmenté (2 % en 1970).

***En 1993, le revenu disponible brut
par ménage était de 220 000 F,
soit un peu plus de 18 000 F par mois.***

Ce revenu est celui qui reste effectivement aux ménages pour consommer et pour épargner. Il prend en compte les transferts sociaux (cotisations et prestations sociales, impôts directs), dont l'incidence sur les ressources et sur la redistribution des richesses est croissante.

Cet algèbre des transferts sociaux traduit l'importance du financement de l'économie nationale par le biais des impôts et des cotisations. Il est aussi la conséquence de la politique sociale mise en place par le gouvernement, sous la forme de prestations.

Redistribution

Prélèvements sociaux et impôts sur les salaires selon la catégorie socioprofessionnelle (en francs) :

	Cadre supérieur Chef d'entreprise	Cadre ingénieur Profession intellectuelle	Profession libérale	Technicien Agent de maîtrise	Employé	Ouvrier
• Revenu professionnel brut	593 280	296 640	452 769	163 152	126 072	111 240
• Cotisations sociales	144 539	68 345	111 744	40 750	28 649	24 400
• Revenu professionnel net	448 741	228 295	341 025	122 402	97 423	86 840
• Impôt professionnel :						
- célibataire	125 115	45 003	99 963	14 402	9 020	7 067
- marié, 2 enfants	70 688	14 764	47 643	0	0	0
Revenu professionnel net après impôts :						
- célibataire	323 626	183 292	241 062	108 000	88 403	79 773
- marié, 2 enfants	378 053	213 531	293 382	122 402	97 423	86 840

INSEE, Challenges, mars 1994

Du revenu primaire au revenu disponible

Evolution de la structure du revenu disponible des ménages (en %) :

	1992	1980	1959
Revenu primaire brut	100	100	100
dont :			
• Revenu du travail perçu par les salariés (1)	71,1	73,0	59,9
• Revenu brut d'entreprise individuelle	14,2	15,4	29,6
• Revenu du patrimoine (2)	14,6	11,5	10,5
Transferts nets de redistribution	- 6,4	- 7,6	- 3,3
dont :			
• Impôts courants sur le revenu et le patrimoine	- 9,2	- 7,8	- 5,5
• Cotisations sociales versées	- 31,1	- 27,4	- 16,3
• Prestations sociales reçues	32,7	27,0	18,8
Revenu disponible brut	93,6	92,4	96,7

(1) Y compris cotisations sociales
(2) Revenu brut de la production (hors entreprise individuelle) + revenu de la propriété

7 200 francs par personne et par mois

Evolution du revenu disponible annuel brut par habitant (en milliers de francs courants) :

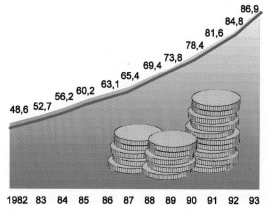

86,9
84,8
81,6
78,4
73,8
69,4
65,4
63,1
60,2
56,2
52,7
48,6

1982 83 84 85 86 87 88 89 90 91 92 93

INSEE

➤ L'accroissement du salaire moyen net entre 1980 et 1990 a été de 92 %, alors que celui du coût de la vie n'a été que de 75 %.

En dehors des professions indépendantes et des cadres, les ménages perçoivent plus de prestations sociales qu'ils ne paient d'impôts directs et de cotisations. C'est ce qui explique que leur revenu disponible soit supérieur à leur revenu primaire. Le système redistributif de la fiscalité est en effet tel que les prestations diminuent lorsque le revenu augmente, tandis que les impôts augmentent proportionnellement plus vite que le revenu.

En 1993, le revenu disponible par habitant s'élevait à 87 000 F, contre 37 000 francs en 1980.

La redistribution inégalitaire

La redistribution des revenus par l'impôt et les prestations sociales n'est pas aussi juste que les chiffres semblent l'indiquer. Si l'on tient compte, en effet, de l'utilisation des services collectifs financés par l'impôt direct (hôpitaux, équipements sportifs, culturels, etc.), on constate que ce sont les titulaires des plus hauts revenus qui en profitent le plus, souvent au-delà de leur propre contribution. De même, les enfants des ménages les plus aisés sont ceux qui utilisent le plus longtemps le système éducatif. Enfin, les anciens titulaires de hauts revenus sont aussi ceux qui profitent le plus longtemps des prestations en matière de retraite, du fait d'une espérance de vie plus longue. Le phénomène de la redistribution est donc en réalité très complexe et ne saurait être limité à sa dimension financière apparente.

L'éventail des revenus disponibles est beaucoup plus resserré que celui des revenus primaires.

Le rapport entre les salaires nets moyens d'un cadre supérieur et d'un manœuvre est d'environ 4. Il n'est plus que de 2 environ lorsqu'on compare les revenus disponibles moyens d'un ménage où l'homme est cadre supérieur et ceux d'un ménage où il est manœuvre.

Le mécanisme de redistribution n'est pas la seule raison de ce phénomène. La présence d'autres revenus salariaux (généralement celui du conjoint) est plus fréquente dans les ménages modestes car la femme travaille plus fréquemment et perçoit un salaire plus proche de celui de son mari que dans les ménages plus aisés. Ainsi, de nombreux ménages biactifs ayant des situations modestes ont des revenus plus élevés que des ménages monoactifs de situation aisée.

➤ 65 % des Français considèrent que c'est à l'argent que la société actuelle accorde le plus d'importance, 20 % au travail, 6 % aux valeurs humaines. 51 % estiment qu'eux-mêmes accordent le plus d'importance aux valeurs humaines, devant le travail (25 %) et l'argent (10 %).

➤ 20 % des ménages gagnent moins de 6 000 F de revenu brut par mois, 29 % entre 6 000 et 10 000 F, 41 % entre 10 000 F et 20 000 F, 10 % plus de 20 000 F.

➤ On estime que près de 50 % des cadres ont reçu une augmentation de salaire inférieure à l'inflation en 1990, 40 % en 1991.

➤ L'âge est un facteur déterminant pour l'augmentation des salaires : entre 25 et 35 ans, neuf cadres sur dix ont reçu en 1990 une augmentation supérieure au coût de la vie ; après 53 ans, plus d'un cadre sur trois a perdu de son pouvoir d'achat.

➤ Une famille de quatre enfants reçoit un montant de prestations sociales quatre fois supérieur à celui d'une famille de deux enfants : 45 000 F par an contre 11 500 F pour une famille disposant d'un salaire de deux fois le SMIC.

➤ 55 % des Français seraient favorables à la réduction des écarts entre les salaires (y compris au détriment du leur), 36 % non.

LES DÉPENSES

POUVOIR D'ACHAT

1950-1970 : croissance dure ◆ 1971-1980 : croissance douce ◆ 1981-1985 : croissance zéro ◆ 1986-1993 : retour de la croissance et des inégalités

1950-1980

Entre 1950 et 1970, le pouvoir d'achat du salaire moyen a été multiplié par 2.

Le pouvoir d'achat des individus ou des ménages mesure leur capacité à acheter des biens et des services avec les revenus qu'ils perçoivent. Son évolution dans le temps dépend à la fois du montant des revenus eux-mêmes et du niveau d'inflation, qui lamine en permanence leur valeur d'échange.

Durant la longue période de croissance économique qui suivit la Seconde Guerre mondiale, l'ensemble des revenus a augmenté plus vite que les prix. Le SMIG (salaire minimum interprofessionnel garanti), qui était alors indexé sur l'inflation, prit un retard important sur les autres salaires jusqu'en 1968, pendant que les revenus plus élevés connaissaient une période de prospérité sans équivalent.

Pendant ces trente années, les Français se sont plus enrichis que pendant tout le siècle précédent. Beaucoup ont pu progressivement acquérir leur résidence principale et s'équiper des produits phares de la société de consommation : voiture, réfrigérateur, télévision, machine à laver, etc. La période de crise économique qui allait suivre cet âge d'or en fut d'autant plus difficile à accepter.

Entre 1970 et 1980, les salaires ont continué de croître, mais de façon plus sélective. Le pouvoir d'achat des salaires ouvriers a augmenté de 4,7 % par an en moyenne. Celui des cadres supérieurs de 0,6 %. Celui du SMIC de 5,7 %.

Malgré les nuages qui s'accumulaient sur l'économie et la forte poussée de l'inflation (14,7 % en 1973), le pouvoir d'achat des salaires continua de croître, mais de façon très modulée selon les catégories sociales.

Ainsi, le revenu disponible brut des ménages de cadres supérieurs n'augmenta en moyenne que de 0,9 % par an pendant la décennie, contre 4,8 % pour les inactifs, 2,8 % pour l'ensemble des ouvriers,

---

1950-1980 : le pouvoir d'achat doublé

Evolution des salaires nets annuels moyens (en francs courants) et de leur pouvoir d'achat (en %, calculée à partir de francs constants) :

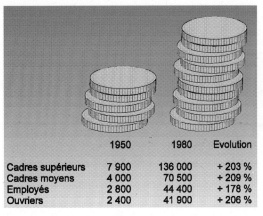

	1950	1980	Evolution
Cadres supérieurs	7 900	136 000	+ 203 %
Cadres moyens	4 000	70 500	+ 209 %
Employés	2 800	44 400	+ 178 %
Ouvriers	2 400	41 900	+ 206 %

Calculs à partir de données INSEE

1,9 % pour les employés et les agriculteurs, 1,5 % pour les cadres moyens.

Ces dix années ont donc amené des changements importants dans la hiérarchie des revenus. Le haut de la pyramide s'est tassé, pendant qu'à la base la forte croissance du SMIC entraînait celle de l'ensemble des bas salaires. Un phénomène inverse de celui des vingt années précédentes.

MOINS DE 5 LITRES POUR 100 KM. MOINS DE 5 LITRES POUR 100 KM.

NOUVELLE BMW 325 TURBO DIESEL SPORT
Consommations BMW 325 tds normes CEE : 4,9/6,5/8,8L

Le pouvoir d'achat a triplé en 30 ans

1981-1985

Chez les salariés, le resserrement de l'éventail des rémunérations s'est poursuivi.

Entre 1981 et 1985, le pouvoir d'achat du SMIC augmenta plus vite que celui des autres salaires. La conséquence fut un accroissement des bas salaires, surtout dans les secteurs privé et semi-public.

La diminution de la durée légale du travail en 1982, réalisée sans réduction de salaire, contribua aussi fortement à l'augmentation des rémunérations horaires les plus basses, tandis que le pouvoir d'achat des revenus mensuels, souvent plus élevés, restait stable. Globalement, le pouvoir d'achat des cadres et agents de maîtrise diminua pendant la période.

Les salariés de la fonction publique ont connu une évolution semblable : après une perte de pouvoir d'achat en 1979, les années 1980 et 1981 furent plus favorables. En 1982, seul le revenu réel des fonctionnaires du bas de l'échelle (catégorie D) fut préservé.

Globalement, le pouvoir d'achat moyen des revenus disponibles bruts des ménages a peu progressé au cours de ces cinq années. L'augmentation des cotisations sociales et des impôts payés par les ménages n'a pas toujours été compensée par celle des prestations sociales reçues. Les deux fortes hausses de 1981 et 1982 furent en grande partie annulées par les baisses de 1980, 1983 et 1984, avec de fortes disparités entre les catégories sociales.

Le pouvoir d'achat des cadres a été le plus touché.

C'est parmi les cadres supérieurs que les effets de la crise ont été les plus sensibles. Entre 1975 et 1985, la seule année positive (en ce qui concerne les salaires nets) fut 1976 (+ 1,2 %).

Les différentes catégories de cadres ont connu des évolutions contrastées. Ainsi, la hiérarchie des salaires s'est tassée chez les techniciens alors qu'elle s'est accentuée chez les ingénieurs. Si l'on prend en compte l'impôt sur le revenu et les prestations reçues par les ménages dont le chef de famille est cadre, on a assisté à une réduction des disparités. L'impact des mesures fiscales et sociales fut particulièrement négatif chez les cadres célibataires.

Les non-salariés ont connu des situations très variables selon les catégories.

Après les baisses importantes de 1980 (- 14 %) et de 1981 (- 5 %), le pouvoir d'achat des agriculteurs a retrouvé le chemin de la hausse en 1982 (environ 2,5 %), puis il a rechuté en 1983 (- 4,2 %).

Les revenus des viticulteurs bénéficièrent d'une évolution plus favorable, grâce aux récoltes exceptionnellement abondantes de 1982 et 1983. 1984 fut une année plus difficile, à la suite des difficultés rencontrées au niveau européen.

Les commerçants ont connu des fortunes diverses selon leur activité, la conjoncture générale et leur dynamisme personnel. 1981 fut pour beaucoup une mauvaise année. 1982 fut nettement meilleure, en particulier pour les bouchers-charcutiers. 1983 marqua un repli généralisé des revenus, confirmé en 1984.

Les professions de santé subirent en 1982 les effets du blocage des tarifs conventionnés. Les hausses des tarifs des consultations intervenues en 1983 leur permirent de retrouver ensuite des niveaux de revenus plus élevés.

Revenus directs et prestations sociales

Le pouvoir d'achat du revenu *primaire* net (salaires et revenus non salariaux après cotisations sociales, revenus de la propriété) a progressé de 4,2 % par an en moyenne de 1960 à 1973, de 1,9 % entre 1974 et 1979, de 0,1 % seulement entre 1980 et 1987. Pendant cette dernière période, il avait un peu baissé entre 1980 et 1984 et légèrement augmenté ensuite, à cause de l'amélioration des revenus de la propriété et des revenus non salariaux qui avait compensé la baisse du pouvoir d'achat des salaires nets.
De son côté, le pouvoir d'achat des revenus *sociaux* (prestations sociales) s'est accru à un rythme soutenu. Entre 1960 et 1973, il avait augmenté plus vite que celui des revenus primaires. L'écart s'est encore amplifié entre 1974 et 1979. Il a ensuite diminué, surtout entre 1983 et 1985, du fait de la volonté politique de réduire les prélèvements obligatoires, mais la croissance est restée plus forte que celle des revenus directs.
Au total, le pouvoir d'achat du revenu disponible par habitant a progressé de 4,7 % par an entre 1960 et 1973, de 3,1 % de 1974 à 1979, de 0,5 % de 1980 à 1985.

1986-1993

On a assisté au retour simultané de la croissance et des inégalités.

Les transformations de toute nature qui se sont produites en France depuis le milieu des années 70 ont eu des répercussions considérables sur les plans économique et social. Pour lutter contre le ralentissement de la croissance, la forte montée du chômage et l'inflation, des mesures d'adaptation ont dû être mises en œuvre : désindexation des salaires ; restructurations industrielles ; flexibilité du travail ; rémunération au mérite ; accroissement de l'effort de formation.

Le pouvoir d'achat des revenus a repris dès 1985 sa marche en avant, poussé par la croissance. En même temps, les écarts entre les revenus se sont à nouveau accrus, après une longue période de resserrement.

➤ 71 % des paiements (en valeur) sont effectués par virement, 21 % par chèque, 5 % par effets, 2 % par avis de prélèvement, 1 % par carte bleue, 1 % en espèces (mais 70 % en volume).

Le pouvoir d'achat du revenu disponible a augmenté depuis 1985.

La seconde moitié des années 80 a vu s'estomper les effets de la crise et le retour de la croissance, condition nécessaire à la résorption progressive du chômage. Le pouvoir d'achat des ménages, un moment mis en cause par la désindexation des salaires, a bénéficié de la réduction de l'inflation et de la meilleure santé des entreprises. Il a aussi profité de mesures spécifiques comme la stabilisation du taux des prélèvements obligatoires ou l'instauration du revenu minimum d'insertion (RMI). Il a enfin été favorisé par la forte augmentation des revenus du capital, avec des taux d'intérêt réels souvent supérieurs à l'inflation.

Entre 1986 et 1989, le pouvoir d'achat moyen des revenus disponibles des ménages a augmenté de 2,1 %, contre 1,0 % entre 1982 et 1985. Cette forte augmentation est due pour l'essentiel à l'accroissement du pouvoir d'achat des revenus de la propriété et des prestations sociales. Celui des salaires

Le pouvoir d'achat peau de chagrin

Evolution du pouvoir d'achat des salaires nets par catégorie (en % d'augmentation annuelle) :

	1990	1991	1992	1993
En francs courants				
• Evolution du salaire net moyen	5,4	4,6	3,5	2,5
• Evolution à structure constante	5,0	4,0	2,8	1,5
• Cadres	4,7	3,6	2,8	1,6
• Professions intermédiaires :	4,9	3,6	2,4	1,5
- Techniciens	4,6	3,5	2,7	1,3
- Autres professions intermédiaires	5,0	3,6	2,2	1,6
• Employés	5,0	4,0	2,6	1,7
• Ouvriers :	5,0	4,6	3,1	1,3
- Ouvriers qualifiés	5,2	4,7	3,2	1,3
- Ouvriers non qualifiés	4,7	4,5	2,9	1,4
En francs constants				
• Evolution du salaire moyen net	1,9	1,4	1,1	0,4
• Evolution à structure constante	1,6	0,8	0,4	-0,6
• Indice des prix	3,4	3,2	2,4	2,1

INSEE

n'a progressé en moyenne que de 0,3 %, une évolution comparable à celle des revenus d'activités non salariées (0,4 %).

Les Français comptent davantage

Colin Guittard Nazaret

Les inégalités ont recommencé à s'accroître.

La contrepartie de ces évolutions, dans un contexte de compétition planétaire, a été l'accroissement des inégalités de revenus, après le resserrement pratiquement ininterrompu depuis le début des années 60. Le pouvoir d'achat des diverses catégories professionnelles a évolué de façon contrastée depuis 1985. Il en est de même des écarts entre hommes et femmes, qui n'avaient cessé de décroître pendant plus de trente ans.

Les jeunes salariés ont subi plus que les autres cette situation, à l'exception des diplômés de l'enseignement supérieur, en particulier issus des grandes écoles. On a constaté également un arrêt de la réduction des inégalités géographiques de salaires, entre Paris et la province et entre les différentes régions.

Seules les personnes âgées ont été préservées de cette paupérisation des revenus modestes. Le montant des retraites a continué de s'accroître depuis une vingtaine d'années. Les retraités récents ont d'ailleurs plus profité que les anciens de ces augmentations du pouvoir d'achat.

➤ En 1993, le chiffre d'affaires du commerce de détail a augmenté de 1,4 % en volume (0,6 % dans le commerce de gros).

Les ménages les plus aisés ont bénéficié de plusieurs circonstances favorables.

L'accroissement des écarts de revenus s'explique, à la base de la pyramide, par le moindre rôle du SMIC dans la revalorisation des bas salaires. Au sommet, elle est due à l'augmentation des salaires des cadres et, surtout, des cadres dirigeants et chefs d'entreprise, qui ont le plus bénéficié de l'accroissement général des profits.

Elle s'explique aussi par la part croissante des revenus de la propriété dans le pouvoir d'achat des ménages. A l'exception des terres agricoles, tous les placements mobiliers et immobiliers ont connu des performances supérieures à celles des années 70. Même si la décennie a été marquée par une large diffusion des valeurs mobilières dans le public, ce sont les plus gros détenteurs de capitaux qui ont le plus bénéficié des opportunités de la Bourse ou de l'immobilier.

Enfin, les ménages les plus aisés ont vu leur part dans les prélèvements obligatoires (cotisations sociales et fiscalité directe) diminuer par rapport à celle des autres ménages.

EN VOILÁ
UNE
QUE CES SDF
N'AURONT PAS !

DÉPENSES

**Croissance de la consommation supérieure
à celle du revenu de 1973 à 1987 ◆
195 000 F consommés par an et par ménage
◆ Alimentation et habillement en baisse
◆ Santé, loisirs, logement en hausse ◆
Accroissement des dépenses de services
◆ Moindre recours au crédit à la
consommation ◆ 22 millions de
possesseurs de cartes bancaires**

ÉVOLUTION

*Entre 1949 et 1969, la consommation
a augmenté au même rythme
que le pouvoir d'achat.*

Le budget disponible pour la consommation
s'est considérablement accru depuis le début des
années 50 : le pouvoir d'achat des ménages a été
multiplié par quatre entre 1949 et 1985 ; au cours de
la période 1949-1969, leurs dépenses de consommation ont augmenté à un rythme comparable à
celui de leur revenu réel, soit d'environ 5 % par an
en moyenne.

La première période (entre 1949 et 1959) correspond à celle de la reconstruction nationale, en particulier de l'habitat. Les années 60 ont été marquées
par l'ouverture des frontières, l'industrialisation et
l'avènement des produits de consommation de

masse. C'est dans ce contexte qu'est survenue la
crise de 1973.

*Entre 1969 et 1973, la consommation
s'est un peu ralentie, au profit de l'épargne.*

La croissance des revenus des ménages a été
particulièrement forte pendant les cinq années qui
ont précédé la crise économique : 6,5 % par an entre
1969 et 1973. La croissance de la consommation est
restée très élevée (5,6 % par an), mais inférieure à
celle des revenus. Les Français ont donc pu reconstituer leur épargne, tout en se dotant des biens
d'équipement du foyer fabriqués en grandes séries.

Le développement de l'offre industrielle, le rôle
incitatif de la publicité et la volonté d'afficher un
standing par l'acquisition des objets de la modernité
(équipement ménager, voiture, vacances, vêtements, etc.) expliquent cette course effrénée aux
biens matériels.

Consommation et pouvoir d'achat :
la course-poursuite

Evolution de la consommation en volume et du pouvoir
d'achat du revenu disponible (taux annuel moyen,
en %) :

	1949 à 1959	1960 à 1969	1970 à 1973	1974 à 1981	1982 à 1985	1986 à 1993
● Consommation (en volume)	4,5	5,5	5,6	3,4	1,6	1,6
● Revenu	4,5	5,5	6,5	3,0	0,9	2,2

INSEE

*De 1974 à 1987, l'accroissement des
dépenses de consommation a été supérieur
à celui des revenus.*

L'arrivée de la crise économique n'a pas modifié
les comportements de consommation des Français.
Une sorte de consensus social s'est produit pour nier
l'existence de cette crise. Il a été entretenu par
l'attitude des partis politiques, mais aussi par celle
des syndicats et des entreprises.

Les Français ont donc commencé à puiser dans
leur épargne pour maintenir leur consommation :
entre 1974 et 1981, la consommation s'accroissait
de 3,4 % par an, alors que les revenus n'augmen-

taient que de 3,0 %. Le phénomène a été encore plus marqué entre 1981 et 1987. Depuis 1989, la croissance de la consommation en volume est à nouveau inférieure à celle du pouvoir d'achat du revenu disponible.

1973, année charnière

Le premier choc pétrolier a coïncidé avec une rupture du rythme de consommation des ménages. Le phénomène a été particulièrement net à la baisse pour l'alimentation, l'habillement et l'équipement du logement, à la hausse pour les dépenses de santé et de logement.
Les arbitrages effectués traduisaient, bien sûr, l'évolution des goûts et des aspirations des Français, liée à une nouvelle échelle des valeurs, souvent implicite. Ils étaient aussi la conséquence des contraintes économiques nouvelles. Ainsi, l'augmentation du prix de l'énergie a conditionné celle des dépenses de logement, qui, outre les loyers, comprennent le chauffage et l'électricité. Les dépenses de transport ont également subi l'augmentation du prix de l'essence et des voitures, dont la construction nécessite beaucoup d'énergie et de matières premières, elles-mêmes liées au prix du pétrole.
Les Français n'ont réussi à maintenir le niveau de ces dépenses qu'en réalisant des économies substantielles sur ces postes. D'où la diminution des achats de voitures neuves au profit du marché de l'occasion.

En 1993, les Français ont dépensé 87 % de leur revenu disponible, contre 82 % en 1981.

Jusqu'en 1975, l'épargne avait largement bénéficié de l'augmentation des revenus. Mais la crise allait progressivement réduire l'accroissement du pouvoir d'achat, jusqu'à pratiquement l'annuler pour certaines catégories au cours des dernières années.
Pourtant, les Français sont restés très attachés à la consommation, de sorte que, pour la maintenir, ils ont réduit progressivement leur épargne. Celle-ci ne représentait plus que 10,6 % du revenu disponible en 1987. Mais elle s'est régulièrement accrue depuis 1988, pour atteindre 13 % en 1993.

➤ 71 % des couples disposent d'un seul compte sur lequel ils paient l'un et l'autre leurs dépenses. 18 % ont chacun leur propre budget en dehors d'une somme commune qui sert à régler les dépenses du ménage.
➤ Le télé-achat représente un chiffre d'affaires d'environ 500 millions de francs.

Le temps des économies

En septembre 1993, 57 % des Français déclaraient faire plus attention à leurs dépenses qu'il y a six mois, 40 % n'avaient pas changé de comportement.
Les trois principales raisons étaient : un budget plus serré (58 %) ; l'inquiétude par rapport à la situation économique (39 %) ; l'inquiétude par rapport au régime des retraites (21 %).
14 % estimaient qu'on peut vivre aussi bien en dépensant moins, 13 % craignaient pour leur emploi, 9 % ne souhaitaient pas recourir au crédit.

BUDGET

En 1993, chaque ménage a dépensé en moyenne 195 000 F pour sa consommation (75 000 F par personne).

L'élévation du pouvoir d'achat, presque ininterrompue depuis la fin de la Seconde Guerre mondiale, s'est traduite par un accroissement important de la consommation. Celui-ci s'est accéléré au début des années 70 avec la baisse du taux d'épargne, et ce jusqu'en 1987.
Les changements intervenus dans la répartition des dépenses des ménages sont d'abord liés à l'accroissement du budget disponible ; certaines dépenses ne sont possibles qu'à partir du moment où les besoins primaires (alimentation, habillement, logement) sont satisfaits.

Le budget alimentation en baisse relative

Le logement avant l'alimentation

Evolution de la structure de la consommation des ménages (coefficients calculés aux prix courants, en %) :

	1959	1970	1980	1993	2000*
• Produits alimentaires, boissons et tabac	36,0	26,0	21,4	18,6	16,5
• Habillement (y compris chaussures)	9,3	9,6	7,3	6,0	5,1
• Logement, chauffage, éclairage	9,3	15,3	17,5	21,1	19,0
• Meubles, matériel ménager, articles de ménage et d'entretien	11,2	10,2	9,5	7,5	8,7
• Services médicaux et de santé	6,6	7,1	7,7	10,3	16,4
• Transports et communication	9,3	13,4	16,6	15,9	15,7
• Loisirs, spectacles, enseignement et culture	5,4	6,9	7,3	7,5	8,6
• Autres biens et services	12,7	11,5	12,7	13,0	10,0
CONSOMMATION TOTALE (y compris non marchande)	100,0	100,0	100,0	100,0	100,0

INSEE

* Prévisions.

Mais ces changements reflètent surtout ceux qui se sont produits dans les modes de vie et dans l'attitude des Français face à la consommation. Ils apparaissent très clairement dans l'évolution de la part de chaque poste de consommation dans le budget des ménages, c'est-à-dire dans l'allocation des ressources.

Ces dernières ont augmenté de façon continue depuis une trentaine d'années, de sorte que les consommations en volume ont toutes progressé. Entre 1959 et 1989, les dépenses d'alimentation ont presque doublé. Mais celles de santé ont été multipliées par sept, celles de loisirs, de transports et de logement par quatre.

Les dépenses d'alimentation représentent 18,6 % du budget disponible des ménages, contre 27 % en 1970 et 36 % en 1959.

Le poste alimentation comprend les produits alimentaires, les boissons et le tabac. La baisse enregistrée n'est que relative ; les dépenses alimentaires continuent d'augmenter (1 % en volume en 1993), mais moins que d'autres postes.

Cette diminution de la part consacrée à l'alimentation s'explique d'abord par le fait que les besoins caloriques ont diminué, du fait d'une moindre dépense physique dans la vie professionnelle. Elle est aussi la conséquence de la concurrence accrue entre les entreprises du secteur agro-alimentaire, du développement des grandes surfaces et, plus récemment, des magasins de *hard discount* pratiquant des prix très bas.

La part des dépenses d'habillement est passée de 10 % en 1959 à 6 % aujourd'hui.

La baisse relative des dépenses d'habillement est encore plus marquée que celle de l'alimentation. Elle est liée à des raisons d'ordre psychologique (préférence pour des vêtements moins formels et moins coûteux), à la diminution des pressions sociales, en particulier pour les femmes, en faveur d'un renouvellement rapide de la garde-robe (voir *Apparence*).

Elle est aussi la conséquence de comportements d'achat orientés vers la recherche du meilleur prix : utilisation massive des périodes de solde ; recours aux circuits de distribution en *discount*. On constate d'ailleurs une baisse relative des prix depuis 1986.

Les dépenses de santé payées par les ménages représentent 10,3 % de leur budget, contre 7,1 % en 1970.

Elles sont en réalité beaucoup plus élevées puisque les trois quarts des dépenses courantes sont prises en charge par la Sécurité sociale (voir *Soins*).

L'augmentation (en volume plus qu'en dépense effective) des dépenses de santé a été très forte, à l'exception de la baisse de 1987, due au plan de rationalisation des dépenses mis en place par les pouvoirs publics. Elle a été en partie masquée depuis quelques années par la diminution des prix relatifs (augmentation inférieure à l'inflation), liée à la compression des marges de l'industrie pharmaceutique et des pharmaciens.

Cette augmentation est la conséquence des préoccupations croissantes des Français pour leur état de santé. Plus que jamais, la santé apparaît comme un atout dans la vie tant personnelle que sociale et surtout professionnelle. C'est donc autant par conviction que par obligation que beaucoup de Français investissent pour entretenir leur capital santé, sachant qu'ils en percevront les intérêts.

On observe cependant depuis deux ans une diminution du rythme de croissance de ces dépenses, en particulier celles des analyses médicales, des médicaments ou des soins dentaires.

Certains loisirs sont peu coûteux

Les dépenses de loisirs représentent officiellement 7,5 % du budget, mais en réalité plus du double.

Les dépenses consacrées aux loisirs regroupent à la fois les biens d'équipement (télévision, radio, hi-fi, photo, sport, etc.) et les dépenses de spectacles, de livres et de journaux. Elles ont connu une progression régulière depuis une vingtaine d'années, en particulier dans le domaine des biens d'équipement, favorisée par la baisse des prix relatifs. Elles sont la conséquence de l'accroissement du

temps libre (voir *Temps*) et du changement de mentalité face à son utilisation (voir *Loisirs*). La croissance des dépenses a été entretenue par l'apparition de nouveaux produits : lecteurs de disques compacts, Caméscopes, téléviseurs 16/9, ordinateurs familiaux, etc.

Il faut cependant préciser que certaines dépenses comme l'alimentation de loisir (réceptions à domicile, restaurants), les frais d'hôtel, les transports et communications ou les agences de voyage sont comptabilisées dans d'autres postes. Leur poids est difficile à estimer, mais il représente sans doute au moins autant que le seul poste loisirs.

Le logement est le premier poste de dépense (28,6 % du budget).

Les Français consacrent plus du quart de leurs revenus aux dépenses d'habitation : logement, équipement et entretien. Cette évolution tient d'abord à l'augmentation du nombre d'accédants à la propriété, en particulier de maisons individuelles, plus coûteuses à acheter et à entretenir que les appartements (voir *Foyer*). Le poids des remboursements d'emprunts s'est fait aussi plus lourd, du fait des taux réels élevés.

La taille moyenne des logements a augmenté, en même temps que le souci d'en accroître le confort (cuisine, salle de bains...), ce qui entraîne des charges et des dépenses plus élevées. Désormais, les dépenses concernant la seule occupation du logement (loyer et charges, remboursements de prêts, gros travaux d'équipement et d'entretien, énergie, impôts et assurances) sont supérieures aux dépenses d'alimentation.

Les dépenses de transport et de communication évoluent de façon contrastée (15,9 % du budget).

La proportion de ménages disposant d'au moins deux automobiles est passée de 16,7 % en 1979 à 27 % en 1993. Cette croissance a entraîné celle des dépenses d'acquisition, d'entretien et d'utilisation. Les dépenses de transport collectif (train, avion, transports urbains) se sont aussi beaucoup accrues récemment.

Les dépenses de télécommunication ont connu une forte augmentation, due à l'accroissement de la proportion de ménages équipés du téléphone (94 % aujourd'hui, contre 53 % en 1979) ainsi qu'à la mise à disposition du Minitel aux particuliers.

Enfin, les dépenses postales s'accroissent plus fortement depuis 1987, du fait des augmentations de

EPM 2000

Les dépenses des autres

Structure de la consommation des ménages dans certains pays (1990, en %) :

	Belgique	Dane-mark	Espagne	Etats-Unis	FRANCE	Italie	Japon	RFA	Royaume-Uni
• Produits alimentaires, boissons et tabac	19,0	21,2	21,8	13,1	19,1	20,7	20,8	16,8	21,5
• Habillement (y compris chaussures)	7,8	5,3	8,9	6,6	6,4	10,1	6,0	7,4	6,2
• Logement, chauffage, éclairage	16,7	27,8	12,6	19,3	18,9	14,8	18,6	18,3	18,5
• Meubles, matériel ménager, articles de ménage et d'entretien	10,8	6,5	6,6	5,6	7,8	9,4	6,6	8,4	6,7
• Services médicaux et de santé	11,2	2,1	3,8	15,3	9,3	6,6	10,5	14,2	1,4
• Transports et communication	13,6	16,3	15,4	14,5	16,7	12,2	11,0	15,9	17,9
• Loisirs, spectacles, enseignement et culture	6,6	9,8	6,5	10,0	7,6	9,2	10,4	9,2	9,7
• Autres biens et services	15,5	10,8	24,4	15,6	14,1	16,9	16,2	9,9	18,0
TOTAL	100,0	100,0	100,0	100,0	100,0	100,0	100,0	100,0	100,0

Eurostat

tarifs et de l'obligation d'affranchir les lettres adressées aux caisses de Sécurité sociale.

Les évolutions sont comparables dans d'autres pays européens.

Les frais de santé ou d'achats de véhicules, les dépenses liées au logement et à l'énergie ont augmenté dans tous les pays de l'Union européenne, et d'une manière générale dans tous les pays industrialisés. A l'inverse, les dépenses d'alimentation et de vêtements ont baissé. Comme en France, les changements de hiérarchie observés s'expliquent par l'évolution des attitudes et des besoins, et par l'évolution des prix des différents types de biens et services par rapport à l'inflation (prix relatifs).

Malgré le mouvement de convergence observé, les écarts restent importants entre les pays : les Irlandais consacrent encore 40 % de leur budget à se nourrir, contre seulement 17 % en Allemagne.

➤ De toutes les grandes capitales, Paris est l'une des villes les plus chères du monde pour les hommes d'affaires qui y séjournent. Elle arrive derrière Tokyo, Zurich et Oslo.

Les biens durables représentent moins de 10 % des dépenses des ménages.

Après avoir beaucoup augmenté jusqu'au début des années 70, au moment où les Français s'équipaient de télévisions, de machines à laver et d'automobiles, la part des biens durables dans le budget s'est stabilisée. L'essentiel des dépenses est aujourd'hui constitué par le renouvellement plutôt que par la première acquisition. C'est ainsi que les achats de voitures ont fortement baissé en 1993 et que ceux d'appareils électroménagers ou de magnétoscopes ont stagné. Les baisses de prix importantes n'ont pas enrayé la baisse des achats de micro-ordinateurs et de Caméscopes. La légère croissance des achats de téléviseurs est due à l'apparition du format 16/9.

La diffusion des innovations récentes (four à micro-ondes, sèche-linge, plaques de cuisson en vitrocéramique, lecteur de disques compacts...) s'étend plus ou moins rapidement selon l'intérêt des équipements pour les ménages, en respectant la hiérarchie des revenus. Le multi-équipement (voiture, télévision, etc.) dépend de la conjoncture économique et sociologique ; celle-ci n'était guère favorable au cours des trois dernières années.

L'âge des équipements

Age moyen de divers biens durables (à mi-1991, en années) :

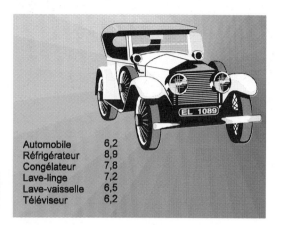

Automobile	6,2
Réfrigérateur	8,9
Congélateur	7,8
Lave-linge	7,2
Lave-vaisselle	6,5
Téléviseur	6,2

INSEE

En période de décélération du pouvoir d'achat, les ménages tendent à repousser dans le temps certaines dépenses de biens d'équipements, en particulier pour ceux qui sont les plus coûteux.

Le poids des « prix relatifs »

La baisse apparente des achats de biens durables s'explique pour une large part par celle des prix de certains équipements. Ceux des appareils électroménagers ont tendance à diminuer en francs constants (parfois même en francs courants), au fur et à mesure de leur diffusion dans le public, grâce aux économies d'échelle et aux gains de productivité liés au progrès technique et à la concurrence internationale. Les prix des montres, des téléviseurs ou, plus récemment, des magnétoscopes, des lecteurs de disques compacts et des ordinateurs ont baissé de façon sensible, alors que les revenus des Français augmentaient.
A l'inverse, les journaux, les timbres ou les places de cinéma ont augmenté beaucoup plus vite que l'inflation, ce qui les rend plus coûteux aujourd'hui. Les services, qui sont constitués essentiellement de main-d'œuvre, donc de salaires, se prêtent beaucoup moins bien aux gains de productivité. Ainsi, les tarifs des coiffeurs, des garagistes ou des plombiers ont augmenté plus vite que ceux des biens de consommation.

Les dépenses de services évoluent de façon contrastée.

L'augmentation des dépenses de logement (loyers et charges ou valeurs locatives pour ceux qui sont propriétaires) s'est poursuivie en 1993 (+ 4,4 %), ainsi que celle des services liés aux loisirs (redevance, abonnements à Canal Plus ou au câble, spectacles...).
A l'inverse, les dépenses de santé, qui s'étaient accrues en moyenne de 6,7 % par an en volume entre 1985 et 1990, connaissent une pause (+ 4,2 % en volume, + 1,2 % en valeur). Il faut cependant rappeler que le montant qui figure dans le budget des ménages ne représente qu'environ un quart des dépenses totales, le reste étant pris en charge par la Sécurité sociale. L'augmentation a surtout concerné les frais de séjour dans les hôpitaux et cliniques. Les dépenses de soins personnels (coiffeurs, esthétique, parfumerie) et d'hôtels-cafés-restaurants ont également connu une hausse en valeur un peu inférieure à 4 %.

16 000 F par ménage et par mois

Dépenses des ménages par poste de consommation (1993, en francs) et part de chaque poste :

• Alimentation	35 800	18,6 %
• Habillement	11 600	6,0 %
• Logement	40 700	21,1%
• Equipement	14 600	7,5 %
• Santé	19 900	10,3 %
• Transport, communication	30 600	15,9 %
• Loisirs, culture	14 500	7,5 %
• Autres	25 000	13,0 %
Total	**192 800**	**100,0 %**

INSEE

CRÉDIT

Pour préserver leurs dépenses depuis le début de la crise, les Français ont prélevé sur leur épargne et recouru au crédit.

Dès le premier choc pétrolier de 1973, il est apparu clairement que les Français n'étaient pas prêts à réduire leur train de vie. La plupart ont donc donné libre cours à leur boulimie de consommation en puisant dans leurs bas de laine et en réduisant leur épargne nouvelle, même s'ils se disaient en majorité prêts à restreindre leurs dépenses. C'est ainsi que le taux d'épargne est passé de 18,6 % du revenu disponible en 1975 à 10,6 % en 1987. Il est remonté depuis à environ 13 %.

L'autre moyen utilisé pour maintenir et même accroître la consommation fut de recourir de plus en plus massivement au crédit, afin d'anticiper sur les revenus à venir.

Un quart des biens d'équipement achetés à crédit

Sept voitures sur dix, un téléviseur sur trois, un magnétoscope sur trois, un lave-linge ou un lave-vaisselle sur quatre sont achetés à crédit. Au cours des trente dernières années, le développement du crédit a sans doute autant fait pour le rapprochement des conditions de vie des Français que la croissance économique. L'acquisition du logement, en particulier, ne serait pas possible pour l'immense majorité des ménages sans ce recours.
Mais la tentation est grande de s'endetter au-delà de sa capacité de remboursement, d'autant que les vendeurs ont souvent accordé des crédits sans vérifier la situation financière des acheteurs. Le moindre « accident de parcours » (perte de l'emploi, maladie, etc.) suffit alors à déclencher un processus qui peut avoir de lourdes conséquences.

L'endettement des ménages représente les deux tiers de leur revenu disponible, contre 39 % en 1980.

L'endettement des ménages se montait en 1993 à 2 430 milliards de francs. La plus grande partie de cette dette concerne les crédits immobiliers, mais la forte hausse de ces dernières années est due à celle des crédits de trésorerie, surtout depuis 1985. L'encours des crédits à court terme représentait un peu moins de 400 milliards de francs en 1993.

Malgré cet accroissement spectaculaire, l'endettement des Français se situe dans la moyenne européenne. Il est comparable à celui des Allemands ou des Néerlandais, supérieur à celui des Italiens, mais très inférieur à celui des Britanniques. L'encours des seuls crédits à la consommation représente encore moins de 10 % du revenu disponible des ménages français, contre 14 % en Grande-Bretagne, 16 % en ex-RFA et 29 % aux Etats-Unis.
Depuis deux ans, la progression des crédits accordés aux ménages est faible : + 0,5 % en 1992 et + 2,0 % en 1993.

LE PRÊT À LA CARTE SOFINCO EST À CONSOMMER UN PEU, BEAUCOUP, PASSIONNÉMENT... OU PAS DU TOUT.

SOFINCO. LA BANQUE QUI CULTIVE VOS AVANTAGES

BANQUE SOFINCO
CREDISUEZ

Les Français recourent moins au crédit

Le taux de croissance des crédits à la consommation a dépassé 20 % par an entre 1985 et 1989.
Il a fortement diminué depuis 1990.

La forte hausse de la période 1985-1989 s'expliquait d'abord par la suppression de l'encadrement du crédit en 1985. Elle tenait aussi au fait que les Français avaient connu une stagnation de leur pouvoir d'achat et voulaient profiter des conditions plus favorables de l'époque. La troisième raison était l'accroissement de l'offre de crédits aux particuliers par les banques, à l'aide de moyens commerciaux parfois agressifs.

55 % des ménages ont eu recours au crédit au cours de ces année. 34 % remboursent actuellement un prêt immobilier ; 34 % un crédit à la consommation ; 13 % ont les deux types de prêts. Ce sont les familles nombreuses qui sont les plus attirées par le crédit ; les habitants des communes rurales sont plus

concernés que ceux des villes, les actifs plus que les inactifs.

Le surendettement concerne plus de 300 000 ménages.

On estime qu'un ménage est surendetté lorsqu'il doit faire face à des remboursements à court ou long terme supérieurs à 60 % de ses revenus. En 1990, 158 000 dossiers avaient été déposés devant les commissions mises en place par la loi Neiertz de février 1989. Au 30 avril 1994, on dénombrait 318 000 dossiers.

Les plus concernés sont souvent des ménages qui ont un lourd endettement immobilier, auquel s'ajoutent des emprunts destinés à financer l'acquisition de biens d'équipement (voiture, appareils électroménagers ou de loisirs...). Ce sont surtout des personnes de moins de 40 ans (85 %), des ouvriers (57 %), qui habitent dans des communes rurales ou des villes de moins de 100 000 habitants. Ils souscrivent en moyenne 2,3 crédits.

15 % des dossiers de surendettement sont dus à la maladie, 11 % à des problèmes d'emploi, 4,5 % à des divorces, 4,5 % à des accidents. Mais la mauvaise information, en partie entretenue par la publicité faite autour du crédit, est souvent à l'origine des difficultés de remboursement des ménages.

Le temps des restrictions

En janvier 1994, 20 % des Français envisageaient de réduire leur consommation en matière de loisirs et de sorties. Les proportions étaient de 19 % pour les vacances, de 16 % pour l'équipement électroménager, de 16 % pour la voiture.
57 % des Français imaginaient que l'année 1994 serait comparable à 1993 sur le plan économique ;
21 %, pire ; 18 %, meilleure.

---

45 % des ménages possèdent au moins une carte bancaire.

La généralisation des cartes bancaires (Carte bleue, Visa, Eurocard, Mastercard...) a contribué à l'accroissement du crédit à court terme. Début 1994, on comptait 22 millions de cartes bancaires. Leur utilisation, longtemps réservée aux retraits d'argent dans les billetteries, s'est étendue aux paiements en même temps que s'étendait le réseau des commerçants qui l'acceptaient (510 000 en 1992, contre 360 000 en 1986). Les cartes internationales sont acceptées par 6 millions d'établissements dans le monde.

Chaque carte est utilisée en moyenne 68 fois dans l'année, pour un montant moyen de dépense de 329 F. Elle est utilisée en moyenne 27 fois dans l'année pour des retraits, d'un montant moyen de 430 F. La France compte 18 000 distributeurs, ou guichets automatiques de billets.

La plupart des Français disposent en outre de cartes privatives fournies par les grandes surfaces, les grands magasins, les organismes de crédit, les sociétés de vente par correspondance, les hôtels, les compagnies aériennes, etc. 17 % ont la carte de La Redoute, 10 % celle des 3 Suisses, 8 % celle de Cofinoga, 6 % celle de Carrefour.

Restrictions : la ceinture de sécurité

« Etes-vous obligé (vous ou votre foyer) de vous imposer régulièrement des restrictions sur certains postes de votre budget ? » (en %) :

	1978	1982	1993
Oui	**52,4**	**64,1**	**68,5**
Non	47,6	35,9	31,5

Si **oui**, sur quels postes vous imposez-vous des restrictions ?

	1978	1982	1993
• Vacances, loisirs	72,9	80,0	78,0
• Habillement	67,3	71,4	76,0
• Achat d'équipement ménager	57,6	62,1	73,3
• Voiture	42,3	55,3	52,4
• Soins de beauté	45,2	50,9	63,8
• Alimentation	20,0	26,6	29,9
• Logement	26,9	32,0	37,1
• Boissons et tabac	24,2	30,6	33,6
• Dépenses pour les enfants (1)	5,0	21,6	24,2
• Soins médicaux	6,4	8,9	12,8

(1) En 1978, l'item était libellé ainsi : « Education des enfants ».

➤ 53 % des Français se disaient tout à fait opposés au crédit à court terme, car il est préférable d'épargner d'abord lorsqu'on a besoin de quelque chose (1988), contre 45 % en 1988. 80 % estimaient que les gens qui achètent à crédit tout ce dont ils ont envie finissent souvent par avoir des difficultés à rembourser leurs mensualités, contre 60 % en 1988.
➤ 42 % des ménages ont un catalogue des 3 Suisses, 49 % un catalogue de La Redoute (31 % ont les deux).

Le Nouvel Observateur/Sofres

JE RECHERCHE
LE PRIX CE
PLUS BAS !

CONSOMMATION

Transformations en cours depuis 1991
◆ **Valeurs matérielles moins prioritaires**
◆ **Achats plus rationnels et acheteurs
moins fidèles** ◆ **Importance de l'âge
dans la structure des dépenses**
◆ **Consommation plus intériorisée**
◆ **Recherche des prix bas**

ATTITUDES

*La croissance de la consommation
s'est fortement ralentie depuis 1991.*

La croissance de la consommation a commencé
à diminuer en 1991 : 1,5 % en volume, après 2,9 %
en 1990 et 3,0 % en 1989. Le choc de la guerre du
Golfe a confirmé un mouvement qui était déjà prévisible depuis plusieurs années. Ce ralentissement
du rythme de croissance s'est accompagné d'un
changement dans les attitudes et les motivations des
consommateurs. Après s'être étourdis pendant des
années dans les délices supposés de la consommation, les Français ont commencé à se réveiller
avec ce qui ressemble fort à une « gueule de bois ».
Ils achètent moins, attachent moins d'importance à
la mode et au « paraître ». Leurs achats sont moins
impulsifs, plus utilitaires et moins influencés par la
publicité.

*Les comportements de consommation
des Français se modifient lors des périodes
de grande incertitude.*

Une analyse portant sur la crise de Suez en 1956,
sur l'agonie de la IVe République en mai 1958, sur
les événements de mai 1968 et sur la vague d'attentats de septembre 1986 fait apparaître des réactions
communes : réflexes de stockage massif des produits alimentaires de base ; baisse de fréquentation
des spectacles, de certains salons et manifestations,
et des grands centres commerciaux ; annulations
dans les agences de voyage. Dictées par la conjoncture, ces réactions d'autocensure et de réduction de
certaines activités sont en général de courte durée.
Dans les cas cités, elles n'ont pas infléchi durablement les modes de vie et la consommation, car une
compensation a été observée dans les mois qui ont
suivi la fin de la crise.

Les changements apparus depuis 1991 apparaissent cependant d'une autre nature, car le rattrapage
ne s'est pas produit. Ce choc, important sur le plan
psychologique, semble avoir servi de révélateur et
d'accélérateur à une transformation des mentalités
et des comportements qui « couvait » depuis déjà
plusieurs années.

*Les valeurs matérielles
sont moins prioritaires.*

L'accroissement de l'offre de la part des entreprises a abouti au fil des années à une situation
d'« hyperchoix » pour le consommateur. De plus, la
plupart des produits peuvent aujourd'hui être considérés comme superflus ; ils ne remplissent plus une
fonction de subsistance ou de survie, mais de bien-
être, de satisfaction personnelle, de gratification, de
gain de temps. La valeur d'usage proprement dite
est donc moins déterminante, et les choix sont dictés
par des critères plus subjectifs.

Les enquêtes sur la conception du bonheur
confirment que les satisfactions matérielles n'arrivent plus au premier plan des attentes des Français ;
l'argent est cité bien après la santé, la réussite de la
vie de couple ou le fait d'avoir des enfants.

➤ Pour 64 % des Français, le ralentissement de la
consommation observé en 1993 est dû
principalement à la crainte du chômage, pour 51 %
à la baisse du niveau de vie, pour 38 % à la peur de
l'avenir, pour 24 % à la hausse des prélèvements
sociaux, pour 7 % à la moindre attirance pour le
superflu.

La prime à l'immatériel

La méfiance à l'égard des valeurs matérielles trouve son expression symbolique dans l'intérêt récent pour les produits « transparents » : shampooings, liquide vaisselle, produits de beauté, boissons, collants...
Cette tendance à bannir la couleur (comme aux temps de la Réforme) se retrouve dans la mode printemps-été 1994, qui privilégie les tons neutres, du beige au blanc. Ce goût croissant pour l'immatériel amène logiquement à supprimer la matière. C'est pourquoi on a vu au cours des dernières années émerger l'idéologie du *sans*. Certains produits alimentaires se vendent sans sucre, sans sel, sans matière grasse ou sans additifs, des sirops sans colorant ou sans parfum, des apéritifs sans alcool, l'essence sans plomb. Comme les accouchements, les maladies doivent être soignées sans douleur. Avec la procréation assistée, les enfants peuvent naître sans père ou sans mère. La guerre du Golfe a été présentée comme une guerre sans morts. Les progrès de l'électronique permettent de faire rouler les métros sans conducteur. Les techniques de gestion de la production ont pour objectif des produits sans défaut...
Ce phénomène est la traduction concrète d'une volonté de dépouillement, d'authenticité, de retour à la simplicité extrême. Il montre à la fois le désir de ne garder que ce qui est nécessaire ou ce qui est bon pour l'homme (sa santé ou son plaisir) ou pour la nature.

Les achats sont de plus en plus rationnels.

La stagnation du pouvoir d'achat au cours des années 80 a eu pour effet d'inciter les Français à acheter mieux. Beaucoup se livrent aujourd'hui à la recherche patiente de la « bonne affaire » ; celle qui leur permettra de trouver le bon produit au meilleur prix. Les soldes et promotions diverses, qui n'attiraient autrefois qu'une minorité d'acheteurs souvent modestes, font aujourd'hui courir les représentants de toutes les catégories sociales, y compris les plus aisées.

La perception du rapport qualité-prix est très personnelle. Il ne s'agit pas, le plus souvent, de la qualité intrinsèque des produits, mais de la « satisfaction » qu'ils apportent à leur acheteur ou utilisateur. Celle-ci peut passer par la marque, qui exerce une double fonction de garantie et d'évocation. Elle peut aussi être liée à la provenance du produit (l'exotisme est souvent une valeur ajoutée), à son esthétique (le *design* est une dimension d'importance croissante), à sa facilité d'utilisation (gain de temps) ou à l'image que lui a conférée la publicité.

Le bonheur a-t-il un prix ?

Mythologies

Certains objets racontent les craintes et les espoirs de la société actuelle et de ses membres.
Le **préservatif** symbolise ainsi la menace permanente qui pèse sur les individus dans leurs relations physiques et il les rappelle à la vigilance. Il est avec l'**autoradio extractible**, le **digicode**, la **bombe lacrymogène** ou la **couette** l'un des multiples objets destinés à la protection dans un monde dangereux.
Le **fax** est un enrichissement considérable du téléphone, puisqu'il rend possible la transmission des images. Il est l'un des outils qui devraient permettre le développement du télétravail. L'**antenne satellite** est un autre outil essentiel du « branchement » de l'individu sur le reste du monde.
L'**ordinateur portable** et le **bi-bop** sont, au contraire, des instruments qui permettent de sortir de chez soi, tout en restant « branché ».
Le **CD-ROM** est le symbole de l'avènement du multimédia et de l'interactivité.

Les acheteurs sont moins fidèles.

Le « zapping » est une attitude qui déborde largement l'usage de la télévision. La maturité croissante des Français les pousse à essayer d'autres produits, à privilégier le bouche à oreille par rapport à la publicité, à rechercher les opportunités. Ils sont aussi moins attachés aux grandes marques et n'hésitent pas à les délaisser lorsqu'ils ont le sentiment que leur prix n'est pas justifié par la qualité des produits qu'elles supportent.

Le phénomène est particulièrement sensible en ce qui concerne les lieux d'achat. Les Français ont réagi favorablement au développement de nouveaux circuits de distribution (dépôts-vente, entrepôts, magasins d'usine, soldeurs, « hard discount », etc.) qui leur proposent des prix inférieurs. De la même façon, ils hésitent moins à acheter dans les grandes surfaces des produits qui étaient autrefois l'apanage des magasins spécialisés : vêtements, chaussures, produits de beauté, produits alimentaires haut de gamme.

Moins fidèles à un type de point de vente, les Français le sont également moins à un magasin en particulier. Ils fréquentent en moyenne 4 enseignes de grandes surfaces, s'efforçant de répartir leurs achats en fonction des prix et des promotions offerts par chacune d'elles. Plus exigeants, ils acceptent mal les ruptures de stocks, la queue aux caisses des hypermarchés, les dates de livraison non respectées. S'ils souhaitent être conseillés, ils entendent rester maîtres de leurs décisions d'achat.

ceux qui pouvaient être considérés comme de « vraies » nouveautés.

Après avoir longtemps subi la mode des produits complexes que l'on ne parvient pas à faire fonctionner (magnétoscope) ou dont on n'utilise jamais les multiples fonctions (chaînes hi-fi), les consommateurs souhaitent aujourd'hui des produits d'utilisation facile. L'influence croissante des femmes dans les décisions de consommation est une autre explication à ce phénomène ; moins sensibles que les hommes aux performances techniques et au « standing », elles font souvent preuve de plus de bon sens dans les achats et forcent les fabricants à repenser leurs produits.

Cette évolution concerne moins les jeunes, qui restent davantage attachés à la consommation, facteur de liberté. Ces derniers sont aussi plus dépendants des modes et des marques qui leur permettent de montrer leur appartenance à un groupe et de se chercher une identité.

Rapt sur les grandes marques

Un certain nombre de grandes marques françaises appartiennent aujourd'hui à des entreprises étrangères. Perrier a été racheté par la multinationale suisse Nestlé. Cartier est détenu par la Compagnie financière de Richemont (elle-même propriété de la famille sud-africaine Ruppert). Le cognac Martell et le champagne Mumm ont été repris par le groupe canadien Seagram. Dickson Concept, société chinoise de Hong Kong, possède ST Dupont. Les cachous Lajaunie ont été avalés par l'entreprise américaine Parker Davis (filiale du groupe Warner Lambert) ; les Bêtises de Cambrai, par le groupe espagnol Chupa Chups. 22 % de la production industrielle réalisée en France sont le fait d'entreprises détenues par des étrangers, qui emploient un ouvrier sur quatre. Il faut cependant noter que la France est l'un des pays qui investit le plus dans le rachat d'entreprises étrangères.

La consommation tend à s'intérioriser.

La mode, et la « frime » qui lui est souvent associée, joue un moindre rôle dans les motivations d'achat. Il devient plus important de se plaire à soi-même, de trouver une harmonie intérieure que de rechercher un statut social par la consommation. L'ère des gadgets est révolue, de même que celle des fausses innovations. Parmi les produits lancés en 1993, ceux qui ont connu le succès étaient d'ailleurs

Le triomphe du libre-service

Part des différents types de magasins dans les achats (alimentaires et non alimentaires, 1990) :

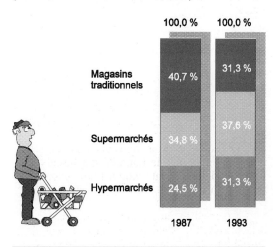

Secodip

> S'ils avaient une rentrée d'argent de 5 000 F, les Français l'utiliseraient en priorité pour s'équiper (maison, automobile, 26 %), faire un placement (actions, obligations, 23 %), améliorer l'ordinaire (alimentation, vêtements, 18 %), se faire plaisir (sorties, cadeaux, 11 %).
> 56 % des Français estiment qu'ils ont du mal à boucler leur budget ; 43 % sont d'avis contraire.

Le pouvoir de dire non

Face à l'accroissement de l'offre, on a pu se demander si le consommateur parviendrait à préserver son libre arbitre. Le doute n'est plus permis lorsqu'on examine la carrière parfois difficile des nouveaux produits. Dans le domaine alimentaire, les produits allégés, qui ont connu un grand succès depuis quelques années, semblent atteindre aujourd'hui leurs limites, au fur et à mesure que les utilisateurs sont mieux informés sur leur composition et leur intérêt diététique parfois discutable.

En matière de produits technologiques, le rejet de la montre digitale, pourtant beaucoup moins chère que la montre à cadran classique, est la preuve qu'on ne peut imposer un concept s'il heurte le consommateur potentiel. Il a fallu aussi quelques années aux consoles de jeu pour s'imposer dans les foyers, car les précédentes générations n'intéressaient pas les enfants. Pour les mêmes raisons, les ordinateurs familiaux n'ont toujours pas obtenu la pénétration espérée par les fabricants.

COMPORTEMENTS

Les dépenses de consommation varient en fonction du revenu.

Dis-moi comment tu dépenses, je te dirai ce que tu gagnes... Le revenu joue toujours un rôle prépondérant dans la façon de consommer. Les écarts sont particulièrement importants en ce qui concerne la consommation des produits « de luxe » comme les voyages organisés, les locations de villas, les frais de résidences secondaires, les services domestiques ou les assurances.

Les dépenses varient aussi selon la catégorie socioprofessionnelle, puisqu'il existe une étroite corrélation avec le revenu. Ainsi, l'alimentation, qui est pourtant le poste de dépense le moins sensible, pèse deux fois plus lourd dans le budget des manœuvres que dans celui des professions libérales. Le budget habillement d'un cadre moyen est près de deux fois supérieur à celui d'un agriculteur. Son budget loisirs est près de trois fois plus élevé.

A revenu égal, certaines catégories ont des habitudes de dépenses différentes.

Même lorsque leurs revenus sont proches, les enseignants, les cadres et les professions libérales sont davantage concernés que les agriculteurs ou les ouvriers par les dépenses de résidences secondaires, d'assurances, de services domestiques ou de taxis. Contrairement à ce que l'on pourrait croire, les agriculteurs (et aussi les ouvriers) consomment davantage de viandes surgelées ou de conserves de fruits que les cadres ou les professions libérales.

Les enseignants, les agriculteurs et les professions libérales, davantage présents à leur domicile, sont moins concernés par les dépenses de garde d'enfants.

Les cadres du secteur privé dépensent davantage que ceux du public pour leur habillement, le téléphone ou les magazines. Globalement, un ménage dont la personne de référence est cadre dépense deux fois plus qu'un ouvrier ou un employé et presque trois fois plus qu'un retraité.

Concilier le bon et le pratique

La structure des dépenses dépend largement de l'âge.

Le changement le plus important concerne le statut d'occupation du logement. Les jeunes ménages sont généralement locataires ; ils dépensent davantage pour l'équipement de leur logement. Dès qu'ils accèdent à la propriété, ils doivent faire face à des charges de remboursement élevées qui modifient la structure de leurs dépenses.

Par ailleurs, les dépenses de loisirs (cinéma, disques, vacances) et celles d'habillement prennent une place plus importante pour les jeunes ménages ou pour ceux qui ont des enfants adolescents. Les dépenses de luxe concernent surtout les personnes

Dépenses et métiers

Structure du budget selon la catégorie socioprofessionnelle du chef de ménage (1989, en francs) :

	Exploit. agricoles	Artisans, commerc., chefs d'entrep.	Cadres	Profes. inter-médiaires	Employés	Ouvriers	Retraités	Autres inactifs	Ensem-ble*
• Alimentation	36 225	42 288	47 907	38 300	33 324	33 324	26 609	19 197	32 442
• Habillement	7 933	11 793	20 882	12 774	8 964	8 258	5 703	6 057	9 284
• Habitation	31 258	50 886	75 593	52 084	40 556	40 815	27 834	22 670	40 305
• Santé, soins personnels	9 541	9 504	15 041	12 418	9 641	9 324	11 242	6 907	10 626
• Transports et télécommunications	19 919	29 557	40 634	30 728	19 924	21 570	12 768	10 505	21 209
• Culture, loisirs	7 020	13 589	21 607	14 512	9 985	10 169	6 107	7 668	10 423
• Divers	22 795	49 518	81 494	38 674	23 235	20 158	21 460	65 744	29 580
• **TOTAL**	**134 692**	**207 236**	**303 158**	**199 491**	**142 750**	**143 619**	**111 724**	**84 940**	**153 870**

INSEE

* Voir chiffres globaux 1993 dans *Dépenses*.

d'âge moyen, entre 35 et 65 ans, qui sont déjà installées.

La présence d'enfants a une grande influence sur la structure des dépenses. Un ménage avec deux enfants consomme trois fois plus de certains produits alimentaires comme le lait frais ou les yaourts et deux fois plus de biscuits, jambon, volaille, œufs, beurre, sucre, chocolat, confiserie, etc., qu'un ménage sans enfant. La présence d'enfants fait en revanche baisser la consommation de vins fins, de whisky ou les dépenses de restaurant. Le passage de deux à trois enfants entraîne un surcroît de charges, lié à la nécessité de changer de logement ou de voiture.

Les nouveaux types de ménages ont des comportements de consommation particuliers.

Le ménage type a été pendant longtemps le couple monoactif dans lequel un seul membre exerçait une activité professionnelle. Il n'est plus majoritaire ; les ménages *biactifs* sont en effet devenus plus nombreux. Les ménages biactifs de moins de 40 ans sont en particulier très bien pourvus en biens durables, mais continuent d'investir dans les achats d'équipement. Ils sont largement responsables de l'accroissement du taux de multi-équipement automobile : 32 % ont au moins deux voitures, contre 15 % pour les couples monoactifs.

Parmi les nouveaux types de ménages à forte consommation, il faut citer aussi les *monoménages actifs*, constitués d'une seule personne, qui représentent 25 % des foyers français (et 33 % des foyers parisiens). Ils dépensent davantage pour la vie extérieure et pour les biens et services attachés à la personne que pour l'équipement du logement. Leur dépense vestimentaire dépasse 5 000 F par an, contre 3 800 F en moyenne.

Les *55-64 ans* constituent enfin une catégorie de plus en plus consommatrice. Mieux armés culturellement, physiquement et financièrement que ceux de la génération précédente, ils s'intéressent aux produits utilitaires ou durables et sont davantage équipés en électroménager que la moyenne, bien qu'ils soient aussi assez tentés par l'épargne.

Ces trois groupes représentent au total 65 % des foyers. Leur nombre est en augmentation rapide et ils anticipent un mode de vie et de consommation qui pourrait s'étendre aux autres catégories.

➤ Une famille moyenne aura dépensé environ 97 000 F dans le commerce de détail en 1994, dont 38 000 F dans le petit commerce indépendant, 33 000 F dans les grandes surfaces alimentaires, 9 900 F dans les grandes surfaces spécialisées, 7 700 F dans la restauration hors domicile, 3 700 F dans les réseaux de vente directe, 2 900 F sur les marchés, 2 700 F dans le grand commerce traditionnel.

Self-service

L'économie domestique concerne toutes les activités d'autoproduction : bricolage ; jardinage ; fabrication de confitures ; confection de vêtements pour les enfants, etc. Elle comprend aussi tous les services que l'on se rend à soi-même : réparation d'une fuite d'eau, montage d'un meuble en kit, déménagement...
On estime que ces activités représentent environ 50 milliards d'heures par an (37 pour le travail rémunéré). On peut les estimer à 5 000 F par mois et par ménage.
Malgré le développement attendu des services marchands de proximité, plusieurs facteurs laissent penser que le poids de l'économie domestique va s'accroître : diminution du temps de travail ; chômage ; stagnation du pouvoir d'achat ; souci d'économie ; compétence croissante des individus ; disposition plus facile des équipements et conseils nécessaires.

Les Français recherchent de plus en plus les prix bas.

Les soldeurs, entrepôts d'usines et autres circuits de distribution offrant des produits moins chers connaissent un engouement croissant. L'expérience menée à Troyes avec *Marques Avenue* (centre commercial vendant des grandes marques à des prix très inférieurs à ceux des boutiques spécialisées) a montré l'intérêt du tourisme commercial.

Ma Bonne Maman.

Qualité rime avec authenticité

Dans le secteur alimentaire, les magasins de « hard discount » se sont aussi implantés avec succès. Leurs prix très bas sont obtenus grâce à un assortiment limité, des produits importés et souvent de marques inconnues, des magasins sans décoration où les produits sont présentés directement sur palettes. Au gain d'argent s'ajoute le gain de temps, dans la mesure où les magasins sont plus petits et les choix plus restreints.

La ruée vers les « premiers prix »

Le développement des produits « premier prix » est notable depuis 1991. Ceux-ci représentent aujourd'hui 12 % des dépenses des ménages. Ils tendent à réduire le poids des marques de distributeurs, qui ont représenté 21 % des achats d'alimentation en volume en 1993, 12 % en lavage et entretien, 6,3 % en hygiène-beauté. Ces marques sont revenues à leur niveau de 1990 pour les produits alimentaires et à celui de 1989 pour les produits d'entretien.
Les produits de haut de gamme n'échappent pas à cette tendance. Leur part représente près d'un tiers du volume dans l'alimentation, contre 25 % en 1986, alors que leur part en valeur est stable. Cela signifie que les consommateurs se montrent de plus en plus sensibles aux « premiers prix » sur les produits comme le saumon fumé, le foie gras ou le champagne. Au moment des fêtes de fin 1993, les achats de champagne avaient progressé de 6 % en volume tout en baissant en valeur de 2 %.

Les hypermarchés sont de plus en plus fréquentés.

En 1993, les Français ont effectué 32,0 % de leurs achats d'alimentation dans les hypermarchés, contre 29,7 % en 1992 et 24,5 % en 1987. Cette croissance s'est effectuée au détriment des supérettes (3,3 % des achats contre 7,3 % en 1987) et des petits commerçants. Les supermarchés ont drainé 38 % des achats.
Le nombre des hypermarchés a atteint 1 028 début 1994. Celui des supermarchés était de 7 138, (7 373 au 1er janvier 1993), en diminution pour la première fois à cause de la disparition de 329 magasins d'une surface inférieure à 1 000 m². La plus forte croissance est celle du nombre des magasins de « hard discount », proche de 1 000 en juin 1994.

➤ 45 % des ménages ont au moins une carte bancaire type carte bleue, Visa, Eurocard, Mastercard.

La Tribune/Sofres, novembre 1993

Raison et comparaison

76 % des Français déclarent comparer davantage les prix des produits depuis quelques années, lorsqu'ils font leurs courses (22 % non).
72 % achètent moins de produits superflus (25 % non).
53 % achètent plus souvent en période de soldes (45 % non).
52 % vont plus souvent dans les magasins à prix réduits (46 % non).
28 % essaient plus souvent de marchander (71 % non).
49 % ont fait davantage attention à leurs dépenses de vacances (en partant moins longtemps ou moins souvent, en allant plutôt chez des amis ou dans leur famille, en allant moins loin...), 50 % non.

Les nouveaux comportements de consommation devraient être durables.

La fuite en avant caractéristique de la « modernité » telle qu'elle était vécue dans les années 70 et 80 a montré ses limites. Le besoin de rêve, de matérialisme et de standing s'efface derrière celui d'authenticité, de sérieux, de qualité. Avec, en filigrane, une revendication écologique qui s'affirme. Il est permis de penser qu'une période est en train de s'achever. Celle d'une surconsommation orientée, voire manipulée, par l'offre des industriels et bruyamment relayée par les médias et la publicité.

La période qui commence devrait être marquée au contraire par la domination de la demande. Celle-ci n'émanera plus du seul consommateur, mais de l'individu tout entier, dans sa complexité et, parfois, ses contradictions. S'il est sans doute exagéré de parler de la fin de la société de consommation, il ne s'agit probablement pas d'un simple mouvement d'ajustement provoqué par une conjoncture économique difficile et un malaise social passager.

Le passage du matériel à l'immatériel, de l'usage à l'identité, du signe au sens, de l'ostentation à l'authenticité, de la dépense à l'économie, de l'amoralité à l'éthique, de l'indifférence à l'écologie sont quelques-uns des aspects d'une demande plus générale, qui concerne l'invention et la mise en place d'un nouvel humanisme.

Micro-entretien

ROBERT ROCHEFORT[*]

G.M. - *Le consommateur est-il devenu insaisissable ?*

R.R. - Je crois au contraire qu'il est devenu plus facile à comprendre qu'il y a quelques années. Jusqu'en 1986, on observait une fuite vers le crédit, avec un endettement massif, alors que la situation économique n'était pas très bonne. Or, qui dit crise dit comportement de précaution, c'est-à-dire refus de l'endettement. Le consommateur était donc un peu schizophrène, avec d'un côté l'inquiétude face à l'avenir, et de l'autre, la surconsommation. Aujourd'hui, le consommateur est devenu plus cohérent. S'il garde sa voiture plus longtemps, il n'a pas l'impression d'un manque. Il n'y a pas de déficit d'usage. Les changements qualitatifs en matière de consommation font que les gens ont moins envie d'avoir les dernières nouveautés. Ils ont d'ailleurs le sentiment que les innovations sont souvent de fausses innovations.

[*] Directeur du CREDOC.

RFI

➤ 2,8 millions de cartes bancaires ont été avalées par les distributeurs de billets en 1992. Il s'agissait, dans 44 % des cas, de cartes volées ou de comptes déficitaires ; dans 32 %, de cartes oubliées dans la machine ; dans 10 %, d'autres cartes introduites par erreur ; dans 8 %, de pannes ; dans 6 %, de trois codes erronés composés à la suite.
➤ Les femmes paient plus souvent que les hommes les dépenses de la vie commune (alimentation, habillement, dépenses destinées aux enfants, charges du logement).
➤ Les dépenses de publicité se sont montées à 104 milliards de francs en 1992. 10 % des annonceurs sont à l'origine de 90 % des dépenses. Les cinq grands médias (presse, télévision, affichage, radio et cinéma) représentaient 41 % ; le « hors média » (publipostage, publicité directe, télémarketing...), 59 %.
➤ La défense des causes humanitaires fait vendre. Ainsi, les ventes de riz ont augmenté de 55 % en volume en octobre 1992, lors de l'opération Somalie, par rapport à la même période de 1991.

LE PATRIMOINE

ÇA Y EST !
J'AI SOUSCRIT
UNE ASSURANCE-VIE !

— ENFIN ...

ÉPARGNE

Taux d'épargne en hausse depuis 1988, après six années de baisse ◆ **Changement d'attitude autant que nécessité économique** ◆ **Volonté des Français de mieux gérer leur épargne** ◆ **Doublement du taux d'épargne financière en trois ans** ◆ **Baisse de la collecte des livrets de caisse d'épargne, stoppée fin 1993** ◆ **Diminution de l'investissement dans l'immobilier** ◆ **L'assurance-vie, premier placement depuis 1992** ◆ **L'or et l'art ne sont plus des valeurs refuges**

TAUX D'ÉPARGNE

Le taux d'épargne des ménages avait augmenté de façon continue pendant les Trente Glorieuses (1945-1975).

Le taux d'épargne des ménages mesure la part du revenu disponible (en général brut) consacré à l'épargne ou à l'investissement. A l'épargne financière s'ajoute l'endettement à moyen et à long terme, contracté en vue de l'achat ou de l'amélioration d'un logement (ou de l'investissement, dans le cas des entrepreneurs individuels). Ces différentes ressources financières sont utilisées par les ménages sous forme de placements, d'investissements ou de remboursements d'emprunts.

Pendant les trois décennies qui ont précédé la crise économique (1945-1975), le taux d'épargne était passé de 12 % à 20 %, dans un contexte de forte croissance du pouvoir d'achat. Les Français étaient alors l'un des peuples les plus épargnants du monde. Au cours des années 60, cette épargne fut principalement utilisée pour l'acquisition d'un logement, avec un endettement assez faible.

Entre 1975 et 1978, la croissance du pouvoir d'achat s'est ralentie et le taux d'épargne a connu des variations assez prononcées.

Après avoir baissé de moitié entre 1978 et 1987, le taux d'épargne est en hausse régulière depuis 1988.

Entre 1978 et 1987, le taux d'épargne était passé de 20,4 % à 11,1 %, une diminution de 46 %. Cette baisse s'expliquait principalement par celle de l'inflation (l'expérience montre que les deux facteurs varient dans le même sens) et par la boulimie de consommation caractéristique des années 80.

On a assisté depuis 1988 à une reprise, favorisée par une certaine croissance du pouvoir d'achat et par l'inquiétude des ménages face aux menaces pesant sur l'emploi et sur le financement de la retraite. Les changements intervenus en matière de consommation (voir *Dépenses*) ont eu aussi pour effet de renforcer l'épargne de précaution. En 1993, le taux d'épargne brute des ménages a atteint 14,2 % et retrouvé son niveau de 1985.

La croissance de l'endettement a essentiellement concerné les crédits à la consommation, dont l'en-cours ne compte que pour environ un quart de l'endettement total des ménages.

➤ La part des établissements financiers dans la vente des produits d'assurance-vie est de 50 %. Le patrimoine de la SNCF est estimé à 34 milliards de francs. Mais ses dettes représentent 150 milliards de francs.
➤ Les ménages détiennent 75 % du patrimoine national, les entreprises 16,5 % et les administrations 8,5 %.

Le bas de laine reprisé

Evolution du taux d'épargne des ménages (en % du revenu disponible brut) :

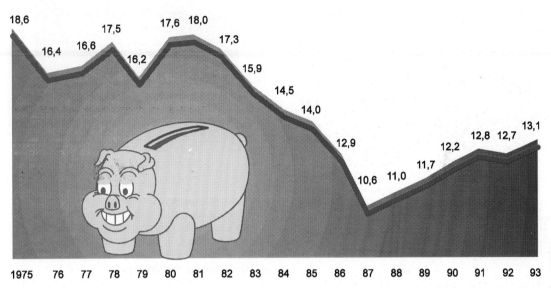

18,6 16,4 16,6 17,5 16,2 17,6 18,0 17,3 15,9 14,5 14,0 12,9 10,6 11,0 11,7 12,2 12,8 12,7 13,1

1975   76   77   78   79   80   81   82   83   84   85   86   87   88   89   90   91   92   93

INSEE

Epargne et pouvoir d'achat

A dépenses égales, il paraît logique que la hausse ou la baisse du pouvoir d'achat entraîne une variation de même sens que l'épargne. Les choses ne sont pas aussi simples dans la réalité. Les ménages tendent à profiter des « bonnes années » pour effectuer certaines dépenses (biens d'équipements, voyages, etc.) et à freiner celles-ci pendant les périodes de « vaches maigres ».
Ce phénomène de compensation s'applique surtout à des dépenses à caractère exceptionnel, pour lesquelles la liberté de décision est totale (vacances, biens d'équipement...). Il n'en va pas de même pour les dépenses courantes et pour celles qui sont imposées par les circonstances (impôts supplémentaires, remplacement d'un équipement défaillant...). Le taux d'épargne reste cependant lié globalement à l'évolution du pouvoir d'achat, même si l'effet a parfois quelque retard sur la cause.

➤ Au moment de partir en retraite, 53 % des Français préféreraient disposer en complément personnel d'une rente, 46 % d'un capital.

Le taux d'épargne français se situe dans la moyenne des pays développés.

La tradition d'économie souvent associée à l'image des Français est moins sensible aujourd'hui. La chute de l'épargne qui s'est produite au cours des années 80 a effacé la croissance qui s'était poursuivie pendant les trente années après la guerre. Elle est la conséquence d'une évolution importante des mentalités des Français.

Pourtant, le taux d'épargne actuel est comparable à celui d'autres pays comme l'Allemagne ou la Grande-Bretagne. Il reste très supérieur à celui des Etats-Unis et inférieur à celui de l'Italie ou du Japon. Mais les différences entre les définitions nationales ne permettent pas des comparaisons plus précises.

La reprise de l'épargne traduit un changement d'attitude autant qu'une nécessité économique.

Les comportements dans le domaine de l'épargne sont d'abord liés à des phénomènes objectifs tels que l'évolution du pouvoir d'achat, le coût du crédit, la rentabilité variable des placements ou la croissance du chômage, qui pèsent sur les revenus. Mais ils sont également dictés par des facteurs subjectifs, qui touchent aux modes de vie et aux systèmes de valeurs.

Cette dimension psychologique joue un rôle de plus en plus important sur les comportements individuels. Ainsi, au cours des années 80, la plus grande instabilité familiale et sociale avait renforcé le goût pour le court terme, donc pour la consommation, au détriment de l'épargne. La multiplication et la banalisation des crédits à la consommation ont aussi largement participé à ce changement des mentalités, même s'ils ne l'ont pas créé.

Depuis quelques années, on assiste à un retournement dans les rapports que les Français entretiennent avec l'argent (voir *Revenus*). Les craintes vis-à-vis de l'avenir ne prédisposent plus à consommer davantage mais à se prémunir contre les aléas de la vie (chômage, maladie) ou à chercher à améliorer le montant de sa future retraite. C'est ce qui explique que le désir d'épargne soit actuellement plus fort chez les moins de 35 ans que chez les plus de 50 ans.

Les fourmis sont de retour

Paco

La conséquence est que les achats de biens durables et surtout de logements sont plus souvent réalisés avec un apport personnel plus élevé ou par autofinancement. L'endettement moyen des ménages a donc diminué ; il ne représente plus que 40 % de leur revenu disponible.

PLACEMENTS

Les Français ne souhaitent plus seulement préserver leur capital ; ils cherchent à l'accroître.

Après avoir longtemps placé l'essentiel de leurs économies à la Caisse d'épargne, dans l'or ou dans la pierre (sans oublier les matelas et les bas de laine), les Français ont commencé à chercher des solutions plus avantageuses. Il faut dire que leurs patrimoines avaient été sérieusement érodés au cours des années 70 par une inflation persistante. Une somme placée en 1970 sur un livret A de la Caisse d'épargne avait perdu en 1983 un quart de sa valeur en francs constants.

Le grand changement qui s'est produit depuis 1984 est l'existence de taux d'intérêt réels positifs (après déduction de l'inflation). Une situation exceptionnelle pour les épargnants, dont certains ont découvert que le capital pouvait rapporter plus que le travail. Mais cette période s'est achevée avec la baisse des taux d'intérêt, engagée depuis la fin de l'année 1993.

Les cigales et les fourmis

Evolution des taux d'épargne dans quelques pays (en % du revenu disponible) (1) :

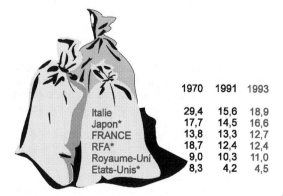

	1970	1991	1993
Italie	29,4	15,6	18,9
Japon*	17,7	14,5	16,6
FRANCE	13,8	13,3	12,7
RFA*	18,7	12,4	12,4
Royaume-Uni	9,0	10,3	11,0
Etats-Unis*	8,3	4,2	4,5

* Taux net : amortissement du capital déduit

(1) Les niveaux des taux d'épargne ne sont pas directement comparables d'un pays à l'autre en raison des différences dans les modes de calcul.

OCDE

Au cours des années 80, les Français ont découvert la Bourse, dont la croissance a été globalement élevée, et l'assurance-vie. L'engouement récent pour des placements plus risqués ne traduit pas seulement le souhait des épargnants de mieux préserver leur capital, il marque aussi leur volonté de prendre un peu plus en charge leur vie et leur avenir.

Le taux d'épargne financière des ménages a doublé en trois ans.

L'un des bouleversements les plus significatifs des vingt-cinq dernières années est la diminution de la part de l'épargne liquide (espèces, livrets d'épargne, comptes de dépôt, bons de capitalisation, comptes à terme) au profit des placements financiers, mieux rémunérés (valeurs mobilières, épargne monétaire, assurance-vie). Au début des années 70, les livrets constituaient 80 % de l'épargne nette. A partir de 1980, on a assisté à une substitution en faveur des obligations, puis des OPCVM (Organismes de placements collectifs en valeurs mobilières).

A partir de 1987, la reprise économique et la conviction que la hausse des prix était maîtrisée ont accéléré le transfert entre les liquidités et les placements, fortement appuyé par des taux d'intérêt réels élevés (souvent supérieurs à 5 %, avec un faible risque). Le taux d'épargne financière des ménages (rapport de la capacité de financement au revenu disponible brut) est ainsi passé de 3,1 % du revenu disponible en 1990 à 6,2 % en 1993.

L'épargne des Français

71 % des Français possèdent un livret (A, B, bancaire ou bleu, taux de détention 1992) contre 82 % en 1986 et 71 % en 1976.
33 % possèdent un produit d'épargne logement (plan ou compte) contre 29 % en 1986 et 11 % en 1976.
24 % possèdent des valeurs mobilières (actions, obligations, SICAV...) contre 20 % en 1986 et 10 % en 1976. 6 % possèdent des obligations ou emprunts d'Etat.
17 % possèdent des SICAV ou FCP. 9 % détiennent des actions (hors SICAV).
39 % possèdent des produits d'assurance-vie ou retraite.

➤ Les petits porteurs détiendraient un tiers de la capitalisation de la Bourse de Paris.

Les Français ont découvert la Bourse dans les années 80.

Les efforts des pouvoirs publics pour diriger l'épargne des particuliers vers les valeurs mobilières ont été favorisés par la forte croissance de la Bourse depuis 1983. La période 1983-1986 avait été particulièrement favorable pour les porteurs d'actions : + 56 % en 1983, + 6 % en 1984, + 45 % en 1985, + 50 % en 1986.

Ce climat euphorique et les privatisations réalisées en 1986 et 1987 avaient décidé un grand nombre de Français à devenir actionnaires : 20 % des ménages à la fin de 1987, contre la moitié trois ans plus tôt.

Mais le séisme d'octobre 1987, avec une baisse de 30 % de la Bourse de Paris, a remis en question ces comportements. Malgré la forte remontée au cours des deux années qui ont suivi, les petits porteurs sont devenus plus hésitants ; ils ont privilégié les instruments de placements collectifs à vocation défensive ou d'attente (SICAV de trésorerie, fonds communs obligataires ou indiciels...).

Un nouvel effondrement des cours s'est produit en août 1990, entraînant une baisse de 29 % sur l'année. Il a été largement effacé par les bonnes performances des trois années suivantes, avec des croissances de 15 % en 1991, 2 % en 1992 et 25 % en 1993.

Entre 1975 et 1993, le cours des actions a augmenté en moyenne de 800 %, les prix de l'immobilier de 470 %, les prix de l'or de 280 %.

La baisse de la collecte des livrets de caisse d'épargne a été stoppée fin 1993.

Depuis quelques années (exception faite de 1987), les Français boudent le livret A, produit traditionnel proposé par les caisses d'épargne, au profit de placements plus attrayants. Cette évolution avait été d'abord favorisée par l'autorisation accordée aux banques de chasser sur les mêmes terres que l'Ecureuil (celles des produits défiscalisés) et donc de drainer une partie importante de l'épargne nouvelle.

Plus récemment, l'offre de produits à forte rentabilité a accentué ce phénomène. Lancé fin 1989, le Plan d'épargne populaire a connu très vite un succès très supérieur à celui du PER (Plan d'épargne retraite) qu'il remplaçait. Destiné a priori à une clientèle à faible revenu, le produit a concerné aussi les catégories sociales aisées, intéressées par des allègements d'impôts.

INSEE

Après plusieurs années de baisse, la collecte des livrets A s'est stabilisée au cours du deuxième semestre 1993, du fait de la baisse des rendements des placements concurrents comme les SICAV de trésorerie.

Les années du patrimoine

Performance réelle globale* des placements sur deux périodes (taux annuel moyen en %) :

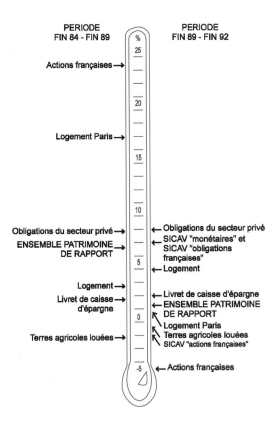

PERIODE FIN 84 - FIN 89 | PERIODE FIN 89 - FIN 92

* La performance réelle globale d'un placement prend en compte non seulement le taux de rendement courant, mais aussi la plus- ou moins-value éventuelle, correction faite de la hausse des prix.

➤ La proportion de ménages actionnaires est de 10 % en France, contre 17 % aux Etats-Unis, 19 % en Grande-Bretagne et 8 % au Japon.

---

30 ans de placements

Au cours des années 60, les placements les plus rémunérateurs étaient les terres louées, les obligations et le logement. L'or, les livrets d'épargne et les bons, largement présents dans les placements des Français, avaient une rentabilité réelle négative.

Dans les années 70, le placement le plus rentable était l'or, suivi des terres louées, du logement et des obligations. Les produits d'épargne-logement, livrets et bons avaient un rendement négatif et les actions (françaises notamment) avaient une performance modeste.

La décennie 80 a été particulièrement favorable aux actions françaises, devant les obligations et le logement de rapport (voir graphique). L'or et les terres louées étaient les placements les moins avantageux. Globalement, sur la période 1970-1993, les meilleurs placements ont été les actions françaises, suivies des obligations, du logement de rapport et de l'or. Les plus mauvais ont été les placements liquides, en particulier le compte d'épargne-logement et les livrets d'épargne ordinaires.

L'investissement dans l'immobilier a diminué.

L'épargne non financière des ménages, essentiellement constituée par l'immobilier, a fortement chuté ; elle est inférieure à 10 % de l'épargne annuelle, contre 14,5 % en 1977. Les Français sont toujours nombreux à vouloir acquérir leur logement, mais ils ont été découragés par les taux d'intérêt élevés des prêts, en phase d'inflation descendante. L'évolution de leur pouvoir d'achat leur a aussi donné quelques craintes quant à leur capacité future de remboursement.

Enfin, la faible visibilité concernant l'avenir, en particulier en matière d'emploi, rend aujourd'hui plus difficile la décision de s'endetter sur une longue période.

La situation de l'immobilier reste néanmoins très contrastée selon les types d'investissement et les régions. Paris constitue un marché à part, où la spéculation des années 80 a amené de fortes corrections jusqu'en 1993. L'immobilier de loisirs a trouvé un second souffle grâce à la formule de la propriété à temps partagé, qui autorise des investissements d'un montant plus limité.

Quant à la terre, elle connaît une désaffection croissante, qui se traduit par une baisse continue depuis 1976 ; l'hectare vaut en moyenne moins de 20 000 F. Le rendement de la location des terres rapporte moins que les livrets de caisse d'épargne.

Ministère de l'Economie et des Finances

Qui possède Paris ?

Les 108 438 immeubles de Paris ont une valeur estimée à 2 000 milliards de francs. La moitié de la surface de la capitale est détenue par la municipalité, qui possède 3 120 hectares (dont 1 920 pour les bois de Boulogne et Vincennes, sur un total de 10 540 hectares pour Paris intra-muros), soit l'équivalent d'une ville comme Clermont-Ferrand, et 10 400 immeubles (contre 2 525 en 1935). Ces immeubles représentent 8,1 millions de m^2 pour une valeur de 150 milliards de francs. L'Etat est propriétaire de plus de 1 million de m^2 abritant les ministères et administrations, l'Elysée, l'Assemblée nationale, le Sénat, les universités, hôpitaux, musées et monuments. Les copropriétaires possèdent 54 222 immeubles, les personnes physiques 23 646 (pour une valeur d'environ 400 milliards de francs), les entreprises commerciales 9 201, les sociétés civiles immobilières 4 817, les institutionnels 3 045. Quant au patrimoine parisien de l'Eglise, il comprend 328 immeubles et 800 000 m^2 de terrain (estimés à 27 milliards de francs). La plus grande partie des immeubles de l'île de la Cité lui appartient. Les investisseurs étrangers ne possèdent que 0,4 % du parc immobilier, mais 3 % des bureaux.

L'assurance-vie est depuis 1992 le premier placement des Français.

Les Français ont pris conscience de la nécessité d'une épargne longue, destinée au financement des retraites. L'assurance-vie représente aujourd'hui plus de la moitié des placements financiers des ménages, trois fois plus qu'en 1985. En 1993, elle a drainé 60 % de l'épargne des Français, soit 330 milliards de francs (contre 59 en 1984). 33 % des Français possèdent au moins un contrat souscrit à titre individuel. Ils avaient accumulé ainsi 1 800 milliards de francs à fin 1993.

L'assurance-vie a perdu son caractère spécifique de protection en cas de décès ; il est aujourd'hui difficile de la distinguer des autres produits financiers d'épargne longue destinés à la retraite. Elle concerne en priorité les ménages aisés et les familles avec enfants.

L'or et l'art ne sont plus des valeurs refuges.

L'or, traditionnellement thésaurisé par les Français, ne joue plus depuis des années son rôle de valeur refuge ; après avoir dépassé les 800 dollars en 1980, le prix de l'once évolue depuis entre 300 et 500 dollars.

Hintzy Heymann & Associés

La retraite se prépare de plus en plus tôt

Certains, parmi les plus aisés, avaient cru trouver avec le marché de l'art un autre moyen de protéger et d'accroître leur patrimoine. Entre 1987 et 1990, les prix (en particulier ceux de la peinture) avaient atteint des sommets, reflétant au moins autant les modes que la valeur intrinsèque des œuvres. La forte médiatisation, le besoin grandissant de culture et d'esthétique, joints aux perspectives de plus-values importantes, avaient amené une petite minorité de Français à s'intéresser à ce type de placement.

Mais, comme pour l'immobilier parisien, la « bulle spéculative » s'est dégonflée. Depuis 1991, les ventes ont chuté de façon importante ; l'art moderne et contemporain et les automobiles de collection, qui avaient connu les hausses les plus fortes, ont été les marchés les plus touchés.

FORTUNE

900 000 F par ménage ◆ Faible progression du patrimoine moyen dans les années 80 ◆ Diminution de la part du patrimoine professionnel au profit du patrimoine de rapport ◆ Inégalités de patrimoine supérieures à celles des revenus ◆ Très forte concentration ◆ Disparités particulièrement marquées parmi les non-salariés ◆ Les « petits riches » ont plus d'immobilier, les « gros riches » plus de valeurs mobilières ◆ 160 000 ménages payent l'impôt sur la fortune

PATRIMOINE

Le patrimoine net moyen des Français peut être estimé à 900 000 francs par ménage.

La valeur du patrimoine global des Français ne peut être définie avec la même précision que leurs revenus, à cause de la difficulté de connaître la nature des biens possédés et surtout leur valeur réelle, souvent très fluctuante.

On peut cependant estimer le patrimoine principal brut (avant endettement) des ménages à quelque 20 000 milliards de francs. Il faut y ajouter environ 2 000 milliards de francs pour l'argent liquide, les objets de collection, les biens d'équipement domestique et autres biens d'équipement (voitures et véhi-

cules, etc.) et l'or. Le patrimoine moyen brut s'élève donc à environ un million de francs par ménage.

Il faut retrancher à ce montant celui de l'endettement (crédits à rembourser à moyen et à long terme), soit 100 000 francs par ménage. Ce qui laisse un patrimoine net de 900 000 francs en moyenne. On peut estimer que ce chiffre n'a guère varié au cours des deux dernières années, du fait de la baisse des prix de l'immobilier (surtout à Paris, qui représente la moitié du patrimoine immobilier national) et de sa compensation par les performances des valeurs mobilières.

L'éventail des patrimoines nets est plus ouvert que celui des patrimoines bruts (1 à 9,5 contre 1 à 8 entre professions libérales et ouvriers), car les ménages les plus modestes sont aussi proportionnellement les plus endettés. Il faut signaler enfin que la moyenne des patrimoines est environ deux fois plus élevée que la médiane (montant tel que la moitié des ménages ont un patrimoine supérieur, l'autre moitié un patrimoine inférieur), ce qui traduit le poids très important des ménages les plus riches (voir *Fortune*).

Quel patrimoine?

Il n'existe pas de définition unique du patrimoine. Si la nature des biens principaux qui le composent n'est guère discutable (liquidités, valeurs mobilières, biens immobiliers, terrains, placements divers), certains experts prennent en compte le patrimoine brut, sans tenir compte de l'endettement des ménages, considérant qu'ils ont la jouissance d'un bien acheté à crédit. D'autres estiment que seul le patrimoine net est le reflet de la réalité.

Un autre débat concerne les « droits à la retraite » accumulés par un ménage. Ceux-ci ne sont en général pas intégrés, car non cessibles ni transmissibles (sauf en partie au conjoint survivant) et difficiles à évaluer. Des définitions élargies du patrimoine sont même proposées, qui incluent l'ensemble du « capital humain » : capacités individuelles liées aux aptitudes et connaissances (innées ou acquises) permettant à chacun d'obtenir tout au long de sa vie des revenus. Mais le patrimoine génétique et le capital financier sont des notions qu'il paraît difficile, voire dangereux, de mélanger.

➤ Entre 1985 et 1989, les prix de l'immobilier parisien avaient doublé en francs constants ; début 1990, le prix moyen au mètre carré des appartements s'établissait à 18 847 F.

Le patrimoine moyen des Français a triplé entre 1950 et 1970 (en francs constants). Il a augmenté d'un quart dans les années 70.

Entre 1949 et 1959, le patrimoine moyen des ménages avait augmenté de 4,4 % par an en francs constants (déduction faite de l'inflation). La croissance annuelle avait été encore plus forte entre 1959 et 1969 : 5,9 %. Cette hausse s'expliquait par les très fortes plus-values réalisées dans l'immobilier, l'augmentation des revenus et de l'épargne et l'accroissement du crédit.

Les années 70 ont été beaucoup moins favorables, du fait du fort accroissement de l'inflation, de la mauvaise tenue des valeurs mobilières (les actions françaises ont stagné) et des livrets d'épargne. Au total, le patrimoine moyen s'est tout de même accru d'un quart en francs constants pendant cette décennie.

L'enrichissement national

Evolution du patrimoine moyen des ménages en francs courants et en indice (hors inflation) :

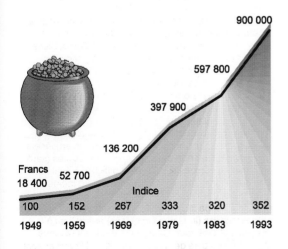

					900 000
				597 800	
			397 900		
		136 200			
Francs 18 400	52 700				
Indice					
100	152	267	333	320	352
1949	1959	1969	1979	1983	1993

Les années 80 ont vu une faible progression du patrimoine moyen.

Pendant la première moitié des années 80, l'accroissement de la fortune des Français avait été compromis par les effets conjugués d'une inflation persistante, de la stagnation des prix de l'immobilier

et de la baisse des terres agricoles. La stagnation des revenus et la réduction du taux d'épargne des ménages avaient renforcé cette tendance.

La situation s'est améliorée dans la seconde moitié de la décennie, du fait de l'évolution favorable des valeurs mobilières (malgré le choc de 1987) dans un contexte de baisse continue de l'inflation et de reprise du pouvoir d'achat. L'évolution des prix de l'immobilier, en particulier à Paris (jusqu'en 1989), a été à l'origine de plus-values parfois considérables. Mais globalement, le patrimoine moyen ne s'est guère accru en francs constants pendant les années 80.

Quatre années de revenu

Sur une longue période, le rapport entre le patrimoine d'un ménage et son revenu disponible annuel reste à peu près constant, autour de 4. Cela signifie par exemple qu'un ménage dont le revenu net annuel est de 150 000 francs disposera d'un patrimoine d'environ 600 000 francs. Mais ce rapport tend à augmenter avec le montant du revenu.

Le patrimoine au rapport

Evolution de la structure du patrimoine de rapport (en %) :

	1970	1977	1982	1992
• Patrimoine foncier	52	47	44	28
• Valeurs mobilières	24	18	19	39
• Autres placements (épargne liquide)	24	35	37	33
Total	100	100	100	100

CERC

➤ Le patrimoine de l'Etat se compose à 59 % de biens non financiers (forêts, terrains, immeubles...) et à 41 % d'actifs financiers. Il représente 5 600 milliards de francs, auxquels il faut retrancher 2 300 milliards de francs de dettes publiques. Il faudrait cependant ajouter la valeur, considérable, du patrimoine artistique et culturel (monuments, œuvres d'art...).

La part du patrimoine professionnel a diminué, au profit du patrimoine de rapport.

Le patrimoine des ménages est constitué de trois éléments : le patrimoine professionnel, qui concerne essentiellement les professions indépendantes (agriculteurs, professions libérales, industriels, artisans et commerçants) ; le patrimoine de rapport, qui comprend les actifs financiers (livrets, bons, épargne-logement, valeurs mobilières, assurance) et les biens fonciers (terres) et immobiliers (logements loués) ; le patrimoine domestique, dont l'essentiel est la résidence principale (84 % du total), avec les résidences secondaires et les liquidités du ménage.

La part du patrimoine professionnel est passée de 19 % du patrimoine total en 1975 à 11 % en 1988. Dans le même temps, celle du patrimoine de rapport passait de 45 % à 51 %. Celle du patrimoine domestique a peu varié, de 36 % à 38 %.

Les petits ruisseaux font les grandes rivières

Fortunes de pierre

Répartition du patrimoine moyen des ménages en 1992 (en %, total à 100%) :

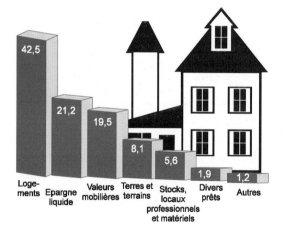

ONPF/CREP

42,5 Logements
21,2 Epargne liquide
19,5 Valeurs mobilières
8,1 Terres et terrains
5,6 Stocks, locaux professionnels et matériels
1,9 Divers prêts
1,2 Autres

Les logements représentent près de la moitié du patrimoine.

Depuis le début de la crise économique, la baisse du taux d'épargne des ménages, l'évolution des différents types de placements et les changements d'attitude des Français ont abouti à une recomposition des patrimoines. Ceux-ci comptent aujourd'hui en moyenne 53 % d'actifs non financiers.

Depuis 1970, le patrimoine de logements a décuplé en valeur et sa part dans la fortune des ménages est passée de 32,6 % à 42 % environ, pour un montant moyen d'environ 500 000 F pour les ménages propriétaires. La part des terrains a, elle, nettement reculé, du fait de l'urbanisation. Le patrimoine foncier représente moins de 8 % de l'ensemble, contre 22 % en 1970.

Les patrimoines contiennent en moyenne 47 % d'actifs financiers.

Entre 1976 et 1992, le taux de possession de valeurs mobilières a plus que doublé, passant de 10 % à 24 %. Celui de l'épargne-logement a presque triplé, passant de 11 % à 33 %. Enfin, l'assurance-vie s'est taillée une place croissante dans les investissements financiers des ménages. Globalement, la part de l'épargne liquide (livrets, comptes de dépôts, bons, comptes à terme) a beaucoup diminué au profit de l'épargne investie, que ce soit à la Bourse ou dans des contrats d'assurance-vie.

Le montant des actifs financiers a presque décuplé ; ils occupent aujourd'hui la même place que le logement dans le patrimoine des Français. En 1993, le patrimoine financier des ménages représentait 7,5 milliards de francs, constitués par 30 % de valeurs mobilières (SICAV, actions, obligations), 24 % d'assurance-vie, 21 % de dépôts à terme et livrets, 13 % de dépôts à vue et monnaie fiduciaire, et par 12 % de Plans d'épargne logement et de Plans d'épargne populaire.

INÉGALITÉS

Les inégalités de patrimoine tendent à s'accroître.

Le système de « reproduction sociale » reste très fort en France, car la mobilité professionnelle entre les générations est peu développée. Les enfants de familles aisées sont plus nombreux que les autres à exercer des professions non salariées ou des métiers à revenus élevés.

Pour des raisons semblables, les écarts entre les héritages perçus par les différentes catégories sociales tendent à reproduire et à accroître ceux existant entre leurs patrimoines respectifs.

Enfin, les années récentes ont montré que les patrimoines les plus importants obtenaient les rendements et les plus-values les plus élevés. Leurs propriétaires bénéficient en effet d'une meilleure information sur les opportunités existantes, d'un meilleur service auprès des intermédiaires financiers et de frais réduits (en pourcentage) sur les opérations effectuées. Chacun de ces facteurs va dans le sens d'un renforcement des écarts dans le temps.

L'habit fait le patrimoine

Evolution du patrimoine brut des foyers fiscaux selon la catégorie socioprofessionnelle (en milliers de francs) :

	1991*	1980
• Professions libérales	3 500	2 350
• Exploitants agricoles	2 400	1 067
• Industriels et gros commerçants	2 300	2 234
• Artisans et petits commerçants	1 650	882
• Cadres supérieurs		848
• Cadres moyens	-	357
• Inactifs	-	345
• Employés	450	181
• Ouvriers	420	148

* Estimations à partir des données du CERC.

➤ 2,8 millions de Français ont souscrit à la privatisation de la BNP, 2,5 millions à celle de Rhône-Poulenc.
➤ La SNCF possède 450 hectares dans Paris.

Les écarts entre les patrimoines sont deux fois plus élevés que ceux existant entre les revenus.

Entre les industriels, professions libérales et gros commerçants, qui disposent en moyenne de près de 3,5 millions de francs, et les ouvriers, qui possèdent à peine plus de 400 000 F, le rapport est de un à huit. Il est deux fois plus élevé qu'entre les revenus de ces mêmes catégories (un à quatre).

L'existence d'un capital professionnel (locaux et machines des entreprises industrielles, cabinets et équipements des professions libérales, terres de l'agriculteur) est à l'origine des écarts entre salariés et non-salariés. Si on soustrait la valeur de ces biens professionnels, on constate que les patrimoines des non-salariés sont beaucoup plus proches de ceux des salariés.

La seconde cause d'inégalité est le poids de l'héritage, plus fort en moyenne chez les personnes qui disposent des revenus les plus élevés. Enfin, les hauts revenus génèrent eux-mêmes un patrimoine plus important, du fait de montants épargnés plus élevés.

Chez les salariés, les 10 % les mieux payés perçoivent un tiers des revenus et possèdent un peu plus de 50 % du patrimoine.

Le rapport entre le salaire net moyen annuel des ouvriers et celui des cadres supérieurs est de 2,8, alors que celui existant entre leurs patrimoines est de 4. Ce phénomène s'explique à la fois par les différences d'héritage (il existe une corrélation entre le montant de l'héritage reçu au cours d'une vie et le niveau de revenu des personnes concernées) et par les écarts entre les taux d'épargne. Ces derniers sont en général d'autant plus élevés en valeur relative que les revenus sont importants : on ne dépense pas deux fois plus pour son alimentation ou pour sa santé sous le prétexte qu'on gagne le double.

Parmi les non-salariés, les disparités sont encore plus marquées.

Le capital professionnel représente en moyenne 54 % du patrimoine des agriculteurs, mais sa part varie dans des proportions considérables entre le petit producteur laitier et le gros éleveur ou l'exploitant industriel. Moins de 1 % des agriculteurs exploitants possèdent un patrimoine inférieur à 100 000 francs, mais un sur cinq a un patrimoine supérieur à 10 millions de francs ; la moyenne est de un million de francs.

Les ingrédients de la fortune

Taux de détention d'actifs financiers et immobiliers en 1992, selon la catégorie socio-professionnelle (en %) :

	Livrets (1)	Epargne logement (plan ou compte)	Valeurs mobilières (2)	Assurance-vie	PEP-PER	Assurance-vie Retraite (ensemble)	Posses-sion de la résidence principale	Posses-sion d'un autre logement	Loge-ment (ensemble)	Terrains
• Agriculteurs exploitants	75	50	24	33	23	55	80	25	83	82
• Artisans, commerçants, chefs d'entreprise	73	46	31	48	20	64	73	35	81	21
• Cadres, prof. libérales	82	60	49	41	18	56	64	38	77	10
dont										
- professions libérales	*76*	*67*	*60*	*57*	*23*	*66*	*76*	*44*	*84*	*10*
• Professions intermédiaires	81	47	28	35	15	47	57	19	65	9
• Employés	75	41	18	30	15	43	39	14	47	8
• Ouvriers	74	34	10	30	12	39	45	10	50	8
• Retraités	83	21	29	19	15	32	67	22	71	20
• Autres inactifs	66	16	14	15	10	21	37	13	41	7
Ensemble	**77**	**33**	**24**	**27**	**14**	**39**	**55**	**20**	**61**	**14**

(1) Livrets A, B, bleu, épargne populaire, CODEVI.
(2) Obligations, actions cotées et non cotées, FCP, SICAV et parts de SCPI.

INSEE

De la même façon, l'outil de travail du patron d'une petite usine artisanale a une valeur infime par rapport aux actifs d'un grand industriel, même si ce dernier n'en est pas propriétaire en totalité.

La dispersion est encore plus grande entre les inactifs, dont les situations professionnelles antérieures (lorsqu'ils sont retraités) étaient très diverses : un tiers d'entre eux ont un patrimoine inférieur à 100 000 francs, mais un tiers en ont un supérieur à un million de francs.

Les écarts à l'intérieur d'une même catégorie sont d'autant plus grands que le patrimoine moyen de la catégorie est élevé.

Au sein d'une même catégorie professionnelle, le patrimoine moyen cache des disparités parfois considérables. Chez les salariés, le phénomène est d'autant plus vrai que l'on monte dans la hiérarchie professionnelle. Ainsi, l'écart entre les patrimoines des ouvriers peut être estimé à 3 ou 4 entre le premier décile (les 10 % ayant les patrimoines les moins élevés) et le dernier décile (les 10 % ayant les

patrimoines les plus élevés). Il est dix fois plus élevé chez les cadres supérieurs, l'écart entre leurs patrimoines pouvant atteindre 30 ou 40.

Le poids de l'héritage dans le patrimoine tend à diminuer.

L'enrichissement des personnes âgées au cours des dernières décennies fait qu'environ les deux tiers des Français sont appelés à bénéficier d'héritages ou d'actes de donations. Les montants reçus sont très variables : 10 % des successions représentent près de la moitié du capital transmis. Un peu moins de 10 % des successions dépassent un million de francs.

Si l'on hérite aujourd'hui plus souvent, la part des héritages dans les patrimoines tend à diminuer. Ce phénomène s'explique par la croissance de la richesse accumulée en propre par les ménages et l'allongement de la durée de vie, qui fait que l'on hérite de plus en plus tard. D'après certaines estimations, la part héritée du patrimoine représenterait environ 40 % du patrimoine total.

La richesse ne s'affiche qu'au second degré

Parmi les biens légués, les logements comptent pour environ la moitié, les liquidités et bons représentent 16 %, les terres 14 % (dans la moitié des cas, il s'agit d'exploitations agricoles), les valeurs mobilières, créances, fonds de commerce et immobilier d'entreprise 17 %, les meubles, bijoux, l'or et les œuvres d'art 5 %.

150 000 F par Français

Deux Français sur trois héritent au moins une fois au cours de leur vie. Dans les deux tiers des cas, les héritages proviennent de parents âgés de plus de 80 ans. L'âge moyen au premier héritage est de 42 ans. 43 % des bénéficiaires de donations (150 000 par an) ont plus de 50 ans.
Les héritages transmis chaque année représentent un montant total de 150 milliards de francs, dont 110 milliards lors des décès et 40 milliards par donation. Chaque Français transmet en moyenne 450 000 F à ses héritiers, qui reçoivent chacun 150 000 F. Un enfant d'ouvrier hérite en moyenne de 60 000 F, alors qu'un enfant d'agriculteur reçoit 190 000 F, un enfant de cadre supérieur 300 000 F (sommes nettes de droits).
L'ensemble des droits de succession a rapporté environ 30 milliards de francs par an à l'Etat en 1993, contre 6,3 en 1980.

➤ L'impôt sur les successions représente 3,4 % du PNB français, contre 2,4 % aux Etats-Unis et 1,1 % en Allemagne, mais 5 % au Japon.

Le Club des riches reste très fermé.

Plus encore que les revenus, les patrimoines sont en France très concentrés. Le « Club des riches », dont le droit d'entrée peut être fixé à 5 millions de francs, reste très fermé. Les seuls salaires, même élevés, sont dans la plupart des cas insuffisants pour y accéder. D'autres types de revenus sont nécessaires, ceux par exemple des professions indépendantes, qui facilitent la création d'un capital. Mais c'est encore l'héritage qui constitue le moyen le plus sûr d'entrer dans le club.

L'instauration de l'impôt sur les grandes fortunes, en 1981 puis en 1988, et les efforts des médias pour répondre à la curiosité du public ont permis d'éclaircir en partie le mystère qui entoure depuis longtemps les grosses fortunes.

La fortune concentrée

Répartition du patrimoine entre les ménages (1988, par décile, en % du patrimoine total) :

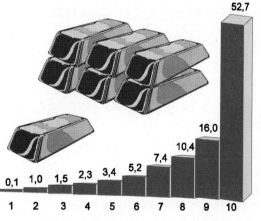

Direction générale des impôts

1 % des ménages les plus fortunés détiennent près de 20 % du patrimoine total ; 10 % en possèdent 54 %. Les 10 % de ménages les moins fortunés possèdent une part infime (0,1 %).

La structure très étirée des patrimoines à l'intérieur de chaque catégorie sociale ne doit pas cacher l'énorme concentration du capital. Les 20 % de ménages les plus pauvres ne possèdent que 1 % du patrimoine total ; les 50 % les plus pauvres n'en

Le mobilier avant l'immobilier

Performance réelle globale des différents placements (en % par an) :

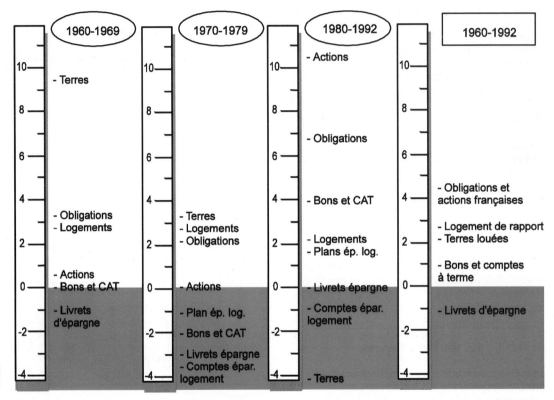

possèdent que 7 %. A l'inverse, les 10 % les plus riches en détiennent plus de la moitié et les 50 % les plus riches 93 %. A titre de comparaison, les 10 % de ménages percevant les revenus les plus élevés ne représentent que 28 % de la masse totale des revenus. L'écart existant entre les patrimoines est donc beaucoup plus élevé que celui entre les revenus.

La concentration est particulièrement forte à Paris, où 10 % de ménages fortunés se partagent 74 % de la fortune, contre 52 % en province. Elle est aussi plus forte chez les agriculteurs et les membres des professions libérales que chez les ouvriers ou les employés. L'âge est un autre facteur important : le patrimoine des 40-60 ans (tranche d'âge où il est maximum) est onze fois plus élevé que celui des moins de 30 ans.

L'âge d'or des retraités

Le patrimoine des retraités représente environ 40 % de la fortune totale des ménages (46 % du patrimoine de rapport) pour 36 % de la population. Les ménages salariés n'en détiennent que 36 % alors qu'ils comptent pour 53 % de la population.
Un peu plus de la moitié des actionnaires (52 %) sont des inactifs. 14 % appartiennent aux professions intermédiaires, 12 % sont cadres supérieurs ou professions libérales, 10 % employés, 4 % commerçants ou artisans, 4 % ouvriers, 4 % agriculteurs. Enfin, l'endettement des ménages de retraités est très inférieur à celui des actifs :
80 000 F en moyenne pour un ménage ouvrier,
10 000 F pour un ménage retraité ex-salarié.

CERC

CERC, INSEE

Les « petits riches » ont plus d'immobilier, les « gros riches » plus de valeurs mobilières.

Les actifs non professionnels sont à peu près également répartis entre les biens immobiliers et les valeurs mobilières et liquidités. Les immeubles de rapport constituent 53 % du parc immobilier, les résidences principales en représentent 22 %, les résidences secondaires 12 %.

C'est la part relative de l'immobilier et des valeurs mobilières qui différencie le plus les fortunes. Si toutes disposent généralement d'un capital immobilier élevé en valeur absolue, celui-ci reste le plus souvent relativement constant quel que soit le niveau de la fortune. Ce sont ensuite les portefeuilles de valeurs mobilières qui font la différence. Dans beaucoup de cas, celles-ci sont en fait des biens professionnels détenus par les gros industriels.

160 000 ménages payent l'impôt sur la fortune.

Entre 1982 et 1986, environ 100 000 foyers fiscaux avaient payé l'impôt sur les grosses fortunes. Ils sont aujourd'hui 160 000 à être concernés par l'impôt de solidarité sur la fortune (ISF) instauré en 1988, dont le seuil était de 4,5 millions de francs en 1993. Le montant moyen acquitté en 1992 était de 45 000 F.

En réalité, les détenteurs de grosses fortunes sont plus nombreux, car l'ISF exonère les biens professionnels et les œuvres d'art, qui représentent des sommes considérables, ainsi que d'autres biens.

La plupart des grosses fortunes se sont constituées en peu de temps, du fait de « coups » financiers réussis (OPA, OPE) ou de créations d'entreprises dans certains secteurs (informatique, mode, cosmétiques, distribution...). Selon différentes estimations, il y aurait en France une quarantaine de milliardaires en francs actuels, qui ont accumulé leur fortune en faisant prospérer des entreprises ou en héritant.

Les nouveaux riches

Une vingtaine de Français ont réussi en dix ans à amasser une fortune de plus d'un milliard de francs :
- Michel Besnier et sa famille (entreprises fromagères) : 9 milliards de francs.
- François Pinault (Financière Pinault) : 4 milliards de francs.
- Alain Mérieux (Institut Mérieux) : 3 milliards de francs.
- Famille Guilbert (fournitures de bureau) : 3 milliards de francs.
- Famille Colonna (Pochet, leader du flaconnage haut de gamme) . 2,6 milliards de francs.
- Jean-Paul Baudecroux (NRJ) : 2,5 milliards de francs
- Famille Besançon (laboratoires Delagrange) : 2,5 milliards de francs.
- Bernard Arnault et sa famille (LVMH) : 2 milliards de francs.
- Edgar et Jean Zorbibe (Lancel) : 2 milliards de francs.
- Gérard et Patrick Pariente (Naf Naf) : 1,8 milliard de francs.
- François Boursin (Boursin) : 1,4 milliard de francs.
- Alain Duménil (Duménil-Leblé) : 1,5 milliard de francs.
- Claude Léoni (presse gratuite) : 1,5 milliard de francs.
- Famille Guichard (Manutan, vente par correspondance) : 1,4 milliard de francs.
- Gilbert Ducros et sa famille (Ducros) : 1,3 milliard de francs.
- Claude Vaturi (Immobilière hôtelière) : 1,3 milliard de francs.
- Paul Dini (Comareg, presse gratuite) : 1,2 milliard de francs.
- Claude Bébéar (assurances Axa) : 1 milliard de francs.
- Pierre Castel (vins de Bordeaux, Nicolas, sources d'eau minérale) : au moins 1 milliard de francs.
- Daniel Cathiard (Rallye, Go Sport) : au moins 1 milliard de francs.
- Guy Charloux (Diffusion mobilière, produits financiers) : au moins 1 milliard de francs.
- Roger Zannier (vêtements pour enfants) : au moins 1 milliard de francs.

Challenges, février 1994

LOISIRS

LE BAROMÈTRE DES LOISIRS

Les pourcentages indiqués correspondent aux réponses favorables à la question posée ou à l'affirmation proposée (population âgée de 18 ans et plus). L'enquête Agoramétrie n'a pas été effectuée en 1990.

1. « On est pris pour des abrutis à la télévision » (%) :

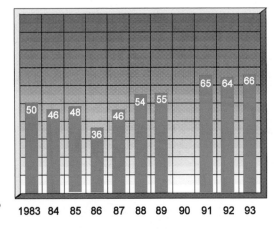

2. « Faites-vous partie d'une association sportive ? » (%) :

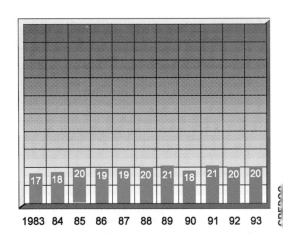

3. « Faites-vous partie d'une association culturelle ou de loisirs ? » (%) :

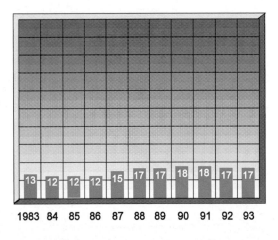

4. « Je suis obligé de m'imposer des restrictions sur mon budget vacances-loisirs » (%) :

Agoramétrie

CREDOC

LE TEMPS LIBRE

CIVILISATION DES LOISIRS

Temps libre équivalent à la moitié du temps de vie éveillé ◆ Dépenses de loisirs en augmentation ◆ Du loisir-récompense au loisir-activité ◆ Fonctionnement de la société encore réglé sur le temps de travail ◆ Refus du réel et société de simulation ◆ Importance du jeu et du « voyage »

TEMPS ET ARGENT

Le temps libre représente aujourd'hui la moitié du temps de la vie (hors sommeil).

L'accroissement du temps libre est une donnée historique majeure, conséquence directe de la réduction du temps de travail. En 1900, la durée du travail représentait en moyenne 122 000 heures (14 années) sur une espérance de vie moyenne de 50 ans pour les hommes, soit 42 % du temps de vie éveillé. Elle ne représente plus aujourd'hui que 60 000 heures sur une espérance de vie de 74 ans, soit 14 % du temps éveillé. Le résultat est que le temps libre d'un adulte, après prise en compte du temps physiologique, du temps d'enfance-scolarité et du temps de déplacement peut être évalué à 21 années, pour seulement 7 années de travail (voir *Em-*

ploi du temps), c'est-à-dire 28 % du temps de la vie ou 43 % du temps éveillé.

L'accroissement du temps libre s'est poursuivi au cours des dernières années ; les enquêtes réalisées par l'INSEE en 1975 et 1985 montrent qu'il est passé en moyenne de 3 h 28 à 4 h 04 par jour. Cette augmentation de 35 minutes a surtout profité à la télévision, qui s'est octroyé 26 minutes supplémentaires. Le reste s'est réparti entre la pratique sportive (8 minutes par jour contre 3 en 1975), les sorties et spectacles (8 minutes contre 5), les jeux (11 minutes contre 8).

Loisirs et médias

Temps journalier de fréquentation des médias par la population adulte (1991, en heures et minutes) :

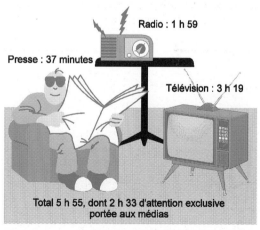

Radio : 1 h 59
Presse : 37 minutes
Télévision : 3 h 19

Total 5 h 55, dont 2 h 33 d'attention exclusive portée aux médias

CESP

► Le Grand Palais, l'Opéra Garnier, le palais de Tokyo, le musée Guimet, la Comédie Française, l'Olympia et le Centre Pompidou vont devoir être fermés pour cause de travaux de rénovation.
► Le palais de l'Elysée a reçu 30 000 personnes en 1992.

Travail-loisirs: l'effet de levier

Un actif est occupé en moyenne environ 10 heures par jour par son travail, les transports et les travaux « forcés » (tâches ménagères, courses, obligations diverses). S'il consacre 8 heures au sommeil, il lui reste 6 heures de temps éveillé. La moitié est consacrée aux repas, à la toilette et à d'autres activités répétitives, de sorte que son temps disponible pour des activités librement choisies est de 3 heures par jour.
En supposant que son temps de travail passe de 39 à 32 heures (soit 1,4 heure de moins par jour en moyenne), cette réduction représente 18 % de son temps de travail. Mais le temps de loisir disponible sera alors de 4,4 heures au lieu de 3, soit 47 % de plus.
L'écart sera même supérieur dans le cas où la semaine de travail s'effectuera sur quatre jours, du fait de la diminution du temps de transport.
La part du loisir dans l'emploi du temps de la vie bénéficie donc d'un très important effet de levier. Ce principe des « temps communicants » a des conséquences considérables sur le fonctionnement de la société, car il en change les priorités.

Les Français consacrent officiellement 7,5 % de leur budget aux loisirs, contre 5,5 % en 1960.

Entre 1960 et 1993, les dépenses de loisirs des ménages ont été multipliées par 5,5 alors que l'ensemble des dépenses de consommation était seulement multiplié par 3,2 (4,4 et 2,6 par individu). Cet accroissement est supérieur à celui de tous les autres postes de consommation, à l'exception de la santé.

L'âge est un facteur important dans les dépenses de loisirs ; les moins de 25 ans y consacrent 12 % de leur budget, contre 6,5 % chez les plus de 65 ans. La catégorie professionnelle a en revanche beaucoup moins d'incidence : ouvriers et cadres supérieurs y consacrent presque la même part de leur budget. Mais les sommes concernées sont évidemment différentes et la nature des dépenses varie ; les seconds privilégient les sorties, l'achat de livres et de magazines, alors que les premiers s'intéressent davantage aux jeux de hasard et aux animaux domestiques (dont les dépenses sont comptabilisées par l'INSEE

5 000 F par personne et par an

Evolution de la répartition du budget des loisirs (en %):

	1960	1970	1980	1990	1992	Dépenses (en francs par personne)
• Matériel et services audiovisuels	20,2	17,6	20,1	21,7	20,4	1 047
- *Matériel (1)*	*14,7*	*12,5*	*15,1*	*14,6*	*12,3*	*631*
- *Services (redevance, abonnements)*	*5,5*	*5,1*	*5,0*	*7,1*	*8,1*	*417*
• Disques et cassettes	2,5	3,7	3,1	6,4	6,8	347
• Edition (livre et presse)	25,6	24,0	21,3	21,3	21,3	1 089
- *dont presse*	*16,5*	*13,7*	*12,6*	*12,2*	*12,4*	*632*
• Sport (matériel et services) (2) (3)	5,9	7,2	8,4	7,7	8,0	408
• Photos (appareils, pellicules et services)	7,9	8,8	8,6	6,9	6,3	324
• Spectacles (4)	11,8	5,9	5,6	5,1	5,2	265
- *dont cinéma*	*8,4*	*3,5*	*2,5*	*1,4*	*1,4*	*70*
• Jeux de hasard	6,8	8,5	8,7	8,4	9,4	483
• Jeux-jouets	5,1	7,0	9,1	8,0	8,6	439
• Plantes	10,4	13,0	9,8	8,6	8,0	410
• Alimentation et soins pour animaux	0,6	1,1	2,3	3,5	3,7	190
• Divers (5)	3,2	3,2	3,0	2,4	2,3	122
Ensemble des loisirs	**100,0**	**100,0**	**100,0**	**100,0**	**100,0**	**5 124**

(1) Radio, TV, appareils d'enregistrement et de reproduction du son et de l'image.
(2) Articles de sports : skis, raquettes de tennis, matériel de pêche, bateaux de plaisance.
(3) Services : centres sportifs, remontées mécaniques, professeurs de sport.
(4) Cinéma, autres salles de spectacles (théâtre, concert...) , autres spectacles (cirque, parcs d'attractions...).
(5) Instruments de musique, d'optique, associations diverses.

N.B. Les dépenses d'enseignement, qui figurent habituellement dans le poste loisirs, ont ici été supprimées.

INSEE, Comptes de la Nation

dans le poste loisirs). L'offre de loisirs existant dans les grandes agglomérations explique aussi les écarts de dépenses entre citadins et ruraux.

Il faut noter que la part consacrée aux équipements (téléviseurs, magnétoscopes, etc.) et biens consommables (disques, cassettes, etc.) a été réduite par la baisse régulière des prix relatifs depuis une vingtaine d'années. Cela signifie que les Français peuvent acquérir des équipements de plus en plus nombreux et performants, tout en dépensant moins.

Le parc gaulois résiste toujours...

Les dépenses de loisirs des ménages représentent en réalité au moins 15 % du budget des ménages.

Les dépenses de loisirs ne concernent pas seulement les postes figurant dans la rubrique loisirs de la comptabilité nationale. Ainsi, le poste transports-télécommunications comprend des dépenses telles que les transports en vacances, les sorties ou les communications téléphoniques ou par Minitel, souvent liées aux loisirs. De la même façon, certaines dépenses d'alimentation peuvent être considérées comme partie intégrante des loisirs : repas au restaurant, réceptions à domicile... Le poste habillement comprend aussi certains achats de vêtements affectés spécifiquement aux loisirs (sport...). Enfin, la rubrique « autres biens et services » des comptes de la nation comprend les dépenses d'hôtellerie, de tourisme et de vacances.

En considérant ensemble ces différentes composantes, on arrive à une dépense totale très supérieure à celle du seul poste loisirs-culture. Il est bien sûr

L'écrit avant l'audiovisuel

Répartition des dépenses culturelles des ménages (1992, en %)* :

- Presse   21,7
- Spectacles et autres services   17,2
- Imprimerie, édition   15,8
- Disques, cassettes   11,9
- Appareils son et image (hors radio, TV)   11,0
- Appareils radio, téléviseurs   10,5
- Antiquités   6,9
- Films, pellicules   2,6
- Cinéma   2,4

* Montant total par ménage : **7 340 F**

Ministère de la Culture et de la Communication

difficile de la mesurer, car on ne connaît pas la part des autres postes susceptible d'être affectée aux loisirs. On peut cependant estimer le montant total à plus de 25 000 F par ménage, soit le double du seul poste loisirs-culture. A l'inverse, on peut se demander si les dépenses liées aux plantes et aux animaux domestiques sont associées pour les ménages à des dépenses de loisirs.

Au total, il apparaît donc que les Français consacrent aux activités de loisirs une place et un budget croissants. Celui-ci devrait d'ailleurs continuer de s'accroître au cours des prochaines années, le seul poste loisirs-culture (devant passer de 7,6 % aujourd'hui à 10,6 % en l'an 2000.

Le prix des loisirs

Les prix des équipements et produits culturels ont connu en dix ans des évolutions très contrastées (1991, en partant de l'indice 100 en 1980) :

- Théâtre et concerts   318
- Cinéma   223
- Journaux et livres   222
- Redevance et abonnement télévision   171
- Travaux photo   170
- Disques et cassettes   127
- Appareils photo   118
- Appareils cinéma   101
- Téléviseurs   90
- Radios   81

A titre de comparaison, l'inflation était à l'indice 190 en 1991.

INSEE

Ministère de la Culture et de la Communication/Secodip

Loin de retarder le développement des loisirs, la crise des années 70 l'a accéléré.

On aurait pu penser que le coup d'arrêt à la croissance et ses conséquences sur la vie des ménages allaient donner un coup d'arrêt à l'évolution amorcée dans les années 60. Il semble au contraire que la crise économique ait accéléré le mouvement vers une société postindustrielle. La montée du chômage a posé en effet le problème du partage du travail et donc celui d'une nouvelle réduction de sa durée. Or, c'est de la réduction du temps de travail que se nourrit le temps de loisir.

L'accroissement du temps libre et celui du pouvoir d'achat ont largement favorisé le développement du loisir. Mais sa reconnaissance en tant qu'activité sociale majeure supposait en outre un état d'esprit différent. C'est le sens de l'évolution de ces dernières années. De sorte que la civilisation des loisirs n'est plus aujourd'hui un mythe, ni une perspective à moyen terme.

Les outils du loisir

Evolution de l'équipement de loisir des ménages (en %) :

	1973	1981	1993
• Téléviseur	86	93	96
dont :			
- un seul poste	*	*83*	*55*
- plusieurs postes	*	*10*	*42*
- un poste couleur	9	*52*	*97*
• Magnétoscope	*	2	60
• Chaîne hi-fi	8	29	67
• Electrophone	53	53	89
• Appareil photo	72	78	90
• Caméscope	*	*	14
• Instrument de musique	33	37	40
• Baladeur	*	*	60
• Minitel	*	*	28
• Micro-ordinateur	*	*	19
• Lecteurs de disques compacts	*	*	50

* La question n'avait pas été posée

➤ 10 millions de Français, soit 16 % de la population, sont allés au moins une fois au cirque au cours de l'année 1992.

MENTALITÉS

Le loisir occupe une place prépondérante dans les modes de vie.

Au cours des vingt-cinq dernières années, les Français ont subi plusieurs chocs: culturel en Mai 68, économique en 1973, politique en 1981, idéologique en 1982, financier en 1987, psychologique en 1991. Chacun d'eux a eu des effets sur les mentalités et sur la diffusion de nouveaux modes de vie. Pour un nombre croissant d'entre eux, la vie ne consiste plus seulement à équilibrer les « figures imposées » (le travail, les activités contraintes) avec les « figures libres » (les activités de loisirs). Il s'agit au contraire de mélanger les unes et les autres pour en faire une vie plus riche, plus équilibrée et, finalement, plus agréable.

C'est dans cette recherche d'une plus grande harmonie entre travail et loisir que se définit peu à peu le portrait de l'« honnête homme » de cette fin de millénaire.

Pour les jeunes, le loisir n'est plus une récompense, mais une activité à part entière.

Il fallait autrefois « gagner sa vie à la sueur de son front » pour avoir droit ensuite au repos, forme primaire du loisir. L'individu se devait d'abord à sa famille, à son métier, à son pays, après quoi il pouvait penser à lui-même.

Les générations les plus âgées sont encore très sensibles à cette notion de mérite, indissociable pour elles de celle de loisir. Mais pour les plus jeunes (la frontière se situe vers 45 ans), le loisir est un droit fondamental. Plus encore, peut-être, que le droit au travail, puisqu'il concerne des aspirations plus profondes et plus personnelles. Il n'y a donc aucune raison de se cacher ni d'attendre pour faire ce que l'on a envie de faire, bref pour « profiter de la vie ».

On peut d'ailleurs observer que le droit au loisir est aujourd'hui beaucoup mieux respecté que le droit au travail, car il est peu dépendant de la conjoncture économique.

Le fonctionnement de la société reste cependant réglé sur le temps de travail.

La société continue de fonctionner sur la même base temporelle que par le passé. Son système de valeurs et de représentation est organisé autour du temps de travail, alors que c'est aujourd'hui le temps libre qui représente, au moins quantitativement, l'essentiel de la vie. Ce décalage considérable entre le temps réel et le temps social est à l'origine d'un grand malentendu, que le sociologue Roger Sue exprime en disant que la société est « en retard sur son temps » ; si être moderne c'est être de son temps, il est clair que les décennies récentes ont marqué la fin de la modernité. A une époque où il devient urgent de partager le temps, celui du travail en particulier, il est essentiel de prendre conscience de cette méprise et de ses conséquences. Un nouvel ordre social, fondé sur le temps libre, devrait logiquement remplacer l'ordre traditionnel, qui repose tout entier sur le temps de travail. Car c'est aujourd'hui le temps libre qui est le temps sacré des individus.

Carpe diem

Le principe de jouissance est devenu prioritaire par rapport au principe de réalité. Le *carpe diem* d'Horace (mets à profit le jour présent) est une devise qui séduit beaucoup de jeunes ; le triomphe du *Cercle des poètes disparus* en a été une éclatante illustration.
Au cours des années 80, les Français (et les Françaises, phénomène inédit) ont ainsi redécouvert l'existence de leur corps et cédé à leurs pulsions naturelles pour le jeu, la fête, la liberté. Le déclin des valeurs religieuses n'y est pas étranger. Des notions comme l'esprit de sacrifice ou la recherche d'un paradis après la mort tiennent de moins en moins de place dans la vie quotidienne.
Les Français organisaient jusqu'ici leur vie autour de leurs obligations. Les plus jeunes souhaitent aujourd'hui l'organiser autour de leurs passions.

La reconnaissance du loisir comme valeur implique la prépondérance de l'individu sur la collectivité.

Dans la conception du loisir, deux visions très différentes de la vie s'opposent. La première est optimiste et athée. Elle pose en principe que tout homme est mortel et qu'il lui faut donc tenter de s'épanouir au cours de son existence terrestre. Son objectif est de maîtriser sa vie et de la conduire le plus librement possible. Dans cette optique, le cheminement des dernières décennies peut être regardé comme un progrès. Les sociétés occidentales ont avancé sur la voie difficile d'un individualisme de type humaniste, auquel beaucoup aspiraient depuis longtemps, que l'on peut baptiser *égologie* (p. 245).

La seconde vision est à la fois pessimiste et mystique. La tendance actuelle, qui privilégie l'individu et le court terme par rapport à la collectivité et à l'éternité, est ressentie comme l'amorce d'une décadence qui menace les sociétés développées. Car l'individualisme ne paraît guère compatible avec la vie en société. Avec lui se développent les risques d'antagonisme entre des intérêts divergents. En refusant l'effort, la solidarité et le sacrifice, les hommes se condamnent à une fin prochaine.

Le choix serait donc entre l'individualisme forcené, condition de l'épanouissement de l'homme, et la référence à des valeurs transcendantales et collectives, sans lesquelles le monde ne pourrait survivre. La première solution peut conduire à l'égoïsme, la seconde au totalitarisme. Entre ces deux écueils, la société devra naviguer avec précision. Sur son itinéraire, la civilisation des loisirs n'est sans doute qu'une étape.

Les loisirs constituent de plus en plus un moyen d'échapper à la réalité.

En matière de loisirs, les Français adoptent des comportements qui traduisent à la fois leur insatisfaction par rapport au présent et leur angoisse vis-à-vis de l'avenir. Les outils et les pratiques de loisirs sont souvent des moyens de substituer le rêve à la réalité. Avec le risque exprimé par Edgar Morin : le fait que les vacances soient devenues une valeur illustre la « vacance des valeurs ».

On trouve les manifestations de cette tendance dans la plupart des activités de loisirs. Les films qui font le plus d'entrées racontent des histoires fantastiques ou en forme de contes de fées. Les romanciers contemporains, tels Djian, Modiano ou Le Clézio inventent des personnages sans chair dans des histoires sans lieux. La peinture moderne est de plus en plus intérieure et de moins en moins descriptive. Les sculpteurs ne reproduisent pas des formes ; ils donnent du volume et du poids à des images abstraites. La photographie, la bande dessinée, les clips musicaux mettent en scène des héros symboliques qui évoluent dans des univers oniriques. La musique, de Jean-Michel Jarre à Michael Jackson, utilise des synthétiseurs qui créent des sonorités propres à favoriser le rêve.

La publicité, qui participe de toutes ces disciplines artistiques, cherche aussi de plus en plus souvent à transcender la réalité du produit qu'elle vante : décors, acteurs, éclairages, angles de prise de vue, montage contribuent à inscrire les images publicitaires dans un « autre monde ».

Les produits de distanciation

Les équipements qui permettent de rester en relation avec le monde, sans être en contact direct avec lui, sont de plus en plus répandus dans les foyers. La télévision, et son complément naturel le magnétoscope, en sont les meilleurs exemples: 40 % des ménages disposent de plusieurs téléviseurs ; 58 % possèdent un magnétoscope.
L'évolution technologique est bien sûr à l'origine de cette évolution. Les innovations en matière de télévision (écran géant, son stéréo, câble, réception satellite...), le magnétoscope, le Minitel, l'enregistrement sur disques compacts, l'ordinateur, les consoles vidéo, la modulation de fréquence et les développements attendus du *multimédia* constituent de fortes incitations au développement d'une sorte de vie par procuration et du remplacement de la réalité par la virtualité. L'accroissement du nombre de programmes ou d'activités disponibles à partir de ces équipements a lui aussi contribué à ce mouvement.
Mais ce développement n'aurait pu être aussi rapide s'il n'avait rencontré de véritables attentes de la part des consommateurs. Les foyers sont devenus de véritables « bulles » pourvues des moyens de télécommunication les plus modernes, mais protégées des risques extérieurs et des « agressions » de toutes sortes: délinquance, pollution, bruit, présence de la pauvreté, etc.

Le jeu occupe une place croissante dans la vie des Français.

L'engouement croissant pour les jeux de toutes sortes s'inscrit aussi dans ce désir, souvent inconscient, de rêver sa vie. Le Loto est devenu pour des millions de Français un acteur potentiel de leur destin personnel ; le seul susceptible de transformer leur existence, de la dévier ou seulement d'en enjoliver le cours (voir *Argent*).

Les chaînes de télévision ont bien compris l'importance de la part du rêve et multiplient les occasions de « gagner ». Autour de la *Roue de la fortune*, des émissions de jeux (souvent importées des Etats-Unis) se sont installées sur toutes les chaînes et servent de locomotives aux journaux de 20 heures tout en accroissant les revenus publicitaires, directement liés à l'audience.

Les films et les séries sont devenus des prétextes à concours. Du voyage exotique au four à micro-ondes, la panoplie des gains proposés n'a de limite que celle de l'imagination. Car les producteurs savent que la carte du rêve coïncide avec celle de l'audience et de la rentabilité.

Le mythe du « voyage » se développe.

Le mot « voyage » a un fort contenu symbolique. On peut, au sens propre, changer de lieu, d'identité, d'activité, d'habitudes, bref de vie. C'est sans doute pourquoi l'idée de voyage occupe une place croissante dans la vie des Français, qui sont de plus en plus nombreux à s'accorder des périodes de rupture et de liberté, réparties tout au long de l'année.

Mais on peut aussi voyager au sens figuré, s'évader de soi-même comme on part de son pays ou de sa région. Le rêve en est le véhicule essentiel, l'imagination le support. Ce type de voyage est largement favorisé par l'environnement médiatique : images de synthèse, créations artistiques, publicité, jeux de toutes sortes.

Ce n'est donc pas un hasard si la drogue prend une place croissante dans les sociétés développées. Le « voyage » auquel elle conduit n'a rien à voir avec ceux proposés dans les catalogues. Il est avant tout une fuite, en marge d'une société dans laquelle beaucoup ne trouvent pas leur place. Une façon aussi de simuler sa propre mort. On trouve une motivation voisine dans le saut à l'élastique ou dans des exploits comme celui de Gérard d'Aboville traversant l'océan Pacifique à la rame.

La société virtuelle

On pourrait croire que les activités de loisirs les plus modernes cherchent à recréer des univers existants, dans une sorte d'ambiance hyperréaliste. En fait, elles s'en inspirent pour mieux les transcender. Partout où ils sont implantés, les villages du *Club Méditerranée* offrent un confort, une qualité de vie et une sécurité supérieurs à ceux que l'on trouve localement. *Euro Disney* a pour vocation de faire entrer les visiteurs dans un monde magique, plus beau que la réalité. Avec leur bulle aquatique, les *Center Parcs* offrent une simulation du climat tropical. L'eau est à 28°C toute l'année, la végétation est composée de palmiers, bananiers, plantes grasses ; mais on n'y trouve pas les moustiques, serpents et autres désagréments qui l'accompagnent habituellement et l'exotisme ne se trouve qu'à 100 km de Paris.
Les images de synthèse, les jeux vidéo et les techniques de « réalité virtuelle » sont d'autres exemples, plus élaborés, de cette volonté de simuler la vie. En modifiant les rapports entre le réel et l'imaginaire, en ouvrant à l'homme de nouveaux horizons, ces nouveaux outils ne vont pas seulement modifier les modes de vie. Ils vont remettre en cause les notions de temps et d'espace et poser de nouvelles questions philosophiques sur le passé et l'avenir de l'humanité.

COMME NULLE PART AILLEURS

NORMANDIE ET SOLOGNE

L'exotisme à portée de voiture

➤ 36 % des vacanciers de l'été 1993 sont partis pour se reposer, sans avoir d'activité précise, 27 % pour voir des parents ou amis, 11 % pour faire du tourisme culturel, 10 % pour se retrouver en famille, 7,5 % pour faire des promenades pour se détendre, 5 % pour pratiquer un sport, 1 % pour rencontrer d'autres personnes (3 % pour d'autres raisons).

PRATIQUES

Diversification des activités ◆ Rôle dominant de l'audiovisuel, mais prépondérance du budget consacré à l'écrit ◆ Croissance des activités culturelles ◆ Importance de la musique ◆ Pratique sportive plus fréquente ◆ Facteurs de discrimination : instruction, sexe et surtout âge ◆ Avènement de la civilisation des loisirs

ACTIVITÉS

Les activités de loisirs sont de plus en plus diversifiées.

L'importance prise par les loisirs à domicile n'a pas empêché les Français d'accroître leurs activités à l'extérieur de chez eux (restaurants, vie associative, sorties diverses...). Les activités sportives, culturelles, manuelles tendent, elles aussi, à se diversifier.

Les oppositions traditionnelles entre les genres (livre et bande dessinée, musique classique et rock, télévision et cinéma...) se sont estompées. En vieillissant, les adultes n'ont pas abandonné les activités qu'ils pratiquaient lorsqu'ils étaient plus jeunes. Enfin, le « tout culturel », caractéristique des années 80 a valorisé dans l'opinion des activités autrefois considérées comme mineures : bande dessinée, cuisine, couture, publicité, rock, rap, tag, etc.

Quinze ans de loisirs

Evolution de quelques pratiques de loisirs (en %) :

	1973	1981	1992
Proportion de Français ayant pratiqué l'activité suivante :			
• Regarder la télévision tous les jours ou presque	65	69	73*
• Ecouter la radio tous les jours ou presque	72	72	66*
• Ecouter des disques ou cassettes au moins une fois par semaine	66	75	73*
Au moins une fois au cours des 12 derniers mois :			
• Lire un livre	70	74	75*
• Acheter un livre	51	56	62*
• Aller au cinéma	52	50	49
• Aller dans une fête foraine	47	43	34
• Visiter un musée	27	30	28
• Visiter un monument historique	32	32	30
• Assister à un spectacle sportif (payant)	24	20	17
• Aller à une exposition (peinture, sculpture)	19	21	23
• Aller dans un zoo	30	23	24
• Aller à un spectacle :			
- théâtre	12	10	12
- music-hall	11	10	9
- cirque	11	10	14
- danse	6	5	5
- opéra	3	2	3
- opérette	4	3	2
• Aller à un concert :			
- rock ou jazz	7	10	14
- musique classique	7	7	8

* 1989

Ce mouvement a été provoqué ou favorisé par l'accroissement du temps libre et du budget consacré par les ménages à leurs loisirs. La diffusion des équipements de loisirs a beaucoup progressé, ainsi que les pratiques qui s'y rattachent. L'amélioration de l'offre de services culturels par l'intermédiaire des équipements collectifs a également joué un rôle dans cette évolution ; 79 % des Français ont accès dans leur commune à une bibliothèque, 75 % à une école de musique, 70 % à une école de danse, 58 % à une troupe de théâtre, 53 % à une salle de spectacle, 50 % à un centre culturel.

L'audiovisuel joue un rôle dominant, mais le budget consacré à l'écrit reste le plus élevé.

Les pratiques culturelles étaient traditionnellement centrées sur le livre, les spectacles et les visites à caractère culturel. Si elles n'ont pas disparu des loisirs des Français, force est de constater que l'image et le son jouent aujourd'hui un rôle central. L'équipement audiovisuel des ménages s'est considérablement accru, ainsi que leur fréquence et leur durée d'utilisation (voir *Médias*).

Malgré cette évolution, les dépenses des ménages consacrées à l'écrit continuent d'occuper la première place : en 1993, près de 65 milliards de francs ont été dépensés pour les achats de livres, de journaux et magazines, alors que les dépenses cumulées de radio, télévision, appareils de reproduction de l'image et du son (hi-fi, magnétoscopes...), disques, cassettes et cinéma ne se montaient qu'à 60 milliards de francs.

Les activités culturelles se développent.

Après une longue période de déclin, la fréquentation du cinéma a connu une forte reprise en 1993, avec 133 millions de spectateurs dans les salles. Celle des musées s'accroît depuis trente ans et arrive en seconde position des pratiques culturelles, derrière le cinéma. Elle a atteint 10 millions d'entrées en 1990, contre 3,3 millions en 1960, 4 millions en 1970, 5,7 millions en 1980. Mais seuls 30 % des Français se rendent régulièrement dans les musées et la composition socioculturelle évolue lentement. La majorité des visiteurs sont des femmes.

La fréquentation des grands musées nationaux d'Ile-de-France connaît un fléchissement conjoncturel, alors que celle des musées des autres régions s'accroît. La fréquentation du Louvre est passée de 2,7 millions de visiteurs en 1986 à un peu plus de 5 millions en 1993, avant l'ouverture de la nouvelle aile Richelieu. Le musée d'Orsay reçoit 3 millions de visiteurs par an. Le centre Beaubourg accueille 25 000 visiteurs par jour, alors qu'il n'était prévu que pour 7 000. En province, le Mont Saint-Michel reçoit chaque année plus de 700 000 visiteurs.

On constate aussi un développement du « tourisme du souvenir ». En 1991, 10 millions de touristes avaient visité des ouvrages militaires ou des champs de bataille ; 400 000 s'étaient rendus à Verdun, 1,7 million au cimetière américain d'Omaha Beach. La commémoration, en 1994, du débarquement a attiré des millions de personnes, parmi lesquelles beaucoup d'Américains.

Tout le monde peut faire de la télévision

Le tourisme industriel

Chaque année, 10 millions de personnes visitent des entreprises. On n'en comptait que 70 000 en 1960. Les grands travaux hydrauliques ont été les premiers concernés (l'EDF a commencé dans les années 20). Le mouvement s'est poursuivi avec les centrales nucléaires, puis il a gagné le secteur agro-alimentaire. On estime que 15 % des entreprises françaises ouvrent leurs portes aux particuliers, contre 45 % en Allemagne. Les entreprises les plus visitées sont: l'usine marémotrice EDF de la Rance à Saint-Malo (350 000 visiteurs par an) ; Cusenier à Thuir (130 000) ; Bénédictine à Fécamp (125 000) ; Hennessy à Cognac (90 000) ; la centrale EDF de Bort-les-Orgues (75 000) ; Aérospatiale à Toulouse (65 000) ; Martell à Cognac (60 000).

La musique tient une place croissante dans la vie des Français.

On constate une spectaculaire progression de l'écoute de la musique, sur disques, cassettes ou à la radio. Là encore, la diffusion des baladeurs et des disques compacts, les chaînes hi-fi et des postes de radio FM ainsi que la baisse des prix ont largement favorisé le mouvement. 62 % des ménages possèdent une chaîne hi-fi contre 8 % en 1973 ; 70 % des 15-19 ans ont un baladeur.

La proportion de Français qui écoutent des disques ou cassettes au moins un jour sur deux a doublé en quinze ans, passant de 15 % en 1973 à 33 % en 1989. L'augmentation de l'écoute touche toutes les catégories de population sans exception, et tous les genres de musique, du jazz au rock en passant par la musique classique et l'opéra.

Le phénomène est cependant plus marqué chez les jeunes. La moitié des 15-19 ans écoutent des disques ou cassettes tous les jours, le plus souvent du rock.

La pratique sportive se développe.

L'intérêt porté au corps et les pressions professionnelles et sociales valorisant les individus « en forme » ont poussé les Français à la pratique du sport. Un sur deux est concerné, mais seulement un sur cinq peut être considéré comme un sportif régulier. Les sports individuels (tennis, jogging, marche...) ont pris le pas sur les sports collectifs, qui sont peu pratiqués par les femmes.

Le nombre des activités sportives s'est lui aussi accru et il est de plus en plus fréquent d'en pratiquer plusieurs, de façon plus ou moins suivie. Des sports nouveaux ou récents comme le base-ball, le golf, l'offshore, le canoë-kayak, le tir à l'arc ou le vol libre ont de plus en plus d'adeptes. Certains sports comme le jogging et l'aérobic sont en perte de vitesse, même si ces deux activités comptent encore beaucoup d'inconditionnels.

Après les excès des années 80, on constate que les Français cherchent moins à obtenir des performances et à aller au bout d'eux-mêmes qu'à entretenir leur forme et à se perfectionner sur le plan technique. Le sport-plaisir prend le pas sur le sport-souffrance.

INÉGALITÉS

La démocratisation des loisirs n'est pas encore réalisée.

L'accroissement de l'utilisation des équipements audiovisuels (permettant en particulier l'écoute de la musique) touche l'ensemble des catégories sociales. Mais les pratiques culturelles traditionnelles sont encore peu diffusées. La fréquentation des concerts (surtout de rock et de jazz) et celle des expositions, monuments et musées ont augmenté, mais leur public ne s'est guère élargi. Les trois quarts des Français n'ont encore jamais assisté à un spectacle de danse, les deux tiers ne sont jamais allés à un concert de musique classique, la moitié n'ont jamais visité une exposition.

Malgré les efforts d'équipement et de communication réalisés depuis quelques années en matière de loisirs, surtout culturels, c'est toujours dans les mêmes catégories sociales que se trouvent les pratiquants.

Ministère de la Culture et de la Communication, 1993

Les exclus du loisir

- Au cours de leur vie, 83 % des Français (15 ans et plus) ne sont jamais allés à l'Opéra (1993).
- 79 % n'ont jamais assisté à un concert de jazz (chiffres 1992).
- 78 % ne sont jamais allés voir une opérette.
- 75 % n'ont jamais assisté à un spectacle de danse professionnelle.
- 73 % n'ont jamais assisté à un concert de rock.
- 68 % n'ont jamais assisté à un concert de musique classique.
- 60 % ne sont jamais allés dans un parc d'attraction.
- 50 % ne sont jamais allés au théâtre.
- 46 % n'ont jamais assisté à un spectacle sportif payant.
- 39 % ne sont jamais allés dans une discothèque.
- 21 % n'ont jamais visité un monument historique.
- 19 % n'ont jamais visité un musée.
- 13 % ne sont jamais allés au cirque.
- 12 % ne sont jamais allés au zoo.
- 9 % ne sont jamais allés au cinéma.
- 8 % ne sont jamais allés dans une fête foraine.

Les pratiques varient beaucoup avec le niveau d'instruction.

D'une façon générale, la pratique des loisirs augmente avec le niveau scolaire. La quasi-totalité des activités, à l'exception des loisirs dits « de masse » (radio, télévision) et des jeux d'argent du type Loto ou PMU, est surtout pratiquée par des personnes ayant un niveau d'instruction au moins équivalent au baccalauréat. Les activités de type culturel (lecture, pratique de la musique, théâtre, musées, etc.) sont celles qui séparent le plus les Français les plus diplômés de ceux qui le sont moins. On retrouve des écarts de même nature entre les professions, dont on sait qu'elles sont fortement corrélées au niveau de la formation.

Ces inégalités de comportement ne peuvent être expliquées par les seules différences de revenus. Le jogging, la visite des musées ou les promenades ne sont pas des activités coûteuses. Elles sont cependant ignorées ou presque des catégories ayant les niveaux d'instruction les moins élevés. Plus que des raisons d'ordre matériel, ce sont les différences culturelles qui sont à l'origine de ces inégalités. Le manque d'habitude, le manque de références et la peur de se mélanger à d'autres catégories sociales restent des freins importants à un élargissement des pratiques de loisirs.

Euro Disney: le choc des cultures

Avant même l'ouverture du parc de Marne-la-Vallée, les difficultés de la société Disney avec ses fournisseurs, puis avec ses salariés, avaient déclenché les critiques des médias à l'égard de la « culture Mickey ». C'est sans doute pourquoi les Français n'ont représenté qu'un tiers des visiteurs au cours des premiers mois. A la fin d'octobre 1993, 17 millions de personnes avaient cependant visité Euro Disney, un chiffre presque conforme aux objectifs. Mais les dépenses sur place des visiteurs ont été largement inférieures aux prévisions, ce qui explique le lourd déficit d'exploitation.

Les promoteurs américains avaient mal estimé les différences de comportement entre les Européens, et singulièrement entre celles des Français et des Américains. Les Français mangent moins souvent en dehors des heures de repas (et souhaitent pouvoir être assis), dépensent moins dans les boutiques, trouvant le prix d'entrée élevé. De plus, les adultes ont davantage le sentiment d'accompagner leurs enfants que de se faire plaisir personnellement, de sorte qu'ils reviennent moins volontiers. C'est le cas aussi des grands-parents, qui doivent payer plein tarif, alors qu'ils se sentent peu concernés par certaines des activités offertes. Enfin, le taux d'occupation des hôtels est beaucoup plus réduit que prévu, du fait de prix trop élevés (800 F la nuit en moyenne).

Les écarts entre les sexes diminuent.

Actives ou non sur le plan professionnel, les femmes disposent en moyenne de moins de temps libre que les hommes (voir *Emploi du temps*). Certaines activités de loisir restent différenciées. Ainsi, le sport apparaît comme une occupation majoritairement masculine, bien que les femmes s'y intéressent de plus en plus. Dans le domaine des médias, les femmes inactives constituent la clientèle privilégiée des radios. Mais elles regardent moins la télévision et lisent moins les journaux que les hommes. En revanche, le théâtre les attire plus que les hommes, qui préfèrent le cinéma ou les stades.

Loisirs et instruction

Différences de pratiques culturelles en fonction du degré d'instruction (1989, en % de la population de 15 ans et plus) :

	Aucun diplôme ou CEP	BEPC	CAP	Bac ou équivalent	Etudes supérieures
• Lit un quotidien tous les jours	47	35	43	39	45
• Lit régulièrement un hebdomadaire d'information	6	14	12	30	41
• Lit régulièrement une revue de loisirs	4	9	10	18	24
• Regarde la télévision tous les jours ou presque	80	79	73	60	52
• Possède des disques compacts	5	12	10	20	23
• Ne fait pas de sorties ou visites*	24	9	5	6	5

* Liste de 24 activités : restaurant, musée, cinéma, brocante, bal, match, zoo, galerie d'art, spectacle, opéra, etc.

Le sexe des loisirs

Différences de pratiques culturelles en fonction du sexe (en % de la population de 15 ans et plus) :

	Hommes	Femmes
• Lit un quotidien tous les jours	47	39
• Lit régulièrement un hebdomadaire d'information	17	13
• Lit régulièrement une revue scientifique	13	6
• Ecoute la radio tous les jours pour les informations	59	41
• Regarde la télévision tous les jours ou presque	71	74
• A lu au moins un livre au cours des 12 derniers mois	73	76
• Fait une collection	27	20
• Fait de la photographie	13	9

Carola, c'est chacune pour soi.

Sitbon Kubel Thioly

Les loisirs se féminisent et s'individualisent

On pratique plus les loisirs dans les villes que dans les campagnes.

Certains types de loisirs sont indépendants de l'endroit où l'on habite, comme la lecture, l'écoute de la radio ou de la télévision. Les différences sont alors assez peu sensibles entre les petites et les grandes villes, sauf à Paris, où la multiplicité des autres formes de loisirs possibles (en particulier de type culturel) entre en concurrence avec ces activités.

➤ 81 % des Parisiens sont partis en vacances au cours de l'été 1993, contre 44 % des habitants des communes rurales.
➤ La France est la deuxième nation en ce qui concerne le nombre de joueurs de bridge après les Etats-Unis.

Ministère de la Culture

et de la Communication

L'âge des loisirs

Différences de pratiques culturelles en fonction de l'âge (1989, en % de la population concernée) :

	15-19	20-24	25-34	35-44	45-54	55-64	65 et +
• Lit un quotidien tous les jours	26	29	31	44	50	57	58
• Lit régulièrement un hebdomadaire d'information	10	19	17	20	14	13	8
• Possède un magnétoscope au foyer	36	30	30	32	24	17	6
• Possède des disques compacts	15	17	12	13	11	7	2
• N'a lu aucun livre au cours des 12 derniers mois	14	19	20	23	29	32	38
• Ne fait pas de sorties ou de visites*	4	8	9	10	17	21	32
• Fait une collection	41	29	24	22	22	19	14

* Liste de 24 activités : restaurant, cinéma, musée, brocante, bal, match, zoo, galerie d'art, spectacle, opéra, etc.

D'autres types de loisirs nécessitent par contre des équipements ou des infrastructures spécifiques. Or, les petites communes sont généralement beaucoup moins bien équipées que les grandes : 3 % des communes rurales ont un musée, contre 22 % des communes urbaines ; 19 % ont une bibliothèque (contre 73 %) ; 2 % ont un cinéma (contre 26 %) ; 4 % ont une salle de spectacle (contre 31 %) ; 7 % ont une librairie (contre 62 %).

Paris, Ville lumière

En matière de loisirs comme dans beaucoup d'autres domaines, Paris occupe une situation particulière. Les Parisiens pulvérisent les moyennes nationales dans la plupart des activités. Ils sont à peu près trois fois plus nombreux que la moyenne à pratiquer les diverses formes d'activités culturelles, qu'il s'agisse de l'assistance à des concerts, à un opéra, d'aller au théâtre ou au cinéma.
Il est plus étonnant de constater que leur pratique sportive est également plus forte : 20 % jouent au tennis au moins de temps en temps contre 13 % en moyenne nationale, 30 % pratiquent le jogging (contre 23 %), 28 % font de la gymnastique (contre 20 %).

➤ 40 000 sites sont inscrits ou classés au patrimoine français, dont un grand nombre d'édifices religieux.

L'âge reste le facteur le plus déterminant dans les pratiques de loisirs.

On pourrait imaginer que l'âge mûr est aussi l'âge d'or des loisirs : les contraintes familiales sont moins nombreuses (les enfants ont acquis leur autonomie), les possibilités financières sont supérieures et c'est l'âge auquel on bénéficie en général d'une plus grande stabilité personnelle et professionnelle. Les chiffres montrent qu'il n'en est rien.

L'écart existe entre les moins de 45 ans et leurs aînés, surtout en ce qui concerne les activités extérieures. Parmi les très nombreuses activités possibles, deux seulement augmentent avec l'âge : la lecture des journaux et le temps passé devant la télévision. Les autres (sports, spectacles, activités de plein air, activités culturelles, etc.) diminuent avec l'âge.

Les plus de 50 ans sont les représentants d'une autre génération, pour laquelle la civilisation des loisirs n'est qu'une invention récente. Nés avant la Seconde Guerre mondiale, ils ont dû consacrer plus de temps au travail qu'au loisir, pour des raisons souvent matérielles. Certaines activités considérées comme normales aujourd'hui leur paraissent sans doute un peu futiles. Et, même si elles tentent certains, les autres considèrent qu'il est trop tard pour les pratiquer.

On observe cependant depuis quelques années une tendance à l'accroissement des loisirs chez les personnes âgées. Elle se traduit par un engouement pour les voyages, les activités culturelles, les jeux et, à un moindre degré, les sports. Le pouvoir d'achat souvent élevé des retraités, l'amélioration continue de leur état de santé, liée à l'allongement de l'espérance de vie et l'ambiance sociale expliquent cette évolution, largement favorisée par les sollicitations croissantes dont ces personnes sont l'objet depuis que les entreprises ont pris conscience de leur poids économique et développé le *senior marketing*.

D'ici une génération, la civilisation des loisirs devrait concerner l'ensemble de la population.

L'évolution de la pratique des loisirs témoigne des changements de mentalités intervenus dans la société. Les écarts observés dans le temps permettent de mesurer le chemin, considérable, qui a été parcouru, et qui se traduit notamment par une participation croissante des femmes. La césure entre les moins de 45 ans et les plus âgés est le signe concret et spectaculaire du passage, en une génération, de la civilisation industrielle à un autre type de civilisation, dans lequel les loisirs occupent une place prépondérante. Cette césure se déplace chaque année d'un an, de sorte que, d'ici une génération, la civilisation des loisirs devrait être une réalité pour l'ensemble des Français.

➤ 90 % des Français jouent en famille ou entre amis à des jeux de société (cartes, Monopoly, échecs, scrabble...), dont 10 % au moins une fois par semaine ; 10 % ne jouent jamais.

LES MÉDIAS

TÉLÉVISION

95 % des foyers équipés, 43 % multi-équipés ♦ 60 % ont un magnétoscope ♦ 1,2 million d'abonnés au câble début 1994 ♦ L'ère du multimédia a commencé ♦ Progression des dépenses audiovisuelles ♦ Baisse de la durée d'écoute en 1992 et 1993 ♦ Insatisfaction par rapport aux programmes et nouveaux comportements d'écoute ♦ Ecoute plus forte vers 13 h et 21 h, le dimanche, en hiver ♦ 40 % d'audience pour TF1 ♦ 37 % de « fictions » ♦ Offre de programmes différente de la consommation

ÉQUIPEMENT

N.B. Sauf indication contraire, les chiffres qui suivent correspondent à la situation au début de l'année 1994.

96 % des foyers sont équipés, 94 % avec la couleur. 42 % disposent de plusieurs postes. 17 % ont un décodeur Canal Plus.

En 1950, 297 privilégiés étaient équipés de « l'étrange lucarne » sur laquelle ils pouvaient suivre quelques émissions expérimentales. Aujourd'hui, la quasi-totalité des ménages dispose d'au moins un téléviseur. Le taux de multi-équipement a plus que doublé depuis 1981, passant de un ménage sur dix à un sur trois (33 % utilisent un deuxième poste au moins une fois par mois).

Ceux qui ne sont pas équipés sont des réfractaires, dont beaucoup préfèrent d'autres activités de loisir, souvent de type culturel : c'est pourquoi on les trouve surtout parmi les jeunes de 25 à 34 ans, les personnes vivant seules, les Parisiens, les cadres supérieurs et les diplômés de l'enseignement supérieur.

85 % des foyers sont équipés de télécommande sur le poste principal, ce qui explique l'importance croissante du *zapping* dans les habitudes d'écoute.

60 % des foyers disposent d'un magnétoscope.

Pratiquement inconnu il y a une quinzaine d'années (seuls 7 000 foyers en étaient équipés en 1977), le magnétoscope sera présent à fin 1994 dans près de deux foyers sur trois. De tous les équipements électroniques apparus sur le marché, il est celui qui s'est développé le plus rapidement.

Les familles avec des enfants de 15 à 19 ans sont les plus fréquemment équipées, les adolescents étant souvent à l'origine des décisions d'achat. A l'inverse, les agriculteurs et les retraités sont les moins bien pourvus dans ce domaine.

Les possesseurs d'un appareil l'utilisent en moyenne 5,4 heures par semaine et possèdent 30 cassettes vidéo. 87 % des utilisateurs achètent des cassettes vierges, destinées à enregistrer des émissions, 58 % louent des cassettes préenregistrées et 30 % en achètent. 14 % n'utilisent jamais leur appareil ou presque (25 % parmi les 45-54 ans). Cette proportion devrait diminuer grâce aux efforts récents des constructeurs qui ont simplifié l'utilisation des appareils.

1,2 million de foyers sont abonnés au câble, 600 000 sont équipés d'antennes de réception satellite.

5 millions de foyers sont raccordés au câble. Parmi eux, 1,3 million seulement sont abonnés, soit 7 % des foyers équipés de la télévision. Malgré l'accroissement notable depuis 1992, la France reste

en retard par rapport à d'autres pays comme la Belgique (98 % d'abonnés), les Pays-Bas (88 %), les États-Unis (68 %) ou l'Allemagne (47 %). Surtout, l'investissement considérable et les erreurs dans les choix technologiques et commerciaux représentaient une perte estimée à 13 milliards de francs à fin 1991.

Les abonnés ont accès à sept chaînes conçues pour le câble (plus *Paris Première* en région parisienne) et à une dizaine de chaînes françaises et étrangères distribuées par les satellites. Environ 75 000 foyers sont abonnés au service Eurocrypt offrant des programmes en option (Canal Plus, Ciné Cinéma, Viné Cinéfil...).

Les foyers équipés pour recevoir les chaînes transmises par satellite ont un choix plus important. 50 000 foyers reçoivent Canal Plus via satellite TDF1/2, 5 000 reçoivent le bouquet 16/9 (Canal Plus, Ciné Cinéma, France supervision en clair) via Télécom 2A.

Ceux qui ne l'ont pas sont les plus nombreux

Les Parisiens câblés

Parmi les téléspectateurs parisiens câblés, 37 % regardent les programmes du câble, dont 5,2 % Série Club, 4,3 % Eurosport, 3,8 % Canal Jimmy, 3,4 % RT, 3,1 % Première, 2,4 % Planète, 2,1 % MTV, 1,2 % MCM Euromusique. 24 % regardent TF1 (contre 40 % chez les non-câblés), 17 % France 2, 9,5 % M6, 6 % France 3, 5,5 % Canal Plus, 1,5 % Arte.

L'ère du multimédia a commencé.

La grande bataille technologique et commerciale du XXIe siècle sera sans doute celle du multimédia, fusion de l'informatique et de la télématique. On peut le définir comme la symbiose du texte, du son et de l'image (fixe ou animée) et de l'interactivité, possibilité pour l'utilisateur d'agir sur le déroulement des programmes par (télécommande, souris, joystick...).

Les principaux supports en compétition, outre les disquettes classiques de micro-ordinateur et les cassettes vidéo des magnétoscopes, sont le CD-ROM (disque laser non inscriptible), le CD-I (disque compact interactif de Philips), le Vidéo-disque, la DAT (cassette audio digitale de Sony), le CD-Photo de Kodak, les cartouches de jeux Nintendo ou Sega.

Mais les programmes peuvent aussi être obtenus en ligne *(on line)* par voie hertzienne ou câble, au moyen de modems, décodeurs, etc. La visualisation peut se faire sur écran d'ordinateur, sur celui du téléviseur ou sur des appareils dédiés (Data Discman de Sony, Dictionnaire électronique de Larousse...).

Equipements multimédia

Les équipements concernés par ces développements sont multiples. Au début 1994, on comptait en France :
• 52 millions de postes téléphoniques, plus 450 000 radiotéléphones ;
• 340 000 terminaux de radiomessagerie ;
• 6,5 millions de terminaux vidéotex (Minitel), dont 5 millions dans les foyers et 500 000 micro-ordinateurs émulés vidéotex ;
• 11 millions de lecteurs de disques compacts ;
• 7 millions de consoles de jeux (70 % Nintendo, 30 % Sega), soit 30 % de foyers équipés ;
• 3,8 millions de micro-ordinateurs (19 % des foyers équipés), dont 2,9 millions de PC (1,3 million de compatibles IBM) et 600 000 Apple ;
• 1,2 million de modems (surtout dans les entreprises ;
• 150 000 lecteurs de CD-ROM (dont 80 000 achetés en 1993, contre 17 000 en 1992) ;
• 19 000 bornes interactives, dont 17 000 automates distributeurs de billets et 1 000 automates SNCF ;
• 12 000 Data Discman (dont 94 % Sony).
• 600 systèmes de visioconférence.

Observatoire des Industries du Multimédia

➤ A 13 h 30, la télévision a touché 20 % de son public, alors que la presse en a touché la moitié et la radio 65 %.

L'amie de la famille

Evolution du taux d'équipement des ménages en téléviseurs (en %) :

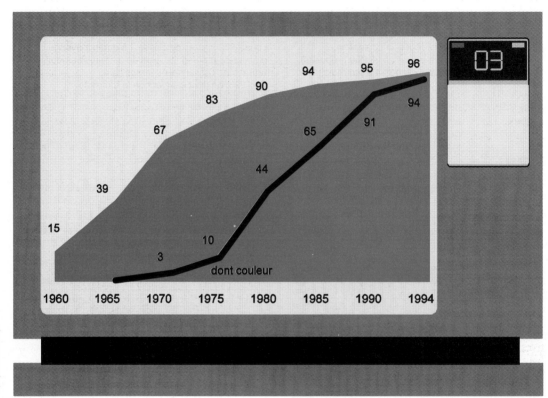

INSEE/Secodip

Malgré la baisse des prix relatifs,
les dépenses audiovisuelles progressent.

L'audiovisuel ne représente que 1,4 % des dépenses des ménages. Il connaît cependant une forte croissance depuis le début des années 80. La part des dépenses liées à la consommation augmente, alors que celle consacrée aux équipements diminue. Les achats de téléviseurs, magnétoscopes et Caméscopes ont diminué en 1993 en valeur. Cette baisse est d'abord la conséquence de celle des prix : 6 % sur les téléviseurs par rapport à 1992, 9 % sur les magnétoscopes, 10 % sur les Caméscopes (les volumes ont diminué pour ces deux derniers appareils). Le prix moyen d'un téléviseur couleur

(50 cm, de marque) est passé de 4 459 F en 1986 à 1 973 F en 1993.

Les Français ont dépensé 27 milliards de francs en 1993, dont 8 milliards d'abonnements et 8 milliards d'achats et de locations de cassettes, loin devant les dépenses de cinéma (4 milliards). Le succès de Canal Plus montre que les Français sont prêts à payer pour accéder à des programmes spécifiques.

➤ 64 % des Français ont déjà ressenti un malaise physique après avoir regardé la télévision (le plus souvent de l'excitation et de l'énervement, ou un sentiment d'abrutissement).

6,5 millions de Minitel

Début 1994, le parc de Minitel avoisinait les 6,5 millions d'appareils, dont les deux tiers dans les foyers.
Les 1,9 milliard d'appels de 1993 ont représenté 112 millions d'heures de trafic. 40 % des appels concernaient l'annuaire électronique (18 % des personnes équipées n'utilisent que ce service et 11 % n'en utilisent aucun, parmi les 23 200 proposés). Le nombre moyen d'appels est de 14,3 par mois ; leur durée moyenne est de 4,93 mn. Les 3 700 services d'informations audiotel (services vocaux par téléphone) ont reçu 477 millions d'appels et 15,5 millions d'heures de connexion.

AUDIENCE

En 1993, les téléspectateurs de 15 ans et plus ont passé 3 h 7 mn par jour devant le petit écran.

L'écart entre les actifs et les inactifs est le plus important, au profit de ces derniers : 3 h 43 contre 2 h 36. Les femmes sont plus consommatrices que les hommes (15 minutes de plus par jour, mais 8 minutes seulement pour les actives). Les personnes âgées de 50 ans et plus, en majorité inactives, regardent en moyenne 4 h 8 par jour, soit une heure et demie de plus que les 15-49 ans.

Contrairement aux idées reçues, les enfants ont une consommation inférieure à celle des parents : 1 h 57 pour les 4-10 ans, contre 3 h 7 chez les 15 ans et plus. La consommation est en outre plus irrégulière chez les enfants, avec une forte pointe le mercredi.

Enfin, les personnes appartenant aux catégories socioprofessionnelles les plus aisées (professions libérales, cadres supérieurs, artisans et commerçants, professions intermédiaires) sont beaucoup moins consommatrices que les autres catégories : 2 h 15 en moyenne contre 2 h 47 pour les autres catégories.

La durée d'écoute est très inégalement répartie. Les 20 % de Français les plus « télévores » représentent à eux seuls près de 50 % de l'audience totale. Les 10 % les moins assidus ne regardent en moyenne que 8 minutes par jour.

➤ 69 % des Français trouvent qu'il y a trop d'émissions de jeux à la télévision, 2 % qu'il n'y en a pas suffisamment.

Le principal loisir des Français

Au cours de sa vie, un Français passe plus de temps devant le petit écran qu'au travail : environ 9 années, contre 7 années de travail (voir *Emploi du temps*). Les enfants scolarisés consacrent aussi plus de temps au petit écran qu'à l'école : environ 900 heures par an, contre 800 heures de classe. La durée moyenne d'écoute par personne, plus de 3 heures par jour, représente l'essentiel du temps libre.
En 1993, on peut estimer que le temps de fréquentation moyen de l'ensemble des médias est de 6 heures par jour. Il est supérieur au temps total de loisir du fait de la duplication de certaines activités : on peut regarder la télévision en mangeant, écouter la radio en travaillant, lire un journal dans les transports en commun ou même devant la télévision.

Cet **homme recueille de plus en plus de voix, pourtant il n'est pas vert.**

COSBY SHOW

Souriez, **vous êtes sur M6**

Chaque chaîne a sa « couleur »

La durée moyenne d'écoute a baissé en 1992 et 1993.

Entre 1985 et 1991, la durée d'écoute moyenne par foyer avait augmenté d'un peu plus d'une heure par jour : 249 minutes en 1985 ; 315 en 1991. Cet accroissement s'expliquait par celui du nombre de chaînes disponibles, par la progression de la proportion de foyers équipés de plusieurs postes et l'augmentation du temps de diffusion (télévision du matin et de la nuit).

On assiste depuis 1992 à un retournement. La durée d'écoute moyenne par foyer a baissé ; elle a atteint 302 minutes en 1993, soit 13 minutes de moins qu'en 1991. Cette baisse ne peut être attribuée aux conditions techniques de réception, qui sont au contraire plus favorables, avec le développement de l'équipement des ménages, l'accès croissant au câble ou aux satellites. On est donc tenté de l'attribuer à une insatisfaction des téléspectateurs, qui est d'ailleurs confirmée par plusieurs enquêtes.

Parmi les pays de l'Union européenne, c'est aux Pays-Bas que l'on regarde le moins longtemps la télévision : 89 minutes par jour, contre 228 en Grande-Bretagne, 224 au Portugal, 216 en Espagne.

Les Français ne sont guère satisfaits des programmes.

Au début des années 80, la plupart des téléspectateurs s'étaient félicités de la disparition du monopole audiovisuel de l'Etat, synonyme d'un plus grand nombre de chaînes et d'une plus grande indépendance de chacune d'elles. Mais les sondages montrent qu'ils sont assez peu satisfaits des programmes qui leur sont proposés aujourd'hui : 66 % se disaient d'accord fin 1993 avec l'affirmation selon laquelle « on est pris pour des abrutis à la télévision », une proportion croissante depuis 1986 (36 %).

Les plus traditionalistes s'alarment de l'invasion de la publicité et de l'aspect « racoleur » de certaines émissions de variétés ou des « reality shows ». D'autres, moins nombreux, regrettent le conformisme, le manque d'imagination et la pauvreté culturelle des programmes, aussi bien dans le choix des sujets que dans le ton et le style utilisés.

Y a-t-il une vie sans la télé ?

21 % des Français reconnaissent regarder la télévision même si le programme les ennuie. 34 % estiment qu'ils ressentiraient un sentiment de vide si on leur retirait leur poste, 25 % se sentiraient isolés, 22 % s'ennuieraient. 57 % seraient indifférents et 59 % en profiteraient pour faire autre chose.

De nouveaux comportements d'écoute sont apparus.

La diffusion de la télécommande, du magnétoscope, des jeux vidéo ou, plus récemment, de la réception par câble ou par satellite permettent une plus grande maîtrise individuelle de la télévision. Les comportements des téléspectateurs en ont été progressivement transformés.

Le zapping a ainsi pris une importance croissante. Plus de huit foyers sur dix sont aujourd'hui équipés d'une télécommande, contre 24 % fin 1983. Son utilisation répétée s'explique par l'augmentation du nombre de chaînes et celle des écrans publicitaires (souvent mal tolérés, surtout pendant les films). 6 % seulement des téléspectateurs déclarent suivre avec attention les publicités, 27 % les regardent distraitement, 36 % visionnent une autre chaîne, 30 % font autre chose.

Le fait d'allumer la télévision est devenu un geste banal, plus qu'une décision. Le choix des programmes se fait souvent au dernier moment : 65 % choisissent le jour même les émissions à partir des programmes ou des annonces ; 18 % seulement choisissent à l'avance, en début de semaine par exemple.

TF1 à la une

Parts d'audience des chaînes (1993, en %) :

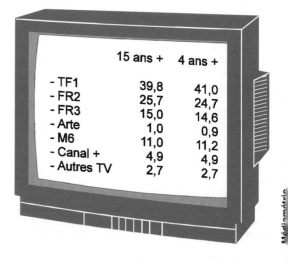

	15 ans +	4 ans +
- TF1	39,8	41,0
- FR2	25,7	24,7
- FR3	15,0	14,6
- Arte	1,0	0,9
- M6	11,0	11,2
- Canal +	4,9	4,9
- Autres TV	2,7	2,7

➤ Les émissions dont les Français regrettent le plus la disparition sont : Les Dossiers de l'écran (64 %) ; Les Animaux du monde (57 %) ; Apostrophes (45 %) ; Le Grand Échiquier (35 %) ; Sébastien, c'est fou (31 %) ; Cinéma-cinémas (29 %) ; La Piste aux étoiles (28 %) ; Les Nuls (27 %) ; Mon zénith à moi (16 %).

Santé Magazine/Louis Harris, septembre 1992

Médiamétrie

Palmarès 93

Liste des meilleurs scores d'audience par genre (en %) :

Films
- Liaison fatale   25,8   TF1
- Une époque formidable   25,8   TF1
- Le Solitaire   25,3   TF1
- Allo Maman ? ici bébé   24,1   TF1
- Les Bronzés font du ski   23,3   TF1

Fiction TV (téléfilms, séries, feuilletons)
- L'Instit   22,5   France 2
- Columbo   22,1   TF1
- Les Maîtres du pain   21,5   France 2
- Deux Justiciers dans la ville   21,0   TF1
- Les Mouettes   21,0   TF1

Jeux
- Que le meilleur gagne
spécial Restaurants du cœur   25,6   France 2
- Les Clés de Fort-Boyard   16,7   France 2
- Le Juste Prix   13,8   TF1
- Le Trésor de Pago Pago   12,8   TF1

Variétés
- Sacrée Soirée   19,2   TF1
- Stars 90   18,5   TF1
- Super Nana   18,1   TF1
- Garçon la suite   17,5   TF1
- Crise de rire   17,3   TF1

Humour
- Les Grosses Têtes   21,8   TF1
- Le Grand Bluff   17,6   TF1
- Surprise sur prise   17,1   France 2
- Le Bébête Show   16,2   TF1
- La Télé des Inconnus   16,2   France 2

Théâtre
- Trois partout   14,2   TF1
- On dînera au lit   10,9   France 2
- La Soupière   8,7   France 2
- Les Seins de Lola   8,6   France 2

Musique classique et ballets
- Concert du nouvel an (2e partie)   4,7   France 2
- Concert du nouvel an (1re partie)   3,3   France 3
- Opéra - La Traviata (1re partie)   2,7   France 3
- Opéra - Carmen   2,2   France 3

Magazines d'images
- Reportages   17,6   TF1
- Envoyé spécial   15,3   France 2
- 52 à la une   12,2   TF1
- Grands Reportages   10,7   TF1

Magazines-débats
- 7 sur 7 : Michel Sardou   14,6   TF1
- La Marche du siècle :
l'enfance maltraitée   11,1   France 3
- Santé à la une : maigrir à la carte   6,8   TF1
- Etat d'urgence : France au chômage   6,7   France 3

Magazines divers
- Super Frou-Frou   13,9   France 2
- Tout est possible : C. de Turckheim   12,2   TF1
- Coucou c'est nous : Sébastien Roch   11,9   TF1
- Méfiez-vous des blondes : M. Leeb   11,4   TF1

Reality-shows
- Perdu de vue   17,7   TF1
- Témoin n° 1   17,5   TF1
- Mystères   17,2   TF1
- Les Marches de la gloire   17,1   TF1

Documentaires
- Retiens ta nuit   12,9   TF1
- L'Œil du jeudi : notre télévision   9,7   France 2
- L'Année sexy   9,0   TF1
- L'Odyssée du Cdt Cousteau   9,0   France 2

Emissions politiques
- L'Heure de vérité : F. Mitterand   11,9   France 2
- L'Heure de vérité : Bernard Tapie   7,3   France 2
- L'Heure de vérité :
spécial Pierre Bérégovoy   6,0   France 2
- L'Heure de vérité : J.-M. Le Pen   5,8   France 2

Sport-retransmissions
- Football (finale coupe d'Europe :
Marseille-Milan   32,2   TF1
- Football (éliminatoire coupe du
monde : France-Bulgarie)   27,6   TF1
- Football (éliminatoire coupe du
monde : France-Suède)   23,2   TF1

Magazines sportifs
- F1 Magazine   13,4   TF1
- Paris-Dakar   12,6   France 2
- F1 Grand Prix   11,9   TF1

Emissions spéciales
- Miss France   19,1   France 3
- La Nuit des 7 d'or   16,4   France 2
- Concours eurovision de la chanson   13,5   France 2

N.B. Dans le cas d'émissions régulières, le score indiqué correspond à l'audience maximale obtenue.

Médiamétrie

*L'écoute est plus forte vers 13 h et 21 h,
le dimanche et en hiver.*

La durée d'écoute individuelle la plus élevée est celle du dimanche. Elle est minimale les mercredi (sauf pour les enfants), jeudi et vendredi. Elle varie fortement au cours de la journée, avec des pointes à 13 h (25 % d'audience) et surtout entre 21 h et 22 h (plus de 40 % d'audience, un peu moins le samedi). La tranche 18 h -20 h 30 représente 24 % de l'audience journalière au cours de la semaine, contre 22 % pour celle de 20 h 30 à 22 h.

L'écoute varie aussi selon la période de l'année, atteignant un maximum en janvier, février, novembre et décembre (environ 3 h 15) et un minimum en juin, juillet, août, septembre (2 h 30). Enfin, on constate que l'existence de plusieurs postes dans un foyer ne se traduit pas par une consommation individuelle supérieure.

*TF1 a obtenu 39,8 % de l'audience totale
en 1993 (lundi-dimanche, 15 ans et plus).*

La part d'audience de TF1 a diminué en 1993, passant de 40,7 % à 39,8 %. Celle de France Télévision (France 2 et France 3) a progressé de 38,2 % à 40,7 %, tandis que celle de M6 passait de 10 % à 11 %. La part de Canal Plus a légèrement régressé, de 5 % à 4,9 %. Arte n'obtenait globalement que 1 % de l'audience totale.

Les résultats des chaînes plus récentes doivent être examinés en tenant compte de leurs zones de réception respectives et de la qualité de réception dans les foyers théoriquement couverts. Début 1994, 25 % des foyers équipés de la télévision n'étaient pas initialisés pour recevoir Canal Plus, 20 % pour Arte, 15 % pour M6. La remarque vaut aussi pour les « autres chaînes », d'origine étrangère, dont la couverture est limitée à quelques régions frontalières avec la Belgique, le Luxembourg, l'Allemagne, la Suisse ou l'Italie.

TF1, A2 et M6 ont une répartition similaire de leur audience entre les grandes tranches horaires : environ un tiers entre 12 h et 18 h et un quart entre 18 h et 20 h 30. Canal Plus et surtout FR3 se caractérisent par une plus forte concentration de leur audience en fin d'après-midi.

Les audiences sont très différentes selon l'âge des téléspectateurs. TF1 obtient 51 % auprès des enfants de 4 à 14 ans, contre 28 % seulement à France Télévision.

➤ 245 000 foyers ont souscrit un abonnement au câble en 1993.

Micro-entretien ▬▬▬▬

JÉRÔME CLÉMENT[*]

G.M. - *A quoi sert Arte ?*

J.C. - On a assisté depuis plusieurs années à une dérive, une tendance à la commercialisation extrême des programmes de télévision. Cela a des conséquences sur les écrans par l'envahissement de la publicité et par la logique de l'Audimat. On sait que ce sont les programmes de variétés, les programmes fédérateurs de grande audience qui marchent et cela tue la créativité. Une chaîne culturelle n'est pas seulement une chaîne qui produit des émissions de qualité, ce qui est notre ambition, mais aussi qui les programme à des heures de grande écoute. La culture c'est d'abord un regard sur le monde, ce n'est pas un domaine particulier. C'est ce qui permet, comme on disait autrefois, à « l'honnête homme » de se situer, de comprendre en profondeur mais aussi de façon distractive. Une autre différence est le rapport au temps. Le rythme n'est pas le même que sur les autres chaînes. On donne du temps aux gens pour s'exprimer, aux créateurs pour exposer leurs théories en consacrant une soirée entière à un thème.

───────

[*] Président d'Arte.

*La « fiction » représente 37,2 %
de l'audience totale.*

La fiction (films, téléfilms, séries, feuilletons, théâtre) occupait en 1993 plus du tiers du temps des téléspectateurs, loin devant les informations, magazines et documentaires (27,6 %) et les variétés et les jeux (14,0 %). On observe d'ailleurs une diminution notable de l'audience des variétés depuis deux ans. Le poids des différents types de programmes varie selon les chaînes ; il représente les trois quarts de la grille de M6, un quart à un tiers dans celles de TF1, France 2 ou France 3.

L'audience d'une émission est évidemment une bonne indication de son intérêt pour le public. Elle ne peut cependant être considérée indépendamment de sa date ni surtout de son heure de diffusion, ainsi que des programmes proposés au même moment par les autres chaînes. Le palmarès 1993 fait apparaître la suprématie de TF1 dans la plupart des genres d'émission. Une même émission peut avoir une audience différente selon la chaîne qui la diffuse, en fonction de son image et de sa notoriété, sans oublier sa couverture géographique, qui n'est pas complète pour toutes les chaînes.

L'offre et la demande

Répartition des programmes proposés et de l'audience (en %) :

TV offerte		TV consommée
4,6	Films	9,5
25,0	Fiction TV	27,7
4,2	Jeux	7,1
9,9	Variétés	6,9
6,5	Journaux TV	13,2
26,6	Magazines, doc.	14,4
4,0	Sport	5,0
6,7	Emis. jeunesse	3,3
5,7	Publicités	8,3
6,8	Divers	4,6

Médiamétrie

La crédibilité en baisse

67 % des Français se disent plutôt méfiants à l'égard des moyens d'information en général, 33 % seulement sont plutôt confiants.

47 % considèrent que les médias rendent assez bien compte des opinions des Français, 46 % sont de l'avis contraire.

63 % estiment qu'ils portent atteinte à la vie privée des gens, 27 % qu'ils la respectent.

62 % trouvent qu'ils accordent trop de place aux questions sans importance, contre 30 %.

57 % estiment que les journalistes ne sont pas indépendants des partis politiques, du pouvoir ou de l'argent (30 % de l'avis contraire).

50 % estiment que la télévision exerce une influence positive sur les téléspectateurs, 48 % une influence négative.

Après le suicide de Pierre Bérégovoy, 31 % des Français estimaient justifiées les critiques contre les médias, 59 % étaient de l'avis contraire.

➤ 45 000 téléviseurs au format 16/9 ont été achetés en 1993, portant le parc à 62 000 appareils.

L'offre de programmes est assez différente de la consommation.

Les Français (4 ans et plus) ont consommé en moyenne 988 heures de télévision en 1993 (contre 1 074 heures en 1991), dont : 274 heures de séries et feuilletons ; 142 heures de magazines et documentaires ; 130 heures de journaux télévisés ; 94 heures de films ; 70 heures de jeux ; 69 heures de variétés ; 82 heures de publicité ; 50 heures de sport. Outre la baisse globale du temps consacré à la télévision, on note depuis deux ans une nette diminution de celui accordé aux séries, aux variétés, aux jeux et aux journaux télévisés, essentiellement au profit des magazines et documentaires.

On constate un écart parfois important entre la répartition de la diffusion par genre et la répartition de la consommation (les types de programmes regardés). Ainsi, les films représentent 9,5 % de la consommation mais seulement 4,6 % de la programmation. Les journaux télévisés, les jeux, le sport et la publicité sont également « surconsommés » par rapport à l'offre. A l'inverse, les magazines-documentaires, les variétés et les émissions

pour la jeunesse font l'objet d'une « sous-consom-
mation ».

Les jeux à la télé

En 1993, les chaînes proposaient douze jeux
quotidiens, concentrés en fin de matinée et en
avant-soirée et sept jeux hebdomadaires. Au total six
heures de programmes par jour, dont 3 H 25 sur
France 2, 2 H 35 sur TF1, 30 minutes sur France 3.
En 1980, on ne comptait que trois jeux : Des chiffres et
des lettres, sur Antenne 2 ; Les inconnus de 19 h 45,
sur TF1 et Les jeux de 20 heures, sur FR3. La clientèle
des jeux est plutôt féminine, âgée et provinciale à
80 %. Leur coût (50 000 à 150 000 F les 30 minutes)
est environ trois fois moins élevé que celui des fictions
bas de gamme, deux fois moins qu'une émission de
variétés.

Le palmarès des enfants

Dix meilleurs scores chez les enfants de 4 à 14 ans,
hors émissions pour la jeunesse et dessins animés
(1993, en %) :

4-10 ans

• Allo Maman ? ici bébé	29,6	TF1
• Les Clés de Fort-Boyard	25,8	France 2
• Les bronzés font du ski	25,3	TF1
• Le Petit Baigneur	24,7	TF1
• Les Aventures de Rabbi Jacob	23,6	TF1
• Une époque formidable	23,3	TF1
• Hélène et les garçons	22,3	TF1
• Dorothée rock'n roll show	21,7	TF1
• Qui veut la peau de Roger Rabbit ?	20,8	TF1
• Le Collège des cœurs brisés	20,1	TF1

11-14 ans

• Allo Maman ? ici bébé	32,0	TF1
• Qui veut la peau de Roger Rabbit ?	31,3	TF1
• Football - coupe d'Europe : Marseille-Milan AC	29,4	TF1
• Beverly Hills 90210	28,1	TF1
• Les Clés de Fort-Boyard	27,6	France 2
• Que le meilleur gagne : spécial Restaurants du cœur	27,6	France 2
• Le Petit Baigneur	27,4	TF1
• La Chèvre	25,9	TF1
• Le Gendarme à New York	25,9	TF1
• Les Bronzés	25,9	TF1

RADIO

**Tous les foyers équipés ◆ Croissance de
l'équipement en FM, autoradio et baladeur
◆ 3 heures d'écoute par jour ◆ 71 % du
volume d'écoute pour les radios locales
privées ◆ 40 % de l'audience cumulée
pour les cinq stations généralistes**

ÉQUIPEMENT

*Tous les foyers sont équipés
d'au moins un poste de radio.*

Le multi-équipement est aujourd'hui la règle,
alors qu'on ne comptait que 20 millions de récepteurs en 1970. Depuis quelques années, la modulation de fréquence (mono et stéréo), les
radiocassettes (1,9 million achetés en 1993), les
radioréveils (1,5 million), les autoradios (3,1 millions) et les baladeurs (2,0 millions) ont largement
contribué au développement d'un marché qu'on
aurait pu croire saturé.

La radio accompagne les Français dans la plupart des moments de la vie quotidienne : à la maison, dans la rue, en voiture, dans les magasins et
parfois sur leur lieu de travail.

➤ 27 % des Français écoutent la radio moins d'une
heure par jour, 33 % de 1 à 3 heures, 8 % de 3 à
5 heures, 8 % plus de 5 heures.

La radio omniprésente

Equipement des ménages en récepteurs de radio (1993, en %) :

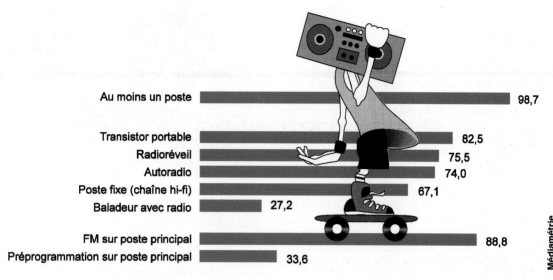

Au moins un poste	98,7
Transistor portable	82,5
Radioréveil	75,5
Autoradio	74,0
Poste fixe (chaîne hi-fi)	67,1
Baladeur avec radio	27,2
FM sur poste principal	88,8
Préprogrammation sur poste principal	33,6

Médiamétrie

90 % des ménages reçoivent la modulation de fréquence.

Seule la possession de la FM différencie encore les catégories sociales. Les taux de possession sont assez inégaux selon l'âge, la profession ou la région et donnent à la FM un aspect moins populaire que la radio en général. Comme c'est souvent le cas pour les produits à forte « technologie ajoutée », ce sont les plus jeunes, les plus aisés et les plus urbains qui sont les mieux équipés. Mais la baisse des prix des récepteurs FM qui se poursuit depuis quelques années les rend de plus en plus accessibles aux ménages.

La plupart des automobilistes disposent d'un autoradio (24 % en 1971).

En vingt ans, le taux d'équipement radio des automobilistes a plus que triplé. Les Français en achètent un peu plus de 3 millions par an. Les jeunes, en particulier, sont séduits par la qualité croissante de l'écoute, liée à l'évolution spectaculaire des matériels (enceintes, amplis, égaliseurs, affichage digital des fréquences, recherche automatique des stations, lecture des disques compacts, etc.). Aujourd'hui, les radiocassettes représentent plus des trois quarts des autoradios achetés chaque année (contre un dixième en 1970).

Les Français écoutent la radio en moyenne 3 heures par jour.

La durée moyenne d'écoute par auditeur est stable aux alentours de 3 heures depuis quelques années. Elle est un peu supérieure en semaine (3 h 04 en 1993) et un peu inférieure pendant les week-ends (2 h 53 le samedi et 2 h 40 le dimanche). Une durée inférieure de près d'une demi-heure à celle consacrée à la télévision.

La radio est très écoutée le matin entre 7 et 9 heures, pendant la tranche d'informations, bien que l'audience de la télévision du matin ait augmenté. L'écoute maximale est atteinte entre 7 h et 18 h. Elle diminue ensuite au fur et à mesure que la soirée se poursuit et que les Français s'installent devant la télévision.

C'est en octobre et en novembre que la radio a le plus d'auditeurs, alors que les postes sont plus silencieux en juillet et août.

Ceux qui écoutent le plus la radio sont les hommes (81 % contre 74 %), les femmes inactives et les personnes âgées. Les moins concernés sont les personnes vivant dans des communes rurales. Les taux d'écoute les plus élevés sont ceux d'Ile-de-France, d'Alsace et de Haute-Normandie. Les plus faibles sont ceux du Languedoc-Roussillon, de Corse et de Provence-Alpes-Côte d'Azur.

Depuis leur naissance, les radios locales ont connu un succès croissant.

L'autorisation, en 1982, des « radios libres » (officiellement radios locales privées) a été une date importante dans l'histoire des médias. Elle a permis de nouvelles relations entre les stations et leurs auditeurs, basées sur le dialogue, l'engagement ou le partage d'un même centre d'intérêt.

La musique est sans aucun doute ce qui attire le plus les Français vers ces radios. Mais la spécialisation de la plupart de ces stations est une autre différence déterminante par rapport à leurs grandes sœurs généralistes, qui s'adressent au « grand public » comme le font les chaînes de télévision. Cette spécialisation des radios libres a d'abord été régionale ou locale, du fait de zones d'écoute techniquement limitées. Les regroupements de stations au sein de réseaux ont permis à certaines de devenir véritablement nationales.

Les radios nationales ont réagi à la concurrence en créant des stations thématiques.

Contrairement aux stations généralistes, les radios locales s'adressent à des groupes définis par des centres d'intérêt ou des modes de vie communs plutôt que par toute caractéristique sociodémographique, à l'exception de l'âge.

Les radios nationales et périphériques se sont inscrites dans ce mouvement. Radio France a réussi une percée remarquée avec la création de France-Info, Europe 1 a réussi à hisser Europe 2 dans le groupe de tête des radios locales nationales. Entre radios périphériques et radios locales, la guerre n'est pas encore terminée. Mais les contraintes de rentabilité des radios locales incitent celles-ci à faire une place croissante à la publicité et à avoir des ambitions nationales. Donc à perdre une partie de leur spécificité.

➤ 29 % des Français équipés d'un ordinateur l'utilisent d'abord pour des jeux, 17 % pour des applications personnelles, 14 % pour le travail scolaire, 14 % comme un passe-temps, 12 % pour tenir leurs comptes, 8 % pour le travail à la maison.

La radio, média de proximité

AUDIENCE

L'audience générale de la radio s'est redressée depuis 1988.

Après le fléchissement des années 1985 à 1987, l'audience globale de la radio (radios locales comprises) semble s'être stabilisée à un assez haut niveau. En 1993, l'audience cumulée (proportion de personnes ayant écouté une station au cours d'une journée de semaine, entre 5 heures et 24 heures) était de 77,2 %.

Ce résultat est la conséquence de deux mouvements de sens contraire : le poids croissant des radios locales, qui comblent le besoin de musique des Français (les jeunes en particulier) ; la baisse d'audience des radios périphériques.

L'accroissement du nombre de chaînes de télévision ne semble pas avoir eu d'effets sensibles sur l'écoute de la radio, qui résiste grâce aux qualités propres à ce média : souplesse et pouvoir d'évocation ; meilleure adaptation à l'analyse et au commentaire, à l'information en direct, parfois aussi à l'impertinence. Il faut noter que la radio est le média qui conserve la meilleure crédibilité auprès du public en matière d'information, loin devant la télévision et la presse.

Les cinq stations généralistes ont représenté 40 % de l'audience cumulée en 1993.

Elles arrivent loin devant les programmes musicaux nationaux (Europe 2, Fun Radio, Nostalgie,

NRJ, Skyrock, RFM, Chérie FM, M40), qui représentaient 28 % de l'audience (semaine). L'ensemble des stations de Radio France (France-Inter, France-Info, France-Culture, France-Musique, Radio bleue, 39 stations locales, 9 stations FIP) occupaient la troisième place, avec 24 % d'audience.

RTL maintient sa première place, avec 18 % de l'audience cumulée. Sa suprématie est concrétisée à la fois par une audience supérieure et par une durée d'écoute plus longue. Europe 1 et France-Inter se disputent la seconde place, mais avec une part du volume d'écoute deux fois moins élevée.

Avec 3,6 % de l'audience totale, RMC représente moins de la moitié du poids d'NRJ, mais sa couverture reste régionale. Il faut noter aussi la forte croissance de France-Info, qui obtient 4 % d'audience cumulée, avec cependant une durée moyenne d'écoute très inférieure à celle des stations périphériques. Les chiffres du premier trimestre 1994 confirment la plupart de ces tendances (voir tableau ci-dessous).

RTL toujours leader

Audiences cumulées, durées d'écoute moyennes par auditeur et part du volume de l'écoute radio pour un jour moyen de semaine (premier trimestre 1994) :

	Audience (%)	Ecoute (en min)	Part d'écoute (%)
• Chérie FM	2,8	119	2,1
• Europe 1	11,8	117	9,0
• Europe 2	5,1	109	3,6
• France-Info	9,6	82	5,1
• France-Inter	11,2	133	9,6
• Fun Radio	8,1	132	6,9
• M40	2,1	98	1,4
• Nostalgie	4,5	131	3,9
• NRJ	9,8	103	6,6
• RMC	3,7	103	2,4
• RTL	18,8	168	20,4
• Skyrock	4,8	92	2,9
• Radio en général	**80,0**	**193**	100,0
• Programmes généralistes	40,7	161	42,5
• Programmes musicaux nationaux	30,5	143	28,4
• Autres programmes thématiques	12,1	95	7,5
• Programmes locaux	17,9	139	16,2
• Autres programmes	8,7	96	5,4
• Radio France dont stations locales	25,8	132	22,1

Médiamétrie

Les radios locales privées représentent 71 % du volume d'écoute.

Si l'on examine l'audience par statut, on s'aperçoit que les radios privées commerciales ont un poids prépondérant : 60 % de l'audience cumulée en semaine, loin devant le service public (24 %) et les radios privées associatives (2,2 %). Les écarts sont encore plus marqués en parts de marché : 71 % du volume d'écoute pour les radios privées, contre 22 % au service public.

Après avoir connu un démarrage foudroyant et malgré une légère érosion en 1989 et 1990, NRJ fait presque jeu égal avec France-Inter. Fun Radio, Europe 2 et Skyrock sont les trois stations préférées des jeunes. Elles obtiennent des parts du volume d'écoute voisines de 4 % et se livrent entre elles une lutte sévère.

En Ile-de-France, NRJ est la première radio locale, avec 5 % du volume d'écoute, devant Europe 2 (3,8), Radio Classique (3,8), Chérie FM (3,8), Fun Radio (3,7), Radio Montmartre (2,8), Rire et Chansons (2,1) et Nostalgie (1,9).

Près de 1 500 radios libres ont été autorisées sur le territoire au terme d'une période transitoire pendant laquelle les auditeurs ont eu un peu mal aux oreilles, entre les glissements de fréquence, les brouillages et les superpositions de programmes. La moitié environ sont ouvertes à la publicité de marque. Les autres ont un statut associatif et ne peuvent diffuser que des campagnes collectives.

Le phénomène *Lovin' fun*

La forte croissance de Fun Radio est due pour une large part au succès de son émission *Lovin' fun*, au cours de laquelle les jeunes peuvent poser en direct toutes les questions concernant la sexualité à un médecin (le Doc, devenu en quelques mois une figure légendaire du paysage audiovisuel). 50 % des 15-24 ans disent écouter au moins de temps en temps l'émission, 26 % des 25-34 ans, 15 % des 35-49 ans. En un an, la station a gagné près d'un million d'auditeurs. Cette forte croissance a été favorisée par les démêlés avec le CSA, qui estimait que l'émission présentait certains dérapages et pouvait constituer une atteinte aux bonnes mœurs. Cet affrontement, fortement relayé par les médias, a entraîné des manifestations des jeunes auditeurs et contribué à la notoriété de l'émission.

CINÉMA

**Forte reprise de la fréquentation en 1993
◆ Concurrence de la télévision ◆ Les
Français aiment le cinéma ◆ Deux tiers des
entrées assurés par les moins de 35 ans
◆ Films français : un tiers des spectateurs
◆ Genres préférés : rire et aventure ◆ Rôle
des stars moins déterminant dans le succès
des films**

FRÉQUENTATION

*La baisse de fréquentation du cinéma
a été presque continue depuis la fin
des années 40 jusqu'en 1992,
malgré un répit entre 1975 et 1982.*

La fréquentation des cinémas a connu plusieurs
phases distinctes. La chute a d'abord été brutale
entre la fin de la Seconde Guerre mondiale et le
début des années 70. Il y avait 424 millions de spectateurs en 1947 ; ils n'étaient plus que 400 en 1957
et la moitié seulement en 1968 (203) alors que la
population avait augmenté d'environ 9 millions
d'habitants pendant la période.

Entre 1975 et 1982, les efforts des professionnels ont laissé espérer un retournement de tendance,
grâce à la création de « complexes multisalles »
proposant un choix plus grand dans des salles plus
petites et moins nombreuses et à la modulation du
prix des places. En 1982, la fréquentation remontait

à 202 millions de spectateurs et le déclin semblait
enrayé.

L'érosion reprenait cependant à partir de 1983.
Au total, la fréquentation a chuté de 30 % au cours
des années 80, avec une très mauvaise année 1987
(- 20 %), alors que, dans le même temps, la consommation des Français augmentait de 30 % en francs
constants. Depuis 1989, le nombre d'entrées s'est
stabilisé. Mais les ménages ne consacrent plus que
0,1 % de leur budget au cinéma, contre 0,18 % en
1980.

*1993 a été une année de forte reprise
en France, avec 133 millions de spectateurs.*

L'augmentation de la fréquentation a été de
16 % par rapport à 1992, un taux qui n'avait été
dépassé qu'en 1982. Il est dû pour une large part au
triomphe des *Visiteurs*, qui a attiré à lui seul près de
14 millions de spectateurs, sans oublier les deux
autres « poids lourds » qu'ont été *Jurassic Park* et
Germinal. Il s'explique aussi par les efforts des
distributeurs et des exploitants pour diversifier la
programmation, proposer des tarifs moins élevés,
un meilleur accueil et des salles plus agréables avec
des écrans plus grands (voire géants).

En Europe, la France confirme donc sa première
place en ce qui concerne la fréquentation moyenne,
avec 2,3 séances par habitant et par an. Elle est, avec
la Grande-Bretagne et plus récemment l'Espagne,
l'un des rares pays à avoir pu enrayer l'érosion. La
baisse de la fréquentation a été en effet plus marquée
dans la plupart des pays développés. Malgré une
légère remontée en 1993, le cinéma italien, qui fut
longtemps l'un des plus dynamiques et des plus
créatifs, est à l'agonie : 87 millions de spectateurs
en 1993, contre 125 en 1986, 215 en 1981 et... plus
de 700 millions en 1960. Les autres pays comme
l'Allemagne sont davantage dépendants du succès
des films américains, qui représentent l'essentiel de
la fréquentation.

Aux Etats-Unis, la très forte baisse enregistrée
jusqu'en 1971 a été enrayée. La tendance s'est ensuite inversée et le nombre de spectateurs s'est stabilisé aux alentours de un milliard depuis une
douzaine d'années. 1993 a été une bonne année,
avec 1,1 milliard d'entrées, une moyenne par habitant double de celle de la France et quadruple de
celle du Japon (131 millions d'entrées en 1993,
contre un milliard en 1960).

Le record appartient toujours à la Chine, avec
plus de 15 milliards de spectateurs annuels, pour
seulement 4 500 salles fixes, mais 140 000 unités

La grande évasion

Evolution de la fréquentation des cinémas (en millions de spectateurs) :

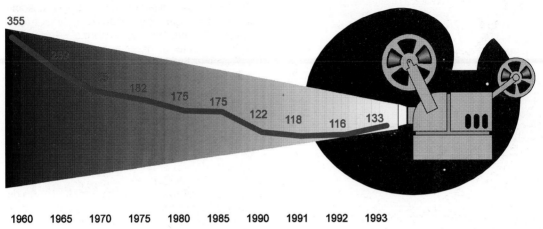

355

182   175   175   122   118   116   133

1960   1965   1970   1975   1980   1985   1990   1991   1992   1993

CNC

mobiles circulant dans le pays. La fréquentation en Inde (premier producteur mondial de films) est relativement stable avec un peu moins de 4 milliards de spectateurs.

Les Visiteurs très visités

Sorti fin janvier 1993, le film réalisé par Jean-Marie Poiré et produit par Alter Film, France 3 et Gaumont a très vite connu le succès : 520 000 entrées sur la France la première semaine. L'année se terminait sur un véritable triomphe : 13,6 millions de spectateurs. Un score qui devrait s'accroître, car le film était encore à l'affiche dans 100 salles françaises au début 1994. Le précédent record établi par *la Grande Vadrouille* (17,2 millions de spectateurs) pourrait donc être battu. Il l'est déjà largement en part de marché puisque *les Visiteurs* représentaient 11 % des entrées en 1993, contre 4,6 % pour le film de Gérard Oury après un an d'exploitation (le film est sorti en décembre 1966). Les Français ont acheté en outre 2,5 millions de cassettes vidéo et les recettes à l'étranger s'annoncent prometteuses. Le succès du film peut s'expliquer à la fois par sa drôlerie et par le regard ironique qu'il porte sur la société « moderne ». Il constitue la version filmée des *Lettres persanes* de Montesquieu et flatte le besoin de dérision et de régression (au sens temporel et psychanalytique) des Français.

La télévision a joué un rôle décisif dans la désaffection à l'égard des salles.

Le cinéma a été depuis les années 60 concurrencé par de nouvelles formes de loisirs. Ce fut d'abord la voiture, qui permettait aux Français (en particulier les habitants des grandes villes) d'aller passer le week-end à la campagne. Et puis, surtout, la télévision s'est installée dans les foyers. Elle a bouleversé les pratiques de loisirs, en même temps que les modes de vie.

A partir du moment où il devenait possible de voir des films chez soi et pour un coût presque nul, les contraintes propres à la fréquentation des cinémas découragèrent beaucoup de spectateurs. L'inconfort de certaines salles, la taille réduite des écrans dans les complexes multisalles et la qualité de projection parfois insuffisante ont fait hésiter un nombre croissant de spectateurs à payer un prix jugé élevé (il a augmenté de 112 % au cours des années 80, alors que l'inflation n'était que de 82 %).

Ce transfert a été favorisé enfin par l'arrivée de nouvelles chaînes de télévision (hertziennes, cryptées, câblées), l'accroissement du nombre de films diffusés et celui de l'équipement en magnétoscopes.

➤ En Grèce, la fréquentation est passée de 17,5 millions de spectateurs en 1989 à 4,4 millions en 1992.

Le cinéma à la télé

En 1993, les cinq chaînes de télévision émettant en clair ont diffusé 918 films, dont 192 sur M6, 190 sur France 3, 187 sur France 2, 179 sur Arte, 170 sur TF1. Canal Plus en a diffusé 450. Sur l'ensemble des films, 46 % étaient d'expression française, 17 % d'autres pays de l'Union européenne. Le prix payé par les chaînes pour un film varie entre 500 000 F et 10 millions de francs, avec une moyenne de 3 à 4 millions de francs pour TF1, France 2 et Canal Plus, moins de un million pour Arte et M6. Les Français ont dépensé 5 milliards de francs en cassettes vidéo enregistrées. La part des achats continue de s'accroître : 75 % en 1993 contre 72 % en 1992.

Les Français aiment le cinéma.

Contrairement à ce que pouvait laisser penser la baisse de la fréquentation jusqu'en 1992, les Français apprécient toujours beaucoup le cinéma. La preuve en est que jamais ils n'ont regardé autant de films. Mais c'est à la télévision, le plus souvent, qu'ils assouvissent leur passion ; les films, télé-films, séries et feuilletons représentent 30 % du temps de programmation des chaînes et 37 % de l'audience.

Le monde du cinéma

Nombre moyen annuel d'entrées par habitant dans quelques pays (1993) :

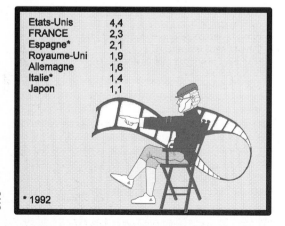

Etats-Unis	4,4
FRANCE	2,3
Espagne*	2,1
Royaume-Uni	1,9
Allemagne	1,6
Italie*	1,4
Japon	1,1

* 1992

Malgré sa désaffection, le cinéma en salle reste l'activité culturelle la plus populaire et la plus pratiquée. Mais elle est le fait d'un public limité ; un Français sur deux ne va pratiquement jamais au cinéma. Pour 988 heures passées en moyenne dans l'année devant la télévision, les Français passent 4 heures dans une salle de cinéma.

Les cinémas plus visités en 1993

Les deux tiers des entrées sont assurés par les moins de 35 ans.

55 % des Français de 6 ans et plus sont allés au cinéma en 1993. La proportion était de 91 % parmi les 15-19 ans, contre 28 % chez les 60 ans et plus. Les enfants entraînent leurs parents au cinéma pour y voir des dessins animés ou des films sur les animaux. Pour les adolescents, le cinéma est une occasion de se retrouver entre amis, en bande ou en couple. La fréquentation diminue rapidement à partir de 25 ans.

Les 6-24 ans représentent à eux seuls 48 % des entrées, alors qu'ils ne comptent que pour 27 % de la population totale. Le sexe n'intervient guère dans la fréquentation, contrairement au niveau d'instruction (elle augmente avec lui). Le cinéma est une pratique surtout urbaine, moins en raison de l'offre existante que de la présence des catégories les plus intéressées par ce type d'activité : jeunes ; célibataires ; diplômés ; ménages à revenus élevés. Enfin, 23 % des entrées ont lieu le samedi contre seulement 9 % le jeudi.

FILMS

*Les films français représentent
35 % des entrées, les films américains 57 %.*

La longue baisse de fréquentation des salles a surtout concerné les films français. Depuis 1986, ceux-ci attirent moins de spectateurs que les films américains. En 1982, ces derniers ne représentaient que 30 % des entrées. A l'inverse, les films français ont perdu 60 % de leurs spectateurs entre 1982 et 1990. Parmi les dix films ayant réalisé le plus d'entrées en 1993, qui fut pourtant une très bonne année pour le cinéma national, six sont américains et trois sont français.

Pourtant, la situation du cinéma français reste largement plus favorable que celle de ses voisins européens. Le cinéma britannique représente moins de 5 % des entrées nationales. La proportion est de 9 % en Espagne et en Allemagne, 24 % en Italie. Mais elle est de 97 % aux Etats-Unis et de 36 % au Japon.

Hollywood contre Billancourt

48 % des Français estiment que le cinéma américain est d'aussi bonne qualité que le cinéma français, 22 % qu'il est de moins bonne qualité (17 % des 18-24 ans), 19 % qu'il est de meilleure qualité (36 % des 18-24 ans). 78 % considèrent que le cinéma américain est le plus spectaculaire (contre 8 % au cinéma français), 41 % qu'il est le plus inventif (contre 34 %), 41 % le plus professionnel (contre 32 %), 37 % le plus original (contre 37 %). 67 % considèrent en revanche que le cinéma français est le plus intellectuel (contre 7 %), 44 % qu'il est le plus en phase avec la société (contre 26 %), 43 % le plus engagé (contre 27 %), 40 % le plus distrayant (contre 33 %).

Le rire et l'aventure sont les deux genres préférés des Français.

Beaucoup de films figurant aux premières places du hit-parade cinématographique sont faits spécialement pour le public jeune, amateur d'aventures, de fantastique et d'effets spéciaux. Mais les jeunes aiment aussi, comme leurs aînés, les films qui les font rire. C'est ce qui explique le succès des grands films comiques, qui occupent toujours les premières places du palmarès de ces dernières années.

Le Nouvel Economiste/CSA, août 1993

La tradition comique du cinéma français est ancienne. Louis de Funès avait su faire oublier la disparition de Fernandel. Il avait même réussi la performance de placer six de ses films (dont trois « Gendarme ») dans la liste des cinquante plus gros succès depuis 1956. Coluche aurait sans doute pu être son successeur si sa carrière n'avait été interrompue prématurément.

Ciné-parade

Films ayant réalisé plus d'un million d'entrées en 1993 (en millions) :

• Les Visiteurs (F)	12,5
• Jurassic Park (E.-U.)	5,7
• Germinal (F)	5,4
• Aladdin (E.-U.)	4,8
• Le Fugitif (E.-U.)	2,9
• Le Livre de la jungle (E.-U.)	2,2
• Bodyguard (E.-U.)	2,1
• Les Nuits fauves (F)	2,0
• Tout ça pour ça (F)	1,8
• Last Action Hero (E.-U.)	1,7
• Héros malgré lui (E.-U.)	1,6
• Hot Shot 2 (E.-U.)	1,4
• La Crise (F/I)	1,4
• La Soif de l'or (F)	1,4
• Bambi (E.-U.))	1,4
• Proposition indécente (E.-U.)	1,3
• Meurtre mystérieux à Manhattan (E.-U.)	1,3
• Piège en haute mer (E.-U.)	1,3
• Point Break (E.-U.)	1,3
• Chérie, j'ai agrandi le bébé (E.-U.)	1,2
• La Firme (E.-U.)	1,2
• Sliver (E.-U.)	1,2
• Made in America (E.-U.)	1,1
• Monsieur le député (E.-U.)	1,1
• Forever young (E.-U.)	1,1
• Un monde parfait (E.-U.)	1,1
• Et au milieu coule une rivière (E.-U.)	1,1
• Cavale sans issue (E.-U.)	1,0
• Maman, j'ai encore raté l'avion (E.-U.)	1,0
• Sister Act (E.-U.)	1,0
• Bleu (F/S/P)	1,0

CNC

Les stars jouent un rôle moins déterminant dans le succès d'un film.

La participation d'un grand acteur à un film n'est plus une condition suffisante pour en assurer le succès. Dans le choix d'un film au cinéma, l'histoire est ce qui détermine d'abord les Français (59 %), devant le nom des comédiens (26 %), la rumeur, ce que l'on en dit (19 %) et la nationalité (5 %).

Les Césars du public

Les plus grands succès 1956-1993 (titre du film, nationalité, nombre de spectateurs en millions) :

• La Grande Vadrouille (F)	17,2
• Il était une fois dans l'Ouest (Ital.)	14,8
• Le Livre de la jungle (E.-U.)	14,7
• Les Dix Commandements (E.-U.)	14,2
• Ben Hur (E.-U.)	13,8
• Le Pont de la rivière Kwaï (GB)	13,4
• Les Visiteurs (F)	12,5
• Le Jour le plus long (E.-U.)	11,9
• Le Corniaud (F)	11,7
• Les 101 Dalmatiens (E.-U.)	11,6
• Les Aristochats (E.-U.)	10,4
• Trois Hommes et un couffin (F)	10,2
• Les Canons de Navarone (E.-U.)	10,2
• Les Misérables-2 époques (F)	9,9
• Docteur Jivago (E.-U.)	9,8
• La Guerre des boutons (F)	9,8
• L'Ours (F)	9,1
• Le Grand Bleu (F)	9,0
• ET, l'extra-terrestre (E.-U.)	8,9
• Emmanuelle (F)	8,9
• La Vache et le Prisonnier (F)	8,8
• La Grande Evasion (E.-U.)	8,7
• West Side Story (E.-U.)	8,7
• Le Gendarme de Saint-Tropez (F)	7,8
• Les Bidasses en folie (F)	7,5
• Orange mécanique (E.-U.)	7,4
• Les Aventures de Rabbi Jacob (F)	7,4
• Danse avec les loups (E.-U.)	7,3
• Les Aventures de Bernard et Bianca (E.-U.)	7,2
• Jean de Florette	7,2
• Les Sept Mercenaires (E.-U.)	7,0
• La Chèvre (F/Mex.)	7,0
• Les Grandes Vacances (F)	6,9
• Michel Strogoff (F)	6,9
• Le Gendarme se marie (F)	6,8
• Rox et Rouky (E.-U.)	6,7
• Goldfinger (GB)	6,7
• Manon des sources (F)	6,6
• Sissi (Aut.)	6,6
• Le Cercle des poètes disparus (E.-U.)	6,6
• Robin des Bois (E.-U.)	6,5
• Rain Man (E.-U.)	6,5
• Sissi jeune impératrice (Aut.)	6,4
• La Cuisine au beurre (F/I)	6,4
• Les Aventuriers de l'arche perdue (E.-U.)	6,3
• Le Bon, la Brute et le Truand (Ital.)	6,3
• Les Dents de la mer (E.-U.)	6,2
• Indiana Jones et la dernière croisade (E.-U.)	6,2
• La Gloire de mon père (F)	6,2
• Le Gendarme et les extraterrestres (F)	6,2
• Merlin l'enchanteur (E.-U.)	6,1
• Oscar (F)	6,1

Les spectateurs se déplacent moins pour voir une star consacrée qu'une histoire dont ils ont entendu dire du bien par le « bouche à oreille ». C'est ainsi que des films comme *Trois Hommes et un couffin*, *37°2 le matin*, *La vie est un long fleuve tranquille*, *Bagdad Café*, *le Cercle des poètes disparus*, *le Grand Bleu* ou *Danse avec les loups* ont pu connaître d'énormes succès, alors que d'autres films, a priori mieux armés par leur générique ou leur promotion, ont été boudés par le public.

Le public reconnaît la qualité

Sitbon Kubel Thioly

> ➤ 101 films d'initiative française ont été produits en 1993 (dont 95 en langue française), auxquels s'ajoutent une cinquantaine de films de coproduction minoritaire. 13 films ont eu des budgets supérieurs à 40 millions de francs.

***Les films tendent à devenir des produits
comme les autres.***

On constate depuis plusieurs années la part
croissante des films à gros budget dans la fréquentation. Le cinéma est un art où il devient difficile de
réussir sans investir. Il faut offrir à un public de plus
en plus exigeant les acteurs, les décors, les tru-
quages, la qualité technique (sans oublier la promotion) auxquels il est maintenant habitué.

Les films deviennent donc des « produits » et le
marketing joue un rôle croissant dans leur élaboration comme dans leur lancement. Cette évolution
tend à favoriser les grandes productions américaines
(*Jurassic Park, Terminator 2, Danse avec les
loups...*) au détriment des films français, plus inti-
mistes, qui, dans le sillage des Truffaut, Sautet, Blier
ou Tavernier, donnent plus à penser qu'à voir.

***La survie du cinéma passe
par une plus grande différenciation
par rapport à la télévision.***

Les spectateurs ne vont dans les salles que si le
cinéma leur offre davantage que la télévision, afin
de justifier le déplacement et le prix élevé des
places. La qualité du son, celle de l'image, les effets
spéciaux, la taille de l'écran sont des atouts déterminants. Des tentatives ont été faites dans ce sens ; les
écrans du type Géode (image hémisphérique de
1 000 mètres carrés), du Gaumont Grand Ecran à
Paris ou du Futuroscope de Poitiers permettent de
montrer des spectacles d'une genre nouveau, utilisant les nouveaux procédés Omnimax ou Show-
scan.

C'est la force de l'image projetée sur grand
écran dans une salle obscure qui représente la caractéristique principale du cinéma. Mais le défi s'avère
difficile, à l'heure où la télévision se dote de la
stéréophonie, augmente la taille de ses écrans et se
prépare à la haute définition.

> ➤ En 1993, le prix d'une place de cinéma
> représentait 5,1 Ecus en France, contre 2,6 au
> Portugal, 2,8 en Espagne, 3,9 en Angleterre, 4,3 en
> Belgique et en Allemagne, 4,4 en Norvège, 4,5 en
> Italie et au Luxembourg, 4,8 au Danemark, 5,5 en
> Autriche et aux Pays-Bas, 6,4 en Suède.

MUSIQUE

**Loisir en développement rapide ◆
Disparition des disques vinyle au profit
des compacts ◆ Baisse des achats de
cassettes ◆ Variétés françaises : la moitié
des achats ◆ Goûts plus éclectiques**

PRATIQUES

***L'écoute de la musique est le loisir
qui s'est le plus développé
depuis une quinzaine d'années.***

La musique fait de plus en plus partie de la vie
quotidienne des Français, que ce soit à la maison, en
voiture ou dans la rue. Face aux nuisances engendrées par la société industrielle, elle apparaît comme
un moyen d'enjoliver l'environnement. Comme dit
le proverbe, la musique adoucit les mœurs...

En même temps que les Français se sont mis à
consommer plus d'images, ils se sont intéressés
davantage au son. Les deux phénomènes témoignent de la prépondérance de l'audiovisuel dans les
loisirs. Ils ont été largement favorisés par l'apparition des nouvelles technologies de numérisation :
disques compacts, cassettes audionumériques DCC,
minidisques MD, etc.

Tous les indicateurs de pratique sont en hausse.
A la radio, la fonction musicale a pris le pas sur la
fonction d'information. Les sorties qui concernent
la musique (concerts, discothèques) sont les seules

à avoir progressé de façon sensible depuis une quinzaine d'années. Enfin, la pratique du chant et celle des instruments se sont développées.

Un Français sur quatre écoute des disques ou cassettes tous les jours ou presque, contre un sur dix en 1975.

19 % des Français déclarent écouter la radio chaque jour « essentiellement pour la musique », quel que soit le genre ; la proportion est encore plus grande chez les jeunes. Cette évolution est due à la fois à un besoin croissant de musique et au développement considérable de l'équipement des ménages : 99 % ont la radio (dont 69 % la FM), 76 % un radioréveil, 74 % un autoradio, 67 % une chaîne haute fidélité, 50 % un lecteur de disques compacts, 60 % un baladeur. En 1993, les Français ont acheté 360 000 lecteurs portables de disques compacts (+ 12 %) et 3,1 millions d'autoradios (+ 2 %).

Cet engouement pour la musique est d'autant plus remarquable qu'il concerne, à des degrés divers, toutes les catégories de population et tous les genres de musique. Les jeunes sont les plus concernés ; 63 % des 15-25 ans écoutent de la musique surtout à la radio et 60 % possèdent une chaîne.

Les instruments de la musique

Evolution de l'équipement musical des Français de 15 ans et plus (en %) :

	1973	1981	1993
● Chaîne hi-fi	8	29	67
● Electrophone, tourne-disques (hors hi-fi)	53	53	89
● Disques	62	69	74**
● Cassettes son	*	54	69**
● Baladeur	-	*	60
● Lecteur de disques compacts	-	-	50

* Question non posée
** 1989

> ➤ La production illégale de disques compacts était estimée à 40 millions en 1992.
> ➤ 2 400 chansons ont été produites en France en 1993, contre 2 977 en 1992 et 6 308 en 1989.

Ministère de la Culture et de la Communication, Secodip

90 % des Français possèdent des disques et/ou des cassettes.

Les Français ne cessent d'accumuler de la musique enregistrée, sous forme de disques ou de cassettes. La quantité moyenne de disques a augmenté de 50 % entre 1975 et 1990, celle des cassettes a doublé entre 1981 et 1988. Il faut ajouter à celles achetés dans le commerce les cassettes enregistrées par les particuliers, en moyenne 25 par personne.

Ceux qui disposent de lecteurs de disques compacts en possèdent aujourd'hui plus de 50. Une part de ces achats est destinée à reconstituer la discothèque traditionnelle.

De l'analogique au numérique

Après la stéréophonie, la quadriphonie, les minichaînes et les mini-enceintes, l'invention du lecteur compact (ou laser) a représenté une percée technologique de très grande envergure : reproduction parfaite, usure pratiquement nulle, encombrement réduit. Il constituait la première application grand public de la technologie de numérisation, qui permet de ne rien perdre de la qualité originale, contrairement au système analogique qui ne peut que l'approcher.

Cette technologie est aussi appliquée à la vidéo, avec le vidéodisque (CDV) permettant de lire à la fois le son et l'image, le disque compact interactif (CDI) autorisant quatre niveaux de reproduction du son et une image haute définition. Enfin, le disque optique enregistrable (DOR) permettra d'enregistrer et d'effacer à volonté le son, l'image ou des données informatiques. Avec bien sûr le risque de voir se développer les copies pirates, déjà très nombreuses.

Les disques compacts ont remplacé en quelques années les disques traditionnels (vinyle) et supplanté les cassettes audio.

Le lecteur de disques compacts a été commercialisé en France à partir de 1983. Son démarrage avait été assez lent, avec 25 000 appareils achetés en 1983 et 40 000 en 1984, mais il dépassait 3 millions dès 1991. Il a permis une progression spectaculaire des achats de disques, après la crise de la fin des années 70. Il s'est initialement appuyé sur la musique classique et les tranches d'âge entre 30 et 50 ans, plus aisées que les jeunes. Aujourd'hui, il a pris la relève des disques vinyle dans tous les genres musicaux. La baisse des prix, bien qu'inférieure à celle d'autres pays, l'a rendu accessible aux plus jeunes, surtout avec le développement des CD deux titres.

Les disques traditionnels ont aujourd'hui presque disparu des rayons des disquaires (les 33 T ont représenté 137 000 exemplaires en 1993 contre 80 millions de CD). Il faut y ajouter 480 000 45 T 30 cm.

Après avoir beaucoup augmenté dans la seconde moitié des années 80, poussés par l'accroissement du parc de baladeurs et d'appareils de radio lecteurs de cassettes, les achats de cassettes ont aussi fortement diminué depuis 1991, du fait de la différence de qualité avec le disque compact (enregistrement analogique contre numérique).

plaires seulement. Il en est de même des CD vidéo, un peu plus anciens, qui n'ont représenté que 160 000 exemplaires. Du fait de leur prix élevé, les disques compacts ont représenté 72 % des quantités, mais 78 % des dépenses.

Pour la troisième année consécutive, les achats de cassettes ont été en forte baisse, avec 28,7 millions de cassettes albums et 5,0 millions de cassettes deux titres, contre un total de 37,1 millions en 1992. Elles subissent elles aussi la suprématie des disques compacts. Les cassettes audionumériques de Philips (DCC) n'ont représenté que 17 000 exemplaires.

La suprématie du compact

Evolution de achats de disques et cassettes (en millions) :

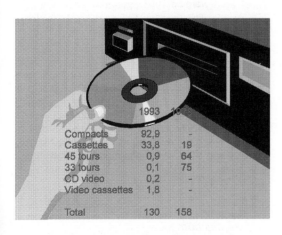

	1993	19
Compacts	92,9	–
Cassettes	33,8	19
45 tours	0,9	64
33 tours	0,1	75
CD vidéo	0,2	–
Video cassettes	1,8	–
Total	130	158

En 1993, les Français ont acheté 130 millions de disques et cassettes.

Ce chiffre (tous formats confondus, y compris les vidéocassettes) représente une augmentation de 6 % en volume. Les disques compacts ont représenté l'essentiel des achats : 79,7 millions de CD albums et 13,2 millions de CD deux titres (contre 5 millions en 1992). Les achats d'albums CD ont dépassé le maximum jamais atteint par les ventes de 33 T vinyle.

Les minidisques compacts de Sony (MD) n'ont pas rencontré le succès escompté, avec 9 500 exem-

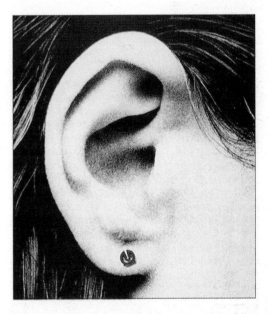

Pioneer Haute-Fidélité

Les Français ont l'oreille musicale

➤ 84 % des ménages possèdent des disques et/ou des cassettes (1989). Ils ont en moyenne 109 disques vinyle, 23 cassettes préenregistrées et 37 disques compacts.
➤ Le chanteur français ayant le plus exporté de disques en 1992 a été Jordy : 1,6 million d'albums.

Welldone

SNEP

La fin des petits disquaires

32 % des disques sont achetés dans les hypermarchés, 23 % à la FNAC, 19 % chez des grossistes, 9 % chez des disquaires indépendants, 6 % dans des chaînes, 5 % chez Virgin, 4 % dans les grands magasins, 2 % par correspondance. Il n'existe plus que 250 disquaires indépendants contre 3 000 en 1972.

Le poids de la grande distribution a pour conséquence une raréfaction des titres disponibles. Les disquaires spécialisés proposent en effet jusqu'à 150 000 références, contre 15 000 dans la grande distribution.

GOÛTS

La chanson est le genre musical préféré des Français.

La progression importante de l'écoute de la musique depuis une quinzaine d'années concerne tous les genres musicaux. Mais la hiérarchie reste sensiblement la même : la chanson arrive largement en tête, devant la musique classique, le rock, le jazz et l'opéra.

Cette préférence pour la variété se retrouve dans toutes les catégories de la population (en particulier chez les femmes), à l'exception des 15-19 ans, qui lui préfèrent la musique rock, et chez les cadres et professions intellectuelles supérieures qui privilégient la musique classique.

Les chansons le plus volontiers écoutées par les jeunes sont les « tubes » du moment, alors que les plus âgés restent attachés à des succès plus anciens (Brel, Brassens, Ferré...).

Les variétés françaises représentent un peu moins de la moitié des achats de disques.

En 1993, la part des variétés françaises était de 42,8 % contre 39,5 % en 1992 (mais 47,5 % en 1989). On constate depuis quelques années un retour de la création musicale française, grâce à des auteurs et/ou compositeurs de talent comme Jean-Jacques Goldman, Francis Cabrel, Patrick Bruel, Yves Duteil, Maxime Le Forestier ou Renaud. Serge Gainsbourg et Michel Berger, tous deux récemment décédés, avaient beaucoup contribué à ce renouveau. Le répertoire national est d'ailleurs majoritaire sur cassettes.

Si la musique est plus que jamais pour les jeunes un moyen de communication privilégié, les paroles des chansons prennent aujourd'hui une importance nouvelle. Ils sont d'autant plus attentifs aux textes qu'ils reflètent leurs inquiétudes et leurs doutes vis-à-vis de la société contemporaine.

Les variétés internationales représentent environ 50 % des achats depuis 1990 ; elles ont subi une légère baisse en 1993 : 48,3 % contre 49,8 % en 1992. La France résiste mieux que d'autres pays européens ; la part nationale est par exemple de 30 % en Allemagne, 20 % en Italie.

La musique classique a représenté 9 % du nombre de disques achetés en 1993, contre 11 % en 1992.

Elle n'a représenté que 3 % des cassettes, ce qui explique que le budget qui lui est consacré est proportionnellement plus important que celui attribué à la musique de variétés. Le tassement des achats enregistré en 1993 indique que les amateurs de musique classique ont fini de reconstituer leurs discothèques avec des disques compacts.

Entre 1973 et 1988, le pourcentage de Français déclarant écouter le plus souvent de la musique classique a progressé de 7 points, passant de 16 à 23 %. Mais la composition de ce public a peu évolué : personnes d'âge moyen, Parisiens, bacheliers et diplômés de l'enseignement supérieur, et surtout cadres et professions intellectuelles. 85 % de ces derniers possèdent des disques ou cassettes de musique classique, contre 49 % dans l'ensemble de la population.

Ecouter n'est pas jouer

- 40 % des Français possèdent chez eux au moins un instrument de musique. 17 % ont une flûte, 12 % une guitare, 8 % un harmonica, 7 % un piano, 6 % un orgue, 3 % un violon ou un violoncelle, 3 % un instrument à vent, 2 % un accordéon, 2 % un synthétiseur, 2 % un instrument à percussion.
- 6 % pratiquent le piano, 5 % la guitare, 5 % la flûte.
- 46 % ont assisté au moins une fois dans leur vie à un spectacle de danses folkloriques.
- 42 % ont assisté à un spectacle de music-hall-variétés.
- 32 % ont assisté à un concert de musique classique.
- 27 % ont assisté à un concert de rock.
- 22 % ont assisté à un spectacle d'opérette.
- 17 % ont assisté à un spectacle d'opéra.

Ministère de la Culture et de la Communication

COURIR POUR
LE TUBE
DE L'ANNÉE?
ÇA ME FERAIT
TROP MAL
AUX PIEDS.

DiAL

CLUB DIAL

TOUTE LA MUSIQUE PAR CORRESPONDANCE.

La musique, un plaisir sédentaire

préférence exclusive pour le jazz n'est le fait que d'une faible minorité, les autres écoutant aussi d'autres genres musicaux qu'ils placent en tête lorsqu'ils doivent choisir.

La multiplication des radios locales, la recherche individuelle de la variété et de points de repère et la plus grande diversité des musiques diffusées par les médias expliquent cet éclectisme croissant.

> ➤ 59 % des Français préfèrent les Beatles, 18 % les Rolling Stones.

Le jazz connaît un engouement croissant.

Les Français ont acheté 2,9 millions de disques et 300 000 cassettes de jazz en 1993. En quinze ans, la proportion de personnes déclarant écouter le plus souvent du jazz a doublé, passant de 5 à 11 %. Ce sont en majorité des personnes d'âge moyen (20-34 ans), des Parisiens, des cadres et des membres des professions libérales. Bien que le jazz ait progressé dans l'ensemble des catégories sociales, on constate que l'écart entre les cadres moyens et supérieurs se creuse, comme celui qui sépare les Parisiens et les provinciaux.

Le jazz apparaît comme une sorte de transition entre le rock, musique préférée des jeunes, et la musique classique, plus appréciée des personnes d'âge mûr.

L'éclectisme se développe en matière musicale.

Les préférences musicales liées aux caractéristiques personnelles n'empêchent pas un éclectisme croissant dans les goûts. Lorsqu'on les interroge sur les genres qu'ils affectionnent, les Français donnent spontanément plusieurs réponses. Seuls 30 % de ceux qui déclarent écouter le plus souvent du rock ne citent aucun autre genre ; ils sont 26 % parmi ceux qui préfèrent la musique classique, 18 % pour le jazz. 64 % des amateurs d'opéra citent aussi la musique classique, 40 % des amateurs de jazz citent le rock (20 % seulement dans le sens inverse). La

C'EST POUR CONSOMMER TOUT DE SUITE... OU JE VOUS L'EMBALLE ?

LECTURE

Déclin de la presse quotidienne nationale ◆ Lecture plus fréquente de la presse magazine (plus de 3 000 titres) ◆ Baisse de moitié de la diffusion de la presse enfantine en 15 ans ◆ Plus de lecteurs de livres mais moins de livres lus ◆ Les jeunes lisent moins qu'avant ◆ Plus de titres publiés, mais tirage moyen en baisse ◆ La bande dessinée en difficulté ◆ Un roman sur trois livres ◆ Un quart des exemplaires et un cinquième des titres au format de poche

QUOTIDIENS

50,8 % des Français lisent un quotidien (1993).

Entre 1980 et 1990, le nombre des lecteurs de la presse quotidienne avait diminué de plus d'un quart. Si l'on rapporte le nombre d'exemplaires au nombre d'habitants, la France arrive à la 22e place dans le monde avec 157 exemplaires pour mille habitants, le Japon occupant la première avec près de 600 exemplaires. Au sein de l'Union européenne, la France se situe à la huitième place, devant les quatre pays du Sud.

La proportion de lecteurs de quotidiens s'est cependant stabilisée ; c'est celle des lecteurs réguliers (chaque jour) qui a chuté. Un foyer sur quatre achète tous les jours un quotidien, contre un sur deux en Grande-Bretagne. Cette baisse concerne toutes les catégories de population, à l'exception des agriculteurs. La lecture des quotidiens augmente avec l'âge jusqu'à 50 ans et diminue ensuite.

Le nombre des quotidiens a connu en France une diminution régulière : on comptait 250 titres en 1885, 175 en 1939 ; il en reste environ 50 aujourd'hui. Pourtant, le lancement réussi d'*InfoMatin* en 1993 semble montrer qu'il existe une place pour la presse quotidienne en France, à condition de s'adapter.

En vingt ans, la presse quotidienne nationale a perdu la moitié de ses lecteurs.

La presse quotidienne nationale est celle qui a le plus souffert de cette évolution. Un Français sur dix seulement lit un quotidien national. Les lecteurs réguliers ont un profil typé : 60 % sont des hommes ; 47 % habitent la région parisienne, alors que celle-ci ne regroupe que 19 % de la population (la Méditerranée arrive en deuxième position, puis le Sud-Est, le Sud-Ouest, l'Ouest, l'Est et le Nord) ; 38 % ont fait des études supérieures (contre 23 % de l'ensemble de la population). On les trouve aussi plus fréquemment parmi les jeunes de 15 à 34 ans.

48 % des lecteurs réguliers lisent un quotidien national tous les jours. La durée moyenne de lecture est de 30 minutes. La proportion d'abonnements est relativement faible ; 63 % achètent leur journal dans un kiosque. 69 % lisent leur journal à domicile, 24 % sur leur lieu de travail, 8 % dans les transports, 7 % dans les salles d'attente.

Sur les 8,1 millions de lecteurs moyens de quotidiens nationaux (un numéro parmi les cinq ou six derniers parus), *le Monde* arrive largement en tête, avec 2 millions de lecteurs, devant *l'Equipe* (1,9), *le Parisien* (région parisienne et Oise, 1,6), *le Figaro* (1,6), *Libération* (980 000), *France-Soir* (930 000), *les Echos* (700 000), *la Tribune Desfossés* (360 000), *l'Humanité* (350 000) et *la Croix* (280 000). Le classement diffère si l'on considère les lecteurs réguliers (voir graphique).

Le Parisien très parisien

Parmi les quotidiens lus en région parisienne, *le Parisien* arrive très largement en tête avec 1,2 million de lecteurs réguliers en 1993, devant les quotidiens nationaux : *le Monde* (620 000), *le Figaro* (600 000), *l'Equipe* (410 000), *France-Soir* (380 000), *Libération* (350 000), *les Echos* (270 000), *la Tribune Desfossés* (75 000), *l'Humanité* (73 000), *la Croix* (36 000).

L'Equipe en tête

Nombre de lecteurs réguliers* (1993, en milliers) et pénétration (en % de la population de 15 ans et plus) :

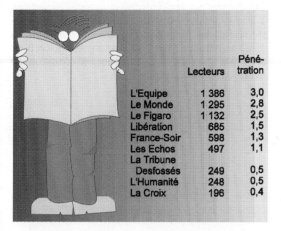

	Lecteurs	Péné-tration
L'Equipe	1 386	3,0
Le Monde	1 295	2,8
Le Figaro	1 132	2,5
Libération	685	1,5
France-Soir	598	1,3
Les Echos	497	1,1
La Tribune Desfossés	249	0,5
L'Humanité	248	0,5
La Croix	196	0,4

* Lecture dernière période : nombre de personnes ayant lu un journal la veille, quand le titre est paru ce jour-là, ou l'avant-veille, si le titre n'est pas paru la veille.

51 % des Français lisent régulièrement la presse quotidienne régionale.

La presse quotidienne régionale comprend 38 titres (contre 175 au lendemain de la Libération), soit 412 éditions locales. 6,2 millions d'exemplaires sont achetés chaque jour dans 80 000 points de vente. La logique de concentration amorcée dès les années 50 a considérablement réduit la concurrence et peu favorisé l'innovation. C'est sans doute ce qui explique l'érosion du lectorat parmi les jeunes et la désaffection des publicitaires, qui assurent une part importante du financement des journaux.

Le paysage de la PQN comporte cependant quelques exceptions notables; c'est le cas par exemple de *Ouest-France*, qui vend chaque jour près de 800 000 exemplaires, avec 38 éditions locales.

➤ On trouve dans les kiosques français 700 titres de la presse étrangère, représentant 23 millions d'exemplaires de quotidiens et 16 millions de magazines sur l'année.
➤ 61 % des Français déclarent acheter la presse quotidienne par curiosité, après avoir vu la couverture ou les gros titres.

Chers quotidiens

Parmi les raisons qui expliquent la désaffection vis-à-vis des quotidiens, celle de l'évolution de leur prix de vente ne saurait être sous-estimée. En 20 ans, le prix des quotidiens nationaux a en effet été multiplié par 13, alors que l'indice des prix n'était multiplié que par 4,8.
Un journal coûtait environ 70 % du prix d'un timbre en 1970 ; la proportion était de 232 % en 1991.
La comparaison avec le prix de la baguette donne des résultats semblables : 166 % contre 70 %. Sachant qu'un journal valait 0,30 F en 1964, il devrait valoir 1,90 F aujourd'hui s'il avait suivi la hausse des prix. Il vaut en réalité plus du double : environ 4 F pour la presse quotidienne régionale en semaine.
A titre de comparaison, le *New York Times* américain est vendu environ 2 F en semaine, comme le *Bild* allemand ou les quotidiens britanniques, qui connaissent des tirages plus élevés que les journaux français. L'un des arguments du lancement d'*InfoMatin* et d'*Aujourd'hui* (Le Parisien) a été la diminution du prix de vente à 3 F.

L'économie, une préoccupation quotidienne

Resonnances

La presse quotidienne devra redéfinir sa place, à côté de l'audiovisuel.

Pour beaucoup de Français, le journal télévisé du soir et les informations entendues à la radio en prenant le petit déjeuner constituent une dose journalière suffisante. Pour ceux qui souhaitent en savoir plus, les analyses proposées par les hebdomadaires apparaissent comme une solution efficace et agréable. Moins longue et moins coûteuse, en tout cas, que la lecture assidue d'un quotidien.

Les lecteurs de la presse attendent d'abord de l'information, générale (54 %) ou locale (18 %). Dans ce domaine, la presse quotidienne est jugée plus crédible que la télévision. Mais 23 % des lecteurs lui reprochent de trop prendre parti et 16 % de privilégier le sensationnel. Les achats de journaux et de magazines d'information apparaissent davantage tributaires de l'actualité. Enfin, les ventes des dernières années ont été largement affectées par la baisse de 6 % des investissements publicitaires dans la presse en 1993.

MAGAZINES

**Les Français lisent davantage
la presse magazine que les quotidiens.**

La faiblesse de la lecture de la presse quotidienne est partiellement compensée en France par celle des magazines : 95 % des Français sont lecteurs, réguliers ou non (1993). Le taux de pénétration de la presse magazine est d'ailleurs plus élevé en France que dans la plupart des pays industrialisés.

Les femmes sont plus nombreuses que les hommes, du fait de l'existence de magazines féminins et de décoration. Les hommes sont en revanche davantage concernés par les revues de loisirs : sport, bricolage, automobile, etc. Les habitants de la région parisienne lisent plus que les provinciaux, les bacheliers et diplômés de l'enseignement supérieur plus que les non-diplômés. Contrairement à la presse quotidienne, on constate que la lecture des magazines baisse après 45 ans.

**Au total, la presse française
compte environ 3 000 titres.**

Près de la moitié sont des revues techniques ou professionnelles (1 200), la presse spécialisée grand public ne comptant que 800 titres, contre 500 pour celle d'information générale et politique et 400 pour les journaux d'annonces gratuits. Il faudrait ajouter les publications administratives, estimées à 40 000. Malgré cette offre abondante, de nombreux magazines continuent d'apparaître chaque année dans les kiosques, tandis que d'autres disparaissent.

Au cours des dernières années, les lancements ont surtout concerné la presse enfantine (magazines à vocation pédagogique) et la presse de loisirs, surtout sportive (revues spécialisées traitant de sports encore peu connus mais en progression). Après les lancements un peu élitistes et féministes des années 80 (*Biba, Cosmopolitan, Vital...*), on a assisté au retour des magazines destinés à une audience plus traditionnelle et moins « parisienne ». Avec des résultats spectaculaires comme ceux de *Femme actuelle, Prima, Maxi* ou *Voici*.

Les Français, grands lecteurs de magazines

**La presse enfantine a perdu
plus de la moitié de ses lecteurs en 15 ans.**

Sa diffusion globale est passée de 360 millions d'exemplaires en 1975 à moins de 150 millions aujourd'hui. Cette chute vertigineuse s'explique en partie par la baisse de la natalité ; le nombre d'enfants de moins de 14 ans a diminué de 1,5 million en quinze ans.

Elle est aussi due à la concurrence croissante de l'audiovisuel et surtout des jeux vidéo, qui occupent la plus grande partie du temps libre des enfants et du budget cadeaux des familles. Elle est enfin la conséquence d'un changement d'attitude des parents, qui privilégient les journaux à caractère pédagogique, dans le but de mieux « armer » leurs enfants pour l'avenir. Depuis 1986, la presse éducative connaît en effet une diffusion supérieure à celle de la presse

Lectures pour tous

Nombre de lecteurs[*] des principaux magazines en 1993 (15 ans et plus, en milliers):

Hebdomadaires généraux

- Paris-Match 4 540
- Le Nouvel Observateur 2 751
- L'Express 2 691
- Figaro Magazine 2 585
- France-Dimanche 2 309
- VSD 2 060
- Ici Paris Magazine 1 757
- Pèlerin Magazine 1 749
- L'Evénement du Jeudi 1 732
- Le Point 1 585
- La Vie 1 270
- L'Expansion (bimensuel) 1 209
- Le Nouvel Economiste 540

Féminins et familiaux

Hebdomadaires

- Femme actuelle 8 409
- Maxi 4 181
- Voici 3 523
- Elle 2 530
- Madame Figaro 2 119
- Nous deux 1 996
- Bonne Soirée 1 035

Mensuels

- Prima 5 355
- Modes et Travaux 4 830
- Santé Magazine 4 810
- Top Santé 4 435
- Marie-Claire 4 127
- Parents 4 016
- Marie-France 2 728
- Cuisine actuelle 2 630
- Avantages 2 339
- Réponse à tout Santé 1 808
- Enfants Magazine 1 639
- Guide cuisine 1 486
- Prévention santé 1 470
- Biba 1 350
- Cosmopolitan 1 253
- Vingt ans 1 126
- Famille Magazine 1 054
- Médecine douce 953
- Vital 947
- Votre beauté 872
- Jeune et jolie 865

Télévision

- Télé 7 Jours 10 978
- TV Magazine 10 919
- Télé Star 6 461
- Télé Z + Télé journal 6 228
- TV Hebdo 6 126
- Télé Poche 6 093
- Télé Loisirs 5 819
- Télérama 2 521
- Télé Magazine 1 459

Automobile

Hebdomadaires

- Auto Plus 2 486
- Auto Hebdo 553

Bimensuel

- L'Auto-journal 2 179

Mensuels

- Auto-moto 3 627
- L'Automobile magazine 2 275
- L'Action automobile 2 084
- Sport Auto 1 428
- Echappement 1 150

Décoration - Maison - Jardin

Hebdomadaire

- Rustica 1 129

Mensuels

- Maison et Jardin 1 734
- Mon Jardin, ma maison 1 513
- Maison bricolages 1 362
- Marie-Claire Maison 1 345
- Système D 1 311
- L'Ami des jardins 940

Bimestriels

- Art et Décoration 3 730
- Maison et Travaux 2 625
- Bonne Cuisine 1 769

Distraction - Loisirs - Culture

Hebdomadaires

- L'Equipe Magazine 2 655
- Télé K7 .... 1 952
- France Football 1 737
- L'Officiel des spectacles 1 645
- Point de vue 1 174

Bimensuels

- Bravo Girl 1 055
- OK Podium 1 030
- Salut 941

Mensuels

- Géo 5 483
- Notre temps 4 436
- Sélection 4 236
- Ça m'intéresse 3 966
- Science et Vie 3 768
- Le Chasseur français 3 365
- Réponse à tout 2 815
- 30 Millions d'amis 2 322
- Onze-Mondial 2 280
- Actuel 2 062
- Première 1 880
- Vidéo 7 .... 1 844
- Science et Avenir 1 838
- Capital 1 710
- Le Monde de l'éducation 1 636
- Vogue 1 520
- Terre sauvage 1 504
- Grands Reportages 1 447
- Entrevue 1 303
- Phosphore 1 291
- L'entreprise 1 271
- Le Temps retrouvé 1 263
- L'Echo des savanes 1 236
- Photo 1 168
- Tennis Magazine 1 057
- Studio Magazine 1 053
- Newlook 922

[*] Personnes ayant déclaré avoir lu ou feuilleté, chez elle ou ailleurs, un numéro même ancien au cours de la période de référence (7 jours pour un hebdomadaire...).

CESP

de distraction, qui ne peut guère lutter contre la télévision. Les journaux lancés avec succès cherchent d'ailleurs à s'appuyer sur elle *(Télérama Junior)* ou à la compléter *(le Journal des enfants)*.

La presse a subi en 1993 le ralentissement de la consommation, à l'exception de certains secteurs.

Le tourisme, la gastronomie et même les magazines de maison et décoration ont pour la plupart souffert du ralentissement de l'activité. C'est le cas aussi des magazines économiques et financiers. De son côté, la presse féminine a connu plutôt une stagnation, à l'exception de *Voici*, qui poursuit sa forte croissance.

Les magazines de santé constituent des valeurs sûres, avec des titres comme *Santé Magazine, Top Santé* (associé à l'émission *Santé à la Une* de TF1) ou *Réponse à tout Santé* qui ont connu une forte croissance. Cinq titres principaux se partagent ce marché, totalisant 6,5 millions de lecteurs réguliers. Le lectorat de ces magazines est à dominante féminine (plus de 60 %) et présente un profil « populaire » attiré non seulement par la santé, mais aussi par la forme et l'apparence physique, le bien-être et l'automédication. Beaucoup d'autres magazines ont également une rubrique santé.

La télé sur papier

Loin de tuer la presse écrite, la télévision lui a au contraire permis de se développer. C'est elle en effet qui est à l'origine des plus gros tirages des magazines. Parmi les huit poids lourds de 1993, sept sont des magazines de télévision (par ordre décroissant de lecteurs) : *Télé 7 Jours, TV Magazine, Télé Star, Télé Z (plus Télé Journal), TV Hebdo, Télé Poche, Télé Loisirs*. Ils comptent entre 5 et 11 millions de lecteurs. Seul *Femme actuelle* a réussi à s'intercaler, arrivant en troisième position.

➤ Le principal avantage de la presse par rapport à l'audiovisuel est de fournir « des informations complètes et précises », devant la liberté de consultation (dans le temps, dans l'espace et dans le choix des articles) permise par le support papier.
➤ Les lecteurs de la presse quotidienne régionale mettent en moyenne 27 minutes pour lire leur journal. 61 % l'ont lu avant midi.

AEPM

LIVRES

Les Français sont plus nombreux à lire. 82 % des plus de 15 ans lisent au moins un livre par an, contre 75 % en 1989 et 70 % en 1973.

Début 1994, seuls 18 % déclaraient n'avoir lu aucun livre au cours des douze derniers mois (enquête *le Monde*-le Grand Livre du mois/CSA). Il semble que la proportion de lecteurs se soit accrue puisqu'en 1989, date de la dernière enquête du ministère de la Culture, 25 % des Français ne lisaient pas, contre 30 % en 1973. Au cours des douze derniers mois, 19 % ont lu un livre ou deux et à l'autre extrémité, 20 % entre dix et vingt-quatre.

La proportion réelle de lecteurs est sans doute un peu supérieure puisque l'enquête portait sur les livres lus pour les loisirs, ce qui exclut la lecture obligée des ouvrages scolaires par les étudiants et ceux lus pour des raisons professionnelles.

Environ un ménage sur dix ne possède aucun livre, contre 25 % en 1973. Entre 1973 et 1989, la proportion de retraités possédant des livres est passée de 61 à 79 %, celle des ouvriers spécialisés de 66 à 84 %.

Livres et lecture

Proportion des Français âgés de 15 ans et plus qui...	1973 (%)	1981 (%)	1989 (%)
• possèdent des livres dans le foyer	73	80	87
• ont lu au moins 1 livre dans les 12 derniers mois	70	74	75
• ont acheté au moins un livre dans les 12 derniers mois	51	56	62
• sont inscrits dans une bibliothèque	13	14	16

Ministère de la Culture

Il y a plus de "petits lecteurs" et moins de "gros".

En dix ans, la part des faibles lecteurs (moins de 10 livres par an) est passée de 28 % à 32 %. Celle des grands lecteurs (plus de 25 livres par an) atteint 17 %, contre 19 %. Le nombre de livres achetés tend à augmenter : 2,4 % en 1993. Il est cependant difficile de savoir s'ils sont lus, et par combien de personnes.

Ce sont les femmes qui sont les plus concernées par la lecture ; à tout âge, elles sont proportionnellement plus nombreuses que les hommes à lire.

La structure des dépenses culturelles des ménages montre la prépondérance de l'écrit par rapport à l'audiovisuel. La lecture arrive en seconde position, derrière la musique, en ce qui concerne la satisfaction qu'elle procure.

Le livre inspire le respect

Le livre conserve une image sérieuse puisque 43 % des Français attendent qu'il leur "apprenne quelque chose", seulement 34 % qu'il les "distraie". Il est l'objet d'un grand respect de la part des lecteurs : 63 % s'interdisent de le corner ou de l'annoter, 10 % le font rarement ; 76 % déclarent ne pas pouvoir ou ne pas vouloir avoir une autre activité, comme écouter de la musique, en lisant. Ce grand respect attaché au livre peut expliquer la crainte des non-lecteurs à son égard. Les livres sont choisis d'abord en fonction du sujet (54 %), de la réputation de l'auteur (32 %) ou du bouche-à-oreille (28 %). Les prix littéraires n'influencent que 9 % des lecteurs dans leurs choix.
Le roman arrive en tête des préférences, mais moins nettement qu'il y a une quinzaine d'années, surtout chez les femmes, les agriculteurs et les cadres supérieurs ou professions libérales.
S'ils avaient une soirée libre, 18 % des "gros lecteurs" (entre dix et vingt-quatre ouvrages par an) envisageraient de la passer en compagnie d'un livre, contre seulement 5 % de ceux qui lisent un ou deux ouvrages par an.

Les jeunes lisent moins qu'avant, mais le déclin semble aujourd'hui enrayé.

En vingt ans, la lecture de livres chez les 15-28 ans a baissé de 30 %. Un jeune sur cinq lit plus de trois livres par mois, deux sur trois en lisent moins d'un. 34 % lisent souvent ou de temps en temps des classiques de la littérature, mais 72 % des garçons et 59 % des filles en lisent rarement ou jamais. Les habitudes de lecture en fonction du milieu social se sont beaucoup rapprochées, mais ce mouvement s'est opéré vers le bas. Entre 1967 et 1988, la proportion de « grands lecteurs » chez les enfants de cadres supérieurs est passée de 62 % à 21 %, alors qu'elle passait de 21 % à 19 % chez les enfants d'ouvriers.

Les jeunes aiment la lecture, mais ils considèrent qu'elle nécessite un effort plus grand que les autres loisirs, en particulier audiovisuels. On constate cependant que ceux qui disposent du maximum d'équipements culturels (télévision, magnétoscope, micro-ordinateur...) sont aussi ceux qui lisent le plus.

Les filles sont plus nombreuses à lire que les garçons. Le seul domaine dans lequel les garçons se distinguent est la bande dessinée. La BD représente d'ailleurs la moitié des livres lus par les garçons, alors que les deux tiers des livres lus par les filles sont des romans.

Les livres trop longs

Un rapport réalisé par le sociologue François de Singly pour l'éducation nationale montre que les jeunes (15-28 ans) ont de plus en plus de difficulté à lire. C'est la longueur des livres qui représente l'obstacle le plus important. Le mode de culture imposé par l'audiovisuel, qui privilégie l'image par rapport aux mots et favorise les formats courts (clips), a transformé la relation au livre. Les jeunes trouvent à la télévision ou dans les jeux vidéo une satisfaction plus immédiate que dans la lecture. Enfin, la pression exercée par les parents pour inciter leurs enfants à lire et à prendre du plaisir à cette activité aboutit à l'effet inverse, comme le remarque Daniel Pennac dans son livre *Comme un roman* (Gallimard), qui s'est d'ailleurs vendu à plus de 200 000 exemplaires.

Les jeunes moins attirés par les livres

Synergie

*En 1993, les Français ont acheté
296 millions de livres.*

Après avoir connu une forte croissance pendant les années 60 (en moyenne 8 % en volume chaque année), les achats de livres ont augmenté moins fortement au cours des années 70 (3,5 % par an). L'évolution a été encore moins favorable au cours des années 80, mais elle est restée positive (sauf en 1983 où la baisse a atteint 3,1 % en francs constants).

La décennie en cours avait assez mal commencé avec deux années difficiles en 1990 et 1991, liées à un climat général de contraction de la consommation, qui a touché en particulier les produits ne présentant pas un caractère de première nécessité. Mais 1993 a vu une hausse des achats de 2,4 % en volume et de 4,1 % valeur.

La bande décimée

La bande dessinée se porte mal. Après avoir baissé de 21 % en 1992 (avec 589 titres contre 746), le nombre de nouveautés françaises a connu un nouveau recul en 1993, avec 501 titres. Les tirages moyens ont aussi connu une forte diminution : moins de 14 000 exemplaires pour les albums destinés aux jeunes ; moins de 9 000 pour ceux destinés aux adultes. La part de la bande dessinée dans les achats de livres est donc en diminution constante : elle ne représentait plus que 1,4 % en valeur en 1993.
41 % des Français de 8 ans et plus lisent des albums ou des magazines de bandes dessinées, 92 % des 8-14 ans et seulement 9 % des plus de 65 ans.
12 % des Français en lisent au moins une fois par semaine, 10 % une à trois fois par mois. 61 % des cadres supérieurs, 58 % des cadres moyens, 22 % des agriculteurs et 12 % des retraités en sont amateurs.
La lecture de la B.D. n'interdit pas d'autres types de lecture. 86 % des lecteurs de bandes dessinées ont lu au moins un autre livre dans l'année, contre 65 % des non-lecteurs. 60 % des grands lecteurs de livres (plus de 25 dans l'année) lisent aussi des B.D.
La baisse s'explique par la concurrence croissante de l'audiovisuel. Les enfants sont en outre poussés par leurs parents à lire des livres à vocation plus pédagogique.

*Le nombre de titres publiés augmente,
mais le tirage moyen diminue.*

Le nombre de titres publiés a doublé en vingt ans : 40 916 en 1993, contre 27 000 en 1983. Celui des nouveautés (et nouvelles éditions de livres déjà publiés), avait fortement augmenté de 1985 à 1990, après une croissance plus faible entre 1981 et 1984. 21 109 nouveautés ont été publiées en 1993. Les autres titres (19 807) sont des réimpressions.

Le nombre d'exemplaires achetés augmentant moins vite, on assiste à une baisse du tirage moyen par titre, qui est passé en dessous des 10 000 exemplaires depuis 1991, contre 11 580 en 1989. Cette baisse concerne surtout les nouvelles éditions et les réimpressions. Avec près de 500 000 titres disponibles, le catalogue de l'édition française reste l'un des plus riches du monde.

112 titres par jour

Nombre de titres publiés et nombre d'exemplaires achetés en 1993 dans chaque catégorie :

	Titres	Exemplaires (millions)
• Scolaires	5 624	56,8
• Sciences humaines	3 213	28,1
• Histoire et géographie	1 391	5,8
• Romans, théâtre, poésie	11 605	96,4
• Encyclopédies et dictionnaires	559	10,3
• Livres d'art	1 075	5,4
• Livres pour la jeunesse	6 195	50,6
• Bandes dessinées pour les adultes	298	2,7
• Livres pratiques	4 507	46,6
Total	**40 916**	**303,2**

Syndicat national de l'édition

Près d'un livre sur trois est un roman.

Les achats de livres ont progressé en 1993, grâce aux livres pratiques (+ 9 % en volume), aux livres scolaires (+ 8 %), aux encyclopédies et dictionnaires (+ 7 %) et à la littérature générale (+ 4,5 %). Les Français ont acheté en revanche moins de livres d'art (mais ceux édités par les musées nationaux ne sont pas pris en compte dans les statistiques de l'édition) et le secteur de la jeunesse a connu une stagnation.

29 % des livres achetés sont des livres de littérature générale (romans, théâtre, poésie, critiques, essais, reportages, actualité, documents), parmi lesquels les romans constituent l'essentiel. Ils ne représentent cependant que 16 % des dépenses, du

Salon International de la Bande dessinée/Ifop

fait de l'importance des romans dits « sentimentaux », de faible prix unitaire (collections *Harlequin*, *Duo*, etc.). Ces derniers comptent à eux seuls pour près du quart des achats de livres de poche.

Palmarès 1993

En 1993, deux romans ont été vendus à plus de 300 000 exemplaires : *le Rocher de Tanios* d'Amin Malouf (Grasset) et *Un jour, tu verras* de Mary Higgins Clark (Albin Michel). Un seul essai a pu obtenir le même score : *Lettre d'un chien à François Mitterrand...* de Jean Montaldo (Albin Michel). C'est le cas aussi du *Guide Michelin* et de l'album Lucky Luke : *les Dalton à la noce* (Lucky Productions) et de *Quid 94* (Laffont). Le record des vingt dernières années appartient au livre de Betty Mahmoody, *Jamais sans ma fille* (Fixot), qui a atteint en 1993 les 3 millions d'exemplaires (100 rééditions).

La « culture de poche » représente 32 % des exemplaires achetés et 23 % des titres produits.

La vitalité de l'édition française est due en partie aux performances des livres de poche. 9 307 titres ont été publiés en 1993 (dont 5 376 romans) et 96 millions d'exemplaires achetés, soit une moyenne de 10 300 exemplaires par titre. Il faut noter que le tirage moyen a lui aussi diminué fortement, passant de 17 700 exemplaires par titre en 1988 à 12 200 en 1993. Plus de la moitié des titres (5 561) étaient des réimpressions. Le livre au format de poche est particulièrement présent dans les secteurs de la littérature, des livres de jeunesse et de sciences humaines. Depuis sa création en 1953, *le Livre de poche*, précurseur, a vendu plus de 800 millions d'exemplaires et inscrit à son catalogue plus de 2 000 titres.

Outre sa grande commodité (idéal pour les transports en commun), le livre au format de poche a permis à un grand nombre de Français d'accéder à peu de frais aux grandes œuvres de la littérature française et étrangère, à travers quelque 30 000 titres répartis dans plus de 300 collections. Les jeunes, les cadres moyens et les employés sont les plus gros consommateurs, principalement dans les grandes villes.

Depuis fin 1993, de nouvelles collections de livres à très bas prix (10 ou 15 F) sont proposées par des éditeurs comme Librio, Mille et une Nuits, Harlequin, Circonflexe, Hemma, Dupuis ou Carrefour.

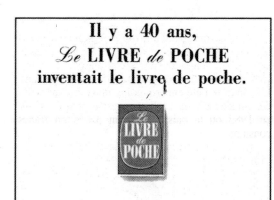

La culture plein les « poches »

Livre et multimédia

L'arrivée du multimédia, mélange du texte, du son et de l'image (fixe ou animée), devrait avoir des répercussions importantes sur l'avenir du livre. Les nouveaux supports interactifs comme le CD-ROM, le CD-I, le vidéodisque, le CD-photo ou les cartouches de jeux, la possibilité de consulter des documents par accès en ligne sur ordinateur ou écran de télévision (ou sur des appareils dédiés) vont contraindre l'écrit traditionnel à évoluer, sans pour autant le faire disparaître. Le CD-ROM permet, par exemple, le stockage de 250 000 pages de texte, 5 000 images fixes, des heures de son, d'animation vidéo ou de film. Les ouvrages de référence (encyclopédies, dictionnaires...) sont les premiers concernés, ainsi que tous les livres à vocation pédagogique, pratique ou ludique. Mais les investissements sont considérables et ne peuvent guère être amortis sur le seul marché français. Si les éditeurs français ne se mobilisent pas, il existe donc un risque de voir s'aggraver la domination anglo-saxonne en matière culturelle.

➤ 20% des Français écrivent parfois des textes, poèmes, nouvelles, etc.
➤ 43 % des lecteurs attendent des livres qu'ils leur apprennent quelque chose (surtout les cadres supérieurs et professions libérales), 34 % qu'ils les distraient.
➤ 18% lisent plusieurs livres en même temps.
➤ 84% des Français estiment que le livre ne pourra jamais être remplacé par les nouvelles technologies, mais 18% des 18-24 ans pensent le contraire.

LES ACTIVITÉS PHYSIQUES

JE VEUX
RETOURNER
AU BUREAU !!!

SPORT

Les trois quarts des hommes et la moitié des femmes pratiquent un sport ◆ Inégalités en diminution ; l'âge est un facteur déterminant ◆ Sports individuels en hausse ◆ Recherche du plaisir plus importante que celle de la performance ◆ Rôle essentiel des médias ◆ Croissance du sport-aventure

PRATIQUE

Les trois quarts des hommes et la moitié des femmes se livrent à une activité sportive plus ou moins régulière.

Les Français sont de plus en plus nombreux à pratiquer une activité sportive, même occasionnellement. Les effectifs des associations sportives ont d'ailleurs beaucoup progressé au cours des douze dernières années : elles regroupent aujourd'hui plus d'un Français sur cinq. 13,3 millions étaient licenciés d'une fédération en 1993 ; leur nombre a presque triplé en vingt ans.

L'accroissement de la pratique du sport répond à un désir, collectif et inconscient, de mieux supporter les agressions de la vie moderne par une meilleure résistance physique. Il traduit aussi la place prise par l'apparence dans une société qui valorise souvent plus la *forme* (dans tous les sens du terme)

que le fond. Le sport est devenu aujourd'hui un moyen d'accroître les performances individuelles, en particulier dans la vie professionnelle.

Cette évolution a été favorisée par le développement des équipements sportifs des communes (gymnases, piscines, courts de tennis, terrains de plein air) et les investissements privés (golfs). Enfin, l'accroissement du temps libre et du pouvoir d'achat ont permis aux Français de s'intéresser au sport.

Licenciement collectif

Evolution du nombre de licenciés des fédérations sportives (en milliers) :

	1992	1980	1970
• Fédérations olympiques	6 605	3 824	2 410
• Fédérations non olympiques	2 675	2 478	1 054
• Fédérations et groupements multisports	1 471	1 108	620
• Fédérations scolaires et universitaires	2 626	2 089	1 444
Total	**13 377**	**9 501**	**5 527**

Ministère de la Jeunesse et des Sports

La France ne fait cependant pas partie des nations les plus sportives.

Malgré son accroissement récent, la pratique sportive reste inférieure en France à celle d'autres pays, en particulier du nord de la Communauté européenne. Un tiers des Néerlandais, Danois, Allemands sont inscrits dans un club sportif, contre seulement un Français sur cinq, un Italien ou un Grec sur douze, un Portugais sur cinquante. Mais ces chiffres ne reflètent pas précisément la « sportivité » des nations, dans la mesure où beaucoup d'Européens pratiquent un sport sans être inscrits à une fédération ou un club (la pratique est alors souvent moins régulière).

Dans certains pays, des sports nationaux, ou même régionaux, occupent une place de choix : les sports gaéliques en Irlande ; le cricket et le badminton en Grande-Bretagne ; le ski ou... les boules en France.

La France est-elle compétitive ?

C'est à la réussite de ses athlètes que l'on juge habituellement de la pratique sportive d'un pays. Les jeux Olympiques d'hiver de Lillehammer de 1994 ont donné à cet égard une mauvaise impression du sport français. La France n'a en effet obtenu que la douzième place, avec 5 médailles, dont une d'argent et 4 de bronze. Avant ces jeux, elle n'occupait déjà que la dixième place avec 48 médailles, loin derrière l'URSS (216), la Norvège (189) ou l'Allemagne (175, y compris ex-RDA).
Pourtant, une étude réalisée par le journal *l'Equipe* montre que la France occupe la deuxième place du palmarès mondial des nations établi sur une trentaine de disciplines couvrant la plupart des domaines sportifs. Le classement, cité par Jacques Marseille dans *C'est beau la France* (Plon), a été réalisé en prenant en compte les performances de chaque pays dans les différentes compétitions, jeux Olympiques, coupes et championnats du monde et d'Europe.
Pour chacune, le premier pays a obtenu 10 points, le deuxième 6, le troisième 4, le quatrième 3, le cinquième 2 et le sixième 1, selon le principe utilisé en Formule 1 ; la France se situe derrière les Etats-Unis mais devant la Russie, l'Allemagne, la Grande-Bretagne et l'Italie.

Malgré leur diminution, les inégalités de pratique restent fortes.

La distinction entre les catégories sociales est particulièrement nette pour les sports à forte image sociale, comme la voile, le golf ou l'équitation, qui sont souvent coûteux et se pratiquent dans des clubs dont l'accès n'est pas toujours aisé. Ainsi, le tennis, dont on a beaucoup vanté la démocratisation, est pratiqué par un tiers des cadres supérieurs, mais par 5 % seulement des agriculteurs. Le sport représente un moyen de valorisation sociale, un attribut du « standing » individuel. Même lorsque les contraintes matérielles ont disparu, les contraintes culturelles demeurent.

L'âge est un facteur déterminant.

On pratique dix fois moins le football ou la danse entre 40 et 60 ans qu'entre 15 et 20 ans, cinq fois moins le tennis, trois fois moins la natation ou la gymnastique. En dehors du golf ou des boules, la pratique sportive décroît régulièrement avec l'âge, la césure se faisant le plus souvent vers quarante ans. Pourtant, on constate que les personnes âgées s'intéressent davantage aux sports, à commencer par ceux qui leur sont le plus accessibles comme la marche, la gymnastique, la natation, ou le cyclisme.

Le rugby plus heureux que le foot

Young & Rubican Koena

Les femmes rattrapent les hommes dans la pratique des sports individuels.

Les femmes ont trouvé dans le sport la réponse à certaines de leurs préoccupations : rester en bonne forme physique ; se forger un corps séduisant ; conquérir un domaine jusqu'ici plutôt réservé à l'autre sexe ; lutter contre les signes apparents du vieillissement. Depuis une dizaine d'années, elles ont donc réduit leur retard sur les hommes.
Les sports d'équipe ne les passionnent pas (à l'exception du basket et du handball). Elles se ruent en revanche sur les sports individuels : plus des trois quarts des pratiquants de la gymnastique ou de la danse sont des femmes. Elles pratiquent plus fréquemment que les hommes la natation ou l'équitation. Elles sont enfin plus nombreuses à s'adonner aux sports ayant une forte image masculine : 2 % des femmes pratiquent la musculation (3,5 % d'hommes).
La pratique sportive relève moins aujourd'hui de la volonté d'afficher un style de vie et un statut social que de celle de s'entretenir physiquement. C'est l'une des causes du développement de la pratique féminine.

La natation d'abord

Taux de pratique sportive en fonction du sexe (1991, en % de la population de 15 ans et plus concernée) :

	Occasion-nellement		Réguliè-rement	
	H	F	H	F
• Alpinisme	2,2	1,0	0,6	0,2
• Athlétisme	5,1	2,4	1,8	0,9
• Aviation	1,2	0,6	0,3	0,0
• Basket	4,7	2,7	1,4	1,2
• Bateau à moteur	2,1	0,9	0,4	0,2
• Bateau à voile	2,9	1,7	1,2	0,3
• Planche à voile	3,2	2,3	1,3	0,3
• Boules	15,2	4,7	2,5	0,3
• Cyclisme	17,5	9,7	6,3	2,9
• Chasse	2,8	0,5	3,4	0,1
• Equitation	2,6	2,7	0,6	0,8
• Football	10,1	0,9	6,5	0,2
• Golf	1,6	1,1	0,5	0,3
• Gymnastique	4,2	9,3	2,6	11,4
• Jogging	12,6	8,4	6,5	3,6
• Judo-karaté	1,6	0,4	1,8	0,5
• Natation	20,2	16,7	5,1	6,0
• Patin à glace	3,8	3,1	0,1	0,2
• Pêche en mer	4,6	1,0	1,1	0,2
• Pêche en eau douce	8,6	1,5	4,2	0,2
• Plongée	3,0	1,3	0,9	0,2
• Rugby	2,0	0,2	1,1	0,1
• Randonnée pédestre	11,5	9,3	4,9	4,0
• Ski de fond	8,6	5,9	1,4	1,0
• Ski alpin	13,3	7,9	4,2	2,6
• Ski de randonnée	1,3	1,0	0,4	0,1
• Tennis	15,1	7,8	6,9	2,3
• Volley ball	6,1	2,9	2,1	1,6

Secodip/Openers

> ➤ 600 murs artificiels destinés à l'escalade ont été construits en France.
> ➤ Le tennis comptait 1,3 million de licenciés en 1993 (contre 1,4 million en 1986, mais 800 000 en 1980 et 167 000 en 1970). 260 000 joueurs sont classés. 7 600 tournois ont été organisés, représentant 1,8 million de matches.
> ➤ Les accidents de chasse ont fait 19 tués et 30 blessés en 1993, pour 1,6 million de chasseurs.
> ➤ 73 % des Français pensent que les chasseurs commettent des abus, 21 % non. 71 % estiment qu'il faut réglementer plus sévèrement la chasse, 21 % non.

Les sports individuels se sont plus développés que les sports collectifs.

La grande lame de fond de l'individualisme ne pouvait épargner le sport. L'engouement pour le jogging, puis l'aérobic, en ont été, dès le début des années 80, la spectaculaire illustration. On peut y ajouter le tennis, l'équitation, le ski, le squash, le golf et bien d'autres encore. Même la voile, autrefois surtout pratiquée en équipage, a acquis ses lettres de noblesse avec les courses transatlantiques en solitaire. Aujourd'hui, plus d'un Français sur trois pratique un sport individuel, contre un sur quatre en 1973 ; un sur quinze seulement pratique un sport collectif.

S'il reste le premier en nombre de licenciés, le football n'arrive qu'à la septième place des sports les plus pratiqués. On compte beaucoup plus de licenciés de tennis, de ski ou de judo que de rugby ou de hand-ball. Les licenciés de voile, de karaté, de tir ou de golf sont plus nombreux que ceux de volley-ball.

La recherche du plaisir est plus importante que celle de la performance.

L'accroissement du nombre des licenciés révèle une tendance relativement nouvelle : le désir croissant des Français de progresser dans le sport qu'ils ont choisi. Cette volonté est logiquement assortie de l'inscription à une fédération, qui consacre le passage du statut de simple amateur à celui de sportif véritable.

Le cas du tennis est significatif. Alors qu'autrefois les pratiquants se contentaient d'échanger quelques balles sur un court pour se divertir, ils sont aujourd'hui plus ambitieux. Sans rêver d'imiter les grands champions qu'ils suivent à la télévision, beaucoup veulent améliorer leur technique. Le succès des stages, le développement des achats d'équipement au cours des années 80 (ils tendent à stagner depuis 1987, dans la mesure où il s'agit surtout d'achats de renouvellement) témoignent de cette volonté de progresser.

Les effets de mode sont importants, mais ils tendent à diminuer.

Le début des années 80 avait coïncidé avec l'explosion du jogging et de l'aérobic. Aujourd'hui, le phénomène a trouvé sa vraie dimension. Ceux qui continuent de courir ou fréquentent les salles de gymnastique ne le font pas pour sacrifier à une mode, mais parce qu'ils en ressentent le besoin. 2,1 millions de Français font du jogging ou de la course à pied pendant au moins une heure par semaine. 800 000 personnes pratiquent la compétition.

La voile, après un développement spectaculaire dès la fin des années 70, connaît une régression presque aussi rapide : les Français ont acheté moins de 200 000 planches à voile neuves en 1993 contre près d'un million en 1987 ; les immatriculations de voiliers et bateaux à moteur stagnent aux alentours de 20 000 depuis 1984, contre 38 000 en 1980.

Mais de nouvelles modes ont pris le relais. Le golf, le parapente, l'escalade, le base-ball, le vol libre, le VTT, les sports acrobatiques ou le ski nautique ont augmenté le nombre de leurs adhérents de façon significative. Ainsi, le nombre des pratiquants de l'escalade a presque triplé depuis 1985 : 1,3 million (dont 850 000 occasionnels) contre 480 000.

série de dessins animés japonais sur le volley-ball avait aussi suscité de nombreuses vocations chez les jeunes.

Mais la croissance la plus spectaculaire a été celle du basket, favorisée par la médiatisation des champions américains (Magic Johnson, Michaël Jordan....) et des prestations de la *Dream team* américaine aux Jeux Olympiques de Barcelone. Le mouvement a été accéléré par la victoire de Limoges en coupe d'Europe en 1993, de sorte que le nombre de licenciés atteignait 440 000 en 1993. Le nombre des terrains s'est accru rapidement, sans compter les *playgrounds* improvisés dans les villes. Le basket est avec le rap et le tag l'un des ingrédients de la mythologie des banlieues. Il est enfin le seul sport collectif auquel il est possible de jouer seul.

On peut aussi mentionner le cerf-volant, qui peut être rangé parmi les sports de glisse, et dont l'engouement a été favorisé par les belles images auxquelles il donne lieu. Les lucanistes peuvent satisfaire des besoins à la fois ludiques, esthétiques et écologiques.

Le sport en toute licence

Evolution du nombre de licenciés de certaines fédérations olympiques et non olympiques :

	1993	1980
• Football	1 955 388	1 554 069
• Tennis	1 238 287	786 811
• Ski	500 893	544 270
• Pétanque	476 186	426 282
• Judo	440 268	351 888
• Basket	432 586	304 375
• Equitation	283 940	133 740
• Golf	216 203	38 718
• Rugby	208 505	208 913
• Hand-ball	196 620	149 109
• Voile	184 219	85 383
• Natation	154 621	93 710

Les médias jouent un rôle essentiel dans le développement de sports comme le golf ou surtout le basket.

Les médias sont à l'origine du succès du tennis dans les années 80. Ils ont permis au cours des dernières années un fort développement du golf : 216 000 licenciés en 1993 contre 44 000 en 1980 ; 478 parcours contre 128. La simple diffusion d'une

Au prix du billet, avouez que ce serait dommage de continuer à jouer au golf au pays de la pétanque et du football.

A PARTIR DE **1345 F** ALLER/RETOUR   L'IRLANDE EN UNE HEURE TRENTE : DUBLIN, CORK OU SHANNON.   **Aer Lingus** ✈

Des parcours souvent initiatiques

Un nombre croissant de Français cherchent des sensations fortes dans le sport-aventure.

Les sports de glisse (deltaplane, parapente, ULM, surf, ski acrobatique) ou les sports nautiques motorisés (offshore, scooter des mers) font de plus en plus d'adeptes, et aussi de blessés. Depuis la sortie du *Grand Bleu*, beaucoup rêvent de pratiquer la plongée en apnée et d'imiter Jacques Mayol. Des cadres mal dans leur peau considèrent le saut à l'élastique comme une thérapeutique à l'angoisse ou comme un test de leur force intérieure.

Les médias et les organisateurs de voyages ont compris cet engouement pour les émotions fortes. Les premiers montrent de belles images qui font rêver ; les seconds proposent des formules d'aventure à la carte, selon les possibilités, physiques et financières, de chacun. Mais pour la plupart de leurs clients, la découverte du monde passe après celle de soi-même.

L'aventure par procuration

Le goût pour l'aventure, compréhensible dans une société qui ne l'autorise guère, est souvent satisfait d'une façon artificielle par les médias. Les Français qui participent effectivement au rallye Paris-Dakar, descendent en *rafting* les rivières africaines, escaladent les montagnes, courent dans le désert ou font la traversée de l'Atlantique en voilier constituent une infime minorité, sans commune mesure avec ceux qui suivent ces compétitions à la télévision. La Formule 1 est ainsi l'un des sports qui attirent le plus de téléspectateurs : 7 milliards de personnes dans le monde ont regardé tout ou partie des 16 grands prix de la saison 1993 ; l'émotion suscitée par la mort de Senna en 1994 a confirmé cet attachement. Pour beaucoup de Français, les retransmissions sportives à la télévision constituent un substitut à la pratique sportive.

➤ En France, l'audience télévision des grands prix de Formule 1 varie entre 5 et 9 % des téléspectateurs.

LOISIRS CRÉATIFS

Besoin d'activités manuelles ◆ **Neuf Français sur dix bricoleurs, par nécessité et par plaisir** ◆ **60 % de Français jardiniers** ◆ **La cuisine de fête est un loisir** ◆ **Activités artistiques en hausse (musique, photographie, dessin...)**

BRICOLAGE ET JARDINAGE

Le besoin de « faire quelque chose de ses mains » est de plus en plus fort.

Depuis des décennies, les machines prennent progressivement le relais de la main humaine, comme autant de prothèses qui amplifient son pouvoir en même temps qu'elles réduisent son rôle et sa capacité de création. Les travaux de fabrication sont le plus souvent divisés, afin d'en accroître l'efficacité. Avec le développement de la société industrielle s'est éloigné le sentiment de satisfaction lié à la fabrication d'un objet par un seul homme.

Conscients de cet appauvrissement, les Français se sont mis à rechercher les moyens d'une « rééducation ». Beaucoup l'ont trouvée dans la pratique de loisirs manuels tels que le bricolage, le jardinage ou la cuisine.

Cette évolution s'inscrit dans un mouvement plus général, qui est le rejet d'un découpage binaire de la vie. Aujourd'hui, la gauche n'est plus opposée à la droite, l'homme à la femme, l'adulte à l'enfant, le bien au mal. Il en est de même de l'opposition traditionnelle entre le corps et l'esprit, comme en témoigne le développement récent de la pratique sportive.

88 % des hommes bricolent.

Les bricoleurs sont surtout des hommes de 30 à 50 ans, mariés, ayant des enfants, habitant en pavillon. Les plus compétents sont les ouvriers qualifiés, les contremaîtres, les techniciens et les ingénieurs. Les femmes sont aussi de plus en plus concernées, mais il s'agit souvent de femmes seules qui s'adonnent plutôt à des travaux de décoration (voir encadré). On constate aussi un regain d'intérêt pour le bricolage aux alentours de l'âge de la retraite, période où l'on réaménage sa maison, où l'on aide ses enfants à s'installer.

Le besoin de rééquilibrer l'activité professionnelle est très apparent ; on constate que les employés et les cadres sont mieux disposés à l'égard du bricolage que les ouvriers ou les artisans, moins frustrés sur le plan manuel.

Femmes : du tricotage au bricolage

Les femmes tricotent de moins en moins. Les ventes de pelotes de laine ont chuté de plus de la moitié au cours des cinq dernières années. Seules 45 % déclaraient tricoter au moins occasionnellement en 1992, contre 70 % en 1987. Les autres activités traditionnelles comme la couture ou le reprisage sont en déclin, au profit du bricolage et de la décoration. Malgré l'accroissement de leur taux d'activité professionnelle, 75 % des femmes trouvent le temps de s'adonner au bricolage, un taux proche de celui des hommes (85 %). De plus en plus souvent, les femmes achètent elles-mêmes leur matériel. Elles deviennent de plus en plus compétentes pour effectuer des travaux de plus en plus variés, mais leur domaine de prédilection reste la décoration.

Les Français bricolent à la fois par nécessité et par plaisir.

Les motivations d'ordre économique sont prépondérantes. Avec la crise, on a observé un développement du petit bricolage ; les Français préfèrent poser eux-mêmes les papiers peints (qu'ils changent en moyenne tous les cinq ans) plutôt que de faire appel à un artisan. Les 40 millions de Français bricoleurs ont dépensé 75 milliards de francs en 1993.

Une part importante de l'économie domestique est liée au bricolage : montage de meubles en kit ; travaux ; réparations ; entretien ; fabrication d'objets divers. Dans moins de la moitié des cas, les ménages font appel à des entreprises spécialisées.

Mais le bricolage est aussi un loisir. Celui-ci permet d'occuper son temps, de se changer les idées tout en améliorant le confort de son logement. Enfin, il constitue pour les hommes un symbole de virilité ; seuls 11 % se reconnaissent incapables de planter un clou, contre 27 % des femmes.

Le jardinage concerne 60 % des Français.

53 % des Français habitent une maison individuelle, contre 48 % en 1982. 63 % disposent d'un jardin, 52 % dans leur résidence principale, 10 % dans une résidence secondaire. 10 % cultivent leurs légumes, 41 % possèdent des arbres fruitiers. 20 millions de foyers disposent aussi de 74 millions d'espaces fleurissables (balcons, terrasses, vérandas...).

Chaque Français a son jardin secret

Aprime

Comme le bricolage, le jardinage est une activité manuelle de compensation et de création, qui présente aussi des avantages économiques. La répartition des tâches entre les sexes reflète encore la tradition ; les femmes sont plus nombreuses que les hommes à s'occuper d'un jardin d'agrément, alors que les jardins potagers sont en majorité entretenus par les hommes.

Entre 1975 et 1993, les dépenses consacrées au jardinage sont passées de 7 à 33 milliards de francs. Avec une dépense moyenne de 1 500 F par personne, les Français se situent au premier rang en Europe.

L'écologie pratique

A une époque où le monde rural est en voie de disparition, beaucoup de Français souhaitent préserver leurs racines paysannes. 14 % d'entre eux passent l'essentiel de leur temps pendant les week-ends à jardiner (17 % des hommes et 11 % des femmes). Même ceux qui habitent en appartement s'efforcent de lui donner de plus en plus des airs de campagne ; on trouve environ 150 millions de plantes vertes dans les foyers.
Le besoin de « retour à la terre », qui s'était manifesté de façon parfois excessive pendant les années 70, est vécu plus tranquillement aujourd'hui. Il se manifeste par le goût des week-ends à la campagne (16 % des Français partent au moins une fois par mois), l'importance du nombre des résidences secondaires (12 % des ménages) et la pratique de certains sports comme la randonnée, à pied, à vélo ou, de moins en moins, en 4 X 4.

La cuisine peut être aussi un loisir.

Dans un climat social et professionnel déprimé, les Français ressentent de plus en plus le besoin de faire la fête. Le bon repas partagé avec les proches en est l'une des formes les plus recherchées. La cuisine festive revêt aujourd'hui des aspects plus variés que par le passé. Du plat unique, dont la recette est empruntée aux traditions régionales les plus anciennes (pot-au-feu, cassoulet, choucroute, etc.) à la cuisine la plus exotique (chinoise, africaine, mexicaine, antillaise...) en passant (plus rarement) par la nouvelle cuisine.

Opposée par définition à la cuisine-devoir, la cuisine de fête, ou cuisine-loisir, en est aussi le contraire dans sa pratique. Le temps ne compte plus, aussi bien dans sa préparation que dans sa consommation. Si le menu est profondément différent, la façon de le consommer ne l'est pas moins : le couvert passe de la cuisine à la salle à manger ; la composante diététique, souvent intégrée dans le quotidien, est généralement absente. Enfin, les accessoires prennent une plus grande importance : bougies, décoration de la table et des plats, etc.

La cuisine-loisir est également marquée par la recherche du « polysensualisme » : le goût, l'odo-

rat, l'œil, le toucher y sont de plus en plus sollicités ; c'est le cas aussi de l'ouïe, car la musique est souvent présente dans les salles à manger.

La cuisine n'est pas, on le devine, une activité comme une autre. C'est tout l'être profond qui s'exprime face au premier besoin de l'individu, celui de manger. Rien n'est donc gratuit dans les rites qui président à sa célébration.

ACTIVITÉS ARTISTIQUES

Les activités artistiques permettent aux Français d'exprimer certains aspects de leur personnalité.

Le souci d'épanouissement qui prévaut aujourd'hui ne pouvait ignorer ce qui, plus peut-être que tout autre élément, caractérise la nature humaine : la sensibilité. On retrouve dans certaines tendances actuelles cette volonté de rééquilibrer des activités professionnelles souvent froides, rationnelles, par d'autres qui le sont moins.

C'est pourquoi les Français sont nombreux à s'intéresser à la musique, à prendre des cours de peinture ou de sculpture, à s'adonner aux joies de l'écriture ou de la photographie.

40 % des Français ont chez eux un instrument de musique, 16 % en jouent.

On estime que 800 000 personnes fréquentent des écoles de musique, dont 470 000 dans des conservatoires publics. Les instruments les plus répandus sont la flûte et la guitare, mais ceux dont on joue le plus sont la flûte et le piano (8 % des ménages en ont un dans leur logement). Les hommes sont un peu plus nombreux que les femmes à pratiquer la musique : 18 % contre 13 % au foyer ; 7 % contre 5 % à l'extérieur. La pratique décroît régulièrement avec l'âge : 34 % des 15-19 ans au foyer et 15 % à l'extérieur ; 5 % des 65 ans et plus au foyer et 2 % à l'extérieur. Elle concerne trois fois plus les élèves, étudiants, cadres et professions intellectuelles que les employés, ouvriers, artisans, commerçants.

Parmi ceux qui jouent d'un instrument, 29 % ont appris à jouer seuls ou avec des amis, 26 % à l'école, 24 % avec un professeur particulier, 15 % dans une école de musique, 9 % avec l'un de leurs parents. La musique reste, en particulier pour les jeunes, un mode d'expression privilégié.

Les flûtes enchantées

Les Français achètent chaque année environ deux millions de flûtes (cet instrument est pratiqué dans certaines classes des écoles primaires). Le second instrument le plus acheté est la guitare (environ 200 000 achats par an), devant le piano, loin derrière avec 30 000 achats par an. L'accordéon n'est plus à la mode et les Français en achètent moins de 20 000 par an.

La *Fête de la musique* permet, chaque année, de constater combien la pratique musicale est répandue : on ne compte pas moins de 4 000 harmonies, 8 000 chorales, 25 000 groupes de rock, sans parler des très nombreuses cliques et fanfares.

Neuf foyers sur dix possèdent un appareil photo, 14 % ont un Caméscope.

La photographie est une pratique très vulgarisée et la plupart des ménages prennent des photos (seuls, 18 % ne l'utilisent presque jamais). 18 % des ménages disposent d'appareils compacts automatiques, 22 % ont des appareils plus perfectionnés de type reflex.

Un Français sur deux a acheté au moins une pellicule en 1993. Les photographes occasionnels utilisent moins de trois films par an, tandis que les 10 % de photographes avertis en utilisent en moyenne une dizaine. 88 % de ces derniers sont des hommes, généralement de plus de 35 ans, qui sont équipés d'appareils reflex. Les enfants commencent à photographier à partir de 10 ans ; à 14 ans, deux sur trois font des photographies. Puis la pratique décroît, au profit d'autres types de loisirs. Les personnes âgées ou seules et les couples sans enfant sont les moins concernés.

Dans la majorité des familles, c'est le père qui fait principalement les photos (52 % des cas, 28 % pour la femme). 90 % des ménages font des photos sur papier couleur, 21 % des diapositives, 12 % des photos noir et blanc (ce sont surtout des passionnés, jeunes, parisiens, diplômés). Plus des trois quarts des ménages font parfois retirer des photos pour les envoyer à des parents ou amis.

La possession d'un Caméscope se développe moins vite qu'au cours des années passées. Elle est plus fréquente dans les catégories aisées : 25 % des cadres et professions intellectuelles contre 6 % des agriculteurs, 7 % des ouvriers et des retraités. Les prix relativement élevés et la diversité des matériels ont retardé les achats, de même que la complexité des produits.

14 % des Français dessinent ; moins de 10 % pratiquent d'autres activités artistiques.

Le dessin est d'autant plus pratiqué que l'on est jeune : 42 % entre 15 et 19 ans, mais 3 % à partir de 65 ans. Les activités de type littéraire arrivent en seconde position : 7 % des Français (8 % des femmes et 6 % des hommes) tiennent un journal intime ; 6 % écrivent des poèmes. Les arts plastiques (peinture, sculpture, gravure) concernent 6 % des Français. Il faut ajouter la poterie, reliure, artisanat d'art (3 %), le théâtre amateur (2 %).

On retrouve les mêmes types de variations selon l'âge : 13 % des 15-19 ans tiennent un journal, 10 % font de la peinture ou de la sculpture, contre respectivement 5 % et 3 % des 65 ans et plus. Le fait de suivre une scolarité constitue sans aucun doute une forte incitation aux activités artistiques ou culturelles. A l'âge adulte, ces pratiques sont toujours plus fréquentes dans les catégories aisées et diplômées, à Paris et dans les grandes villes, chez les personnes célibataires.

12 millions de collectionneurs

23 % des Français de 15 ans et plus déclarent faire une collection (27 % d'hommes et 20 % de femmes). Les plus fréquentes sont les collections de timbres (8 %). Viennent ensuite les cartes postales (4 %), les pièces ou médailles (4 %), les objets d'art (2 %), les pierres et minéraux (2 %), les livres anciens (2 %), les poupées (1 %), les disques anciens (1 %). Parmi les collectionneurs, 20 % s'en occupent au moins une fois par semaine, 35 % environ une fois par mois, 45 % plus rarement.

L'âge est un critère déterminant (41 % des 15-19 ans, contre 14 % des 65 ans et plus). La catégorie socioprofessionnelle l'est beaucoup moins, en dehors des agriculteurs et femmes au foyer qui sont peu concernés.

➤ Les cervalobelophiles sont des collectionneurs de sous-bocks de bière, les éthylabelophiles s'intéressent aux étiquettes de vin, les fibulanomistes aux boutons, les glacophiles aux pots de yaourt, les placomusophiles aux bouchons de champagne, les philaménistes aux boîtes d'allumettes, les sigillographes aux sceaux, les vexillophiles aux drapeaux, les vitolphiles aux bagues de cigares.
➤ 16 % des Français bricolent de façon habituelle pendant les week-ends (25 % des hommes et 8 % des femmes).

Ministère de la Culture et de la Communication

LES VACANCES

ENCORE UN PETIT WEEK-END SPORTIF !

PETITES VACANCES

45 % des Français partent en week-end plusieurs fois dans l'année, 31 % jamais ◆ Les parcs de loisirs connaissent des succès divers ◆ 28 % de départs en vacances d'hiver ◆ 8 % vont aux sports d'hiver ◆ Baisses des départs et de la durée de séjour enrayées ◆ 40 % des séjours en montagne

FINS DE SEMAINE

Les fins de semaine sont considérées comme de courtes vacances par les Français.

Le repos dominical est une conquête presque centenaire, mais son jumelage avec le samedi (ou le lundi pour les commerçants) est beaucoup plus récent. Même si certains Français n'en bénéficient pas, du fait de leurs conditions de travail particulières (voir *Vie professionnelle*), la plupart apprécient cette parenthèse hebdomadaire entre deux semaines de travail.

Beaucoup plus que le samedi, occupé par les courses, les travaux ménagers, le bricolage ou le jardinage, le dimanche est un jour de détente. La plupart des Français le passent chez eux ou en famille et il n'est pas rare que trois générations se retrouvent ; les couples mariés se déplacent chez leurs parents ou beaux-parents pour déjeuner avec eux, avec leurs propres enfants.

Les activités pratiquées n'évoluent guère : la famille, les amis et la télévision tiennent la plus grande place. Le repas de midi est une étape importante du rituel dominical ; par contre, une autre tradition, celle de la messe, est en nette diminution. Mais 23 % des Français emportent du travail à faire au cours du week-end ; ce sont surtout des cadres débordés ou des commerçants qui n'ont pas le temps au cours de la semaine de s'occuper des questions administratives.

Les « endimanchés » sont minoritaires : 22 % disent faire plus attention à la façon dont ils s'habillent, alors que 33 % s'habillent de manière plus décontractée et 44 % de la même manière que pendant la semaine.

Les meilleurs moments

« Quels sont les moments que vous appréciez le plus en fin de semaine ? » :

L'après-midi du dimanche	39 %
La soirée du samedi	32 %
Le déjeuner du dimanche	27 %
La matinée du dimanche	24 %
L'après-midi du samedi	21 %
La soirée du vendredi	14 %
La soirée du dimanche	11 %
La matinée du samedi	8 %
Le déjeuner du samedi	4 %

Madame Figaro/Sofres, avril 1993

---

45 % partent de chez eux pour le week-end au moins quelques fois dans l'année, mais 31 % ne partent jamais.

14 % partent une ou deux fois par mois, 29 % quelquefois, 24 % rarement. Seuls 2 % partent toutes les semaines ; ce sont le plus souvent des Parisiens (5 %) et des retraités (4 %). Le fait d'habiter une grande ville constitue une forte incitation à rechercher l'air pur ; alors qu'un Français sur trois ne part jamais, c'est le cas seulement d'un Francilien sur cinq. Les bouchons qui se forment sur les autoroutes au départ de la capitale dès le vendredi soir en sont l'illustration. Les catégories aisées

sont les plus concernées : 14 % des cadres supérieurs partent au moins 15 fois dans l'année, contre 6 % des ouvriers.

Ceux qui partent se rendent le plus souvent chez des parents (53 % des cas) ou des amis (38 %). 12 % vont dans leur résidence secondaire (c'est aussi la proportion de ménages qui en disposent). 11 % vont à l'hôtel, 8 % en camping.

Madame Figaro/Sofres, avril 1993

Les week-ends des Français

« Pour vous, qu'est-ce qui symbolise le plus le week-end ? » :

Le déjeuner en famille	36 %
Les moments passés avec les enfants ou les petits-enfants	35 %
La promenade à la campagne	30 %
Les travaux ménagers, le bricolage, le jardinage	21 %
La grasse matinée	19 %
La sortie du samedi soir	15 %
Les câlins à deux	14 %
Les courses du samedi	9 %
La messe	8 %
Le jogging du matin	3 %

Les parcs de loisirs sont des nouvelles destinations de week-end, mais tous n'ont pas su répondre aux attentes des visiteurs.

Les parcs de loisirs constituent un type de loisir récent. Concurrents des résidences secondaires, des stations de ski, ou même des vacances traditionnelles, ils proposent aux familles une alternative à la « journée télé » du dimanche, un moyen de se procurer des émotions fortes (manèges), de se retrouver dans un environnement différent (parcs à thème), bref de se donner le sentiment de vivre intensément.

Mais cette offre, qui s'est beaucoup développée au cours des années 80, n'a pas toujours rencontré la demande. Certains parcs ont dû fermer leurs portes ou ont connu des difficultés financières (Mirapolis, Aquaboulevard, Zygofolies ou les Schtroumpfs...). L'exemple le plus spectaculaire est celui d'Euro Disney, ouvert en avril 1992 à Marne-la-Vallée, qui a connu un déficit de 5 milliards de francs après 18 mois d'exploitation. Les causes de cet échec tiennent à une absence de prise en compte des attitudes et des comportements de la clientèle visée. La formule, rodée avec succès aux Etats-Unis et au Japon, n'était pas transférable telle quelle à la France et à l'Europe, dans un contexte culturel et économique différent. Les Français ne sont pas prêts à dépenser autant que les Américains à l'intérieur du parc. Les parents s'y rendent davantage pour faire plaisir à leurs enfants que pour s'amuser, ce qui explique une fréquence de visite moindre.

Certaines formules ont cependant trouvé leur clientèle ; Center Parcs, parc aquatique résidentiel installé en Normandie et en Sologne, affiche des taux de remplissage supérieurs à 90 %.

VACANCES D'HIVER

Au cours de l'hiver 1992-93, 28 % des Français sont partis en vacances.

La diminution du temps de travail et la cinquième semaine de congés payés ont entraîné au cours des années 80 un plus grand morcellement des vacances. Mais les vacances d'hiver restent un phénomène minoritaire et sélectif. Près des trois quarts des Français restent chez eux. Les taux de départ sont très variables selon les catégories sociales : 58 % des cadres supérieurs et professions libérales, mais seulement 10 % des ouvriers non qualifiés et 14 % des agriculteurs. 55 % des Parisiens partent, contre 19 % des habitants des communes rurales. L'âge est un facteur moins déterminant, bien que l'on constate une diminution à partir de 50 ans.

Sur l'ensemble de l'année (été 1992 et hiver 1992-93), 23 % des ménages sont partis à la fois en hiver et en été ; 5 % seulement en hiver, 33 % en été seulement et 39 % ne sont pas du tout partis en vacances.

Le taux de départ est de nouveau en hausse depuis 1992, après trois années de baisse.

Le taux de départ en vacances d'hiver avait beaucoup augmenté pendant les années 70 et jusqu'en 1987-88 (avec une exception en 1984-1985). La baisse constatée entre 1988 et 1991 était liée au fait que certaines catégories partaient moins, en particulier les plus aisées : c'était le cas des patrons de l'industrie et du commerce et des Parisiens. A l'inverse, les familles de cadres moyens étaient parties plus nombreuses, mais sans qu'il y ait eu compensation. On a assisté à un retournement au cours de l'hiver 1992-93, avec un taux de départ de 29 %. Celui-ci a enregistré une légère diminution en 1993-94. Ce mouvement concerne encore surtout les catégories sociales qui partent le plus.

Le retour à la montagne

Evolution du taux de départ et du nombre moyen de journées par personne partie en vacances d'hiver :

	Taux de départ (en %)		Jours par personne	
	Vacances d'hiver	dont sports d'hiver	Vacances d'hiver	dont sports d'hiver
• Hiver 1974-1975	17,1	4,3	14,3	12,7
• Hiver 1975-1976	18,1	4,8	15,4	13,2
• Hiver 1976-1977	17,9	5,5	14,6	11,4
• Hiver 1977-1978	20,6	6,6	13,7	10,2
• Hiver 1978-1979	22,1	7,1	13,9	10,4
• Hiver 1979-1980	22,7	7,8	14,3	10,0
• Hiver 1980-1981	23,8	7,9	14,0	9,9
• Hiver 1981-1982	24,6	8,2	14,2	9,8
• Hiver 1982-1983	24,3	9,2	14,4	9,6
• Hiver 1983-1984	26,2	10,0	13,8	9,4
• Hiver 1984-1985	24,9	8,8	14,1	9,8
• Hiver 1985-1986	27,1	9,6	13,9	9,5
• Hiver 1986-1987	28,0	8,8	14,8	9,2
• Hiver 1987-1988	28,2	8,8	14,1	9,1
• Hiver 1988-1989	27,3	7,9	13,8	8,8
• Hiver 1989-1990	26,7	7,1	13,6	8,7
• Hiver 1990-1991	26,3	8,4	13,8	9,0
• Hiver 1991-1992	28,9	8,8	13,8	8,9
• **Hiver 1992-1993**	**28,0**	**8,3**	**13,9**	**8,6**

Taux de départ et nombre moyen de journées par personne partie pendant l'hiver 1992-93, selon la commune de résidence et selon la catégorie socioprofessionnelle :

	Taux de départ (en %)		Jours par personne	
	Vacances d'hiver	dont sports d'hiver	Vacances d'hiver	dont sports d'hiver
Commune de résidence				
• Commune rurale	18,7	5,8	13,4	8,1
• Commune urbaine (hors agglomération parisienne)	28,4	8,6	13,4	8,5
• Agglomération parisienne (sauf Paris)	41,8	11,5	14,6	8,7
• Ville de Paris	55,0	14,1	17,2	9,4
Catégorie socioprofessionnelle				
• Exploitants et salariés agricoles	14,5	5,3	8,7	6,5
• Patrons de l'industrie et du commerce	28,6	9,6	10,7	8,0
• Cadres et professions libérales	58,3	25,4	13,5	9,1
• Professions intermédiaires	41,4	14,3	12,3	8,1
• Employés	30,3	7,0	11,9	8,2
• Ouvriers qualifiés, contremaîtres	20,4	7,4	10,9	8,3
• Ouvriers non qualifiés	9,6	1,8	11,1	8,8
• Retraités	20,2	1,6	20,1	9,4

INSEE

La durée moyenne des vacances d'hiver tient compte des vacances prises à Noël et de celles prises plus tard, en particulier au moment des vacances scolaires.

Seuls 8 % des Français sont partis aux sports d'hiver. Cette proportion tend à se stabiliser, après la chute continue entre 1987 et 1990. Elle est inférieure au record de 10 % atteint en 1984. Ce type de vacances est recherché principalement par les citadins et, singulièrement, par les Parisiens (14 %).

La baisse de la durée moyenne a été stoppée.

Au cours de l'hiver 1975-76, les vacanciers étaient partis en moyenne 15,4 jours. La durée avait atteint un minimum de 13,6 jours en 1989-90, au terme de quatre années successives de baisse. Cette diminution était liée pour l'essentiel à la baisse de la durée des séjours aux sports d'hiver.

Au cours de l'hiver 1992-93, les vacanciers sont partis en moyenne 13,9 jours, dont 8,6 jours aux sports d'hiver. La durée varie peu en fonction de la catégorie socioprofessionnelle ou de l'âge ; elle est cependant un peu moins longue pour les agriculteurs (8,7 jours) et beaucoup plus longue pour les retraités (20,1).

La majorité des personnes qui sont parties n'ont pris qu'une fois des vacances d'hiver, mais 30 % ont effectué au moins deux séjours.

8,3 % des Français se sont rendus dans les stations de sports d'hiver.

La proportion de Français partant aux sports d'hiver avait diminué fortement entre 1985 et 1990, passant de 9,6 % à 7,1 %. Le faible enneigement des stations au cours des hivers 1988 à 1990 était largement responsable de cette baisse. 1992 et 1993 ont été meilleures et le ski a profité de la tenue des jeux Olympiques d'Albertville et des travaux d'équipement réalisés pour la circonstance.

Les écarts entre les catégories sociales sont encore plus marqués que pour les départs en vacances d'hiver en général. Les cadres et professions libérales sont proportionnellement 12 fois plus nombreux à partir aux sports d'hiver que les ouvriers non qualifiés ou les retraités, 5 fois plus que les agriculteurs, 3,5 fois plus que les employés. Les écarts tendent à diminuer, mais la « démocratisation » de la neige est donc encore loin d'être réalisée. Les ménages ayant des enfants partent plus fréquemment que les autres aux sports d'hiver.

➤ Le chiffre d'affaires annuel du tourisme en montagne est estimé à 20 milliards de francs.

La montagne attire les citadins

Arc

La durée moyenne des séjours aux sports d'hiver était de 13,2 jours en 1975-76. Elle n'est plus que de 8,6 jours en 1992-93.

La durée des séjours aux sports d'hiver n'a pas suivi l'augmentation des taux de départs en vacances d'hiver. La principale raison est sans doute économique ; le budget d'une famille de quatre personnes, dont deux enfants en âge de skier, dépasse 10 000 francs pour une semaine, ce qui décourage bon nombre de prétendants à l'ivresse des cimes. A budget égal, certaines familles préfèrent donc chercher le soleil des Baléares ou d'autres destinations proches.

Les dates des départs dépendent largement de celles des vacances scolaires, en février et mars ; plus de 40 % des vacanciers de cette période partent aux sports d'hiver, 5 % seulement en avril.

Les Alpes restent la destination favorite des skieurs, avec 68 % des séjours en montagne, loin devant les Pyrénées (14 %).

La montagne est la première destination des vacances d'hiver. 5 % des séjours d'hiver ont lieu à l'étranger.

40 % des séjours d'hiver ont été effectués en montagne, dont 9 % hors sports d'hiver. Les départs dans les stations de ski, souvent associés aux vacances d'hiver, ne représentaient que 22 % des séjours en France. 26 % des séjours ont été effectués à la campagne, 20 % à la mer (l'Atlantique dans la

moitié des cas), 18 % dans des villes, 5 % sous forme de circuits.

Seuls 5 % des Français sont partis à l'étranger, une proportion stable depuis quelques années. Mais les séjours hors de France sont plus longs : 11 jours contre 9. La moitié se déroulent dans un pays de l'Union européenne ; on note cependant un accroissement des voyages en Afrique du Nord, principalement Maroc et Tunisie. Le tiers des séjours se déroulent dans la famille proche, la moitié dans les pays de l'Union. Ces vacances concernent surtout les Parisiens et les familles aisées.

Hébergement gratuit dans deux cas sur trois

Plus de la moitié des ménages (56 %) partant en vacances d'hiver se font héberger gratuitement par des parents ou des amis, dont un quart dans une résidence secondaire qui leur est prêtée. 12 % partent dans leur propre résidence secondaire. 16 % prennent une location, 7 % vont à l'hôtel, 4 % choisissent la formule du village de vacances, 1 % la caravane.
Ces proportions varient bien sûr selon le type de séjour. Le recours à l'hôtel et à la location est beaucoup plus fréquent dans le cas de circuits ou de sports d'hiver. La caravane est utilisée par 6 % de ceux qui effectuent des circuits.

➤ Pendant les week-ends, 65 % des Français restent à la maison à lire, regarder la télévision, bricoler, écouter de la musique, 39 % sortent au moins une journée, se promènent dans les rues ou à la campagne, 20 % travaillent (à la maison ou ailleurs), 19 % partent à la campagne dans leur résidence secondaire, chez des parents ou amis, 16 % bricolent, 14 % jardinent, 14 % font une « virée », une journée ou plus, en vélo, moto, voiture, train, car ..., 11 % font des courses, 11 % font du sport, seul ou en club, en salle ou en plein air, 10 % vont au cinéma, au théâtre, au restaurant.
➤ S'ils avaient le choix et sans penser au prix, 28 % des Français choisiraient un week-end au soleil, 19 % dans une auberge de campagne, 16 % dans une capitale européenne, 11 % une visite des châteaux de la Loire, 9 % un week-end de remise en forme dans une station thermale, 8 % un week-end sportif, 5 % un week-end gastronomique.
➤ Le taux de départ en vacances d'hiver des agriculteurs est passé de 3,4 % en 1974-75 à 14,5 % en 1992-93. Il est passé de 11,0 % à 20,2 % pour les inactifs. Dans le même temps, le taux de départ des cadres et professions libérales n'est passé que de 50 % à 58 %.
➤ La France compte environ 8 millions de skieurs.

GRANDES VACANCES

57 % de départs. Plus souvent mais moins longtemps ◆ Attention croissante aux dépenses de voyage et de séjour ◆ Près de neuf vacanciers sur dix restent en France ◆ Un départ sur huit à l'étranger, un séjour sur cinq ◆ Engouement croissant pour le « tourisme vert » et pour les activités culturelles ◆ Séparation moins nette entre temps contraint et temps libre

DÉPARTS

Pour beaucoup de Français, les « vraies » vacances restent celles de l'été.

Le soleil de la mer ou de la campagne vient récompenser onze mois d'efforts, de contraintes, voire de frustrations. Pour être réussies, les vacances doivent donc marquer une rupture avec la vie quotidienne : farniente, bronzage, gastronomie, fête et insouciance...

Mais d'autres refusent que l'équilibre de leur vie soit fait d'une moyenne entre deux périodes (de longueur très inégale), dont l'une serait caractérisée par la contrainte, l'autre par le défoulement. C'est cette seconde conception de l'emploi du temps de la vie qui tend aujourd'hui à se développer parmi les Français. Les vacances ne sont plus désormais aussi séparées des autres moments de la vie ; c'est pourquoi les modes de vie en vacances ont changé.

Un été 93

Evolution du taux de départ en vacances d'été et de la durée des séjours :

	1965	1970	1980	1985	1986	1987	1988	1989	1990	1991	1992	1993
• Taux de départ (%)	41,0	44,6	53,3	53,8	54,1	54,2	55,5	56,5	55,1	55,6	55,3	56,7
• Proportion de séjours à l'étranger (%)	-	-	16,5	16,7	18,5	18,0	19,0	19,0	18,5	17,1	17,0	16,9
• Nombre moyen de jours par vacancier	27,2	27,3	24,9	24,6	24,0	23,5	23,4	23,3	23,3	22,6	21,9	21,9

Taux de départ en été 1993, selon la catégorie socioprofessionnelle et le lieu de résidence (%) :

Catégorie socioprofessionnelle	1993	Commune de résidence	1993
• Exploitants et salariés agricoles	37,6	• Commune rurale	43,8
• Patrons de l'industrie et du commerce	52,5	• Agglomération (autre que Paris)	57,6
• Cadres supérieurs et professions libérales	87,3	• Agglomération parisienne (sauf Paris)	74,0
• Professions intermédiaires	78,2	• Paris intra-muros	81,1
• Employés	58,7		
• Ouvriers qualifiés, contremaîtres	56,1	**Ensemble de la population**	**56,7**
• Ouvriers non qualifiés	39,9		
• Retraités	41,1		
Ensemble de la population	**56,7**		

Répartition des journées de vacances d'été 1993 selon le mode d'hébergement et l'endroit (%) :

Hébergement	Circuit	Mer	Campagne	Ville	Montagne	Total
• Hôtel	33,4	5,3	4,2	11,8	9,6	**7,7**
• Location	5,0	22,6	9,0	4,8	27,4	**17,6**
• Résidence secondaire	0,5	10,7	13,5	3,0	8,6	**9,9**
• Résidence principale (parents, amis)	13,8	16,5	47,6	66,1	14,8	**27,8**
• Résidence secondaire (parents, amis)	6,0	16,3	10,1	4,2	9,7	**12,2**
• Tente	14,1	8,2	4,5	2,7	7,5	**7,0**
• Caravane	15,4	12,7	4,8	3,7	8,4	**9,5**
• Village de vacances	2,3	5,7	4,1	1,9	10,1	**5,5**
• Autres	9,5	2,1	2,3	1,9	3,9	**2,8**
• Total	100,0	100,0	100,0	100,0	100,0	**100,0**

INSEE

Congés payés : la longue marche

Les Français ont entamé leur conquête des vacances en 1936 ; pour la première fois, les salariés disposaient de deux semaines de congés payés par an. Ils n'ont cessé depuis de gagner de nouvelles batailles : une troisième semaine en 1956, une quatrième en 1969, une cinquième en 1982. Beaucoup, par le jeu de l'ancienneté ou de conventions particulièrement avantageuses, disposent en fait d'au moins six semaines de congés annuels. De sorte que la France arrive en seconde position dans le monde pour la durée annuelle des vacances, derrière l'Allemagne.

56,7 % des Français sont partis en vacances au cours de l'été 1993.

Le taux de départ en vacances s'était régulièrement accru jusqu'en 1983 (plus un tiers en vingt ans). Après deux années de fléchissement en 1984 et 1985, il a repris sa croissance jusqu'en 1989, atteignant 56,5 %, avant de fléchir. Il a fallu attendre 1993 pour retrouver le niveau atteint quatre ans plus tôt ; les difficultés économiques n'ont donc pas eu d'incidence sur la décision de prendre des vacances.

Comme pour les vacances d'hiver, les différences entre catégories sociales sont marquées. Les cadres supérieurs et membres des professions libérales sont proportionnellement 2,3 fois plus nombreux à partir que les agriculteurs et 2 fois plus que les retraités. Les habitants des grandes villes (surtout Paris et son agglomération) partent plus que ceux des petites agglomérations. Les personnes âgées de 50 ans et plus partent moins que les plus jeunes.

Malgré l'accroissement global du taux de départ, 43 % des Français ne partent pas en vacances d'été au cours d'une année donnée, et un quart ne partent jamais. Certains parce qu'ils hésitent à se mêler à la foule des vacanciers, d'autres parce qu'ils ont des travaux à faire, un autre métier à exercer, ou parce qu'ils ne disposent pas des moyens financiers suffisants.

> ➤ 40 % des entreprises avaient au moins 80 % de leurs effectifs en vacances au mois d'août 1993.
> ➤ Le Var est le département qui accueille le plus de vacanciers : 40 millions de nuitées au cours de l'été 1993, devant la Charente-Maritime (28 millions), l'Hérault, la Vendée et le Morbihan (plus de 20 millions chacun).

Les Français partent plus souvent que les autres Européens

La proportion d'habitants de l'Union européenne partant en vacances est globalement comparable à celle constatée en France : environ la moitié au cours d'une année. Les taux les plus élevés sont ceux des pays du Nord : Pays-Bas, Danemark, Grande-Bretagne, RFA. Les départs en vacances concernent moins de la moitié des Portugais, des Irlandais, des Belges, des Espagnols et des Grecs. De tous les Européens, les Français sont les plus nombreux à partir plusieurs fois dans l'année (27 %, contre 19 % pour l'ensemble de l'UE) du fait des cinq semaines de congés légaux ainsi que des incitations ou obligations à fractionner les congés. Ils partent aussi plus rarement à l'étranger et utilisent moins les agences de voyage.

Les vacanciers partent plus souvent, mais moins longtemps.

Les Français tendent à fractionner leurs vacances d'été. 75 % des vacanciers de l'été 1993 sont partis une seule fois, 18 % deux fois et 7 % au moins trois fois. Le nombre moyen de séjours est de 1,4 par personne, contre 1,3 en 1987. Si les séjours sont plus nombreux, chacun d'eux est plus court : 16 jours en moyenne contre 17,8 jours en 1987. Ceux qui partent plus souvent prennent globalement plus de jours de congé que les autres. Mais le nombre total de journées est en baisse : 21,9 en moyenne, contre 23,3 en 1990 (26,4 jours en 1975 et 27,2 en 1965). On observe que la durée des vacances sur l'ensemble de l'année a aussi diminué, malgré l'attribution de la cinquième semaine de congés payés en 1982.

A l'exception des personnes âgées, ceux qui partent le plus sont aussi ceux qui partent le plus longtemps. Ce sont surtout des Parisiens et des ménages à revenus élevés. Les agriculteurs et les personnes habitant en milieu rural prennent des vacances plus courtes. Les ouvriers qualifiés sont proportionnellement peu nombreux à partir, mais ceux qui sont étrangers retournent souvent dans leur pays à l'occasion des vacances.

Plus de 80 % des départs ont lieu en juillet et en août.

Le projet d'étalement des vacances d'été reste un mythe. Face à la très forte concentration sur les mois de juillet et août, mai et juin représentent chacun moins de 5 % des journées de vacances, septembre à peine plus de 7 %. La première quinzaine d'août est la plus chargée, avec près de 30 % des départs. Les séjours sont plus longs au cours des deux principaux mois : 16,8 jours en moyenne contre 13,2 les autres mois. Les formules choisies diffèrent aussi ; juillet et août sont davantage consacrés au repos en famille et l'hébergement est plus souvent une résidence secondaire ou celle d'un parent ou ami. Les séjours à l'étranger sont plus fréquents en mai, juin et septembre et sont plus souvent destinés au tourisme, en dehors des visites familiales.

Les Français aiment découvrir la France

Les vacanciers font davantage attention à leurs dépenses.
En moyenne, les ménages consacrent environ 5 000 F à leurs vacances d'été.

Au cours des années 80, la plus faible augmentation du pouvoir d'achat et la généralisation de la cinquième semaine de congés ont contraint les Français à surveiller leur budget de vacances d'été, afin de pouvoir partir plus souvent. Plus récemment, la montée du chômage a entraîné des attitudes de crainte par rapport à l'avenir moins favorables aux dépenses. Celles consacrées aux distractions et à l'alimentation ont été les premières touchées.

Les abus constatés dans certaines régions touristiques ont aussi contribué à cette évolution des comportements. Beaucoup d'hôteliers et de restaurateurs ont vu leur chiffre d'affaires stagner, voire régresser au cours des dernières années.

La répartition des dépenses est très inégale selon les catégories sociales : 2,5 % de la population effectuent 10 % des dépenses d'hébergement, 16 % de celles de transports, 23 % des voyages organisés.

La prime aux vacances pas chères

Evolution de quelques types de vacances (en %) :

	1989	1990	1991	1992	1993
• Part des séjours à l'étranger (hors famille)	12,0	11,8	10,0	10,1	9,5
• Part des circuits	8,0	7,8	8,7	8,5	7,9
• Part des départs en avion	8,3	8,7	7,5	9,1	8,2
• Part des séjours en France					
- à l'hôtel	7,9	7,1	7,7	7,9	7,7
- en hébergement gratuit	50,0	49,4	50,2	49,3	49,9
* dont résidence secondaire de parents ou amis	10,9	10,5	11,5	12,1	12,2

INSEE

La moitié des vacanciers sont hébergés gratuitement.

Un vacancier sur dix passe ses vacances d'été dans sa résidence secondaire, tandis que 40 % sont hébergés par des parents ou amis dans leur résidence principale ou secondaire. Un vacancier sur quatre séjourne à l'hôtel ou en location, avec une forte augmentation de la part de cette dernière depuis quelques années. Les adeptes du camping ou du caravaning sont environ 17 %. Ces chiffres varient évidemment en fonction du type de séjour : les locations dominent à la mer et, surtout, à la ville ; l'hôtel est l'hébergement majoritaire lors de circuits ; les résidences principales des parents et amis sont les plus utilisées dans le cas de séjours à la campagne ou à la montagne.

➤ Le taux de remplissage moyen des hôtels appartenant à des chaînes intégrées françaises était de 58,3 % en 1993, contre 63 % en 1992. Le taux de remplissage des quatre étoiles a baissé de 7 points, celui des deux et trois étoiles de 6 points, celui des une étoile de 3,5 points.

Vacances à temps partagé

La France avait inventé dans les années 60 le concept de *multipropriété* : un ménage achetait pour une période donnée et limitée un appartement dans une résidence située sur un lieu de vacances. Après un fort développement, la formule allait connaître une période difficile due aux charges élevées supportées par les multipropriétaires (les périodes hors vacances scolaires se vendant mal, les frais étaient répartis sur un nombre trop restreint d'acquéreurs) et aux contraintes liées au système (obligation de prendre ses vacances au même endroit et à la même date chaque année).

Le système connaît aujourd'hui un nouvel essor avec la propriété à temps partagé *(time share)*. Grâce à la création de bourses internationales, les acquéreurs peuvent échanger leur période avec une autre, située dans l'une des nombreuses résidences affiliées dans le monde (plus de 3 000 pour le leader RCI), moyennant un abonnement à la bourse et une somme forfaitaire couvrant les frais d'échange. Environ 40 000 familles françaises sont aujourd'hui concernées (plus de 2 millions dans le monde).

On peut s'attendre à une forte progression de la demande au cours des prochaines années, car le concept se trouve au confluent de deux attentes caractéristiques de la société actuelle : la gestion du temps et la notion de partage. D'autant que le cadre juridique de cette activité, à mi-chemin entre l'immobilier et le tourisme, confère une protection accrue aux acquéreurs (loi de janvier 1986, révisée en 1992). Les acquéreurs achètent non plus un droit de propriété mais un droit de jouissance correspondant à une période donnée dans une résidence donnée. Ce droit est cessible, transmissible et renouvelable. De plus en plus, la demande se porte sur des résidences proposant des services (restauration, animation, sports, tourisme de proximité...).

Une minorité de Français font appel à des professionnels pour organiser leurs vacances.

A peine plus d'un vacancier sur dix fait appel à un voyagiste ; la moitié d'entre eux passent par une agence de voyage, l'autre moitié se répartit à peu près également entre les comités d'entreprise et les associations. Ce sont principalement les jeunes, les cadres et les retraités qui achètent des produits de vacances tout prêts ; 25 % d'entre eux habitent la région parisienne. Le recours aux professionnels est beaucoup plus répandu dans d'autres pays développés comme la Grande-Bretagne, l'Allemagne ou les Pays-Bas, où la proportion dépasse 50 %.

DESTINATIONS

79 % des vacanciers sont restés en France au cours de l'été 1993.

Cette très forte proportion ne varie guère dans le temps, malgré la baisse des prix des transports aériens et les invitations au voyage et à l'exotisme. Elle est très supérieure à celle que l'on mesure dans d'autres pays. Plus de quatre séjours à l'étranger sur dix ont pour but de rendre visite à sa famille (notamment pour des étrangers travaillant en France). La part des séjours à l'étranger qui ne sont pas effectués à ce titre est en diminution régulière depuis cinq ans (voir tableau ci-contre).

On peut citer au moins trois raisons à ce phénomène. La première est la richesse touristique de la France, avec sa variété de paysages et son patrimoine culturel. La seconde est le caractère plutôt casanier et peu aventurier des Français, qui ne parlent guère les langues étrangères et sont souvent méfiants à l'égard des autres cultures ou habitudes gastronomiques. Enfin, les contraintes financières ont pesé d'un poids croissant au cours des années 80, avec la stagnation du pouvoir d'achat, l'accroissement des inégalités de revenus et la crainte pour l'avenir, entraînant un retour de l'épargne de précaution.

44 % des séjours sont effectués à la mer, mais le « tourisme vert » se développe.

L'image symbolique de la mer baignée de soleil reste fortement ancrée dans l'inconscient collectif. Il s'y ajoute pour les plus jeunes l'attrait des sports nautiques (voile, planche à voile, ski nautique, etc.). Les plus fidèles sont les patrons, les cadres et professions libérales, les habitants d'Ile-de-France. Plus de 40 % des journées de vacances passées en France se déroulent en Bretagne, sur la côte atlantique ou méditerranéenne.

Pourtant, les Français se tournent aujourd'hui vers les régions intérieures, plus accessibles, qui gagnent à être connues. Les séjours à la campagne sont en progression ; ils représentaient 24 % des séjours et concernent surtout les ménages modestes et les habitants des grandes villes. Le développement se fait surtout dans les régions centrales récemment ouvertes au tourisme. Les vacanciers viennent y chercher le calme, l'authenticité et certains modes de vie oubliés dans les grandes villes et les régions à vocation touristique ancienne.

La montagne a attiré 14 % des vacanciers, dont beaucoup d'agriculteurs et d'habitants des communes rurales. Quatre vacanciers sur dix déclarent s'y rendre pour se reposer, deux sur dix pour se promener et un sur dix pour pratiquer un sport.

10 % des vacanciers se rendent dans des villes, principalement pour y rendre visite à des parents ou amis. Enfin, les circuits représentent 8 % des séjours d'été ; ils concernent surtout les ménages à hauts revenus et les personnes de plus de 50 ans, en particulier des retraités.

La première destination touristique du monde

60 millions de touristes étrangers sont venus visiter la France en 1993 (ou l'ont traversée pour se rendre dans un autre pays), soit un peu plus de touristes que d'habitants. Les plus nombreux étaient les Allemands, les Britanniques, les Italiens, les Belges, les Suisses, les Néerlandais. Le solde extérieur se montait à environ 60 milliards de francs.
Depuis 1989, année du bicentenaire de la Révolution, la France est redevenue le pays le plus visité au monde, devant les Etats-Unis et l'Espagne.
1994 devrait être encore une très bonne année touristique, en particulier avec la venue d'Américains lors des cérémonies de commémoration du débarquement, tandis que le nombre des touristes des pays d'Europe du Sud et de l'Est devrait poursuivre sa croissance.

12 % des Français sont partis à l'étranger au cours de l'été 1993.

Après avoir atteint un maximum de 13,4 % en 1989, la proportion de Français partant à l'étranger a baissé. Elle est très faible par rapport aux autres pays d'Europe, surtout au Nord : plus de 60 % des Néerlandais ou des Allemands, plus de 50 % des Belges ou des Irlandais, environ 40 % des Danois et des Anglais partent en vacances dans un autre pays. Les séjours à l'étranger représentent 17 % de l'ensemble des séjours.

Les taux les plus forts concernent les jeunes de moins de 30 ans, les Parisiens, les cadres et les patrons. La proportion très élevée parmi les ouvriers non qualifiés s'explique par les voyages d'immigrés dans leurs pays d'origine. 40 % des séjours à l'étranger avaient pour but de rendre visite à des parents ou amis, de sorte que la proportion de départs à l'étranger, en dehors de ces cas, n'est que de 13 % (au lieu de 21 % pour l'ensemble des séjours).

Un départ sur huit, un séjour sur cinq à l'étranger

Part des vacances d'été à l'étranger (en % de la population) :

	1977	1986	1990	1991	1992	1993
• Taux de départ à l'étranger	10,4	12,0	12,8	12,1	11,9	12,1
• Part des séjours à l'étranger	18,0	18,5	18,5	17,1	17,0	16,9
dont famille proche	*6,0*	*7,5*	*6,7*	*7,2*	*6,9*	*7,4*

INSEE

70 % des séjours à l'étranger ont eu lieu en Europe, dont près de la moitié dans la péninsule Ibérique.

La quête du soleil explique que les grands courants de migration se produisent dans le sens nord-sud. Près du tiers des séjours à l'étranger se sont déroulés en Espagne et au Portugal. On constate depuis quelques années une diminution importante de la place de l'Italie : 9 % des séjours en 1993 contre 15,4 % en 1979.

Hors d'Europe, c'est toujours l'Afrique du Nord qui reste la destination la plus fréquente, mais les chiffres sont faussés par le nombre des voyages effectués par des immigrés travaillant en France (65 % des séjours).

Les pays plus lointains (Etats-Unis, Canada, Asie, Amérique latine...) concernent une minorité de vacanciers : 9 %, dont plus de la moitié en Amérique du Nord. L'attirance des pays de l'Est, plus accessibles depuis leur début de libéralisation, devrait se faire sentir au cours des prochaines années ; ceux-ci ne représentent cependant qu'une faible proportion des séjours.

➤ La part des vacances « organisées » dans l'ensemble des séjours était de 11 % en 1992 pour les séjours en France : 3 % par un comité d'entreprise, 2 % par une association, 1,5 % par une collectivité locale, syndicat d'initiative ou office du tourisme, 2,5 % par une agence de voyages, 1 % par une agence immobilière, 1 % par un organisme pour les jeunes, 0,5 % par un club de vacances et 0,5 % par une compagnie de transport.

Cap au sud

Evolution de la répartition des séjours de vacances d'été à l'étranger, par groupe de pays (en %) :

	1977	1991	1993
• Andorre, Espagne, Portugal	38,7	32,6	29,4
• Europe de l'Ouest (1)	13,4	13,3	18,2
• Algérie, Maroc, Tunisie	9,1	13,1	15,0
• Pays lointains (2)	5,9	12,0	10,1
• Italie	15,3	9,2	8,3
• Îles Britanniques	7,2	6,6	5,6
• Grèce, Monaco, Turquie, îles méditerranéennes	3,8	6,4	7,4
• Europe de l'Est (y compris ex-URSS et ex-Yougoslavie)	2,6	2,4	2,8
• Autres pays	4,0	4,4	3,2
Total	100,0	100,0	100,0

(1) Allemagne, Autriche, Belgique, Danemark, Finlande, Islande, Luxembourg, Norvège, Pays-Bas, Suède, Suisse
(2) Afrique (sauf Maghreb), Amériques, Asie (sauf Turquie et URSS), Océanie.

INSEE

Les croisières attirent une clientèle croissante.

Avec 129 000 passagers en 1993 (contre 60 000 en 1987, non compris les croisières fluviales), la France est le troisième marché de la croisière en Europe, derrière l'Allemagne et la Grande-Bretagne et devant l'Italie. Les raisons de cette croissance tiennent à la plus grande diversité de l'offre, renforcée par l'arrivée de compagnies étrangères en France, et à des prix plus attractifs. Les croisières culturelles (musique, histoire...) se développent, ainsi que les voyages destinés aux personnes du troisième âge, les pèlerinages et les opérations de stimulation financées par des entreprises. Cette évolution devrait se poursuivre au cours des prochaines années, du fait de l'intérêt croissant des Français pour ce type de vacances ; les professionnels estiment le potentiel à 500 000 passagers d'ici l'an 2000, sous réserve d'une réelle politique de communication auprès du public, servie par une meilleure distribution.

32 % des croisières durent moins d'une semaine (3 à 6 jours), 37 % une semaine, 29 % de 10 à 14 jours, 2 % plus de deux semaines. Si la Méditerranée reste le lieu privilégié des croisiéristes, on constate un engouement pour les destinations lointaines (océan Indien, Extrême-Orient, nord de l'Europe). Le prix moyen est de 8 675 F par personne. La clientèle a rajeuni et s'intéresse à des nouveaux produits : croisières à voile ; minicroisières de 3-4 jours.

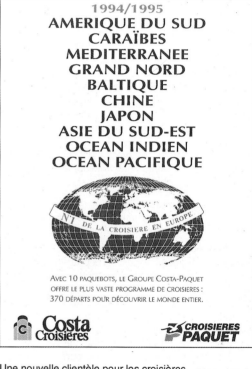

Audour, Soum, Larue/SMS

Une nouvelle clientèle pour les croisières

ACTIVITÉS

Les Français ne cherchent plus seulement des vacances reposantes, mais aussi enrichissantes.

Pour beaucoup de Français, les vacances restent une occasion privilégiée pour se reposer, se « changer les idées », « recharger les batteries » avant une nouvelle année de travail. D'autres sont au contraire partisans de vacances actives, consacrées à la découverte et à l'enrichissement personnel. Etymologiquement, vacance signifie « vide » (du latin : *vacuum*) ; or, on sait depuis Rabelais que la nature a horreur du vide. C'est particulièrement vrai de la nature humaine qui s'efforce de le combler par des activités.

Depuis quelques années, la formule des « 3 S » (soleil, sable, sexe) semble reculer devant celle des « 3 A » : activité, apprentissage, aventure. Mais, le plus souvent, les motivations de repos et de découverte coexistent. Elles varient cependant avec l'âge. Le sport occupe la première place chez les moins de 40 ans. Parmi les plus jeunes (moins de 20 ans), la recherche de l'aventure amoureuse tient également une place importante. Les vacances sont souvent pour les adolescents l'occasion du premier flirt et des premiers rapports sexuels.

A côté (ou à la place) des activités physiques en tout genre, la lecture est assez largement pratiquée par les vacanciers. Les enquêtes disponibles ne permettent pas de dire si c'est parce qu'ils regardent moins la télévision que pendant l'année (faute, souvent, de disposer d'un poste) ou parce que l'ambiance des vacances est plus propice à ce type de loisir.

Les activités sportives restent les plus pratiquées...

Pour beaucoup, les vacances constituent une occasion unique de s'initier à la pratique d'un sport ou de se perfectionner. Un Français sur deux pratique un sport au cours de ses vacances. Outre les activités nautiques comme la natation ou la planche à voile, d'autres sports comme l'escalade ou le parapente se développent. D'autres évoluent, tel le cyclisme qui utilise de plus en plus le VTT.

Les stages d'initiation ou de perfectionnement connaissent depuis quelques années un grand succès. Après le tennis, le golf attire chaque été un nombre croissant de vacanciers stagiaires. Les formules de « vacances aventure » (*trekking*, escalade, circuits à pied ou en voiture tout terrain) sont également davantage appréciées. Les phénomènes de mode ne sont évidemment pas absents de ces nouveaux comportements.

... mais les activités culturelles sont de plus en plus appréciées.

Beaucoup de Français souhaitent profiter des vacances pour enrichir leurs connaissances et découvrir des activités auxquelles ils n'avaient jamais eu l'occasion de s'intéresser. Les possibilités qui leur sont offertes sont aussi de plus en plus nombreuses, que ce soit pour s'initier à l'informatique, à la pratique d'un instrument de musique ou à la dégustation des vins. Les organisateurs de vacances multiplient les formules culturelles, artistiques, traditionnelles ou récentes, qui permettent à chacun de révéler ou de réveiller une vocation enfouie.

Le tourisme industriel et technique connaît depuis quelques années un développement spectaculaire ; en dix ans, le nombre de visiteurs est passé de 5 à 10 millions. Les sites hydrauliques ou nucléaires sont très fréquentés, de même que les caves ; celles de Champagne, à Reims, reçoivent plus de visiteurs que le musée Saint-Remi.

Le « tourisme du souvenir » connaît aussi un fort développement ; plus de 10 millions de personnes ont visité en 1993 les champs de batailles célèbres et autres hauts lieux de l'histoire. Les records devraient être largement battus en 1994, année du cinquantième anniversaire du débarquement allié sur les plages de Normandie.

Micro-entretien ▬▬▬▬▬▬▬

SERGE TRIGANO[*]

G.M. - *Que recherchent aujourd'hui les vacanciers ?*

S.T. - Leurs attentes sont multiples. Ils ont à la fois la volonté d'aller très loin découvrir un pays et celle de rester en France. A certains moments, ils ont envie de bronzer au soleil, de jouer au tennis ou au golf et de ne pas sortir du village. A d'autres moments, ils ont envie de partir loin, de marcher, de rencontrer les habitants de façon intelligente. Les gens veulent qu'on s'occupe d'eux mais ils ont en même temps envie d'être proches des autres.

On observe à la fois des tendances matérielles et immatérielles. Les gens veulent plus de confort, mais parfois acceptent de revenir à la nature dans des villages de paillotes, parce que ça les amuse d'être dans des conditions opposées à celles dans lesquelles ils vivent habituellement. Ils veulent être sûrs de la qualité du service, de pouvoir manger en tête à tête avec leur conjoint ou avec leurs amis, de pouvoir faire du sport et des activités très concrètes. Il y a en même temps une attente très précise sur le prix, sur la qualité, sur la brochure, et une attente immatérielle.

---

[*] Président du club Méditerranée.

*Les vacances tendent à devenir
« intelligentes ».*

Les motivations qui poussent les Français à ne pas « bronzer idiot » en vacances sont de deux ordres. Il y a la volonté de progresser à titre personnel, en profitant d'une période privilégiée, sans autres contraintes que celles que l'on s'impose. Il est ainsi possible de mettre à jour ses connaissances et de s'adapter à l'évolution de plus en plus rapide des techniques, des métiers et des modes de vie.

Beaucoup de vacanciers éprouvent également le désir de s'épanouir en découvrant de nouveaux domaines, en laissant s'exprimer des penchants personnels pour telle ou telle activité qu'ils n'avaient pu jusqu'ici explorer. Pour accroître leur culture ou leur expérience et, qui sait, faire un jour d'une passion de vacances un véritable métier dans lequel ils pourront s'exprimer.

*La séparation entre le temps contraint
et le temps libre s'estompe.*

Il en est des vacances comme de toutes les activités ; la séparation, jusqu'ici totale, entre les périodes de congés et celles consacrées au travail apparaît de moins en moins satisfaisante. Pour beaucoup, l'équilibre de la vie ne peut résider dans le contraste entre des occupations opposées, mais, à l'inverse, dans une plus grande intégration de chacune dans le quotidien. La volonté d'alliance entre les contraires est une tendance lourde et transversale de la société française (voir *Les dix grandes tendances*).

L'homme est par nature un personnage multidimensionnel. C'est en assumant de façon continue ses différentes composantes qu'il a le plus de chances de trouver l'harmonie. Cet état particulier que l'on appelle aussi bonheur...

INDEX

REMERCIEMENTS

L'auteur tient à remercier toutes les personnes et organismes qui ont bien voulu l'aider au cours de la réalisationn de cette édition. Ces remerciements s'adressent en particulier à (par ordre alphabétique) :

- **Agoramétrie**. Jean-Pierre PAGÈS, président.
- **CCFD** (Comité catholique contre la faim et pour le développement). Service de presse, Véronique GOURONNEC.
- **CDIA** (Centre de documentation et d'information de l'assurance). Service de presse, Chantal de GRANDSAIGNE.
- **CDIT** (Centre de documentation et d'information sur le tabac). Jean-Paul TRUCHOT, délégué général.
- **CESP** (Centre d'étude des supports de publicité). Service de presse, Sophie MALANDRIN.
- **Chambre des constructeurs français d'automobiles**. Service de presse, Pascale VAN DER VIT.
- **CNAMTS** (Centre national d'assurance maladie des travailleurs salariés). M. DUPRÉ, Melle MECHROUR.
- **CNC** (Centre national de la cinématographie). Service de presse.
- **Courrier International**. Alexandre ADLER, directeur éditorial, Chantal LESFAURIES, responsable des relations extérieures.
- **CREDOC** (Centre de recherche pour l'étude et l'observation des conditions de vie). Robert ROCHEFORT, directeur.
- **CSA**. Roland Cayrol, directeur.
- **CTCOE** (Centre textile de conjoncture et d'observation économique). Service de presse, Alain CAMILLERI.
- **Direction générale de la Gendarmerie nationale**. Service des relations publiques.
- **DOC 7**. Martine CATOIRE, directrice, Mireille PROUX.
- **La Documentation française**. Service de presse, Laurent DELMAS.
- **EUROSTAT**. Office des publications de Luxembourg, M. REINERT. Bureau de Paris, Mme TOUITOU.
- **Fédération française du prêt-à-porter féminin**. Service communication, Liseline LACROIX.
- **Fédération nationale de la coiffure**. Service de presse, M. MARÉCHAL.
- **Fédération nationale de l'industrie de la chaussure de France**. Olivier BOUISSOU, délégué général.
- **La Française des Jeux**. Service de presse, Brigitte ROTH.
- **GIFAM** (Groupement interprofessionnel des fabricants d'appareils d'équipement ménager). Service communication, Colette de NOVITAL.
- **INED** (Institut national d'études démographiques). Service de presse.
- **INSEE** (Institut national de la statistique et des études économiques). Irène MARTIN-HOULGATTE, Catherine DIARD et Philippe KOHLER du service de presse, Catherine ROWENCZYK, Alain BAYET et Jean-Pierre LE GLÉAU.
- **INSERM** (Institut national de la santé et de la recherche médicale). Docteur HATTON.
- **Laboratoire d'anthropologie appliquée**. Docteur IGNASI.
- **Médiamétrie**. Service Communication, Étiennette LOUISERRE, Claude TITINA.
- **Ministère des Affaires sociales, de la Santé et de la Ville**. Sesi (Service des statistiques, des études et des systèmes d'information), M. DUMAS, Mme COURMAYO.
- **Ministère de la Culture**. Direction de l'administration générale, département des études et de la prospective.
- **Ministère de l'Economie et du budget**. Direction de la communication, Michèle REBAUD.
- **Ministère de l'Éducation nationale**. Direction de l'évaluation et de la prospective.
- **Ministère de l'Environnement**. Service de presse.
- **Ministère de l'Équipement, des Transports et du Tourisme**. Service d'information et de communication, Blandine SENE.
- **Ministère de l'Intérieur et de l'Aménagement du territoire**. Service de l'information et des relations publiques.

- **Ministère de la Jeunesse et des Sports**. Bureau de la Communication, Isabelle CRUDO.
- **Ministère de la Justice**. Sous-direction de la statistique, des études et de la documentation, Laurent MALGORN.
- **Ministère du Travail**. Service de presse, Françoise DUSSERT.
- **Ministère de l'Urbanisme, du Logement et des Transports**. Direction de la sécurité et de la circulation routière, Service de presse et des relations extérieures, M. DUMONTET.
- **OCDE**. Service de presse.
- **L'Opiniomètre**, la lettre d'information internationale sur les sondages. Anika Michalowska, directrice de la publication.
- **PMU**. Service communication, Béatrice THELLER.
- **Radio France Internationale**. Philippe SAINTENY, directeur des programmes.
- **RENAULT**. Jacques GUILLIEM, service ergonomie, direction des études.
- **SÉCODIP**. Alain QUAGHEBEUR, directeur du développement.
- **Secrétariat général de l'épiscopat**. Service de presse, Nicole DENAIN, Bruno CHARMÉ.
- **Sécurité routière**. Sous-direction de la Communication, Pierre DUMONTET.

- **SIMAVELEC** (Syndicat des industries de matériels audiovisuels électroniques). Service de presse.
- **SID** (Service d'information et de diffusion du Premier ministre). Nicole FAVARDIN, Colette GIRALDON.
- **SNE** (Syndicat national de l'édition). Jean-François ALBAT.
- **SNEP** (Syndicat national de l'édition phonographique). Service de presse, Patricia SARRANT-CABANES.
- **SOFRES**. Éric STEMMELEN, directeur du département Sémiométrie.
- **Stratégies**. Service de presse, Pierre MANDRON.
- **TMO-Consultants**. Isabelle CREBASSA, responsable de la réalisation pour la France de l'Eurobaromètre.
- **UNSOF** (Union syndicale des syndicats d'opticiens de France). Catherine JEGAT.

L'auteur remercie enfin **Bernard BROSSOLLET**, directeur du département Savoirs et Références, **Jules CHANCEL** et **Fabienne JACOB**, interlocuteurs permanents chez **LAROUSSE**.

La mise en pages de cette édition a été effectuée par Francine MERMET, à l'aide des logiciels VENTURA et COREL DRAW, distribués en France par ADVITAM (Jean-Michel BRAITBART).

Les cartes régionales ont été réalisées avec le logiciel CARTES ET BASES d'ADDE (Carol FRACHON).

Mame Imprimeurs - 37000 Tours
Dépôt légal Septembre 1994 - N° de série éditeur 18298.
Imprimé en France *(Printed in France)* 503094 - septembre 1994

QUESTIONNAIRE

FRANCOSCOPIE correspondra d'autant mieux à vos propres attentes que vous nous les ferez connaître.
Merci de remplir le questionnaire ci-dessous, de le découper et de le retourner à :

Gérard MERMET - FRANCOSCOPIE
175, boulevard Malesherbes 75017 PARIS

Cochez les cases correspondantes :

Etes-vous satisfait...	Oui	Moyen	Non	Commentaires
• De la présentation générale				
• De la structure des chapitres				
• Des textes et des analyses				
• Des graphiques et des tableaux				
• Des photos d'illustration				
• Des dessins				
• Du livre dans son ensemble				

QUELLE EST VOTRE UTILISATION PRINCIPALE DU LIVRE ?

□ Culture personnelle   □ Utilisation professionnelle

COMBIEN DE PERSONNES UTILISENT VOTRE EXEMPLAIRE ?

□ 1   □ 2   □ 3   □ 4   □ plus de 4

QUELLES ÉDITIONS PRÉCÉDENTES AVEZ-VOUS ACHETÉES OU UTILISÉES ?

□ La 1re (1985)   □ La 2e (1987)   □ La 3e (1989)   □ La 4e (1991)   □ La 5e (1993)   □ Aucune

Suite au dos

COMMENT AVEZ-VOUS CONNU FRANCOSCOPIE ?

☐   ☐   ☐   ☐   ☐   ☐   ☐

Publicité   Médias   Bouche à oreille   Librairie   Bibliothèque   Bibliographies   Autre
(préciser)

SERIEZ-VOUS PRÊT À PAYER LE LIVRE PLUS CHER POUR DISPOSER DE :

☐   ☐   ☐

La couleur   Plus de pages   Une couverture   Si oui, quel prix vous paraîtrait
(photos, graphiques)   combien : .....   cartonnée   acceptable :   ...... F

QUELLES SONT VOS SUGGESTIONS POUR LA PROCHAINE ÉDITION
(contenu, structure, présentation...) ?

Facultatif :

NOM :   **Prénom** :

Profession :   **Âge :**

Adresse :